主编◇陈文新

本卷主编◇赵逵夫

中国文学编年史

周秦卷

盧中南

本卷撰稿人（按姓氏笔画排序）

赵逵夫　贾海生　韩高年　裴登峰

☆国家社会科学基金项目

总　序

纪传体、编年体是中国传统史书的两种主要体裁，而编年体的写作远较纪传体薄弱。《四库全书总目》卷四七史部编年类小序已明确指出这一事实："司马迁改编年为纪传，荀悦又改纪传为编年。刘知幾深通史法，而《史通》分叙六家，统归二体，则编年、纪传均正史也。其不列为正史者，以班、马旧裁，历朝继作。编年一体，则或有或无，不能使时代相续。故姑置焉，无他义也。"① 与古代历史著作的这种体裁格局相似，在20世纪的中国文学史写作中，也是纪传体一枝独秀，不仅在数量上已多到难以屈指，各大专院校所用的教材也通常是纪传体，这类著作的核心部分是作家传记（包括作家的创作经历和创作成就）。编年类的著作，则虽有陆侃如、傅璇琮、曹道衡、刘跃进等学者做了卓有成效的工作，但就总体而言，仍有大量空白，尤其是宋、元、明、清、现、当代部分，历时一千余年，文献浩繁，而相关成果甚少。这样一种状况，自然是不能令人满意的。这套十八卷的《中国文学编年史》的编纂出版，即旨在一定程度地改变这种状况。

文学史是在一定的空间和时间中展开的。纪传体的空间意识和时间意识以若干个焦点（作家）为坐标，对文学史流程的把握注重大体判断。其优势在于，常能略其玄黄而取其隽逸，对时代风会的描述言简意赅，达到以少许胜多许的境界。若干重要的文学史术语如"建安风骨"、"盛唐气象"、"大历诗风"等，就是这种学术智慧的凝

① 永瑢等撰：《四库全书总目》，第418页，北京，中华书局，1965。

结。但是，由于风会之说仅能言其大概，“个别”和“例外”（即使是非常重要的“个别”和“例外”）往往被忽略，不免留下遗憾。一些跨时代的作家，如李煜、刘基、张岱等人，在文学史中的时代归属与其代表作的实际创作年代也常有不吻合的情形。例如，李煜被视为南唐作家，而他最好的词写在宋初；刘基被视为明代作家，而他最好的诗、文写在元末；张岱被视为明代作家，而其代表作多写于清初。比上述情形更具普遍性的，还有下述事实：我们讲罗贯中的《三国志通俗演义》，往往以毛宗岗修订本为例；我们讲施耐庵的《水浒传》，往往以百回繁本为例；我们讲兰陵笑笑生的《金瓶梅》，往往以崇祯本为例。这就出现了两方面的问题：第一，我们讲的并不是作家的原著；第二，我们忽略了读者的接受情形。这类涉及风会与例外、作家时代归属与作品实际创作、传播与接受两方面的问题，以纪传体来解决，由于受到体例的限制，往往力不从心，采用编年体，解决起来就方便多了：不难依次排列，以展开具体而丰富多彩的历史流程。

与纪传体相比，编年史在展现文学历程的复杂性、多元性方面获得了极大的自由，但在时代风会的描述和大局的判断上，则远不如纪传体来得明快和简洁。作为尝试，我们在体例的设计、史料的确认和选择方面采用了若干与一般编年史不同的做法，以期在充分发挥编年史长处的同时，又能尽量弥补其短处。我们的尝试主要在三个方面：其一，关于时间段的设计。编年史通常以年为基本单位，年下辖月，月下辖日。这种向下的时间序列，可以有效发挥编年史的长处。我们在采用这一时间序列的同时，另外设计了一个向上的时间序列，即：以年为基本单位，年上设阶段，阶段上设时代。这种向上的时间序列，旨在克服一般编年史的不足。具体做法是：阶段与章相对应，时代与卷相对应，分别设立引言和绪论，以重点揭示文学发展的阶段性特征和时代特征（现当代文学因时间周期较短，拟省略阶段，不设引言）。其二，历史人物的活动包括“言”和“行”两个方面，“行”（人物活动、生平）往往得到足够重视，“言”则通常被忽略。而我们认为，在文学史进程中，“言”的重要性可以与“行”相提并论，特殊情况下，其重要性甚至超过“行”。比如，我们考察初唐的文学，不读陈子昂的诗论，对初唐的文学史进程就不可能有真正的了解；我们考察嘉靖年间的文学，不读唐宋派、后七子的文论，对这一时期的文学景观就不可能有准确的把握。鉴于这一事实，若干作品序跋、友朋信函等，由于透露了重要的文学流变信息，我们也酌情收入。其三，较之政治、经济、军事史料，思想文化活动是我们更加关注的对象。中国文学进程是在中国历史的背景下展开的，与政治、经济、军事、思想文化等均有显著联系，而与思想文化的联系往往更为内在，更具有全局性。考虑到这一点，我们有意加强了下述三方面材料的收录：重要文化政策；对知识阶层有显著影响的文化生活（如结社、讲学、重大文化工程的进展、相关艺术活动等）；思想文化经典的撰写、出版和评论。这样处理，目的是用编年的方式将中国文学进程及与之密切相关的中国思想文化变迁一并展现在读者面前。

《中国文学编年史》是一个基础性的重大学术工程，文献的广泛调查和准确使用是做好编纂工作的首要前提。《四库全书》、《续修四库全书》、《四库存目丛书》、《四库禁毁书丛刊》、《丛书集成》、《笔记小说大观》等是我们经常使用的典籍，近人和今人整理出版的别集、总集，大量年谱（如徐朔方《晚明曲家年谱》），以及文、史、哲方面的编年史，均在参考范围之内，限于体例，未能一一注明，谨此一并致谢。在使用上述文献的过程中，我们采取的是一种如履薄冰、如临深渊的谨慎态度。这是因为，相当一部分典籍是由我们第一次标点，这一工作的难度是不言而喻的。即使是前人已经整理的典籍，我们也并不直接采用，而是根据自己的理解再整理一次。这样做当然增加了工作量，但确有许多好处，若干错误就是在这一过程中得到纠正的，有些错误的纠正涉及基本事实的澄清。比如，张大复《皇明昆山人物传》卷八记梁辰鱼晚年情形，有云："（梁氏）当除夕遇大雪，既寝不寐。忽令侍者遍邀诸年少，载酒放歌，绕城一匝而后就睡。曰：'天为我辈雨玉，可令俗人蹴踏之耶?'时年已七十矣。亡何，中恶，语不甚了。有老奴李用者，颇省其说，尚有注记。得岁七十有三。"一位学者将"中恶，语不甚了"标点为"中恶语，不甚了"，并就此推论说："梁辰鱼七十岁时遭遇暧昧不明的事件。""《皇明昆山人物传》的上述记载本意是为贤者讳，事实上倒很可能为统治者隐盖了迫害异己文人的一件罪行。"这就不免弄错了事实。"中恶"即突然患急病，正所谓"老健春寒秋后热"，老年人得急病是常见的情形。而"中恶语"的表述，明显不符合古人的语言习惯。再如，陈田《明诗纪事》将正德时期的傅汝舟与明末的傅汝舟混为一人，将两人的生平搅在一起，其按语云："丁戊山人诗初矜独造，晚遁荒诞，择其入格者录之，亦是幽弦孤调。山人享大年，具异才，谈佛谈仙，亦作北里中艳语。初与郑少谷游，晚乃与茅止生、卓去病、张文寺、文太青倡和，支离怪诞，无所不有。少谷集中无是也。论者乃专谓山人刻意学少谷，何哉?”《明诗纪事》近三百万言，卓有建树，是研究明诗的必备案头书。但关于傅汝舟，陈田的确弄错了。郑善夫（1485—1523）号少谷，以学杜著称，学郑少谷的是正德年间的傅汝舟；文翔凤号太青，万历三十八年（1610）进士，与文太青等唱和的是明末的傅汝舟。两个傅汝舟之间相距约百年，陈田想当然地将二者合为一人，说他“享大年”，又说他前期学郑少谷，后期学竟陵派，曲意弥缝，令人哑然失笑。其他种种，如部分文学家辞典对作家生卒年的误注，若干点校本的断句错误等，我们都在力所能及的范围内做了纠正。提到这些情况，不是想证明我们的水平有多高，而意在告诉读者：我们的工作态度是认真的，有志于为读者提供一部值得信赖的编年史著述。

《中国文学编年史》的编纂得到了北京大学、武汉大学、南京大学、中国人民大学、中国社会科学院、中国艺术研究院、中华书局、陕西师范大学、西北师范大学、华中师范大学、山东师范大学、山东曲阜师范大学、中南民族大学、中南财经政法大学等单位专家和领导，尤其是武汉大学领导的支持；湖南省新闻出版局、湖南出版投资控股集团及湖南人民出版社鼎力支持编年史的编纂出版，所有这些，我们将永远铭记在心。

陈文新

2006 年 7 月 23 日于武汉大学

凡　例

一、《中国文学编年史》以编年形式演述中国文学发展历程，凡十八卷：第一卷周秦、第二卷汉魏、第三卷两晋南北朝、第四卷隋唐五代（上）、第五卷隋唐五代（中）、第六卷隋唐五代（下）、第七卷宋辽金（上）、第八卷宋辽金（中）、第九卷宋辽金（下）、第十卷元代、第十一卷明前期、第十二卷明中期、第十三卷明末清初、第十四卷清前中期（上）、第十五卷清前中期（下）、第十六卷晚清、第十七卷现代、第十八卷当代。

二、编年史各卷据文学发展的不同阶段划分为若干章（如无必要，或不分章）。章的标目方式是："××章　××年至××年，共××年"。关于某一阶段文学的总体评论放在该章的首年之前，如明前期卷"第一章　洪武元年至建文四年，共35年"，在章目下，"洪武元年"之前，单列明前期卷"引言"一目。关于某一时代文学的综合论述，放在卷首。如元代卷，在第一章前，单列元代文学"绪论"。

三、编年史各卷所收录内容的构架大体统一，重点包括七个方面：1．重要文化政策；2．对文学发展有显著影响的文化生活（如结社、讲学、重大文化工程的进展、相关艺术活动等）；3．作家交往（唱和、社团活动等）；4．作家生平事迹；5．重要作品的创作、出版和评论；6．争鸣（团体之间、个人之间在重要问题上的论辩等）；7．其他。

四、叙事以纲带目，即在征引相关文献之前有一句或数句概述。如，先总叙一句"俞宪编《盛明百家诗》成书"，再征引相关序跋、著录、评议。前者为纲，后者为目，纲、目配合，旨在完整地呈现文学史事实。少量见于常用工具书的重要史实，或不必展开的文学史事实，则列纲而略目，以省篇幅。

五、公历纪年年初与中国传统纪年年末不属同一年份，如公元1899年元月1日至12月31日对应于光绪二十四年戊戌十一月二十七日至光绪二十五年己亥十一月二十九日，而不对应于光绪二十五年己亥正月初一至十二月三十日。我们采用变通的处理方法，以公历纪年，而以农历纪月，比如，凡光绪二十五年己亥正月至十二月之内的内容均置于公元1899年下。作家生卒年，仍据公历标注，其他以此类推。现、当代文学部分，纪年、纪月均据公历。

六、同一年内之文学史实，按月份先后顺序排列。月份不详而仅知季度的，春季置于三月之后，夏季置于六月之后，其他以此类推。季度、月份均不详者，另设“本年”目统之。

七、一部分重要文学史实，年月不详而仅知大体时段者，在年号之末另设“××年间”目统之，如嘉靖四十五年之后另设“嘉靖年间”一目。

八、引用序跋，一般采用“作者+篇名”的方式，如“臧懋循《唐诗所序》”。引用序跋之外的诗文等作品，一般采用“集名+卷次+篇名”的方式，如“《有学集》卷三一《隐湖毛君墓志铭》”，采用“作者+篇名”的方式，如“钱谦益《隐湖毛君墓志铭》”。无篇名者则省略，如“《艺苑卮言》卷三”。某作者集中所收为他人别集所作的序跋，亦采用这一方式，如“《太函集》卷二二《弇州山人四部稿序》”。引用正史，一般采用“正史名+本传或××传”的方式，“如《明史》本传”或“《明史》李攀龙传”，不标卷次。引用《四库全书总目提要》，或用全称，或简称“四库提要”，只标明卷次。如“四库提要卷一五三”。引用地方志，标明纂修年代，如“光绪《乌程县志》卷三一”。据类书转引时，注明原出处，如“《太平广记》卷二〇《阴隐客》（出《博异志》）”。引用报刊，注明年月日或卷次。

九、作者小传一般置于生年。有些作家，虽生年在上一卷，但在上一卷无文学活动，其小传酌情移入本卷首次出现时。如杨士奇，元亡时才4岁，其小传置于明前期卷，出生时只交代：“杨士奇（1365—1444）生”，不列小传。现、当代作者，因传记资料常见，相关作家小传酌情收录。

十、对于某一作家的总体评论和重要著录一般置于卒年。某作者卒年在下一卷，但在下一卷无重要文学活动，主要评论材料酌情置于本卷。如易顺鼎（1858—1920），其评论材料集中于晚清卷，不入现代卷。

十一、作家代表作一般不录原文，但收录重要评论材料，并酌情说明相关选本收录情形。

十二、需要补充交待而占用篇幅较大的文学史事实，设少量“附录”。对若干需要辨证的史实，设按语加以说明。以提供文献线索为主，不详加征引。

目 录

第二章　周平王元年至周贞定王三十五年（公元前770年—公元前454年）共317年

第三章 周贞定王十六年至秦王政二十五年（公元前453年—公元前222年）共231年

绪 论

《左传·襄公二十九年》：请观于周乐。使工为之（季札）歌《周南》、《召南》，曰："美哉！始基之矣，犹未也，然勤而不怨矣。"为之歌《邶》、《鄘》、《卫》，曰："美哉渊乎！忧而不困者也。吾闻卫康叔、武公之德如是，是其《卫风》乎！"为之歌《王》，曰："美哉！思而不惧，其周之东乎！"为之歌《郑》，曰："美哉！其细已甚，民弗堪也，是其先亡乎！"为之歌《齐》，曰："美哉！泱乎！大风也哉！表东海者，其大公乎！国未可量也。"为之歌《豳》，曰："美哉！荡乎！乐而不淫，其周公之东乎！"为之歌《秦》，曰："此之谓夏声。夫能夏则大，大之至也，其周之旧乎？"为之歌《魏》，曰："美哉！沨沨乎！大而婉，险而易行，以德辅此，则明主也。"为之歌《唐》，曰："思深哉！其有陶唐氏之遗民乎！不然，何其忧之远也？非令德之后，谁能若是？"为之歌《陈》，曰："国无主，其能久乎？"自《郐》以下无讥焉。为之歌《小雅》，曰："美哉！思而不贰，怨而不言，其周德之衰乎？犹有先王之遗民焉。"为之歌《大雅》，曰："广哉！熙熙乎！曲而有直体，其文王之德乎？"为之歌《颂》，曰："至矣哉！直而不倨，曲而不屈，迩而不逼，远而不携，迁而不淫，复而不厌，哀而不愁，乐而不荒，用而不匮，广而不宣，施而不费，取而不贪，处而不底，行而不流。五声和，八风平，节有度，守有序，盛德之所同也。"见舞《象箾》、《南籥》者，曰："美哉！犹有憾。"见舞《大武》者，曰："美哉！周之盛也，其若此乎？"见舞《韶濩》者，曰："圣人之弘也，而犹有惭德，圣人之难也。"见舞《大夏》者，曰："美哉！勤而不德。非禹，其谁能修之？"见舞《韶箾》者，曰："德至矣哉！大矣，如天之无不帱也，如地之无不载也。虽甚盛德，其蔑以加于此矣，观止矣！若有他乐，吾不敢请已。"

《荀子·儒效》：圣人也者，道之管也，天下之道管是矣，百王之道一是矣。故《诗》、《书》、《礼》、《乐》之道归是矣。《诗》言是，其志也；《书》言是，其事也；《礼》言是，其行也；《乐》言是，其和也；《春秋》言是，其微也。故《风》之所以为不逐者，取是以节之也；《小雅》之所以为《小雅》者，取是而文之也；《大雅》之所以为《大雅》者，取是而光之也；《颂》之所以为至者，取是而通之也。

《史记·太史公自序》：《易》著天地阴阳四时五行，故长于变；《礼》经纪人伦，故长于行；《书》记先王之事，故长于政；《诗》记山、川、溪、谷、禽兽、草木、牝牡、雌雄，故长于风；《乐》所以立，故长于和；《春秋》辩是非，故长于治人。是故《礼》以节人，《乐》以发和，《书》以道事，《诗》以达意，《易》以道化，《春秋》以道义。拨乱世，反之正，莫近于《春秋》。《春秋》文成数万，其指数千，万物之聚散，皆在《春秋》。

《史记·太史公自序》：昔西伯拘羑里，演《周易》；孔子戹陈、蔡，作《春秋》；屈原放逐，著《离骚》；左丘失明，厥有《国语》；孙子膑脚，而论兵法；不韦迁蜀，世传《吕览》；韩非囚秦，《说难》、《孤愤》；《诗》三百篇，大抵圣贤发愤之所为作也。此人皆意有所郁结，不得通其道也，故述往事，思来者。

《汉书·地理志》：凡民函五常之性，而其刚柔缓急，音声不同，系水土之风气，故谓之风；好恶取舍，动静无常，随君上之情欲，而谓之俗……秦之先曰柏益，出自帝颛顼，尧时助禹治水，为舜朕虞，养育草木鸟兽，赐姓嬴氏，历夏、殷为诸侯。至周有造父，善驭习马，得华骝、绿耳之乘，幸于穆王，封于赵城，故更为赵氏。后有非子，为周孝王养马汧、渭之间。孝王曰："昔伯益知禽兽，子孙不绝。"乃封为附庸，邑之于秦，今陇西秦亭秦谷是也。至玄孙，氏为庄公，破西戎，有其地。子襄公时，幽王为犬戎所败，平王东迁雒邑。襄公将兵救周有功，赐受岐、酆之地，列为诸侯……故秦地于禹贡时跨雍、梁二州，《诗·风》兼秦、豳两国。昔后稷封邰，公刘处豳，大王徙岐，文王作酆，武王治镐，其民有先王遗风，好稼穑，务本业，故豳诗言农桑衣食之本甚备。有鄠、杜竹林，南山檀柘，号称陆海，为九州膏腴……

天水、陇西，山多林木，民以板为室屋。及安定、北地、上郡、西河，皆迫近戎狄，修习战备，高上气力，以射猎为先。故秦诗曰"在其板屋"；又曰"王于兴师，修我甲兵，与子偕行"。及《车辚》、《四𢧵》、《小戎》之篇，皆言车马田狩之事。……故秦地天下三分之一，而人众不过什三，然量其富居什六。吴札观乐，为之歌秦，曰："此之谓夏声。夫能夏则大，大之至也，其周旧乎？"

河内本殷之旧都，周既灭殷，分其畿内为三国，《诗·风》邶、庸、卫国是也。邶，以封纣子武庚；庸，管叔尹之；卫，蔡叔尹之：以监殷民，谓之三监。故《书序》曰"武王崩，三监畔"，周公诛之，尽以其地封弟康叔，号曰孟侯，以夹辅周室；迁邶、庸之民于雒邑，故邶、庸、卫三国之诗相与同风。《邶》曰"在浚之下"，《庸》曰"在浚之郊"；《邶》又曰"亦流于淇"，"河水洋洋"，《庸》曰"送我淇上"，"在彼中河"，《卫》曰"瞻彼淇奥"，"河水洋洋"。故吴公子札聘鲁观周乐，闻《邶》、《庸》、《卫》之歌，曰："美哉渊乎！吾闻康叔之德如是，是其卫风乎？"至十六世，懿公亡道，为狄所灭。齐桓公帅诸侯伐狄，而更封卫于河南曹、楚丘，是为文公。而河内殷虚，更属于晋。康叔之风既歇，而纣之化犹存，故俗刚强，多豪桀侵夺，薄恩礼，好生分。

河东土地平易，有盐铁之饶，本唐尧所居，《诗·风》唐、魏之国也。周武王子唐叔在母未生，武王梦帝谓己曰："余名而子曰虞，将与之唐，属之参。"及生，名之曰虞。至成王灭唐，而封叔虞。唐有晋水，及叔虞子燮为晋侯云，故参为晋星。其民有先王遗教，君子深思，小人俭陋。故《唐诗·蟋蟀》、《山枢》、《葛生》之篇曰"今我不乐，日月其迈"；"宛其死矣，它人是偷"；"百岁之后，归于其居"。皆思奢俭之中，念死生之虑。吴札闻《唐》之歌，曰："思深哉！其有陶唐氏之遗民乎？"

魏国，亦姬姓也，在晋之南河曲，故其诗曰"彼汾一曲"；"置诸河之侧"。自唐叔十六世至献公，灭魏以封大夫毕万，灭耿以封大夫赵夙，及大夫韩武子食采于韩原，晋于是始大。至于文公，伯诸侯，尊周室，始有河内之土。吴札闻《魏》之歌，曰："美哉沨沨乎！以德辅此，则明主也。"

及《诗·风》陈、郑之国，与韩同星分焉。郑国，今河南之新郑，本高辛氏火正祝融之虚也。及成皋、荥阳，颍川之崇高、阳城，皆郑分也。本周宣王弟友为周司徒，食采于宗周畿内，是为郑。……幽王败，桓公死，其子武公与平王东迁，卒定虢、会之地，右雒左泲，食溱、洧焉。土狭而险，山居谷汲，男女亟聚会，故其俗淫。《郑诗》曰："出其东门，有女如云。"又曰："溱与洧方灌灌兮，士与女方秉菅兮。""恂盱且乐，惟士与女，伊其相谑。"此其风也。吴札闻《郑》之歌，曰："美哉！其细已甚，民弗堪也。是其先亡乎？"……陈国，今淮阳之地。陈本太昊之虚，周武王封舜后妫满于陈，是为胡公，妻以元女大姬。妇人尊贵，好祭祀，用史巫，故其俗巫鬼。陈诗曰："坎其击鼓，宛丘之下，亡冬亡夏，值其鹭羽。"又曰："东门之枌，宛丘之栩，子仲之子，婆娑其下。"此其风也。吴札闻《陈》之歌，曰："国亡主，其能久乎！"自胡公后二十三世为楚所灭。

《汉书·艺文志》：《书》曰："诗言志，歌永言。"故哀乐之心感，而歌咏之声发。诵其言谓之诗，咏其声谓之歌。故古有采诗之官，王者所以观风俗，知得失，自考正也。孔子纯取周诗，上采殷，下取鲁，凡三百五篇。遭秦而全者，以其讽诵，不独在竹帛也。

《文章流别论》：古有采诗之官，王者以知得失。古之诗有三言、四言、五言、六言、七言、九言。古诗率以四言为体，而时有一二句杂在四言之间，后世演之，遂以为篇。

《文章缘起》：六经素有歌、诗、诔、箴、铭之类，《尚书》帝庸作歌，《毛诗》三百篇，《左传》，叔向《诒子产书》，鲁哀公《孔子诔》，孔悝《鼎铭》、《虞人箴》，此等自秦汉以来，圣君贤士著为文章名之始。

《文心雕龙·征圣》：夫鉴周日月，妙极几神；文成规矩，思合符契；或简言以达旨，或博文以该情，或明理以立体，或隐义而藏用。故《春秋》一字以褒贬，《丧服》举轻以包重，此简言以达旨也。《邠诗》联章以积句，《儒行》缛说以繁辞，此博文以该情也。书契决断以象夬，文章昭晰以效离，此明理以立体也。四象精义以曲隐，五例微辞以婉晦，此隐义以藏用也。

又云：《书》云：文尚体要，弗惟好异。故知正言所以立辩，体要所以成辞，辞成无好异之尤……立辩有断辞之美。虽精义曲隐，无伤其正言；微辞婉晦，不害其体要。体要与微辞偕通，正言共精义并用；圣人之文章，亦可见也。颜阖以为仲尼"饰羽而画，从事华辞"。虽欲訾圣，弗可得已。然则圣文之雅丽，固衔华而佩实者也。

《文心雕龙·明诗》：昔葛天乐辞，《玄鸟》在曲；黄帝《云门》，理不空弦。尧有《大章》之歌，舜造《南风》之诗，观其二文，辞达而已。及大禹成功，九叙惟歌；太康败德，五子咸讽：顺美匡恶，其来久矣。自商及周，《雅》、《颂》周备，四始彪炳，六义环深。子夏鉴绚素之章，子贡悟琢磨之句，故商赐二子，可与言诗。自王泽弥竭，风人辍采，春秋观志，讽诵旧章，酬酢以为宾荣，吐纳而成深文。逮楚国讽怨，则《离骚》为刺；秦皇灭典，亦造《仙诗》。

《文心雕龙·诠赋》：赋者，铺也。铺采摛文，体物写志也。昔邵公称："公卿献诗，师箴瞍赋。"《传》云："登高能赋，可为大夫。"《诗序》则同义，《传》说则异体。总其归途，实相枝干。故刘向明"不歌而颂"，班固称"古诗之流"也。至如郑庄之赋"大隧"，士芳之赋"狐裘"，结言短韵，词自己作，虽合赋体，明而未融。及灵均唱《骚》，始广声貌。然则赋也者，受命于诗人，而拓宇于《楚辞》者也。于是荀况《礼》、《智》，宋玉《风》、《钓》，爰锡名号，与诗画境，六义附庸，蔚成大国。述客主以首引，极声貌以穷文。斯盖别诗之原始，命赋之厥初也。

《文心雕龙·颂赞》：昔帝喾之世，咸黑为颂，以歌《九招》。自《商颂》以下，文理允备。夫化偃一国谓之《风》，风正四方谓之《雅》，容告神明谓之《颂》。《风》、《雅》序人，故事兼变正；《颂》主告神，故义必纯美。鲁以公旦次编，商以前王追录，斯乃宗庙之正歌，非飨宴之常咏也。《时迈》一篇，周公所制，哲人之颂，规式存焉。夫民各有心，勿壅唯口。晋舆之称"原田"，鲁民之刺"裘鞸"，直言不诔，短辞以讽，邱明子顺，并谓为颂，斯则野颂之变体，浸被乎人事矣。及三闾《橘颂》，辞采芬芳，比类属兴，又覃及细物矣。至于秦政刻文，爰颂其德。汉之惠景，亦有述容；沿世并作，相继于时矣。

《文心雕龙·祝盟》：昔伊耆始蜡，以祭八神。其辞云："土反其宅，水归其壑。昆虫勿作，草木归其泽。"则上皇祝文，爰在兹矣。舜之《祠田》云："荷此长耜，耕彼南亩，四海俱有。"利民之志，颇形于言矣。至于商履，圣敬日跻，玄牡告天，以万方罪己，即郊禋之词也；素车祷旱，以六事责躬，则雩祭之文也。及周之大祝，掌六祝之辞，是以"庶物咸生"，陈于天地之郊；"旁作穆穆"，唱于迎日之拜；"夙兴夜处"，言于祔庙之祝；"多福无疆"，布于少牢之馈；宜社类祃，莫不有文。……春秋以下，黩祀谄祭，祝币史辞，靡神不至。至于张老贺室，致祷于歌哭之祷。蒯聩临战，获佑于"筋骨"之请，虽造次颠沛，必于祝矣。若夫楚辞《招魂》，可谓祝辞之组丽者也。

《文心雕龙·铭箴》：昔帝轩辕刻舆几以弼违，大禹勒笱虡而招谏。成汤盘盂，著"日新"之规；武王户席，题"必诫"之训；周公慎言于金人；仲尼革容于欹器；列圣鉴戒，其来久矣。故铭者，名也。观器必正名焉。审用，贵乎慎德。盖臧武仲之论铭也，曰："天子令德，诸侯计功，大夫称伐。"夏铸九牧之金鼎，周勒肃慎之楛矢，令德之事也；吕望铭功于昆吾，仲山镂绩于庸器，计功之义也；魏颗纪勋于景钟，孔悝表勤于卫鼎，称伐之类也。若乃飞廉有石椁之锡，灵公有夺悝之谥，铭发幽石，吁可怪矣！赵灵勒迹于番吾，秦昭刻博于华山，夸诞示后，吁可笑也。至于始皇勒岳，政暴而文泽，亦有疏通之美焉。

又云：疾防患，喻鍼石也。斯文之兴，盛于三代。夏商二箴，余句颇存。周之辛甲，百官箴阙，唯《虞箴》一篇，体义备焉。迄至春秋，微而未绝。故魏绛讽君于后羿，楚子训民于在勤。战代以来，弃德务功，铭辞代兴，箴文委绝。

《文心雕龙·史传》：古者左史记事，右史记言。言则《尚书》，事则《春秋》，唐虞流于《典》、《谟》，商夏被于《诰》、《誓》。洎周命维新，姬公定法，紬三正以班历，贯四时以联事，诸侯建邦，各有国史，彰善瘅恶，树之风声。自平王微弱，政不及《雅》，宪章散紊，彝伦攸斁。夫子闵王道之缺，伤斯文之坠，静居以叹凤，临衢而泣麟，于是就太师以正《雅》、《颂》，因鲁史以修《春秋》。举得失以表黜陟，征存亡以标劝戒；褒见一字，贵逾轩冕；贬在片言，诛深斧钺。然睿旨幽隐，经文婉约，丘明同时，实得微言。乃原始要终，创为传体。

《文心雕龙·诸子》：诸子者，述道见志之书。太上立德，其次立言。百姓之群居，苦纷杂而莫显；君子之处世，疾名德之不章。唯英才特达，则炳曜垂文，腾其姓氏，悬诸日月焉。昔风后、力牧、伊尹，咸其流也。然篇述者，盖上古遗语，而战代所记者也。至鬻熊知道，而文王谘询，余文遗事，录为《鬻子》。子目肇始，莫先于兹。及伯阳识礼，而仲尼访问，爰序《道德》，以冠百氏。然则鬻惟文友，李实孔师，圣贤并世，而经子异流矣。

《文心雕龙·论说》：说之善者：伊尹以论味隆殷，太公以辨钓兴周；及烛武行而纾郑，端木出而存鲁，亦其美也。暨战国争雄，辨士云涌；从横参谋，长短角势；转丸骋其巧辞，飞钳伏其精术；一人之辨，重于九鼎之宝，三寸之舌，强于百万之师；六印磊落以佩，五都隐赈而封。……范雎之言疑事，李斯之止逐客，并顺情入机，动言中务，虽批逆鳞，而功成计合，此上书之善说也。

《文心雕龙·檄移》：至周穆西征，祭公谋父称古“有威让之命，令有文告之辞”，即檄之本源也。及春秋征伐自诸侯出，惧敌弗服，故兵出须名。振此威风，暴彼昏乱。刘献公之所谓“告之以文辞，董之以武师”者也。齐桓征楚，诘苞茅之阙；晋厉伐秦，责箕部之焚。管仲、吕相，奉辞先路，详其意义，即今之檄文。暨乎战国，始称为檄。檄者，皦也。皦然明白也。张仪檄楚，书以尺二。

《文心雕龙·章表》：夫设官分职，高卑联事。天子垂珠以听，诸侯鸣玉以朝。敷奏以言，明试以功。故尧咨四岳，舜命八元，固辞再让之请，俞往钦哉之授，并陈辞帝庭，匪假书翰。然则敷奏以言，则章表之义也；明试以功，即授爵之典也。至太甲既立，伊尹作书以训，思庸归亳，又作书以赞。文翰献替，事斯见矣。周监二代，文理弥盛。再拜稽首，对扬休命，承文受册，敢当丕显。虽言笔未分，而陈谢可见。降及七国，未变古式，言事于王，皆称上书。秦初定制，改书曰奏。

《文心雕龙·议对》：议贵节制，经典之体也。昔管仲称轩辕有明台之议，则其来远矣。洪水之难，尧咨四岳；百揆之举，舜畴五人；三代所兴，询及刍荛。《春秋》释宋，鲁僖预议。及赵灵胡服，而季父争论；商鞅变法，而甘龙交辩；虽宪章无算，而同异足观。

《文心雕龙·书记》：大舜云：“书用识哉！”所以记时事也。盖圣贤言辞，总为之《书》，《书》之为体，主言者也。扬雄曰：“言，心声也；书，心画也。声画形，君子小人见矣。”故书者，舒也。舒布其言，陈之简牍，取象于“夬”，贵在明决而已。三代政暇，文翰颇疏。春秋聘繁，书介弥盛。绕朝赠士会以策，子家与赵宣以书，巫臣之遗子反，子产之谏范宣，详观四书，辞若对面。又子叔敬叔进吊书于滕君，固知行

人挈辞，多被翰墨也。

又云：谚者，直语也。丧言亦不及文，故吊亦称谚。廛路浅言，有实无华。邹穆公云："囊漏储中。"皆其类也。《牧誓》曰：古人有言：牝鸡无晨。《大雅》云：人亦有言："惟忧用老。"并上古遗谚，《诗》、《书》所引者也。

《文心雕龙·通变》：黄歌《断竹》，质之至也；唐歌《载蜡》，则广于黄世；虞歌《卿云》，则文于唐时；夏歌《雕墙》，缛于虞代；商周篇什，丽于夏年。至于序志述时，其揆一也。暨楚之《骚》文，矩式周人；汉之赋颂，影写楚世……榷而论之，则黄唐淳而质，虞夏质而辨，商周丽而雅，楚汉侈而艳，魏晋浅而绮，宋初讹而新。

《文心雕龙·事类》：事类者，盖文章之外，据事以类义，援古以证今者也。昔文王繇《易》，剖判爻位。《既济》九三，远引高宗之伐；《明夷》六五，近书箕子之贞；斯略举人事以征义者也。至若胤征羲和，陈《政典》之训；盘庚诰民，叙迟任之言：此全引成辞以明理者也。然则明理引乎成辞，征义举乎人事，乃圣贤之鸿谟，经籍之通矩也。《大畜》之象，"君子以多识前言往行"，亦有包于文矣。

《文心雕龙·情采》：《孝经》垂典，丧言不文；故知君子常言，未尝质也。老子疾伪，故言"美言不信"，而五千精妙，则非弃美矣。庄周云"辩雕万物"，谓藻饰也。韩非云"艳乎辩说"，谓绮丽也。绮丽以艳说，藻饰以辩雕，文辞之变，于斯极矣。研味《孝》、《老》，则知文质附乎性情；详览《庄》、《韩》，则见华实过乎淫侈。若择源于泾渭之流，按辔于邪正之路，亦可以驭文采矣。

又云：昔诗人篇什，为情而造文；何以明其然？盖《风》、《雅》之兴，志思蓄愤，而吟咏情性，以讽其上，此为情而造文也。诸子之徒，心非郁陶，苟驰夸饰，鬻声钓世，此为文而造情也。故为情者要约而写真，为文者淫丽而烦滥。而后之作者，采滥忽真，远弃《风》、《雅》，近师辞赋，故体情之制日疏，逐文之篇愈甚。

《文心雕龙·练字》：至于经典隐暧，方册纷纶，简蠹帛裂，三写易字，或以音讹，或以文变。子思弟子，"於穆不祀"者，音讹之异也。晋之史记，"三豕渡河"者，文变之谬也。《尚书·大传》有"别风淮雨"，《帝王世纪》云"列风淫雨"。"别"、"列"、"淮"、"淫"，字似潜移。"淫"、"列"义当而不奇，"淮"、"别"理乖而新异。傅毅制《诔》，已用"淮雨"，元长作《序》，亦用"别风"，固知爱奇之心，古今一也。史之阙文，圣人所慎，若依义弃奇，则可与正文字矣。

《文心雕龙·章句》：至于《雅》、《颂》大体，以四言为正，唯"祈父"、"肇禋"，以二言为句。寻二言肇于黄世，《竹弹之谣》是也；三言兴于虞时，《元首之诗》是也；四言广于夏年，《洛汭之歌》是也；五言见于周代，《行露》之章是也。六言、七言，杂出《诗》、《骚》；而杂体之篇，成于两汉。情数运周，随时代用矣。

又云：又《诗》人以"兮"字为限，《楚辞》用之，字出句外。寻"兮"字承句，乃语助余声。舜咏《南风》，用之久矣。

《文心雕龙·丽辞》：夫心生文辞，运裁百虑，高下相须，自然成对。唐虞之世，辞未及文，而皋陶赞云："罪疑惟轻，功疑惟重。"益陈谟云："满招损，谦受益。"岂营丽辞，率然对耳。《易》之《文》、《系》，圣人之妙思也。序乾四德，则句句相衔；龙虎类感，则字字相俪；乾坤易简，则宛转相承；日月往来，则隔行悬合；虽句字或殊，而偶意一也。至于《诗》人偶章，大夫联辞，奇偶适变，不劳经营。

《文心雕龙·夸饰》：虽《诗》、《书》雅言，风俗训世，事必宜广，文亦过焉。是以言峻则嵩高极天，论狭则河不容舠；说多则子孙千亿，称少则民靡孑遗；襄陵举滔天之目，倒戈立漂杵之论；辞虽已甚，其义无害也。且夫鸮音之丑，岂有泮林而变好；荼味之苦，宁以周原而成饴；并意深褒赞，故义成矫饰。大圣所录，以垂宪章，孟轲所云“说《诗》者不以文害辞，不以辞害意”也。

《文心雕龙·物色》：是以《诗》人感物，联类不穷。流连万象之际，沉吟视听之区；写气图貌，既随物以宛转；属采附声，亦与心而徘徊。故灼灼状桃花之鲜，依依尽杨柳之貌，杲杲为出日之容，瀌瀌拟雨雪之状，喈喈逐黄鸟之声，喓喓学草虫之韵，皎日嘒星，一言穷理；参差沃若，两字连形，并以少总多，情貌无遗矣。虽复思经千载，将何易夺。及《离骚》代兴，触类而长，物貌难尽，故重沓舒状，于是嵯峨之类聚，葳蕤之群积矣。

《文心雕龙·时序》：昔在陶唐，德盛化钧，野老吐“何力”之叹，郊童含“不识”之歌。有虞继作，政阜民暇，“熏风”咏于元后，“烂云”歌于列臣。尽其美者何？乃心乐而声泰也。至大禹敷土，九序咏功；成汤圣敬，“猗欤”作颂。逮姬文之德盛，《周南》勤而不怨；大王之化淳，《邠风》乐而不淫。幽厉昏而《板》、《荡》怒，平王微而《黍离》哀。故知歌谣文理，与世推移，风动于上，而波震于下者也。春秋以后，角战英雄，六经泥蟠，百家飙骇。方是时也，韩魏力政，燕赵任权；五蠹六虱，严于秦令；唯齐楚两国，颇有文学。齐开庄衢之第，楚广兰台之宫，孟轲宾馆，荀卿宰邑，故稷下扇其清风，兰陵郁其茂俗，邹子以谈天飞誉，驺奭以雕龙驰响，屈平联藻于日月，宋玉交彩于风云。观其艳说，则笼罩《雅》、《颂》，故知暐烨之奇意，出乎纵横之诡俗也。

《文心雕龙·才略》：九代之文，富矣盛矣，其辞令华彩，可略而言也。虞、夏文章，则有皋陶六德，夔序八音，益则有赞，五子作歌，辞义温雅，万代之仪表也。商周之世，则仲虺垂诰，伊尹敷训，吉甫之徒，并述诗颂，义固为经，文亦足师矣。及乎春秋大夫则修辞聘会，磊落似琅玕之圃，焜耀似缛锦之肆，薳敖择楚国之令典，随会讲晋国之礼法，赵衰以文胜从飨，国侨以修辞扞郑，子太叔美秀而文，公孙挥善于辞令，皆文名之标者也。战代任武，而文士不绝。诸子以道术取资，屈、宋以楚辞发采。乐毅报书辨以义，范雎上书密而至，苏秦历说壮而中，李斯自奏丽而动。若在文世，则扬班俦矣。荀况学宗而象物名赋，文质相称，固巨儒之情也。

钟嵘《诗品·总论》：昔《南风》之词，《卿云》之颂，厥义敻矣。夏歌曰：“郁陶乎予心。”楚辞（原作“谣”，本当作“繇”，“辞”字之误）曰：“名余曰正则。”虽诗体未全，然略是五言之滥觞也。

《史通·载文》：夫观乎人文，以化成天下；观乎国风，以察兴亡。是知文之为用，远矣大矣。若乃宣、僖善政，其美载于周《诗》，怀、襄不道，其恶存乎楚赋。读者不以吉甫、奚斯为谄，屈平、宋玉为谤者，盖不虚美，不隐恶故也。

《史通·言语》：夫上古之世，人惟朴略，言语难晓，训释方通。是以寻理则事简而意深，考文则词难而义释，若《尚书》载伊尹立训，皋陶斯谟，《洛诰》、《康诰》、

《牧誓》、《泰誓》是也。周监于二代，郁郁乎文。大夫行人，尤重词命，语微婉而多切，言流靡而不淫；若《春秋》载吕相绝秦、子产献捷、臧孙谏君纳鼎、魏绛对戮杨干是也。战国虎争，驰说云涌，人持“弄丸”之辩，家挟“飞钳”之术，剧谈者以谲狂为宗，和口者以寓言为主；若《史记》载苏秦合纵，张仪连横，范雎反间以相秦，鲁连解纷而全赵是也。

《史通·叙事》：夫史之称美者，以叙事为先。至若书功过，记善恶，文而不丽，质而非野，使人味其滋旨，怀其德音，三复忘疲，百遍无敎，自非作者曰圣，其孰能与于此乎？昔圣人之述作也，上自《尧典》，下终获麟，是为属词比事之言，疏通知远之旨。子夏曰：“《书》之论事也，昭昭然若日月之代明。”扬雄有云：“说事者莫辨于《书》，说理者莫辨乎《春秋》。”然则意指深奥，诰训成义，微显阐幽，婉而成章；虽殊途异辙，亦各有差焉。谅以师范亿载，规模万古，为述者之冠冕，实后来之龟镜。

又云：历观自古，作者权舆，《尚书》发踪，所载务于寡事；《春秋》变体，其言贵于省文。斯盖浇淳殊致，前后异迹。然则文约而事丰，此述作之尤美者也。

又云：至如《古文尚书》称帝尧之德，标以“允恭克让”；《春秋左传》言子太叔之状，目以“美秀而文”。所称如此，更无他说，所谓直纪其才行者。又如《左氏》载申生为骊姬所谮，自缢而亡；班史称纪信为项籍所围，代君而死。此则不言其节操，而忠孝自彰，所谓唯书其事迹者。又如《尚书》称武王之罪纣也，其誓曰：“焚炙忠良，刳剔孕妇。”《左传》纪随会之论楚也，其词曰：“荜路蓝缕，以启山林。”此则才行事迹，莫不阙如；而言有关涉，事便显露，所谓因言语而可知者。

又云：昔古文义，务却浮词。《虞书》云：“帝乃殂落，百姓如丧考妣。”《夏书》云：“启呱呱而泣，予不子。”《周书》称“前徒倒戈”，“血流漂杵”。《虞书》云：“四罪而天下威服。”此皆文如阔略，而语实周赡。故览之者初疑其易，而为之者方觉其难，固非雕虫小技所能斥苦其说也。既而丘明授经，师范尼父。夫《经》以数字包义，而《传》以一句成言，虽繁约有殊，而隐晦无异。故其纲纪而言邦俗也，则有“士会为政，晋国之盗奔秦”；“邢迁如归，卫国忘亡”。其款曲而言人事也，则有“犀革裹之，比及宋，手足皆见”；“三军之士，皆如挟纩”。斯皆言近而旨远，辞浅而义深；虽发语已殚，而舍意未尽。使夫读者望表而知里，扪毛而辨骨，睹一事于句中，反三隅于字外。晦之时义，不亦大哉！

陈骙《文则·甲》：六经之道，既曰同归，六经之文，容无异体。故《易》文似《诗》，《诗》文似《书》，《书》文似《礼》。《中孚·九二》曰：“鹤鸣在阴，其子和之；我有好爵，吾与尔縻之。”使入《诗·雅》，孰别爻辞？《抑》二章曰：“其在于今，兴迷乱于政，欺覆厥德，荒湛于酒，女虽湛乐，从弗念厥绍，罔敷求先王，克共明刑。”使书《书》诰，孰别《雅》语？《顾命》曰：“牖间南向，敷重篾席，黼纯，华玉仍几，西序东向，敷重底席，缀纯，文贝仍几；东序西向，敷重丰席，画重，雕玉仍几；西夹南向，敷重筍席，玄纷纯，漆仍几。”使入《春官·司几筵》，孰别命诰？

《诗薮·内编》卷一：孔曰：“草创之，讨论之，修饰之，润色之。”千古为文之大法也。孟曰：“不以文害辞，不以辞害意，以意逆志，是为得之。”千古谈诗之妙，诠也。

第一章

周武王元年（周文王十一年）至周幽王十一年（公元前1046年—公元前771年）共275年

·引 言·

《诗大序》：诗者，志之所之也。在心为志，发言为诗。情动于中而形于言，言之不足，故嗟叹之，嗟叹之不足，故永歌之，永歌之不足，不知手之舞之、足之蹈之也。情发于声，声成文谓之音。治世之音，安以乐，其政和。乱世之音，怨以怒，其政乖。亡国之音，哀以思，其民困。故正得失，动天地，感鬼神，莫近于诗。先王以是经夫妇，成孝敬，厚人伦，美教化，移风俗。故诗有六义焉：一曰风，二曰赋，三曰比，四曰兴，五曰雅，六曰颂。上以风化下，下以风刺上，主文而谲谏，言之者无罪，闻之者足以戒，故曰风。至于王道衰，礼义废，政教失，国异政，家殊俗，而变风变雅作矣。国史明乎得失之迹，伤人伦之废，哀刑政之苛，吟咏情性，以风其上，达于事变而怀其旧俗者也。故变风发乎情，止乎礼义。发乎情，民之性也；止乎礼义，先王之泽也。是以一国之事，系一人之本，谓之风。言天下之事，形四方之风，谓之雅。雅者，正也，言王政之所由废兴也。政有大小，故有小雅焉，有大雅焉。颂者，美盛德之形容，以其成功告于神明者也。是谓四始，诗之至也。

上博简《诗论》：吾以《杕杜》得雀服……如此可，斯雀之矣。离其所爱，必曰吾奚舍之，宾赠是也。……《雨无正》、《节南山》皆言上之衰也，王公耻之。《小旻》多疑矣，言不中志者也。《小宛》其言不恶，少有仁焉。《小弁》、《巧言》则言谗人之害也。《伐木》……实咎于其也。《天保》其得禄蔑疆矣，巽寡德故也。《祈父》之责，亦有以也。《黄鸟》则困而欲反其故也，多耻者其病之乎？《菁菁者莪》则以人益也。……《大田》之卒章，知言而有礼。……《谷风》悲。《蓼莪》有孝志。……《鹿鸣》以乐司而会以道，交见善而学，终乎不厌人。……《青蝇》知患而不知人。……《谌露》之赊也，其犹轮与？……《文王》吾美之，［《清庙》吾敬之，《烈文》吾悦之，《昊天有成命》吾］受之。……“文王在上，於昭于天”，吾美之。［《清庙》曰“肃雍显相，济济］多士，秉文之德”，吾敬之。《烈文》曰“亡竞维人”、“丕显维德”、“於乎前王不忘”，吾悦之。“昊天有成命，二后受之”，贵且显矣。……“［帝谓文王，予］怀尔明德”，曷？诚谓之也；“有命自天，命此文王”，诚命之矣，信矣。孔子曰：此命也夫！文王虽欲也，得乎？此命也……时也，文王受命矣。颂，平德也，多言后，其乐安而迟，其歌引而逖，其思深而远，至矣！大雅，盛德也，多言……也，多言难而怨怼者也，衰矣！小矣！……民之有戚患也，上下之不和者，其用心也将何如……是也。有成功者何如？曰：颂是也。《清庙》，王德也，至矣！敬宗庙之礼，以为其本；“秉文之德”，以为其业；“肃雍［显相］……此者其有不王乎？孔子曰：诗亡隐志，乐亡隐情，文亡隐意。”（据李学勤《〈诗论〉分章释文》，载《中国哲学史》2002 年 1 期）

刘勰《文心雕龙 · 宗经》：三极彝训，其书曰经。经也者，恒久之至道，不刊之鸿教也。故象天地，效鬼神，参物序，制人纪，洞性灵之奥区，极文章之骨髓者也。……于是《易》张十翼，《书》标七观，《诗》列四始……义既埏乎性情，辞亦匠于文理，故能开学养正，昭明有融。……夫《易》惟谈天，入神致用。故《系》称“旨远辞文，言中事隐”，韦编三绝，固哲人之骊渊也。《书》实记言，而诂训茫昧，通乎《尔雅》，则文意晓然。故子夏叹《书》，“昭昭若日月之代明，离离如星辰之错行”，言昭灼也。《诗》主言志，诂训同《书》，摛风裁兴，藻辞谲喻，优柔庄诵，最附深衷矣。……《尚书》则览文如诡，而寻理即畅。……故论、说、辞、序，则《易》统其首；诏、策、章、奏，则《书》发其源；赋、颂、歌、赞，则《诗》立其本；铭、诔、箴、祝，则《礼》总其端。……并穷高以树表，极远以启疆，所以百家腾跃，终入环内者也。

孔颖达《尚书 · 尧典正义》言书体有十：一曰典，二曰谟，三曰贡，四曰歌，五曰誓，六曰诰，七曰训，八曰命，九曰征，十曰范。

许学夷《诗源辩体》卷一：《豳风》首篇，周公陈豳国之风也。孔子以《豳》无所次，姑次于《国风》之末，但因其旧，而以周公之诗附之，而后人遂以变风称焉，则谬甚矣。盖二《南》，文王之化，既为正风，而《豳》乃后稷、公刘风化所由，出于文王千有余年之上，为变风可乎？文中子谓：“成王终疑周公，故为变风。”果尔，则文不系之豳矣。或又谓：“诗体宏赡类《雅》，当系之于《大雅》。”是又不然。《大雅》乃王政之大体，后稷、公刘之事，《生民》、《公刘》二篇既详咏之矣，此篇实道民俗之风，自当为风。但其诗作于周公，故其体自不同耳，未可系之《雅》也。《鸱鸮》以下六篇，当系于变小雅之前。

许学夷《诗源辩体》卷一：《小雅》、《大雅》，体各不同。《大序》谓：“政有小大，故有《小雅》焉，有《大雅》焉。”旧说《鹿鸣》至《菁莪》二十二篇为正小雅；《文王》至《卷阿》为正大雅；《六月》至《何草不黄》五十八篇为变小雅；《民劳》至《召旻》十三篇为变大雅。朱子云：“正小雅，燕飨之乐也。正大雅，会朝之乐、受釐陈戒之辞也。故或欢欣和说以尽群下之情，或恭敬齐庄以发先王之德。词气不同，音节亦异，多周公制作时所定也。”冯元成云：“《大雅》正经，所言受命配天，继代守成。而《小雅》正经，治内，则惟燕劳群臣朋友；治外，则惟命将出征。故《小雅》为诸侯之乐，《大雅》为天子之乐也。”及其变也，《大雅》多忧闵而规刺，《小雅》多哀伤而怨诽，朱子谓“皆贤人君子闵时病俗之所为”是也。

许学夷《诗源辩体》卷一：《小雅》、《大雅》之辩，前贤既详论之矣。概以二雅正变之体言之，正雅坦荡整饬，而语皆显明；变雅迂迴参错，而语多深奥。是固治乱

之不同，抑亦文运之一变也。

许学夷《诗源辩体》卷一：《小序》、《正义》以《小雅·鹿鸣》诸篇为文、武时诗。愚按：周公制作礼乐，实在成王之世，谓诸篇为武王时诗，且未必然，若以为文王时诗，则愈谬矣。文王三分天下有其二，以服事殷，岂文王时已用天子礼乐耶？

许学夷《诗源辩体》卷一：《小雅·大东》，言天汉、织女、牵牛、启明、长庚、天毕、南箕、北斗，于《雅》诗中为最奇。《离骚》诡异之端，实本于此，然语益瑰玮矣。

许学夷《诗源辩体》卷一：诗有风而类雅者，如《定之方中》、《淇奥》、《园有桃》等篇是也。盖有关乎君国之大者也。有雅而类风者，如《祈父》、《黄鸟》、《我行其野》等篇是也。盖皆出于羁旅之私者也。

许学夷《诗源辩体》卷一：大雅推原王业以戒后人，故其篇长大，而布置联络，有次序可寻，有枝叶可摘，尚可学也。颂则形容盛德，以告神明，故其篇简短而咏叹浑沦，无端倪可指，无首尾可窥，更不易摹仿耳。

许学夷《诗源辩体》卷一：《大雅》首数篇最为严整，至《皇矣》、《生民》、《公刘》，则始为宏肆，渐入淋漓。乃是作者才气不同，非有意创别也。后人于此殆难仿佛。

许学夷《诗源辩体》卷一：变风、变雅，虽并主讽刺，而词有不同。变雅自宣王之诗而外，恳切者十之九，微婉者十之一。变风则语语微婉矣。黄常明云："谲谏而不斥者，惟《风》为然。"如《雅》云"忧心惨惨，念国之为虐"，"彼童而角，实虹小子"，"匪面命之，言提其耳"，"乱匪降自天，生自妇人"。忠臣义士，欲正君定国，惟恐所陈不激切，岂尽优柔婉媚乎！

许学夷《诗源辩体》卷一：颂者，美盛德之形容。《清庙》言："肃肃清庙，济济多士，秉文之德。"此言文王道化之广，最善形容者也。下"维天之命，於穆不已。於乎不显，文王之德之纯"。则文王之德，四语尽之矣。

章学诚《文史通义·书教上》：《尚书》典谟之篇，记事而言亦具焉；训诰之篇，记言而事亦见焉。古人事见于言，言以为事，未尝分事言为二物也。

公元前1046年（周武王元年　周文王十一年）

一月二十一日，武王在殷都祭社而登天子位，标志着西周王朝建立。《逸周书·克殷》云："翼日，除道修社，及商纣宫。及期，百夫荷素质之旗于王前，叔振拜假，又陈常车，周公把大钺，召公把小钺以夹王，散宜生、泰颠、闳夭皆执轻吕以奏王。王入即位于社，太卒之左，群臣毕从。毛叔郑奉明水，卫叔封傅礼，召公奭赞采，师尚父牵牲。尹逸策曰：'殷末孙受德迷先成汤之明，侮灭神祇不祀，昏暴商邑百姓，其章显闻于昊天上帝。'武王再拜稽首，膺受大命革殷，受天明命。武王又再拜稽首，乃出。"据《夏商周断代工程1996—2000年阶段成果报告》，公元前1046年1月20日克商，则克商后第2天为21日。

一月二十四日，武王安抚殷民、百官，申明伐殷之义而作《商誓》。文见《逸周书》。《逸周书后序》云："武王命商王之诸侯绥定厥邦，申义告之，作《商誓》。"潘

振《周书解义》、庄述祖《尚书记》、陈逢衡《逸周书补注》等皆以为《商誓》是西周流传下来的文献之一，朱右曾《逸周书集训校释》则谓此篇“大似今文《尚书》”。《逸周书·世俘》云：“越五日甲子，朝至接于商，则咸刘商王纣，执矢恶臣百人。太公望命御方来，丁卯，望至，告以馘俘。戊辰，王遂御循追祀文王，时日王立政。”孔晁注：“是日王立政，布天下。”所谓“王立政”，指武王宣布各种政令。武王除强调克商是出于天命外，还特别采用安抚和刑罚兼施的政策，告诫殷商贵族要听从天命和周人的命令。参互推之，可知《商誓》就是戊辰武王立政时向殷民、百官发布的政令。《夏商周断代工程1996—2000年阶段成果报告》既断公元前1046年1月20日克商，时为甲子，则戊辰为克商后的第4天，即1月24日，《商誓》即作于此日。

一月二十七日前后，史官记武王克殷的过程兼及善后之举而作《克殷》。文见《逸周书》。《逸周书后序》云：“武王率六州之兵车三百五十乘以灭殷，作《克殷》。”文中记牧野之战“商师大崩”之后，商纣王奔入内宫自焚而死，武王进入王所，“击之以轻吕，斩之以黄钺，折县诸大白”。再到二女之所，“乃右击之以轻吕，斩之以玄钺，折县诸小白”。《墨子·明鬼下》言武王奔入内宫说：“折纣而系之赤环，载之白旗。”此与《克殷》所言正相符，当是墨子据《克殷》而言之。司马迁作《史记》的《周本纪》、《齐太公世家》节录其文，朱右曾《逸周书集训校释》谓“《克殷篇》所叙非亲见者不能”，唐大沛《逸周书分编句释》认为是史臣“直书其事”，可知《克殷》是历史上流传下来有关武王克殷的文献之一。《克殷》记武王采取各种善后之举后云“乃归”，表明此文作于武王班师回朝之际。据利簋铭文的记载，克殷后第七天武王已在阑师。于省吾《利簋铭文考释》认为，阑即管，在今河南郑州（《文物》1977年8期）。又据《夏商周断代工程1996—2000年阶段成果报告》，公元前1046年1月20日克商，则此文当作于一月二十七日前后。

利作簋铭，记甲子朝克商天象及一月二十七日受武王赏赐事。利簋，1976年陕西临潼零口青铜器窖藏出土。铭曰：“武征商，唯甲子朝，岁鼎，克昏，夙有商。辛未，王在阑师，易有事利金，用乍旜公宝尊彝。”王世民等《西周青铜器分期断代研究》说：“此为武王甲子朝克商后第七日赐利以金，利因作器，是现在可以确认的年代最早的西周铜器（文物出版社1999年版，第73页）。”据《夏商周断代工程1996—2000年阶段成果报告》，公元前1046年1月20日克商，时为甲子，则辛未为1月27日。

克殷后第四十一天，擒获艾侯，献俘时史官诵读《禽艾》。伏生二十八篇《今文尚书》、孔壁本《古文尚书》逸十六篇均无《禽艾》，也不见于《逸周书》。《墨子·明鬼下》云：“且《禽艾》之道之曰：‘得玑无小，灭宗无大。’”《吕氏春秋·报更》云：“此《书》之所谓‘德几无小’者也。”《墨子》出篇名，《吕氏春秋》称《书》，则《禽艾》在秦代还流传于世。《逸周书·世俘》云：“乙巳，陈本、新荒、蜀、磨至告禽霍侯、艾侯，俘佚侯、小臣四十有六。”以此知武王伐纣禽获艾侯，献俘时史官曾诵读《禽艾》。孙诒让《墨子间诂》引崔灏云：“《逸周书·世俘解》有‘禽艾侯’之语，当即此《禽艾》。”根据李学勤《〈逸周书·世俘篇〉研究》，第二个甲辰旬乙巳日是克殷后的第四十一天（《史学月刊》1988年2期），《禽艾》当作于此日。

克殷后第四十六天，武王荐俘而燎于周庙，史佚向上帝诵读《武寤》。文见《逸周书》。《逸周书·世俘》云："越六日庚戌，武王朝至，燎于周庙。维予冲子绥文。武王降自车，乃俾史佚繇书于天号。武王乃废于纣矢恶臣百人，伐右厥甲小子鼎大师，伐厥四十夫家君鼎帅，司徒、司马初厥于郊号。武王乃夹于南门用俘，皆施佩衣衣，先馘入。武王在祀，大师负商王纣县首白旂，妻二首赤旂，乃以先馘入，燎于周庙。"王国维《史籀篇疏证》谓繇书当作籀书，籀书即读书，是行献俘礼时的仪注之一。武王荐俘于天而燎于周庙，史佚向天诵读的文书当即《武寤》。此文是一篇句式整齐的韵文，江有诰《韵学十书》已作过韵读。文云："王赫奋烈，八方咸发。高城若地，商庶若化。约期于牧，案用师旅。商不足灭，分祷上下。王食无疆，王不食言，庶赦定宗。尹氏八士，太师三公。咸作有绩，神无不飨。王克配天，合于四海，惟乃永宁。"其中"八方"，指随同武王伐纣的庸、蜀、羌、髳、微、卢、彭、濮，见《尚书·牧誓》；"庶赦"，当即《史记·周本纪》所言"命召公释箕子之囚，命毕公释百姓之囚"；"定宗"，即《殷本纪》所言"封纣子武庚禄父，以续殷祀"。由所记历史有案可据，可知此文是西周流传下来的文献之一。另外，文中"咸作有绩，神无不飨"，显系告庙套语，此文之所用则不言自明。据李学勤《〈逸周书·世俘篇〉研究》，第二个甲辰旬的庚戌日是克商后的第四十六天（《史学月刊》1988年2期），《武寤》当作于此时。至于其作者，可能就是史逸，由《克殷》记武王克商后第二天设祭于社登基即天子位，史逸为策祝之文可证。

五月，史官记武王克商至凯旋诸事而作《武成》。伏生所传二十八篇《今文尚书》无《武成》，孔壁本《古文尚书》逸十六篇有此篇。《孟子·尽心下》云："尽信《书》则不如无《书》，吾于《武成》取二三策而已矣。仁人无敌于天下，以至仁伐至不仁，而何其血之流杵也。"既评《武成》，复引其逸句。《汉书·律历志》引录了其中的四段共十四句："惟一月壬辰旁死霸，若翌日癸巳，武王乃朝步自周，于征伐纣"、"粤若来三月既死霸，粤五日甲子，咸刘商王纣"、"惟四月既旁生霸，粤六日庚戌，武王燎于周庙"、"翌日辛亥，祀于天位，粤五月乙卯，乃以庶国祀馘于周庙"。凡此皆足证尝有《武成》流传。郑玄说："《武成》逸书，建武之际亡（《尚书·武成》孔疏引）。"其实并未亡失，《汉书·律历志》所引《武成》文皆见于《逸周书·世俘》。陈逢衡《逸周书补注》云："《世俘》旧亦有《武成》之目矣，惟今本《世俘》'壬辰'讹作'丙辰'，'癸巳'讹作'丁巳'，兹特据以改正，则非第与《三统》合，而于《书·武成》时日亦无水乳矣。"顾颉刚《〈逸周书·世俘篇〉校注、写定与评论》因《世俘》与《武成》有相同之处，认为是一书二名，犹如《吕氏春秋》的《功名》一作《由道》、《用众》一作《善学》，并且举出了许多证据证明《世俘》为西周初期的文献，其实即原《武成》（《文史》第二辑）。《史记·殷本纪》云："武王为殷初定未集，乃使其弟管叔鲜、蔡叔度相禄父治殷。已而命召公释箕子之囚。命毕公释百姓之囚，表商容之闾。命南宫括散鹿台之财，发钜桥之粟，以振贫弱萌隶。命南宫括、史佚展九鼎保玉。命闳夭封比干之墓。命宗祝享祠于军。乃罢兵西归。行狩，记政事，作《武成》。"《书序》云："武王伐殷，往伐归兽，识其政事，作《武成》。"以此知《武成》之作，在克殷后西归时，其作者当为史官。据《汉书·律历志》所引《武成》记载，武王在五月乙卯日"以庶国祀馘于周庙"，则《武成》当作于是年五月。孔传本《古文尚书》中之《武成》系晋代晚出之书。

天亡作簋铭，记武王五月乙亥祭祀文王、丁丑享大祖及其受武王赏赐事。天亡簋，清道光末年陕西岐山礼村出土。铭曰："乙亥，王又大丰，王凡三方，王祀于天室，降。天亡又王，衣祀于王不显考文王，事喜上帝。文王德在上，不显王乍相，不肆王乍赓，不克乞衣王祀。丁丑，王享大且，王降亡勋爵退囊，唯朕又庆，每扬王休于尊簋。"诸家皆将此器断为武王时器，唐兰《西周青铜器铭文分代史征》根据《逸周书·世俘》的记载，推定铭中的"乙亥"是五月十七日（中华书局1986年版，第16页）。

武王欲营建洛邑，传位周公，史录君臣对答之语并叙事之始末而作《度邑》。文见《逸周书》，录载了武王与周公的对答之语并叙事之始末，当由史官所为。周惠王时的内史过曾引用了其中的"夷羊在牧"一语（《国语·周语上》），司马迁作《史记·周本纪》也节引了《度邑》，凡此皆可证《度邑》为西周流传下来的文献。朱右曾《逸周书集训校释》认为《度邑》"大似《今文尚书》，非伪古文所能仿佛"。王国维《周开国年表》也说："此篇渊懿古奥，类宗周以前之书，与《文王世子》等秦、汉间之书，文体大异，自为实录。"（王国维《观堂集林》附《观堂别集》，中华书局1959年版，第1149页）何尊铭文云："惟武王既克大邑商，则廷告于天曰：'余其宅兹中或，自之乂民。'"此与《度邑》所言一致，更证实了其内容的可靠性。文中有"王至于周"一语，潘振《周书解义》云："周，镐也。"明《度邑》之作在武王克殷至返回镐京后，姑附此。

武王以殷为鉴而作《支》。《国语·周语下》云："周诗有之曰：'天之所支，不可坏也。其所坏，亦不可支也。'昔武王克殷，而作此诗也，以为饫歌，名之曰《支》，以遗后人，使永监焉。"此诗之作，不知在何时。既然作诗的目的是以殷为鉴，当作于克殷后不久，姑附此。

武王克殷，班赐宗彝，作《分器》封先圣王之后、功臣、昆弟。伏生二十八篇《今文尚书》、孔壁本《古文尚书》均无《分器》，张霸百两篇本出篇名，列于《洪范》后。《书序》云："武王既胜殷，邦诸侯，班宗彝，作《分器》。"先秦及汉代典籍无一引其逸文、逸句，知早已亡失。但武王克殷后，尝有班赐宗庙礼器封先圣王之后与功臣、昆弟的事迹。《吕氏春秋·慎大览》云："武王胜殷，入殷，未下辇，命封黄帝之后于铸，封帝尧之后于黎，封帝舜之后于陈。下辇，命封夏后之后于杞，立成汤之后于宋，以奉桑林。"《史记·周本纪》云："封诸侯，班赐宗彝，作《分殷之器物》。武王追思先圣王，乃褒封神农之后于焦，黄帝之后于祝，帝尧之后于蓟，帝舜之后于陈，大禹之后于杞。于是封功臣谋士，而师尚父为首封。封尚父于营丘，曰齐。封弟周公旦于曲阜，曰鲁。封召公奭于燕。封弟叔鲜于管，弟叔度于蔡。余皆以次受封。"《分殷之器物》即《分器》，当为封先圣王之后和功臣、昆弟的命书。郑玄说："宗彝，宗庙樽也。作《分器》，著王之命及受物。"（《史记·周本纪集解》引）《吕氏春秋》将武王封先圣王之后定在"入殷，未下辇"时，恐是缘饰之辞，未必可信。司马迁叙在武王罢兵西归，回到镐京作《武成》之后，当与历史事实相符。《分器》之作，当在武王回到镐京以后。皮锡瑞《今文尚书考证》说："《书序》列《洪范》后，《史记》列《武成》后、武王访问箕子之前。武王访箕子在克殷后二年，《分器》当在初克殷时。

史公用今文说，较古文次序为合。盖古文家误以克殷访范为一年内事，故移其次序耳。若知访范不在克殷之年，则《分器》不当在访范之后矣。”（中华书局1989年版，第519页）是武王胜殷后于是年有此文之作，姑附此。

公元前1045年（周武王二年　周文王十二年）

四月，武王有疾，命周公立成王，告以为政之要，史录其言而作《武儆》、《五权》。《逸周书·武儆》云：“惟十有二祀四月，王告梦。丙辰出金枝郊宝开和细书，命诏周公旦立后嗣，属小子诵文及宝典。”《逸周书后序》云：“武王有疾，□□□□□□□□□□□命周公辅小子，告以正要，作《五权》。”《武儆》、《五权》皆言武王命周公立成王为后嗣并辅相之，唐兰《西周青铜器铭文分代史征》认为：“都是病危时事，似与《金縢》同时。”（中华书局1986年版，第4页）《武儆》所言“十有二祀四月”，指文王十二年四月，实即武王二年，故系二篇于此。

公元前1044年（周武王三年　周文王十三年）

箕子来降，周人记其事而有甲骨刻辞之作。1977年，陕西凤雏村南西周甲组宫殿遗址西厢二号房内窖穴H31出土有字甲骨中，其中H31：2片记载了箕子来降一事，辞云：“唯衣鸡子来降，其执罘厥史。在旃，尔卜曰南宫辝其作。”诸家皆断此为武王时刻辞（陕西周原考古队等《岐山凤雏村两次发现周初甲骨文》，《考古与文物》1982年3期；陈全方《陕西岐山凤雏村西周甲骨文概论》，《四川大学学报丛刊》第十辑），故系于此。

武王访箕子，箕子为武王陈《洪范》。伏生二十八篇《今文尚书》、孔壁本《古文尚书》皆有《洪范》。《书序》云：“武王胜殷，杀受，立武庚，以箕子归，作《洪范》。”《洪范》开篇即云：“维十有三祀，王访于箕子，箕子乃言曰云云。”是箕子应武王问而作《洪范》在周文王十三年，即武王三年。《尚书大传》云：“武王释箕子之囚，箕子不忍周之释，走之朝鲜。武王闻之，因以朝鲜封之。箕子既受周之封，不得无臣礼，故于十三祀来朝。武王因其朝而问《洪范》。”《史记·周本纪》云：“武王已克殷，后二年，问箕子殷所以亡。箕子不忍言殷恶，以存亡国宜告。武王亦丑，故问以天道。”《尚书·洪范》孔疏云：“此经文旨异于余篇，非直问答而已，不是史官叙述，必是箕子既对武王之问，退而自撰其事。”又云：“此经开源于首，覆更演说，非复一问一答之势，必是箕子自为之也。发首二句，自记被问之年。”是自汉至唐皆以为《洪范》为箕子所作，成书在文王十三年。

箕子朝周，感殷宫室毁坏而作《麦秀之诗》。《史记·宋微子世家》云：“箕子朝周，过故殷虚，感宫室毁坏，生禾黍，箕子伤之，欲哭则不可，欲泣为其近妇人，乃作《麦秀之诗》以歌咏之。其诗曰：‘麦秀渐渐兮，禾黍油油。彼狡僮兮，不与我好兮！’所谓狡童者，纣也。殷民闻之，皆为流涕。”司马迁叙此事在武王崩之前，姑系于此。

武王克商，西旅献獒，太保作《旅獒》。伏生二十八篇《今文尚书》无《旅獒》，孔壁本《古文尚书》逸十六篇有此篇。《书序》云：“西旅献獒，太保作《旅獒》。”

《释文》引马融云："作豪，酋豪也。"孔疏引郑玄亦云："獒，读曰豪。西戎无君名，强大有政者为酋豪，国人遣其酋豪献见于周。"章太炎读旅为卢，谓西旅即西卢，即《尚书·牧誓》所言八国之一，又赞同马、郑的训读，认为獒为君上。所谓"西旅献獒"，指西卢首领不共王命，其民缚之以献，犹《吕氏春秋·用民》所谓"夙沙之民，自攻其君，而归神农。密须之民，自缚其主，而与文王"（章太炎《膏兰室札记》卷三，《章太炎全集》第一册，上海人民出版社1982年版）。先秦及两汉典籍无一引《旅獒》文句，无法窥其一斑。段玉裁《古文尚书撰异》卷三十二云："此篇当马、郑时尚存于秘藏，马、郑得见其文，故知其训为献见酋豪也。"至于其作者，伪孔传以为即召公，孙星衍《尚书今古文注疏》认为疏谬不可信（中华书局1986年版，第596页）。孔传本《古文尚书》之《旅獒》系晋代晚出之书，列于《金縢》前，姑据以系篇名于此。

巢伯朝周，芮伯作《旅巢命》。伏生二十八篇《今文尚书》、孔壁本《古文尚书》均无此篇，惟张霸百两篇本出此篇名。先秦及两汉典籍无一引《旅巢命》文句，知已亡失。《书序》云："巢伯来朝，芮伯作《旅巢命》。"巢，方国名。《水经·沔水注》云："巢，群舒国也。"周原出土西周甲骨有"征巢"的记载，古巢国在今安徽巢湖一带（徐锡台《周原出土的甲骨文所见人名、官名、方国、地名浅释》，《古文字研究》第一辑）。孔疏引《世本》云："芮伯，姬姓。"郑玄云："芮伯，周同姓国，在畿内（《诗·大雅·桑柔》孔疏引）。"《汉书·古今人表》第六等有芮伯，颜注云："当武王时作《旅巢命》。"孔传本《古文尚书》列此篇于《旅獒》后、《金縢》前，姑据以系篇名于此。

武王病，周公欲以己身代武王死，史录祝文并叙事之始末而作《金縢》。伏生二十八篇《今文尚书》、孔壁本《古文尚书》皆有《金縢》，《史记·鲁周公世家》录载此文。《书序》云："武王有疾，周公作《金縢》。"蔡沈《书集传》云："武王有疾，周公以王室未安，殷民未服，根本易摇，故请命三王，欲以身代武王之死。史录其册祝之文，并叙其事之始末，合为一篇，以其藏于金之縢匮，编书者因以《金縢》名篇。"文中周公自呼其名请命三王，册祝之文当为周公所作无疑。郑玄说："策，周公所作，谓简书也。祝者读此简书，以告三王。"（《史记·鲁周公世家集解》引）史官补叙的内容是为了说明事情的前因后果，与周公所作册祝之文不是同时的制作。孙星衍《尚书今古文注疏》云："经文'秋大熟'以下，必非《金縢》之文。孔子见百篇之《书》，而《序》称周公作《金縢》，周公不应言死后之事，此篇经文当止于'王翼日乃瘳'。或史臣附记其事，亦止于'王亦未敢诮公'也。其'秋大熟'以下，考之《书序》，有成王告周公作《薄姑》，则是其逸文。后人见其词有'以启金縢之书'，乃以属于《金縢》耳。"（中华书局1986年版，第323页）尽管《金縢》杂有史官后来补叙的内容，但周公的册祝之文是主要内容，故《书序》称周公作《金縢》。文中云："既克商二年，王有疾，弗豫。"据《史记·周本纪》，文王十一年克商。克商二年，即文王十三年，《金縢》即作于此年。

公元前 1043 年（周武王四年　周文王十四年）

伯夷、叔齐耻武王伐纣，义不食周粟，隐于首阳山而作《采薇歌》。《史记·伯夷列传》云："武王载木主，号为文王，东伐纣。伯夷、叔齐叩马而谏曰：'父死不葬，爰及干戈，可谓孝乎？以臣弑君，可谓仁乎？'左右欲兵之。太公曰：'此义人也。'扶而去之。武王已平殷乱，天下宗周，而伯夷、叔齐耻之，义不食周粟，隐于首阳山，采薇而食之。及饿且死，作歌。其辞曰：'登彼西山兮，采其薇矣。以暴易暴兮，不知其非矣。神农、虞、夏忽焉没兮，我安适归矣？于嗟徂兮，命之衰矣。'遂饿死于首阳山。"沈德潜《古诗源》题伯夷、叔齐所作歌曰《采薇歌》，姑附于武王世。

十二月，武王崩于镐京，明年夏六月葬于毕。《逸周书·作雒》云："武王既归，乃岁十二月崩镐，肂于岐周。……元年夏六月，葬武王于毕。"潘振《周书解义》说："毕，终南山道名，其边若堂室之墙，《尔雅》所谓毕堂墙也。山在今陕西西安府长安县南，即旧说京兆长安南社中也。"王国维《周开国年表》谓武王崩时年近六十（王国维《观堂集林》第四册，中华书局 1959 年版，第 1147—1149 页）。据《夏商周断代工程 1996—2000 年阶段成果报告》，武王在位四年。

公元前 1042 年（周成王元年　周公摄政一年）

周公因成王年幼，摄政称王。《史记·周本纪》云："成王少，周初定天下，周公恐诸侯畔周，公乃摄行政当国。"所谓"摄行政当国"，乃史家囿于后来儒家"君君臣臣"观念之辩护词，实则周公曾摄政称王。《荀子·儒效篇》、《韩非子·难二》、《逸周书·明堂》、《礼记·明堂位》、《韩诗外传》、《淮南子·齐俗》、《说苑》之《君道》与《尊贤》等皆言周公曾摄政称王七年，王国维《殷周制度论》、顾颉刚《周公执政称王——周公东征史事考证之二》等皆有论证。周公摄政称王既是当时的历史趋势，也是客观形势的需要，且有兄终弟及的殷制可资援引以为根据。

管叔、蔡叔与武庚联合淮夷、徐、奄、熊、盈等国叛周。周公摄政称王，管叔、蔡叔言于国中说"公将不利于孺子"（《尚书·金縢》）。同时，奄君、薄姑谓武庚曰："武王既死矣，成王尚幼矣，周公见疑矣。此百世之一时也，请举事。"（《尚书大传》）武庚从之，于是就联合管叔、蔡叔及从前的属国淮夷、徐、奄、熊、盈叛周。管、蔡、武庚等叛周，各有意图。金履祥《资治通鉴前编》卷七云："彼管叔者……固以为周之天下或者周公可以取之，己为之兄而不得与也……遂挟武庚以叛。彼武庚者，瞰周室之内难，亦固以为商之天下或者已可以复取之，三叔之愚可因使也……遂挟三监、淮、奄以叛。夫三叔、武庚之叛，同于叛而不同于情：武庚之叛意在于复商，三叔之叛意在于得周也。至于奄之叛亦不过于助商；而淮夷之畔则外乘应商之声，内撼周公之子，其意又在于得鲁。……当是时，乱周之祸亦烈矣。武庚挟殷畿之顽民，而三监又各挟其国之众，东至于奄，南至于淮夷、徐戎，自秦汉之势言之，所谓'山东大抵皆反'者也。"

周公东征平叛，矢誓邦君、御事而作《大诰》。伏生二十八篇《今文尚书》、孔壁本《古文尚书》皆有《大诰》。《书序》云："武王崩，三监及淮夷叛，周公相成王，将黜殷，作《大诰》。"《史记·周本纪》云："管、蔡畔周，周公讨之，三年而毕定，故初作《大诰》。"《鲁周公世家》云："管、蔡、武庚等果率淮夷而反，周公乃奉成王命，兴师东伐，作《大诰》。"周公曾摄政称王，文中"王若曰"之"王"指周公。郑玄说："王，周公也。周公居摄，命大事，则权称王。"（《尚书·大诰》孔疏引）《大诰》之作，当在周公东征之初。王肃说："周公摄政，遭流言，作《大诰》而东征。"（《尚书·洛诰》孔疏引）此与《尚书大传》所言"周公摄政，一年救乱"相符，则《大诰》当作于周公摄政元年。

淮夷、徐戎助管、蔡、武庚为乱，伯禽率师征之，于费地誓众而作《费誓》。伏生二十八篇《今文尚书》、孔壁本《古文尚书》皆有《费誓》。《史记·鲁周公世家》引其文，出篇名作《肸誓》，云："伯禽即位之后，有管、蔡等反也，淮夷、徐戎亦并兴反。于是伯禽率师伐之于肸，作《肸誓》。……作此《肸誓》，遂平徐戎，定鲁。"管叔、蔡叔、武庚及东方诸国叛周在周公摄政元年，是司马迁认为《肸誓》作于此年。武王克商后即封周公于鲁，但周公一直留在京师辅佐武王、成王，使伯禽代而就封于鲁。管叔、蔡叔等作乱时，伯禽正在鲁（《史记·周本纪》、《鲁周公世家》）。伯禽率师伐徐戎、淮夷当是配合周公救乱之举，事在周公摄政元年，《费誓》即作于此时。

公元前 1041 年（周成王二年　周公摄政二年）

周公作《微子之命》，封微子启于宋。武王克殷后，先封纣子武庚以续殷祀，使管叔、蔡叔傅相之，又使微子复其国。《左传·僖公六年》云："蔡穆侯将许僖公以见楚子于武城。许男面缚，衔璧，大夫衰绖，士舆榇。楚子问诸逢伯。对曰：'昔武王克殷，微子启如是。武王亲释其缚，受其璧而祓之，焚其榇，礼而命之，使复其所。'"微子封微，以微为氏，微国本在纣之畿内。所谓"复其所"，即复其国。及三监作乱，周公诛武庚后，又封微子于宋。《史记·宋微子世家》云："周公既承成王命诛武庚，杀管叔，放蔡叔，乃命微子开代殷后，奉其先祀，作《微子之命》以申之，国于宋。微子故能仁贤，乃代武庚，故殷之余民甚戴爱之。"伏生二十八篇《今文尚书》，孔壁本《古文尚书》均无《微子之命》，《史记》的《周本纪》、《宋微子世家》出此篇名。《书序》说："成王既黜殷命，杀武庚，命微子启代殷后，作《微子之命》。"周公封微子启时有名为《微子之命》的命书，已亡失。先秦及汉代典籍无一引其逸文，伪孔传《古文尚书》之《微子之命》系晋代伪书。《史记·周本纪》云："管、蔡畔周，周公讨之，三年而毕定，故初作《大诰》，次作《微子之命》，次《归禾》，次《嘉禾》，次《康诰》、《酒诰》、《梓材》。"是周公诛武庚后，即封微子于宋而作《微子之命》，故系于此年。

周公东征期间，忧王业之将坏，陈《七月》以明先公风化之所由，致王业之艰难；既诛管、蔡，作《鸱鸮》之诗以明其志。诗皆见《诗经·豳风》。《毛序》云："《七月》，陈王业也。周公遭变故，陈后稷先公风化之所由，致王业之艰难也。"所谓"变故"，指管叔、蔡叔与武庚叛周一事。周公东征期间，述《七月》一诗，意在表明周之居豳地先公如公刘等虽屡遭变故，犹致力于稼穑，谋求发展。如今遭管、蔡之变，亦当法先公而成就王业。孔疏综而述毛意云："毛以为周公遭管、蔡流言之变，举兵而东伐之。忧此王业之将坏，故陈后稷及居豳地之先公，其风化之所由，缘致此王业艰难之事。先公遭难，乃能勤行风化，己今遭难，亦欲勤修德教，所以陈此先公之事，将以比序己志。”陈奂《诗毛氏传疏》亦云：“此周公遭管、蔡之变而作。”周公述《七月》以明志，则其原作者必不是周公。方玉润《诗经原始》云：“《豳》仅《七月》一篇所言皆农桑稼穑之事，非躬亲陇亩久于其道者，不能言之亲切有味也如是。周公生长世胄，位居冢宰，岂暇为此？且公刘世远，亦难代言。此必古有其诗，自公始陈王前，俾知稼穑艰难并王业所自始，而后人遂以为公作耳。”关于《鸱鸮》的作者及作时，《毛序》云：“《鸱鸮》，周公救乱也。成王未知周公之志，公乃为诗以遗王，名之曰《鸱鸮》焉。”《毛传》虽无明训，言“宁亡二子，不可以毁我周室”，其意当与《毛序》同。《毛序》、《毛传》皆据《尚书·金縢》为说，三家诗及朱熹《诗集传》等无异议。陈奂《诗毛氏传疏》说：“《鸱鸮》之诗盖作于东征二年之后，周公未归时也。”

公元前1040年（周成王三年　周公摄政三年）

周公东征期间，成王作《归禾》，命唐叔将其所得禾馈赠于周公。伏生二十八篇《今文尚书》，孔壁本《古文尚书》均无《归禾》，百两篇本出此篇名。《书序》云：“唐叔得禾，异亩同颖，献诸天子。王命唐叔归周公于东，作《归禾》。”《史记·鲁周公世家》出篇名作《馈禾》，先秦及汉代典籍无一引用其逸句，知早已亡失。据《书序》及《史记·周本纪》、《鲁周公世家》，此文作于周公东征期间，姑系篇名于此。

周公东征期间得命禾，陈成王命而作《嘉禾》。伏生二十八篇《今文尚书》，孔壁本《古文尚书》均无《嘉禾》，《尚书大传》及《史记》的《周本纪》、《鲁周公世家》皆出篇名。《尚书大传》云：“成王之时，有三苗贯桑叶而生，同为一穗，其大盈车，长几充箱。民得而上诸成王，王召周公而问之。公曰：‘三苗为一穗，抑天下其和为一乎？’果有越裳氏重译而来。”《韩诗外传》卷五云：“成王之时，有三苗贯桑而生，同为一秀，大几满车，长几充箱。成王问周公曰：‘此何物也？’周公曰：‘三苗同一秀，意者天下殆同一也。’比期三年，果有越裳氏重九译而至，献白雉于周公：‘道路攸远，山川幽深，恐使人之未达也，故重译而来。’周公曰：‘吾子何以见赐也？’译曰：‘吾受命国之黄发曰：久矣天之不迅风疾雨也，海之不波溢也，三年于兹矣。意者中国殆有圣人，盍往朝之？于是来也。’周公乃敬求其所以来。”《说苑·辨物》亦载此文，文字略有不同。孙星衍《尚书今古文注疏》谓《尚书大传》等所引或即《嘉禾》之佚文（中华书局1986年点校本，第522页）。《史记·周本纪》云：“周公受禾东土，鲁天子之命。”《书序》云：“周公既得命禾，旅天子之命，作《嘉禾》。”则此文亦当作于周公东征期间，姑系于此。

周公伐淮夷、践奄而作《成王政》。伏生二十八篇《今文尚书》、孔壁本《古文尚书》无《成王政》，《史记》亦不载篇名，惟百两篇本出此篇名。段玉裁《古文尚书撰异》卷三十二云：“《尚书大传·周传》云：‘成王政，遂践奄。践之者，藉之也。藉之谓杀其身，执其家，潴其宫。’玉裁按：此必篇中有此语，伏生记忆释之，非释《书序》也。”据此，则“成王政，遂践奄”是《成王政》中的文句。《书序》云：“成王东伐淮夷，遂践奄，作《成王政》。”孔疏引郑玄说：“此伐淮夷与践奄是摄政三年伐管、蔡时事。”此说与《尚书大传》所谓“周公摄政，一年救乱，二年克殷，三年践奄”相同，故据以断是年周公曾有《成王政》之作。

周公既践奄，将迁其君于蒲姑，告召公而作《将蒲姑》。伏生二十八篇《今文尚书》、孔壁本《古文尚书》无《将蒲姑》，《史记》亦不载篇名，惟百两篇本出篇名。《书序》云：“成王既践奄，将迁其君于蒲姑，周公告召公，作《将蒲姑》。”先秦及汉代文献典籍无一称述此篇名或引其逸句，知已亡。此所谓践奄当与《尚书大传》所言“三年践奄”为同一事，姑系篇名于此。

周公东征凯还，劳归士而作《东山》之诗；东征士卒喜得生还，有人作《破斧》之诗。诗皆见《诗经·豳风》。《毛序》云：“《东山》，周公东征也。周公东征，三年而归，劳归士，大夫美之，故作是诗也。一章言其完也，二章言其思也，三章言其室家之望女也，四章乐男女之得及时也。君子之于人，序其情而悯其劳，所以说也。说以使民，民忘其死，其唯《东山》乎？”至其作者，大都以为是周公而非大夫。朱熹《诗集传》云：“周公东征已三年矣，既归，因作诗以劳归士。”又云：“愚谓完谓全师而归，无死伤之苦。思谓未至而思，有怆恨之怀。至于室家望女，男女及时，亦皆其心之所愿而不敢言者。上之人乃先其未发而歌咏以劳苦之，则其欢欣感激之情为如何哉？盖古之劳诗皆如此。其上下之际情志交孚，虽家人父子之相语，无以过之。此其所以维持巩固数十百年，而无一旦土崩之患也。”方玉润《诗经原始》、王先谦《诗三家义集疏》等均从朱熹说，断此诗为周公所作。《毛序》云：“《破斧》，美周公也，周大夫以恶四国焉。”诗无赞美周公之意，许多学者多不从《毛序》。闻一多《风诗类钞》云：“《破斧》，东征士卒喜生还也。”此说不仅较之旧说更切合诗意，而且还表明诗作于东征归来之时，故从之以此诗与《东山》为一时之作。

东人欲成王以礼迎周公归而作《伐柯》；周公得到礼遇西归时，东人惜别而作《九罭》。诗皆见《诗经·豳风》。《毛序》云：“《伐柯》，美周公也，周大夫刺朝廷之不知也。”又云：“《九罭》，美周公也，周大夫刺朝廷之不知也。”两《序》除篇题不同外，其余文字完全相同，因此有学者认为《伐柯》、《九罭》本为一诗（吴闿生《诗义会通》）。由于相同文字的《序》冠于两首诗之上，加之语意不明，后人关于两诗的主旨颇多异说。苏辙《诗集传》论《伐柯》云：“伐柯而不用斧，取妻而不用媒，岂可得哉？今成王欲治国，弃周公而不召，亦不可得也。”严粲《诗辑》亦云：“有问伐柯以为斧柄者如何乎？非斧则不能，其理易知，何必问也。有问取妻者当如何乎？非媒则不得，其理亦易知，何必问也。欲周公之归，何必问人，但以礼迎之而已。”胡承珙《毛诗后笺》、王先谦《诗三家义集疏》都认为苏说颇合诗意，则《伐柯》是欲成王以礼迎归周公的诗。至于《九罭》，陈子展《诗三百解题》说：“这诗是东人为周公得到上公冕服西归时惜别而作。”此据诗本文及《毛传》、郑笺为说，亦可从。诗旨既明，则其作者当不如《毛序》所言是周大夫而是东方之人，朱熹《诗集传》就明言《伐柯》、《九罭》为东人所作。既然两诗均出自东人之手，当作于周公东征期间。

公元前 1039 年（周成王四年　周公摄政四年）

周公东征归来，豳人述其进退为难之事而作《狼跋》。诗见《诗经·豳风》。《毛序》云："《狼跋》，美周公也。周公摄政，远则四国流言，近则王不知，周大夫美其不失其圣也。"郑笺云："不失其圣者，闻流言不惑，王不知不怨，终立其志，成周之王功，致太平，复成王之位，又为之大师，终始无愆，圣德著焉。"三家诗无异议，后人多从之。关于此诗的作时，陈奂《诗毛氏传疏》云："此诗既归朝廷而作，在摄政四年后事。"王先谦《诗三家义集疏》据之进一步指出："当流言之起，成王疑公，盖有二公（召公、太公）所不能匡救者。公此时既已摄政，进而负扆，无以解于鬻子。退而弗治，无以告我先王。请命东行，内则远嫌，外仍扞难，实处危难恐惧之地。及四国果叛，连兵二年，罪人斯得，然后心迹大显。衮衣既锡，旋亦召归。豳人于公之归，追记德音，故以是诗美之耳。"《毛序》言作者是周大夫，此则又说是豳人。因此诗编篇在《豳风》，作者当是豳人。周公东征归来，罪人斯得，豳人美周公而追述其进退有难之事，当如陈奂所言作于摄政四年后。

周公自奄至于宗周，五月二十八日为安抚、威胁、利诱四方之士及殷民而作《多方》。伏生二十八篇《今文尚书》、孔壁本《古文尚书》均有《多方》，皆次于《多士》后，其间尚有《无逸》、《君奭》及《成王政》、《将蒲姑》二佚篇。王柏《书疑》卷七云："凡化顽民之书，不过《多士》、《多方》两篇而已。缘中间纷乱脱落，序者不得其要，读者莫知条理。是故随文解义，卒不能贯通。愚不敢观序，止熟读正文，而知其有脱简焉。窃谓《多方》当在前，《多士》当在后。"其后金履祥《书经注》卷十、顾炎武《日知录》卷二、王夫之《尚书稗疏》卷四、刘逢禄《尚书今古文集解》卷二十、崔述《丰镐考信录·周公相成王中》等，根据不同的材料，从不同的角度申论此说。《多方》当居于《多士》之前，已无疑问。周公在周王朝刚刚取得政权，尚处于风雨飘摇之际，为了稳定大局，当政称王，东征平叛，文中"王来自奄，至于宗周"之"王"当即周公。篇首记周公作诰的背景之语说："惟五月丁亥，王来自奄，至于宗周。"唐兰《西周青铜器铭文分代史征》不仅认为《多方》作于周公摄政四年，还根据月朔干支表，推定文中"五月丁亥"是此年五月二十八日（中华书局 1986 年版，第 44 页）。另外，自武王死至此，适为五年，故文中云"奔走臣我监五祀"，也可据以断《多方》作于是年。

周公封建亲戚以藩屏周。武王克商后，设置三监，褒封先圣王之后，分封功臣昆弟，稳定了大局。周公摄政四年，为了进一步加强对各地的统治，援武王分封之例，大事封建。《左传·僖公二十四年》载富辰谏语云："昔周公吊二叔之不咸，故封建亲戚以藩屏周。管、蔡、郕、霍、鲁、卫、毛、聃、郜、雍、曹、滕、毕、原、酆、郇，文之昭也。邘、晋、应、韩，武之穆也。凡、蒋、邢、茅、胙、祭，周公之胤也。"此即《尚书大传》所谓"周公摄政，四年建侯卫"之事。二十六国中，管、蔡、郕、霍、鲁、曹之封在武王时，而凡、蒋等国之封当在周公之后，非一时事，富辰不过连类及之。

周公作策命之书《伯禽》封伯禽于鲁。《左传·定公四年》云："周公相王室，以尹天下，于周为睦。分鲁公以大路、大旂，夏后氏之璜，封父之繁弱，殷民六族，条氏、徐氏、萧氏、索氏、长勺氏、尾勺氏，使帅其宗氏，辑其分族，将其类丑，以法则周公。用即命于周。是使之职事于鲁，以昭周公之明德。分之土田陪敦、祝、宗、卜、史，备物、典策，官司、彝器。因商奄之民，命以《伯禽》而封于少皞之虚。”《伯禽》为周公封伯禽于鲁时策命之书。顾炎武说：“益都孙宝侗仲愚谓：‘祝佗告苌弘，其言鲁也，曰命以《伯禽》而封于少皞之虚。其言卫也，曰命以《康诰》而封于殷虚。其言晋也，曰命以《唐诰》而封于夏虚。是则《伯禽之命》、《康诰》、《唐诰》，《周书》之三篇，而孔子所必录也。今独《康诰》存，而二书亡。’……其解‘命以伯禽’为书名《伯禽之命》，尤为切当。”（黄汝成《日知录集释》，岳麓书社1994年版，第75页）其实，《伯禽》并未完全亡失。《诗经·鲁颂·閟宫》云：“王曰叔父，建尔元子，俾侯于鲁，大启尔宇，为周室辅。乃命鲁公，俾侯于东，锡之山川，土田附庸。”唐兰《西周铜器铭文分代史征》认为诗中所言就是转述《伯禽》中语（中华书局1986年版，第53页）。据《尚书大传》记载，周公摄政，四年建侯卫。伯禽实际受封于鲁当在此时，之前是代周公就封于鲁。《伯禽》之作，当在是年。

周公作《康诰》、《酒诰》、《梓材》，徙封康叔于卫。伏生二十八篇《今文尚书》、孔壁本《古文尚书》皆有《康诰》、《酒诰》、《梓材》。《左传·定公四年》云：“分康叔以大路、少帛、绮茷、旃旌、大吕，殷民七族，陶氏、施氏、繁氏、锜氏、樊氏、饥氏、终葵氏，封畛土略，自武父以南及圃田之北竟，取于有阎之土以共王职，取于相土之东都以会王之东蒐。聃季授土，陶叔授民，命以《康诰》而封于殷虚。”《书序》及《史记》的《周本纪》、《卫康叔世家》言以命书封康叔皆出《康诰》、《酒诰》、《梓材》三篇篇名。曾运乾《尚书正读》说：“三篇同序，皆诰康叔。《康诰》，告以明德慎罚也；《酒诰》，因康叔国于殷墟，殷民化纣俗，沈湎于酒，诰以刚制于酒也；《梓材》，令其宣布德意，招致庶殷，共营东周也。”（中华书局1964年版，第158页）则三篇本是有内在联系的整体，作于一时。据《左传·定公四年》，《康诰》、《酒诰》、《梓材》是周公封康叔时所作。然而《书序》云：“成王既伐管叔、蔡叔，以殷余民封康叔，作《康诰》、《酒诰》、《梓材》。”此又以《康诰》、《酒诰》、《梓材》为成王所作。但《康诰》记诰命之语云：“王若曰：‘孟侯！朕其弟，小子封。’”下文又自称“乃寡兄”。孟侯是对康叔的称呼，封是康叔的名。称康叔为弟者自然是康叔之兄，但成王却是康叔之侄。与成王之身份不符，而与周公身份相符。王鸣盛《尚书后案》据郑玄注《康诰》言“周公代成王诰”指出：“谓‘周公代成王诰’，则知‘王若曰’者，王即周公。‘朕其弟’者，周公谓康叔为弟无疑也。”皮锡瑞《今文尚书考证》据《史记》等文献的记载，不仅断定《康诰》三篇的作者是周公，而且还认为是周公居摄四年封康叔时所作（中华书局1989年版，第321、329页）。据刘起釪《周初“三监”与邶、墉、卫三国及卫康叔封地的问题》，武王时康叔受封于康，其地在今河南临汝、禹县间，周公平定三监叛乱后，为加强西周王朝在原殷商所属的“邦畿千里”之地的统治，在摄政四年封建亲戚以藩屏周时，又徙封康叔于卫（《古史续辨》，中国社会科学出版社1991年版，第514—543页）。

周公作《唐诰》，封唐叔于夏虚。《左传·定公四年》云：“分唐叔以大路、密须之鼓、阙巩、沽洗，怀姓九宗，职官五正。命以《唐诰》而封于夏虚，启以夏正，强以戎索。”《唐诰》是分封唐叔时的策命之书，惜已亡。但是晋公惟盞铭文云：“我皇祖唐公，膺受大命，左右武王，□□百蛮，广嗣四方，至于大廷，莫不事王。王命唐公，

肇宅京师，□□晋邦。”唐兰《西周铜器铭文分代史征》认为，此铭所叙即《唐诰》(中华书局 1986 年版，第 53—54 页)。

蔡叔既没，周公作《蔡仲之命》，复封其子蔡仲以奉其祀。《左传·定公四年》云：“管、蔡启商，惎间王室，王于是乎杀管叔而祭蔡叔，以车七乘，徒七十人。其子蔡仲改行帅德，周公举之，以为己卿士，见诸王，而命之以《蔡》。其命书云：‘王曰：胡！无若尔考之违王命也。’”伏生二十八篇《今文尚书》、孔壁本《古文尚书》均无《蔡仲之命》，百两篇本出篇名，当是据《左传》改《蔡》为《蔡仲之命》。蔡沈《书集传》说：“按此篇次叙，当在《洛诰》之前。”其意以为，此篇之作在周公摄政期间。据《尚书大传》的记载，周公摄政四年封建诸侯。周公复封蔡仲，作《蔡仲之命》当在建侯卫之时。伪孔传《古文尚书》中之《蔡仲之命》袭用《左传》所引《蔡》中文句以成篇，系晋代伪书。

公元前 1038 年（周成王五年　周公摄政五年）

三月，周公据当年武王之意营建洛邑。《左传·桓公二年》云：“武王克商，迁九鼎于雒邑。”《逸周书·度邑》记武王之言曰：“自雒汭延于伊汭，居阳无固，其有夏之居。我南望过于三途，我北望过于有岳鄙，顾瞻过于河，宛瞻于伊雒，无远天室。”何尊铭文云：“唯武王既克大邑商，则廷告于天，曰：余其宅兹中国，自之乂民。”据此则营建洛邑本是武王之意。《洛诰》脱简于《康诰》篇首的残句云：“惟三月哉生魄，周公初基作新大邑于东国洛，四方民大和会。”（《康诰》篇首四十八字是《洛诰》的脱简，详见苏轼《书传》、《朱子语类》卷七九等）《尚书·洛诰》记周公之言曰：“予惟乙卯朝至于洛师。我卜河朔黎水。我乃卜涧水东，瀍水西，惟洛食。我又卜瀍水东，亦惟洛食。”《逸周书·作雒》：“周公敬念于后，曰：‘予畏周室不延，俾中天下。’及将致政，乃作大邑成周于土中。”初作洛始于三月，主持其事者乃周公。据《尚书大传》，周公主持营建洛邑是在摄政的第五年，而《史记·周本纪》却说营建洛邑是在周公行政七年。皮锡瑞《今文尚书考证》说：“营洛大事，非一时所能办。《大传》言其始，《史记》要其终，两说可互相明，本无违异。”（中华书局 1989 年版，第 334 页）周公主持营建洛邑始于周公摄政五年的三月，至七年方告落成。

公元前 1037 年（周成王六年　周公摄政六年）

周公制礼作乐，作《周礼》、《誓命》，主持制作《大武》乐舞。《左传·文公十八年》记季文子使太史克对鲁宣公曰：“先大夫臧文仲教行父事君之礼，行父奉以周旋，弗敢失队，曰：‘见有礼于其君者，事之，如孝子之养父母也；见无礼于其君者，诛之，如鹰鹯之逐鸟雀也。’先君周公制《周礼》曰：‘则以观德，德以处事，事以度功，功以事民。’作《誓命》曰：‘毁则为贼，掩贼为藏。窃贿为盗，盗器为奸。主藏之名，赖奸之用，为大凶德，有常无赦，在九刑不忘。’”此乃周公制礼作乐之直接证据，所谓《周礼》、《誓命》乃周公所制周礼涉及法制者。周公所制之礼，检讨文献，尚可得数项。《逸周书·作洛》说周公“乃设丘兆于南郊以祀上帝，配以后稷，日月星辰先王皆与食。……乃位五宫：大庙、宗宫、考宫、路寝、明堂”，则郊天祭祖为周公所制之礼。《左传·僖公二十四年》云："昔周公吊二叔之不咸，故封建亲戚以蕃屏周。"《荀子·儒效》言周公"兼制天下，立七十一国，姬姓独居五十三人"。封建宗法制为周公所制之礼。《国语·鲁语下》云："若子季孙欲其法也，则有周公之籍矣。"韦昭注："籍田之法，周公所制也。"籍田之法亦为周公所制之礼。《荀子·儒效》云："周公屏成王而及武王以属天下，恶天下之倍周也……成王冠，成人，周公归周反籍焉，明不灭主之义也。"嫡长子继承制亦周公所制之礼。《左传·昭公十三年》云："昔天子班贡，轻重以列。列尊贡重，周之制也。卑而贡重者，甸服也。"以列定贡之轻重，或亦为周公所制之礼。据《左传·宣公十二年》、《诗经·周颂·酌序》、《礼记·乐记》、《白虎通·礼乐》等文献的记载，《大武》乐舞是周公摄政六年作乐的标志性成果之一，所用乐歌有《武》、《赉》、《桓》、《酌》，皆见于《周颂》，旨在表现"禁暴、戢兵、保大、定功、安民、和众、丰财"的内容。就礼乐文明而论，礼是根本，乐是载具。礼和乐在周人实际的社会生活中是浑然结合在一起的统一体，用乐即是行礼，行礼必奏乐舞。

周公尊后稷以配天而作《生民》。诗见《诗经·大雅》。《毛序》云："《生民》，尊祖也。后稷生于姜嫄，文、武之功起于后稷，故推以配天焉。"朱熹《诗集传》据以立说，并论诗之所以作云："周公制礼，尊后稷以配天，故作此诗，以推本其始生之祥，明其受命于天，固有以异于常人也。"据《尚书大传》记载，周公摄政六年制礼作乐，则《生民》作于周公摄政六年。

公元前1036年（周成王七年　周公摄政七年）

洛邑告成，史官记其规模形制，兼及周公平定三监之乱、封康叔及营洛始末而作《作雒》。营建洛邑始于周公摄政五年，至此年方告落成。《作雒》见《逸周书》，记载了洛邑的规模形制及周公平定三监之乱、封建康叔及营洛邑之事。唐大沛《逸周书分编句释》谓此篇"文笔简洁而周密，非周初良史不能为，疑亦出于史逸之手"。杨宽《论〈逸周书〉》认为，此文是西周重要文献之一，主要记述了周公东征胜利后营建洛邑的事，文中所记洛邑的规模形制与《考工记》所言"匠人营国方里"相合，可证《作雒》是有来历的文献（《中华文史论丛》1989年1期）。此文记洛邑的规模形制及其他事件，无一语言及成王，显然作于洛邑告成，成王尚未正式执政时，当是史官叙周初大事而为此文。《作雒》详细记载了洛邑的规模形制："立城方千七百二十丈，郛方七十里，南系于雒水，北因于郏山，以为天下大凑。"洛邑因建有王宫，故又称王城。相对于宗周而言，洛邑又称成周。

三月十四日，周公南郊祭天，歌奏《昊天有成命》；以后稷配天，歌奏《思文》；以先王配享，歌奏《天作》。周公主持营建洛邑，历时两年，至此年方告落成。洛邑告成时，周公举行了一系列的祭祀典礼。《召诰》是周公摄政七年洛邑告成时，召公在洛邑发布的诰命。史官在记录其诰命之辞时，也记载了祭祀典礼活动："若翼日乙卯，周公朝至于洛，则达观于新邑营。越三日丁巳，用牲于郊，牛二。"据孔疏推算，周公摄政七年三月十二日为乙卯，丁巳为三月十四日。《逸周书·作洛》说周公"乃设丘兆于南郊以祀上帝，配以后稷，日月、星辰、先王皆与食"。《汉书·郊祀志》亦云："周公加牲，告徙新邑，定郊礼于洛。”郊，即郊祀，指洛邑告成时在洛邑南郊举行的祭祀典礼，所用牺牲是加牲，即《召诰》所谓“牛二”，祭祀的对象是皇天上帝。周为农业部族，重视天象与季节变化，形成对天的信仰。周能以西方一个蕞尔小邦逐渐发展壮大起来，终于取代殷商而王有天下。在周人看来，就在于有皇天上帝的佑助。因此，洛邑告成便首先在南郊举行了祭天典礼，祭祀时所用乐歌当即《昊天有成命》（见《诗经·周颂》）。由于历代对诗中“成王不敢康”之“成王”有不同的理解，因而关于此诗的作时及用途颇多疑议。“成王”是周成王诵生时称号，已由地下出土铜器铭文及许多学者的研究得到证明。《毛序》笼统地说此诗是“郊祀天地”的乐歌，但诗中除第一句“昊天有成命”涉及天外，绝无一语与地有关。《召诰》所谓郊祀，仅是在南郊举行的祭祀典礼，南郊祭天不祭地。此诗言天不言地，正与《作洛》所记相合，可证此诗是洛邑告成时南郊祭天所奏乐歌。祭天而言及成王，是因为周人自认为得天下不易，当洛邑告成，周公即将致政成王，希望成王像文王、武王一样，夙夜勤劳，保有所受天命不变，祭天的目的实际是祈求上天保佑成王。南郊祭天以后稷相配是整个祭祀活动最重要的一个内容，郊祀后稷以配天所奏之乐歌即《思文》（见《诗经·周颂》）。《孝经·圣治章》说：“昔者周公郊祀后稷以配天。”《汉书·郊祀志》也说：“周公相成王，王道大洽，制礼作乐，天子曰明堂辟雍，诸侯曰泮宫，郊祀后稷以配天，宗祀文王以配上帝。”以后稷配天，乃是因为后稷是周之始祖，文、武之功皆起于后稷，故推以配天。《毛序》说：“《思文》，后稷配天也。”诗言后稷为民造福，其功德可与天相配，与《毛序》相合。孔疏说：“《国语》云周文公之为《颂》曰：‘思文后稷，克配彼天。’是此篇周公所自歌也，与《时迈》同也。”则此诗之作者是周公。南郊祭祀，除以后稷配天外，还以先王配享，即《逸周书·作洛》所言“先王皆与食”。潘振《周书解义》说：“先王，指太王以下。”《周颂》中直接言及太王的诗是《天作》。《毛序》说：“《天作》，祀先王先公也。”但是诗中无一语涉及先公，专咏先王之事。朱熹《诗集传》认为《天作》是“祭太王之诗”，与《逸周书·作洛》“先王皆与食”的记载相合。据《诗经·大雅·绵》、《史记·周本纪》的记载，太王迁岐奠定了周民族王业的基础，文王治岐才逐渐使周民族强大起来。如果没有太王迁岐之举，文王也就不可能治岐以成就王业。胡承珙《毛诗后笺》说：“诗专言大王、文王者，自以大王肇基王迹，文王始受天命，故特言之欤。”

周公在明堂祭祀文王以配上帝，歌奏《我将》。南郊祭天之后，周公又祭于明堂以文王、武王相配。《逸周书·作洛》记周公在洛邑设置五宫，明堂即居其一。孔晁注说：“明堂，在国南者也。”丘兆与明堂同在南郊，郊祭与明堂祭前后相承。明堂之祭在《尚书·洛诰》中有记载：“周公拜手稽首曰：‘王命予来，承保乃文祖受命民，越乃光烈考武王，弘朕恭。……考朕昭子刑，乃单文祖德。伻来毖殷，乃命宁。予以秬鬯二卣，曰明禋，拜手稽首休享。’”郑玄说：“文祖者，周曰明堂，以称文王，是文王德称文祖也。”（《诗经·周颂·维天之命》孔疏引）因明堂之祭，文王有德可以称文祖，那么明堂也就可以称为文祖。郑玄释“乃单文祖德”为“乃尽明堂之德”（《诗经·周颂·维天之命》孔疏引），即是明证。所谓“明禋”是以明堂而得名，郑玄有明确的说明：“明禋者，六典成，祭于明堂。”（《尚书·洛诰》孔疏引）周公祭于明堂所奏乐歌即《我将》（见《诗经·周颂》）。《毛序》云："《我将》，祀文王于明堂也。"三家诗无异议。孔疏据《礼记·玉藻》郑注、《论语》何注及诗中言祭祀时所用牺牲不仅仅是特牲，辨明此诗是在明堂祭上帝以文王相配所奏乐歌，吕祖谦《家塾读诗记》、朱熹《诗集传》、陈奂《诗毛氏传疏》、王先谦《诗三家义集疏》从之。此诗专颂文王，毫无疑问是明堂祭祀文王以配上帝所奏之乐歌。只不过陈奂拘于《尚书大传》所言周公摄政五年营成周的成说，认为此诗是周公摄政五年治洛时的乐歌欠妥。因为周公摄政五年才开始营建洛邑，至七年方告结束。《我将》当为周公摄政七年洛邑告成时在明堂举行祭祀典礼所奏乐歌。

周公祭于文王庙，歌奏《清庙》、《维天之命》和《维清》；祭于武王庙，歌奏《时迈》和《般》。洛邑告成，周公举行的祭祀典礼不只是郊祭、明堂祭，还有庙祭。《洛诰》记周公之言说："予不敢宿，则禋于文王、武王。"郑玄说："既告明堂，则复禋于文、武之庙，告成洛邑。"（《尚书·洛诰》孔疏引）洛邑有文王庙、武王庙，史有明文。《逸周书·作洛》说周公"乃位五宫：大庙、宗宫、考宫、路寝、明堂"。陈逢衡《逸周书补注》说："宗宫，文王庙，谓之宗者，宗祀文王之义也。考宫，武王庙。"在宗宫祀文王所奏乐歌即《清庙》（见《诗经·周颂》）。《毛序》云："《清庙》，祀文王也。周公既成洛邑，朝诸侯，率以祀文王焉。"郑笺云："《清庙》者，祭有清明之德者之宫也，谓祭文王也。天德清明，文王象焉，故祭之而歌此诗也。"胡承珙《毛诗后笺》云："《尚书大传》曰：'清庙升歌者，歌先人之功烈德泽。故周公升歌文王之功烈德泽，苟在庙中尝见文王者，愀然如复见文王。'此为《清庙》祀文王之确证。"据《尚书大传》，则此诗为周公所作。王褒《四子讲德论》亦云："周公咏文王之德而作《清庙》，建为《颂》首。"在文王庙中祭祀文王，除歌《清庙》外，所奏乐歌还有《维天之命》和《维清》（皆见《诗经·周颂》）。《毛序》云："《维天之命》，太平告文王也。"周自克商以来，至周公摄政七年洛邑告成时才真正获得太平。《经典释文》引马融说："惟七年，周公摄政，天下太平。"所谓"告太平"意谓告于文王之庙，《维天之命》当即在文王庙中祭祀文王所奏乐歌。《毛序》云："《维清》，奏《象》舞也。"关于《象》，陈奂《诗毛氏传疏》云："《象》，文王乐。象文王之武功曰《象》；象武王之武功曰《武》。《象》有舞，故云《象》舞。……制《象》舞在武王时，周公乃作《维清》以节下管之乐，故《维清》亦名《象》。《周颂》首三篇《清庙》、《维天之命》、《维清》皆文王诗。《四牡传》云：'周公作乐，以歌文王之诗，为后世法。'是其义也。《清庙》为升歌之乐章，《维清》为下管之乐章。……论诗编乐，自有制度。则知《维清》即《象》，《象》为文王乐，《维清》为文王诗，昭然不疑矣。"《象》既是乐名、舞名，又是诗名，而奏《象》舞时所歌之诗也可称《维清》。《礼记》的《文王世子》、《明堂位》、《祭统》、《仲尼燕居》都有"升歌《清庙》，下管《象》"的记载，季本《诗说解颐》、何楷《诗经世本古义》、李光地《诗所》、胡承珙《毛诗后笺》等都据以认为《清庙》、《维天之命》、《维清》是有内在联系的一组诗，同是用于文王庙中祭祀文王之乐歌。《毛序》又云："《时迈》，巡守告祭柴望也。"又云："《般》，巡守而祀四岳河海也。般，乐也。"《时迈》、《般》，皆见《诗经·周颂》。根据文献典籍的记载，《毛序》所言皆指武王克商后的所作所为。《逸周书·度邑》记武王之言说："我南望过于三途，我北望过于有岳，丕愿瞻过于河，宛瞻于伊洛，无远天室。"《时迈》所言"怀柔百神，及河乔岳"及《般》所言"陟其高山，堕山乔岳"正与武王所言的情形相合。《史记·周本纪》记武王克商后，罢兵西归，行狩，记政事。放马华山，散牛桃林，车藏于府库，干戈包以虎皮。凡此表示安抚各方、偃武修文的举动正与《时迈》所谓"载戢干戈，载櫜弓矢"相符。所谓"罢兵西归，行狩，记政事"亦即《毛序》所谓"巡守"。《时迈》先言昊天佑助有周，继言周邦威武，转而言偃武修文，谋求文治之意。此又与《度邑》中武王想建都洛邑，文治天下的深谋远虑相一致。孔疏说："周公既致太平，追念武王之业，故述其事而为此歌焉。《左传·宣十二年》云：'昔武王克商，作《颂》曰载戢干戈。'明此篇武王事也。《国语》称周公之《颂》曰'载戢干戈'，明此诗周公作也。"《般》与《时迈》作于一时，《诗谱·周颂谱》孔疏有说明："《般》与《时迈》同为巡守，《般》非告祭之文，无明昭震迭之威，故同时而不次也。"以《般》诗"无明昭震迭之威"断定"非告祭之文"误，但认为同为巡守作于一时则不误。知《般》亦是洛邑告成周公所作颂武王之诗。虽然这两首诗没有明说是武王庙中的祭祀乐歌，但此诗专咏武王的事迹不及其他，必是在武王庙中的祭祀乐歌。

三月二十一日，周公安抚庶殷众士而作《多士》。伏生二十八篇《今文尚书》、孔壁本《古文尚书》都有《多士》，且皆次于《洛诰》后。《史记·周本纪》云："周公行政七年，成王长，周公反政成王，北面就群臣之位。成王在丰，使召公复营洛邑，如武王之意。周公复卜申视，卒营筑，居九鼎焉。曰：'此天下之中，四方入贡道里均。'作《召诰》、《洛诰》。成王既迁殷遗民，周公以王命告，作《多士》、《无佚》。"此言洛邑告成，迁殷顽民于新邑，周公向他们发布诰命而作《多士》。《书序》云："成周既成，迁殷顽民，周公以王命告，作《多士》。"此虽不言《多士》作于何时，其意当与《周本纪》相同。《多士》篇首记事之语说："惟三月，周公初于新邑洛，用告商王士。王若曰云云。"周公曾经摄政称王七年，已由历代学者揭示出来。《多士》开头的数语不仅说明了周公发布诰命的背景和时间，还说明文中所谓"王"指周公而不是成王。此时周公尚在执政，还没有反政成王，史官记录周公的诰命就仍然称"王若曰"。周公三月到达洛邑，对商王士发布诰命，文献有记载。《召诰》云："若翼日乙卯，周公朝至于洛，则达观于新邑营。……越七日甲子，周公乃朝用书，命庶殷侯甸男邦伯。"据孔疏推算，翼日乙卯是三月十二日，甲子是三月二十一日。徐文靖《管城硕记》论《多士》之作时说："《竹书》'成王五年，迁民于洛邑，遂营成周。七年三月，召康公如洛度邑。甲子，周文公诰多士于成周'。即是事也。《书序》：'成周既成，迁殷顽民。周公以王命诰，作《多士》。'《序》盖以成周既成，其所迁殷民之中又有顽梗不率者，爰作《多士》以诰之。此特为顽民而发，非谓始迁其民也。……《多士》曰：'惟三月周公初于新邑洛，用告商王士。'三月，即召公如洛之三月也。"（中华书局1998年版，第91页）杨筠如《尚书核诂》也认为，《多士》之三月就是《召诰》之三月。《多士》所谓"告商王士"即《召诰》所言"命庶殷侯甸男邦伯"，则《多士》是周公三月二十一日在洛邑向商王士发布的诰命。

三月二十一日，召公谐殷民、戒成王而作《召诰》。伏生二十八篇《今文尚书》、

孔壁本《古文尚书》皆有《召诰》。《书序》云："成王在丰，欲宅洛邑，使召公先相宅，作《召诰》。"郑玄说："召公见众殷之民大作，周公德隆功成，有反政之期，而欲显之，因大戒天下，故与诸侯出取币，使戒成王立于位，以其命赐周公。"（《尚书·召诰》孔疏引）伪孔传云："召公以成王新即政，因相宅以作诰。"蔡沈《书集传》云："洛邑既成，成王始政。召公因周公之归，作书致告，达之于王。……以召公之书，因以《召诰》名篇。"凡此皆以为《召诰》所录是召公的诰辞。从内容来看，开头一段的叙事之辞，为史官所加，以说明召公作诰的背景。因此，王国维《殷周制度论》说："此篇乃召公之言，而史逸书之以诰天下。"（《观堂集林》，中华书局 1959 年版，第 476—477 页）《史记·周本纪》云："周公行政七年，成王长，周公反政于成王，北面就群臣之位。成王在丰，便召公复营洛地，如武王之意。周公复卜申视，卒营筑，居九鼎焉。曰：'此天下之中，四方入贡道里均。'作《召诰》、《洛诰》。"《鲁周公世家》云："成王七年二月乙未，王朝步自周，至丰，使太保召公先之雒相土。"是司马迁以为《召诰》作于洛邑既成，即周公摄政七年。曾运乾《尚书正读》据《史记》及《汉书·律历志》，也断《召诰》作于周公摄政七年（中华书局 1964 年版，第 190 页）。至于《召诰》具体的作时，文中有明文："惟二月既望，越六日乙未，王朝步自周，则于于丰。惟太保先周公相宅。越若来三月，惟丙午朏。越三日戊申，太保朝至于洛，卜宅。……越三日庚戌，太保乃以庶殷攻位于洛汭。越五日甲寅，位成。若翼日乙卯，周公朝至于洛，则达观于新邑营。越三日丁巳，用牲于郊，牛二。越翼日戊午，乃社于新邑，牛一，羊一，豕一。越七日甲子，周公乃朝用书，命庶殷侯、甸、男邦伯。厥既命殷庶，庶殷丕作。大保乃以庶邦冢君出取币，乃复入，锡周公曰云云。"据孔疏推算，周公摄政七年三月五日召公到达洛邑，三月二十一日作诰。故知《召诰》作于周公摄政七年三月二十一日。

成王将亲政，召公戒之而作《公刘》、《泂酌》、《卷阿》。诗皆见《诗经·大雅》。《毛序》云："《公刘》，召康公戒成王也，成王将莅政，戒以民事，美公刘之厚于民而献是诗也。"又云："《泂酌》，召康公戒成王也，言皇天亲有德、飨有道也。"又云："《卷阿》，召康公戒成王也，言求贤用吉士也。"三家诗关于这三首诗与《毛诗》不同，未必可以信从（王先谦《诗三家义集疏》）。何楷《诗经世本古义》论《卷阿》云："周公之戒成王也，于《无逸》则曰：'继自今，嗣王则其无淫于观、于逸、于游、于田。'于《立政》则曰：'继自今立政，其勿用憸人，其惟吉士。'是篇为游观而作，而篇中又惓惓以吉士、吉人为言，其为告成王之诗明矣。"方玉润《诗经原始》则肯定《泂酌》是"召康公戒成王"之诗。三首诗既是戒成王之诗，编篇相次，当作于同时。孔疏申述郑玄《诗谱·小大雅谱》之意云："《公刘》、《泂酌》、《卷阿》戒成王也。召公以成王初莅政，恐不留意于治民之事，故先言《公刘》厚于民以戒之。既戒以民事，欲其忠信，故次《泂酌》也。既有忠信，须求贤自辅，故次《卷阿》也。诗人之作，自有次第，故其卒章曰'矢诗不多，维以遂歌'是也。"据《毛序》，《公刘》作于成王将亲政之时，姑据以系三首诗于此。

十二月三十日，成王在洛邑举行烝祭，歌奏《丰年》、《潜》。《尚书·洛诰》记载了周成王在洛邑举行祭祀典礼的情形："戊辰，王在新邑，烝。祭岁，文王骍牛一，武王骍牛一。王命作册逸祝册，惟告周公其后。王宾杀禋咸格，王入太室祼。王命周公后，作册逸诰。在十有二月，惟周公诞保文武受命，惟七年。”《汉书·律历志》引《三统》说：“是岁十二月戊辰晦，周公以反政。”知周公结束摄政，致政成王，成王在洛邑举行烝祭同在这年十二月的最后一天。烝祭之烝，在甲骨文中作“𢍏”等形，像双手奉粢盛之形，而在康王时大盂鼎铭文中则作“䕻”。王国维《盂鼎铭考释》说：“䕻从米在豆中，以手廾之，与𢍏字同意。䕻祀，疑即蒸祀也。”（王国维《古史新证》，清华大学出版社1994年版，第107页）唐兰《西周青铜器铭文分代史征》在此基础上论烝祭之本事云：“䕻字像两手捧豆，豆中有米形。《说文》无此字。按：豆字后代读为登，或作𢍏，姬鼎：‘用䊤用尝。’从米𢍏声，就是此字的后起字。䕻或䊤，就是烝尝之礼的烝字，烝是登米之祭。”（中华书局1986年版，第174页）唐兰通过分析字形，揭示了烝祭是登米之祭。所谓登米之祭，也就是奉进祭品于宗庙让祖先的神灵尝新。成王举行烝祭所奏乐歌当即《周颂》中的《丰年》。《毛序》云：“《丰年》，秋冬报也。”郑笺云：“报者，谓尝也，烝也。”蔡邕《独断》说：“《丰年》一章七句，蒸尝秋冬之所歌也。”皆以为此诗是秋冬尝烝报祭宗庙所奏乐歌。诗云：“丰年多黍多稌，亦有高廪，万亿及秭。”《毛传》云：“稌，稻也。”《说文》云：“黍，禾属而黏者也。”禾属而黏者即黍子，因为其粒较谷子略大而黄，所以又通称为黄米，或大黄米（齐思和《毛诗谷名考》，《中国史探研》，中华书局1981年版，第5页）。诗所言正与烝为登米之祭相符。诗中“为酒为醴，烝畀祖妣”表明烝祭虽是登米之祭，但旨在报祭祖妣。祖妣合祭，即迎妣庙之主于太祖庙中合祭先祖先妣，说明祭祀是在太祖庙中举行的。洛邑有太祖庙，史有明文。《逸周书·作雒》记周公营建洛邑，“乃位五宫：大庙、宗宫、考宫、路寝、明堂”。潘振《周书解义》说：“大庙，后稷。”凡此皆可证此诗是成王在洛邑举行烝祭所奏乐歌。《尔雅·释天》云：“春祭曰祠，夏祭曰礿，秋祭曰尝，冬祭曰烝。”据沈文倬《宗周岁时祭考实》的研究，殷末周初让祖先的神灵尝新的祀典只有烝祭，春秋时才从烝祭演变成烝、尝二祭，战国以后又不断进行了由疏趋密的增补，使祠、礿、尝、烝分别专行于春、夏、秋、冬而形成了四时祭（沈文倬《宗周礼乐文明考论》，杭州大学出版社1999年版，第84—86页）。《丰年》本是成王在洛邑行烝祭所奏乐歌，由于诗既言黍又言稻，与烝祭演变成尝、烝二祭所献祭品相应，于是后世秋尝冬烝皆歌此诗行礼。由此可见诸家当是据春秋时行礼用乐的情形释诗，因而都没有与《洛诰》所言联系起来，揭示诗之所用。《丰年》既然是成王举行烝祭所用乐歌，当作于成王时。既然殷末周初的烝祭还没有分化为春祠、夏礿、秋尝、冬烝，则各种祭品皆于行烝祭时荐于宗庙，尚未分属于其他的祀典。郭璞注《尔雅·释天》之“冬祭曰烝”云：“进品物也。”何休注《公羊传·桓公八年》之“冬曰烝”亦云：“烝，众也，气盛貌。冬万物毕成，所荐众多，芬芳备具，故曰烝。”四时祭形成以后，烝祭专行于冬季，但仍然是“进品物”、“荐众多”的祀典。周初成王行烝祭，就不惟登米，当还有其他的品物。《荀子·礼论》云：“大飨，尚玄尊，俎生鱼，先大羹，贵食饮之本也。飨，尚玄酒而用酒醴，先黍稷而饭稻粱。……故尊之尚玄酒也，俎之尚生鱼也，俎之先大羹也，一也。”《礼记·乐记》亦云：“大飨之礼，尚玄酒而俎腥鱼。”郑注云：“大飨，祫祭先王，以腥鱼为俎实。”成王在洛邑举行烝祭，当也以鱼为俎实祭祀先祖先妣。进鱼时所奏乐歌当即《周颂》中的《潜》。成王在东都洛邑举行烝祭，没有为献鱼的仪节制作新歌，而是取周家旧有乐歌行礼。故虽在洛邑，仍言“猗与漆沮，潜有多鱼”。因为以乐行礼重其声乐，不可因诗言岐周二水名，否定在洛邑行烝祭用此诗助礼。成王举行烝祭时，先进献黍稌而歌《丰年》，再进献鱼而歌《潜》，正与《荀子》所谓“先黍稷而饭稻粱”相合，可证《潜》确为成王行烝祭所奏乐歌无疑。《毛序》云：“《潜》，季冬荐鱼，春献鲔也。”三家诗同，历代无疑议。春秋战国以后形成的四时祭，都是从周初烝祀一祭发展演变而来，从而可知《毛序》说此诗于宗庙之祭有二用，当也是据后世行礼用乐的情形而言。

公元前1035年（周成王八年）

正月一日，成王正式亲政，登基典礼时歌奏《闵予小子》、《访落》、《小毖》、《烈文》、《敬之》。《洛诰》于烝祭之后言祭岁，可知“是冬后改岁，有事而祭”（孙星衍《尚书今古文注疏》，中华书局1986年版，第420页）。郑玄注《洛诰》云：“岁，成王元年正月朔日也，用二特牛祫祭文王、武王于文王庙。”（《诗经·周颂·烈文》孔疏引）此以为合祭文王、武王是在文王庙中，但据“王入太室祼”而论，当指明堂。《礼记·祭法》说周人“祖文王而宗武王”，孔疏云：“此谓合祭于明堂。”孙星衍《尚书今古文注疏》又说：“此云‘入太室祼’，太室，明堂也。……明堂之祭，以祖宗配享天神，而有祼礼。”洛邑有明堂，见于《逸周书·作雒》。《礼记·郊特牲》云：“诸侯为宾，灌用郁鬯。”据此知《洛诰》所谓王宾当即助祭诸侯。综上可知，祭岁实质是周公致政成王后，成王于明年岁首正式亲政的登基大典。在明堂合祭文王、武王以配享天神，意在向天神和文王、武王的神明报告正式亲政。典礼时，所奏乐歌即《烈文》（见《诗经·周颂》）。《毛序》云：“成王即政，诸侯助祭也。”服虔注《左传》云：“《烈文》，成王初即洛邑，诸侯助祭之乐歌也。”（《诗谱·周颂谱》孔疏引）郑笺云：“新王即政，必以朝享之礼祭于祖考，告嗣位也。”是《毛诗》、三家诗、郑笺均以为此诗是成王登基亲政时祭祀典礼所奏乐歌。《逸周书·皇门》是周公摄政七年致政成王后，于明年岁首正月二日在左闳门会见群臣时发布的诰誓号令（刘师培《周书补正》，《刘申叔遗书》，江苏古籍出版社1997年版，第751页）。以《皇门》与《烈文》对勘，可知《烈文》一诗为周公所作。成王在洛邑的明堂祭祀文王、武王，开始亲政。《尚书·顾命》记载了成王登假之后，康王继体登基为君的典礼仪式，礼仪节目隆重而繁冗。成王与康王都是继体登基，其礼仪当亦相同。成王亲政登基典礼时，仅奏《烈文》一首乐歌断不能有以乐助礼之功效。成王祭岁登基典礼，所奏乐歌当还有《闵予小子》、《访落》、《敬之》、《小毖》（见《诗经·周颂》）。《毛序》于《闵予小子》云“嗣王朝于庙也”；于《访落》云“嗣王谋于庙也”；于《敬之》云“群臣进戒嗣王也”；于《小毖》云：“嗣王求助也。”“嗣王”指成王，历代无异说，则《毛序》以为四首诗作于成王登基亲政之时。《闵予小子》孔疏云：“此朝庙事，武王崩之明年，周公即已摄政，成王未得朝庙，且又无政可谋。此欲夙夜敬慎，继续先绪，必非居摄之年也。王肃以此篇为周公致政，成王嗣位，始朝于庙之乐歌，毛意或当然也。此及《小毖》四篇俱言嗣王，文势相类，则毛意俱为摄政之后，成王嗣位之初有此事。”孔氏据历史事实疏解《毛序》，以《闵予小子》、《访落》、《敬之》、《小毖》四首诗“文势相类”断为皆作于“成王嗣位之初”，且以王肃所言为证，殊是。傅斯年《周颂说》根据阮元《释颂》的说法，以为颂诗皆是舞容。他将《顾命》所记行礼时康王答拜、群臣进戒、康王诰命之辞与《闵予小子》、《访落》、《小毖》、《烈文》、《敬之》排列在一起对勘，是为了说明这五首诗是他所谓“嗣王践阼之舞”所用诗歌，正可以用来证明这五首诗是成王在明堂祭祀文王、武王的登基典礼上所奏乐歌（《历史语言研究所集刊》第一册，中华书局 1987 年影印）。方玉润《诗经原始》说：“凡四章，皆成王自作。”（中华书局 1986 年版，第 616 页）高亨《周颂考释》也说：“《闵予小子》、《访落》、《敬之》、《小毖》四篇当为一篇，乃成王所作之诗也。”（《中华文史论丛》第六辑）

成王南郊祭天，歌奏《噫嘻》；绎祭宾尸，歌奏《丝衣》。成王在洛邑除了祭于明堂向文王、武王的神明报告正式亲政之外，还在南郊举行了祭天的典礼。《汉书·郊祀志》记丞相匡衡、御史大夫张谭奏议说：“帝王之事莫大乎承天之序，承天之序莫重于郊祀，故圣王尽心极虑以建其制。祭天于南郊，就阳之义；瘗地于北郊，即阴之象。……昔周文、武郊于丰鄗，成王郊于雒邑。”成王登基就天子位，即是“承天之序”，可知“成王郊于洛邑”当在即位之初。成王在洛邑南郊祭天时，所奏乐歌即《噫嘻》（见《诗经·周颂》）。《毛序》云：“《噫嘻》，春、夏祈谷于上帝也。”《左传·襄公七年》说：“夫郊，祀后稷以祈农事也。是故启蛰而郊，郊而后耕。”《礼记·月令》说：“孟春之月……天子乃以元日，祈谷于上帝。”郑注云：“谓以上辛郊祭天也。”二者相互参证，则“祈农事”即“祈谷”，而“祈谷于上帝”即“郊”，也就是行郊礼祭天。孔疏云：“郊天之与祈谷为一祭也。”据《逸周书·作雒》、《左传·襄公七年》、《周颂·思文》、《孝经·圣治章》的记载，周人南郊祭天以后稷相配。后稷是周人的始祖，祭天以其配享，本意在于尊祖，非为祈谷而行此礼。祭天以后稷相配名为尊祖，实际是祈求祖先保佑农业生产获得丰收，寄托着祈谷的愿望。《诗》云：“噫嘻成王，既昭假尔。”马瑞辰《毛诗传笺通释》说：“成王惟生有此号，故《周颂》作于成王在位时，得称成王耳。”是此诗当作于成王时。戴震《毛郑诗考正》说：“噫嘻犹噫歆，祝神之声。《仪礼·既夕篇》曰‘声三’，注云：‘三有声，存神也。旧说以为：声，噫兴也。’《士虞篇》注云：‘声者，噫歆也。’《礼记·曾子问篇》注云：‘声，噫歆，警神也。’此诗春夏祈谷于上帝之所歌，故噫歆于神。”马瑞辰《毛诗传笺通释》也说：“噫、嘻叠韵，嘻、歆双声，噫嘻即噫歆之假借。《尔雅·释诂》：‘祈，告也。’《释言》：‘祈，叫也。’郭注：‘祈祭者叫呼而请事。’噫嘻祝神正即叫呼之义。‘噫嘻成王’盖倒文，谓成王噫歆为声以祈呼上帝也，故下即云‘既昭假尔’，谓既昭假于上帝也。”根据戴、马二人的论证，可知诗先言成王推后稷配天祈呼而祭，顺承天意，得其佑助，再言祭后开始大规模的耕种。此正与“启蛰而郊，郊而后耕”相合，可证此诗确为成王祭天所用乐歌。关于“启蛰而郊”的具体时间，杨伯峻《春秋左传注》说：“启蛰犹今惊蛰，宋王应麟所谓‘改启为惊，盖避景帝讳’。《淮南子·天文训》改惊蛰在雨水后，为夏正二月节气。古之惊蛰在雨水前，为夏正正月之中气。”（中华书局 1981 年版，第 106—107 页）联系《郊祀志》所言“成王郊于雒邑”，可知《噫嘻》本是成王于元年正月在洛邑南郊祭天以后稷相配所用乐歌。成王南郊祭天之明日，再次举行典礼仪式，一则寻绎昨日之祭，一则以宾礼款待祭天之尸。行礼时奏乐娱宾，所用乐歌当即《丝衣》（见《诗经·周颂》）。《毛序》云："《丝衣》，绎宾尸也。高子曰：'灵星之尸。'"《仪礼·有司彻》是大夫宾尸之礼，犹天子之绎，详细记载了以宾礼款待所祭之尸的仪节。准之以考《丝衣》，可见此诗之所用。此诗上五句言陈设器物，下五句言旅酬，与《有司彻》所言正相符。胡承珙《毛诗后笺》说："此诗虽统言绎祭始终之事，然自于宾尸时歌之。"诗人述事为歌，则此诗为绎祭宾尸所用乐歌。依周人祭祀的通例，庙堂祭祀立尸。祭天是否有尸，人们心存疑惑。《毛序》引高子曰云云，就意在说明祭灵星尚有尸，以证祭天有尸。祭天有尸，文献有记载。《国语·晋语》云："祀夏郊，董伯为尸。"《石渠论》云："周公祭天，用太公为尸。"（《诗经·大雅·既醉》孔疏引）不仅如此，《毛序》引高子之言还欲明此诗之所用。据《逸周书·作雒》，周公手定之礼还包括祭祀星辰，所祭之星当即农事之候的房星。《国语·周语上》记虢文公之语说："古者，太史顺时觇土，阳瘅愤盈，土气震发，农祥晨正，日月底于天庙，土乃脉发。"韦注云："农祥，房星也。晨正，谓立春之日，晨中于午也。农事之候，故曰农祥也。"类似的记载还见于《周语下》和《晋语》。因农事起于房星，故谓之农祥。周家以农为本，祀农祥是自然而然的事。但是到了汉代，又立灵星祠，以天田为灵星作为农事之候（《史记·封禅书》）。《毛序》引高子之语，以今况古，意在说明今之灵星之尸就是周代祭天以后稷配享之尸，由此可以断定此诗为成王祭天之后绎祭宾尸所用乐歌。

正月一日或稍后，史逸录成王与周公对答之语而作《洛诰》。伏生二十八篇《今文尚书》、孔壁本《古文尚书》皆有《洛诰》。《洛诰》一文，"事涉年余，亦后世史家记事本末体也"（曾运乾《尚书正读》，中华书局 1964 年版，第 199 页）。《洛诰》末尾史官记事一段云："戊辰，王在新邑，烝。祭岁，文王骍牛一，武王骍牛一。王命作册逸祝册，惟告周公其后。王宾杀禋咸格，王入太室裸。王命周公后，作册逸诰。在十有二月，惟周公诞保文武受命，惟七年。"此段文字皆记事，可分三节读。"戊辰，王在新邑，烝"为一节，记成王于周公摄政七年十二月戊辰在洛邑举行烝祭典礼。自"祭岁"至"作册逸诰"为一节，记明年岁首成王在洛邑祭岁。郑玄注《洛诰》云："岁，成王元年正月朔日也。"（《诗经·周颂·烈文》孔疏引）"在十有二月，惟周公诞保文武受命，惟七年"为一节，特为周公致政成王记时，属特笔。《汉书·律历志》引《世经》说："是岁十二月戊辰晦，周公以反政。"孙星衍《尚书今古文注疏》说："经言'在十有二月'，则周公居摄周七年也。此文上言'祭岁'，则是成王岁朝即政而祭也。故此于篇终记公居摄之年数，必言十有二月者，明终是岁乃帀七年也。"（中华书局 1986 年版，第 421 页）综上可知，第一节与第三节有内在的联系，第二节自记一事。记事之文已涉及成王元年正月朔日祭岁大典，则《洛诰》必不作于周公摄政七年，当作于成王元年正月一日或稍后。《洛诰》记成王与周公的对答之语，当为史官所录。孔疏云："史录此篇，录周公与成王相对之言。"蔡沈《书集传》说："洛邑既定，周公遣使告卜，史氏录之以为《洛诰》。又并记其君臣答问，及成王命周公留治洛之事。"王国维《洛诰解》则进一步指出："成王既命周公，因命史逸书王与周公问答之语并命周公时之典礼，以告天下，故此篇名《洛诰》。《尚书》记作书人名者，惟此一篇。”（王国维《观堂集林》，中华书局 1959 年版，第 39 页）以此又可知录周公与成王对答之语者为史逸。

正月二日，周公告诫群臣而作《皇门》。《皇门》见《逸周书》，是周公在左闳门会见群臣时发布的诰誓号令。周公告诫群臣要勤劳王家，辅佐君王，发扬并光大先人的功勋，保有周家的天下。丁宗洛《逸周书管笺》云：“此篇雄奇郁勃，的系周初文字。”刘师培《周书补正》释篇首记时之语“维正月庚午”云：“此篇系于《作雒解》后，当作于成王即政元年（即周公摄政第八年）。是年距入甲申统五百三十五年，正月己巳，二日庚午。”（《刘申叔先生遗书》，江苏古籍出版社 1997 年版，第615 页）唐兰《西周青铜器铭文分代史征》联系《尚书·洛诰》所记时日，也认为此文作于成王元年正月二日：“周公摄政七年而止，《洛诰》的十二月戊辰，前人都认为是摄政七年的最后一日，那么，《逸周书·皇门解》所说：‘维正月庚午，周公格左闳门，会群臣。’就是成王即位年的正月二日了。”（中华书局 1986 年版，第 52 页）从文体上看，《皇门》和《尚书》中的《大诰》、《康诰》、《酒诰》、《召诰》、《洛诰》等篇章一样，都是所谓的诰体。据诸家所论，《皇门》作于此年正月二日。

周公还政成王，恐其逸豫而作《无逸》。伏生二十八篇《今文尚书》、孔壁本《古文尚书》有《无逸》。《史记·周本纪》云：“周公行政七年，成王长，周公反政成王，北面就群臣之位。成王在丰，使召公复营洛邑，如武王之意。周公复卜申视，卒营筑，居九鼎焉。曰：‘此天下之中，四方入贡道里均。’作《召诰》、《洛诰》。成王既迁殷遗民，周公以王命告，作《多士》、《无佚》。”《无佚》即《无逸》，此言周公致政成王后而有《无逸》之作。周公摄政称王时，史官记录周公所发布的诰命，如《大诰》、《康诰》等，都称“王若曰”云云。但在《无逸》中却明言“周公曰”，可知《无逸》是周公反政成王以后所作，《周本纪》所言得其实。《书序》不言《无逸》作于何时，仅说“周公作《无逸》”。伪孔传云：“成王即政，恐其逸豫，本以所戒名篇。”孔疏云：“此篇是成王始初即政，周公恐其逸豫，故戒之，使无逸，即以所戒名篇也。”蔡沈《书集传》说：“成王初政，周公惧其知逸而不知无逸也，故作是书以训之。”综上可以断定，《无逸》作于周公致政、成王即位之初。

周公述文王、武王、太王之功业以戒成王而作《文王》、《大明》、《绵》。诗皆见《诗经·大雅》。《吕氏春秋·古乐》云：“周文王处岐，诸侯去殷三淫而翼文王。散宜生曰：‘殷可伐也。’文王弗许。周公旦乃作诗曰：‘文王在上，於昭于天，周虽旧邦，其命维新。’以绳文王之德。”若依此而论，周公作《文王》诗时尚未克殷。然而诗中云：“商之子孙，其丽不亿。上帝既命，侯于周服。侯服于周，天命靡常。殷士肤敏，祼将于京。厥作祼将，常服黼冔”，明是克殷后殷人臣服于周的情形，则《吕氏春秋》所言诗之作时不可信据。郑玄《诗谱·小大雅谱》虽没有明言《文王》作于何时，孔疏据诗中“王之荩臣，无念尔祖”申其意以为是戒成王之诗。陈奂《诗毛氏传疏》云：“诗作于成王、周公时，故以《文王》名篇。”是孔、陈之意皆以为此诗作于周公、成王时。至于《吕氏春秋》以《文王》为周公所作则不误，因为《后汉书·翼奉传》、《世说新语·言语》载荀爽语都明言《文王》为周公所作。周人克商而王天下，虽是武王之功，但王业之起本由文王、太王。故《毛序》云"《文王》，文王受命作周也"；又云："《大明》，文王有明德，故天复命武王也"；又云："《绵》，文王之兴本由大王也。"三诗内容相贯，皆陈王事，且编篇相次。《文王》既为周公所作，则《大明》、《绵》当也出自周公之手，三诗当作于一时，所用亦应不殊。朱熹《诗集传》就断《文王》是"周公追述文王之德，明周家所以受命而代商者，皆由于此以戒成王"之诗，并谓《大明》、《绵》也都是"周公戒成王之诗"。成王亲政之始，周公恐其逸豫，戒之而作《无逸》。《文王》、《大明》、《绵》既是戒成王之诗，或与《无逸》作于一时。

周公颂文王、武王之德，并述太王以来王业之所由兴，或作《棫朴》、《旱麓》、《思齐》、《皇矣》、《灵台》、《下武》、《文王有声》。诗皆见《诗经·大雅》。据《毛序》，自《棫朴》至《灵台》颂文王之德，《下武》、《文王有声》颂武王之德。这七首诗的作者，史无明文。朱熹《诗集传》于《棫朴》后云："自此以下至《假乐》，皆不知何人所作，疑多出于周公也。"郑玄《诗谱·小大雅谱》认为，这七首诗连同《棫朴》前的《绵》、《大明》、《文王》都是文王、武王之诗。朱熹《诗集传》于《文王有声》末驳郑玄云："《文王》首句云'文王在上'，则非文王之诗矣。又曰'无念尔祖'，则非武王之诗矣。《大明》、《有声》，并言文、武者非一，安得为文、武之时所作乎？盖《正雅》皆成王、周公以后之诗，但此什皆为追述文、武之德，故《谱》因此而误耳。"由于每首诗的作时、作者都难以论说，姑据朱熹所论，一并系于成王世，并属之周公名下而系于此。

召公不悦周公致政而不去位之鲁，周公作《君奭》以明其意。伏生二十八篇《今文尚书》、孔壁本《古文尚书》均有《君奭》。关于《君奭》的作时，《书序》云："召公为保，周公为师，相成王为左右。召公不悦，周公作《君奭》。"马融说："召公以周公既摄政致太平，功配文、武，不宜复列在臣位，故不悦，以为周公苟贪宠也。"（《史记·燕召公世家集解》引）孔疏引郑玄、王肃说并略同，故从《书序》、马融、郑玄、王肃、伪孔传之说，断此文作于成王即政之初。所谓"召公不悦"，指召公"不悦周公归政而不去位之鲁"（孙星衍《尚书今古文注疏》，中华书局1986年版，第603页）。现代许多学者的研究如曾运乾《尚书正读》、杨筠如《尚书核诂》等都据此文编篇次第，断此文作于成王即政之初。

二月，成王祈社稷，歌奏《载芟》。成王在正月南郊祭天之后，亲耕籍田以劝农业。至二月，成王又祈社稷以求年丰岁稔。《白虎通》云："王者自亲祭社稷何？社者，土地之神也。土生万物，天下之所王也。尊重之，故自祭也。"王者亲祭社祭，必奏乐行礼。《礼记·乐记》云："若夫礼乐之施于金石，越于声音，用于宗庙社稷，事乎山川鬼神，则此所与民同也。"以乐行礼，必奏乐歌。成王祈社稷时，所奏乐歌即《载芟》（见《诗经·周颂》）。《毛序》云："《载芟》，春籍田而祈社稷也。"据王先谦《诗三家义集疏》，《鲁诗》、《韩诗》说与此同。《礼记·月令》云："孟春之月……天子乃以元日祈谷于上帝。乃择元辰，天子亲载耒耜，措之于参保介之御间，帅三公九卿诸侯大夫躬耕帝藉。……仲春之月……择元日，命民社。"春籍田与祈社稷是在不同的月份举行的仪式，《毛序》连言之而不作分别与周王朝曾经实行的礼典不符。陈奂

《诗毛氏传疏》指出：《载芟》是“春祈社稷之乐歌”，又云：“天子有王社、王稷，又有大社、大稷。大社、大稷与天下群姓共之也，在王宫路门内之右。王社、王稷在郊，为境内之民人祀之。天子籍田千亩在南郊，社稷之壝与籍田相近也。祈谷之祭上帝于夏正月，后土于夏二月。后土为社，诗兼言稷者，为五谷，因重之也。《独断》云：‘天子社稷，土坛方广五丈，诸侯半之。社稷二神同功，故同堂别坛，俱在末位。’”天子正月在南郊祭天之后，亲耕于籍田，至二月又祈社稷，二事相承，不可偏废。《噫嘻》既然是成王正月南郊祭天所奏乐歌，可证《载芟》是成王二月祈社稷时所奏乐歌。据郑玄《诗谱·周颂谱》，《周颂》是周室致太平德洽之诗，作于周公摄政、成王即位之初。周公摄政，平三监、建侯卫、营洛邑、制礼乐，直到第七年致政成王时周室才真正太平德洽。《载芟》一诗描述了农业生产的过程，充满了对丰收的憧憬，表现了丰收后为酒为醴祭祀祖妣的虔诚，毫无社会动荡不安的气氛，正是太平德洽的反映，也可以说明诗作于成王时。因此，《载芟》当作于成王即位之初，是成王行礼所用乐歌。

二月十七日，成王率殷东国五侯祭文王、武王，歌奏《雝》、《载见》。保卣铭文云：“乙卯，王令保及殷东或五侯，征兄六品。蔑历于保，易宾。用乍文父癸宗宝尊彝。遘于四方，迨王大祀，祓于周。才二月既望。”陈梦家《西周铜器断代》断此卣为武王时器，但又说：“此卣与尊，铭文相同而花文同类，这种尊、卣成组的铜器，最常见于成王及与成王相近时的铜器组中。”（《考古学报》第九册）唐兰《西周青铜器铭文分代史征》不仅断此卣为成王时器，还据《三统历》所言“成王元年己巳朔”进一步推断铭文所言“二月既望乙卯”是成王元年二月十七日，同时还指出铭文中殷东国五侯指的是西周王朝在原来殷属东国新封的五个侯，即卫、宋、齐、鲁、丰，并说殷东国五侯“遘于四方”当是在成周（中华书局1986年版，第52、65—68页）。王世民等《西周青铜器分期断代研究》也断此卣“为西周早期成王时器”。保卣铭文记载了成王于元年二月十七日命令东国五侯，即卫、宋、齐、鲁、丰，会聚成周，参加成王举行祭祀大典的事情。将保卣铭文与《雝》、《载见》合观，其间的内在联系显而可见。《雝》和《载见》是成王亲政后于元年二月十七日分别在成周的文王庙和武王庙中祭祀文王、武王时所奏乐歌。《毛序》云：“《雝》，禘太祖也。”由康王时小盂鼎、穆王时刺鼎和大乍大中簋等铭文来看，禘祭至少在穆王以前，同后世文献典籍所言相去甚远。既不必祭祖之所自出，也不专属于天子，而是规模很大的一种祭祀（陈戍国《先秦礼制研究》，湖南教育出版社1991年版，第198—205页）。《尔雅·释天》云：“禘，大祭也。”《毛序》所言“禘太祖”即保卣铭文所言“大祀”。《汉书·韦玄成传》云：“礼，王者始受命，诸侯始封之君，皆为太祖。”古代文献典籍如《尚书·无逸》、《尚书大传》、《史记·周本纪》、《汉书·律历志》等都有“文王受命”的说法。《旧唐书·礼仪志》引《白虎通》明言：“后稷为始，与文王为太祖，武王为太宗。”是太祖指文王，于文献有征。郑笺云：“禘，大祭也，大于四时而小于祫。太祖，谓文王。”陈奂《诗毛氏传疏》释诗云：“辟公，谓诸侯也；天子，谓成王也。《文王传》云：‘穆穆，美也。’《汉书·刘向传》：‘当此之时，武王、周公继政，朝臣和于内，万国欢于外，故尽得其欢心，以事其先祖。诗曰有来雝雝，至止肃肃。相维辟公，天子穆穆。言四方皆以和来也。’案：刘承上文而言武王，非谓武王作此诗也。”是陈氏之意以为《汉书》所言乃成王时事，诗作于成王时。则所谓“大祭”、所谓“四方皆以和来”，皆与保卣铭文所言“遘于四方，迨王大祀，祓于周”相合，可证《雝》为成王令东国五侯会聚成周祭于文王庙时所奏乐歌。孔疏云：“经言祭祀文王，诸侯来助，神明安孝子，予之多福，皆是禘文王之事也。”祭祀文王必在文王庙中，洛邑有文王庙，《逸周书·作雒》有记载。周王朝终周之世不迁不毁的是后稷庙、文王庙和武王庙。成王令东国五侯会聚成周举行祭祀典礼，除祭文王外，必然还要祭祀武王，成王在洛邑祭祀武王所奏乐歌当即《载见》。《毛序》云：“《载见》，诸侯始见乎武王庙也。”三家诗、郑笺同。孔疏论《载见》之所用云：“经‘载见辟王’，谓见成王也。又言‘率见昭考’，乃是见于武王之庙。今《序》唯言始见于武王庙，不言始见成王者，以作者美其助祭，不美朝王，主意于见庙，故《序》特言之。但诸侯之来，必先朝而后助祭，故经始见君王与率见昭考为首引耳。武王之崩至于成王即政，历年多矣，立庙久矣。诸侯往前之朝，已应尝经助祭。于此乃言始见于武王庙者，以成王初即王位，万事改新，成王之于此时亲为祭主。言诸侯于成王之世始见武王，非谓立庙以来诸侯始见也。《烈文》成王即政，诸侯助祭，笺以为朝享之祭，则是周之正月朔日也，于时始告嗣位，不得祭前已受诸侯之朝。此诗言既朝成王，乃后助祭，则与《烈文》异时也。”朱熹《诗集传》、方玉润《诗经原始》、高亨《周颂考释》等均无异议。据《逸周书·作雒》，成周也建有武王庙，则祭武王必在武王庙中。从诗本文及郑笺、孔疏来看，此诗为成王率诸侯在武王庙中祭祀武王所奏之乐歌。联系保卣铭文，则诗中“烈文辟公”为殷东国五侯。

成王祭文、武之后，行飨礼，歌奏《振鹭》、《有瞽》、《有客》、《臣工》。《周颂》中的《振鹭》、《有瞽》和《有客》，从诗本文来看，非庙堂祭祀乐歌。《毛序》于《振鹭》云：“二王之后来助祭也。”于《有瞽》云：“始作乐而合乎祖也。”于《有客》云：“微子来见祖庙也。”似乎表明诗与庙祭有关。但这三首诗不是颂体，类于《小雅》，既无告神明之语，亦无祈祖致福之辞，则这三首诗不是庙祭乐歌。据何楷《诗经世本古义》、姚际恒《诗经通论》、方玉润《诗经原始》，《振鹭》一诗记宋微子来助祭之事。诗中“我客戾止”之“客”指微子，《有瞽》诗中“我客戾止”之“客”也应指微子。《有瞽》虽然极力铺陈乐器之完备，音乐之和美，但是最后呼请“我客戾止，永观厥成”，表明诗亦为微子而作。至于《有客》，与《诗·小雅·白驹》一样都表现了絷马留客的惜别之情。《振鹭》、《有瞽》、《有客》当皆为宋微子而作。联系保卣铭文，又可得知《毛序》所谓“助祭”、“见祖庙”正是指宋微子奉成王命会同卫、齐、鲁、丰四国之君，于成王元年二月十七日到成周参加祭祀文王、武王的大典一事。周人美其助祭，述其美德，为之奏乐而歌《振鹭》、《有瞽》、《有客》。魏源《诗古微·周颂答问》释《有客》云：“诗云‘薄言追之’，则是饯之于庙，犹申伯之受命岐周而饯之于郿也。信信宿宿，留之诚而饯之敬，歌是诗于祖庙，故列于《颂》也。”高亨《周颂考释》论《振鹭》云：“此篇乃天子宴飨诸侯所奏之乐歌也。”论《有客》又云：“此篇乃周天子饯诸侯所奏之乐歌也。”程俊英、蒋见元《诗经注析》分析《振鹭》的主旨说：“疑为周王招待诸侯来朝者所奏的乐歌。”关于《有客》又说：“这是一首封于宋地的殷商后代、纣王之兄微子（名启）来朝周祖庙后，周王设宴饯行时所唱的乐

歌。”飨礼是西周、春秋时天子、诸侯、卿大夫招待贵宾的一种很隆重的宴会，它既是一个独立的礼典，也是某一巨典的一个组成部分（沈文倬《略论礼典的实行和〈仪礼〉书本的撰作》，《文史》第二十五辑）。地下出土的西周时代的有铭铜器如遹簋、长由盉、师遽彝、大鼎、效卣等，都记载了西周时周王举行飨礼的事迹。《飨礼》不见于《仪礼》，早已亡佚。但惠栋《读说文记》认为：“乡人饮酒谓之飨，然而乡饮酒即古之飨礼。”刘师培《礼经旧说》也认为：“飨与乡饮，其献数虽有多寡不同，至于献、酬、酢及奏乐，其礼仪节次大概相符。”据郑玄《仪礼目录》，乡饮酒礼是乡大夫招待乡中贤能之士的礼，《仪礼·乡饮酒礼》详细记载了具体的仪节。杨宽不仅认为“飨礼实际上是一种高级的乡饮酒礼”，而且还根据惠、刘二人的说法，以《乡饮酒礼》为蓝本，参以《尚书》、《左传》、《国语》、《周礼》、《礼记》及历代的礼学研究成果，对飨礼的仪节作了具体的考证。依行礼的次序，有以下仪节：1. 戒宾、迎宾。2. 献宾。3. 作乐。4. 正式礼乐完备后的宴会和习射（杨宽《西周史》，上海人民出版社 1999 年版，第 742—769 页）。其中特别值得关注的是作乐一节，因为仅就乡饮酒礼而言，构成作乐的升歌、笙奏、间歌、合乐所用乐歌大部分都见于《诗经》。再联系魏源、高亨、程俊英、蒋见元关于《振鹭》、《有客》的论说，可以断定这两首诗是宋微子到成周参加了成王举行的祭祀大典后，成王举行飨礼款待宾客作乐时所用的乐歌。《有瞽》，毫无疑问应该就是合乐奏唱的乐歌，因为《毛序》及郑笺都明言此诗是合乐所用。如此则《振鹭》、《有客》、《有瞽》三诗皆周天子乐官为宋微子而作，是有内在联系的一组诗。成王令殷东国五侯会聚成周举行祭祀大典，事后行飨礼款待宾客。因宋为殷后，于周为客，故作乐娱宾时特为微子奏唱《振鹭》、《有客》和《有瞽》以示友好。但其他四国也不应受到冷落，为其他四国诸侯所奏唱的乐歌当即《臣工》（见《诗经·周颂》)。《毛序》云：“《臣工》，诸侯助祭，遣于庙也。”三家诗、孔疏等无异说。“诸侯助祭”当指殷东国五侯会聚成周助成王祭祀一事，“遣于庙”指事后成王在庙堂行飨礼为诸侯饯行。《有瞽序》曰“合乎祖”，此诗之《序》说“遣于庙”，相互参证，知行飨礼是在祖庙举行。郑笺释“嗟嗟臣工”云：“臣，谓诸侯也。”成王行飨礼为诸侯奏唱《臣工》，无非是借飨礼告诫诸侯要敬重农事，劝农务耕，因为农业乃周家立国之本。

仲秋，成王报社稷，歌奏《良耜》。春既祈社稷，秋必报社稷。春祈秋报，是天子所行之礼，不可无故不举。成王秋报社稷时，所奏乐歌即《良耜》（见《诗经·周颂》)。《良耜》一诗回顾了农业生产的过程，流露了获得丰收的喜悦，也是太平德洽的反映，当也作于成王亲政之初。《毛序》云：“《良耜》，秋报社稷也。”三家诗说与此同。陈奂《诗毛氏传疏》云：“此秋报社稷之乐歌也。《白虎通义》云：‘岁再祭之何？春求秋报之义也。故《月令》仲春之月，择元日，命民社；《援神契》曰：仲秋获禾，报社祭稷。’候官陈寿祺云：仲秋旧作仲春，误。引《月令》以证春求，引《援神契》以证秋报。”综上可知，《良耜》是成王元年仲秋报社稷所奏乐歌。

周人述成王举行烝祭及祈、报社稷的情形而作《楚茨》、《信南山》、《甫田》、《大田》。诗皆见《诗经·小雅》。《毛序》于《楚茨》云：“刺幽王也。政烦赋重，田莱多荒，饥馑降丧，民卒流亡，祭祀不飨，故君子思古焉。”于《信南山》云：“刺幽王也。

不能修成王之业，疆理天下以奉禹功，故君子思古焉。”于《甫田》云：“刺幽王也。君子伤今而思古焉。”于《大田》云：“刺幽王也。言矜寡不能自存焉。”从诗本文来看，这四首诗都描述了周王因农业生产获得丰收以为祭品而举行祭祀典礼的情景，绝无刺意。朱熹《诗序辨说》云：“自此篇（按：指《楚茨》）至《车舝》凡十篇……词气和平，称述详雅，无讽刺之意。《序》以其在《变雅》中，故皆以为伤今思古之作，诗固有如此者。然不应十篇相属，而绝无一言以见衰世之意也。”方玉润《诗经原始》云：“自此篇（按：指《楚茨》）至《大田》四诗，辞气典重，礼仪明备，非盛世明王不足以语此。故《序》无辞以说之，不得不创为‘伤今思古’之论。然诗实无一语伤今，顾安得谓之思古耶?”既非伤今思古之作，所谓盛世明王，就有周一代而论，非成王、康王不足以当之。李善注《文选·贤良诏》引《古本竹书纪年》云“成、康之际，天下安宁，刑措四十年不用”，即是明证。因此，许多学者都认为四诗所述皆为成王时事。陈启源《毛诗稽古编》云：“《信南山》、《甫田》、《大田》三诗皆咏‘曾孙’，《传》、《笺》指成王，因《信南山序》有幽王‘不能修成王之业’语也。东莱非之，谓‘曾孙’之名，周之后王皆可称。然周之后王可当诗人追诵者，孰有如成王哉?文武开创时，武功多于文治，礼乐制度尚有未遍。周公摄政之六年，制礼作乐，颁度量于天下，始号太平。疆理之法，祭祀之典，大率皆成王时所定，康王以后坐享其成而已。故《正雅》及《周颂》文武而下止有成王时，余后王弗及焉。”《楚茨》与《信南山》、《甫田》、《大田》内容相类，编篇相次，固当以组诗视之。既然可以据诗中“曾孙”指成王而确定《信南山》、《甫田》、《大田》述成王时事，则《楚茨》所述当也为成王时事。何楷《诗经世古本义》、方玉润《诗经原始》都认为《楚茨》与《信南山》同为一时之作。据《尚书·洛诰》、《汉书·郊祀志》、《载芟序》、《良耜序》及保卣铭文的记载，成王自周公摄政七年十二月戊辰晦日亲政以来，相继举行了烝祭、郊祭、明堂祭、文武庙祭及庙祭之后行飨礼款待微子和助祭诸侯、祈报社稷等一系列祭祀典礼（见前文）。联系成王所行祀典而论，《楚茨》、《信南山》描述了成王于周公摄政七年十二月戊辰晦日在洛邑举行烝祭的情形。烝祭是在太祖庙中合祭先祖先妣的祀典，《楚茨》言“先祖是皇”、《信南山》言“享于祖考”表明所行之礼正是烝祭。《楚茨》所述祀典有灌祭、迎牲的仪注，也表明是天子所行祭礼。两首诗作于一时，所述为同一祀典，只不过各有侧重而已，并非分述不同的祀典。何楷《诗经世古本义》对此有说明：“《楚茨》、《信南山》同为一时之作。《楚茨》详于后而略于前，自祭祊以前，但以‘祀事孔明’一语该之。《信南山》详于前而略于后，自荐熟以后，亦但以‘祀事孔明’一语该之。古人文字互见之妙如此。”既然两首诗同述成王所行烝祭，故尚需对《楚茨》所云“济济跄跄，絜尔牛羊，以往烝尝”略作解说。《毛传》于“烝尝”不置一辞，郑笺则云“冬祭曰烝，秋祭曰尝”。据此而论，《楚茨》所述是烝祭和尝祭的情形。然而沈文倬《宗周岁时祭考实》根据文献及考古所见，不仅认为周初尚未形成四时祭，而且还明确指出：《楚茨》的“以往烝尝”是祭祀场面的描写，烝尝连文，不能说既是烝祭，又是尝祭，只能作“奉献祭品给祖先尝新”解，实际只是烝祀一祭（沈文倬《宗周礼乐文明考论》，杭州大学出版社 1999 年版，第 85 页）。郑玄据《尔雅·释天》笺此诗的烝尝欠妥。成王亲政后于元年二月仲秋祈、报社稷，并歌奏

《载芟》、《良耜》二诗。《甫田》、《大田》就是描述成王祈、报社稷的诗。《甫田》云："以我齐明，与我牺羊，以社以方。我田既藏，农夫之庆。琴瑟击鼓，以御田祖，以祈甘雨，以介我稷黍，以穀我士女。"陈奂《诗毛氏传疏》据以断此诗所述"当指春祈"，并引《大雅·云汉》所言"祈年孔夙，方社不莫"为证，同时还指出"以介我稷黍，以穀我士女"是祈社稷时的"祈年之辞"。《大田》所言"来方禋祀，以其骍黑，与其黍稷"，当是成王秋报社稷的情形，孔疏明确指出"祭当在秋"。诗中"彼有不获稚，此有不敛穧。彼有遗秉，此有滞穗，伊寡妇之利"明是写丰收后的情景，也可证诗中所述是秋报社稷的情形。《楚茨》、《信南山》、《甫田》、《大田》描述了成王所行之礼的情形，断不至于如《毛序》所言作于周王朝衰落的幽王时。就《楚茨》详述烝祭的仪节来看，很可能就是当时的实录，而并非后人的追记。然而西周王朝自成王以后，历代天子皆循行周公、成王曾经身体力行过的祀典，描述成王举行祭祀典礼情形的诗歌也随着祀典的不断举行而流传了下来。至幽王时，政荒俗变，礼乐文明渐趋崩坏，乐官或大臣陈奏《楚茨》、《信南山》、《甫田》、《大田》以为讽谏，故《毛序》皆以"刺幽王"为说。后之学者遂据以谓诗作于幽王时，不足据。既然四首诗都描述了成王所行之礼，而《楚茨》的作时又比较明确，姑据以断皆作于成王时。

周人述成王祭毕燕族人、行飨礼及燕公尸的情形而作《行苇》、《既醉》、《凫鹥》。诗皆见《诗经·大雅》。《毛序》云："《行苇》，忠厚也。周家忠厚，仁及草木，故能内睦九族，外尊事黄耇，养老乞言，以成其福禄焉。"此诗极力描述燕饮、比射的过程，当如朱熹《诗集传》所疑，是"祭毕而燕父兄耆老之诗"。胡承珙《毛诗后笺》则进一步指出："此诗章首即言'戚戚兄弟'，自是王与族燕之礼，与凡燕群臣、国宾者不同。然所言献酢之仪、殽馔之物、音乐之事，皆与《仪礼·燕礼》有合，则其因燕而射，亦如《燕礼》所云'若射则大射正为司射'是也。至末言'以祈黄耇'，则又如《文王世子》所谓'公与父兄齿'者，此其与凡燕有别者也。然则此诗只是族燕一事，而射与养老连类及之。《序》以睦族为内，养老为外，盖由养九族之老而推广言之，以见周家忠厚之至耳。《序》文因《诗》推及言外者，每多如此。疏谓族是近亲，黄耇则及他姓，故言'内'、'外'以别之，非是。笺以'敦弓既坚'以下为将养老而射以择士，'曾孙维主'以下为养老而成其福禄，则与前章族燕截分二事。其实经文饮燕序射，以次相承，绝非判而为二，笺义似失经旨。"此说从诗本文立论，并据以释《毛序》之意，辨郑笺、孔疏之得失，殊有见地。《毛序》云："《既醉》，太平也。醉酒饱德，人有士君子之行焉。"又云："《凫鹥》，守成也。太平之君子能持盈守成，神祇祖考安乐之也。"三家诗均无异义。历代学者或从《毛序》，或据《毛序》立论，其中不乏颇有启发意义的论说。如范家相《诗瀋》谓《既醉》"此止是王与群臣祭毕饮燕于寝而群臣颂君之词"；胡承珙《毛诗后笺》云："《既醉》为正祭后燕饮之诗，《凫鹥》为事尸日燕饮之诗。"三诗皆是述礼之诗而非行礼所用乐歌，诗中所言皆是成王时事。《行苇》云："曾孙维主，酒醴维醹。"《毛传》云："曾孙，成王也。"是此诗所述，乃成王祭毕燕饮族人的情形。郑笺《既醉》云："成王祭宗庙，旅酬下遍群臣，至于无筭爵，故云醉焉，乃见十伦之义，志意充满，是谓之饱德。"严粲《诗辑》论《既醉》亦云："此诗成王祭毕而燕群臣也。太平无事而后君臣可以燕饮相乐，故曰太平也。讲师言‘醉酒饱德’，止首章二语，又言人有士君子之行，非诗意矣。”据郑、严所论，则《既醉》所述是成王燕群臣的情形。郑笺《凫鹥》又云：“君子，斥成王也。”由此又知，《凫鹥》所述是成王燕公尸的情形。成王亲政之后，曾举行过一系列的祭祀典礼，已见前文，三诗所述皆可据以为论。成王于元年朔日祭于明堂，向神明报告正式亲政。依周人祭祀的通例，祭后燕族人以尽亲亲之道。《行苇》云：“戚戚兄弟，莫远具尔。或肆之筵，或授之几。肆筵设席，授几有缉御。”因为是族人，尚齿不尚爵，故既肆筵又授几，则《行苇》所述当即成王祭于明堂后燕族人的情形。成王亲政后，率殷东国五侯祭于文、武之庙，事后行飨礼款待殷后及助祭诸侯。《既醉》云：“朋友攸摄，摄以威仪。”郑笺谓朋友指“群臣同志好者”，实际就是来助祭的殷后及东国五侯，则《既醉》所述当是成王行飨礼款待殷后及助祭诸侯的情形。成王南郊祭天之明日，曾行绎祭款待祭天之尸。《既醉》述成王祭于文、武庙时公尸祝嘏的情形是“令终有俶，公尸嘉告”，则成王庙祭亦曾立尸。以《凫鹥》为述成王绎祭宾尸之诗，有据可依。成王亲政，举行各种祭祀典礼以为后世法，事皆在元年。《行苇》、《既醉》、《凫鹥》三诗既然都是述成王所行之礼的情形，当即作于同时或稍后，姑系三诗于此。

周公因周之官政未次序而作《周官》，戒成王辨百官而作《立政》。伏生二十八篇《今文尚书》、孔壁本《古文尚书》有《立政》无《周官》，百两篇本出此二篇名。《史记·鲁周公世家》云：“成王在丰，天下已安。周之官政未次序，于是周公作《周官》，官别其宜。作《立政》，以便百姓，百姓说。”司马迁叙此事在周公反政成王以后，则其意以为《周官》、《立政》是周公致政以后所作。《立政》云：“周公若曰：‘拜手稽首，告嗣天子王矣。’”下文周公又三次叹呼“孺子王矣”，知周公作《立政》时，已反政成王，成王已正式执政。孔疏云：“王之大事在于任贤使能，成王初始即政，犹尚幼小。周公恐其怠勿政事，任非其人，故告以用臣之法。”亦可据以断《立政》作于成王初即王政之时。今、古文《尚书》虽然皆无《周官》，但《史记》的《周本纪》、《鲁周公世家》皆出篇名。设官分职是周公制礼作乐的内容之一，虽然《尚书大传》说周公摄政六年制礼作乐，但并非一朝一夕可以成就，而有一个不断完善的过程。周公曾有《周官》之作，当无疑问，惜已亡佚，伪孔传《古文尚书》之《周官》系晋代伪作。

息慎来贺，王使荣伯作《贿息慎之命》。伏生二十八篇《今文尚书》、孔壁本《古文尚书》均无《贿息慎之命》，百两篇本出篇名。《史记·周本纪》云：“成王既伐东夷，息慎来贺，王赐荣伯作《贿息慎之命》。”《书序》云：“成王既伐东夷，肃慎来贺，王俾荣伯作《贿肃慎之命》。”郑玄说：“息慎，或谓之肃慎。”（《史记·五帝本纪集解》引）先秦及汉代文献典籍无一引其逸文，则早已亡佚。《国语·鲁语下》说肃慎贡楛矢、石砮是在“通道于九夷、百蛮”时，故唐兰《西周青铜器铭文分代史征》说：“伐东夷是伐淮夷与践奄等事。肃慎来贺，似在成王即政之初，以道远，所以隔了四五年才来通使。”（中华书局 1986 年版，第 55 页）姑据此系于是年。

楚子来告事，周人记之而有甲骨刻辞之作。1977 年，陕西凤雏村南西周甲组宫殿遗址的西厢二号房内窖穴 H11 出土的有字甲骨中，有一片记载了楚子来朝事，辞云：“曰今秋楚子来，告父后哉。”（H11：83）诸家皆断为成王时刻辞，故系于此（陕西周原考古队《陕西岐山凤雏村发现周初甲骨文》，《文物》1979年10期；徐锡台《周原出土的甲骨文所见人名、官名、方国、地名浅释》，《古文字研究》第一辑；徐锡台《周原卜辞十篇选释及断代》，《古文字研究》第六辑；李学勤、王宇信《周原卜辞选释》，《古文字研究》第四辑）。

公元前1033年（周成王十年）

周公卒，成王葬于毕，告周公而作《亳姑》。伏生二十八篇《今文尚书》、孔壁本《古文尚书》均无《亳姑》，惟百两篇本出此篇名。《书序》云："周公在丰，将没，欲葬成周，公薨，成王葬于毕，告周公作《亳姑》。"此言葬周公之事而以《亳姑》名篇，篇名与序文所言不相值。伪孔传释之曰："周公徙奄君于亳姑，因告柩以葬毕之义，并及奄君已定亳姑，言所迁之功成。"先秦及汉代典籍无一引《亳姑》逸文。孙星衍《尚书今古文注疏》论《金縢》云："此篇经文当止于'王翼日乃瘳'，或史臣附记其事，亦止于'王亦未敢诮公'也。其'秋大熟'已下，考之《书序》，有成王告周公作《薄姑》，则是其逸文。后人见其词有'以启《金縢》之书'，乃以属于《金縢》耳。"又说："此（按：《金縢》"秋大熟"以下）是《亳姑》逸文，成王所作，与周公所作《金縢》别是一篇。《亳姑篇》今亡，犹可以此考见。……必后人因其文有'以启《金縢》'之词，误合于《金縢》耳。"（中华书局1986年版，第332、335页）皮锡瑞《今文尚书考证》从之，然并无确证，且其文字与《亳姑》之题无关，不可从。《尚书大传》云："三年之后，周公老于丰，心不敢远成王，而欲事文、武之庙。然后周公疾，曰：'吾死必葬于成周，示天下臣于成王。'周公死，天乃雷雨以风，禾尽偃，大木斯拔。国恐，王与大夫开金縢之书，执书以泣曰：'周公勤劳王家，予幼人弗及知。'"唐兰《西周青铜器铭文分代史征》不仅认为所说三年指周公致政后、成王即政的第三年，而且还因为《逸周书·尝麦》及其《后序》都没有再提到周公，疑周公就卒于成王即政的第三年（中华书局1986年版，第55—56页）。

周公既没，成王命君陈代周公治理成周而作《君陈》。伏生二十八篇《今文尚书》、孔壁本《古文尚书》均无《君陈》，《史记》亦不载篇名，惟百两篇本出此篇名。《书序》云："周公既没，命君陈分正东郊成周，作《君陈》。"郑玄注《礼记·坊记》云："君陈，盖周公之子，伯禽弟，名篇在《尚书》，今亡。"原本《君陈》虽亡，但《礼记·坊记》引《君陈》曰："尔有嘉谋嘉猷，入告尔君于内，女乃顺之于外，曰：此谋此猷，惟我君之德，于乎惟良显哉。"《缁衣》引《君陈》曰："未见圣，若已弗克见，既见圣，亦不克由圣。"又引《君陈》曰："出入自尔师虞，庶言同。"从《礼记》所引逸文来看，成王命令君陈加强对成周的管理，要做到"善则称君，过则称己，则民作忠"（《礼记·坊记》）。据《书序》所言，周公死后，成王命君陈而有此作，姑系于此年，伪孔传《古文尚书》之《君陈》系晋代伪作。

公元前1021年（周成王二十二年）

毛伯作簋铭，述周王令其伐东国之命并记其战功及告上之语。铭文前叙战事，后述诰诫，而中间叙遣师处峰峦陡起。班簋，原著录于《西清古鉴》卷十三，为清宫旧

藏，1972 年北京物资回收公司从废铜中拣出。铭曰："唯八月初吉，在宗周，甲戌，王令毛伯更虢城公服，屏王位，作四方极，秉繁、蜀、巢令，赐铃勒。咸，王令毛公以邦冢君、徒驭、或人伐东国痟戎。咸，王令虞伯曰：'以乃师左比毛公。'王令吕伯曰：'以乃师右比毛公。'遣令曰：'以乃族从父征，诞城卫父身。'三年静东国，亡不成眈天威，否畀纯陟。公告厥事于上：'唯民亡延哉，彝昧天命，故亡，允哉显。唯敬德，亡攸违。'班拜稽首曰：呜呼！丕丕丮皇公受京宗懿厘，后文王、王姒圣孙，隥于大服，广成厥功。文王孙亡弗怀型，亡克竞厥烈。班非敢觅，唯作昭考爽谥曰大政，子子孙多世其永宝。"陈梦家《西周铜器断代》断为成王时器（《考古学报》九册）。王世民等《西周青铜器分期断代研究》说："此簋年代，或以为成王时器，或以为穆王时器。据铭文有'伐东国痟戎'及'三年静东国'等语，似不能晚至穆王，应是西周早期后段器。"（文物出版社 1999 年版，第 84 页）因不能确定此器具体的制作时间，姑从陈梦家之说附于此。于省吾《双剑誃吉金文选》评此铭曰："简肃奇荡，雄历质朴。前叙战事，后述诰诫，而中间叙遣师处峰峦陡起。左史得意之笔，见之金文中，最觉朴雅可爱。"（中华书局 1998 年版，第 159 页）

成王将崩，命召公、毕公率诸侯相康王。四月十七日成王崩，子康王钊立，临朝以文、武之业申戒诸侯，史官叙事之始末而作《顾命》。据《经典释文》与《尚书·康王之诰》孔疏，伏生所传二十八篇《今文尚书》本合《顾命》与《康王之诰》为一篇，题为《顾命》，马融、郑玄、王肃本皆析而为二，以"王若曰"以下为《康王之诰》，伪孔本则以"王出，在应门之内"以下为《康王之诰》。《书序》云："成王将崩，命召公、毕公率诸侯相康王，作《顾命》。"又云："康王既尸天子，遂告诸侯，作《康王之诰》。"《顾命》与《康王之诰》同篇异序，《史记》亦同。《周本纪》云："成王将崩，惧太子钊之不任，乃命召公、毕公率诸侯以相太子而立之。成王既崩，二公率诸侯，以太子钊见于先王庙，申告以文王、武王之所以为王业之不易，务在节俭，毋多欲，以笃信临之，作《顾命》。太子钊遂立，是为康王。康王即位，遍告诸侯，宣告以文、武之业以申之，作《康诰》。"此所谓《康诰》，即《康王之诰》。文中所记，既有成王临终命辅太子之语，亦有康王以文、武之业申戒诸侯之辞，史官陈其本末而为此篇。《顾命》云："惟四月哉生魄，王不怿。甲子，王乃洮颒水。……越翼日乙丑，王崩。……丁卯，命作册度。越七日癸酉，伯相命士须材。"曾运乾《尚书正读》据四分周历推算此年四月己酉朔，则哉生魄为四月十五日，甲子为十六日，乙丑为十七日，丁卯为十九日，癸酉为二十五日（中华书局 1964 年版，第 260—264 页）。联系《书序》、《史记》所言，可知《顾命》之作，不出此年四月。据《夏商周断代工程 1996—2000 年阶段成果报告》，成王在位二十二年。除去周公摄政七年，实际在位十五年。

公元前 1020 年（周康王元年）

成、康之际，天下安宁，刑措四十年不用。见李善注《文选·贤良诏》引《古本竹书纪年》，《太平御览》卷八十四引此文"四十"下有"余"字，《史记·周本纪》同。

公元前 1016 年（周康王五年）

三月，康王在洛邑祭祀武王，歌奏《执竞》之诗。《毛序》、三家诗均不言此诗之作时，仅说是祭祀武王的乐歌。《毛传》释其中“丕显成康”之“成康”为“成大功而安之”。郑玄《诗谱·周颂谱》断《周颂》三十一首诗皆作于“周公摄政、成王即位之初”，故释“成康”为“成安祖考之道”，与《毛传》意同。“丕显成康”之“成康”指成王诵、康王钊，联系下文“自彼成康，奄有四方”不言自明。而成王、康王是生时称号不是死后的谥号，经王国维、郭沫若、于省吾等许多学者的研究已得到证明（王国维《遹敦跋》，《观堂集林》卷十八，中华书局 1959 年版；郭沫若《金文丛考·谥法之起源》，《郭沫若全集》考古编第五卷，科学出版社 2002 年版；于省吾《泽螺居诗经新证》，中华书局 1982 年版，第 77 页）。《毛序》、三家诗说此诗是祭祀武王的乐歌，当有所本。《诗谱·周颂谱》孔疏云：“显父祖之功，所以颂子孙也。……虽祀文王、武王，皆歌当时之功，告其父祖之神明。”康王时代为了祭祀典礼的需要也曾制作过乐歌，向神明报告康王的成功。扬雄《法言·孝至》说：“周康之时，颂声作乎下，《关雎》作乎上。”班固《两都赋序》说：“成康没而颂声寝。”这些说法虽然都是叹时事之论，却揭示了一个重要的事实，即“康王时仍有其颂”（《诗谱·周颂谱》孔疏）。墙盘铭文云：“宪圣成王，左右绶会纲系，用肇彻周邦。渊哲康王，遂尹亿疆。”《左传·昭公二十六年》云：“若武王克殷，成王靖四方，康王息民，并建母弟以藩屏周。”则成王、康王确有“奄有四方”的成功业绩。康王之世，举行祭祀武王的典礼以其成功告于武王，奏《执竞》言“自彼成康，奄有四方”，这正与《毛序》对颂诗的性质所作的说明相符，可以断定《执竞》是康王时祭祀武王所奏乐歌。地下出土的有铭铜器为确定此诗是何时康王祭祀武王所奏乐歌提供了坚实的证据。德方鼎铭文云：“惟三月，王在成周，征武王福自镐。咸，王赐德贝廿朋，用作宝尊彝。”马承源《德方鼎铭文管见》认为铭中的“福”是祭名，并援引甲骨文为证。马氏所引各条中“福”字均作祭名，则德方鼎铭文所谓“征武福”也就是徙福于武王的意思，即对武王用福祭，而“自镐”是倒装句，指周王特地从镐京到成周（《文物》1963 年 11 期）。唐兰《西周青铜器铭文分代史征》从文字学的角度也进一步论证了“福”是祭名：“福字作畀，甲骨文中常见，祭的一种。畐本像有流的酒尊，用两手举畐，灌酒于所祭的示（祭坛）上，称为福；用手取肉放在示上称为祭，那么，福就应该是灌祭。祭后把余酒送给人称为致福，把祭肉送给人，称为致胙。后世往往同时送酒与肉，这两个名称就混淆了。《穀梁传·僖公十年》说：‘世子已祠，故致福于君。’《国语·晋语》略同，都兼酒与肉，后来注家把致福单单解释为归胙肉，就失去了福字的本义了。”（中华书局 1986 年版，第 70—71 页）在确定了福为祭名的基础上，将福释为灌祭，符合西周的礼制。《尚书·洛诰》孔疏说：“祼者，灌也。王以圭瓒酌郁鬯之酒以献尸，尸受祭而灌于地，因奠不饮谓之祼。……周人尚臭，祭礼以祼为重。”据此可知德方鼎铭文所谓“征武福”是指用祼礼祭祀武王。至于德方鼎铭文所说的周王具体指谁，涉及对德方鼎的断代。李学勤《何尊新释》则根据铭文中“月”、“成”、“锡”、“用”等字与何尊铭文的字体如出一手，首先断定德方鼎与何尊作于同一时期，只是月份较早一个月。然后将何尊铭文与《尚书·洛诰》联系起来，论证了何尊铭文的“惟王五祀”不是成王五年而是康王五年。因为成王五年洛邑尚未建成，还不可能有何尊铭文所谓“在四月丙戌，王诰宗小子于京室”的事情（《中原文物》1981 年 1 期）。李学勤的论断精辟，因此可以肯定何尊为康王时铜器。德方鼎既然与何尊同时，也应断为康王时器。那么，德方鼎铭文所说的周王当即康王。再联系何尊铭文所记年月日是“惟王五祀”之“四月丙戌”，又可进一步得知德方鼎铭文所记康王在成周以祼礼祭祀武王的时间是康王五年三月。康王在成周祭祀武王，必是在武王庙中，成周有武王庙见于《逸周书 · 作洛》。综合上文，德方鼎铭文所记历史事实是：康王在五年三月从镐京到达洛邑，以祼礼在武王庙中祭祀武王，典礼结束后，赏给德贝廿朋，德因以作器。至此再联系《毛序》所言，可以断定《执竞》是康王五年三月在洛邑祭祀武王时所奏乐歌。

何作尊铭，记康王四月丙戌诰宗小子之言。何尊，1963 年陕西宝鸡贾村出土。铭曰：“唯王初迁宅于成周，复禀武王豊，福自天。在四月丙戌，王诰宗小子于京室，曰：‘昔在尔考公氏，克弼文王，肆文王受兹大命。唯武王既克大邑商，则廷告于天，曰：余其宅兹中国，自之乂民。呜呼！尔有虽小子亡识，视于公氏，有爵于天，彻令敬享哉。’唯王龏德裕天，顺我不每。王咸诰，何赐贝卅朋，用作庾公宝尊彝。”李学勤《何尊新释》根据《尚书 · 洛诰》断为康王五年时器，因为成王五年洛邑尚未建成，不可能有周王在成周诰宗小子之事（《中原文物》1981 年 1 期）。

公元前 1015 年（周康王六年）

康王六年，西周时代杰出的军事家、政治家与思想家吕尚卒。吕尚是我国西周时代杰出的军事家、政治家与思想家。《汉书 · 艺文志》云：“《太公》二百三十七篇，《谋》八十一篇，《言》七十一篇，《兵》八十五篇。”班固注云：“吕望为周师尚父，本有道者，或有近世又为太公术者所增加也。”顾实《汉书 · 艺文志讲疏》引沈钦韩说：“《谋》者即太公之《阴谋》，《言》者即太公之《金匮》，《兵》者即《太公兵法》。”又《隋书 · 经籍志》：“《太公六韬》五卷，《太公阴谋》一卷，《太公阴符录》一卷，《太公金匮》二卷，《太公兵法》二卷，《太公兵法》六卷，《太公伏符阴阳谋》一卷。”《战国策 · 秦策一》苏秦始以连横说秦，提到《太公阴符之谋》，则吕尚之书，先秦时有所流传，但有些可能是其后代、后学据其遗说、遗事所编，有些则可能也加入其后学、后代军事家、谋略家的论著。然而无论怎样，可以看出吕尚在我国军事学、谋略学和政治思想方面的巨大影响。《六韬》一书，宋代以来多疑为伪书，然而 1972 年山东银雀山出土了简本残篇，而次年河北定县西汉墓又出土一批被称为《太公》的竹简，其内容有的同今本《六韬》一致，有的超出今本范围。则《六韬》一书为先秦古书可以肯定，其与《太公》之关系也可窥其端倪。看来今本《六韬》当是东汉时人据《太公》改编而成；《武韬》五篇由《太公言》删削而成；《文韬》十二篇由《太公谋》删削而成。其余《龙韬》、《虎韬》、《豹韬》、《太韬》计三十三篇，由《太公兵》删并后所分。其间可能也羼入后来整理者的著述。然而联系其他先秦文献，从中也可以看出某些吕尚的思想。据孙开泰《关于太公望的几个问题》所考，吕尚哲学思想有四个特点：一、不信天命、天时、鬼神、占卜，而重人事，具有朴素的唯物主义思想。《史记 · 齐太公世家》云：“武王将伐纣，卜，龟兆不吉，风雨暴至，群公尽惧，惟太公强之劝武王，武王于是遂行。”《六韬》中有同样记述。其《六韬·盈虚》并云：“祸福在君，不在天时。”二、提出“秉德”，以对抗殷商“天佑王权”的思想。《齐太公世家》云：“周西伯昌之脱羑里归，与吕尚谋修德，以倾商政。”《太平御览》卷十三引《六韬》佚文：“武王伐纣，雨甚雷疾，武王乘雷震而死。周公曰：‘天不佑周矣！’太公曰：‘君秉德而受之，不可如何也。’”三、提出了“道”的命题。《绎史》卷十三引《说苑》：“武王伐纣，召太公望而问之曰：‘吾欲不战而胜……为之有道乎？’太公对曰：‘有道。王得从人之心……则不战而胜矣……”贾谊《新书》引《太公》曰：“故天下者，唯有道者理之……故守天下者，非以道而弗得而长也。”《大戴礼记》载吕尚以丹书之言戒武王数十言，“王闻书之言，惕若恐惧，退而为戒书于四端为铭焉”（武王之铭收于《古诗源》）。四、据《大戴礼记》同篇文字，吕尚已具有“仁”的思想。杨树达《论语·尧曰疏证》引清人宋翔凤云：“武王卦太公于齐，在泰山之阴，故将事泰山而称‘仁人尚’，为封太公之辞也。”那么，“仁”的提出者是吕尚，孔子加以发展成为一种重要的思想范畴（孙开泰《关于太公望的几个问题》，《中国哲学》第十九辑，岳麓书社 1998 年 9 月版）。由之可看出吕尚在中国思想史上的地位。吕尚卒于康王六年，见《太公吕望墓表》引《古本竹书纪年》。

公元前 1009 年（周康王十二年）

六月三日，康王作《毕命》命毕公分居里，成周郊。伏生二十八篇《今文尚书》、孔壁本《古文尚书》均无此篇，百两篇本出篇名。《史记·周本纪》云：“康王命作策毕公分居里，成周郊，作《毕命》。”《书序》亦云：“康王命作策毕分居里，成周郊，作《毕命》。”孔疏引郑玄云：“今其逸篇有册命霍侯之事，不同与此《序》相应，非也。《毕命》亡。”汉代尚有《毕命》流传，郑玄犹及见之，故有此说。《毕命》虽亡，但《汉书·律历志》引《三统历》云：“康王十二年六月戊辰朔，三日庚午，故《毕命丰刑》曰：‘惟十有二年六月庚午朏，王命作策《丰刑》。’”孙星衍《尚书今古文注疏》认为“惟十有二年六月庚午朏，王命作策《丰刑》”十六字是《毕命》逸文（中华书局 1986 年版，第 610 页）。据此不仅可证尝有《毕命》流传，而且可知其作在康王十二年六月三日。伪孔传《古文尚书》之《毕命》系晋代所出伪书。

公元前 1005 年（周康王十六年）

鲁侯伯禽薨。《汉书·律历志》云：“鲁公伯禽，推即位四十六年，至康王十六年而薨。”《今本竹书纪年》云：“十九年鲁侯禽父薨。”王国维《今本竹书纪年疏证》说：“此书亦当从《汉志》说，以鲁公薨在康王十六年也。‘十九年’三字疑衍。”（《王国维遗书》第八册，上海书店出版社 1983 年版，第 70 页）

公元前 1000 年（周康王二十一年）

鲁炀公元年。《史记·鲁周公世家》云：“鲁公伯禽卒，子考公酋立。考公四年卒，立弟熙，是谓炀公。”王国维《今本竹书纪年疏证》说：“以《汉志》伯禽薨年推之，此岁为炀公元年。”（《王国维遗书》第八册，上海书店出版社 1983 年版，第 70 页）

公元前998年（周康王二十三年）

庚赢作鼎铭，记四月丁巳受康王褒奖、赏赐。庚赢鼎，据《西清古鉴》所摹图像，口下一周分尾鸟纹，有六条扉棱分隔，三足上端有兽头装饰，下有两周弦纹。铭曰："唯廿又二（三）年四月既望己酉，王客宲宫，卒事。丁巳王蔑庚赢历，易爵、赏贝十朋。对王休，用乍宝鼎。"《夏商周断代工程1996—2000年阶段成果报告》断为康王二十三年时器。

盂作鼎铭，记康王九月在宗周命盂之辞。铭文苍渊严峻，高词媲皇坟。盂二十三祀所作鼎，称大盂鼎，相传陕西岐山礼村出土。铭曰："唯九月，王在宗周，命盂。王若曰：'盂，丕显文王，受天有大命，在武王嗣文王作邦，辟厥慝，匍有四方，畯正厥民，在雩御事。叡酒无敢酖，有柴烝祀无敢醻，故天翼临子，法保先王，［匍］有四方。我闻殷坠命，唯殷边侯、甸与殷正百辟，率肄于酒，故丧师。已，汝昧辰有大服，余唯即朕小学，汝勿蔽余乃辟一人。今我唯即型禀于文王正德，若文王令二三正。今余唯令汝盂绍荣，敬拥德巠，敏朝夕入谏，享奔走，畏天威。'王曰：'而令汝盂型乃嗣祖南公。'王曰：'盂，乃绍夹尸司戎，敏谏罚讼，夙夕召我一人烝四方。雩我其遹省先王受民受疆土。赐汝鬯一卣、冂衣、芾、舄、车、马，赐乃祖南公旂，用狩。赐汝邦司四伯，人鬲自驭至于庶人六百又五十又九夫。赐夷司王臣十又三伯，人鬲千又五十夫，遫𢦏迁自厥土。'王曰：'盂，若敬乃正，勿废朕命。'盂用对王休，用作祖南公宝鼎，唯王廿又三祀。"王世民等《西周青铜器分期断代研究》断此鼎为康王时器，几无异说（文物出版社1999年版，第27页）。于省吾《双剑誃吉金文选》评此铭文曰："苍渊严峻，高词媲皇坟。"（中华书局1998年版，第115页）

公元前997年（周康王二十四年）

二十四年召康公薨（《今本竹书纪年》）。

公元前996年（周康王二十五年）

盂伐鬼方，大有俘获，作鼎铭详记八月甲申所行献俘礼。相对于二十三祀盂鼎而言，此鼎因器形较小故称小盂鼎，器已不存，相传出土于陕西岐山礼村。铭曰："唯八月既望辰在甲申，昧爽，三左三右多君入服酒。明，王各周庙，□□□邦宾，延邦宾尊其旅服，东向。盂以多旂佩，鬼方子□□入三门，告曰：'王令盂以□□伐鬼方，□□□聝□，执嘼（酋）三人，获聝四千八百又二聝，俘人万三千八十一人，俘马□□匹，俘车卅辆，俘牛三百五十五牛，羊卅八羊。'盂又告曰：'□□□□，乎蔑我征，执酋一人，获聝二百卅七聝，俘人□□人，俘马百四匹，俘车百□辆。'王若曰：'□。'盂拜稽首，以酋进，即大廷。王令荣遻酋，荣即酋遻厥故。□越伯□□鬼獯，鬼獯虘以新□从，咸，折酋于□。王乎𦝠伯令盂以人聝入门，献西旅，□□入燎周庙。盂以□□□□□入三门，即立中廷，北向，盂告𦝠伯，即位，𦝠伯□□□□于明伯、继伯、𦝠伯，告咸。盂与诸侯眔侯、甸、男□□从盂征，既咸。宾即位，赞宾，王乎赞盂，以□□□进宾。□□大采，三周入服酒，王各庙，祝延□□□□□邦宾，丕祼，□□用牲禘周王、武王、成王，□□卜有臧，王祼，祼述，赞邦宾。王乎□□□令盂以区人，凡区以品。雩若翌日乙酉，□三事□□入服酒，王各庙，赞王邦宾。诞王令赏盂，□□□□□，弓一、矢百、画皋一、贝胄一、金毌二、皵戈二、矢豋八。用作□伯宝尊彝，唯王廿又五祀。”此铭文很重要，所记礼仪可与《逸周书·世俘》相互参证。王世民等《西周青铜器分期断代研究》断为康王时器二十五年时器，几无异说（文物出版社1999年版，第27页）。

师旂作鼎铭，记其属下不从王出征，白懋父令处以罚金事。铭文曲致、古雅。师旂鼎，现藏故宫博物院。铭曰：“唯三月丁卯，师旂众仆不从王征于方雷，使厥友引以告于伯懋父：‘在芀，伯懋父乃罚得、叡、古三百锊，今弗克厥罚。’懋父令曰：‘宜播，叞厥不从厥右征。今毋播，其有纳于师旂。’引以告中史书，旂对厥劾于尊彝。”王世民《西周青铜器分期断代研究》等说：“白懋父也见于召尊、召卣、小臣宅簋、御正卫簋等器，其年代约为康王前后器。”（文物出版社1999年版，第29页）此器的具体作时难于确定，姑附于康王时。于省吾《双剑誃吉金文选》评此铭文曰：“高文曲致，古雅绝伦。”（中华书局1998年出版，123页）

献作簋铭，记其受楷伯金车之赐而推美于天子。铭文章法奇诡，变化无方。献簋，器不知所在，亦不详其尺寸。铭曰：“唯九月既望庚寅，楷伯于遘王休，亡尤。朕辟天子，楷伯命厥臣献金车，对朕辟休，作朕文考光父乙，十世不忘，献身在毕公家，受天子休。”王世民等《西周青铜器分期断代研究》认为，据《尚书·顾命》，毕公为成王临终时受命辅佐康王的大臣之一，则此器或当为康王时器（文物出版社1999年版，第58、62页）。由于不能确定此器作于康王何年，姑附于此。于省吾《双剑誃吉金文选》评此铭文曰：“此铭只五十二字，章法奇诡，错综变化无方。器本为献所作，楷伯为天子之臣，而献又为楷伯之臣。献受楷伯之赐，追本溯源，无非皆受天子之休，亦犹《麦尊》麦受邢侯之赐，追叙天子也。而将献身在毕公家受赐之地与时倒煞于后，何等高绝，何等奇幻。”（中华书局1998年版，第165—166页）

康王卒，子昭王瑕立。《太平御览》卷八十四引《帝王世纪》言康王在位二十六年，《通鉴外纪》同此，是并继位之一年言之。《夏商周断代工程1996—2000年阶段成果报告》断康王在位二十五年。《史记·周本纪》云：“康王卒，子昭王瑕立。”

公元前995年（周昭王元年）

昭王之时，王道微缺（《史记·周本纪》）。

公元前981年（周昭王十五年）

鲁幽公弟溃杀幽公而自立。《史记·鲁周公世家》云：“炀公筑茅阙门。六年卒，子幽公宰立。幽公十四年，幽公弟溃杀幽公而自立，是为魏公。”王国维既以周康王二十一年为鲁炀公元年，推之则是年溃杀鲁幽公而自立。

公元前977年（周昭王十九年）

静作鼎铭，记其受王命省南国、归至成周及八月丁丑昭王之命辞。静方鼎，现藏日本出光美术馆。铭曰：“唯十月甲子，王在宗周，令师中眔静省南国，□设位。八月初吉庚申至，告于成周。月既望丁丑，王在成周大室，令静曰：'司汝采，司在曾鄂师。'王曰：'静，锡汝鬯、旂、市、采、霝。'曰：'用事。'静扬天子休，用作父丁宝尊彝。"《夏商周断代工程1996—2000年阶段成果报告》断为昭王十九年时器。

矢作彝铭，称扬明公的赏赐及命令并叙事之始末。铭文苍核高峻。令方彝，1929年河南洛阳马坡出土。铭曰："唯八月，辰在甲申，王命周公子明保尹三事四方，授卿事僚。丁亥，令矢告于周公宫，公令䛗同卿事僚。唯十月月吉癸未，明公朝至于成周，䛗令舍三事令，眔卿事僚、眔诸尹、眔里君、眔百工，眔诸侯：侯、甸、男，舍四方令。既咸令，甲申，明公用牲于京宫。乙酉，用牲于康宫。咸既，用牲于王。明公归自王，明公赐亢师鬯、金、小牛，曰：'用祓。'赐令鬯、金、小牛，曰：'用祓。'乃令曰：'今我唯令汝二人亢眔矢，尚左右于乃僚乃友事。'作册令敢扬明公尹厥贮，用作父丁宝尊彝，敢追明公赏于父丁，用光父丁。隽册。"另有令方尊，亦于1929年出土于河南洛阳马坡，现藏台湾中央博物院。铭文与此相同，行款不同。王世民等《西周青铜器分期断代研究》说："学者公认其为昭王时器。"（文物出版社1999年版，第143页）由于不能确定此器作于何年，姑附于此。于省吾《双剑誃吉金文选》评此铭文曰："苍核高峻，惟西周之文有此气骨。"（中华书局1998年版，第162页）

矢作簋铭，称扬皇王之赐，记其丁公之祭。令簋，传1929年河南洛阳马坡出土，有二器，现均藏法国吉美博物馆。铭曰："唯王于伐楚伯在炎。唯九月既死霸丁丑，作册矢令尊宜于王姜。姜赏令贝十朋、臣十家、鬲百人。公尹伯丁父贶于戍，戍冀司乞。令敢扬皇王贮，丁公文报，用稽后人享。唯丁公报，令用深张于皇王。令敢张皇王贮，用作丁公宝簋，用尊事于皇宗，用飨王逆造，用匓僚人，妇子后人永宝，隽册。"唐兰《西周青铜器铭文分代史征》断为昭王时器（中华书局1986年版，第273页），姑附于此。

令作鼎铭，记周王大耤于谌田、行射礼及其所受之赐。令鼎，出土于山西芮城。铭曰："王大耤农于谌田，饧。王射，有司眔师氏小子会射。王归自谌田，王驭溓中仆，令眔奋先马走。王曰：'令眔奋，乃克至，余其舍女臣十家。'王至于溓宫，嬰。令拜稽首曰：'小［子］乃效。'令对扬王休。"唐兰《西周青铜器铭文分代史征》断为昭王时器（中华书局1986年版，第279页）。由于不能确定此器具体的制作年代，姑附于此。

周昭王末年，夜有五色光贯紫微。其年，王南征不返，卒于江上，子满立，是为穆王（《太平御览》卷八七四引《古本竹书纪年》）。《左传·僖公四年》云："昭王南征不复。"《史记·周本纪》亦云："昭王南巡狩不返，卒于江上。其卒不赴告，讳之也。立昭王子满，是为穆王。穆王即位，春秋已五十矣。"至于昭王如何死于江上，文献也有记载。《吕氏春秋·音初》云："周昭王亲将征荆，辛余靡长且多力，为王右。还返涉汉，梁败。王及蔡公抎于汉中，辛余靡振王北济，又反振蔡公。"此言因桥梁坏败昭王殒水而死，另一说与此不同。《史记·周本纪正义》引《帝王世纪》说："昭王德衰，南征，济于汉。船人恶之，以胶船进王。王御船至中流，胶液船解，王及蔡公俱没于水中而崩。其右辛游靡长臂且多力，游振得王，周人讳之。"说法虽有不同，但昭王死于南巡却无疑议。《太平御览》八十四引《帝王世纪》言昭王在位五十一年，

《通鉴外纪》同。《夏商周断代工程1996—2000年阶段成果报告》断昭王在位十九年。

公元前976年（周穆王元年）

穆王元年，筑祇宫于南郑。见《穆天子传》注引《古本竹书纪年》。马融说："祇宫，圻内游观之宫也。"（《左传·昭公十二年》孔疏引）据《今本竹书纪年》，穆王筑祇宫在冬十月。

穆王作《冏命》，命伯冏为周太仆正。伏生二十八篇《今文尚书》无《冏命》，孔壁本《古文尚书》逸十六篇有此篇，百两篇本、《尚书大传》及《史记》均出篇名。《书序》曰："穆王命伯冏为周太仆正，作《冏命》。"《史记·周本纪》曰："王道衰微，穆王闵文、武之道缺，乃命伯臩申诫太仆国之政，作《臩命》。"段玉裁《古文尚书撰异》卷三十二说："盖作冏者，《古文尚书》；作臩者，《今文尚书》。"《说文·夰部》云："臩，从夰、䀠。《周书》曰伯臩。"是东汉时尚可得见此文，后亡。清代始有学者认为孔壁本《古文尚书》中有《毕命》，无《冏命》。惠栋《古文尚书考》说："逸书有《冏命》。愚谓冏当作毕，字之误也。刘歆《三统历》云：'《毕命丰刑》曰惟十有二年六月庚午朏，王命作策丰刑'，康成《毕命序》注云：'今其逸篇有册命霍侯之事，不同与此《序》相应。'盖亦据孔氏逸书为说。"段玉裁《古文尚书撰异》卷三十二从其说，进一步论述说："郑云'不同与此《序》相应'七字一句，谓《序》无册命霍侯之事，而篇中有之，不相同也。其下文又有'非也'二字，亦是郑语，谓秘书所谓《毕命篇》者，盖非《毕命》也。古文疑信参半，绝无师说，诸大儒所以不敢为之注也。但郑亲见此篇，旧称《毕命》，则二十四篇有《毕命》无《冏命》可知矣。"断孔壁本《古文尚书》中有《毕命》无《冏命》或许是事实，但认为本无《冏命》，冏乃毕字之误则非是。因为据《书序》、《史记》、《说文》尝有《冏命》，当是古代流传下来的文献之一。《史记·周本纪集解》引应劭曰："太仆，周穆王所置。盖太御众仆之长，中大夫也。"穆王置太仆之职当在其即位初期，故《冏命》之作或当在穆王即位初期，姑系于此。伪孔传《古文尚书》之《冏命》系晋代所出伪书。

穆王作《君牙》，命君牙为周大司徒。伏生二十八篇《今文尚书》、孔壁本《古文尚书》均无《君牙》，百两篇本出篇名。《书序》云："穆王命君牙为周大司徒。"君牙，臣名。《释文》云："君牙，或作君雅。"《礼记·缁衣》引《君雅》曰："夏日暑雨，小民惟曰怨；资冬祁寒，小民亦惟曰怨。"郑注云："雅，《书序》作牙，假借字也。《君雅》，周穆王司徒作，《尚书》篇名也。资，当作至，齐、鲁之语，声之误也。祈之言是也，齐西偏之语也。夏日暑雨，小民怨天，至冬是寒，小民又怨天。言民恒多怨，为其君难。"此言《君牙》非穆王所作，与《书序》不同。即使如此，亦可知尝有《君牙》流传，惜已亡失。穆王命君牙为周大司徒，盖亦在其即位之初，姑系《君牙》于此年。伪孔传《古文尚书》之《君牙》系晋代所出伪书。

史官记周王命大正正刑书之诰辞，并叙事之始末而作《尝麦》。文见《逸周书》。由于文中既记周王命大正正刑书之诰辞，又叙事之始末，无疑当为史官所作。庄述祖《尚书记》认为，文中"命大正正刑书"即《左传·昭公六年》所谓"周有乱政而作《九刑》"，事在穆王以后，从而断此文是"宣王复古之书"（黄怀信等《逸周书汇校集注》，上海古籍出版社 1995 年版，第 768—770 页）。李学勤《〈尝麦〉篇研究》则指出："《尝麦》的文字很多地方类似西周较早的金文，可见此篇的时代不能太晚。篇中引述黄帝、蚩尤以及启之五子等故事，与《吕刑》穆王讲蚩尤作乱、苗民弗用灵等互相呼应，其时代当相去不远。篇中王所说'如木既颠厥榴'的比喻，疑指昭王南征不复而言。据此推想，《尝麦》有可能是穆王初年的作品。"（李学勤《古文献丛论》，上海远东出版社 1996 年版，第 94 页）此说取证于传世文献与出土文献，推定《尝麦》所记是穆王时事，作于穆王初年，可信从，姑据以系此文于是年。

公元前 965 年（周穆王十二年）

穆王将伐犬戎，祭公谋父谏。文中提出"修意"、"修言"、"修文"、"修名"、"修德"、"修刑"之说，认为有所征讨则"有威让之令，有文告之辞"，要"布令陈辞"，是对军事应用文体的最早论述。文见《国语·周语上》，司马迁作《史记·周本纪》全文载录。关于祭公，韦注云："祭，畿内之国，周公之后也，为王卿士。谋父，字也。《传》曰：'凡、蒋、邢、茅、胙、祭，周公之胤也。'"据《今本竹书纪年》，穆王十一年命祭公谋父为卿士，十二年毛公班、共公利、逄公固帅师从王伐犬戎，姑据以系于此年。夏、商、西周的文献起初都是以单篇的形式流传于世，后才被编辑在一起，许多学者对此都有论述。《国语》与《尚书》、《逸周书》、《战国策》等古代文献典籍一样，也是集合故有材料而成，并非出于一人之手。所谓"语"，本是古代以记言为主的史书。《礼记·玉藻》云："动则左史书之，言则右史书之。"可知古代的史书本有两种：或以记事为主，或以记言为主。当然，记事与记言并非不相兼容，只是各有侧重而已。在先秦时代，周王朝和各诸侯国的史官所记之《语》，本是周王朝和各诸侯国的档案资料，后被编辑在一起而成为《国语》，即列国之《语》的意思。《国语》非一时一人所作，各篇内容的不一致就是明证。如《周语》、《鲁语》、《楚语》、《郑语》等文多记贤达嘉言善语。至《齐语》则全同于《管子·小匡》，殆出于战国时期稷下先生之流。《晋语》叙晋献公宠骊姬、公子重耳的经历及即位后的作为，《吴语》、《越语》皆记夫差与勾践之事。《周语》等五部分原为周王朝及各诸侯国故有之书，流传中或遭删节，或出于后人补作。因此考察西周流传下来的文学文献，虽不能将西周时代的人物所说的每一句话都看作文学文献，但对于《国语》中有关西周的篇章，应与《尚书》、《逸周书》中的诰誓号令一样，视为西周的文学文献。

祭公谋父作《祈招》之诗，以止穆王周行天下之心。《左传·昭公十二年》记子革对楚王曰："昔穆王欲肆其心，周行天下，将皆必有车辙马迹焉。祭公谋父作《祈招》之诗以止王心。王是以获没于祗宫。……其诗曰：'祈招之愔愔，式昭德音。思我王度，式如玉，式如金。形民之力，而无醉饱之心。'"文献典籍不载何时祭公作《祈招》，姑据祭公谋父谏征犬戎类聚一处。

公元前 956 年（周穆王二十一年）

祭公临终告穆王勤政守位之事，史录君臣问答之语而作《祭公》。文见《逸周书》，是西周时代流传下来的文献，其证有二：一、《礼记·缁衣》引《叶公之顾命》曰：

“毋以小谋败大作，毋以嬖御人疾庄后，毋以嬖御士疾庄大夫卿士。”所引见于《祭公》，可见《祭公》曾是广泛流传并被传习的文献。“叶”乃“祭”字之讹，前人有定论。朱彬《礼记训纂》引杨用修曰：“此文载《逸周书·祭公解》，盖祭公疾革，告穆王之言。‘祭’字误作‘叶’耳。”则此篇或本题为《祭公之顾命》。二、文字古拙，类于《尚书·周书》及西周铜器铭文。李学勤《祭公谋父及其德论》列举五条与西周铜器铭文相比较，证其产生于西周时代（《齐鲁学刊》1988年3期）。此文记君臣问答之语，在祭公“疾维不瘳”之际。《今本竹书纪年》曰：“穆王二十一年，祭文公薨。”祭公盖于二十一年因病而卒，据以系《祭公》于其卒年。

公元前953年（周穆王二十四年）

正月，穆王使左史戎夫记历史上之大事可为借鉴者，朔望讲述之。《逸周书·史记解》云：“维正月，王在成周，昧爽，召三公、左史戎夫曰：‘今夕朕寤，遂事惊予。’乃取遂事之要戒，俾戎夫主之，朔望以闻。”《今本竹书纪年》以此为二十四年时事。

公元前950年（周穆王二十七年）

卫作簋铭，记其三月戊戌受穆王册命、赏赐。二十七年卫簋，1975年陕西岐山董家村青铜器窖藏出土，同出有三年卫盉、五年卫鼎、九年卫鼎等，现藏陕西历史博物馆。铭曰：“唯廿又七年三月既生霸戊戌，王在周，各大室，即立，南白入右裘卫入门，立中廷，北向。王乎内史易卫缁市、朱黄銮，卫拜稽首，敢对扬天子不显休，用乍朕文祖考宝簋，卫其子子孙孙永宝用。”《夏商周断代工程1996—2000年阶段成果报告》即断为穆王二十七年时器。

公元前947年（周穆王三十年）

虎作簋铭，记其四月初吉受穆王册命及对扬天子休命之语。虎簋盖，1996年陕西丹凤山沟村出土。铭曰：“唯卅年四月初吉，王在周新宫，各于大室。密吊入右虎，即位。王呼内史曰：‘册命虎。’曰：‘䟫乃祖考事先王，司虎臣。今命汝曰：更乃祖考胥师戏，司走马驭人眔五邑走马驭人。汝毋敢不善于乃政，赐汝缁市幽黄、玄衣𥿤纯、銮旂五日，用事。’虎敢拜稽首，对扬天子丕鲁休。虎曰：‘丕显朕烈祖考舝明，克事先王。肆天子弗忘厥孙子，付厥尚官。天子其万年，申兹命。’虎用作文考日庚尊簋，子孙其永宝用。夙夕享于宗。”《夏商周断代工程1996—2000年阶段成果报告》断为穆王三十年时器。

公元前943年（周穆王三十四年）

鲜作簋铭，记五月戊午穆王禘祀昭王及其受穆王褒奖、赏赐。鲜簋是西周中期的有铭铜器，早已流失海外，现藏法国吉美博物馆。巴纳、张光裕《中日欧美澳纽所见所拓所摹金文汇编》收有铭文拓片，列为156号。铭曰：“惟王卅又四祀，唯五月既望戊午，王在巧夺莽京，禘于昭王。鲜蔑历，祼，王赏祼玉三品、贝廿朋，对王休，用作，子孙其永宝。”铭文年、月、月相、日俱全，《夏商周断代工程1996—2000年阶段成果报告》断为穆王三十四年时器。

公元前932年（周穆王四十五年）

鲁公溃薨。《史记·鲁周公世家》云："魏公五十年卒。"周昭王十五年魏公自立，在位五十年，当卒于是年。《今本竹书纪年》即言魏公溃薨于是年。

公元前926年（周穆王五十一年）

吕侯以穆王之命申述夏时赎刑之法而作《吕刑》。伏生二十八篇《今文尚书》、孔壁本《古文尚书》皆有《吕刑》。《书序》云："吕命穆王训夏赎刑，作《吕刑》。"吕，即吕侯。孔疏云："郑玄云：'吕侯受王命，入为三公。'引《书说》云：'周穆王以吕侯为相。'《书说》谓《书纬·刑德放》之篇有此言也。以其言相，知为三公。"《墨子》的《尚贤中》、《尚贤下》、《尚同中》引其文称《吕刑》，但《礼记·缁衣》、《孝经·天子章》、《说苑·君道》皆作《甫刑》。《尚书大传》云："《甫刑》可以观诫。"《史记·周本纪》亦云："甫侯言于王，作修刑辟。……命曰《甫刑》。"孙星衍《尚书今古文注疏》说："自汉、魏以前，书文俱作《吕刑》。"（中华书局1986年点校本，517页）孔疏释《吕刑》又名《甫刑》云："《扬之水》为平王之诗，云'不与我戍甫'，明子孙改封为甫侯。不知因吕国改作甫名？不知别封余国而为甫号？然子孙封甫，穆王时未有甫名而称为《甫刑》者，后人以子孙之国号名之也。犹若叔虞初封于唐，子孙封晋，而《史记》称《晋世家》。"篇名题为《吕刑》，但文中皆言"王曰"云云，则《书序》所谓"吕命穆王"当谓吕侯述王命而作此文，故伪孔传云："吕侯以穆王命作书，训畅夏禹赎刑之法，更从轻以布告天下。"至于此文作时，皇甫谧《帝王世纪》云："穆王修德教，会诸侯于涂山，命君侯为相，或谓之甫侯。五十一年，王已百岁，老耄，以吕侯有贤能之德，于是乃命吕侯作《吕刑》之书。五十五年，王年百岁，崩于祗宫。"据此系《吕刑》于此年。

公元前922年（周穆王五十五年）

穆王崩，子伊扈立，是为恭王。《太平御览》八十四引《史记》言穆王在位五十五年，《通鉴外纪》、《夏商周断代工程1996—2000年阶段成果报告》同。《史记·周本纪》云："穆王立五十五年，崩，子共王繄扈立。"《国语·周语上》作"恭王"。《鲁语下》闵马父曰："周恭王能庇昭、穆之阙而为恭。"《史记正义·谥法解》："芘亲之阙曰恭。"则字作"恭"、作"共"者，古字通用。

公元前922年（周恭王元年　恭王当年改元）

师询作簋铭，记二月庚寅恭王令其夹辅王室、勿使王陷于艰难之命辞。师询簋，又称师訇簋、訇簋等，不见器形。铭曰："王若曰：'师询！不显文、武，应受天命，亦则于汝乃圣祖考，克辅佑先王，作厥□□，用夹召厥辟奠大令，盩和于政。肆皇帝无昊，临保我有周，于四方民亡不康宁。'王曰：'师询！哀哉！今昊天疾威降丧。□德不克乂，故亡承于先王。向汝彶屯卹周邦，妥立余小子，𤔲乃事。唯王身厚□。今余唯申就乃令，令汝惠雍我邦小大猷，邦弦潢辟，敬明乃心，率以乃友干吾王身，欲汝弗以乃辟陷于艰。赐汝秬鬯一卣、圭瓒、邑□三百人。’询稽首，敢对扬天子休，用作朕烈祖乙伯同益姬宝簋，询其万囟年子子孙孙永宝，用作州宫宝。唯元年二月既望庚寅，王各于大室，荣内右询。”《夏商周断代工程1996—2000年阶段成果报告》则断为恭王元年时器。

公元前920年（周恭王三年）

卫作盉铭，记三月壬寅以物易田事。卫盉，1975年陕西岐山董家村青铜器窖藏出土。铭曰：“唯三年三月既生霸壬寅，王爯旂于丰，矩白庶人取堇章于裘卫，才八十朋，厥贮其舍田十四。矩或取赤虎两，麀贲两，贲韐一，才廿朋，其舍田三田。裘卫乃彘告于白邑父、荣伯、定伯、𬀩伯。白邑父、荣伯、定伯、𬀩伯、单伯乃令参有司，司土微邑、司马单旟、司工邑人服罘受田豳趞卫小子𩌏逆者其乡。卫用乍朕文考惠孟宝盘，卫其万年永宝用。”《夏商周断代工程1996—2000年阶段成果报告》即断为恭王三年时器。

师遽作簋铭，记其四月辛酉受恭王赏赐。师遽簋，相传陕西岐山出土。铭曰：“唯王三祀四月既生霸辛酉，王在周，格新宫。王诞正师氏。王乎师朕易师遽贝十朋，遽拜稽首，敢对扬天子不杯休，用乍文考旄叔尊簋，世孙子永宝。”《夏商周断代工程1996—2000年阶段成果报告》断为恭王三年时器。

密康公母论小丑备物终必亡。《国语·周语上》：“恭王游于泾上，密康公从。有三女奔之。其母曰：‘必致之于王。兽三为群，人三为众，女三为粲。王田不取群，公行不众，王御不参一族。夫粲，美之物也。众以美物归女，而何德以堪之？王犹不堪，况尔小丑乎？小丑备物，终必亡。’康公不献，一年，王灭密。”此为当时传说，瞽史述之以为历史借鉴。《史记·周本纪》全文载录。《今本竹书纪年》云：“四年王师灭密。”联系《国语》所言密康公不献三女后一年灭密，姑据以系于是年。

公元前918年（周恭王五年）

卫作鼎铭，记正月初吉划分田界事。五年卫鼎，1975年陕西岐山董家村青铜器窖藏出土。铭曰：“唯正月初吉庚戌，卫以邦君厉告于邢伯、白邑父、定伯、𬀩伯、白俗父曰：厉曰余执恭王恤工，于昭大室东逆，营二川，曰余舍女田五田。正乃讯厉曰：女贮田不。厉乃许曰：余审贮田五田。井伯、白邑父、定伯、𬀩伯、白俗父乃顜使厉誓。乃令参有司，司土邑人趞，司马颂人邦，司工陶矩，内史友寺刍帅履裘卫厉田四田，乃舍寓于厥邑，厥逆疆罘厉田，厥东疆罘散田，厥南疆罘散田罘政父田，厥西疆罘厉田。邦君厉罘付裘卫田。厉叔子夙、厉有司申季、庆癸、豳麃、荆人敢、井人偈屖，卫小子逆者其乡馸。卫用作朕文考宝鼎，卫其万年永宝用。唯王五祀。”《夏商周断代工程1996—2000年阶段成果报告》断为恭王五年时器。

公元前915年（周恭王八年）

齐生鲁作彝铭，记十二月丁亥为其文考乙公作器。齐生鲁方彝盖，仅存器盖，

1981 年陕西岐山流龙嘴村出土。铭曰："唯八年十又二月，初吉丁亥，齐生鲁肇贮，休多赢，唯朕文考乙公永启余鲁，用作朕文考乙公宝尊彝，鲁其万年，子子孙孙永宝用。"《夏商周断代工程 1996—2000 年阶段成果报告》断为恭王八年时器。

公元前 914 年（周恭王九年）

卫作鼎铭，记正月庚辰以物易地事。九年卫鼎，1975 年陕西岐山董家村青铜器窖藏出土。铭曰："唯九年正月既死霸庚辰，王在周驹宫，各庙，眉敖者肤为事见于王，王大黹，矩取眚车、较贲函、虎幎、蔡褠、画鞞、便席鞣、帛辔乘、金镳铚，舍矩姜帛三两，乃舍裘卫林曶里，𠭯厥唯颜林，我舍颜陈大马两，舍颜姒□□，舍颜有司寿商貉裘、盠幎，矩乃罘涞粦令寿商罘意曰：顜，履付裘卫林曶里，则乃成夆四夆，颜小子具叀夆，寿商□，舍盠冒梯、羝皮二、选皮二、业舄踊皮二，朏帛金一反，厥吴喜皮二，舍涞豦幎㸓贲、𩏂函，东臣羔裘，颜下皮二，罘受，卫小子宽逆者，其㒼卫臣虩朏，卫用乍朕文考宝鼎，卫其万年永宝用。"《夏商周断代工程 1996—2000 年阶段成果报告》则断为恭王九年时器。

公元前 911 年（周恭王十二年）

走作簋铭，记其三月庚寅受恭王册命。走簋，已佚，《西清续鉴甲编》绘有器形图。铭曰："唯王十又二年三月既望庚寅，王在周，格大室，即立。司马井伯□右走。王乎乍册尹□□走。缵疋益，易女赤□□□旂用事。走敢拜稽首，对扬王休，用自乍宝尊簋。走其暨厥子子孙孙万年永宝用。"《夏商周断代工程 1996—2000 年阶段成果报告》断为恭王十二年时器。

公元前 910 年（周恭王十三年）

无曩作簋铭，记其正月壬寅受恭王马匹之赐。无曩簋，原为故宫博物院旧藏，现藏中国历史博物馆。器盖同铭。铭曰："唯十又三年正月初吉壬寅，王征南夷，王锡无曩马四匹，无曩拜手稽首曰敢对扬天子鲁休命，无曩用作朕皇祖釐季尊簋，无曩万年子孙永宝用。"《夏商周断代工程 1996—2000 年阶段成果报告》断为恭王十三年时器。

公元前 908 年（周恭王十五年）

趞曹作鼎铭，记五月壬午恭王在周新宫行射礼及其所受之赐。趞曹十五年所作鼎，通称十五年趞曹鼎。铭曰："唯十又五年五月既生霸壬午，共王在周新宫，王射于射庐。史趞曹易弓矢虎卢、九、胄、毌、殳。趞曹敢对，曹拜稽首，敢对扬天子休，用乍宝鼎。用卿（飨）朋友。"《夏商周断代工程 1996—2000 年阶段成果报告》断为恭王十五年时器。

公元前 903 年（周恭王二十年）

休作盘铭，记其正月甲戌受恭王赏赐。休盘，现藏南京博物馆。铭曰："唯廿年正月既望甲戌，王在周康宫，旦，王各大室，即立。王乎乍册尹册易休玄衣黹屯、赤市朱黄、戈雕戚、彤沙、厚必、銮旂。休拜稽首，敢对扬天子不显命，用乍朕文考日丁尊盘。休其万年子子孙孙永宝。”《夏商周断代工程1996—2000年阶段成果报告》断为恭王二十年时器。

公元前900年（周恭王二十三年）

史墙作盘铭，叙周文王、武王、成王、康王、穆王功烈及微氏高祖、乙祖、亚祖、文考乙公明德。史墙盘，1976年陕西扶风庄白一号青铜器窖藏出土。铭曰：“曰古文王，初盭和于政，上帝降懿德大屏，匍有上下，合受万邦。䍙圉武王，遹征四方，达殷畯民，永丕巩狄虘，长伐夷童。宪圣成王，左右绶緻刚鲧，用肇彻周邦。渊哲康王，劬尹亿疆。宏鲁昭王，广批楚荆，唯寏南行。祇景穆王，型帅宇诲，申宁天子。天子恪缵文武长烈，天子眉无匄，宣示长下，亟熙桓慕，昊昭亡斁。上帝司扰尢保，受天子绾令、厚福、丰年，方蛮亡不扬见。青幽高祖，在微灵处，雩武王既哉殷，微史烈祖乃来见武王，武王则令周公舍宇，于周卑处。甬惠乙祖，弼匹厥辟，远猷腹心。子纳粦明亚祖祖辛，迁毓子孙，繁祓多孷，齐角炽光，宜其禋祀，甫犀文考乙公，遽爽得屯无诔，农啬戉历。唯辟孝友，史墙夙夜不坠，其日蔑历。墙弗敢沮，对扬天子丕显休令，用作宝尊彝，烈祖文考，弋实受墙尔髗福，怀福录、黄耇、弥生，龛事厥辟，其万年永宝用。”王世民等《西周青铜器分期断代研究》说：“学者公认此盘为恭王时期标准器。”（文物出版社1999年版，第152页）由于不能确定此器作于何年，姑附于此。

共王崩，子囏立，是为懿王。《史记·周本纪》：“共王崩，子懿王囏立。”《太平御览》八十四引《帝王世纪》言共王在位二十年，《通鉴外纪》言在位十五年。《夏商周断代工程1996—2000年阶段成果报告》断共王在位二十三年，穆王崩年即改元。

公元前899年（周懿王元年）

懿王元年，天再旦于郑。见《太平御览》卷二引《古本竹书纪年》。

师虎作簋铭，记六月甲戌懿王令其继承祖考职事之册命。师虎簋，盖与双环均佚，现藏上海博物馆。铭曰：“唯元年六月既望甲戌，王在杜宖，格于太室。井伯内右师虎，即立中廷，北向，王乎内史吴曰：‘册命虎。’王若曰：‘虎！载先王既命乃祖考事，啻官司左右戏繁荆，今余唯帅型先王命，命汝更乃祖考，啻官司左右戏繁荆，敬夙夜勿法朕命。易女赤舄用事。’虎敢拜稽首，对扬天子丕丕鲁休，用作朕烈考日庚尊簋，子子孙孙其永宝用。”《夏商周断代工程1996—2000年阶段成果报告》即断为懿王元年时器。

曶作鼎铭，分记六月乙亥受周王册命、四月丁酉讼效父背约及索赔于匡季三事。曶鼎，相传出土于陕西。铭曰：“惟王元年六月既望乙亥，王在周穆王太［室，王］若曰：‘曶，令汝更乃祖考司卜事，锡汝赤雍［市、鸾］用事。’王在邇应，井叔锡曶赤金、郁，曶受休□□王。曶用兹金作朕文考宄伯鬻牛鼎。曶其万［年］用祀，子子孙其永宝。惟王四月既生霸辰在丁酉，井叔在异为□，□使厥小子究以限讼于井叔：‘我既赎汝五［夫，效］父用匹马束丝。’限许曰：‘瓯则俾我偿马，效［父］□俾复厥丝

［于］既。’效父乃许。𠭯曰：‘于王叁门□□木榜用征，诞赎兹五夫，用百锊，非出五夫□□旝，乃既有旝罘𧢲金。’井叔曰：‘在王廷乃赎用□，不逆，付曶。毋俾式于既。’曶则拜稽首，受兹五［夫］，曰陪、曰恒、曰耕、曰𩶘、曰眚，事锊。以告既，乃俾□以曶酒及羊、兹三锊，用致兹人。曶乃诲于既□次□舍𠭯矢五秉，曰：‘式尚俾处厥邑，田［厥］田。’既则俾复命曰：‘诺。’昔馑岁，匡众、厥臣廿夫寇曶禾十秭。以匡季告东宫，东宫乃曰：‘求乃人，乃弗得，汝匡罚大。’匡乃稽首，于曶用五田，用众一夫曰嗌，用臣曰疐、［曰］朏、曰奠，曰：‘用兹。’四夫稽首曰：‘余无逌具，寇正□不出，鞭余。’曶或以匡季告东宫，曶曰：‘式唯朕［禾］偿。’东宫乃曰：‘偿曶禾十秭，遗十秭，为廿秭。□来岁弗偿，则付册秭。’乃或即曶用田二，又臣［一］。凡用即曶田七田、人五夫，曶觅匡卅秭。”此为李学勤《论曶鼎及其反映的西周制度》隶定、句读的铭文（《中国史研究》1985 年 1 期）。《夏商周断代工程 1996—2000 年阶段成果报告》断为懿王元年时器。

公元前 898 年（周懿王二年）

吴作彝铭，记其二月丁亥受懿王册命。此器仅存器盖，通称吴方彝盖，形制与折方彝相似。铭曰：“唯二月初吉丁亥，王在周成大室，旦，王格庙，宰朏右乍册吴入门立中庭，北向。王乎史戊册令吴司旃，暨叔金，易秬鬯一卣，玄衮衣、赤舄、金革、贲函、朱虢靳、虎冪、熏里、贲较、画轉、金甬、马四匹、攸勒。吴拜稽首，敢对扬天子休，用乍青尹宝尊彝。吴其世子孙永宝用，唯王二祀。”《夏商周断代工程 1996—2000 年阶段成果报告》断为懿王二年时器。

趩作尊铭，记三月乙卯懿王令其继承父祖业绩之册命。趩尊，现藏上海博物馆。铭曰：“唯二（三）月初吉乙卯，王在周，格大室。咸。井叔入右趩，王乎内史册令趩：‘更乃祖考服，易趩织衣、缁市、冋黄、旂。’趩拜稽首，扬王休对，趩蔑历，用作宝尊彝。世毋敢彖，永宝。唯王二祀。”《夏商周断代工程 1996—2000 年阶段成果报告》断为懿王二年时器。

公元前 893 年（周懿王七年）

牧作簋铭，记十三月甲寅懿王令其辅佐百僚，敬狱恤刑之命辞。原器已佚，通称牧簋，据《考古图》所摹图像，为双耳方座簋。铭曰：“唯王七年十又三月既生霸甲寅，王在周，在师汓父宫，格大室，即位。公族䋣入右牧，立中廷。王乎内史吴册命牧。王若曰：‘牧，昔先王既命女乍司土，今余唯或㲻改。命女辟百僚有司事，包乃多辞，不用先王作刑，亦多虐庶民。厥讯庶右邻，不刑不中，乃侯之萏，以今籍司匐厥罪召故。’王曰：‘牧女毋敢弗帅先王作明刑，用雩用讯庶右邻，毋敢不明不中不刑，乃贯政事，毋敢不尹其不中不刑。今余唯申就乃命，易女秬鬯一卣、金革、贲较、画𨍭、朱虢、函靳、虎冪、熏里、旂。余□四匹，取□□爰。敬夙夕勿法朕令。’牧拜稽首，敢对扬王丕显休，用乍朕皇文考益伯宝尊簋。牧其万年寿考，子子孙孙永宝用。”《夏商周断代工程 1996—2000 年阶段成果报告》断为懿王七年时器。

公元前 892 年（周懿王八年）

懿王崩，恭王弟辟方立，是为孝王（《史记·周本纪》）。《太平御览》八十四引《史记》言懿王在位二十五年，《通鉴外纪》同。《夏商周断代工程 1996—2000 年阶段成果报告》断懿王在位八年。

公元前 891 年（周孝王元年）

师旋作簋铭，记其四月甲寅受孝王册命。元年师旋簋，1961 年陕西长安张家坡西周铜器窖藏出土。铭曰："唯王元年四月既生霸，王在减位，甲寅，王格庙，即位，迟公入右师旋即立中庭。王乎乍册尹克册命师旋曰：'备于大左官司豐。还，左右师氏。易女赤绂冋黄、丽般，敬夙夕用事。'旋拜稽首，敢对扬天子丕显鲁休命，用乍朕文且益中尊彝簋。其万年子子孙孙永宝用。"《夏商周断代工程 1996—2000 年阶段成果报告》断为孝王元年时器。

师颖作簋铭，记九月丁亥孝王重申先王之命，令其作司士并给予赏赐。师颖簋铭曰："唯王元年九月既望丁亥，王在周康宫，旦，王各大室，司空液伯入佑师颖，立中廷，北向，王乎内史遣册命师颖。王若曰：'师颖，才先王既命汝作司士，官司汸闾，今余唯肇申乃命，赐汝赤芾、朱黄、銮旂、攸勒，用事。'颖拜稽首，敢对扬天子丕显休，用作朕文考尹伯尊簋，师颖其万年，子子孙孙永宝用。"《夏商周断代工程 1996—2000 年阶段成果报告》断为孝王元年时器。

公元前 889 年（周孝王三年）

达盨作簋铭，记其五月壬寅受孝王赏驹之赐。达盨，1985 年陕西长安县张家坡井叔家族墓地出土。铭曰："唯三年五月既生霸壬寅，王在周，执驹于滆应。王呼巂趩召达。王赐达驹。达拜稽首，对扬王休，用作旅盨。"《夏商周断代工程 1996—2000 年阶段成果报告》断为孝王三年时器。

公元前 888 年（周孝王四年）

散伯车父作鼎铭，记其八月丁亥为郝姞作器。散伯车父鼎，1960 年陕西扶风召陈青铜器窖藏出土。铭曰："唯王四年八月初吉丁亥，散伯车父乍郝姞尊鼎，其万年子子孙孙永宝。"《夏商周断代工程 1996—2000 年阶段成果报告》断为孝王四年时器。

公元前 887 年（周孝王五年）

师旋作簋铭，记其九月壬午受孝王册命。五年师旋簋，1961 年陕西长安张家坡青铜器窖藏出土，与元年师旋簋同出一坑，应为一人之器。铭曰："唯王五年九月既生霸壬午，王曰：'师旋，命女羞追于齐，侪女干五昜登盾生皇画内戈琱蔵、厚必、彤沙。敬毋败迹。'旋敢扬王休，用乍宝簋。子子孙孙永宝用。"《夏商周断代工程 1996—2000 年阶段成果报告》断为孝王五年时器。

公元前 886 年（周孝王六年）

孝王崩，诸侯复立懿王太子燮，是为夷王（《史记·周本纪》）。《太平御览》八十四引《史记》言孝王在位十五年，《通鉴外纪》同。《夏商周断代工程 1996—2000 年阶段成果报告》断孝王在位六年。

公元前 885 年（周夷王元年）

师𣪘作簋铭，记正月丁亥𣪘龢父令其主家内外事之命。师𣪘簋，已佚，《博古图录》绘有器形。铭曰："唯王元年正月初吉丁亥，伯龢父若曰：师𣪘，乃祖考有劳于我家，女有唯小子，余命女尸我家，缵司我西偏、东偏、仆驭百工牧臣妾，东栽内外，毋敢不善，锡女戈琱胾，厚必彤沙，毌五锡钟，一磬，五金，敬乃夙夜，用事。𣪘拜稽首，敢对扬皇君休，用作朕文考乙仲将簋，𣪘其万年子子孙孙永宝用享。"《夏商周断代工程 1996—2000 年阶段成果报告》断为夷王元年时器。

公元前 884 年（周夷王二年）

王臣作簋铭，记其三月庚寅受夷王册命。王臣簋，1977 年陕西澄城出土。铭曰："唯二年三月初吉庚寅，王各于大室，益公入右王臣即立中廷北向，平内史先册令王臣，易女朱黄贲亲，玄衣黹屯、銮旂五日、戈画胾、厚必彤沙，用事。王臣拜稽首不敢显天子对扬休，用乍朕文考易中尊簋，王臣其永宝用。"《夏商周断代工程 1996—2000 年阶段成果报告》断为夷王二年时器。

公元前 883 年（周夷王三年）

师兑作簋铭，记二月丁亥受夷王册命。三年师兑簋，现藏上海博物馆。铭曰："唯三年二月初吉丁亥，王在周，格大庙，即位，𨺅伯右师兑入门立中廷，王乎内史尹册命师兑，余既命女胥师龢父司左右走马，今余唯申就乃命，命女缵司走马，锡女秬鬯一卣，金车贲较，朱虢函靳，虎冪里熏，右厄画轉画辖，金甬，马四匹，攸勒，师兑拜稽首，敢对扬天子不显鲁休，用作朕皇考釐公釐簋，师兑其万年子子孙孙永宝用。"《夏商周断代工程 1996—2000 年阶段成果报告》断为夷王三年时器。

三年，致诸侯，烹齐哀公于鼎。见《史记·周本纪正义》引《古本竹书纪年》。

公元前 880 年（周夷王六年）

宰兽作簋铭，记二月甲戌夷王重申先王之命，令其继其祖考之事。宰兽簋，1997 年陕西扶风大同村出土。铭曰："唯六年二月初吉甲戌，王在周师录宫，旦，王各大室，即位，司徒荣伯右宰兽内门，立中廷，北向。王呼内史尹中册命宰兽，曰：'昔先王既命汝，今余唯或申就乃命，更乃祖考事，缵司康宫王家臣妾□郭外入，毋敢无闻知。赐汝赤市、幽亢、攸勒，用事。'兽拜稽首，敢对扬天子不显鲁休命，用作朕剌祖幽中、益姜宝匡簋，兽其万年子子孙孙永宝用。"《夏商周断代工程 1996—2000 年阶段成果报告》则明断为孝王六年时器。

公元前878年（周夷王八年）

楚子熊渠伐庸、杨粤，至于鄂。封其长子于庸，更名曰“伯庸”，是为《离骚》所言屈氏之祖。《史记·楚世家》云：“当周夷王之时，王室微，诸侯或不朝，相伐。熊渠甚得江汉间民和，乃兴兵伐庸、杨粤，至于鄂。”此事不知何年，姑系于此（赵逵夫《屈氏先世与句亶王熊伯庸——兼论三闾大夫的职掌》，《文史》25辑）。

夷王崩，子厉王胡立。《史记·周本纪》：“夷王崩，子厉王胡立。”《正义》、《太平御览》八十四引《帝王世纪》言夷王在位十六年，《通鉴外纪》言在位十五年。《夏商周断代工程1996—2000年阶段成果报告》断夷王在位八年。

公元前877年（周厉王元年）

逆作钟铭，记三月庚申叔氏命辞。逆钟，1975年陕西永寿县好畤河出土，现藏天津市艺术博物馆，凡4件，最小一件钲间有铭文3行21字，与前三钟连接，但往下未完。铭曰：“唯王元年三月既生霸庚申，叔氏在大庙。叔氏令史歃召逆，叔氏若曰：‘逆，乃祖考许政于公室，今余赐汝毌五、锡戈彤苏，用兼于公室仆庸臣妾、小子室家，毋有不闻知，敬用夙夜用屏朕身，勿废朕命，毋坠乃政。’逆敢拜手稽。”《夏商周断代工程1996—2000年阶段成果报告》断为厉王元年时器。

师兑作簋铭，记其五月甲寅受厉王册命。元年师兑簋，现藏上海博物馆，器盖同铭。铭曰：“唯元年五月初吉甲寅，王在周，格康庙，即位，同中右师兑入门立中庭，王乎内史尹册命师兑。正师和父司左右走马五邑走马，锡女乃祖巾五黄赤舄。兑拜稽首，敢对扬天子不显鲁休，用作皇祖城公𩞄簋。师兑其万年子子孙孙永宝用。”《夏商周断代工程1996—2000年阶段成果报告》断为厉王元年时器。

叔尃父作盨铭，记六月丁亥为郑季作器。郑季盨，1964年陕西长安张家坡西周墓出土。铭曰：“唯王元年，王在成周，六月初吉丁亥，叔尃父作季宝钟六，金尊盨四，鼎七，郑季其子子孙孙永宝用。”《夏商周断代工程1996—2000年阶段成果报告》断为厉王元年时器。

公元前875年（周厉王三年）

师晨作鼎铭，记其三月甲戌受厉王册命。师晨鼎，有铭文10行存百余字，见吴式芬《捃古录》，未见器形。铭曰：“唯三年三月初吉甲戌，王在周师录宫。旦，王格大室，即立。司马卞右师晨入门立中廷。王乎作册尹册命师晨，匹师俗司邑人，隹小臣、善夫守□官犬暨郑人善夫官守友。易赤舄。晨拜稽首，敢对扬天子不显休命，用作朕文祖辛公尊鼎。晨其□□世子子孙孙永宝用。”《夏商周断代工程1996—2000年阶段成果报告》断为厉王三年时器。

师俞作簋铭，记其三月甲戌受厉王册命。师俞簋，盖内有铭文，见罗振玉《三代吉金文录》。铭曰：“唯三年三月初吉甲戌，在周师录宫。旦，王格大室，即立。司马共右师俞入门，立中廷。王乎（呼）作册内史册命师俞：‘兼司保氏，易赤市朱黄旂。’俞拜稽首，天子其万年眉寿，黄耇。畯在立（位）。俞其蔑历，日易鲁休。俞敢扬扬天子不显休，用作宝。其万年永保臣天子。”《夏商周断代工程1996—2000年阶段成果报告告》断为厉王三年时器。

召穆公作《民劳》，警同列以戒王。诗见《诗经·大雅》。召穆公，名虎。《国语》中作“邵公”。服虔注《左传》云：“穆公，召康公十六世孙。”（《诗经·大雅·民劳》孔疏引）据魏源《诗古微·大雅答问下》考定，“十六”当作“十”，《世本》衍“六”字。《毛序》云：“《民劳》，召穆公刺厉王也。”郑笺：“时赋敛重数，繇役烦多，人民劳苦，轻为奸宄，强陵弱，众暴寡，作寇害，故穆公以刺之。”三家诗无异议。胡承珙《毛诗后笺》亦云：“此诗后儒多以为戒同列之词，不过因《板》诗有戒臣之语推类及之，又以诗中‘尔女’似非斥王之词耳。不知称谓古今递变。三代质直，‘尔女’之称，尊卑上下皆可施用。……此诗全篇，《笺》、《疏》皆主斥王，毛《传》虽无明文，然末章云：‘王欲玉女，是用大谏。’《板》诗首章云：‘犹之未远，是用大谏。’二文相同。《板》首章《传》云：‘上帝，以称王者也。’彼通章皆指王言，而曰‘是用大谏’，则毛意当谓谏王。以彼例此，此诗篇终之‘是用大谏’，亦必谓谏王。故二篇《序》皆云‘刺王’。郑于末章《笺》云：‘王乎，我欲令女如玉然，故作是诗，用大谏正女。’揆之毛意，当与郑同耳。”《民劳》一诗共五章，章章言“式遏寇虐”，则此诗当作于厉王朝有寇害之时。《古本竹书纪年》云：“淮夷入寇，王命虢仲征之，不克。”此不言征淮夷事在何年，然《今本竹书纪年》云：“三年淮夷侵洛，王命虢公长父征之，不克。”姑据以断《民劳》作于此年。召穆公的诗作见于《诗经》的还有《大雅》中的《荡》、《假乐》、《江汉》、《常武》，《小雅》中的《常棣》、《伐木》、《天保》。他是厉、宣两朝的重臣。厉王时曾劝止厉王的高压弭谤行为，及国人造反，他以自己的儿子替太子静死。宣王初立，他团结宗族，平定内忧外患，以诗歌相勉励。他是宣王中兴的第一功臣，也是西周末年的重要诗人。围绕在他周围的尹吉甫、张仲、南仲等，其诗歌的题材相近，风格也相近，以他为核心，形成了中国文学史上最早的文学群体，影响巨大（赵逵夫《周宣王中兴功臣诗考论》，《中华文史论丛》第五十五辑；《论西周末年杰出的诗人召伯虎》，《诗经国际学术讨论会论文集》，河北大学出版社 1994 年 6 月）。

公元前 874 年（周厉王四年）

㾓作盨铭，记其二月戊戌受厉王赏赐。四年㾓盨，1976 年陕西扶风庄白 1 号青铜器窖藏出土。铭曰：“唯四年二月既生霸戊戌，王在周师录宫，各大室，即立，司马共右㾓，王乎史年册易般靳虢市攸勒，敢对扬天子休，用作文考宝簋，㾓其万年子子孙孙永宝。木羊册。”《夏商周断代工程 1996—2000 年阶段成果报告》断为厉王四年时器。

公元前 873 年（周厉王五年）

谏作簋铭，记其三月庚寅受厉王册命。谏簋，相传光绪间陕西武功或兴平出土。铭曰：“唯五年三月初吉庚寅，王在周师录宫，旦，王各大室，即立。司马卞右谏入门立中廷。王乎内史先册命谏曰：‘先王既命汝缵司王宥，女某不有闻，毋敢不善。今余唯或司命女。易女攸勒。’谏稽首，敢对扬天子不显休，用作朕文考吏公尊簋，谏其万年子子孙孙永宝用。”《夏商周断代工程1996—2000年阶段成果报告》断为厉王五年时器。

公元前867年（周厉王十一年）

师嫠作簋铭，记其九月丁亥受厉王册命。师嫠簋，现藏上海博物馆。铭曰：“师和父作嫠叔市，□告于王。唯十又一年九月初吉丁亥，王在周，格于大室，即位。宰琱生内右师嫠。王乎尹氏册命师嫠。王若曰：师嫠，在昔先王小学，女敏可使。既命女更乃祖考司小辅，今余唯申就乃命，命女嗣用祖旧官小辅眔鼓钟，易女叔市金黄，赤舄攸勒，用事，敬夙夜，勿法朕命。师嫠拜手稽首，敢对扬天子休，用作朕皇考辅伯尊簋，嫠其万年子子孙孙永宝用。”《夏商周断代工程1996—2000年阶段成果报告》断为厉王十一年时器。

公元前866年（周厉王十二年）

大师虘作簋铭，记其正月甲午受厉王虎裘之赐。大师虘簋，相传1941年陕西西安出土。铭曰：“正月既望甲午，王在周师量宫，旦，王各大室，即立。王呼师晨召大师虘入门立中庭。王乎宰曶易大师虘虎裘。虘拜稽首，敢对扬天子不显休，用作宝簋。虘其万年永宝用。唯十有二年。”《夏商周断代工程1996—2000年阶段成果报告》断为厉王十二年时器。

大作簋铭，记其三月丁亥受厉王赏赐。大簋有二：一藏中国历史博物馆，一藏瑞典斯德哥尔摩皇宫。盖内铭文相同，行款稍异。铭曰：“唯十又二年三月既生霸丁亥，王在𩛥侲宫。王乎吴师召大，易趞睽里，王令善夫豖曰趞睽曰：余既易大乃里。睽宾豖章，帛束。睽令豖曰天子：余弗敢吝。豖以睽履大易里，大宾豖介章，马两。宾睽介章、帛束。大拜稽首，敢对扬天子不显休，用作朕皇考剌伯尊簋。其子子孙孙永宝用。”《夏商周断代工程1996—2000年阶段成果报告》断为厉王十二年时器。

公元前865年（周厉王十三年）

望作簋铭，记其六月戊戌受厉王册命。师望簋，仅有铭文摹本，见《筠清馆金文》卷三。铭曰：“唯王十又三年六月初吉戊戌，王在周康宫新宫，旦，王各大室，即位。宰倗父右望入门，立中廷，北向。王乎史年册命望：‘尸司毕王家，赐汝赤雍市、銮，用事。’望拜稽首，对扬天子不显休，用作朕皇祖伯甲父宝簋，其万年子子孙孙永宝用。”望所作另一有铭鼎，称大师小子师望鼎，相传为左宗棠征讨新疆时所得，为左宗棠、胡雪岩、沈秉成、程霖生、陈仁涛旧藏。铭曰：“大师小子望曰：‘丕显皇考宫公，穆穆克明厥心，哲厥德，用辟先王，得屯亡敃。望肇帅型皇考，虔夙夜出入王命，不敢不遂不妻，王用弗望圣人之后，多蔑历赐休。望敢对扬天子丕显休，用作朕皇考宫公尊鼎，师望其万年子子孙孙永宝用。’”望所作一有铭壶，称大师小子壶，为于省吾旧藏，现藏英国伦敦不列颠博物馆。铭曰：“大师小子师望作宝壶，其万年子子孙孙永宝用。”《夏商周断代工程1996—2000年阶段成果报告》断师望所作簋、鼎为厉王十三年时器。

𤼈作壶铭，记其九月戊寅受厉王赏赐。十三年𤼈壶，1976 年陕西扶风庄白 1 号青铜器窖藏出土。铭曰："唯十又三年九月初吉戊寅，王在成周司土淲宫，各大室，即立，徲父右𤼈，王乎作册尹册易𤼈画靳牙僰赤舄，𤼈拜稽首对扬天子休，𤼈其万年永宝。"《夏商周断代工程 1996—2000 年阶段成果报告》断为厉王十三年时器。

厉王作宗周钟铭，记南国服子进犯中原，周师反击，夺其城邑，南夷东夷二十六国来朝。铭文渊奥宏朗，体势骏迈。宗周钟，现藏台北故宫博物院，是现存甬钟最大的一件，原应属八件套的第一钟，正面钲间、左鼓和背面右鼓有铭文。铭曰："王肇遹省文、武勤疆土，南国服子敢陷虐我土。王敦伐其至，扑伐厥都。服子廼遣间来逆昭王，南夷东夷具见，廿又六邦。唯皇上帝百神，保余小子，朕猷有成亡竞。我唯嗣配皇天，王对作宗周宝钟。仓仓悤悤，雒雒雝雝，用昭各丕显祖考先王。其严在上，彔彔斁斁，降余多福，福余顺孙，参（三）寿唯利。㝬其万年，畯保四国。"王国维《两周金石文韵读》谓武、土、土、都，鱼部；王、邦、竞、钟、悤、雝、王、上、斁，阳东二部合韵；福、利、国，脂之二部合韵。于省吾《双剑誃吉金文选》评此铭文曰："渊奥宏朗，体势骏迈，惟《诗》、《书》有此境界。"（中华书局 1998 年版，第 81 页）张政烺《周厉王胡簋释文》断为厉王十三年时器（《古文字研究》第三辑，116 页）。1981 年陕西扶风白家村又出土一件有铭钟，通称五祀㝬钟，现藏陕西历史博物馆。正面钲间，左鼓栾及背面右鼓栾、钲间，左鼓栾有铭文共 88 字，又重文一。铭曰："明䜌文，乃膺受大命，抚有四方，余小子肇嗣先王，配上下，作厥王大宝，用喜侃前文人，墉厚多福，用申属先王，受皇天大鲁命，文人陟降，余黄烝，授余屯鲁，用□不廷方，㝬其万年，永畯尹四方，保大命，作疐在下，御大福，其各，唯王五祀。"王世民《西周青铜器分期断代研究》说："作器者㝬，被认为与㝬钟为同一人，即厉王。此钟铭并非全篇，应是全铭的后半。"（文物出版社 1999 年版，第 174 页）

公元前 863 年（周厉王十五年）

大作鼎铭，记三月丁亥厉王行飨礼及其受马匹之赐事。大鼎有二：大鼎甲原清宫旧藏，上世纪五十年代上海博物馆从废铜中拣出，现藏故宫博物院。大鼎乙亦为清宫旧藏，现藏台北故宫博物院。二器铭文相同，行款略异。铭曰："唯王又五年三月既霸丁亥，王在𨰝侲宫，大以厥友守。王飨礼。王乎善夫驭召大以厥友入捍。王召走马膺令取谁犅卅二匹易大。大拜乎稽首，对扬天子不显休，用作朕剌考己伯盂鼎。大其子子孙孙永宝用。"《夏商周断代工程 1996—2000 年阶段成果报告》断为厉王十五年时器。

公元前 862 年（周厉王十六年）

伯克作壶铭，记七月乙未受白太师赏赐。伯克壶，出土于陕西岐山，器已佚，《博古图录》绘有器形。铭曰："唯十又六年七月既生霸乙未，白太师易伯克仆卅夫。伯克敢对扬天右王白友，用作朕穆考后仲尊壶。克用匄眉寿无疆，克其子子孙孙永宝用享。"《夏商周断代工程 1996—2000 年阶段成果报告》断为厉王十六年时器。

公元前 852 年（周厉王二十六年）

番匊生作壶铭，记其十月乙卯为孟妃姜作器。番匊生壶，现藏美国旧金山亚洲艺术博物馆。铭曰：“唯廿又六年十月初吉己卯，番匊生铸賸壶，用賸厥元子孟妃姜，子子孙孙永宝用。”《夏商周断代工程 1996—2000 年阶段成果报告》断为厉王二十六年时器。

公元前 850 年（周厉王二十八年）

寰作盘铭，记其五月庚寅受厉王册命。寰盘，现藏故宫博物院。铭曰：“唯廿又八年五月既望庚寅，王在周康穆宫，旦，格大室，即位，宰頵右寰入门立中廷北向，史黹受王命书，王乎史減册锡寰玄衣黹屯，赤市朱黄，銮旂攸勒，戈琱戟，厚必彤沙。寰拜稽首，敢对扬天子不显休假休命，用作朕皇考郑伯郑姬宝盘，寰其万年子子孙孙永宝用。”《夏商周断代工程 1996—2000 年阶段成果报告》断为厉王二十八年时器。

公元前 848 年（周厉王三十年）

厉王即位三十年，好利，近荣夷公，芮良夫有“谏厉王不可专利”之文。文见《国语·周语上》。芮良夫谏厉王之文，或为上书，或为史官所录，后被编辑入《国语》。《史记·周本纪》载录此文，言芮良夫谏王在三十年，今据以系于此年。《诗·大雅·桑柔序》云：“《桑柔》，芮伯刺幽王也。”郑笺：“芮伯，畿内诸侯，王卿士也，字良夫。”孔疏云：“《书序》曰：‘巢伯来朝，芮伯作《旅巢命》’，武王时也。《顾命》：‘同召六卿，芮伯在焉’，成王时也。桓九年：‘王使虢仲、芮伯伐曲沃’，桓王时也。此又厉王之时。世在王朝，常为卿士，故知是畿内诸侯，为王卿士也。《书序》注云：‘芮伯，周同姓国，在畿内。’则芮伯姬姓也。杜预云：‘芮国在冯翊临晋县。’则在西都之畿内也。《顾命》注：‘芮伯入为宗伯。’畿内而言入者，入有二义：若对畿内，则畿外为入，‘卫武公入相于周’是也。若对于在朝无封爵者，则有国者亦为入。毕国亦在畿内，《顾命》注亦云：‘毕公入为司马’是也。文公元年《左传》引此云：‘周芮良夫之诗曰：大风有隧。’且《周书》有《芮良夫》之篇，知字良夫也。”芮良夫能诗。其谏辞亦有文采，则芮良夫是西周末年的代表性作家之一。“芮”，金文中皆作“内”。古彝有内公簠、内公鼎、内仲子鼎，俱是芮国遗物。

公元前 847 年（周厉王三十一年）

鬲攸从作鼎铭，记其三月壬辰讼攸卫牧于王并使攸卫牧誓盟事。鬲攸从鼎，现藏日本黑川古文化研究所。铭曰：“唯卅又一年三月初吉壬辰，王在周康宫徲大室。鬲从以攸卫牧告于曰：女□为我田牧，弗能许鬲从。王令眚史南以即虢旅，乃使攸卫牧誓曰：我弗具付鬲从其且射，分田邑，则殊。攸卫牧则誓。从作朕皇祖丁公皇考叀公尊鼎，鬲攸从其万年，子子孙孙永宝用。”于省吾论此器铭文大意说：“此铭文义，鬲比田为攸卫牧所侵，故比遂控之于王。王命省视，史南与虢旅使攸牧誓，曰弗付鬲比田则不可也。”（于省吾《双剑誃吉金文选》，中华书局 1998 年版，第 146 页）《夏商周断代工程 1996—2000 年阶段成果报告》断为厉王三十一年时器。

公元前 845 年（周厉王三十三年）

晋侯苏受王命征伐，战果显著，得王赏赐，作晋侯苏钟铭，记事细致而有层次，代表了未经后人修改的西周记叙文的文风。晋侯苏钟，山西曲沃晋侯墓地盗掘出土。铭曰："唯王卅又三年，王亲遹省东国南国。正月既生霸，戊午，王步自宗周，二月既望，癸卯，王入各成周，二月既死霸，壬寅，王僨往东。三月旁死霸，王至于萛，分行。王亲令晋侯苏：率乃师左洀濩北洀□伐夙夷。晋侯苏折首百又廿，执讯廿又三夫。王至于匔城，王亲远省师，王至晋侯苏师，王降自车，位南向，亲令晋侯苏：自西北隅敦伐匔城。晋侯率厥亚族、小子、戕人，先陷入，折首百，执讯十又一夫。王至，淖淖列列夷出奔。王令晋侯苏率大、小臣、车仆从，逋逐之，晋侯折首百又一十，执讯廿夫。大室、小臣、车仆折首百又五十，执讯六十夫。王唯反归，在成周，公族整师宫。六月初吉，戊寅，旦，王各大室，即位，王呼善夫曰：召晋侯苏。入门，位中廷，王亲锡驹四匹。苏拜稽首，受驹以出，反入拜稽首。丁亥，旦，王鄅于邑伐宫，庚寅，旦，王各大室，司工扬父入右晋侯苏，王亲赉晋侯苏秬鬯一卣，弓矢百，马四匹。苏敢扬天子不显鲁休，用作元龢锡钟，用昭各前文人，前文人其严在上，翼在下，數數彙彙，降余多福，苏其万年无疆，子子孙孙永宝兹钟。"《夏商周断代工程 1996—2000 年阶段成果报告》断为厉王三十三年时器。

伯宽父作盨铭，记其八月辛卯作盨。伯宽父盨，1978 年陕西岐山凤雏村青铜器窖藏出土，共两件。铭曰："唯卅又三年八月既死霸辛卯，王在成周，伯宽父作宝盨，子子孙孙永宝用。"《夏商周断代工程 1996—2000 年阶段成果报告》断为厉王三十三年时器。

公元前 844 年（周厉王三十四年）

召穆公谏厉王弭谤，文中提出"防民之口，甚于防川"、"为民者宣之使言"的卓越见解。论述中言及古之天子听政，"使公卿至于列士献诗，瞽献曲，史献书，师箴、瞍赋、矇诵、百工谏"，"瞽史教诲"的制度。召公谏厉王语为史官所录，后被编辑入《国语·周语上》。《史记·周本纪》载录此文，并言召（邵）公谏厉王弭谤在周厉王三十四年。

芮良夫谏厉王无道，戒执政者当导王于正而作《芮良夫》。文章充满感情，是论说文之佳作。文见《逸周书》。文中说："古人求多闻以监戒，不闻，是惟弗知。"又云："贤智箝口，小人鼓舌，逃害要利，并得厥求，唯曰哀哉！我闻曰：以言取人，人饰其言；以行取人，人竭其行。饰言无用，竭行有成。"这些话对后代儒家学说及文学理论都有很大的影响。西周王朝自穆王之后，历共、懿、孝、夷四王，衰亡之迹日显，至厉王肆为暴虐，祸乱将至。芮良夫目睹周道渐衰，谏厉王并戒执政者，作《芮良夫》。《逸周书后序》云："芮伯稽古作训，纳王于善，暨执政小臣咸省厥躬，作《芮良夫》。"从本文来看，当是厉王无道极盛之时所作，或作于此年前后。

诸侯刺王暴虐无亲，不欲朝王而作《菀柳》。诗见《诗经·小雅》。《毛序》云："《菀柳》，刺幽王也。暴虐无亲，而刑罚不中，诸侯皆不欲朝。言王者之不可朝事也。"言刺幽王，其意以为作于幽王时。然而魏源《诗古微》云："征以厉王诸诗，一

则曰‘上帝板板’，再则曰‘荡荡上帝’，与此《菀柳》‘上帝其蹈’，皆监谤时不敢斥言而托讽之同文也。”此则以为是刺厉王之诗，作于厉王时。较之《毛序》，似更可取。至于此诗的作者，《毛序》无明言。孔疏申毛、郑之意，认为是诸侯不朝王者所自作。胡承珙《毛诗后笺》批评孔疏“悖理伤教”，认为是在王朝者代诸侯作诗著其事而原其情。诗为何人所作，难以确证，此则姑从旧说。

凡伯作《板》之诗以刺厉王。诗见《诗经·大雅》。《毛序》云：“《板》，凡伯刺厉王也。”王先谦《诗三家义集疏》说：“《后汉·李固传》对策云：‘先圣法度，所宜坚守，政教一跌，百年不复。《诗》云上帝板板，下民卒瘅。刺周王变祖法度，故使下民将尽病也。’李注：‘《诗·大雅》凡伯刺周厉王反先王之道，下人尽病也。’《华阳国志》：‘固父郃师事鲁恭，习《鲁诗》。’固当传其家学，所引即《鲁诗序》说。不言凡伯作，或略厉王作周王，犹《荡》篇‘伤周室大坏’之义。《诗序》首句多本旧说，李注言‘凡伯刺厉王’，亦有‘反先王之道，下人尽病’，与鲁说合，皆与《诗序》‘凡伯刺厉王’者异，盖本《韩诗序》说。齐说当同。”是三家诗虽与《诗序》略有不同，但皆以为诗为凡伯所作。《诗》言“天之方憭，无为夸毗。威仪卒迷，善人载尸”，郑笺：“王方行酷虐之威怒，女无夸毗以形体顺从之，君臣之威仪尽迷乱。贤人君子则如尸矣，不复言语。时厉王虐而弭谤。”是郑玄以此诗作于厉王弭谤时。今从之系于此。

厉王无道，无纲纪文章，召穆公作《荡》，伤周室大坏。诗见《诗经·大雅》。《毛序》云：“召穆公伤周室大坏也。厉王无道，天下荡荡，无纲纪文章，故作是诗也。”三家诗无异议。二章云：“文王曰咨，咨汝殷商。曾是强御，曾是掊克，曾是在位，曾是在服。”郑笺：“厉王弭谤，穆公朝廷之臣，不敢斥言王之恶，故上陈文王咨嗟殷纣以切刺之。”此诗自二章以下，皆托言文王叹商指责殷纣以刺厉王。之所以借古讽今，病在厉王弭谤，连召公也不敢直言无讳，不得已而如此。姑从郑玄说系此诗于厉王监谤时。

公元前 841 年（周厉王三十七年）

善夫山作鼎铭，记正月庚戌受周王册命。善夫山鼎，相传陕西扶风出土。铭曰：“唯卅又七年正月初吉庚戌，王在周，各图室。南宫乎入右善夫山入门，立中廷，北向。王乎史贲册命山，王曰：‘山，令女官司饮献人于冕，用作宪，司贮，毋敢不善。锡女玄衣黹屯、赤市朱黄、銮旂。’山拜稽首，受册佩以出，反入瑾璋，山敢对扬天子休命，用作朕皇叔硕父尊鼎，用祈匄眉寿、绰绾、永命、灵终，子子孙孙永宝用。”《夏商周断代工程 1996—2000 年阶段成果报告》断为厉王三十七年时器。

厉王出奔于彘。据《史记·周本纪》，邵公谏厉王弭谤后三年，国人叛周，袭厉王，厉王出奔于彘。韦昭注《国语》云：“彘，晋地，汉为县，属河东，今曰永安。”《正义》引《括地志》云：“晋州霍邑县本汉彘县，后改曰永安。”

邵公以其子代太子靖死。《国语·周语上》云：“彘之乱，宣王在邵公之宫，国人围之。邵公曰：‘昔吾骤谏王，王不从，是以及此难。今杀王子，王其以我为怼而怒乎！夫事君者险而不怼，怨而不怒，况事王乎？’乃以其子代宣王，宣王长而立之。”

《史记·周本纪》曰："厉王太子静匿召公之家，国人闻之，乃围之。召公曰：'昔吾骤谏王，王不从，以及此难也。今杀王太子，王其以我为雠而怼怒乎？夫事君者，险而不雠怼，怨而不怒，况事王乎？'乃以其子代王太子，太子竟得脱。"

东国困于役而伤于财，谭大夫告病刺乱而作《大东》。诗见《诗经·小雅》。谭，《释文》云："国名"，其遗址在今山东历城县东南。《毛序》云："《大东》，刺乱也。东国困于役而伤于财，谭大夫作是诗，以告病焉。"《汉书·古今人表》次谭大夫于厉王世，则此诗当作于厉于时。王先谦《诗三家义集疏》云："谭大夫次厉王世，然则非幽王诗也。"由于不能确定具体的作时，故附厉王世。

芮良夫作《桑柔》，伤厉王贪暴而造成国家的灾难。诗见《诗经·大雅》。《毛序》云："《桑柔》，芮伯刺厉王也。"《左传·文公十八年》记秦穆公在崤之役时对秦大夫及左右说："是孤之罪也。周芮良夫之诗曰：'大风有隧，贪人败类。听言则对，诵言如醉。匪用其良，覆稗我悖。'是贪故也，孤之谓矣。"所引之诗，正是《桑柔》第十三章之六句。《世本》云："芮，姬姓。厉王时芮伯，芮良夫也。"从诗本文来看，此诗之作在厉王被赶出镐京之后。其七章云："天降丧乱，灭我立王。"所言当是周王被逐之事。又四章云："我生不辰，逢天僤怒。自西徂东，靡所定处。多我觏痻，孔棘我圉。"也显然是发生了突然的大事变，为人生所难逢。又二章云："民靡有黎，具祸以烬，於乎有哀，国步斯频！"三章又说："国步蔑资，天不我将。"贵族们受到冲击，很多建筑、财物被烧毁，国家临近灭亡的边缘。其次，三章云："谁生厉阶，至今为梗。"又八章斥责当权者："自有肺肠，俾民卒狂。"应是说国人大起义，造成不可平息的事变，起义人民像发狂一样难以平静。二章又说："乱生不夷，靡国不泯。"则当时动乱未完全平息下去，其他事端，也还常常发生。再次，诗中多次说"乱"。除前已引"乱生不夷"、"天降丧乱"外，十一章云："民之贪乱，宁为荼毒。""宁为荼毒"，正是指的冲击了天子公卿，烧毁了宫廷之类的事。又五章云："为谋为毖，乱况斯削。"当时救难如救火，故又云："谁能执热，逝不以濯！"此言执政者当此祸乱，如同手中执着正在燃烧的东西，马上要烧到手上，有执不住的危险。看来诗作于国人起义之后。方玉润《诗经原始》云："夫诗不云乎：'天降丧乱，灭我立王。'此时国人已畔，厉王已逐。然王虽被逐，尚居于彘。故又曰：'哀恫中国，具赘卒荒。'正《春秋传》所谓'君若缀旒'时也。……则哀此中国谁为之主？虽曰有君，不且若赘然哉？此诗正作于其时，盖伤之也，何以刺为？凡诗中所言，无非追究同朝不能匡救君恶，以至危亡，并恨己无大力拯民水火，可以挽回天意。此作诗大旨也。"从全诗主旨来论述之，说极精辟。吴闿生《诗义会通》亦云："今考诗明言'天降丧乱，灭我立王'，必非无故而为此危悚之词，其为厉王流彘后作甚明。其时天下已乱，芮伯盖忧乱亡之至，而追原祸本，作为此诗。"据此，《桑柔》当作于国人逐厉王之后不久，应在当年，诗中尚未反映出共和主政之事。也就是说，当作于厉王三十七年（赵逵夫《西周诗人芮良夫与他的〈桑柔〉》，《第三届诗经国际学术研讨会论文集》，天马图书有限公司 1998 年版）。

猃狁侵犯京师，武公命多友率部追逐，多有俘获而得武公赏赐，多友作鼎铭以记其事。记战争原委及献俘过程，交待人物关系清楚，行文严整。多友鼎，1980 年陕西长安斗门镇上泉村出土。铭曰："唯十月，用严允方兴，广伐京师，告追于王。命武公：遣乃元士，羞追于京师。武公命多友率公车，羞追于京师。癸未，戎伐郇，衣俘。多友西追，甲申之辰，搏于䣙，多友有折首执讯，凡以公车折首二百又□又五人，执讯廿又三人，俘戎车百乘一十又七乘，卒复郇人俘。或搏于共，折首卅又六人，执讯二人，俘车十乘。从至，追搏于世，多友又有折首执讯，䢸追至于杨冢。公车折首百又十又五人，执讯三人。唯俘车不克以，卒焚。唯马驱畫。复夺京师之俘。多友廼献俘聝讯于公。武公廼献于王，乃曰武公曰：'汝既靖京师，釐汝，锡汝土田。'丁酉，武公在献宫，乃命向父召多友，乃延于献宫，公亲曰多友曰：'余肇使汝，休不逆，有成事，多擒，汝靖京师，赐汝圭瓚一、锡钟一肆、鐈鋚百钧。'多友敢对扬公休，用作尊鼎，用倗用友，其子子孙永宝用。"武公见于南宫柳鼎、禹鼎等器铭，器形、纹饰均流行于厉王时，因此许多学者都断为厉王时器（田醒农等《多友鼎的发现及其铭文试释》，《人文杂志》1981 年 4 期）、李学勤《论多友鼎的时代及意义》（《人文杂志》1981 年 6 期）、刘雨《多友鼎铭的时代与地名考订》（《考古》1983 年 2 期）），由于不能确定此器的作时，附于此。

因夨、散之间有土地之争而区画疆界、盟誓定约，散氏作盘铭以记其之。文章铺叙典雅，高简峻整。散氏盘，现藏台北故宫博物院。铭曰："用夨扑散邑，迺即散用田。堳自濾涉以南，至于大湖，一封，以陟，二封，至于边柳。复涉濾、陟雩，徂邍陕以西，封于敝城、楮木，封于刍徕，封于刍道，内陟刍，登于厂湶，封剳柝、陕陵、刚柝，封于単道，封于原道，封于周道，以东，封于棹东疆，右还封于鄘道，以南封于諸徕道，以西，至于琟墓。堳井邑田，自根木道，左至于井邑，封，道以东一封，还以西一封，陟岗三封，降以南，封于同道，陟州岗，登柝，降棫，二封。夨人有司堳田：鲜、且、微、武父、西宫襄、豆人虞考丂、录、贞、师氏右省、小门人繇、原人虞艿、淮司空虎孛、閪丰父、琟人有司、刑丂，凡十又五夫。正堳夨舍散田：司徒屰亩、司马単𩰫、䣙人司空骍君、宰德父。散人小子堳田：戎、微父、效杲父、襄之有司橐、州就、焂从䎽，凡散有司十夫。唯王九月，辰在乙卯，夨俾鲜、且、𦉢、旅誓，曰：'我既付散氏田器，有爽，实余有散氏心贼，则隐千罚千，传弃之。'鲜、且、𦉢、旅则誓，廼俾西宫襄、武父誓，曰：'我既付散氏湿田、畛田，余有爽变，隐千罚千。西宫襄、武父则誓。厥授图夨王于豆新宫东廷。厥左执绠史正仲农。'"唐兰《西周青铜器铭文分代史征》、马承源《中国青铜器》并断为厉王时器，由于不能确定具体作于何年，附于此。于省吾《双剑誃吉金文选》评此铭文曰："只田亩畺界之争，而铺叙典雅，高简峻整。由起至'降棫二封'，纪区画田界之事；由'夨人有司'至'凡散有司十夫'，纪区画田界之各有司及邑人；由'唯王九月'至末，纪誓词及作图作器之由。共三段，而第一段之历叙各封，弟二段之'凡十有五夫正眉'、'凡散有司十夫'，第三段之双誓双结，极为错综整齐。尤妙在先将夨散争田界事叙于前，而'唯王九月'以下倒提总括全篇，不似汉以后人专尚词调义法而其词调义法固无不合也。此其所以高古浑噩，冠绝万世也。"（中华书局 1998 年版，第 212—213 页）

公元前 841 年（共和元年　共和当年改元）

共和摄位改元，号曰共和。《古本竹书纪年》云："厉（原作"幽"，今正）亡（逃离），有共伯和者摄行天子事"（《晋书·束皙传》引）；又云："共伯和干王位。"先秦史书所载，应属可信。《史记·周本纪正义》引《鲁连子》云："卫州共城县本周共伯之国也。共伯名和，好行仁义，诸侯贤之。周厉王无道，国人作难，王奔于彘，诸侯奉和以行天子事，号曰共和元年。十四年，厉王死于彘，共伯使诸侯奉王子靖为宣王，而共伯复归国于卫也。"《庄子·让王》云"许由娱于颍阳而共伯得乎共首"，《经典释文》引司马彪云："共伯名和，修其行，好贤人，诸侯皆以为贤。周厉王之难，天子旷绝，诸侯皆请以为天子，共伯不听，即于王位。十四年，大旱屋焚，卜于太阳，兆曰厉王为祟。召公乃立宣王。共伯复归于宗，逍遥得意共山之首。"凡此皆以共和为共伯和摄行天子之事。《史记·十二诸侯年表》始于是年，自是年起，中国历史始有确切纪年。

晋靖侯卒，釐侯立。《史记·晋世家》云："十八年，靖侯卒，子釐侯司徒立。"

公元前 838 年（共和四年）

楚熊勇卒，熊严立。《史记·楚世家》云："熊勇十年，卒，弟熊严为后。"

蔡武侯卒，夷侯立。《史记·管蔡世家》云："武侯卒，子夷侯立。"

公元前 835 年（共和七年）

曹夷伯卒，幽伯立。《史记·管蔡世家》云："夷伯二十三年，周厉王奔于彘。三十年卒，弟幽伯彊立。"

公元前 832 年（共和十年）

陈幽公卒，釐公立。《史记·陈杞世家》云："二十三年，幽公卒，子釐公孝立。"

公元前 831 年（共和十一年）

宋釐公卒，惠公立。《史记·宋微子世家》云："二十八年，釐公卒，子惠公覸立。"

公元前 828 年（共和十四年）

厉王死于彘，子宣王立。《史记·周本纪》云："共和十四年，厉王死于彘。太子静长于召公家，二相乃共立之为王，是为宣王。"

楚熊霜立。《史记·楚世家》云："熊严卒，长子伯霜代立，是谓熊霜。"

公元前 827 年（周宣王元年）

流民自述辛劳而作《鸿雁》。诗见《诗经·小雅》。《毛序》云："《鸿雁》，美宣王也。万民离散，不安其居，而能劳来还定安集之，至于矜寡，无不得其所焉。"从诗本文来看，说颇牵强。朱熹《诗集传》云：“流民以鸿雁哀鸣自比而作此歌也。”此说点明了主旨，且指出了作者是流民，诗中“之子”即作诗者自称之谓。郑笺云：“宣王承厉王衰乱之敝而起，兴复先王之道，以安集众民为始也。”既是承厉王衰乱之敝，当作于宣王初年，姑系于此。

召穆公和乐宗室，抚慰公侯世卿而作《常棣》。诗见《诗经·小雅》。《左传·僖公二十四年》云：“召穆公思周德之不类，故纠合诸侯于成周而作诗曰：‘常棣之华，鄂不韡韡。凡今之人，莫如兄弟。’其四章曰：‘兄弟阋于墙，外御其侮。’”此言诗为召穆公作。崔述云：“《诗》云：‘死丧之威，兄弟孔怀。’又云：‘丧乱既平，既安且宁。’皆似中衰之后，不类初定鼎时语。况作乱者管、蔡，兄弟也，以殷畔者。管、蔡，兄弟之亲其所疏，而疏其所亲也。而此诗反云‘兄弟急难，良朋永叹’，‘兄弟外御其侮，良朋烝也无戎’，语语与其事相反，何邪？若周公果因闵管蔡而作此诗，则当自愧无德以化兄弟，使陷于大戾；不然，则述管蔡之惎间王室以为兄弟戒，不当反护兄弟之罪而斥异姓之疏，使天下勤王之贤侯，从征之义士，闻之而投戈太息也。”（《崔东壁遗书》，上海古籍出版社1983年版，第257页）此说由诗本文而来，可谓入情入理。《常棣》应是宣王初立之时，召伯虎为团结宗族兄弟共辅宣王而作。《汉书·杜邺传》曰：“夫戚而不见殊，孰能无怨？此《常棣》、《角弓》之所为作也。”可见汉代有学者就认为诗为召穆公所作。在当时儒者的意识中，西周之初朝臣不可能怨王。此所谓“怨”，是厉王造成的。宣王初立，第一要事是安抚宗族卿大夫，整敕朝政，励精图治。《常棣》是开宣王中兴局面第一首出自肺腑的歌唱，没有枯燥的说教，而通过比喻、对比、关键时刻亲戚兄弟与朋友表现上的不同，说明兄弟亲戚关系值得珍惜。《左传·僖公二十四年》孔疏云：“‘思周德之不善’，故知是厉王之时。周德衰微，兄弟道缺也。召穆公于东都会宗族，盖当宣王之时。若当厉王之时，天子疏之，召公虽则聚会，不能使之亲也。于会之上作此周公之乐歌，欲感切宗族，使相亲也。”虽然认为此诗是召穆公依周公之乐而作不妥，但关于作时的判断，则至为有理，姑系于此（赵逵夫《论西周末年杰出诗人召伯虎》，《1993年诗经国际学术研讨会论文集》，河北大学出版社1994年版）。

辅国大臣作《伐木》，以求增进友情。诗见《诗经·小雅》。《毛序》云：“《伐木》，燕朋友故旧也。自天子至于庶人，未有不须友以成者。亲亲以睦，友贤不弃，不遗故旧，则民德归厚矣。”所谓“不遗故旧”，即因当时已是故旧尽遗；所谓“民德归厚”，即因已经浇薄；而所谓“自天子至于庶人，未有不须友以成者”云云，正是就宣王力图上下复兴之志而言。蔡邕《正交论》云：“古之交者，其义敦以正，其誓信以固。逮夫周德始衰，颂磬既寝，《伐木》有鸟鸣之刺，《谷风》有弃子之怨。其所由来，政之失也。”（《后汉书·朱穆传》李贤注引）蔡邕传《鲁诗》，此为《鲁诗》之说。应劭《风俗通义·穷通篇》亦有“《伐木》有鸟鸣之刺”之语。《易林·夬》之《震》云：“君明臣贤，鸣求其友。显德之政，可以履事。”此为齐诗说。结合齐、鲁二家之说及《毛序》，《伐木》为宣王初立时王族辅国大臣之作，可以肯定。至其究为召伯虎所作，抑为周定公所作，从诗本文难以确定。但《诗经》中召伯虎之诗较多，而周定公是否作诗尚且不知，其他大臣则口吻、身份不甚相合，则召伯虎作的可能性大。诗云："相彼鸟矣，犹求友声。矧伊人矣，不求友生。"似是在礼制沦丧，君臣上下以至宗族亲友缺乏信任和亲密感情的状况下，为了恢复人与人的正常关系而作。第二章说准备了丰盛的酒宴，"以速诸父"、"以速诸舅"，"宁适不来，微我弗顾"。为什么请"诸父"、"诸舅"他们会不来呢？就因为感情上已经受到严重的伤害。既知不来，为什么还要请？为了逐步化解矛盾。显然是在经过厉王恶德败政之后人心离散，亲戚仇恨，宣王继位后周、召二相力求缓解矛盾，恢复关系之时所作。第三章云："笾豆有衍，兄弟无远。民之失德，乾糇以愆。"这里不言前王之失德，而言"民之失德"，乃是为君讳之。因公卿不便直斥君过，诗中对于厉王所造成国乱民贫，国人起义的状况的回顾只能从字里行间看出。"死丧之威，兄弟孔怀"，"原隰裒矣，兄弟求矣"，"外御其侮"，看来那次国人起义的声势很大，给统治者以沉重的打击。《常棣》消除兄弟隔阂，《伐木》增进亲友情谊。欲举百事，先顺人心。由此也看出才识兼具的政治家早就将诗歌创作看作事业的一部分，不待孔丘提出"兴、观、群、怨"及"迩之事父，远之事君"的原则之后方醒悟之（赵逵夫《论西周末年杰出诗人召伯虎》，《1993 年诗经国际学术研讨会论文集》，河北大学出版社 1994 年版）。

宣王行冠礼，辅国大臣作《假乐》以为冠词。诗见《诗经·大雅》。王闿运《诗经补笺》云："假，嘉，嘉礼也。盖冠词。成王抗世子法，故有冠礼。"又云："宜王者，未王也，时周公摄政。"王氏对诗题的解释和诗中一些句子的理解，提出了很有价值的见解。如将此诗同《天保》对照，即可发现在内容、语气甚至句式上都有很多共同性。如《假乐》云："受禄于天，保右命之"；《天保》云："天保定尔，亦孔之固。……受天百禄"；《假乐》云："干禄百福。……受福无疆"；《天保》云："何福不除……降尔遐福。"考察诗中各句，悉与宣王情况相合。"宜君宜王"者，厉王在，太子静尚未继位；"不愆不忘，率由旧章"者，正所谓"法文、武、成、康之遗风（《史记·周本纪》）"；"无怨无恶，率由群匹"者，针对厉王之刚愎横暴而言。末章写对太子静的希望，其"不解于位，民之攸塈"，正是经过乱政后寄希望于新君。具体来说，《假乐》一诗为宣王行冠礼之冠词。《礼记·冠义》引先秦时人们习言："冠者，礼之治也，嘉事之重者也。"郑玄注："嘉事，嘉礼也。"冠礼亦曰"嘉礼"，故称冠乐为"嘉乐"。此诗之题，《毛诗》作"假乐"。《毛传》云："假，嘉也。"《礼记·中庸》引《诗》即作"嘉乐"，《左传·文二年》："公赋《嘉乐》"，又《襄二十六年》："晋侯赋《嘉乐》"，赵岐注《孟子》亦云："《诗·大雅·嘉乐》之篇"，《隶释》载《绥民校尉熊君碑》亦作"嘉乐"。关于"假乐"二字之读音，通志堂本《经典释文》云："音暇，嘉也。"而古写本作："上行嫁反，下颜孝反。"则"乐"当读为"音乐"之"乐"，而不读"快乐"之"乐"。自朱熹《诗集传》注"乐"为"音洛"，后之解诗者，均理解为"快乐"之"乐"。前人对此诗作于宣王时已有论述。如王充《论衡·艺增》云："《诗》言'子孙千亿'，美周宣王之德，能慎（顺）天地，天地祚之，子孙众多，至于千亿。"魏源《诗古微·诗序集义》云："《假乐》，美宣王之德也。宣王能顺天地，祚之子孙千亿，卿士多贤，皆德获天佑所致也。"魏氏又注云："《毛诗》侧于成王诗内。服虔数文、武《正大雅》不及之，诸家举召康公诗复不数之。盖三家诗皆列于宣王，亦犹宣王《采薇》之三，《毛诗》错入《正小雅》也。"《假乐》为宣王时作品，为宣王行冠礼之冠词，当无疑问。厉王居于彘十四年方死。设国人起义、厉王奔彘之年太子静六岁上下，则其行冠礼与即位的时间相近。周、召二公之摄政，不仅因为太子静年幼，主要是因为厉王未死，而国人又不堪其暴而不容回都。及厉王死，即扶之即位。大约是先行冠礼而后归政，故诗中说“宜君宜王”。周宣王自幼经召伯虎抚养教诲，整个周族都对他寄予极大的希望。希望从此之后周王朝兴盛不衰，“如月之恒，如日之升，如南山之寿，不骞不崩”。所以宣王之冠礼同即位一样，被看作十分重大的事件。《礼记·冠义》云：“敬冠事所以重礼，重礼所以为国本也。”此有助于理解为何《假乐》诗中用了十分美好的话来祝愿君王（赵逵夫《论西周末年杰出诗人召伯虎》，《1993 年诗经国际学术研讨会论文集》，河北大学出版社 1994 年版）。

召伯虎作《天保》，祝福宣王即政。诗见《诗经·小雅》。《毛序》云：“《天保》，下报上也。君能下下以成其政，臣能归美以报其上焉。”姚际恒《诗经通论》以为“臣致祝于君之词”，方玉润《诗经原始》以为“祝君福也”。《天保》乃是召公致政于宣王之时，祝贺宣王亲政之诗。第一章说王上得天命，地位十分稳固，所谓“天保定尔，亦孔之固”。第二章是祝福其亲政之后，上天一定要降给他很多好事，将无往而不顺心，所谓“天保定尔，俾尔戬穀”，“受天百禄”。第三章是说自此之后，一切都将兴旺昌盛，欣欣向荣。作者以五“如”祝之，即姚际恒所说“忠爱之至，故多复词”。第四章言备礼敬祖，周之先公先王亦将期新君延祚于万寿无疆。第五章言只要能使人民足食足用，民将受其感化而归心载德。第六章又以四“如”颂之，言群臣广众都将永远拥戴君王。厉王奔彘，虽十四年不在其位，但太子也不便即位。及厉王死，太子静亦已懂事，故二相主持太子静即位。召伯虎牺牲了自己的亲生儿子，换下了太子静的性命，以后一直养在自己家中，抚养教育，使之成人，则对他的希望有多大，可想而知。但太子静毕竟是缺乏锻炼。那么，召伯虎当太子静（宣王）即位之时，无论用何等热烈而夸张的语言来表现自己对这个新君的鼓励与祝愿，也不为过。至于此诗作者，只能是召伯虎。这不仅从内容、语气和表现的情感方面可以看出，在言语风格上也可以看出。比如《常武》用十二“如”字表现王师之势不可挡，本诗用九“如”字比喻即位新君君权的稳固和当时周王朝所表现的兴盛景象。《常武》第五章的“如飞如翰，如江如汉，如山之苞，如川之流”数句，与本诗第三章的设喻和句式都极为相似（赵逵夫《论西周末年杰出诗人召伯虎》，《1993 年诗经国际学术研讨会论文集》，河北大学出版社 1994 年版）。

宣王燕群臣嘉宾而有《鹿鸣》之作。诗见《诗经·小雅》。《毛序》云：“《鹿鸣》，燕群臣嘉宾也。既饮食之，又实币帛筐篚，以将其厚意，然后忠臣嘉宾得尽其心矣。”三家诗认为此诗是刺诗，但从诗中流露的情绪来看，并无刺意，故后之学者的研究如朱熹《诗集传》、方玉润《诗经原始》等皆从《毛序》，今文说不可取。至于此诗作时，旧说大都认为作于殷末周初。郑玄《诗谱·小大雅谱》虽没有明言作于何时，孔疏申其意以为作于文王时。陈奂《诗毛氏传疏》谓《鹿鸣》虽是文王燕群臣之诗，实则成篇于周公、成王时。魏源《诗古微·四始义例篇》则又疑《鹿鸣》作于文王与纣之时。今文虽然以《鹿鸣》为刺诗与内容不符，但以为作于王朝没落时期似有根据。宣王时虽号称中兴，但就整个西周王朝而言，已走向没落。《鹿鸣》一诗，从内容来看，似是宣王所作，所以置于《小雅》之首。“我有嘉宾，鼓瑟吹笙。吹笙鼓簧，承筐是将。人之好我，示我周行”，宴享而吹笙鼓簧，又赐币帛，非天子不能。“示我周行”之语，也与宣王初立及前期的思想行为一致。从宣王能诗，可以看出召伯虎等人的影响，而宣王能诗本身，又会对当时上层集团的爱好诗歌起到促进作用。宣王燕群臣嘉宾，意在团结大臣，共理朝纲。因此，《鹿鸣》之作或在宣王即位之初，姑系于此（参赵逵夫《周宣王中兴功臣诗考论》，《中华文史论丛》五十五辑）。

使臣叙其出使思归、博咨广询而有《四牡》、《皇皇者华》之作。诗皆见《诗经·小雅》。《毛序》云：“《四牡》，劳使臣之来也。有功而见知，则说矣。”又云：“《皇皇者华》，君遣使臣也。送之以礼乐，言远而有光华也。”此皆就诗用于乐而言，非谓诗之主旨。《四牡》末章云“是用作歌”，说明此诗非为使臣而作，乃使臣自作之诗，故孙矿《批评诗经》云：“此自使臣在途自咏之诗。”《皇皇者华》中的“我”是使臣自称，则此诗也是使臣所作。据《左传·襄公四年》及《仪礼》的《乡饮酒礼》、《燕礼》的记载，《鹿鸣》、《四牡》、《皇皇者华》是行礼奏乐时乐工同时歌唱的诗，则三首诗也当作于一时。《鹿鸣》既作于宣王时，则《四牡》、《皇皇者华》二诗也当作于宣王时。虽然《四牡》、《皇皇者华》同为使臣所作，但不必出自一人之手。《四牡》说“王事靡盬”，似为军事出使；《皇皇者华》说“周爰咨诹”，似为聘问出使（陈子展《诗三百解题》，复旦大学出版社 2001 年版，第 610 页）。孔疏云：“使臣往反固非其一，《四牡》所劳不必是《皇皇者华》所遣之使，二篇之作又不必是一人。”

中兴大臣渴求贤才仕于国而有《鹤鸣》之作。诗见《诗经·小雅》。《荀子·儒效篇》云：“君子隐而显，微而明，辞让而胜。《诗》云：‘鹤鸣于九皋，声闻于天’，此之谓也。”诗之喻意，先秦时代已有解说。《毛序》云：“《鹤鸣》，诲宣王也。”郑笺云：“诲，教也。教宣王求贤人之未仕者。”三家诗说此诗之喻意与《毛序》同，是《毛诗》与三家诗都以为此诗抒写了渴求贤材使仕于国的主张。至于作者，则非宣王中兴大臣莫属（赵逵夫《周宣王中兴功臣诗考论》，《中华文史论丛》五十五辑）。据《毛序》，诗作于宣王时。求贤才而仕于国，当在宣王中兴之初。此诗之作或在宣王即位后不久，姑系于此。

燕惠侯卒，釐侯立。《史记·燕召公世家》云：“燕惠侯当周厉王奔彘，共和之时。惠侯卒，子釐侯立。”

公元前 826 年（周宣王二年）

郬作簋铭，记其正月丁亥受周王册命。郬簋，已佚，《考古图》绘有器形。铭曰：“唯二年正月初吉，王在周卲宫。丁亥，王格于宣榭，毛伯内门，立中廷，右祝郬。王乎内史册命郬，王曰：‘郬，昔先王既命女作邑，兼五邑祝。今余唯申就乃命，锡女赤市冋睘黄、銮旂，用事。’郬拜稽首，敢对扬天子休命，郬用作朕皇考龚伯尊簋，郬其眉寿，万年无疆，子子孙孙永宝用享。”《夏商周断代工程 1996—2000 年阶段成果报告》断为宣王二年时器。

鲁真公卒，武公立。《史记·鲁周公世家》云：“三十年，真公卒，弟敖立，是为武公。”

曹戴伯立。《史记·管蔡世家》云："幽伯九年，弟苏杀幽伯代立，是为戴伯。"

公元前 825 年（周宣王三年）

颂作鼎铭，记五月甲戌受周王册命。颂鼎，现藏上海博物馆。铭曰："唯三年五月既死霸甲戌，王在周康昭宫，旦，王格大室，即位。宰引右颂入门立中廷，尹氏受王命书，王乎史虢生册命颂。王曰：颂，命女官司成周，贮廿家，监司新造贮用宫御，锡女玄衣黹屯，赤市朱黄，銮旂攸勒，用事。颂拜稽首，受命，册佩以出，反入谨事。颂敢对扬天子丕显鲁休，用作朕皇考龚叔皇母龚姒宝尊鼎，用追孝，祈匄康□纯右通录永命，颂其万年眉寿，畯臣天子灵终，子子孙孙宝用。"《夏商周断代工程 1996—2000 年阶段成果报告》断为宣王三年时器。

齐武公卒，厉公立。《史记·齐太公世家》云："二十六年，武公卒，子厉公无忌立。"

公元前 824 年（周宣王四年）

宣王使秦仲伐西戎，为戎所杀（《后汉书·西羌传》引《古本竹书纪年》）。王召秦仲子襄公，与兵七千人伐戎，破之（《后汉书·西羌传》引《古本竹书纪年》）。

公元前 823 年（周宣王五年）

兮甲作盘铭，记其三月庚寅从王伐猃狁，得马匹、驹车之赐及受王命治成周四方积以至于南淮夷事。铭文廉厉。兮甲盘，下落不明。铭曰："唯五年三月既死霸庚寅，王初格伐猃狁于䣙虞，兮甲从王折首执讯，休亡敃，王锡兮甲马四匹，驹车，王命甲征司成周四方积至于南淮夷，淮夷旧我帛畮人，毋敢不出其帛其积其进人其贮，毋敢不即次即市，敢不用命，则即刑扑伐，其唯我诸侯百姓，厥贮毋不即市，毋敢或入蛮宄贮则亦刑，兮伯吉父作盘，其眉寿万年无疆，子子孙孙永宝用。"于省吾《双剑誃吉金文选》评此铭文曰："与《甘誓》、《汤誓》同其廉厉。"（中华书局 1998 年版，第 216 页）《夏商周断代工程 1996—2000 年阶段成果报告》即断为宣王五年时器。

仍叔作《云汉》美宣王遇旱而惧，侧身修行。诗见《诗经·大雅》。《毛序》云："《云汉》，仍叔美宣王也。宣王承厉王之烈，内有拨乱之志，遇灾而惧，侧身修行，欲销去之。天下喜于王化复行，百姓见忧，故作是诗也。"郑笺云："仍叔，周大夫也。"并引《春秋·桓公五年》所言"夏，天王使仍叔之子来聘"证仍叔是周大夫。陈启源《毛诗稽古编》说："宣王遭旱之年，笺、疏不能定其早晚。以《云汉序》推之，殆初年事乎？《序》云'宣王承厉王之烈'，是去前王未远也。又云'内有拨乱之志'，是拨乱方有其志，尚未见诸政事也。又云'天下喜于王化复行'，是前此王化尚未及行也。其在初即位时可知矣。皇甫谧以为宣王元年不藉千亩，天下大旱，二年不雨，至六年乃雨。孔疏疑其无据，然合之于《序》，非谬也。又经言'饥馑荐臻'，与'六年乃雨'说亦相符。刘道原《通鉴外纪》全祖士安之说，谅有见矣。"胡承珙《毛诗后笺》也说："宣王《大雅》以《云汉》为首，其下五篇则建国、亲侯、任贤、使能，以及征伐用武之事，次第井然，则忧旱为初年事无疑。况《小雅》多刺宣之诗，是其晚岁倦勤，必不复遇灾而惧。惟皇甫以不藉千亩为元年，则与《国语》、《史记》不合。若‘六年乃雨’之说，则经言‘荐饥’，固有明征。六章笺云：‘我何由常遭此旱？又‘胡宁瘨我以旱’，《释文》引《韩诗》‘瘨’作‘疹’，云‘重也’。是则遭旱非止一年。《韩传》、郑笺皆同此说，谧言未尝无本也。”据陈、胡二人所论，皇甫谧所言并非无所凭据。宣王即位二年既有旱灾，至六年乃止，诗必作于其间，姑系于此年。

晋釐侯卒，献侯立。《史记·晋世家》云：“釐侯十四年，周宣王初立。十八年，釐侯卒，子献侯籍立。”籍，《索隐》云：“《世本》及谯周皆作苏。”

公元前822年（周宣王六年）

召穆公受王命伐淮夷，归来受赏而作《江汉》。诗见《诗经·大雅》。《毛序》云：“尹吉甫美宣王也，能兴衰拨乱，命召公平淮夷。”从诗本文来看，作者应是召伯虎，即召穆公。首章云：“江汉浮浮，武夫滔滔。匪安匪游，淮夷来求。既出我车，既设我旟。匪安匪舒，淮夷来铺。”三章云：“江汉之浒，王命召虎：式辟四方，彻我疆土。匪疚匪棘，王国来极。于疆于理，至于南海。”上章言“我”，则本诗为用第一人称写成。三章说到周王之命，作者又自称“召虎”。四章也有“王命召虎”之语。五章有“于周受命，自召祖命。虎拜稽首，天子万年”之语。六章又云：“虎拜稽首，对扬王休。作召公考，天子万寿。”诗中一般自称为“我”，如果同周王联系起来则称“召虎”，称“虎”。那么，作者为召伯虎，可以肯定。至于此诗的作时，马瑞辰《毛诗传笺通释》云：“《竹书纪年》宣王六年：‘召穆公帅师伐淮夷。’又曰：‘王归自徐，锡召穆公命。’此诗前三章是召穆公伐淮夷之事，后三章是锡命之事。《竹书纪年》又言：‘厉王三年，淮夷侵洛，王命虢公长父伐之，不克。’《后汉书·东夷传》云：‘厉王无道，淮夷入寇，王命虢仲征之，不克。宣王复命召公伐而平之。’与《竹书纪年》合。此诗正召公平淮夷之事。”据此系此诗作于此年。至于方玉润《诗经原始》、郭沫若《两周金文辞大系图录考释》等以此诗为召穆公自铭其器之作，似不妥（赵逵夫《论西周末年杰出诗人召伯虎》，《1993年诗经国际学术研讨会论文集》，河北大学出版社1994年版）。

召穆公作《常武》美宣王平定徐之乱。诗见《诗经·大雅》。《毛序》云：“《常武》，召穆公美宣王也。”三家诗无异议。所谓“宣王《变大雅》”中，《江汉》一篇已证明是召穆公的作品。《江汉》、《常武》二诗相次，则《毛序》以《常武》为召伯虎所作，应非无据（赵逵夫《论西周末年杰出诗人召伯虎》，《1993年诗经国际学术研讨会论文集》，河北大学出版社1994年版）。至于此诗之作时，陈奂《诗毛氏传疏》说：“盖宣王既北伐猃狁，南伐荆蛮，然后兴师东服，大伐淮、徐。徐在穆王时僭号称王，负固不服已非一日。至徐方来于王庭，则四方既平也。上篇（按：指《江汉》）云：‘经营四方，告成于王。四方既平，王国庶定。’文义正同。房乔《晋书·庾旉传》：‘古者三公坐而论道，不以方任婴之。惟周室大坏，宣王中兴，四夷交侵，救急朝夕，然后命召穆公征淮夷。《诗》云：徐方不回，王曰还归。宰相不得久在外也。’柳宗元献《平淮夷雅》亦云：‘周宣王时称中兴，平淮夷。’则《江汉》、《常武》晋唐人二诗为一时事，当是古说如此。”《江汉》一诗既已断为宣王六年时作，《江汉》、《常武》

二诗为一时所作，则《常武》也应作于此年。

秦仲死于戎，庄公立。《史记·秦本纪》云："秦仲二十三年，死于戎。有子五人，其长者曰庄公。周宣王乃召庄公昆弟五人，与兵七千人，使伐西戎，破之。于是复予秦仲后，及其先大骆地犬丘并有之，为西垂大夫。"《史记·十二诸侯年表》秦庄公元年始于周宣王七年。

楚熊霜卒，熊徇立。《史记·楚世家》云："熊霜六年，卒，三弟争立，仲雪死；叔堪亡，避难于濮；而少弟季徇立，是为熊徇。"

公元前820年（周宣王八年）

诗人作《斯干》咏宣王筑宫室寝庙；作《无羊》咏牧事有成牛羊众多。诗见《诗经·小雅》。《毛序》云："《斯干》，宣王考室也。"郑笺云："德行国富，人民殷众，而皆佼好，骨肉和亲。宣王于是筑宫庙群寝，既成而衅之，歌《斯干》之诗以落之。"《汉书·刘向传》载向上疏云："周德既衰而奢侈，宣王贤而中兴，更为俭宫室、小寝庙。诗人美之，《斯干》之诗是也。"扬雄《将作大匠箴》："诗咏宣王，由俭改奢。"是汉代今、古文皆以为诗是宣王时代的作品。《斯干》之为宣王时诗，应无疑问。陈奂《诗毛氏传疏》说："考，成也。厉王奔彘，周室大坏。宣王即位，复承文、武之业，故云考室焉。"其意以为诗作于宣王即位之初。《今本竹书纪年》云："八年初考室。"合观陈氏所论及《纪年》所载，姑据以系此诗于是年。至于作者，难以考定。《无羊》，见《诗经·小雅》。《毛序》云："《无羊》，宣王考牧也。"三家诗说虽不可考，但历代皆以为是宣王时诗。何楷《诗经世本古义》云："《孔丛子》载孔子曰：'于《无羊》见善政之有应也。'按《列子》云：'周宣王之牧正有役人梁鸯者，能养野禽兽，委食于园庭之内。虽虎狼雕鹗之类，无不柔训者。雌雄在前，孳尾成群。异类杂居，不相搏噬也。王虑其术终于其身，令毛丘园傅之。'……《列子》之书，大都诙谐不足信。然彼生于周末而以此事属之宣王，则当日宣王之留意牧事可知已。"陈奂《诗毛氏传疏》、胡承珙《毛诗后笺》等认为《斯干》、《无羊》言宣王遭乱中兴之事。至于此诗的具体作时及作者，史无明文。因历代学者往往将《斯干》、《无羊》并提，故附于此。

不其作簋铭，记伯氏命其伐猃狁及所受弓、矢、臣、田之赐。行文富于变化，造语惊警。不其簋，早年仅传一盖，现藏中国历史博物馆。1980年山东滕县后荆沟村出一器，可与此盖相配（原与另盖相配），现藏滕州博物馆。器盖铭文一致，行款不同。铭曰："唯九月初吉戊申，伯氏曰：'不其，驭方、猃狁广伐西俞，王令我羞追于西，余来归献擒。余命汝御追于畧，汝以我车宕伐猃狁于高陶，汝多折首执讯。戎大同，从追汝，汝彶戎大敦搏。汝休弗以我车陷于艰，汝多擒，折首执讯。'伯氏曰：'不其，汝小子，汝肇敏于戎功，赐汝弓一、矢束、臣五家、田十田，用永乃事。'不其拜稽首休，用作朕皇祖公伯、孟姬尊簋，用匄多福，眉寿无疆，永纯、灵终，子子孙孙其永宝用享。"李学勤《秦国文物的新认识》通过对铭文中地名的考察指出，不其簋的器主不其就是秦庄公其，铭中所记即周宣王召庄公昆弟使伐西戎一事，不其簋的年代当为周宣王八年左右，是最早的一件秦国青铜器（《文物》1980年9期）。于省吾《双剑誃吉金文选》评此铭文曰："通篇处处用提掇之笔，故惊警百倍，而造句由一二字至十一

字，无法不备。历落斑驳，古雅绝伦。读此等文，只觉八家为掉弄虚机，余子更无能为役矣。”（中华书局1998年版，第198页）

公元前819年（周宣王九年）

诗人作《车攻》、《吉日》美宣王田于东都、西都。诗皆见《诗经·小雅》。宣王会诸侯于东都举行田猎，文献有记载。《墨子·明鬼》云：“周宣王合诸侯而田于甫，车数万乘。”此举实是一种军事演习，因合于周礼，故诗人作诗美之。《毛序》云：“《车攻》，宣王复古也。宣王能内修政事，外攘夷狄，复文武之竟土。修车马，备器械，复会诸侯于东都，因田猎而选车徒焉。”三家诗无异议，如《易林·履之夬》云：“《吉日》、《车攻》，田弋获禽。宣王饮酒，以告嘉功。”《鼎之随》同，惟“宣王”句作“反行饮至”。此为齐诗说，鲁诗、韩诗同（王先谦《诗三家义集疏》，中华书局1987年版，第622页）。因此，朱熹《诗集传》、方玉润《诗经原始》等皆据以断为宣王时诗。至于此诗的作者、具体作时，史无明文。惟《今本竹书纪年》云：“九年王会诸侯于东都，遂狩于甫。”姑据以系《车攻》于此。宣王会诸侯于东都而有《车攻》之作，在西都田猎，诗人亦作诗美其事。《毛序》云：“《吉日》，美宣王也。能慎微接下，无不自尽以奉其上焉。”三家诗及朱熹《诗集传》、方玉润《诗经原始》等皆无异议。陈奂《诗毛氏传疏》说：“《左传·昭三年》：‘郑伯如楚，子产相。楚子享之，赋《吉日》。既享，子产乃具田备。’案此《吉日》为出田之证。《车攻》由会诸侯而田猎，《吉日》则专美田事也。一在东都，一在西周。”虽可以断定《吉日》为宣王时诗，但具体作时及作者，亦无明文。姑因此诗与《车攻》相类，附于其后。

宣王会诸侯于东都讲习武事，诸侯美之而作《瞻彼洛矣》；宣王美诸侯有威仪而作《裳裳者华》；宣王燕飨诸侯，诸侯作《桑扈》。诗皆见《诗经·小雅》。《毛序》以为皆是刺幽王之作，但从三首诗的内容来看，既不见衰世的气象，也无讽刺之意，故后之学者多不从《毛序》。朱熹《诗集传》于《瞻彼洛矣》云：“此天子会诸侯于东都以讲武事，而诸侯美天子之诗”；于《裳裳者华》云：“此天子美诸侯之辞，盖以答《瞻彼洛矣》也”；于《桑扈》云：“此亦天子燕诸侯之诗。”许多学者都据朱熹的说法论述诗旨。如李光地《诗所》认为《桑扈》是朝会既毕而燕诸侯之诗；方玉润《诗经原始》则谓《裳裳者华》与《瞻彼洛矣》互相酬答，又说《桑扈》是天子飨诸侯之诗。三首诗虽作于一时，但并非出自一人之手。据朱熹的说法，《瞻彼洛矣》是诸侯美天子之诗，《裳裳者华》是天子美诸侯之辞。《瞻彼洛矣》屡言“君子至止”，胡承珙《毛诗后笺》谓君子指明王。三首诗既是组诗，作于一时，则《桑扈》中的君子当与《瞻彼洛矣》中的君子一样都指天子。陈奂《诗毛氏传疏》于《桑扈》云：“君子，谓王者也。”由此可知，《桑扈》是天子飨诸侯时诸侯所作之诗。据《墨子·明鬼》及《今本竹书纪年》的记载，此年周宣王会诸侯于东都洛邑讲习武事，《瞻彼洛矣》、《裳裳者华》、《桑扈》恐即因此事而作。

公元前816年（周宣王十二年）

正月初吉丁亥，虢季子作盘铭，记其伐猃狁有功、受周王赏赐。以韵文行之，四用提掇之笔，错落变化有致。虢季子白盘，清道光年间陕西宝鸡虢川司出土。铭曰："唯十又二年正月初吉丁亥，虢子白作宝盘，丕显子白，壮武王戎工，经维四方，薄代玁狁于洛之阳，折首五百，执讯五十，是以先行，桓桓子白，献馘于王，王孔嘉子白义，王格周庙，宣射爰飨。王曰伯父，孔靓有光，王赐乘马，是用左王，赐用弓，彤矢其央，赐用戉，用征蛮方，子子孙孙万年无疆。"王国维《两周金石文韵读》谓方、阳、行、王、乡、光、王、央、方、疆为韵，属阳部。于省吾《双剑誃吉金文选》评此铭文曰："前叙战功，后叙飨赉。通体一百十一字，错落奇变，古雅高绝，而前幅'不显子白'、'趄趄子白'，后幅'子孔嘉子白义'、'王曰伯父，孔靓有光'，四用提掇之笔，精神腾跃而出。王睗乘马、睗用弓、睗用钺，用排笔作结，全以韵行之，醇懿翔舞，高华闳朗。所谓黄钟大吕，天地之元音也。"（中华书局1998年版，第218—219页）《夏商周断代工程1996—2000年阶段成果报告》断为宣王十二年时器。

南仲伐猃狁，凯旋归来，作《出车》叙其事。诗见《诗经·小雅》。蔡邕《谏伐鲜卑议》云："周宣王命南仲、吉甫攘玁狁。"此为鲁诗说。《汉书·匈奴传》云："懿王曾孙宣王，兴师命将以征伐之，诗人美大其功，曰'薄伐玁狁，至于太原'、'出车彭彭'、'城彼朔方'。是时四夷宾服，称为中兴。"此为齐诗说。是三家诗均以《出车》为宣王时诗。汉武帝益封卫青诏书中，并举《六月》、《出车》二诗，亦以为宣王时事（《史记·卫将军传》）。魏源《诗古微·小雅宣王诗发微》以九征八间证《采薇》、《出车》、《杕杜》为宣王时诗，王国维《鬼方昆夷猃狁考》也有更为严密的论证。因此，断《出车》为宣王时诗，当无可怀疑。此诗的作者，当即南仲（赵逵夫《周宣王中兴功臣诗考论》，《中华文史论丛》五十五辑）。至于此诗的作时，从诗本文出发联系铜器铭文，不难作出判断。第四章云："昔我往矣，黍稷方华。今我来思，雨雪载涂。王事多难，不遑启居。"郑笺云："黍稷方华，朔方之地六月时也。以此时始出垒征伐猃狁，因伐西戎，至春冻始释而来反，其间非有休息。"孔疏云："正月已还至矣，乃云昔我从此垒出征伐猃狁矣，时黍稷方欲生华，六月之中也。今我自西戎还到此垒，时天降雨雪，则为涂泥，正月之中也。"据此知伐猃狁从上一年的六月出征，至正月才还归。《虢季子白盘》言虢季子十二年正月作宝盘，记其伐猃狁有功、受王赏赐一事。诗言正月还归，盘铭言正月受赏，则诗与盘铭所言伐猃狁当是同一时事。南仲记其事作《出车》，虢季子记其事作有铭宝盘。今据盘铭所言年月，系《出车》于此。

张仲作《六月》，咏尹吉甫帅师伐猃狁，有功而归。诗见《诗经·小雅》。此诗末章云："吉甫燕喜，既多受祉。来归自镐，我行永久。饮御诸友，炰鳖脍鲤。侯谁在矣？张仲孝友。"可见此诗作于尹吉甫北伐归来、宴集臣僚之时。诗言"既多受祉"，则非吉甫所作，而是张仲所作。从诗的内容来看，张仲应是尹吉甫的下属。欧阳修《集古录》、薛尚功《积古斋钟鼎款识》并载有《张仲簠铭》，其文云："用飨大正饮，王宾馔具召饮，张仲受无疆福，诸友飨饲具饱，张仲畀寿。"此外，刘敞《公是集》尚有《张仲簠赞》。铭文亦系张仲所作，可见他也算是当时一位颇具文才的人物。召伯虎和南仲都是佐周宣王成中兴大业的重臣，他们在安定社稷、平定四裔的同时，留下了武功烈烈的诗篇。张仲当是卿大夫一类官员，由其能铸器作铭，又能参与尹吉甫的庆功私宴可知。从诗中几处直称“吉甫”之名看，其官阶还不会很低；从诗中“吉甫燕喜，既多受祉。来归自镐，我行永久”几句看来，作者曾随吉甫于军旅之中（赵逵夫《周宣王中兴功臣诗考论》，《中华文史论丛》五十五辑）。《出车》言六月征伐玁狁，至下一年的正月还归。此诗言：“六月栖栖，戎车既饬。”知《出车》与《六月》所言伐玁狁为同一时事，《史记·卫将军传》和《汉书·匈奴传》将二诗并提，也可为证。正月是伐玁狁取得胜利之时，南仲记其事作《出车》，虢季子记其事作盘，张仲美尹吉甫伐玁狁作《六月》，各记其事而有不同的制作。既然根据《虢季子白盘》定《出车》作于宣王十二年，则《六月》也当作于此年。

诗人作《采芑》，咏方叔南征蛮荆，克敌致胜。诗见《诗经·小雅》。《毛序》云：“《采芑》，宣王南征也。”诗咏方叔率军南征蛮荆，三家诗及历代诗说无异议。《汉书·古今人表》列方叔于三等，次周宣王之世，则诗作于宣王时无疑。诗言“显允方叔，征伐玁狁，蛮荆来威”，郑笺云：“方叔先与吉甫征伐玁狁，今特往伐蛮荆，皆使来服于宣王之威，美其功之多也。”据此，又知方叔南征蛮荆在伐玁狁之后。文献典籍不载方叔何时南征蛮荆，仅言在宣王中兴之时。如《后汉书·南蛮传》云：“逮于周世，党众弥盛。宣王中兴，乃命方叔南伐蛮方，诗人所谓‘蛮荆来威’者也。”《易林》之《离》、《小过》并云：“《六月》、《采芑》，征伐无道。张仲、方叔，克胜饮酒。”《六月》与《采芑》并举，则《六月》所言“饮御诸友”中必有方叔。伐玁狁与征蛮荆虽是发生在前后不同时间的战事，因伐玁狁、征蛮荆都取得了胜利才饮酒庆功。《采芑》或许与《六月》一样，都是宴饮时述成功的诗篇。姑据《六月》之作时，系《采芑》于此。关于此诗的作者，从诗本文来看，有可能为一般的卿大夫，但也应是召伯虎、尹吉甫、南仲等辅国大臣周围的人物或与之同志者（赵逵夫《周宣王中兴功臣诗考论》，《中华文史论丛》五十五辑）。

从军征伐玁狁的士兵在归家之时，感时伤事而作《采薇》。诗见《诗经·小雅》。《毛序》言此诗是文王之时作品，郑笺意与《毛序》同。但从诗的内容看，不似周初的作品。崔述《丰镐考信录》、姚际恒《诗经通论》、方玉润《诗经原始》都不从《毛序》，王先谦《诗三家义集疏》批评《毛序》说：“次于文王之世，可谓谬矣。”王国维《鬼方昆夷玁狁考》说：“征之古器，则凡纪玁狁事者，亦皆宣王时器。”依此而论，则凡言伐玁狁的诗，也当作于宣王时。杨宽《西周史》说：“诗中所说‘一月三捷’，可能是宣王时的事，因为未见懿王克捷玁狁的记载。”（上海人民出版社 1999 年版，第 569 页）《采薇》明言伐玁狁，当为宣王时诗。诗言“昔我往矣，杨柳依依。今我来思，雨雪霏霏。行道迟迟，载渴载饥”，显然诗作于来归的途中。因《采薇》与《出车》、《六月》同咏伐玁狁事，姑据《出车》、《六月》的作时系于此。至于《史记·周本纪》、《汉书·匈奴传》以《采薇》为懿王时诗，恐不可取。

宣王时，燕飨、祝福而有《鱼丽》、《南有嘉鱼》、《南山有台》之作。诗皆见《诗经·小雅》。《毛序》于《鱼丽》云：“美万物盛多能备礼也。文、武以《天保》以上治内，《采薇》以下治外。始于忧勤，终于逸乐，故美万物盛多，可以告于神明矣”；于《南有嘉鱼》云：“乐与贤也。太平之君子至诚，乐与贤者共之也”；于《南山有台》云：“乐得贤也。得贤则能为邦家立太平之基矣。”关于三首诗的主旨及所用，后之学者根据诗的内容，大多不从《毛序》。朱熹《诗集传》断三首诗皆为“燕飨通用之乐歌”，此说虽是言诗之所用，非论诗之本义，却揭示了这三首诗是一组诗。其后许多学者大都据朱熹的说法立论，如方玉润《诗经原始》谓《鱼丽》是燕嘉宾之诗、《南有嘉鱼》是娱宾之诗、《南山有台》是祝宾之诗。《易林·睽之小过》云：“《采薇》、《出车》，《鱼丽》思初。上下促急，君子怀忧。”王先谦《诗三家义集疏》释之云：“当《采薇》、《出车》之时，上下促急，故君子忧时而作是诗。‘思初’，犹言‘思古’也。此齐说。”是齐诗以为《采薇》、《出车》、《鱼丽》三诗为一时之作。《采薇》、《出车》为宣王时诗，已无疑问，则《鱼丽》当也作于宣王时。三家诗关于《南有嘉鱼》、《南山有台》的作时不得而知，既然《鱼丽》与《南有嘉鱼》、《南山有台》为组诗，据《鱼丽》的作时推测，《南有嘉鱼》、《南山有台》或许也作于宣王时。至于三首诗的作者，今、古文均无说明。姚际恒《诗经通论》言《南山有台》是臣工颂天子之诗，程俊英、蒋见元《诗经注析》疑《南有嘉鱼》是乐工的作品，类似这样的推测也都有待于确证。

从军战士之家室思念丈夫，有《杕杜》之作。诗见《诗经·小雅》。《毛序》云：“《杕杜》，劳还役也。”三家诗与《毛序》所言不同。《盐铁论·繇役篇》云：“古者无过年之繇，无逾时之役。今近者数千里，远者过万里，历二期不还，父母愁忧，妻子咏叹。愤懑之恨，发动于心，慕积之思，痛于骨髓，此《杕杜》、《采薇》之诗所为作也。”此为齐诗说，较近事实。方玉润《诗经原始》批评《毛序》云：“《小序》谓‘劳还役’。劳之而不慰其心、酬其力，乃故作此归人思夫之词以媚之，天下有是酬人法乎？圣王纵曲体人情，亦不代人妻子作悲泣状也。即使为之，何益劳者，而谓劳者受之耶？……此诗本室家思其夫归而未归之词，故始则曰‘征夫遑止’，言可以暇矣，曷为而不归哉？继则曰‘征夫归止’，言计其归期实可归也。既又曰‘征夫不远’，言虽未归其亦不远矣。终则曰‘征夫迩止’，言归程甚迩，岂尚诳耶？始终望归，而未遽归，故作此猜疑无定之词耳。”据三家诗及方氏所论，此诗当是室家思念从役丈夫的诗。至于此诗的作时，《采薇序》断为文王时，是与《采薇》、《出车》有内在联系的一组诗。虽然《毛序》对这三首诗作时的判断欠妥，但视为组诗却可信从。既已定《采薇》、《出车》皆作于宣王时，则《杕杜》或亦作于宣王时，姑附于此。

行役之徒咏召穆公奉王命为申伯营谢而作《黍苗》。周宣王封其母舅于申地为申伯，召穆公奉王命经营申地，营建谢城作为国都，《诗经·小雅》中的《黍苗》即因此事而作。《毛序》谓刺幽王，陈奂《诗毛氏传疏》以为陈古以刺今，皆与诗的内容不符，因为诗中明言“肃肃谢功，召伯成之”，又曰“召伯有成，王心则宁”。朱熹《诗集传》云：“宣王封申伯于谢，命召穆公往营城邑，故将徒役南行，而行者作此。”此说虽然揭示了诗因何而作，胜于旧说，但对作时的判断则不妥。诗云“我行既集，盖云归哉”，又云“我行既集，盖云归处”，则诗当作于营谢功成归来之时。刘玉汝《诗缵绪》云：“此行者归而作此诗。其曰‘我’，故知为行者所作。曰‘归哉’，曰‘归处’，曰‘成之’、‘有成’，故知其归而作。召伯营谢城邑，虽有旅从，而非征伐，故征为征行，‘成之’、‘有成’，谓成营谢之功。”据此则诗为行役之徒所作。《黍苗》为召伯营谢功成来归时徒役所作，《崧高》为营谢既成徙封申伯出居于谢而作，故断《黍苗》作于《崧高》之前。

尹吉甫作《崧高》之诗，送申伯徙封于谢。诗见《诗经·大雅》。此诗末章云"吉甫作诵，其诗孔硕，其风肆好，以赠申伯"，则诗为尹吉甫所作，三家诗及历代诗说均无疑议。郑笺云："尹吉甫、申伯，皆周之卿士也。尹，官氏。"孔疏云："《左传》称'官有世功则有官族'，今尹吉甫以尹为氏，明其先尝为尹官而因氏焉，故云'尹，官氏'。"尹吉甫曾率师伐猃狁，为宣王中兴大臣之一。申伯是周宣王的母舅，受封之谢在南国。《毛传》云："谢，周之南国也。"其地于周属荆楚。当方叔率军平定荆楚以后，方可以其地封建亲戚。陈奂《诗毛氏传疏》于《采芑》云："宣王中兴，既命方叔南征，又徙封申伯于谢邑以御南方。"申伯受封于谢或在此年，因为平定荆楚之后，断不至过几年再封建亲戚以领其地。因此可据事理，断《崧高》之作时。故陈奂又说："此诗当作于《采芑》南征之后。"据此断《崧高》作于此年。

尹吉甫作《韩奕》之诗，咏韩侯入觐，受宣王策命赏赐，归国便道亲迎。诗见《诗经·大雅》。《毛序》云："《韩奕》，尹吉甫美宣王也。能锡命诸侯。"此诗是否是尹吉甫所作，后世颇有异议。如朱熹《诗集传》说："韩侯初立来朝，始受王命而归，诗人作此以送之。《序》以为尹吉甫作，今未有据。"否定旧说并无坚证，故仍以为尹吉甫之作。至于此诗的作时，陈奂《诗毛氏传疏》认为"当在《六月》北伐后而作"。方玉润《诗经原始》则有更明确的说明："此不过一篇韩侯初立，入觐受赐，因以便道亲迎归国，诗人美之之作。……愚意此诗必作于《六月》北伐之后，故为关系中兴之作。盖自猃狁背叛以来，北方诸侯梗命不朝者亦已多矣。兹值北伐有功，韩侯适以受命入觐，而又年少英贤，为国懿亲，更配帝甥，膺兹屏翰，实足以制北狄而卫王家。故宣王因其来朝，特隆以礼。与申伯诸臣同深倚赖，非泛常比也。诗人亦于其归国便道亲迎之日，饯之以诗，亦将以北方保障望之。"此诗作于《六月》之后。但具体作时则难以考定，姑附于此。

仲山父陈辞谏宣王立戏。文见《国语·周语上》，史官补叙前因后果。《史记·鲁周公世家》全文载录，且以为事在武公九年，即周宣王十一年。《周本纪》言鲁武公来朝在周宣王十二年，《十二诸侯年表》鲁武公尽宣王十二年，与《国语》言"鲁侯归而卒"相合，《今本竹书纪年》亦言十二年鲁武公薨。故从《周本纪》，系仲山父谏王之辞于此。

鲁武公卒，懿公立。《史记·鲁周公世家》云："武公归而卒，戏立，是为懿公。"

齐厉公卒，文公立。《史记·齐太公世家》云："厉公暴虐，故胡公子复入齐，齐人欲立之，乃与攻杀厉公。胡公子亦战死。齐人乃立厉公子赤为君，是为文公，而诛杀厉公者七十人。"《十二诸侯年表》厉公周宣王十二年。

公元前815年（周宣王十三年）

尹吉甫作《烝民》，送仲山甫受王命筑城于齐。诗见《诗经·大雅》。《毛序》云："尹吉甫美宣王也。任贤使能，周室中兴焉。"诗末章云"吉甫作诵，穆如清风"，则诗之作者是尹吉甫。三家诗无异说。朱熹《诗集传》云："宣王命樊侯仲山甫筑城于齐，而尹吉甫作诗以送之。"较之《毛序》，此说更为确当。顾镇《虞东学诗》云："考

《史记》，齐国本封营丘，至胡公始徙薄姑。献公杀胡公而徙临菑，则夷王时也。再世而厉公暴虐，胡公子入齐，与齐人攻杀厉公，胡公子亦死。齐人乃立厉公子赤，是为文公，诛杀厉公者七十人，事在宣王之世。筑城之命，疑在斯时，盖出定齐乱也。”陈奂《诗毛氏传疏》云：“《世家》云周宣王二年，齐献公子武公寿卒，子厉公无忌立。厉公暴虐，故胡公子复入齐，齐人欲立之，乃与攻杀厉公，胡公子已战死。齐人乃立厉公子赤为君，是为文公，而诛杀厉公者七十人。文公十二年卒，子成公脱立，成公九年卒，子庄公购立。武、厉、文、成、庄五公皆当宣王世。文能定厉之乱，其时或有锡命复都临菑，宣王命山甫城齐之事。则《传》云‘去薄姑而迁于临菑’者，宜在齐文公时。”无论是“出定齐乱”，还是“复都临菑”，皆应在齐文公初年。因为仲山甫以辅佐大臣奉天子之命徂齐，盖为定乱而坐镇齐地。以事理而论，当在齐文公初年。齐文公在位十二年，其元年当周宣王十三年。尹吉甫作诗送仲山甫，必在徂齐之时，姑系于是年。

中兴大臣挽留贤臣而作《白驹》。诗见《诗经·小雅》。《毛序》云：“《白驹》，大夫刺宣王也。”郑笺云：“刺其不能留贤也。”《鲁诗》以《白驹》为失朋友之作，《韩诗》则以为是思念离别的朋友之诗（王先谦《诗三家义集疏》，中华书局 1987 年版，第 643 页）。朱熹《诗集传》云：“为此诗者以贤者之去而不可留也，故托以其所乘之驹食我场苗而縶维之，庶几以永今朝。”方玉润《诗经原始》则又云：“此王者欲留贤士不得，因放归山林而赐以诗也。”前引诸说，有得有失。陈子展《诗三百解题》说：“《白驹》，当是所谓贤臣引退、同僚讽劝留职之诗。”较之诸家所论，此说似可从。据《毛序》，诗作于宣王时。就诗本文来看，主人极力挽留的人是“尔公尔侯”，则其地位与之相当或高于公侯，其作者非宣王中兴大臣莫属，姑附于此（赵逵夫《周宣王中兴功臣诗考论》，《中华文史论丛》五十五辑）。

公元前 813 年（周宣王十五年）

卫釐侯卒，武公立。《史记·卫康叔世家》：“四十二年釐侯卒，太子共伯余立为君。共伯弟和有宠于釐侯，多予之赂；和以其赂赂士，以袭攻共伯于墓上，共伯入釐侯羡自杀。卫人因葬之釐侯旁，谥曰共伯，而立和为卫侯，是为武公。”《索隐》云：“和杀共伯代立，此说盖非也。按：季札美康叔、武公之德。又《国语》称武公年九十五矣，犹箴诫于国，恭格于朝，倚几有诵，至于没身，谓之叡圣。又《诗》著卫世子恭伯蚤卒，不云被杀。若武公杀兄而立，岂可以为训而形之于国史乎？盖太史公采杂说而为此记耳。”《十二诸侯年表》釐侯尽宣王十五年。

公元前 812 年（周宣王十六年）

克作钟铭，记其九月庚寅以王命率循泾东至于京师，受宣王赏赐。克钟，相传 1890 年陕西扶风法门寺任村出土，现存五件，为八件套的前五件，尚缺后三钟。第三钟现藏上海博物馆，钲间和左鼓有铭文五行四十字。铭曰：“唯十有六年九月初吉庚寅，王在周康烈宫。王乎士曶召克，王亲命克遹泾东至于京师，锡克甸车、马乘。”以下接天津市艺术博物馆藏钟四十一字铭，合为八十一字全篇（王世民《西周暨春秋战国时代编钟铭文的排列形式》，中国考古研究所《夏鼐先生考古五十年纪念文集》（二），科学出版社 1986 年）。铭曰："克不敢坠，敷奠王命，克敢对扬天子休，用作朕皇祖考白宝林钟，用匄纯嘏永命，克其万年子子孙孙永宝。"《夏商周断代工程 1996—2000 年阶段成果报告》断为宣王十六年时器。

晋献侯卒，穆侯立，自曲沃徙都绛。《史记 · 晋世家》云："献侯十一年卒，子穆侯费王立。"《诗谱》云："晋成侯孙穆侯又徙于绛。"《通鉴外纪》云："宣王十六年，晋献侯薨，子穆侯弗生立，自曲沃徙都绛。"

公元前 811 年（周宣王十七年）

此作鼎铭，记十二月乙卯受宣王册命。此鼎，1975 年陕西岐山董家村铜器窖藏出土，共八件，鼎三，簋五，现藏岐山县博物馆。鼎铭曰："唯十又七年十又二月既生霸乙卯，王在周康宫夷宫，旦，王格大室，即立。司土毛叔右此入门立中廷，王乎史翏令此曰：旅邑人善夫，锡女玄衣、黹屯、赤市、朱黄、銮旂。用享孝于文神，用匄眉寿，此其万年无疆，畯臣天子令终，子子孙孙永宝用。"《夏商周断代工程 1996—2000 年阶段成果报告》断为宣王十七年时器。

公元前 810 年（周宣王十八年）

善夫克作盨铭，记其十二月庚寅受王命，作器祈福禄长寿。克盨，相传 1890 年陕西扶风法门寺任村出土，共两件，其一现藏美国芝加哥美术馆。铭曰："唯十又八年十又二月初吉庚寅，王在周康宫，王命尹氏友史趛典善夫克田人，克拜稽首，敢对扬天子不显鲁休扬，用作旅盨，唯用献于师尹朋友婚遘，克其用朝夕享于皇皇祖祖考考其數數彔彔，降克多福，眉寿永命，畯臣天子，克其日锡休无疆，克其万年子子孙孙永宝用。"《夏商周断代工程 1996—2000 年阶段成果报告》断为宣王十八年时器。

吴虎作鼎铭，记十三月丙戌宣王重申先王之命，授其土地事。吴虎鼎，1992 年陕西长安县中店乡徐家寨村出土。铭曰："唯十又八年十又三月既生霸，丙戌，王在周康宫徲宫，道入右吴虎，王令善夫豐生、司空雍毅申厉王令：取吴盚旧疆付吴虎。厥北疆窗人暨疆，厥东疆官人暨疆，厥南疆毕人暨疆，厥西疆莽姜暨疆。厥俱履封：豐生、雍毅、伯道内司徒寺桒。吴虎拜稽首天子休，宾善夫豐生璋、马匹，宾司空雍毅璋、马匹，宾内司徒寺桒瑗。书：尹友守史。乃宾史贲韦两。虎拜手稽首，敢对扬天子不显鲁休，用作朕皇祖考庚孟尊鼎，其子子孙孙永宝。"《夏商周断代工程 1996—2000 年阶段成果报告》即断为宣王十八年时器。

蔡夷侯卒，釐侯立。《史记 · 管蔡世家》云："二十八年，夷侯卒，子釐侯所事立。"《十二诸侯年表》蔡夷侯尽宣王十八年。

公元前 809 年（周宣王十九年）

趞作鼎铭，记其四月辛卯受宣王册命。趞鼎，现藏中国历史博物馆。铭曰："唯十又九年四月既望辛卯，王在周康卲宫，各于大室，即位，宰讯佑趞，入门，立中廷，北向。史籀授王命书，王乎内史留册赐趞：玄衣纯黹、赤芾、朱衡、銮旂、鋚勒，用事。趞拜稽首，敢对扬天子丕显鲁休，用作朕皇考郃伯、郑姬宝鼎，其眉寿万年，子子孙孙永宝。”铭文中史留（籀）即《说文序》所言宣王太史。《夏商周断代工程1996—2000年阶段成果报告》断为宣王十九年时器。

公元前 808 年（周宣王二十年）

诗人美宣王勤于早朝而作《庭燎》。诗见《诗经·小雅》。《毛序》云：“《庭燎》，美宣王也。因以箴之。”三家诗无异义。王先谦《诗三家义集疏》云：“《易林·颐之损》：‘《庭燎》夜明，追古伤今。阳弱不制，阴雄坐戾。’此齐说。陈乔枞云：‘《列女传》：宣王尝早卧晏起，后夫人不出房。姜后脱簪珥待罪于永巷，使其傅母通言于王曰：妾之不才，至使君王失礼而晏朝，以见君王乐色而忘德也，敢请婢子之罪。宣王曰：寡人不德，实自生过，非夫人之罪。遂复姜后而勤于政事，早朝晏退，卒成中兴之名。宣王中年怠政，而《庭燎》诗作，脱簪之谏，当在此际。宣王感悟，能复励精图治，所以为中兴贤主也。’愚按：陈氏引《列女传》姜后事以证《易林》之说，是鲁、齐说合。所谓‘阴雄坐戾’者，殆即不出房之后夫人。宣王能纳谏改过，所以为贤，而《庭燎》之诗亦不为徒作矣。”陈奂《诗毛氏传疏》也认为《列女传》所言与诗意合，则此诗为宣王时诗当无疑问。具体作时，据陈乔枞说，作于宣王中年。宣王即位时二十岁左右，在位四十六年，则所谓中年即在位二十年前后，姑系此诗于此。

公元前 807 年（周宣王二十一年）

鲁懿公卒，孝公立。《史记·鲁周公世家》云：“懿公九年，懿公兄括之子伯御与鲁人攻弑懿公，而伯御为君。”《十二诸侯年表》鲁懿公在位九年，尽宣王二十一年，鲁孝公元年始于宣王二十二年。

公元前 806 年（周宣王二十二年）

宣王始封其弟友于郑。《史记·郑世家》云：“郑桓公友者，周厉王少子而宣王庶弟也。宣王二十二年，友初封于郑。”《十二诸侯年表索隐》言友为宣王母弟。《通鉴外纪》言郑桓公都咸林。

公元前 804 年（周宣王二十四年）

虢文公谏宣王不籍千亩。文见《国语·周语上》。关于虢文公，韦昭注《国语》引贾逵说：“文公，文王母弟虢仲之后，为王卿士”。《史记·周本纪》叙此事在宣王十二年之后，宣王三十九年之前。宣王之懈怠政事，应在后期，姑系于此。

齐文公卒，成公立。《史记·齐太公世家》云：“文公十二年卒，子成公脱立。”

公元前 801 年（周宣王二十七年）

伊作簋铭，记正月丁亥受宣王册命。伊簋，现为日本小川氏收藏，盖佚。铭曰：“唯王廿又七年正月既望丁亥，王在周康宫，旦，王格穆大室，即位。申季内右伊立中廷北向，王乎命尹封册命伊，𫉄官司康宫王臣妾百工，锡女赤巿、幽黄、銮旂攸勒，用事。伊拜手稽首，对扬天子休，伊用作朕丕显文祖皇考徲叔宝鼎彝，伊其万年无疆，子子孙孙永宝用享。”《夏商周断代工程 1996—2000 年阶段成果报告》断为宣王二十七年时器。

公元前 800 年（周宣王二十八年）

楚熊徇卒，熊咢立。《史记 · 楚世家》云：“二十二年，熊徇卒，子熊咢立。”《十二诸侯年表》作熊鄂。

宋哀公卒，戴公立。《史记 · 宋微子世家》云：“三十年，惠公卒，子哀公立。哀公元年卒，子戴公立。”《十二诸侯年表》宋惠公尽宣王二十八年，宋戴公元年始于宣王二十九年，中无哀公在位纪年。《通鉴外纪》言宋惠公卒于宣王二十七年，哀公卒于宣王二十八年，与《宋微子世家》同。

公元前 798 年（周宣王三十年）

宣王三十年，有兔舞镐。见《太平御览》九〇七引《古本竹书纪年》。异物异事，时时而有，而之所以引起人们的注意，则同当时社会不稳定、人心惑乱有关。此及宣王三十二年的“马化为狐”等，都反映了当时社会的不安定。

公元前 797 年（周宣王三十一年）

后二十七年，王遣兵伐太原戎，不克。见《后汉书 · 西羌传》引《古本竹书纪年》。朱右曾《汲冢纪年存真》云：“《西羌传》伐太原戎在秦仲伐西戎后二十七年，条戎之役在伐太原戎后五年，下败北戎，灭姜邑，在此后二年。据此差次补之。”因此王遣兵伐太原戎当在周宣王三十一年。

公元前 796 年（周宣王三十二年）

周宣王伐鲁，诛伯御，立鲁孝公，诸侯不睦，诗人戒王而作《沔水》。诗见《诗经 · 小雅》。《毛序》云：“《沔水》，规宣王也。”由于诗云“嗟我兄弟，邦人诸友。莫肯念乱，谁无父母”，又言“民之讹言，宁莫之惩。我友敬矣，谗言其兴”，与所谓宣王中兴盛世不符，因此有的学者认为此诗不作于宣王时。然而严粲《诗缉》释《毛序》所谓“规宣王”，认为是“规其听谗而诸侯携贰也”。陈启源《毛诗稽古编》则进一步指出：“《周语》：‘三十二年，宣王伐鲁，立孝公，诸侯从是而不睦。’不睦，则朝宗之典缺矣。宣王废长立少，仲山甫谏而不听，终致鲁人弑、立。鲁之乱，宣王为之也，何以服诸侯乎，宜有不朝者矣。《沔水》诗，其作于三十二年之后乎？”此说有文献可征，可以信从。且宣王后期政颇有失，此其著者。今据陈启源之说系于此。至于作者，则难以考定。

陈釐公卒，武公立。《史记 · 陈杞世家》云：“三十六年，釐公卒，子武公灵立。”

曹戴伯卒，惠公立。《史记 · 管蔡世家》云：“三十年，戴伯卒，子惠公兕立。”《十二诸侯年表》作曹惠公伯雉，《索隐》云一作兕。

公元前 795 年（周宣王三十三年）

周宣王三十三年，幽王生，有马化为狐。见《开元占经》一一八引《古本竹书纪年》。干宝《搜神记》卷六云："周宣王三十三年，幽王生，是岁有马化为狐。"此当本《纪年》。

齐成公卒，庄公立。《史记·齐太公世家》云："成公九年卒，子庄公购立。"《十二诸侯年表》作庄公赎。

公元前 792 年（周宣王三十六年）

王伐条戎、奔戎，王师败绩。见《后汉书·西羌传》引《古本竹书纪年》。朱右曾《汲冢纪年存真》、王国维《古本竹书纪年辑校》皆以此为宣王三十六年时事。

公元前 791 年（周宣王三十七年）

楚熊咢卒，若敖立。《史记·楚世家》云："熊咢九年，卒，子熊仪立，是为若敖。"

燕釐侯卒，顷侯立。《史记·燕召公世家》云："三十六年，釐侯卒，子顷侯立。"

公元前 790 年（周宣王三十八年）

晋人败北戎于汾隰，戎人灭姜侯之邑。见《后汉书·西羌传》引《古本竹书纪年》。朱右曾《汲冢纪年存真》、王国维《古本竹书纪年辑校》皆以此为宣王三十八年时事。《通鉴外纪》卷三、《今本竹书纪年》并以为宣王四十年时事。

公元前 789 年（周宣王三十九年）

王征申戎，破之。见《后汉书·西羌传》引《古本竹书纪年》。朱右曾《汲冢纪年存真》、王国维《古本竹书纪年辑校》皆以事为宣王三十九年时事。

战于千亩，王师败绩于姜氏之戎，军士怨而作《祈父》。诗见《诗经·小雅》。《毛序》云："《祈父》，刺宣王也。"诗首章云："祈父，予王之爪牙，胡转予于恤，靡所止居?"《毛传》云："宣王之末，司马职废，姜戎为败。"是《毛序》、《毛传》皆以为此诗作于宣王时。孔疏论诗之具体作时云："《周语》云：'宣王三十九年，战于千亩，王师败绩于姜氏之戎。'《史记·周本纪》云：'宣王即位。四十六年而崩。'是末有姜氏为败也。毛知此当姜戎之败者，以宣王之征，所往皆克。此言'转予于恤'，有危败之忧。宣王之败，唯姜戎耳，故言姜戎为败以当之。自为姜戎所败，而言司马职废者，以征伐，司马所典故也。《常武》美宣王命程伯休父为大司马，则休父贤者也。言职废者，盖休父卒后，他人代之，其人不贤，故废职也。"据此则《祈父》作于是年。

仲山父谏宣王料民。仲山父谏语，为史官所录，原也是单篇别行，后被编入《国语》中。《通鉴外纪》言仲山父谏王在三十九年，《今本竹书纪年》则言是四十年时事。

公元前 785 年（周宣王四十三年）

王杀其臣杜伯。《墨子 · 明鬼下》云："周宣王杀其臣杜伯而不辜。杜伯曰：'吾君杀我而不辜，若以死者为无知，则止矣；若死而有知，不出三年，必使吾君知之。'其三年，周宣王合诸侯而用于圃田，车数百乘，从数千人满野。日中，杜伯乘白马素车，朱衣冠，执朱弓，挟朱矢，追周宣王。射入车上，中心折脊，殪车中，伏弢而死。当是之时，周人从者莫不见，远者莫不闻，著在周之《春秋》。"《通鉴外纪》言此事在四十六年，是就宣王伏弢而死言之；《今本竹书纪年》言在四十三年，是就杀杜伯言之，并不矛盾。

晋穆侯卒，殇叔立，太子仇出奔。《史记 · 晋世家》云："二十七年，穆侯卒，弟殇叔立，太子仇出奔。"

公元前 783 年（周宣王四十五年）

宋之正考父得《商颂》十二篇于周太师，以《那》为首，归以祀其先王。《诗经 · 商颂 · 那》之《序》云："微子至于戴公，其间礼乐废坏。有正考甫者，得《商颂》十二篇于周之大师，以《那》为首。"《国语 · 鲁语下》载闵马父之言略同。《那》见于《诗经》，是《商颂》的第一篇，以下依次为《烈祖》、《玄鸟》、《长发》、《殷武》共五首。《毛序》言正考父得《商颂》十二篇，今则仅存五首。郑玄《诗谱 · 商颂谱》释之云："商德之坏，武王伐纣，乃以陶唐氏火正阏伯之墟，封纣兄微子启为宋公，代武庚为商后。……自后政衰，散亡商之礼乐。七世至戴公时，当宣王，大夫正考父者，校商之名《颂》十二篇于周太师，以《那》为首，归以祀其先王。孔子录诗之时，则得五篇而已，乃列之以备三《颂》。"正考父何时从周太师处得到十二篇《商颂》，史无明文。宋戴公元年当周宣王二十九年，宋戴公十八年周宣王崩。郑玄既言正考父校得《商颂》值周宣王时，必在宣王二十九年至四十六年之间。由于不能确定具体的年代，姑系正考父从周太师处校得《商颂》事于此。至于《商颂》中五首诗的作时，今、古文及近代有不同的说法。《史记 · 宋微子世家》云："襄公之时，修行仁义，欲为盟主。其大夫正考父美之，故追道契、汤、高宗，殷所以兴，作《商颂》。"《集解》云："《韩诗 · 商颂章句》亦美襄公。"是今文以为《商颂》是宋襄公时正考父所作美襄公之诗，实际是宋诗。古文则认为《商颂》是自商代流传下来的乐歌，见前引《毛序》。自清代以来或主古文，或从今文，聚讼纷纭。至王国维《说商颂》又另立新说，认为《商颂》是宗周中叶宋人所作，后由正考父献之于周太师而被编入《诗经》之中。但不论事实如何，都不否认《诗经》中得以保存《商颂》与正考父有关。

公元前 782 年（周宣王四十六年）

诸侯朝见，颂美天子而有《蓼萧》之作；天子燕飨、赏赐诸侯而有《湛露》、《彤弓》之作。诗皆见《诗经 · 小雅》。《毛序》于《蓼萧》云："泽及四海也"；于《湛露》云："天子燕诸侯也"；于《彤弓》云："天子锡有功诸侯也。"三家诗无异议。这三首诗本是诸侯朝见天子，天子燕飨、赏赐诸侯的组诗，前人已有论述。严粲《诗辑》云："《蓼萧》，诸侯答《湛露》、《彤弓》之歌。"《蓼萧》云："既见君子，我心写兮”，郑笺云：“既见君子者，远国之君朝见天子也”。据此可知《毛序》关于《蓼萧》解说不确，故严粲又说：“《湛露》、《彤弓》以‘显允君子’、‘我有嘉宾’称诸侯之美，则为燕飨诸侯无疑也。《蓼萧》之诗以零露喻王泽，以既见君子称天子，其下皆称赞天子之辞。若是天子用之以燕诸侯，不应自称己之美而不称诸侯之美也。”吴闿生《诗义会通》则明确地指出《蓼萧》“当是诸侯颂美天子之作”。至于《毛序》对《湛露》、《彤弓》的解说，与诗的内容相符，可以信从。关于三首诗的作时，陈子展《诗三百解题》认为都是西周盛时之作（复旦大学出版社2001年版，第648、654、657页）。西周盛时，除成、康之治外，便是宣王中兴。三首诗或许都是宣王时代的作品，附于此。至于郑玄在《诗谱·小大雅谱》中概括地说这三首诗都是周公、成王时诗，其后陈启源《毛诗稽古编》从其说，断《蓼萧》作于周公辅成王时，皆有待于证实。

天子视学，太学之士乐君子之育材而作《菁菁者莪》。诗见《诗经·小雅》。《毛序》云：“《菁菁者莪》，乐育材也。君子能长育人材，则天下喜乐之矣。”三家诗说与此同，惟朱熹《诗集传》谓此诗是“燕饮宾客之诗”，陈启源《毛诗稽古编》已驳其误。姜炳璋《诗序广义》云：“此天子视学，太学之士乐君子之育材而作此诗。”此说近是，可从。至于此诗的作时，郑玄《诗谱·小大雅谱》说是周公、成王时诗。是否如此，待考。因此诗编篇次于《蓼萧》、《湛露》、《彤弓》之后，姑附于此。

天子燕诸侯，诸侯美之而作《鱼藻》；天子赐命诸侯，并有《采菽》之作。诗见《诗经·小雅》。《毛序》于《鱼藻》云：“刺幽王也。言万物失其性，王居镐京将不能以自乐，故君子思古之武王焉”；于《采菽》云：“刺幽王也。侮慢诸侯。诸侯来朝，不能锡命以礼，数征会之而无信义。君子见微而思古焉。”从诗本文来看，两首诗均无刺意。《鲁诗》以《采菽》为王赐诸侯命服之诗（王先谦《诗三家义集疏》，中华书局1987年版，第790页），与诗的内容相符。朱熹《诗集传》于《鱼藻》云：“此天子燕诸侯，而诸侯美天子之诗也”；于《采菽》云：“此天子所以答《鱼藻》也。”此说揭示了《鱼藻》与《采菽》是有内在联系的组诗，作于一时。西周王朝自武王定都镐京以来，终幽王之世而不迁。《鱼藻》云“王在在镐”，可证诗作于西周时代。李光地《诗所》认为《采菽》“必宣王朝诸侯之诗”，龚橙《诗本谊》谓《采菽》是“宣王锡命有功”之诗。两首诗既为组诗，则当同作于宣王时。由于难以考定更加具体的作时，姑附于此。至于何楷《诗经世古本义》以《鱼藻》为武王克商饮至之诗，断《采菽》作于康王即位之时，可备一说，待考。

妇人被弃而有《黄鸟》、《我行其野》之作。诗皆见《诗经·小雅》。《毛序》谓《黄鸟》、《我行其野》皆是“刺宣王”之诗，但因何而刺没有说明。郑笺《黄鸟》云：“刺其以阴礼教亲而不至，联兄弟之不固”；笺《我行其野》云：“刺其不正嫁娶之数而有荒政，多淫昏之俗。”《黄鸟》云：“此邦之人，不可与明”，《毛传》云：“不可与明夫妇之道。”是《毛传》、郑笺皆以为《黄鸟》、《我行其野》是弃妇之诗，《齐诗》说与《毛诗》同。（王先谦《诗三家义集疏》，中华书局1987年版，第645、646页）陈启源《毛诗稽古编》云：“《黄鸟》、《我行其野》，此二诗弃妇之词也。室家相弃，由王失教使然，所以为刺也。朱《传》祖范氏、王氏之说，俱以民适异国释之。因篇中‘此邦之人’、‘复我邦族’是身在他邦语耳。然古者士庶人得越国而娶，此二诗之妇人当是自异邦来嫁者，古注自通，不必易也。”胡承珙《毛诗后笺》亦有类似的论说。魏源《诗古微》、陈乔枞《齐诗遗说考》等都认为二诗作于一时。据《毛序》，这两首诗都作于宣王时代。宣王末年，政荒俗变，产生此类刺诗不足为怪。具体作时，则难以确定，附于此。

诗人咏幽王娶申后而作《鸳鸯》。诗见《诗经·小雅》。《毛序》云：“《鸳鸯》，刺幽王也。思古明王交于万物有道，自奉养有节焉。”此诗并无刺意，故后人多不信《毛序》。何楷《诗经世古本义》云：“《鸳鸯》，美大昏也，疑为咏幽王娶申后作。”又云：“幽王娶申后当在未即位时，诗人追美其初昏时祝以万年之福。”姚际恒《诗经通论》、方玉润《诗经原始》皆从其说。幽王娶申后在未即位时，则此诗作于宣王时。由于难于确定具体的作时，姑附于此。

毛公厝作鼎铭，记周王令其夹辅王室之命辞。其文记叙有法而崇奥浑穆，可与《尚书》中文字并列。毛公鼎，相传陕西岐山出土。铭曰：“王若曰：父厝，丕显文、武，皇天引厌厥德，配我有周，膺受大命，率怀不廷方，亡不闬于文、武耿光。唯天壮集厥命，亦唯先正罟辥厥辟，勋勤大命，肆皇天亡斁，临保我有周，丕巩先王配命。旻天疾威，司余小子弗及，邦将曷吉。翻翻四方，大纵不靖。乌乎！趯余小子圂湛于艰，永巩先王。王曰：父厝，今余唯肇经先王命，命汝辥我邦我家内外，惷于小大政，屏朕位，虢许上下若否雩四方。尸毋动余一人在位，引唯乃智，余非庸又昏，汝毋敢荒宁，虔夙夕惠我一人，雍我邦小大猷，毋折缄，告余先王若德，用仰昭皇天，申恪大命，康能四国，欲我弗作先王忧。王曰：父厝，雩之庶出入事于外，敷命敷政，艺小大胥赋。无唯正昏，引其唯王智，乃唯是丧我国。历自今，出入敷命于外，厥非先告父厝，父厝舍命，毋有敢惷敷命于外。王曰：父厝，今余唯申先王命，命汝极一方，圅我邦我家。汝顀于政，勿壅建庶人□，毋敢拱苞，拱苞乃侮鳏寡。善效乃有正，毋敢□于酒。汝毋敢坠在乃服，恪夙夕，敬念王威不易。汝毋弗帅用先王作明型，欲汝弗以乃辟陷于艰。王曰：父厝，已，曰及兹卿事僚、太史僚于父即尹，命汝缵司公族，与参有司、小子、师氏、虎臣，与朕亵事，以乃族捍敔王身。取徵卅锊，赐汝秬鬯一卣、祼圭瓒宝、朱芾、葱衡、玉环、玉琭、金车、贲綍较、朱鞹圅靳、虎冟熏里、右轭、画鞲、画輯、金桶、错衡、金踵、金轭、约盛、金簟弼、鱼箙、马四匹、鋚勒、金台、金膺、朱旂二铃，赐汝兹賸，用岁用征，毛公厝对扬天子皇休，用作尊鼎，子子孙孙永宝用。”根据器形与铭文，学术界公认毛公鼎为宣王时期标准器（王世民、陈公柔、张长寿《西周青铜器分期断代研究》，文物出版社 1999 年版，第 47 页）。由于不能确定器作于何年，附于此。于省吾《双剑誃吉金文选》评此铭文曰：“此铭可分为三段。由起至‘永巩先王’为第一段，祗述先德，竞惕在位，其意义已涵括全文。由‘王曰父厝’至‘以乃族扞敔王身’为第二段，皆申戒父厝夹辅王室，最见多难兴邦忧勤深挚之意。由‘取征卅锊’至末为第三段，叙宠赉之优及作器之由。通体崇奥浑穆，渊古高卓，与殷盘、周诰并美同风。吾人于《尚书》二十八篇之外，犹获诵此等文字，不可谓非厚幸也。”（中华书局 1998 年版，第 125—126 页）

琱生作簋铭，记其以物请君氏使召伯虎息土地之讼，召伯虎平定狱讼之事。行文富于变化而造语凝练。琱生簋，共两件。一称五年琱生簋，现藏美国耶鲁大学博物馆；

另一称六年琱生簋，由张少铭先生捐献中国历史博物馆。两器或许原是一对，铭文分铸两器，合读则为完篇。铭曰：“唯五年正月己丑，琱甥有事，召来合事。余献妇氏以壶，告曰：‘以君氏令曰：余老，止公仆庸土田多谏，弋伯氏从许。公宕其叁，汝则宕其贰，公宕其贰，汝则宕其一。余惠于君氏大璋，报妇氏帛束、璜。’召伯虎曰：‘余既讯戾，我考我母令，余弗敢乱。余或致我考我母令。’琱甥则堇圭（五年琱生簋）。唯六年四月甲子，王在莽。召伯虎告曰：‘余告庆！’曰：‘公厥禀贝，用狱剌为伯。有祇有成，亦我考幽伯、幽姜令。余告庆！余以邑讯有司，余典勿敢封。今余既讯，有司曰：戾令！今余既一名典，献伯氏。’则报璧，琱甥奉扬朕宗君其休，用作朕烈祖召公尝簋，其万年，子子孙孙宝，用享于宗（六年琱生簋）。”唐兰断五六年琱生簋为宣王时器（唐兰《西周青铜器铭文分代史征》，中华书局1986年版，第517页）。但不知器作于何年，附于此。于省吾评此铭文曰：“簸荡奇古，无一语不由锤炼而出，结法尤为崭峭。”（于省吾《双剑誃吉金文选》，中华书局1998年版，第200页）

逨作盘铭，记周王之册命，并历述其先祖辅佐文、武、成、康、昭、穆、共、懿、孝、夷、厉王之功绩及明德，为西周铭文之佳篇。逨盘，2003年1月出土于陕西眉山杨家村。铭曰：“逨曰：‘丕显朕皇高祖单公，桓桓克明哲厥德，夹召文王武王，挞殷。膺受天鲁命，匍有四方，竝宅厥勤疆土，用配上帝。雩朕皇高祖公叔，克逨匹成王，成受大命，方狄不享，用奠四国万邦。雩朕皇高祖新室仲，克幽明厥心，柔远能迩，会召康王，方怀不廷。雩朕皇高祖惠仲盠父，戾和于政，有成于猷，用会昭穆王，剿征四方，践伐楚荆。雩朕皇高祖灵伯，粦明厥心，不坠□服，用辟共王懿王。雩朕皇亚祖懿仲广简简，克匍保厥辟孝王夷王，有成于周邦。雩朕皇考共叔，穆穆趩趩，和询于政，明栖于德，享辟厉王。逨肇纂朕皇祖考服，虔夙夕敬朕尸事，肆天子多赐逨休，天子其万年无疆，耆黄耇，保奠周邦，谏乂四方。’王若曰：‘逨，丕显文武膺受大命，匍有四方，则繇唯乃先圣祖考夹召先王，爵勤大命。今余唯经乃先圣祖考，申就乃命，命汝胥荣兑，兼司四方虞林，用宫御。赐汝赤市幽黄、鋚勒。’逨敢对天子丕显鲁休扬，用作朕皇祖考宝尊盘，用追享于前文人，前文人严在上，翼在下。數數彔彔，降逨鲁多福，眉寿绰绾，授余康虔纯佑通禄永命令终。逨畯臣天子，子子孙孙永宝用享。”同时出土逨所作有铭鼎尚有十二件：一称四十二年逨鼎，同铭者共二件；一称四十三年逨鼎，同铭者共十件。四十二年逨鼎铭曰：“唯卅又二年五月既生霸乙卯，王在周康穆宫，旦，王各大室，即位，司工散右吴逨，入门，立中廷，北乡。尹氏授王釐书，王呼史減册釐逨。王若曰：‘逨，丕显文武膺受大命，匍有四方，则繇唯乃先圣祖考夹召先王，爵堇大命，奠周邦。余弗叚忘圣人孙子，余唯狎乃先祖考有爵于周邦，肆余作□□询，余建长父侯于杨，余命汝奠长父，休，汝克奠于厥师。汝唯型乃先祖考癖玁狁，出戡于井阿，于历厰。汝不艮戎，汝亶长父，以追博戎，乃即宕伐于弓谷，汝执讯获馘，俘器车马。汝敏于戎工，弗逆朕亲命。釐汝秬鬯一卣，田：于鄭卅田，于隔廿田。’逨拜稽首，受册釐以出。逨敢对天子丕显鲁休扬，用作𩰫彝，用享孝于前文人，其严在上，趩在下，穆秉明德，丰丰彔彔，降余康虔纯佑，通禄永命，眉寿绰绾，畯臣天子。逨其万年无疆，子子孙孙永宝用享。”四十三年逨鼎铭曰：“唯卅又三年六月既生霸丁亥，王在周康宫穆宫，旦，王各周庙，即位。司马寿右吴逨，入门，立中廷，北乡。史減授王命书，王呼君尹氏册命逑。王若曰：‘逑，丕显文武膺受大命，匍有四方，则繇唯乃先圣考夹召先王，爵堇大命，奠周邦。肆余弗忘圣人孙子，昔余既命汝胥荣克，兼司四方虞林，用宫御，今余唯经乃先祖考有爵于周邦，申就乃命，命汝官司历人，毋敢妄宁，虔夙夕董雍我邦小大猷。雩乃専政事，毋敢不妻不井。雩乃讯庶又呇，毋敢不中不井。毋龏橐，龏橐唯有宥从，乃侮鳏寡，用作余一人咎，不爵死。’王若曰：‘逑，赐汝矩鬯一卣，玄衮衣，赤舄，驹车、宑较、朱虢、圅靳，虎幂熏里，画轉画幡，金甬，马四匹，攸勒。敬夙夕勿废朕命。’逑拜稽首，受册佩以出，反入堇圭。逑敢对天子丕觐鲁休扬，用作朕皇考龏叔鬻彝。皇考其严在上，廙在下，穆秉明德，斅斅彙彙，余康虔纯佑，通禄永命，绰绾，畯臣天子。逑其万年无疆，子子孙孙永宝用享。”以上二鼎皆言逑受周王册命，逑作有铭鼎叙王之命辞及赏赐所得。李学勤根据铭文与器形，断逑所作有铭器为宣王时器（李学勤《眉县杨家村新出青铜器研究》，《文物》2003 年 6 期）。

宣王崩。《国语 · 周语上》：“周之兴也，鹫鹫鸣于岐山；其衰也，杜伯射王于鄗。”韦昭注引《周春秋》：“宣王杀杜伯而不辜，后三年，宣王会诸侯田于圃，日中，杜伯起于道左，衣朱衣，冠朱冠，操朱矢，朱矢射宣王，中心折脊而死。”《史记 · 周本纪》、《通鉴外纪》、《今本竹书纪年》、《夏商周断代工程 1996—2000 年阶段成果报告》并断宣王在位四十六年。

公元前 781 年（周幽王元年）

幽王即位。《史记 · 周本纪》云：“宣王崩，子幽王宫涅立。”《集解》引徐广曰：“一作生。”《今本竹书纪年》作宫涅。

晋太子仇袭殇叔而自立，是为文侯。《史记 · 晋世家》云：“四年穆侯太子仇率其徒袭殇叔而立，是为文侯。”

陈武公卒，夷公立。《史记 · 陈杞世家》云：“武公十五年卒，子夷公说立。是岁，周幽王即位。”《十二诸侯年表》以前一年为周幽王元年，陈夷公元年当周幽王二年，与《陈杞世家》不同。

公元前 780 年（周幽王二年）

西周三川皆震，伯阳父论周将亡。文见《国语 · 周语上》。编者于首尾加数语，略叙前因后果，后被编入《国语》中。《周语》云：“幽王二年，西周三川皆震，伯阳父曰云云”，是伯阳父论周将亡在幽王二年。

公元前 779 年（周幽王三年）

晋文侯二年，周厉王子多父伐郐，克之，乃居郑父之邱，名之曰郑，是曰桓公。见《水经 · 洧水注》引《古本竹书纪年》。“周厉”原作“同惠”。王国维《古本竹书纪年辑校》说：“‘同惠’，疑‘周厉’之讹。又《汉书 · 地理志》注引臣瓒曰：‘郑桓公寄奴与财于虢会之间，幽王既败，二年而灭会，四年而灭虢。居于郑公之邱，是以为郑傅。’瓒亲校《竹书》，其言又与《洧水注》所引《纪年》略同，盖亦本《纪年》。

然臣瓒以伐郐为在幽王既败二年，《水经注》以为晋文侯二年，未知孰是。”（《王国维遗书》第七册，上海书店出版社 1983 年版，第 592 页）按：据《春秋经传集解后序》，《古本竹书纪年》“无诸国别，惟特记晋国起自殇叔，次文侯、昭侯，以至曲沃庄伯”。晋殇叔在位四年，其四年为周幽王元年，则《纪年》从宣王四十四年起即以晋纪年。因此，“二年”当为文侯二年，即周幽王三年。多父当即厉王少子友，郑始封之君。《史记·郑世家》：“宣王立二十三年，友初封于郑。封三十三岁，百姓皆便爱之。”

幽王宠爱褒姒，褒姒生子伯服。《国语·晋语》云：“周幽王伐有褒，褒人以褒姒女焉。褒氏有宠，生伯服。”《史记·周本纪》言褒姒得宠在幽王三年。褒国姒姓，称其国所入之女为褒姒，妇人因姓为字。

柞作钟铭，记其四月甲寅受周王册命。柞钟，1960 年陕西扶风齐家村青铜器窖藏出土，一套八件，形制、纹饰基本相同，大小递减，现藏陕西历史博物馆。铭曰：“唯王三年四月初吉甲寅，中大师右柞，柞易载朱黄銮，司五邑佃人事，柞拜手对扬中大师休，用乍大镲钟，其子子孙孙永宝。”《夏商周断代工程 1996—2000 年阶段成果报告》断为幽王三年时器。

公元前 778 年（周幽王四年）

秦庄公子世父自将击戎。《史记·秦本纪》云：“庄公居其故西犬丘，生子三人，其长男世父。世父曰：‘戎杀我大父仲，我非杀戎王则不敢入邑。’遂将击戎，让其弟襄公。襄公为太子。”《通鉴外纪》卷三、《今本竹书纪年》并以此为幽王四年时事。

秦庄公卒，襄公立。《史记·秦本纪》云：“庄公立四十四年，卒，太子襄公代立。”

陈夷公卒，平公立。《史记·陈杞世家》云：“夷公三年卒，弟平公燮立。”

公元前 776 年（周幽王六年）

史伯硕父作鼎铭，记其八月己巳作器祈福。史伯硕父鼎，传 1054 年从虢州得此器。铭曰：“唯六年八月初吉己巳，史伯硕父追孝于朕皇考釐仲王母泉母尊鼎，用祈匄百禄寿绾绰永命，万年无疆，子子孙孙永宝用享。”《夏商周断代工程 1996—2000 年阶段成果报告》断为幽王六年时器。

幽王命伯士伐六济之戎，军败，伯士死焉。见《后汉书·西羌传》引《古本竹书纪年》。《通鉴外纪》卷三、《今本竹书纪年》并以此为幽王六年时事。王国维则系于晋文侯元年，即幽王二年（王国维《古本竹书纪年辑校》，《王国维遗书》第七册，上海书店出版社 1983 年版，第 592 页）。

周大夫作《十月之交》，刺幽王宠褒姒、用小人。诗见《诗经·小雅》。《毛序》云：“大夫刺幽王也。”《汉书·古今人表》即列诗中提到的人物如皇父、家伯于幽王世，则此诗作于幽王时代。诗首章云：“十月之交，朔月辛卯。日有食之，亦孔之丑。彼月而微，此日而微。今此下民，亦孔之哀。”阮元《揅经室集》卷四说：“《大衍术·日蚀议》曰：‘《小雅》十月之交，梁虞劆以术推之，在幽王六年。’《开元术》定交分四万三千四百二十九入食限。《授时术议》曰：‘幽王六年十月辛卯朔，泛交十四日五千七百九分入食限。’盖自来推步家，未有不与纬说异者。本朝时宪书密合天行，为往古所无。今遵后编法，推幽王六年十月朔，正得入交。从《鲁诗》说谓厉王时事者，断难执以争矣。”马瑞辰《毛诗传笺通释》也说：“梁虞劆、唐傅仁均及一行并推筭幽王六年乙丑岁建酉之月辛卯朔辰时日食，《国语》：‘幽王二年西周、三川皆震’，又曰：‘是岁三川竭，岐山崩’，与此诗‘百川沸腾，山冢崒崩’正合，则仍从《毛诗》刺幽王为是。”日食发生在幽王六年，可证诗当作于此年。

周之士作《北山》，刺役使不均，己独劳于从事。诗见《诗经·小雅》。《毛序》云：“《北山》，大夫刺幽王也。役使不均，己劳于从事，而不得养其父母焉。”三家诗说略同，历代关于诗旨亦无异议。至于诗之作者，《毛序》说是大夫，朱熹《诗集传》从之，姚际恒《诗经通论》则以为是士者所作以怨大夫之诗。陈子展《诗三百解题》从姚说并有论述：“诗首章说‘偕偕士子，朝夕从事’，次章又说‘大夫不均，我从事独贤’。谁是士，谁是大夫，诗里‘均有明文’。士的地位低于大夫一等，士和大夫等级间的对立，不均的矛盾，这是我们可以想象得到的。”（复旦大学出版社 2001 年版，第 794 页）此说可取。《毛序》既言此诗是“刺幽王”，则当作于幽王时。幽王在位十一年，惟《古本竹书纪年》言六年曾命伯士帅师伐六济之戎。此诗或即反映伐六济之戎时的情形，姑系于此。

行役劳苦而忧思者感时伤乱作《无将大车》。诗见《诗经·小雅》。《毛序》云：“《无将大车》，大夫悔将小人也。”郑笺云：“周大夫悔将小人。幽王之时，小人众多。贤者与之从事，反见谮害，自悔与小人并。”此诗之主旨，后人或不从《毛序》。朱熹《诗序辨说》指出：“此《序》之误，由不识兴体，而误以为比”，故在《诗集传》中云：“此亦行役劳苦而忧思者之作。”方玉润《诗经原始》云：“此诗人感时伤乱，搔首茫茫，百忧并集，既又知其徒忧无益，只以自病，故作此旷达，聊以自遣之词。”朱、方二说近是。至于作者，《毛序》说是周之大夫，朱熹认为是行役劳苦而忧思者，而方玉润则又泛称是诗人。结合诗的内容来看，或许如朱熹所说。《易林·井之大有》：“大舆多尘，小人伤贤。皇父司徒，使君失家。”皇父见于《十月之交》，《十月之交》既为幽王时诗，则《无将大车》亦当为幽王时诗。具体作时，难以考定，姑附于此。

周大夫自伤久役，思归怀友而作《小明》。诗见《诗经·小雅》。名篇之意，颇多异说。郑笺认为此诗言“幽王日小其明，损其政事，以至于乱”，所以命名为《小明》。苏辙《诗经传》则认为之所以题名《小明》，是为了区别于《大雅》中的《大明》。陈启源《毛诗稽古编》又说作诗时篇名已定，乃作者自为篇名，非所以记别。众说莫衷一是，只得阙疑待考。《毛序》云：“《小明》，大夫悔仕于乱世也。”三家诗无异议。从诗本文来看，诗中除自述久役之外，还流露了忧时、思友、怀归等种种复杂的情绪，可知《毛序》似不可信。朱熹《诗集传》云：“大夫以二月西征，至于岁莫，而未得归，故呼天而诉之。”方玉润《诗经原始》云：“大夫自伤久役，书怀以寄友也。”朱、方二说可从。至于此诗的作时，《毛序》无文，郑玄言名篇之意及幽王，其意以为作于幽王时，姑附于此。

征夫苦其行役而作《何草不黄》。诗见《诗经·小雅》。《毛序》云：“下国刺幽王也。四夷交侵，中国背叛，用兵不息，视民如禽兽。君子忧之，故作是诗也。”三家诗无异议。朱熹《诗集传》说："周室将亡，征役不息。行者苦之，故作是诗。"诗既言"哀我征夫，独为匪民"，又言"哀我征夫，率彼旷野"，则诗为征夫所作无疑。作时难以考定，附于此。

公元前774年（周幽王八年）

立褒姒之子曰伯服为太子。见《太平御览》一四七引《古本竹书纪年》。《左传·昭公二十六年》孔疏引束晳云："案《左传》'携王奸命'，旧说携王为伯服。伯服，古文作伯盘，非携王。"

王以郑伯友为司徒。《国语·郑语》云："幽王八年而桓公为司徒。"

申后自伤被黜而作《白华》之诗。诗见《诗经·小雅》。《毛序》云："周人刺幽后（"后"为"王"字之误）也。幽王取申女以为后，又得褒姒而黜申后，故下国化之，以妾为妻，以孽代宗，而王弗能治，周人为之作是诗也。"此言诗为周人刺幽王得褒姒、黜申后之作。朱熹《诗集传》说："幽王娶申女以为后，又得褒姒而黜申后，故申后作此诗。"此又以为诗为申后自作。方玉润《诗经原始》从其说，并进一步论述云："此诗情词凄惋，托恨幽深，非外人所能代。……至今读之，犹令人悲咽不能自已，非至情而能若是乎？"朱、方所言有理，今从之。孔疏云："《帝王世纪》云：'幽王三年，纳褒姒。八年，立以为后。'则得在三年，而黜申后在八年。此诗之作，在见黜之后。"此据《帝王世纪》为论，且与《古本竹书纪年》所言幽王八年立伯服为太子可以相互发明，据之系《白华》作于幽王八年。

周之大臣深恶幽王废申后、宠褒姒，思得贤女以配君子而作《车舝》。诗见《诗经·小雅》。《毛序》云："《车舝》，大夫刺幽王也。褒姒嫉妒，无道并进，谗巧败国，德泽不加于民。周人思得贤女以配君子，故作是诗也。"陈奂《诗毛氏传疏》申论《毛序》刺幽王之意云："盖周人历世有贤圣之配，今幽王宠嬖褒姒，立以为后，大臣知其将有倾城灭周之祸，故篇中语气，言不必若大姜、大任、大姒之贤圣，第思得'德音'、'令德'之女以配我君子。已有歌舞喜乐之盛，犹无旨酒嘉殽亦足以解渴而解饥。此深恶王之黜申后而用褒姒也，故诗以'虽无德与女'作一转语，而《序》则直谓之贤女耳。"综合《毛序》所言及陈氏所论，则诗当作于幽王废申后、宠褒姒时。至于作者，《毛序》说是周人，陈奂之意是周之大臣，此从陈说。据《古本竹书纪年》，此年幽王废申后、放太子，诗或即作于此时。

卫武公作《青蝇》之诗，刺幽王信谗言，废申后、放太子。诗见《诗经·小雅》。《毛序》云："大夫刺幽王也。"陈奂《诗毛氏传疏》云："《左传·襄十四年》云：'赋《青蝇》而退'，则诗为刺谗明矣。《诗考》引袁孝政注《刘子》以为魏武公信谗诗。案：'魏'当'卫'之误，三家诗以此合下篇（按：指《宾之初筵》）皆卫武公所作，何楷说同。"又说："魏源云：'《易林·豫》云：青蝇集藩，君子信谗。害贤伤忠，患生妇人。又《观革》云：马蹄踬车，妇恶破家。青蝇污白，恭子离居。夫幽王听谗，莫大于废后、放子，而此曰患生妇人，则明指褒姒矣。恭子离居，用申生恭世子事，明指宜臼矣。故曰谗人罔极，构我二人，谓王与母后也。谗人罔极，交乱四国，谓戎、缯、申、吕也。'案：魏说本何楷《世本古义》。《汉书》戾太子之乱，壶关三老、茂上书：‘昔者虞舜孝之至也，而不中于瞽叟。孝己被谤，伯奇放流。骨肉至亲，父子相疑。何者，积毁之所生也。’其下即引《青蝇》之诗，与幽王放宜臼合。《楚辞·九叹》：‘若青蝇之伪质兮，晋骊姬之反情’，又与幽王嬖褒姒合。皆出于三家，有足以补明毛义者也。”据《古本竹书纪年》，此年幽王废申后、放太子，诗或即作于此时。

公元前773年（周幽王九年）

史伯向郑桓公纵论古今历史及当时形势，总结经验教训，推测发展趋势，高屋建瓴，颇多警辟之论。文中提出“成天地之大功者，其子孙未尝不章”的观点和“和实生物，同则不继”的思想。《国语·郑语》全记史伯答郑桓公问，本是郑国历史上重要文献。文云：“桓公为司徒，问于史伯曰：‘王室多故，余惧及焉，其何所可以逃死？’史伯对曰”云云。凡有六对，皆鸟瞰形势，洞察历史，总结历史发展的经验与教训，极为深刻。史伯继承《泰誓》中“民之所欲，天必从之”的思想，提出“成天地之大功者，其子孙未尝不章”的观点，给在历史发展过程中做出巨大贡献的人物以很高评价，比先秦时代的民本主义思想更深刻。他在文中提出“和实生物，同则不继”，并说到“和五味以调口”，“和六律以聪耳”等，为晏婴“和同论”（见《左传·昭公二十二年》）的上源；在中国古代“中和美”理论形成中具有重要意义。据韦注，史伯为周之太史。其与郑桓公对答之语，为史官所记，本为周王朝旧有文献资料，后被编入《国语》中，说见穆王时。《通鉴外纪》卷三于幽王九年下据此文为说，从之系史伯与桓公对答之语于是年。

周大夫作《小旻》之诗，刺幽王任用小人。诗见《诗经·小雅》。《毛序》云：“大夫刺幽王也。”朱熹《诗集传》云：“大夫以王惑于邪谋，不能断以从善，而作此诗。”陈奂《诗毛氏传疏》云：“此诗本刺幽王用小人而作。”所谓小人，或指虢石父。《史记·周本纪》云：“幽王以虢石父为卿，用事，国人皆怨。石父为人佞巧善谀好利，王用之。”关于虢石父，皇甫谧《帝王世纪》说：“三年，褒人以褒姒自赎时，即与虢石父比而谮申后、太子，尹氏及祭公导王为非。八年，竟以石父之谮废申后，逐太子。九年，王废高明而近谗慝，使虢公专任于外，褒姒固宠于内，王室始骚。”（《诗谱·小大雅谱》孔疏引）虢石父在幽王三年就与褒人比而谮申后、太子，至八年终于得逞。虢石父的奸邪不轨之行，正与诗所谓“谋犹回遹，何日斯沮”相合。诗所谓“维迩言是听，维迩言是争”，当指幽王竟听信谗言。史事与诗文相互印证，可知诗是有感而发，有具体的创作背景。《帝王世纪》谓九年虢公专任于外，则虢石父为卿或在幽王九年。诗若是针对此事而作，则可断作于幽王九年。

周宗族有人作《角弓》之诗，刺幽王不亲九族。诗见《诗经·小雅》。《毛序》云：“《角弓》，父兄刺幽王也。不亲九族，而好谗佞，骨肉相怨，故作是诗也。”朱熹《诗集传》、胡承珙《毛诗后笺》、陈奂《诗毛氏传疏》、方玉润《诗经原始》等皆无异议。诗既言“兄弟昏姻，无胥远矣”，又言“民之无良，相怨一方。受爵不让，至于己斯亡”，似亦与幽王废申后，逐太子，任用虢石父有关。《毛序》既断此诗作于幽王时，姑附于此。

太子宜臼奔放在申，作《小弁》之诗以抒其忧。诗见《诗经·小雅》。《毛序》云："刺幽王也。太子之傅作焉。"此以为《小弁》为太子宜臼之傅所作，汉代以后的学者对于《毛序》的说法颇多疑问。朱熹《诗集传》云："《序》以为太子傅述太子之情，以为是诗，不知其何所据也。"姚际恒《诗经通论》据此驳《毛序》云："诗可代作，哀怨出于中情，岂可代乎？况此诗尤哀怨痛切之甚，异于他诗。"此从诗本文出发，所言合情合理。《孟子·告子下》云："《小弁》之怨，亲亲也。亲亲，仁也。"又云："《小弁》，亲之过大者也。亲之过大而不怨，是愈疏也。愈疏，不孝也。"胡承珙《毛诗后笺》引刘氏《诗益》曰："《孟子》'亲之过大'一语，可断其为幽王太子宜臼之诗。盖太子者，国之根本。国本动摇，则社稷随之而亡，故曰'亲之过大'。若在寻常放子，则已之被谗见逐，祸止一身，其父之过与《凯风》七子之母不安其室等耳，何得云'亲之过大'哉？"陈奂《诗毛氏传疏》、方玉润《诗经原始》等都认为《小弁》为宜臼所作，今从之。既然诗为宜臼所作，其作在幽王世无疑。《国语·郑语》史伯云："王欲杀太子以成伯服，必求之申，申人弗畀，必伐之。若伐申，而缯与西戎会以伐周。周不守矣。"又云："幽王八年而桓公为司徒，九年而王室始骚，十一年而毙。"陈奂《诗毛氏传疏》据之论太子宜臼事说："然则太子宜咎奔放在申，幽王将有放杀，其事在九年之中。"据以系《小弁》于幽王九年。

苏信公作《何人斯》以绝暴公，伤于谗言而作《巧言》。诗见《诗经·小雅》。《毛序》云："苏公刺暴公也。暴公为卿士而谮苏公焉，故苏公作是诗以绝之。"三家诗与此不同。《鲁诗》认为是由于苏公与暴公争闲田构讼，苏公作此诗刺暴公（王先谦《诗三家义集疏》，中华书局 1987 年版，第 701 页）。但后世研究《诗经》的学者大都遵从《毛序》之说，如方玉润《诗经原始》认为《毛序》所言其来已久，或有所传。此诗既是一首绝交诗，当作于西周末造风气日下、朝臣竞利营私之时。陈奂《诗毛氏传疏》云："一说《周礼》暴字皆作虣，薄报反。暴公之暴疑亦作虣。《说文》无虣字。《虎部》：'虢，虎所攫画明文也。'古音古博反，与虣同部。虣即虢之异体，故《说文》录虢不录虣。其虢国正字当作郭，虢为假借字。周幽王时，虢石父为卿士。"据此，则此"暴公"指虢石父。据《史记·周本纪》的记载，虢石父为人佞巧善谀好利。虢石父在幽王面前谮毁苏公，或本性使然，故苏公作此诗以绝之。作者与所刺之人从前是知交，如今陷害于我，遂不入我门，不入唁我，还有二人随其左右。显见得宠于王，骄横于外，被任命为卿士后不可一世的情形。又据皇甫谧《帝王世纪》，虢石父九年专任于外，则幽王命为卿士或在九年。姑据以断此诗作于是年。《巧言》，见《诗经·小雅》，主旨与《何人斯》类似。《毛序》云："《巧言》，刺幽王也。大夫伤于谗，故作此诗也。"泛言"刺幽王"，仅能说明此诗作于幽王时。朱熹《诗集传》疑《巧言》与《何人斯》出一人之手，或可信从。姑从其说，附《巧言》于此。

公元前 772 年（周幽王十年）

幽王作乐淮上，君子忧伤，诗人作《鼓钟》以刺之。诗见《诗经·小雅》。《毛序》云："《鼓钟》，刺幽王也。"《毛传》云："幽王用乐，不与德比。会诸侯于淮上，鼓其淫乐以示诸侯。"《毛序》、《毛传》所言或有根据。胡承珙《毛诗后笺》云："姜氏《广义》、范氏《诗瀋》皆据《左传·昭四年》椒举对楚灵有‘幽王为大室之盟，戎狄叛之’之语，以为淮水出桐柏山，桐柏与大室皆豫州山，杜注谓即中岳，然则幽王因大室之盟遨游桐柏，以证幽王会诸侯于淮水之语，可谓善于援据矣。《陆堂诗学》疑之，谓嵩山大室祠盛于汉武，周时未列中岳。蔡邕《明堂月令论》引古《乐记》曰：‘武王伐殷，荐俘馘于京大室。’是幽王所盟者，乃镐京明堂之大室。承珙案：此无庸疑也。嵩高为中岳，见于《尔雅》。虽未必是唐虞之制，要不得谓起于汉世。中岳之山，《禹贡》曰‘外方’，左氏即曰‘大室’。且椒举所言，其上文云：‘夏桀为仍之会，有缗叛之。商纣为黎之蒐，东夷叛之。’皆举其会诸侯于外地者，安见‘大室’必为镐京之大室乎？故以左证诗，可为明据。”据《今本竹书纪年》，幽王为大室之盟在十年，姑据以系《鼓钟》作于是年。

东夷作乱，兴师征讨，征夫有《蓼莪》、《四月》、《渐渐之石》之诗歌。诗皆见《诗经·小雅》。《毛序》云：“《蓼莪》，刺幽王也。民人劳苦，孝子不得终养尔。”郑笺云：“不得终养者，二亲病亡之时，时在役所，不得见也。”朱熹《诗集传》、方玉润《诗经原始》等皆从《毛序》。至于此诗的作者，《毛序》言是民人，三家诗与此不同。王先谦《诗三家义集疏》云：“《后汉·陈宠传》宠子忠疏云：‘父母于子，同气一息，一体而分，三年乃免于怀。先圣缘人情而著其节，制服二十五月。是以《春秋》臣有大丧，君三年不呼其门。闵子虽要绖服事，以赴公难，退而致位，以究私恩。故称君使之非也，臣行之礼也。周室陵迟，礼制不序。《蓼莪》之人作诗自伤，曰：瓶之罄矣，惟罍之耻。言己不得终竟子道者，亦上之耻也。’陈乔枞云：‘忠于《春秋》称《公羊》说，亦《齐》学也。此据《齐诗》之说，与《大戴礼·用兵篇》引《诗》义同。’是《齐》说与毛合。《韩诗》当同。”据此诗之作者似是大臣，而魏源《诗古微》则认为此诗是大夫所作。至于作时，据《毛序》仅知作于幽王时。《毛序》云：“《四月》，大夫刺幽王也。在位贪残，下国构祸，怨乱并兴焉。”诗言征伐南至于江汉，且记行役历四月、六月、秋日以至于冬日。徐幹《中论·遣交篇》云：“古者行役过时不反，犹作诗怨刺，故《四月》之篇称‘先祖匪人，胡宁忍予’。”杜注《左传·文公三年》亦云：“《四月》之诗，行役逾时，思归祭祀。”联系《毛序》所言，可知幽王时征夫东征苦其久役于外而作《四月》。《毛序》云：“《渐渐之石》，下国刺幽王也。戎狄叛之，荆舒不至，乃命将率东征，役久病于外，故作是诗也。”诗三章，章章言“武人东征”，皆认为是东征役夫不堪劳苦而作此诗。胡承珙《毛诗后笺》云：“《左传》椒举曰：‘幽王为大室之盟，戎狄叛之。’《序》言固有征矣。《鼓钟传》云：‘幽王会诸侯于淮水之上。’《苕之华序》云：‘幽王之时，东夷、西戎交侵。’则当其会诸侯于淮，或即以东夷之叛而征之。……《诗》即史也，无庸更求他据矣。”是此诗作于幽王时代，或许与《四月》所言是一时事。幽王在位十一年，何时用兵东夷，亦不可征。姑依旧说，以类聚相从，系《蓼莪》、《四月》、《渐渐之石》于此。

征夫行役，逾时不归，怨妇忧思而作《采绿》。诗见《诗经·小雅》。《毛序》云：“刺怨旷也。幽王之时，多怨旷者也。”从诗本文来看，是怨妇抒写其思夫之情而已。方玉润《诗经原始》云：“幽王之时，政烦赋重，征夫久劳于外，逾时不归，故其室思之如此。”至于此诗作时，诸家无说，姑附于此。

幽王东征西伐，用兵不息，诗人感周室将亡而作《苕之华》。诗见《诗经·小雅》。《毛序》云："大夫闵时也。幽王之时西戎、东夷交侵中国，师旅并起，因之以饥馑。君子闵周室之将亡，伤己逢之，故作是诗也。"从内容来看，此诗是幽王时诗人叹时事之作。朱熹《诗集传》说："诗人以自逢周室之衰，如苕附物而生，虽荣不久，故以为比，而自言其心之忧伤也。"方玉润《诗经原始》也说："周室衰微，既乱且饥，所谓大兵之后，必有凶年也。"综合《毛序》及朱、方二人所论，此诗或作于西周王朝将亡之际，姑附于此。

凡伯刺幽王嬖褒姒乱政作《瞻卬》，刺幽王内乱地削作《召旻》。诗皆见《诗经·大雅》。《毛序》云："《瞻卬》，凡伯刺幽王大坏也。"此诗之作者是凡伯，但与厉王时作《板》诗的凡伯不是一人，陈奂《诗毛氏传疏》、方玉润《诗经原始》皆有论说。皇甫谧《帝王世纪》云："三年，褒人以褒姒自赎时，即与虢石父比而谮申后、太子，尹氏及祭公导王为非。八年，竟以石父之谮废申后，逐太子。九年，王废高明而近谗慝，使虢公专任于外，褒姒固宠于内，王室始骚。"（《诗谱·小大雅谱》孔疏引）孔疏据此及《史记·周本纪》的记载，认为幽王之恶自三年以后为渐，至八九年达到极点。《瞻卬》言褒姒乱政，《序》言大坏，当在八年之后。诗云："舍尔介狄，维予胥忌"，郑笺云："王不念此而改修德，乃舍女被甲夷狄来侵犯中国者，反与我相怨。"据《古本竹书纪年》和《左传·昭公四年》的记载，幽王十年东夷、西戎叛周，据此似可以推断诗作于幽王十年。《毛序》云："《召旻》，凡伯刺幽王大坏也。"作《召旻》的凡伯与作《瞻卬》的凡伯是同一人。《国语·郑语》云："幽王八年而桓公为司徒，九年而王室始骚，十一年而毙。"九年王室骚动不安，当是因为嫡庶交争，王室内讧，引来外族入侵的缘故。诗言"今也日蹙国百里"，当是针对周王朝受东夷、西戎的侵略，势力范围日渐缩小而发出的感叹。王先谦《诗三家义集疏》云："'日蹙国百里'者，盖幽王时戎夷逼迫，畿疆日削之故。"可知此诗与《瞻卬》大约作于同时。

家父作《节南山》之诗，刺王用尹氏以致乱。诗见《诗经·小雅》。诗末章云："家父作诵，以究王讻"，则诗之作者是家父。郑笺："家父，字，周大夫也。"诗首句言"节彼南山"，姚际恒《诗经通论》谓南山即终南山，东迁以后不可能咏终南山，则诗作于西周时代。《毛序》亦云："家父刺幽王也。"诗二章云："天方荐瘥，丧乱弘多"；五章云："昊天不傭，降此鞠讻。昊天不惠，降此大戾"；六章云："不吊昊天，乱靡有定。"从这些诗句中，可以明显地看出周王朝遭受了一系列的灾难和变异，或即指地震、川竭、山崩、日食及幽王废宜臼、立伯服等事件而言，其事皆在幽王二年至八年之间。诗的第七章云："驾彼四牡，四牡项领。我瞻四方，蹙蹙靡所骋"，郑笺云"蹙蹙，缩小之貌。我视四方土地，日见侵削于夷狄，蹙蹙然虽欲驰骋，无所之也"。此所言或指东夷、西戎叛周，土地日见侵削的情形，与《召旻》所谓"今也日蹙国百里"同。姑与《召旻》系于同年。

周之大夫作《小宛》，刺幽王以小智而登高位。诗见《诗经·小雅》，又题名《鸠飞》，见《国语·晋语四》韦注。《毛序》云："《小宛》，大夫刺幽王也。"陈奂《诗毛氏传疏》申述毛意云："此诗刺幽王以小智而登高位，故末章陈古明王居上位而不敢怠忽于政事者，恭人以言明王也。《韩诗外传》：'孔子曰：明王有三惧，一曰处尊位而恐不闻其过，二曰得志而恐骄，三曰闻天下之至道而恐不能行。三惧者，明君之务也。《诗》曰：温温恭人，如集于木。惴惴小心，如临于谷。战战兢兢，如履薄冰。此言大王居人上也。'《韩诗》说与《毛诗》首章兴义首尾相应，与《小旻》章末文义亦同。"魏源《诗古微·小雅答问》据《礼记·祭义》及郑注，认为《小宛》是兄弟相戒之诗，三家古义有此说。陈启源《毛诗稽古编》谓朱熹《诗集传》定此诗为兄弟相戒之诗，合之诗词甚为相似，但又认为兄弟相戒不应妄称天命，仍以为刺幽王之诗。因此，姑从《毛序》以此诗为刺幽王之诗。诗刺幽王以小智而居高位，当是在其种种劣迹表现无遗时，周大夫有此感叹，则诗当作于西周王朝覆灭前夕，故系于此。

寺人孟子遭谗言而作《巷伯》。诗见《诗经·小雅》。诗之末章言"寺人孟子，作为此诗"，明其作者即寺人孟子。郑笺云："巷伯，奄官。寺人，内小臣也。奄官上士四人，掌王后之命，于宫中为近，故谓之巷伯，与寺人之官相近。谗人谮寺人，寺人又伤其将及巷伯，故以名篇。"胡承珙《毛诗后笺》辨之云："寺人非一，而自称曰孟子，《传》所谓'罪已定矣，而将践刑，作此诗也'。《正义》云：'自言孟子，以殊于余寺人不被谗者'是也。但诗为寺人所作，而名篇以巷伯，故《笺》有'寺人伤其将及巷伯'之语，然诗中未见此意。末章言'凡百君子'，则不止于将及巷伯矣。故后儒以寺人即巷伯者，亦非无理。盖《诗》篇名，有作诗者自名，亦有采诗者所名。此诗或作者自称寺人，而采诗者名之以《巷伯》。巷伯不见《周官》，惟见于《襄公九年·左传》宋灾'令司宫、巷伯儆宫'，杜注即以巷伯为寺人。意巷伯本内奄之通称，故经言寺人，《序》称巷伯欤？《汉书·司马迁传赞》云：'迹其所以自伤悼《小雅·巷伯》之伦'，《后汉书·宦者传序》云：'《诗》之《小雅》亦有《巷伯》刺谗之篇。'详其词意，似皆以此诗即巷伯所作。然则以巷伯即寺人，其说不始于宋儒矣。《孔融传·驳复肉刑议》有'冤如巷伯'语，尤足见是巷伯被谗而作。《礼记·缁衣正义》乃谓寺人伤谗，巷伯惧将及己，故作此诗。章怀注《后汉书》又谓巷伯被谗将刑，寺人伤而作诗。其言又皆与郑异，然而皆非也。"陈奂《诗毛氏传疏》也有类似的论说，则巷伯即寺人孟子。至于此诗的作时，《毛序》云："刺幽王也。寺人伤于谗，故作是诗也。"因文献阙如，难以考定其具体作时，姑附于幽王世。

天下俗薄，朋友道绝而有《谷风》之作。诗见《诗经·小雅》。《毛序》云："《谷风》，刺幽王也。天下俗薄，朋友道绝焉。"三家诗无疑议，朱熹《诗集传》、方玉润《诗经原始》皆从《序》说，认为是朋友相怨之诗。由于此诗与《邶风·谷风》篇题相同，或以为是弃妇诗，并引《后汉书·阴皇后纪》所载光武诏书为证。天下俗薄，朋友相怨，是由于身处衰世的原因。幽王时世风日下，败亡之迹已著，归罪于幽王，固无不可。《毛序》因之谓此诗为刺幽王，或有所据，故从之而系此诗于幽王时。此诗风格类似《国风》，当是来自民间，其作者难以考定。

周之同姓大臣忧孤危将亡而作《頍弁》。诗见《诗经·小雅》。《毛序》云："诸公刺幽王也。暴戾无亲，不能宴乐同姓，亲睦九族，孤危将亡，故作是诗也。"严粲《诗缉》分析此诗刺王之意说："幽王之时，乱亡已迫而不自知，族人与国同休戚，深窃忧之，而王疏远宗族，无由进其忠告。其族人之尊者遂作此诗，因王不宴乐同姓，藉以为辞，而告以祸败之戒，非欲王宴乐之也。但诗人优柔之辞先从宴乐上说来，以渐及危亡警惧之意，故读者不觉，真谓刺王不能宴乐同姓而已。当是时，骊山之祸将作，人情凛凛，不保朝夕。幽王方且饮酒无度，诗人岂复劝其宴乐哉?”诗中言“死丧无日，无几相见”，表明诗作于西周王朝即将覆灭的前夕。虽然据《毛序》及诗本文可以肯定诗作于幽王时，但具体的年代则难以确定，姑附于此。

刺幽王而有《隰桑》之作。诗见《诗经·小雅》。《毛序》云：“《隰桑》，刺幽王也。小人在位，君子在野，思见君子，尽心以事之。”朱熹《诗集传》认为诗非刺诗，而是喜见君子之诗，但对于诗之作时却无新见。其后历代学者关于诗之主旨或从《毛序》，或从朱熹说，对诗之作时几乎不置一辞。此从旧说，附于幽王时。至于诗之作者，《毛序》无说，难于考知。

微臣刺乱而作《绵蛮》。诗见《诗经·小雅》。《毛序》云：“《绵蛮》，微臣刺乱也。大臣不用仁心，遗忘微贱，不肯饮食教载之，故作是诗也。”郑笺云：“微臣，谓士也。古者卿大夫出行，士为末介。士之禄薄，或困乏于资财，则当赒赡之。幽王之时，国乱礼废恩薄，大不念小，尊不恤贱，故本其乱而刺之。”关于此诗作时，三家诗及历代皆无说明，姑从郑说附于幽王时。

周之大夫刺幽王而作《瓠叶》。诗见《诗经·小雅》。《毛序》云：“《瓠叶》，大夫刺幽王也。上弃礼而不能行，虽有牲牢饔饩不肯用也。故思古之人不以微薄废礼焉。”言大夫刺幽王，其意以为诗作幽王时。朱熹《诗集传》虽不从《毛序》，认为是燕饮之诗，但对诗之作时却无新见。陈子展《诗三百解题》云：“《序》说大夫刺幽王，岂因此诗列在幽王之世？但看庶人能依士礼，当是在厉王监谤、奴隶起义以后的事。”此亦是推测之论，并无坚证。此则姑从旧说，附于幽王世。

公元前 771 年（周幽王十一年）

申侯与缯人、犬戎杀幽王、王子伯服及郑桓公，西周亡。《史记·周本纪》云：“幽王以虢石父为卿，用事，国人皆怨。石父为人佞巧善谀好利，王用之。又废申后，去太子也。申侯怒，与缯、西夷犬戎攻幽王。幽王举烽火征兵，兵莫至。遂杀幽王骊山下，虏褒姒，尽取周赂而去。于是诸侯乃即申侯而共立幽王太子宜臼，是为平王，以奉周祀。”《郑世家》云：“犬戎杀幽王于骊山下，并杀桓公。”《左传·昭公二十六年》疏引《古本竹书纪年》云：“伯盘（按：服字之误）与幽王俱死于戏。”据《夏商周断代工程 1996—2000 年阶段成果报告》，幽王在位十一年。

第二章

周平王元年至周贞定王三十五年（公元前 770 年—公元前 454 年）共 317 年

·引　言·

《论语·八佾》：子谓《韶》，尽美矣，又尽善也。谓《武》，尽美矣，未尽善也。

《论语·阳货》：子曰：小子何莫学乎《诗》？诗可以兴，可以观，可以群，可以怨。迩之事父，远之事君；多识鸟兽草木虫鱼之名。

《论语·为政》：《诗三百》，一言以蔽之，曰：思无邪。

上博楚竹书《诗论》第一章：《关雎》之改，《樛木》之时，《汉广》之知，《鹊巢》之归，《甘棠》之保（报），《绿衣》之思，《燕燕》之情，曷？曰：童而皆贤于其初者也。《关雎》以色喻于礼，……两矣，其四章则喻矣。以琴瑟之悦悆（拟）好色之恧（愿），以钟鼓之乐□□□□好，反内于礼，不亦能改乎？《甘［棠］》……及其人，敬爱其树，其保（报）厚矣。甘棠之爱，以召公……情爱也。《关雎》之改，则其思賹（益）矣。《樛木》之时，则以其禄也。《汉广》之知，则知不可得也。《鹊巢》之归，则適（离）者……［召］公也。《绿衣》之忧，思古人也。《燕燕》之情，以其独也。

上博楚竹书《诗论》第二章：孔子曰：吾以《葛覃》得氏初之诗。民性固然，见其美必欲反［其］本。夫葛之见歌也，则以叶萋之故也；后稷之见贵也，则以文武之德也。吾以《甘棠》得宗庙之敬。民性固然，甚贵其人，必敬其位；悦其人，必好其所为，恶其人者亦然。［吾以］　□□［得］币帛之不可去也。民性固然，其隌（隐）志必有以俞（抒）也。其言有所载而后内，或前之而后交，人不可觓也。吾以《杕杜》得雀（爵）服……如此可，斯雀（爵）之矣。適（离）其所爱，必曰吾奚舍之，宾赠是也。

上博楚竹书《诗论》第三章：孔子曰：《蟋蟀》知难。《仲氏》君子。《北风》不绝，人之（怨）子，立不……志，既曰"天也"，犹有悥（悁）言。《木瓜》藏恧（愿）而未得达也。因木瓜之保（报），以俞（抒）其悥（悁）者也。《杕杜》则情，喜其至也。

上博楚竹书《诗论》第四章：……《十月》善諀（譬）言。《雨无正》、《节南山》皆言上之衰也，王公耻之。《小旻》多疑矣，言不中志者也。《小宛》其言不恶，少有仁焉。《小弁》、《巧言》则谗人之害也。《伐木》……咎于其也。《天保》其得禄蔑疆矣，巽寡德故也。《祈父》之责，亦有以也。《黄鸟》则困而欲反其故也，多耻者其病之乎?《菁菁者莪》则以人益也。《裳裳者华》则……

上博楚竹书《诗论》第五章：《东方未明》有利词。《将仲》之言，不可不韦（畏）也。《扬之水》其爱妇烈（烈）。《采葛》之爱妇□。《君子阳阳》少（小）人。《有兔》不逢时。《大田》之卒章，知言而有礼。《小明》不……忠。《邶·柏舟》闷。《谷风》悲（悲）。《蓼莪》有孝志。《隰有苌楚》得而悔之也。《鹿鸣》以乐司而会以道，交见善而学，终乎不厌人。《兔罝》其用人，则吾取……恶而不悯。《墙有茨》慎密而不知言。《青蝇》知患而不知人。《涉溱》其绝条而士，角瞥妇。《河水》知……贵也。《将大车》之嚣也，则以为不可如何也。《湛露》之赊也，其犹轮与?

上博楚竹书《诗论》第六章：孔子曰：《宛丘》吾善之，《猗嗟》吾喜之，《鸤鸠》吾信之，《文王》吾美之，《清庙》吾敬之，《烈文》吾悦之，《昊天有成命》吾□之。《宛丘》曰："洵有情"，"而无望"，吾善之。《猗嗟》曰："四矢弁（反）"，"以御乱"，吾喜之。《鸤鸠》曰："其仪一"，而"心如结"也，吾信之。"文王在上，於昭于天"，吾美之。[《清庙》曰："肃雍显相，济济] 多士，秉文之德"，吾敬之。《烈文》曰："乍〈无〉竞维人"，"丕显维德"，"於乎前王不忘"，吾悦之。"昊天有成命，二后受之"，贵且显矣，讼（颂）……

上博楚竹书《诗论》第八章：颂，平德也，多言后，其乐安而迟，其歌绅（引）而易（逖），其思深而远，至矣！大夏（雅），盛德也，多言……也，多言难而意（怨）退（怼）者也，衰矣！少（小）矣！邦风，其内物也専（博），观人谷（俗）焉，大金（敛）材焉。其言文，其声善。

上博楚竹书《诗论》第十章：孔子曰：诗其犹平门与？戋民而豫（裕）之，其用心将何如？曰：邦风是也。民之有戚惓（患）也，上下之不和者，其用心将何如？……是也。有成功者何如？曰：颂是也。

上博楚竹书《诗论》第十二章：孔子曰：诗亡隐（隐）志，乐亡隐（隐）情，文亡隐（隐）意。……

《汉书·艺文志》"六艺略"：古之王者世有史官。君举必书，所以慎言行，昭法式也。左史记言，右史记事，事为《春秋》，言为《尚书》，帝王靡不同之。周室既微，载籍残缺，仲尼思存前圣之业，乃称曰："夏礼吾能言之，杞不足征也；殷礼吾能言之，宋不足征也。文献不足故也，足则吾能征之矣。"以鲁周公之国，礼文备物，史官有法，故与左丘明观其史记，据行事，仍人道，因兴以立功，就败以成罚，假日月以定历数，借朝聘以正礼乐。有所褒讳贬损，不可书见，口授弟子，弟子退而异言。丘明恐弟子各安其意，以失其真，故论本事而作传，明夫子不以空言说经也。《春秋》所贬损大人当世君臣，有威权势力，其事实皆形于传，是以隐其书而不宣，所以免时难也。

又"诗赋略"：传曰，"不歌而诵谓之赋，登高能赋可以为大夫。"言感物造端，材知深美，可与图事，故可以为列大夫也。古者诸侯卿大夫交接邻国，以微言相感，当揖让之时，必称《诗》以谕其志，盖以别贤不肖而观盛衰焉。故孔子曰“不学《诗》，无以言”也。

《文心雕龙·征圣》：先王圣化，布在方册；夫子风采，溢于格言。是以远称唐世，则焕乎为盛；近褒周代，则郁哉可从。此政化贵文之征也。郑伯入陈，以文辞为功；宋置折殂，以多文举礼。此事迹贵文之征也。褒美子产，则云：“言以足志，文以足言。”泛论君子，则云：“情欲信，辞欲巧。”此修身贵文之征也。然则志足而言文，情信而辞巧，乃含章之玉牒，秉文之金科矣。

《文心雕龙·诔碑》：周世盛德，有铭诔之文。大夫之材，临丧能诔。诔者，累也；累其德行，旌之不朽也。夏、商已前，其详靡闻。周虽有诔，未被于士；又“贱不诔贵，幼不诔长”，在万乘则称天以诔之。读诔定谥，其节文大矣。自鲁庄战乘丘，始及于士。逮尼父卒，哀公作诔。观其“憖遗”之切，呜呼之叹，虽非睿作，古式存焉。至柳妻之诔惠子，则辞哀而韵长矣。

《文心雕龙·哀吊》：昔三良殉秦，百夫莫赎，事均夭横，《黄鸟》赋哀，抑亦《诗》人之哀辞乎！……宋水、郑火，行人奉辞，国灾民亡，故同吊也。及晋筑虒台……史赵……翻贺为吊。

《文心雕龙·谐隐》：芮良夫之诗云：“自有肺肠，俾民卒狂。”夫心险如山，口壅若川；怨怒之情不一，欢谑之言无方。昔华元弃甲，城者发“睅目”之讴；臧纥丧师，国人造“侏儒”之歌。并嗤戏形貌，内怨为俳也。又“蚕蟹”鄙谚，“狸首”淫哇，苟可箴戒，载于《礼典》。

《文心雕龙·论说》：昔仲尼微言，门人追记，故仰其经目，称为“论”字；盖群论立名，始于兹矣。

《文心雕龙·物色》：是以《诗》人感物，联类不穷。流连万象之际，沉吟视听之区；写气图貌，既随物以宛转；属采附声，亦与心而徘徊。谷灼灼状桃花之鲜，依依尽杨柳之貌，杲杲为出日之容，瀌瀌拟雨雪之状，喈喈逐黄鸟之声，喓喓学草虫之韵；皦日嘒星，一言穷理；参差沃若，两字连形；并以少总多，情貌无遗矣。虽复思经千载，将何易夺。及《离骚》代兴，触类而长，物貌难尽，故重沓舒状，于是嵯峨之类聚，葳蕤之群积矣。

《史通·叙事》：昔圣人之述作也，上自《尧典》，下终获麟，是为属词比事之言，疏通知远之旨。子夏曰：“《书》之论事也，昭昭然若日月之代明。”扬雄有云：“说事者莫辨于《书》，说理者莫辨乎《春秋》。”然则意指深奥，诰训成义，微显阐幽，婉而成章；虽殊途异辙，亦各有差焉。

又云：昔古文义，务却浮词……既而丘明授经，师范尼父。夫《经》以数字包义，而《传》以一句成言，虽繁约有殊，而隐晦无异。故其纲纪而言邦俗也，则有士会为政，晋国之盗奔秦；刑迁如归，卫国忘亡。其款曲而言人事也，则有犀革裹之，比及宋，手足皆见；三军之士，皆如挟纩，斯皆言近而旨远，辞浅而义深；虽发语已殚，而含意未尽。使夫读者望表而知里，扪毛而辨骨，睹一事于句中，反三隅于字外。晦之时义，不亦大哉！

《诗源辩体》卷一：风者，王畿列国之诗，美刺风化者也。雅颂者，朝廷宗庙之诗，推原王业、形容盛德者也。故风则比兴为多，雅颂则赋体为众；风则微婉而自然，雅颂则斋庄而严密；风则专发乎性情，而雅颂则兼主乎义理：此诗之源也。

又云：风人之诗既出乎性情之正，而复得于声气之和，故其言微婉而敦厚，优柔而不迫，为万古诗人之经……正风如《关雎》、《葛覃》、《卷耳》、《汝坟》、《草虫》、《殷其雷》、《小星》、《何彼秾矣》等篇，自不必言。变风如《柏舟》、《绿衣》、《燕燕》、《击鼓》、《凯风》、《谷风》、《式微》、《旄丘》、《泉水》、《氓》、《竹竿》、《伯兮》、《君子于役》、《葛生》、《蒹葭》、《九罭》等篇，亦皆哀而不伤，怨而不怒。

又云：风人之诗，不特性情声气为万古诗人之经，而托物兴寄，体制玲珑，实为汉魏五言之则。至其分章变法，种种不一，而文采备美，一皆本乎天成。大都随语成韵，随韵成趣，华藻自然，不假雕饰。

又云：风人之诗，不落言筌，曲而隐也。风人有寄意于咏叹之余者，《关雎》、《汉广》、《麟之趾》、《何彼秾矣》、《驺虞》、《简兮》、《缁衣》、《蒹葭》是也。有意全隐而不露者，《陟》是也。有似怨而实否者，《载驰》是也。有似疑而实信者，《二子乘舟》是也。有似好而实恶者，《狡童》是也。

《艺概·文概》：左氏叙事，纷者整之，孤者辅之，板者活之，直者婉之，俗者雅之，枯者腴之。剪裁运化之方，斯为大备……刘知几《史通》谓《左传》"其言简而要，其事详而博。"余谓百世史家，类不出乎此法。

《艺概·文概》：《国语》周、鲁多掌故，齐多制，晋、越多谋。其文有甚厚甚精处，亦有剪裁疏漏处。

章学诚《答大儿贻选问》：列国聘问，赋诗赠答，此见古人善于因托，情所难宣，借诗意以宣之。彼时人皆素习，岂如后人须经师训故？其失赋贻讥者，乃是不习礼文，非谓不谙文理也。

公元前770年（周平王元年　鲁孝公三十七年　卫武公四十二年　秦襄公八年）

此前周幽王被犬戎所杀，幽王大臣虢公翰拥立王子余臣为王，史称"携王"，与申、缯、许、鲁等国拥立于西申的天王宜臼相对峙，形成"二王并立"的局面。此后周室渐衰，诸侯以强并弱，齐、楚、秦、晋始大，政由方伯，是为历史上春秋时代之开始，亦为春秋文学之开始。

东周之初的政治状况，《史记·周本纪》所载以为平王元年东迁洛邑，定于一尊。宋王应麟《困学纪闻》已言其失实及自相矛盾之处甚多。《古本竹书纪年》的相关记载与《周本纪》很不相同，以为幽王死后，出现了天王宜臼与携王余臣"二王并立"的政治局面；周平王在申、缯、鲁、许等国的拥戴下立于西申，而支持携王余臣者则为虢国及戎等势力。结合出土文献及传世典籍所载，《竹书纪年》之记载更为接近史实。

二王并立直至平王十一年（前 760 年）晋文侯杀携王方告结束。《国语 · 郑语》曰："晋文侯于是乎定天子。"意谓此时周平王才定于一尊，于是由申北上，定都于洛邑。《国语 · 周语》："我周之东迁，晋、郑是依。"又《左传 · 隐公六年》周桓王亦云："我周之东迁，晋、郑焉依。"都强调晋国在东迁中的重要作用，当指晋文侯杀携王这一重大事件而言。东迁是东周初年的大事，不可能于一、两年间仓促完成，必有一较长之过程。以此来看《史记 · 周本纪》、《十二诸侯年表》所载东迁在平王元年的说法并不可靠（晁福林《论平王东迁》，《历史研究》1991 年第 6 期）。故以下相关事件的系年均以《竹书纪年》记载为参照。

卫武公和约八十三岁，以救乱有功，周平王锡命其任王室司马。《史记 · 卫康叔世家》："四十二年，犬戎杀周幽王，武公将兵往佐周平戎，甚有功，周平王命武公为公。""公"即"三公"之"公"。锡命礼又称"册命"，礼仪中由祝史之官"作册"作"命辞"，并在行礼时诵读。命辞或为散文，或为韵文，这是为特定典礼而进行的文章写作。

卫武公，名和，姬姓，以卫僖侯世子封卫之共邑，故亦称共伯和。据《史记 · 十二诸侯年表》卫武公卒于周平王十三年（前 758 年），《国语 · 楚语上》云："昔卫武公年数九十有五矣，犹箴儆于国，曰：'自卿以下至于师长士，苟在朝者，无谓我老耄而舍我，必恭恪于朝，朝夕以交戒我；闻一二之言，必诵志而纳之，以训导我。'在舆有旅贲之规，位宁有官师之典，倚几有诵训之谏，居寝有亵御之箴，临事有瞽史之导，宴居有师工之诵。史不失书，矇不失诵，以训御之，于是乎作《懿》戒以自儆也。及其没也，谓之睿圣武公。"卫武公年九十五，犹箴儆于国。以此上推，其生年约在公元前 853 年。平王元年（前 770 年）约八十三岁。

周大夫作《正月》，闵宗周之亡，忧二王并立。《正月》的作时，《毛序》以来多以为刺幽王。清人陈奂《诗毛氏传疏》以《郑语》所载史伯对郑桓公所说的周幽王必败于褒姒的一席话证实《正月》一诗中的"赫赫宗周，褒姒灭之"也是预言，从而确定《正月》一诗作于幽王败亡之前。其结论尚有可商之处。首先，幽王以褒姒为后必招后患，当时大臣有识者如史伯之流，必能预见。但《郑语》中史伯所说的一席话不仅预见了周幽王的结局，而且连细节也描述得很清楚，这就有些不大可能了。《国语》强调天命，重视占卜，有不少篇章预言吉凶祸福，无不应验。不排除《郑语》的整理者象《左传》作者一样借预言有意神化其人其事的可能。所以，陈氏据以立论的论据并不可靠；其次，诗本文明言"赫赫宗周，褒姒灭之。"从语气来看，应为述当时事实，并非预言。古今说《诗》者大都如此看。当然，陈氏及其他主幽王说的人之所以主张作于西周灭亡之前，主要是因为他们认定《正月》中所描写的四国交乱、谣言四起，周之臣民无所归依、无所适从的情景决不会产生在《史记》所述的平王初的政局已经安定的局面下。其实他们都误信《周本纪》之说，而未取《竹书纪年》之说，殊不知幽王末年"二王并立"的政治局面仍旧极度混乱。

幽王末世，天下大乱，大夫宗族无力挽狂澜于既倒，又自顾不暇，哪里还会作诗刺王？据常理当为乱亡后痛定思痛之作。《小雅》中凡《序》以为刺幽王的诗大多如

此。《正月》所述情形和“二王并立”的政治局面一致，当为平王初年二王并立的产物。朱熹《诗集传》以为刺幽王亡国诸诗均在亡国之后始作。从常理推测，这是比较合理的说法。

周大夫作《雨无正》之诗，伤悼宗周覆亡，人心离散。《雨无正》一诗的篇名之义比较特殊，历来解诗者多以为是比喻政治状况的混乱无序。《毛序》曰：“大夫刺幽王也，雨自上下者也，众多如雨而非所以为政也。”《笺》以为刺厉王之作。汉以后学者如孔颖达、何楷、戴震、陈启源、胡辰珙、魏源等多驳《笺》而从《序》，以此诗为大夫刺幽王之作。朱熹《诗集传》力排《序》说，以为“亦东迁后诗”。何楷《诗经世本古义》引申培《传》亦云“此诗为东迁之初大夫有不忠于王室者，暬御之臣闵之而作，《传》亦有王室播迁之语而中有阙文，其意亦同此。”以诗本文为依据，比较以上诸说，当以平王朝说为长。主要理由如下：

第一，此诗第二章说：“周宗既灭，靡所止戾”，《笺》云：“周宗，镐京也。”马瑞辰《毛诗传笺通释》以为“周宗”乃是“宗周”之误，王先谦《诗三家义集疏》亦有此说。《左传·昭公十六年》引此诗正作“宗周既灭”。

第二，诗中所写与周幽王末年开始的“二王并立”的政治状况相吻合。《雨无正》在点出“宗周既灭”后，便叙述大臣不知所措，“靡所止戾”的具体表现，即所谓“正大夫离居，莫知我勚。三事大夫，莫肯夙夜。邦君诸侯，莫肯朝夕。庶曰式臧，覆出为恶。”

第三，诗之末章云：“谓尔迁于王都，曰予未有室家。鼠思泣血，无言不疾。昔尔出居，谁从作尔室?”这是诗人以设问的形式表现了幽王死后镐京无主的政治局势和对周王室的希望。当二王并立时，平王一方主要是申、吕、许等姜姓国及依附申国的缯国和西夷犬戎，而拥戴携王的有虢、芮、虞、晋、鲁、卫等姬姓国和嬴姓秦国。后来由于周平王改变了对敌对国的态度，封秦襄公为诸侯并赐岐、丰之地，又与东方的姬姓国和解，使本来在骊山之难中“率兵救周”，护卫幽王的秦人转而支持自已，这就使二王并立的均势被打破，携王一方的力量被削弱。直到周平王十一年（前 760 年），携王为晋文侯所杀，二王并立的情况才结束。此前正大夫、三事大夫、邦君诸侯“靡所止戾”、心生怨恨，是完全可以理解的。

据以上几点来看，《雨无正》当作于幽王已死，宗周亡后，时当二王并立之初。姑系于此年。

周平王锡秦襄公命，且与秦襄公誓。锡命必有命辞，盟誓亦有誓辞。“命”、“誓”均为先秦时期重要的应用文体。见《史记·秦本纪》。王应麟《困学纪闻·〈史记〉正误》认为周平王封秦襄公，盖无奈之举，想借以拉拢秦襄公，同时还可以起到利用秦人牵制西戎的作用。《秦纪》有美化秦襄公的倾向，是可以想见的。周平王虽然“赐”给秦人以“岐以西之地”，让秦在这里建国，但在这一带几乎满布戎狄。在今陕西北部陕北高原，分布着“白狄”部落；陕西关中、甘肃、宁夏、内蒙及其以北的地区，有诸绵、翟、翼、大荔、乌氏、朐衍等戎狄部落。此外在关中东部还有西周留下来的梁、芮等小诸侯国。这些游牧部落长期以来就靠掠夺富庶的关中地区为生。所以周平王封秦襄公为“诸侯”的时侯，就说得很清楚：“戎无道，侵我丰岐之地，秦能逐戎，即有其地。”（《秦本纪》）秦被封为“诸侯”后，与戎狄的拉锯式的斗争就没有停止过。林剑鸣《秦史稿》甚至认为从秦襄八年（前 770 年）受封到襄公十二年（前 766 年）的四年中，秦襄公只是“伐戎而至岐”，周平王赐给秦的“丰岐之地”仍在戎狄控制之下。但无论如何，秦襄公受封为诸侯，提高了秦国的政治地位，也为日后秦国的进一步发展取得了合法的条件，所以对秦人来说是一件大事。

秦襄公始立为诸侯，秦人作《车邻》、《驷驖》之诗，以示颂美之意。《车邻》，《毛序》云“美秦仲也。秦仲始大，有车马礼乐侍御之好焉。”按诗之首章赋写秦君车马盛壮、侍御传令，有诸侯之仪仗；二、三两章借阪桑隰杨之好，道鼓瑟鼓簧之乐，逝者其亡之叹。故郑玄《笺》根据诗本文大意进一步发挥说此诗乃“君臣以闲暇燕饮相安乐也。”清代学者如陈奂、王先谦均从此说。然而《左传·襄公二十九年》服虔注曰：“秦仲始有车马礼乐之好，侍御之臣，戎车四牡田狩之事。其孙襄公列为侯伯，故有蒹葭苍苍之歌、《终南》之诗，追录先人。《车邻》、《驷驖》、《小戎》之歌，与诸夏同风，故曰夏声。”所谓“追录”即以《蒹葭》、《终南》之诗追述其祖秦仲始大之事迹，并非像魏源《诗古微》所说为追录秦仲之诗。明人何楷《诗经世本古义》云：“秦臣美襄公也，平王初命襄公为秦伯，其臣荣而乐之。《子贡传》云：‘襄公伐戎，初命为秦伯，国人荣之，赋《车邻》。’按《史记》……平王封襄公为诸侯，赐之周以西之地，玩此诗乃秦臣所作……《史记》秦仲立三年，周厉王无道，诸侯或叛之，西戎反王室，灭犬丘大骆之族，周宣王即位，乃以秦仲为大夫，诛西戎。刘公瑾云：‘秦仲但为大夫，未必得备寺人之官。此诗疑作于平王命襄公为侯之后。’其说与《子贡传》合矣。朱子亦心疑之，但泛指为秦君，不显其名；若申培说，则云襄公初封为诸侯，周大夫与燕美之而作。”何氏“国人荣之而美襄公”之说与诗本文相符合，所提出秦仲仅为大夫未必得备寺人之官的反证也是很有力的。综上所述，《车邻》当作于秦襄公立为诸侯之年。

与《车邻》相次的《驷驖》亦作于秦襄公始封时。《毛序》：“（《驷驖》）美襄公也。始命有田狩之事，园囿之乐焉。”《笺》：“始命，命为诸侯也，秦始附庸也。”三家无异义。姜炳璋《诗序广义》云：“下篇（《小戎》）以出兵时言，见强敌有必摧之势。此诗言平时讲武极其完备整暇，见在我为练习之师。……是《驷驖》正《小戎》之张本。《序》以园囿之乐与田狩并言，味甚旨矣。”从诗中所述来看，田猎园囿规模和威仪都已相当可观，这种情形应是秦襄公始命为诸侯时才有。《毛序》之说与诗本文所述相符。顾栋高《毛诗类释》云：“《驷驖》、《小戎》、《蒹葭》、《终南》，皆襄公时诗，此时居秦州。”陈子展《诗三百解题》、程俊英《诗经注析》均主此说。

秦大夫作《终南》，赞美秦襄公朝周王受赐朝服。《终南》，美秦襄公朝王受赐官服也。而《毛序》曰：“戒襄公也。能取周地，始为诸侯，受显服，大夫美之，故作是诗以戒劝之。”范处义《补传》云：“周地虽有王命，时尚为戎有。《序》云戒劝者，戒其无负天子之托而劝其必取也。”《国语·郑语》：“平王之末，秦取周土。”秦襄于平王元年受命取周土，故言戒劝，而实有周土已至秦文公末年。然而终秦襄公之世，秦与戎之争战未尝稍息，以至秦襄公于十二年伐戎至岐而卒。李黼平《毛诗紬义》云：“《驷驖·序》言始命，此《序》亦言始为诸侯……至是始受显服，《序》故以能取周

地表之。《小雅·采菽》云：又何予之？玄衮及黼。《大雅·韩奕》云：王锡韩侯，玄衮赤舄。僖公二十八年《左传》：晋文公献楚俘于王，赐之大路之车，戎辂之服。诸侯朝于天子有赐服之事。此诗言终南，言君子至止，襄公亦当朝京师，受服归国，大夫因而进而戒也。”诗言“君子至止，锦衣狐裘。颜如渥丹，其君也哉！”《传》：“狐裘，朝廷之服。”郑《笺》：“至止者，受命服于天子而来也。诸侯狐裘锦衣以裼之。”马瑞辰《毛诗传笺通释》以《礼记·玉藻》文进一步证实此说。诗中“颜如渥丹”而服朝服、威仪尊严者，正乃秦襄公也。诗言“黻衣绣裳。佩玉将将，寿考不忘！”者，则云“君子德足称服，故美之也。”（王先谦《诗三家义集疏》）由此可见，《终南》亦秦襄公始封之诗也，清儒或以此诗咏“终南”，秦襄时境未至此，而以为《终南》晚出。然终南西起秦陇，东至蓝田，绵亘至广，岐之东西皆有终南，不必定至岐东之地。胡辰珙《毛诗后笺》论此甚详。知其作于襄公始封后，故系于此年。

秦作西畤，以祠白帝。畤祭必歌舞以乐诸神，并陈辞以示诚信于神，祈求保佑。《史记·十二诸侯年表》：“平王元年，秦初立西畤，祠白帝。”畤是先秦诸侯祭祀天地的场所，也是一种文化制度。此制始作于秦人，至汉代不绝。祭神必以歌舞，所以这种活动中包含着初期形态的文艺创作。

桧人作《匪风》、《隰有苌楚》等诗，闵国之将亡。《桧风》四篇诗，至迟当作于桧灭国之前（如其诗作于桧亡之后，不得称之为“桧风”）。

郑玄《桧谱》以为：“周夷王、厉王之时，桧公不务政事，而好洁衣服，大夫去之，于是桧之变风始作。”郑玄主《桧风》作于夷、厉时说。《疏》从郑说，并进一步申述之。孔颖达申述郑说，只因《毛序》不言桧仲。其实《毛序》解桧诗亦未明言非刺桧仲。相反，桧诗所述情形与上文所引《韩非子·外储说》郑谋伐桧之事，《国语·郑语》史伯答郑桓之语多有相符之处：“桧仲恃险”，不思国难，卒为郑武所灭。桧之贤士“忧及祸难而思周道”而作诗，故诗中多有衰乱之相。于是，桧人或“叹其不如草木之无知而无忧”（朱熹《诗集传》言《隰有苌楚》），或咏“炎风卒起，车驰袍褐，弃古追亡，失其和节……”（《诗三家义集疏》引《易林》）。赵良澍《读诗经》卷四论《羔裘》云：“桧之诤臣见其国小政乱，而郑桓公父子方耽耽焉睨其旁，是以谏而去，去而思，以至忧伤哀悼而不能释。则《序》虽不言仲，而桧亡于仲，即此诗其征验矣。……吾读《小雅》‘踧踧周道，鞫为茂草’，太子傅所为刺幽王也。今《匪风》亦托辞于周道，而有‘睠言顾之，潸焉出涕’者……卒章曰：‘谁能西归，怀之好音’，则是周辙既东，而犹望诸侯协辅平王，以归复其境土。意者，《桧风》四篇，作于幽、平之间乎？”（赵良澍《读诗经》，《丛书集成》初编本）。方玉润《诗经原始》亦云：“愚读桧诗，实仲亡国事。”

综上所述，《桧风》，尤其是颇具衰世色彩之《匪风》、《隰有苌楚》，应为桧国将亡的产物。郑武公灭桧在平王二年（前 769 年），那么《匪风》、《隰有苌楚》当作于此前不久。姑系于平王元年。

公元前 768 年（周平王三年　鲁惠公弗湟元年　郑武公四年）

周平王锡命郑武公为周王室司徒。应有命辞。《今本竹书纪年》：“（三年）王锡司徒郑伯命。"《纲鉴易知录》卷三："癸酉，三年（前768年），以郑掘突为司徒。"掘突即郑武公。锡命必作命辞，并由祝史诵读于仪式之上。

周史官作《缁衣》之诗，美郑武公受王命为伯。此诗在今本《诗经·郑风》中。《毛序》："《缁衣》，美武公也。父子并为周司徒。"黄中松《诗疑辨证》云："《礼记·缁衣》：子曰：好贤如《缁衣》。《孔丛子》：孔子曰：于《缁衣》见好贤之至。今读其词，欢爱之意，笃厚之情殷勤缱绻，有加无已，不啻家人父子之相亲者，好贤若此，宜夫子屡称之也。"是说此诗述欢爱之意，表好贤之情。黄氏又云："窃意经文六予字自是周人在予。周人与武公有同朝之谊，无尊卑之分，故曰予曰子，为平等之称。若郑人爱其君，岂可斥之为子？郑人献于公，敢自号曰予乎？此诗虽为周人所作，而主美郑君，郑人荣之，传流本国，采诗者得之于郑地，遂以之冠《郑风》也。此诗武公为司徒，善于其职，周人善之而作者，是已。"黄以诗之六"予"为周人，"子"指郑武，说极是，然细察诗意，此授衣于郑武之"周人"待郑武公"不啻家人父子之相亲者，"并非周之同朝之臣，而当为周平王。何楷《诗经世本古义》引徐学谟之说云："适馆授粲，岂是民之得施于上者？"诗中改衣授粲当为周平王隆礼重贤之举。俞樾《群经平议》以礼证此诗云：篇中言予者，皆设为周天子之辞……《仪礼·觐礼》"天子赐侯氏以车服"，此即所谓敝予又改为也。其云适子之馆者，《觐礼》"天子赐舍"是也。其云还予授子之粲者，《觐礼》"享礼乃归"是也。武公以诸侯入为卿士，故用诸侯之礼，诗人纪其实耳。王先谦《诗三家义集疏》释"予"字正与俞说同。由此可见，因郑武贤能，又为周之宗室，平王命其为司徒，行赐命礼，当时史官作此诗以美其事也。此于郑人甚为荣耀，故采而录之，列于《郑风》之首。

公元前767年（周平王四年　鲁惠公二年　秦襄公十一年）

秦人作《小戎》，咏秦襄伐戎之事。《小戎》咏秦襄公伐戎之事，并言及秦之民俗民风。《序》云："《小戎》，美襄公也。备其兵甲以讨西戎，西戎方强而征伐不休，国人则矜其车甲，妇人能闵其君子焉。"郑《笺》云："国人夸大其车甲之盛，有乐之义也。妇人闵其君子，恩义之至也。作者叙外内之志，所以美君政教之功。"是诗为美襄公能率民伐戎，激发民之锐气。姜炳璋《诗序广义》亦曰：秦自庄襄以来，历世不隳其志……襄公奄有镐京，通大国，其子文公尽有丰岐之地，至德公徙于雍，德公之子宣公、成公让国以及穆公，遂霸西戎。其始盛，则由襄公也。盖攘外所以安内，非威武无以为功。"《车邻》诸诗皆从上层人物之表现而美襄公，此诗则借妇人之口与其感受称赞之。

诗作于襄公之时，于诗本文亦有征。首章言"在其板屋，乱我心曲"。《汉书·地理志》：天水陇西，山多林木，民以板为室屋。故《秦诗》曰："在其板屋"。颜《注》曰："言襄公出征，则妇人居板屋之中而念其君子。"诗言所居之板屋，为西陲特有，乃秦人于襄公封侯前、未迁居之习俗也。其次，《小戎》每章皆以"言念君子"与"乱我心曲"、"胡然我念之"等语对举，似为妇人口吻。然诗中极状战车装备之精良、战马之雄健有力、兵甲之锐利坚固，则其强毅果敢之民风，非襄公时莫属。崔述《读风偶识》云："兵凶战危，人情多惮而不肯前。独秦俗乐于战斗，视若日用寻常之事。

《小戎》，妇人诗也，而矜言其甲兵之盛，若津津有味者，则男子可知矣。"（《读风偶识》，《丛书集成初编》本，中华书局1985年版）陈启源《毛诗稽古编》亦说"襄公以义兴师，民心乐战，故子孙得收其成功耳。《小戎》一诗实秦兴盛之本"。襄公之前秦人常受西戎侵扰，故民心乐战。诗咏此事。

从襄公七年至十二年伐戎至岐而卒之六年间都是伐戎之时，《小戎》当作于此期间。诗中并无襄公卒于岐之痕迹，姑依其下限，系于襄公卒于岐之前一年。

公元前765年（周平王六年　鲁惠公四年　秦文公元年　宋武公元年　郑武公六年）

秦文公元年，居西垂宫。其地民风强悍，轻生乐死，故秦诗有矫厉猛起之气。据《秦本纪》。王国维《秦都邑考》云"犬丘西垂本一地"，"西垂"即"西犬丘"（《观堂集林》，中华书局1959年版，第529页）。钱穆《史记地名考》卷八云："汉上邽县在今甘肃天水县西南……西垂即又西山。而后人皆以陇西县说之，大误。"是以西垂为泛指西方边陲。此处之"西垂宫"当指襄公所迁之汧邑。在今陕西境内。

郑武公东迁，至溱、洧流域。其地土狭而险，其人山居谷汲，男女亟聚会，恂讦且乐，故有《郑风》之情歌。《国语》载幽王末年，郑桓公见周之衰，恐幽王败，因问周太史伯何所逃难，史伯告以迁新郑之谋。桓公卒，其子郑武公从史伯之言以东迁郑。郑玄《诗谱》："幽王为犬戎所杀，桓公死之，其子武公……卒取史伯所云十邑之地，左洛右济，前华后河，食溱、洧焉。"顾栋高《春秋大事表·春秋列国都邑表》卷七之二曰："初周宣王封其弟友于郑，居咸林，为今陕西同州府之华州（按即今陕西华山市西）。幽王时桓公寄帑于虢、桧。子武公与平王东迁，卒定其地，号曰新郑，以别于初封之郑，故城在今县治西北。"据《郑语》、《汉书·地理志》颜注"二年灭桧，四年灭虢"，郑武东迁当在平王四年之后。《今本竹书纪年》曰："平王六年，郑迁于溱、洧。"其说可从。

公元前763年（周平王八年　鲁惠公六年　秦文公三年）

秦文公将兵东猎，作《石鼓文》以纪其事。《石鼓文》文句古奥典雅似《诗经》之雅颂，表现出秦人对周文化的继承。《史记·秦本纪》："三年，文公以兵七百人东猎。"《石鼓文》即记此事。其文以四言句为主，通篇押韵，故又称石鼓诗。鼓十枚，刻铭十篇（首），这同《诗经》中的《小雅》、《大雅》以十首为"一什"的情形相同。郭沫若言其"遣辞用韵，情调风格都和《诗经》中先后时代的诗相吻合……从文学史的观点来看，石鼓诗不仅直接提供了一部分古代文学作品的宝贵资料，而且更重要的贡献是保证了民族古典文学的一部极丰富的宝藏《诗经》的真实性"（《石鼓文研究》，科学出版社1982年版，第16—17页）。《石鼓文》文本经历代学者考释，除残泐无法确考之字外，文句大体可解。诸本中以郭沫若《石鼓文研究》考定本为佳。

关于《石鼓文》之作时，近人马衡《石鼓文为秦刻石考》论定为秦代。但其具体年代历来有不同看法，计有秦襄公、秦文公、秦穆公等说。考以史实，当以秦文公说为是。清末震钧《石鼓文集注》云："考《史记·秦本纪》文公三年以兵七百人东猎，四年至汧、渭之会，此即所云‘汧繄洎洎’是也。又曰昔周邑我先秦嬴于此，后卒获为诸侯。乃卜居之，占曰吉，即营邑之。此即所云‘吾道既平，嘉树则里’，皆言营邑之事也。‘日惟丙申’者所卜得之日也。第一鼓（《车工》）皆言猎事，则七百人东事有据矣。而且第一鼓中天子与公杂见，岂有宣王猎碣既称天子复称公之理；则天子，周王也，公，秦文也。”罗振玉及日人中村不折亦从此说。

陈直《史记新证》也认为：“石鼓文第五鼓第四行有‘游汧繄洎洎’等字，当即记文公东猎汧渭事。石鼓文自郑樵疑为秦刻，近人更发挥其说，确不可易。但在秦某公时所刻，尚未定论，比较以文公时为适合。”（陈直《史记新证》，天津人民出版社1979年版，第11页）郭沫若则据《元和郡县志》天兴县出石鼓之记载，认定石鼓出土地点在三畤原，力主石鼓文属立西畤之秦襄公时说。《石鼓文研究 · 石鼓之年代》曰：“石鼓既在三畤原上，则与三畤之一建立必有攸关。揆其用意实犹后世神祠佛阁之建立碑碣也。三畤之作，据《史记 · 十二诸侯年表》，西畤作于襄公八年，当周平王元年；鄜畤作于文公十年，当平王十五年；又据《六国表》，吴阳上畤作于灵公三年，当威烈王四年。”其《古代铭刻汇考 · 序》亦云：“阅《秦风》、《诗序》，言‘《驷驖》美襄公也。始命，有田狩之事、园囿之乐焉。则是与石鼓诗乃同时之作。”然历来于三畤本有异说，《太平寰宇记》“天兴县”条下云“三畤原”与襄公无涉。此从文公说，系于本年。

公元前762年（周平王九年　鲁惠公七年　秦文公四年）

秦文公东迁至汧、渭之会，占卜居所得吉兆，因而营邑于斯。占卜仪式与文学创作关系密切。《史记 · 秦本纪》：“四年至汧、渭之会，曰：‘昔周邑我先秦嬴于此，后卒获为诸侯。’乃卜居之，占曰吉，即营邑之。”古有卜居之俗，《绵》诗所以言“爰契我龟，曰时曰止，筑室于兹”。其流所及，楚辞之有《卜居》，以“卜己宜何所居”（《昭明文选 · 卜居》六臣注述王逸引《序》）立意，表现“卜己在世何所宜行，冀闻异策，以定嫌疑”（王逸《楚辞章句》，宋洪兴祖《楚辞补注》引）之意。按汧、渭之会，或以为即今陕西郿县东北，或以为在今陕西宝鸡县境内。

公元前760年（周平王十一年　鲁惠公九年　晋文侯二十一年）

晋文侯杀携王余臣，周二王并立至此结束。这一事件对春秋文学有很大的影响。《竹书纪年》载：“二十一年，携王为晋文侯所杀。”王国维《古本竹书纪年辑校》云：所以前引“二十一年，携王为晋文公所杀”指晋文侯二十一年。

携王被杀后，二王并立的局面结束，随后，平王东迁洛邑，周朝政局逐步趋于稳定，礼乐制度的重修与转型，使仪式乐歌的展演趋于兴盛，而其创作则日趋衰落。同时，这一事件导致天子倚垂诸侯、诸侯力政，使文学创作在内容上更多地指向洛阳以外的邦国，地域性的政治事件、风俗等成为文学关注的焦点。应用文体中外交辞令、讽谏语大量涌现代替誓、命、训、诰成为春秋一代文学的特征。

周平王东迁洛邑。伊洛为天下之中，有夏之居，平夷洞达，万方辐辏，据有地理、文化之中心地位。武王克商，在洛阳营建成周；平王为避乱而迁此，终春秋战国，及周秦以后，乃至汉魏唐宋，伊洛地区文化、文学都很繁盛，和其他地区相比，具有先导性。

《史记·周本纪》、《秦本纪》以为周平王东迁洛邑在平王元年，有误。《左传·昭公二十六年》载王子朝与周敬王争夺王位，他遍告诸侯之文辞中曰：“至于幽王，天不吊周，王昏不若，用愆厥位。携王奸命，诸侯替之，而建王嗣，用迁郏鄏。”由此可见，平王迁洛邑在携王被废替以后。《国语·郑语》亦云：“及平王之末，而秦、晋、齐、楚代兴，秦景（庄）、襄于是乎取周土，晋文侯于是乎定天子。”韦注：“定，谓迎平王，定之于洛邑。”此事发生在平王之末，据前引《古本纪年》晋文侯二十一年（前760年）杀携王，则平王东迁洛邑亦当在此年。另外，以常理而言，东迁乃大事，且西都丰镐又为周人世代基业，平王势必不能轻易放弃而东迁洛邑。其中必有不得已之理由，及较长的过程。清人朱鹤龄《尚书埤传》云：“幽王既陨，携王僭位，诸侯乃共举兵绌之，而迎立故太子宜臼。其迁洛未定何时，大抵自犬戎发难至平王东迁，必非止一两年间事。”据此定东迁为平王十一年，于史乘载记，于情理，均较为妥当。今人晁福林《论平王东迁》一文对此说重加证实，其说可从。至于平王东迁之原因，《史记·周本纪》以来计有避戎说、避秦说、投戎说等，然结合东周初年之政局而言，平王东迁之举必是多方审时度势之结果，其原因必非某一单独方面。魏源《诗古微·豳王答问》云：“方平王之初立也，外迫戎、翟之祸，而岐、丰既非所有；内畏携王之逼，而西畿亦不敢居。故始立仅依于申，继遂东迁于洛……”当时丰镐残破，西戎、秦国之势方盛，加之洛邑居天下之中，八方辐辏，“疆域……有虢国桃林之隘，以呼吸西京；有申、吕、南阳之地，以控南服。又名山大泽不以封，虎牢、崤、函俱在王略。襟山带河，晋、郑夹辅，光武创业之规模不是过也。”（顾栋高《春秋大事表·春秋列国疆域表》），平王东迁洛邑在是时形势来讲，实由多种因素造成。

周平王锡晋文侯命，周作册史官作《文侯之命》。《书序》：“平王锡晋文侯秬鬯、圭瓒，作《文侯之命》。”郑玄《尚书注》、伪《孔传》、孔颖达《正义》从之。然《史记·周本纪》、《晋世家》及《新序·善谋篇》以之为周襄王锡命晋文公而作，其说误。司马贞《史记索隐》云：“《尚书·文侯之命》是平王命晋文侯之语，今此乃襄王命文公重耳，代数悬隔，学者合讨论之。刘伯庄以为天子命晋同此一词，尤非也。”《后汉书·丁鸿传》李贤注亦云：“平王东迁洛邑，晋文侯仇辅佐之功，平王赐以车马弓矢而策命之，因以名篇。”宋林之奇《尚书全解》卷四十亦曰：“盖当是时，犬戎方乱，王室如缀旒，而文侯于周有再造之功。故平王于其将归国也，锡之秬鬯、圭瓒以报其厚德焉……此锡文侯秬鬯、圭瓒，盖亦命之为侯伯也。司马子长不之察，徒见文公亦有是赐，遂以此篇为襄王赐命文公之言，盖未尝深考左氏而妄为之说也。”是《文侯之命》为周平王锡命晋文侯行锡命礼所作命辞。清人朱鹤龄所论更为详尽，其《尚书埤传》卷十五指出东迁、杀携王、锡命晋侯等历史事件与《文侯之命》的具体内容的内在联系，其说可从。他认为“自犬戎发难至平王东迁，必非止一两年间事”，更是卓见。

周人作《采菽》以美平王能锡命晋文侯。《采菽》，《毛序》以为“刺幽王侮慢诸侯，诸侯来朝不能锡命以礼数，徵会之而无信义。君子见微而思古焉。”郑《笺》申

《序》曰："幽王徵会诸侯，为合义兵征讨有罪，既往而无之，是于义事不信也。君子见其如此，知其后必见攻伐，将无救也。"是以此诗为幽王烽火戏诸侯而作。然据史家所考，烽火报警之法，至汉始有，则此事颇有传说之性质，实不可信。况且诗文中无一语及戏诸侯而无信之事，全诗亦无刺意。则此诗不应出于乱世可知。诗首章写锡命之礼，"君子来朝，何锡予之？虽无予之，路车乘马。又何予之？玄衮及黼。"锡诸侯以车马、衮黼犹言"无予之"，尚以为所赐为薄，是借此以表示天子对受赐诸侯之款诚之意也。《白虎通・考黜篇》云："九锡，皆随其德可行而锡，能安民者赐车马，能富民者锡衣服，以表其德。"《鲁诗》据此以为此诗叙锡命之礼，其说有据。此诗述锡命所赐合乎礼数，并无不妥。又其余各章写受锡之诸侯"赤芾在股，邪幅在下"，盛装俨然，仪表非凡，并且礼恭辞顺，神人共佑，因此诗人为其祝福。陈乔枞云："韦昭《晋语注》以此诗为王赐诸侯命服之乐，与《白虎通》说合。"

以"乐只君子，殿天子之邦。乐只君子，万福攸同。平平左右，亦是率从"之语观之，这位"天子命之"的君子是在危难之际率诸侯扶持王室的忠臣。有此勋劳而受锡命者，在两周之际惟有晋文侯一人而已。《国语・郑语》云："及平王之末，而秦、晋、齐、楚代兴，秦景（庄）、襄于是乎取周土，晋文侯于是乎定天子。"韦注："定，谓迎平王，定之于洛邑。""定"即安也。《郑语》所述也与前引《白虎通》"能安民者赐车马"之说相合。则此诗当为平王锡命晋文侯而作，故系于此年。

西都旧臣作《都人士》，闵宗国之乱，而思复国。《都人士》，《诗集传》认为"离乱之后，人不复见昔日都邑之盛，人物仪容之美，而作此诗以叹息之也"。魏源《诗古微・诗序集义》亦云"《都人士》，平王东迁，周人思西都之盛也"。二家之说较四家诗之刺诗说为优，此诗作于宗周覆灭以后的混乱局面下，诗人的意思不过怀念旧时西都的盛况。今人陈子展在前人研究的基础上指出："《都人士》是东周人士回忆西都人物仪容之美，不胜今昔盛衰之感而作。"又说"此属于乱世之音，亡国之音一类作品。《序》止'伤今不复见古人'一句已道破诗旨。此西周旧人物幻想复辟之悲哀，实为没落阶级之悲哀，决非止'周人刺衣服无常'也"，这是比较通达的说法。

今按诗中之"都人士"为"万民所望"，又其"狐裘黄黄"，明指天子。蔡邕《述行赋》："咏都人以思归。"是诗人思天子复辟西都。诗又云："彼君子女，谓之尹吉。"此尹吉当从《笺》说指"周氏婚姻之旧姓"。这句是说诗人希望婚姻旧姓之国能助周光复祖业。"我不见兮，我心菀结"也是这个意思。作者心怀周室，忧国忧民，当为宗周旧臣。

周人作《绵蛮》，咏东迁途中所见所感。《绵蛮》一诗今在《诗・小雅》中。此诗主题，《毛序》以为"微臣刺乱也"。王质《诗总闻》云："重臣出行，而下士冗役告劳也。"则此诗言征行之事可知。魏源《诗古微・诗序集义》曰："彼《都人士》，平王东迁，周人思西都之盛也。自此以下八诗（《都人士》、《采绿》、《隰桑》、《绵蛮》、《渐渐之石》、《苕之华》、《何草不黄》），虽作于王朝大夫，而纯乎风体，置之《王风》，不复可辨。视西周厉、幽之世，升降又不可同日语矣。旧以为刺幽王者误……《绵蛮》，微臣刺乱也，大臣不用仁心，遗忘微贱也。"魏氏以此诗作于平王朝。顾镇《虞东学诗》卷十曰："本诗言'道之云远'，又言'岂敢惮行'，则有征行之事可知。

言后车载之，诗人自是登仕板者，非徒役庶人可知。而车直言‘后’，则为臣之微者可知。”

由诗本文来看，此诗并无讽刺之意，故朱熹《诗序辨说》曰：“此诗未有刺大臣之意。”诗云“道之云远，我劳如何?”“岂敢惮行，畏不能趋。”“岂敢惮行，畏不能极。”诗中所写似是一次意义重大事关存亡的迁行，而非一般的征行。孔颖达《正义》卷十五认为诗中“载彼后车”之“后车”即倅车。《周礼·夏官·戎仆》：“掌倅车之政。”《道仆》：“掌贰车之政。”《田仆》：“掌佐车之政。”是朝祀之副曰贰，兵戎之副曰倅，田猎之副曰佐。此是聘问之事，宜与朝祀同名，当言贰车。言倅者，《周礼》以相对而异名，其实贰、倅皆副也，散则义通，故以倅言之。可知此诗所述为天子征行之事，以平王朝而言，如此重大之征行，莫过于东迁洛邑，则此诗盖即东迁途中所作。黄震《黄氏日钞》云：“役人奔走道路，见黄鸟得其所止而感叹焉。”由此亦可见《绵蛮》所述为东迁途中的所见所感。

公元前759年（周平王十二年　鲁惠公十年）

周西都畿内之人作《野有死麕》，咏婚姻之事。《野有死麕》，今在《诗·召南》之中。诗咏婚姻之事，《诗序》以为“恶无礼”。据王先谦《诗三家义集疏》所考，今文家以为此诗为东迁后西都畿内人刺男女婚姻失节而作。《韩诗》曰：“平王东迁，诸侯侮法，男女失冠昏之节，《野麕》之刺兴焉。”按《旧唐书·礼仪志》云：“平王东迁，诸侯侮法，男女失冠昏之节，《野麕》之刺兴焉。”《旧唐书》作者刘昫是唐末人，所用为《韩诗》义。魏源《诗古微》云：“《昏礼》束帛俪皮以为聘币。今以死麕不中礼之皮，而加以茅束苟简之赠，郑子皙之强委禽乎？春女悲，秋士怨，感其物化也。相感而动流荡之思，则末俗失昏冠之节矣……三家诗以《甘棠》、《野有死麕》、《何彼秾矣》皆东周之诗。而二《南》乐章各十一篇，篇相配应，独此三章多出十一章之外，与《周南》不相配应，又不入于《王风》，则知皆东周时所采西都畿内之风也。”魏氏又云：“此东周时所采西都畿内之风也。周初雒邑与宗周通，为邦畿千里。平王东迁后，秦文公破戎，收地至岐，岐以东献之周。及惠王，尚与虢公以酒泉。是西畿地东迁百余年尚为周有。虞、芮、西虢亦错处西畿之内，未为秦晋所并。故《甘棠》思召伯，《何秾》美王姬，皆陕以西畿内之风。《野有死麕》亦犹此例，其诗既不采于东都王臣，使不附于《召南》，陕以西之风将何所属?”王先谦《诗三家义集疏》曰：“愚按，魏氏采风之说，确不可易，参以下章‘平王之孙’，时代吻合，此诗为东迁后西都畿内之人所作无疑。虽时当衰乱，犹知见不善而恶之，斯周初礼数之遗、圣主贤臣之化，人人为至深矣。

综合以上古今文家诗说，于诗的主题本无太大分歧，惟古文家以诗作于周初，实不可信，今从今文家东周初年之说系于此。

公元前758年（周平王十三年　鲁惠公十一年　卫武公五十六年）

卫武公约九十五岁，作《抑》以箴儆于国。《国语·楚语》载左史倚相对申公子亹曰：“昔卫武公年数九十有五矣，犹箴儆于国，曰：‘自卿以下至于师长士，苟在朝者，无谓我老耄而舍我，必恭恪于朝，朝夕以交戒我；闻一二之言，必诵志而纳之，以训导我。’在舆有旅贲之规，位宁有官师之典，倚几有诵训之谏，居寝有亵御之箴，临事有瞽史之导，宴居有师工之诵。史不失书，矇不失诵，以训御之，于是乎作《懿》戒以自儆也。及其没也，谓之睿圣武公。”韦注曰：“《懿》，《诗·大雅·抑》之篇也。”此为《齐诗》说。《韩说》以为“卫武公刺王室，亦以自戒。计年九十有五，犹使人日诵是诗而不离于其侧”。《申论·虚道篇》：“昔卫武公年过九十，犹夙夜不怠，思闻训道，命其群臣曰：‘无谓我老耄而舍我，必朝夕交戒。’又作《抑》诗以自儆也。卫人思其德，为赋《淇奥》，且曰睿圣。”此《鲁诗》说。王先谦《诗三家义集疏》曰“抑”与“懿”盖取声近字为训。魏源《诗古微》云：“盖武公以方伯入为三公，睿圣元勋方欲修其车马弓矢戎兵以复镐京之旧。而平王为勤于文侯之命，申甫之戍，自是武公不竟其志，而西周不可复，东周不可为矣。《诗》于《小雅》录《宾筵》，于《大雅》殿《抑》，以见为东西周之大关系焉。《孔疏》谓其文刺前朝，意在当代；吾则以为文儆自躬，意存王室。《韩诗》以自儆为主，而不庆王室之刺，亦不系何王之世，诚善备《国语》之义者也。以王朝卿士则其诗宜为《雅》，以诸侯所自作则不与民《风》俱陈，岂必刺厉王而后为《雅》乎？九十自儆，在幽没三十年之后，岂非大小变《雅》皆终于平王末年，为《诗》亡然后《春秋》作之征乎？”魏氏以为《抑》篇作于卫武公为平王卿士之时，已届晚年，托为自儆以刺平王。今据之系于此年。

卫人作《淇奥》以赞美卫武公。《淇奥》，今在《诗·卫风》之中。关于其主题及作时，王先谦《诗三家义集疏》曰：“《毛序》：‘美武公之德也。有文章，又能听其规谏，以礼自防，故能入相于周，美而作是诗也。’《左·昭二年传》‘北宫文子赋《淇奥》’，杜注：‘《淇奥》，《诗·卫风》，美武公也。’据诗‘终不可谖兮’及‘猗重较兮’，是公入为卿士时国人思慕而作。徐干《中论·修本篇》：‘卫武公年过九十，犹夙夜不怠，思闻训道。卫人诵其德，为赋《淇奥》。’徐用《鲁诗》，明《鲁》与《毛》同。《齐》无异义。”王氏以此诗为卫人颂武公思闻训道之德而作，诗云“有匪君子，如切如磋，如琢如磨。瑟兮僩兮，赫兮咺兮”。又云“有匪君子，充耳琇莹，会弁如星。瑟兮僩兮，赫兮咺兮。有匪君子，终不可谖兮”。与此相合。《左传·襄公二十九年》季札适鲁观乐，总评卫诗曰：“美哉渊乎！吾闻卫康叔、卫武公之德如是，是其卫风乎？”吴公子季札以博学著称，他说《卫风》体现了康叔和卫武公之德，亦可作为《淇奥》美卫武公的一个有力的旁证。

又据三家诗，此诗中说到卿士所乘坐的“重较”之车，所以应是作于卫武公入为王卿士之时，《史记·卫世家》：“武公四十二年，犬戎杀幽王，武公将兵佐周平戎，甚有功，平王命武公为公。”武公入为卿士在平王初。上引徐干《中论》云作《淇奥》时武公已“年过九十”，则此诗当作于武公九十岁至九十五岁之间。姑从下限系于此年。

卫武公和卒，享年约九十五岁。《国语·楚语》载左史倚相曰：“昔卫武公年数九十有五矣，犹箴敬于国。”《史记·卫世家》：“武公五十五年卒。”《十二诸侯年表》：“卫武公尽平王十三年。”周平王十三年当公元前758年，则武公卒于此年，其享年约九十五。以此上推，其生年约在公元前853年。梁玉绳《人表考》云：“卫武公始见

《诗·淇奥、宾筵、抑序》、《左襄廿九》、《楚语上》。釐侯子，始见《卫世家》，名和。周平王命为公，故亦曰卫武侯，亦曰卫武。年九十五犹箴儆于国，其没，谓之睿圣武公。在位五十五年。案：武公当列中人以上，而降居中下，盖惑于《史记》杀兄篡国之说也。”

公元前756年（周平王十五年　鲁惠公十三年　秦文公十年）

秦文公听从史敦之言，作鄜畤，以祭白帝。祭祀必有歌舞，如汉代《郊祀歌》之类，即是郊祭之乐歌。《史记·秦本纪》：“初为鄜畤，用三牢。”《索隐》：“音敷，亦县名。于鄜地作畤，故曰鄜畤。故《封禅书》曰‘秦文公梦黄蛇自天下属地，其口止于鄜衍’，史敦以为神，故立畤也。”史敦，史为其职，敦即其名。

公元前753年（周平王十八年　鲁惠公十六年　秦文公十三年　卫庄公五年）

秦人初有史，以记秦事。《史记·秦本纪》：“（秦文公）十三年，初有史以纪事，民多化者。”历史意识是种族认同的文化基础，中原各国早有史官记事。秦人至此始设以记事，一方面表明秦受中原文化的影响日深，另一方面也表明秦的民族意识的增强。

卫庄公娶齐庄公女庄姜为夫人，卫人为之作《硕人》之诗。《左传·隐公三年》云：“卫庄公娶于齐东宫得臣之妹，曰庄姜，美而无子，卫人所为赋《硕人》也。”《史记·卫世家》：“庄公五年，娶齐女为夫人，好而无子。”此齐女当即庄姜；东宫得臣是齐庄公之子，时为东宫太子。

《毛序》曰：“《硕人》，闵庄姜也。”刘向《列女传·母仪篇·齐女傅母》认为庄姜之傅母因其“操行衰惰，有冶容之行，淫佚之心”，作此诗以晓喻劝戒（《古列女传》，丛书集成初编本），此《鲁诗》之说。王先谦《诗三家义集疏》驳之云：“诗但言庄姜族戚之贵，容仪之美，车服之备，媵从之盛，其为初嫁时甚明。”按诗本文无“闵”或“刺”之义。首章“硕人其颀，衣锦褧衣”，《毛传》曰：“夫人德盛而尊，嫁则锦衣加褧襜。”《笺》云：“硕，大也。言庄姜仪表长丽俊好颀颀然。褧，禅也。国君夫人衣翟而嫁，今衣锦者，在途之所服也。”是此章叙庄姜初嫁卫国之情形。又诗之三章言“硕人敖敖，说于农郊。四牡有骄，朱幩镳镳。翟茀以朝。大夫夙退，无使君劳”。《笺》曰：“庄姜始来时，卫诸大夫朝夕者皆早退，无使君之劳倦者，以君夫人新为妃耦，宜亲亲之故也。”孔颖达《正义》曰：“言有大德之人，敖敖然其形貌长美，其初来嫁，则说舍于卫之近郊，而整其车饰，则乘四牡之马，骄骄然壮健，以朱饰其镳，则镳镳然而盛美。又以翟羽为车之蔽。其车马之饰如此，乃乘之以入君之朝。既入朝，而诸大夫听朝者皆为早退，以君与夫人新为妃耦，宜相亲幸，无使君劳倦。”《传》、《笺》与《正义》均言此诗是赞美庄姜新婚之诗，与《序》义不同。

何楷《诗经世本古义》亦云：“诗作于庄姜始至之时，初无闵，《左传》所云‘卫人为之赋《硕人》’者，但谓《硕人》之诗为庄姜咏耳，非谓以庄姜无子之故然后赋此诗也。不善读古书者以辞害义，弊率此类。”崔述《读风偶识》亦曰：“且玩诗词，乃其初至时作。”魏源《诗古微》：“作于始嫁之时，非不答无子之后。”姚际恒《诗经通论》说同。今人陆侃如、冯沅君《中国诗史》（人民文学出版社 1956 年版，第 56 页），程俊英、蒋见元《诗经注析》（中华书局 1991 年版）均从之。今据之系于此年。

公元前 750 年（周平王二十一年　鲁惠公十九年　秦文公十六年）

秦文公大败戎师于岐，遂收周之余民，地至岐。秦不但占有西周故地，亦继承了西周文化传统，在文学创作上也受其影响，如《秦誓》之袭周誓命之制，《石鼓文》之有意模仿雅颂即是。

《秦本纪》云："（秦文公）十六年，文公以兵伐戎，戎败走。于是文公遂收周余民有之，地至岐，岐以东献之周。"

秦人作《无衣》，美秦文公。《诗序》云："《无衣》，刺用兵也。秦人刺其君，好攻占，亟用兵，而不与民同欲焉。"《鲁诗》则以此诗为美秦文公。《汉书·地理志》云："安定、北地、上郡、西河，皆迫近于戎狄，修习战备，高上气力，以射猎为先。故秦诗曰：'王于兴师，修我甲兵，与子偕行。'"又《汉书·赵充国辛庆忌传赞》："山西天水、陇西、安定、北地处势迫近羌胡，民俗修习战备，高尚勇力鞍马骑射。故秦诗曰：'王于兴师，修我甲兵，与子偕行。'其风声气俗自古而然。今之歌谣慷慨，风流犹存耳。"魏源《诗古微·秦风答问》申明《鲁诗》说曰："及《车邻》、《驷驖》、《小戎》之篇，皆言车马田狩之事。此《鲁诗》以《无衣》与《驷驖》、《小戎》，皆秦先世美诗之证……考《秦风》自《终南》以前，皆襄公前世之诗，而后此力战戎、收复岐东之地，献诸周室者，功莫盛于文公，不应反无一诗。则《无衣》殆劝于平王赐岐之命，踊跃用兵，同仇赴敌，而康公时追录先世之诗，故编于康公诗内，如《驷驖》、《小戎》追录于襄公之世，而《毛序》并以为美襄公。"魏氏《诗序集义》又曰："《无衣》，美用兵勤王也。秦地迫近西戎，修习战备，高上气力，故《秦风》有《车邻》、《驷驖》、《小戎》之篇，及'王于兴师，修我甲兵，与子偕行'之事。"

考察诗本文，是秦人美其君而非刺其君好战。诗曰："岂曰无衣？与子同袍。"又"与子同泽"，"与子同裳"。既是"同袍"、"同泽"、"同裳"，自然不为"无衣"。故《毛传》云："与百姓同欲，则百姓乐致其死。"显然，《序》、《笺》之说不合诗之本义。其次，诗言"王于兴师"，《毛传》："天下有道，则礼乐征伐自天子出。"郑《笺》云："君不与我同欲而于王兴师。"则诗中之"王"为周王。诗又云："王于兴师，修我戈矛，与子同仇。"《毛传》："仇，匹也。"郑《笺》："怨耦曰仇。君不与我同欲而于王兴师，则云'王于兴师，修我戈矛，与子同仇。'往伐之，刺其好战。"《笺》说诗刺好战无据。按"仇"，《韩诗》作"雠"。王先谦《诗三家义集疏》云："西戎杀幽王，于是周室诸侯为不共戴天之雠，秦民敌王所忾，故曰同雠也。"王说是。据此，则《无衣》为赞美秦文公破戎之事而作。

郑《笺》、孔《疏》以为作于康公时。其说以刺诗说为立足点，然诗非刺诗，上文已辨之。另外，诗言"王于兴师"，秦康公时当周襄王时，此时周室已无力命诸侯行征伐之事，故康公说不可信。王夫之则主秦哀公说。比较而言，以美秦文公说较为合理。故应系于此年。

公元前747年（周平王二十四年 鲁惠公二十二年）

宗周宫室坏，周大夫作《黍离》以伤之。《王风·黍离》为周大夫凭吊宗周宫室败坏而作。《序》云："《黍离》，闵宗周也。周大夫行役至于宗周，过故宗庙宫室，尽为禾黍。闵周室之颠覆，彷徨不忍离去而作是诗也。"郑《笺》、孔《疏》、朱熹《诗集传》皆从其说。顾镇《虞东学诗》云："按《史记》：'平王赐襄公岐以西之地，曰：戎侵夺我岐丰，秦能逐戎，即有其地。'是秦封在岐以西。丰镐在岐东，为戎所据，非秦有也。终襄公之世不能克戎，至文公十六年逐戎，始得至岐，岐以东仍献之周。是丰岐故都仍隶周境，秦不得过而问焉。特为戎残破，平王视同敝帚，不复加葺，铜驼荆棘固所不免耳。史言殷墟城坏生麦，则周墟黍稷，理亦有之。"胡辰珙《后笺》亦云："《史记》秦献地于周，在平王东迁后二十一年，当犬戎蹂躏之后。至此，而周始得有其地。大夫行役，因以过故都。《笺》云：'宗庙宫室毁坏，而其地尽为禾黍。'此事之必然者。"方玉润《诗经原始》申述说："当时情事，则必有难言焉者。故不得已而形诸歌咏，以寄其凄怆无已之心。观其呼天上诉，一咏不已，再三反复而咏叹之，则其情亦可见矣。讵得以千载下人追究千载上事，而得其实在情形哉?"方氏从诗本文中表现的亡国之痛入手确定诗的时代，就进一步证明《序》说的正确性。今人陆侃如、冯沅君《中国诗史》亦以为《黍离》乃"已乱而追伤"之作，时在东周平王时代。

比较几种说法，当以《序》"周大夫闵宗周"说为是，周大夫过宗周在秦文公破戎献岐东之地以后，姑系于此年。

公元前745年（周平王二十六年 鲁惠公二十四年 晋昭侯元年）

晋昭侯封成师于曲沃，晋始乱，晋大夫师服以"名义"、"本末"之说论晋乱之始由及近因。其"名义"之说开孔子"正名"修辞说的先河。《左传·桓公二年》："初晋穆侯之夫人姜氏以条之役生太子，命之曰仇。其弟以千亩之战生，命之曰成师。师服曰：'异哉，君之名子也！夫名以制义，义以出礼，礼以体政，政以正民。是以政成而民听，易则生乱。嘉耦曰妃，怨耦曰仇，古之命也。今君命太子曰仇，弟曰成师，始兆乱矣。兄其替乎！'（鲁）惠之二十四年，晋始乱，故封桓叔于曲沃。靖侯之孙栾宾傅之。师服曰：'吾闻国家之立也，本大而末小，是以能固。故天子建国，诸侯立家，卿置侧室，大夫有贰宗，士有隶子弟，庶人、工、商，各有分亲，皆有等衰。是以民服事其上，而下无觊觎。今晋，甸侯也；而建国，本既弱矣，其能久乎?'"

师服言辞，实开孔子正名说之先河。孔子提倡辞令之美，提出"正名"，即要求名和实相称。《论语·子路》："子路曰：'卫君待子而为政，子将奚先?'子曰：'必也正名乎。'子路曰：'有是哉，子之迂也！奚其正?'子曰：'野哉，由也！君子于其所不知，盖阙如也。名不正则言不顺；言不顺，则事不成；事不成则礼乐不兴；礼乐不兴，则刑罚不中；刑罚不中，则民无所措手足。故君子名之必可言也，言之必可行也。君子于其言，无所苟而已矣。"周振甫《中国修辞学史》说："孔子讲正名，即名与实一致，卫出公自己称君，拒绝他的父亲蒯聩回国即位，孔子认为名不正。按礼，蒯聩是父亲，当为君，出公是子，当让位，今以子而称君，故名不正。这样，他讲的正名，从修辞的使名实一致，发展到要使名称和合乎礼制的实际的一致了。"（商务印书馆

1999年版，第12页）

按：《左传·桓公二年》杜注云："师服，晋国大夫。"《史记集解》引贾逵曰："晋大夫。"《汉书·古今人表》以师服为周宣王时人，然《左传·桓公二年》曰"初"，知师服评论宣王时晋穆侯名子之事为追述，其目的在于论晋始乱之始因。鲁惠公二十四年上距千亩之战（前802年）六十多年，师服此时恐已近耄耋之年。

晋之国人将叛而归曲沃，作《扬之水》（《唐风》）以刺晋昭公。《诗序》云："《扬之水》，刺晋昭公也。昭公分国以封沃，沃盛强，昭公微弱，国人将叛而归沃焉。"《笺》云："封沃者，封叔父桓叔于沃也。沃，曲沃，晋之邑也。"孔颖达《毛诗正义》亦曰："作《扬之水》诗者，刺晋昭公也。昭公分其国地以封沃国，谓封叔父桓叔于曲沃之邑也。桓叔有德，沃是大都，沃国日益盛强。昭公国既削小，身又无德，其国日以微弱，故晋国之人皆将叛而归于沃国焉。昭公分国封沃，已为不可，国人将叛，又不能抚之也，故刺之。此刺昭公，经皆陈桓叔之德者，由昭公无德而微弱，桓叔有德而盛强，国人叛从桓叔，昭公之国危矣。而昭公不知，故陈桓叔有德，民乐从之，所以刺昭公也。"诗云："扬之水，白石凿凿。素衣朱襮，从子于沃。"《毛传》云："襮，领也。诸侯绣黼丹朱中衣。沃，曲沃也。"《笺》云："国人欲进此服，去从桓叔。"《正义》曰："以素为衣，丹朱为缘，绡黼为领，此诸侯之中衣也。国人欲得造制此素衣朱襮之服，进之以从子桓叔于沃国也。"

晋人师服之流作《椒聊》，以刺晋昭公。此《椒聊》出《唐风》，《序》云："刺昭公也。君子见沃之盛强，能修其政，知其蕃衍盛大，子孙将有晋国焉。"孔颖达《正义》云："作《椒聊》诗者，刺晋昭公也。君子之人，见沃国盛强，桓叔能修其政教，知其后世稍复蕃衍盛大，子孙将并有晋国焉。昭公不知，故刺之。此序序其见刺之由。经二章，皆陈桓叔有美德，子孙蕃衍之事。"《毛传》以为此诗以椒聊起兴。《笺》申《毛传》标兴之义云："椒之性芬香而少实，今一捄之实，蕃衍满升，非其常也。兴者，喻桓叔晋君之支别耳，今其子孙众多，将日以盛也。"司马光《稽古录》亦从《序》说。李黻平《毛诗细义》云："经三章，皆陈沃之蕃衍，即所以刺昭公之微弱，亦陈古所以刺今也。"吴闿生亦力主上说，对《诗集传》不同意修正之说，其《诗义会通》说："朱子云，此诗未见其必为沃而作。案此诗刺昭公绝无可疑。《序》末三语尤能阐发诗人言外之意。朱子议之，过也。（每章）末二句咏叹淫溢，含义无穷。忧深虑远之旨，一于弦外寄之。三代之高文大率如此。此等诗若不得《序》，则直不知其命意所在，埋却多少高文矣。"以上诸家都赞同《诗序》之说。有的学者虽然不满《序》说，但也没有明显的证据可以否定其观点，故姑且以《序》说为准。

关于诗的作者，今人陈子展云："《椒聊》和前一篇《扬之水》一样，是忠于昭公者师服之流的诗，而非忠于桓叔的潘父之党所作。范处义《诗补传》说：'以《春秋左氏传》考之，昭公封成师于曲沃，乃鲁惠公之二十四年。至鲁庄公十六年，曲沃伯为晋侯，盖几七十年。诗人于昭公之世已知沃之子孙将有晋国，非君子知微知彰不能为此言也。'他所说的君子，当是师服之流。我们但读前篇所引《左传》，便知当时有师服那样的人，于成师命名预见穆侯名子兆乱，又于桓叔封曲沃预见昭公建国自亡，不是像他那样有天才的预见，怎能作出这种预言的诗来？诗当作在桓叔封沃已久、昭公被杀之前，故诗人有椒聊蕃衍远条之叹。”（《诗三百篇解题》）其说大体可信。

公元前743年（周平王二十八年　鲁惠公二十六年　郑庄公元年）

郑庄公封叔段于京，郑大夫祭仲引谚以谏之，庄公不听。见《左传·隐公元年》。按：祭仲，郑大夫。祭为姓，仲其名。祭本为其食邑，因此而得姓。《左传·隐公三年》有祭足，是其同族。

公元前740年（周平王三十一年　鲁惠公二十九年　卫庄公十七年）

卫庄公宠嬖人之子公子州吁，卫大夫石碏陈辞，以“六逆”、“六顺”之论谏之。《左传·隐公三年》载：卫公子州吁，本为嬖人之子。有宠而好兵，卫庄公不加禁止。庄姜恶之。大夫石碏谏曰：“臣闻爱子，教之以义方，弗纳于邪。骄、奢、淫、泆，所自邪也。四者之来，宠禄过也。将立州吁，乃定之矣，若犹未也，阶之为祸。夫宠而不骄，骄而能降，降而不憾，憾而能眕者鲜矣。且夫贱妨贵，少陵长，远间亲，新间旧，小加大，淫破义，所谓六逆也。君义臣行父慈，子孝，兄爱，弟敬，所谓六顺也。去顺效逆，所以速祸也。君人者，将祸是务去，而速之，无乃不可乎？”

按，《史记》载石碏进谏在卫庄公十八年，当平王三十一年。《卫世家》曰：“庄公有宠妾，生子州吁。十八年，州吁长，好兵，庄公使将。石碏谏庄公曰：‘庶子好兵，使将，乱自此起。’不听。”据此石碏以“六逆”、“六顺”谏卫庄公当在此年。

卫人作《绿衣》而悼念亡妻，邶风大部分诗应作于此期。此诗在《邶风》，《诗序》曰：“《绿衣》，卫庄姜伤已也。妾上僭，夫人失位而作是诗也。”郑《笺》申之曰：“妾上僭者，谓公子州吁之母。母嬖而吁骄。”朱熹《诗集传》进一步论证说：“庄公惑于嬖妾，夫人庄姜贤而失位，故作是诗。言‘绿衣黄裳’，以比贱妾尊显而正嫡幽微，使我忧之不能已也。”何楷《诗经世本古义》、王先谦《诗三家义集疏》、魏源《诗古微》等都认可《序》说。然而从诗本文看不出庄姜伤失位的意思，所以《序》说没有根据。其实，诗写的是男子睹衣思人。闻一多说：“《绿衣》，感旧也。妇人无过被出，非其夫所愿。他日，夫因衣妇旧所制衣，感而思之，遂作此诗。”（《风诗类钞》）刘大白《白屋说诗》认为此为悼亡的意味更重，故今人多从此说。新出上博简《孔子诗论》说“《绿衣》之思”，突出一个“思宇”，也可证其为悼亡。按，邶、鄘、卫春秋日已统称为卫，则邶、鄘二风所收为其地旧歌，因《绿衣》与《日月》、《击鼓》等诗相识（此数篇旧说以为刺卫庄公之诗），故系于此年。从以上众说来看，此诗为卫庄姜自伤之作。今从《左传》，系于卫大夫石碏谏卫庄公之年。

卫庄姜作《日月》自伤。此诗在《卫风》，《序》云：“《日月》，卫庄姜伤已也。遭州吁之难，伤已不见答于先君，以至于困穷之诗也。”诗以“日居月诸，照临下土”起兴，《笺》曰：“日月喻国君与夫人也，当同德齐意以治国者，常道也。……庄公……其所以接及我者，不以故处，甚违其初时。”孔颖达《正义》曰：“言日乎，日以照昼，月乎，月以照夜，故得同曜齐明，而照临下土。以兴国君也，夫人也，国君视外治，夫人视内政，当亦同德齐意以治理国事，如此是其常道。今乃如是人庄公，其所接及我夫人，不以古时恩意处遇之，是不与之同德齐意，失月配日之义也。公于夫妇尚不得所，于众事亦何能有所定乎？适曾不顾念我之言而已，无能有所定也。”

朱熹《诗序辩说》驳《序》云：“明是庄公在时所作。后儒或谓词气与《绿衣》迥殊，断为州吁弑立之后。然庄公在时州吁乱已兆矣，不必弑立后也。”又《诗集传》云：“庄姜不见答于庄公，故呼‘日月’而诉之。言日月之照临下土久矣，今乃有如是之人，而不以古道相处，是其心志回惑，亦何能有定哉？而何为其独不顾我也。见弃如此，而犹有望之之意焉，此诗之所以为厚也。”方玉润《诗经原始》同意朱熹之说，以为“此亦庄姜为庄公而作”。

魏源《诗古微·邶鄘卫答问》曰：“毛既以《燕燕》作于州吁弑后，遂以下篇《日月》为追伤不见答之诗，则是十六载未亡人，尚追怨先君于无已。陈启源强据‘胡能有定’一语，谓追伤庄公不能定桓公之位。无论桓公十六年不为不定，且《毛传》训‘定’为‘止’，并无定位之义。而其释‘逝不古处’、‘逝不相好’、‘宁不我报’，与郑《笺》释‘德音无良’、‘畜我不卒’、‘报我不述’，明作于庄公不答之初，曷尝一言及于冢嗣，近乎追伤乎？”吴闿生《诗义会通》亦认为此诗作于庄公之时。朱熹之说可从，故系于此年。

卫庄姜怨庄公暴谑侮慢，作《终风》以自伤。《诗序》云：“《终风》，卫庄姜伤己也。遭州吁之暴，见侮慢而不能正也。”孔颖达《正义》从之。朱熹驳《序》说，则以此篇为卫庄姜不见答于庄公而所作。《诗集传》云：“庄公之为人狂荡暴疾，庄姜盖不忍斥言之，故但以‘终风且暴’为比。言虽其狂暴如此，然亦有顾我而笑之时。但皆出于戏慢之意，而无爱敬之戒，则又使我不敢言而心独伤之耳。盖庄公暴慢无常，而庄姜正静自守，所以忤其意而不见答也。”何楷亦以为卫庄姜见怒于庄公而作。其《诗经世本古义》引子贡《传》曰：“卫庄姜见怒于庄公赋此。”又引申培说云：“庄姜戒州吁，公不悦，姜忧而作诗。”徐光启《诗经六帖》曰：“详味《日月》、《终风》，见庄姜恻然望夫之情，见诗人忠厚之意，《长门赋》义本于此。”魏源《诗古微》云：“考《文选注》引《韩诗章句》曰：时风又且暴，使己思益隆。为陆士衡《代顾彦先赠妇诗》‘隆思乱心曲’之所本。此夫妇之词而非母子。证一也。愿言则嚏，《笺》曰：今俗人嚏，云人道我。盖用韩义以易毛训。此又夫妇之情而非母子。证二也。愿言则怀，《笺》云：女思我心如是，我则安也。又以韩义易毛训。此思庄公之词而不可施于州吁。证三也。苟非《韩诗》以为夫妇之词，《笺》曷为易《毛传》嚏合怀伤之训，而同《长门》相思之赋乎？”王先谦《诗三家义集疏》说并同。今人陈子展亦云：“《终风》，倘若也是卫庄姜伤己之作，那就作在庄公生存的时候，正为庄公而作。古文《诗序》、《毛传》都说错了，朱熹《辩说》、魏源《集义》倒都说得近是。”（《诗三百篇解题》）今从之系于此。

公元前739年（周平王三十二年　鲁惠公三十年　晋昭公七年）

晋昭公无道晋人作《山有枢》表达对时局的悲观失望，宣扬及时行乐。按此诗实为晋人刺晋昭公而作。《诗序》云：“《山有枢》，刺晋昭公也。不能修道以正其国，有财不能用，有钟鼓不能以自乐，有朝廷不能洒扫，政荒民散，将以危亡，四邻谋取其国家而不知，国人作诗以刺之也。”明胡广《诗经大全》云：“是时昭公弱不自坚，桓

叔强且渐逼，若朝生之菌，夕而即落，识者伤之。以甚愚之主，至急之势，百务颓废不举之时，而欲告之以保身宁家之道，则其说也长，而其入也无绪，故喟然曰：与其龌龊以待亡，何如快乐以永日？所以发其伤心之痛，而振其欲死之气。诗人语苦而意促迫矣。”何楷《诗经世本古义》亦云：“诸大夫哀昭公之将亡而私相告语之词。……桓叔有不轨之谋而昭公不知，诸大夫难察察之，故作此诗以使之觉悟，非相劝为乐也。”胡辰珙《毛诗后笺》引《吕记》曰：“诗人岂真欲昭公驰驱饮乐哉？盖曰：是物也，行且为他人所有，曾不若及今为乐之为愈。所以激发之，非劝其为乐也。吕禄弃军，其姑吕媭悉出珠玉宝器散堂下，曰：‘毋为他人守也。’乃此诗之意。末章尤可见。”又引朱鹤龄《诗经通义》云：“唐俗俭啬，不应此诗忽作旷达语。”“是时曲沃成师势盛，昭公不能制，日就危亡，故诗人作此以讽之。其词不直斥昭公，托为同侪相告语者，忧危之情最为迫切。”魏源《诗古微》亦从此说。以上众家解诗的意见可以信从，但他们囿于儒家思想，否认诗中有及时行乐的倾向则不可取。明代钟惺《评点诗经》说得好：“行乐之词，乃以涩苦之音出之，开后来诗人许多忧生惜日之感。末语促节便可当一部挽歌。”三家诗以为“当周公、召公共和之时，成侯曾孙僖侯甚啬爱物，俭不中礼，国人闵之，唐之变风始作”其说于史无徵，不可信。则《山有枢》为晋昭侯时诗，姑且从其下限系于昭侯之卒年。

公元前735年（周平王三十六年　鲁惠公三十四年）

周平王遣畿内之民戍申、吕、许，以固南土。戍者怨思，作《扬之水》（《王风》）。今本《竹书纪年》云：“（周平王三十六年）王人戍申。”申对于楚来说为窥伺周室之门户，于周亦为防御强楚之藩屏，故遣畿内之民以戍之。

《王风·扬之水》，《诗序》云：“刺平王也。不抚其民而远屯戍于母家，周人怨思焉。”郑玄《笺》曰：“怨平王恩泽不行于民，而久令屯戍不得归，思其乡里之处者。言周人者，时诸侯亦有使人戍焉。平王母家申国在陈、郑之南，迫近强楚，王室微弱而数见侵伐，王是以戍之。”胡辰珙《毛诗后笺》云：“经传所言皆天子征伐诸侯之事，从未有以畿甸之民而为诸侯戍守者。此《序》言‘不抚其民而远屯戍于母家’，固西周以前未有之事也。”三家诗无异义。

诗云：“彼其之子，不与我戍申”，“不与我戍甫”，“不与我戍许”，《毛传》云：“申，姜姓之国，平王之舅。”又云：“甫，诸姜也。”“许，诸姜也。”胡辰珙曰：“阎氏伯诗曰：‘《诗集传》云：“甫，即吕也。今未知其国之所在，计亦不远于申。”请证以《潜夫论》：“炎帝苗胄，四岳伯夷，或封于申城，在南阳宛北序山之下，故《诗》云亹亹申伯，于邑于序。”’宛西三十里有吕。更证《齐太公世家》注徐广曰：“吕在南阳宛县西。”又司马贞云：“《地理志》：申在南阳宛县，申伯之国。吕亦在宛县之西也。”三证《水经注》育水条：宛西吕城，四岳佐禹治水，虞夏之际受封于吕。所以《括地志》最可信者，云故申城在邓州南阳县北三十里，故吕城在邓州南阳县西四十里。然则两国相距四十八里有奇。其密迩明晰至此，而朱子不知，盖缘误本《通典》谓申在今邓州信阳军之境。申既不确，吕遂茫然。宜哉！”辰珙案：《周语》富辰曰：齐、许、申、吕由大姜。《郑语》：史伯曰，当成周者，南有申吕。《左传》：楚子重请

取申、吕以为赏田，‘申公巫臣曰：“不可。此申吕所以邑也，是以为赋，以御北方。”’然则申吕必近可知。《正义》云：‘言甫许者，以其同出四岳，俱为姜姓。既重章以变文，因借甫许以言申，其实不戍甫许。’此说非是。申息为南北门户，甫许与申为唇齿，戍申必兼戍甫许……然则平王戍此三国，皆以其助己而德之耳。此说于情事似近。”由胡辰珙氏对申、许、吕地望之辨析看，《序》说与诗文所载相符，《序》说可从。

平王为何戍申、许、吕之国？《左传·昭公二十六年》之《疏》述刘炫引《竹书纪年》曰：“平王奔申，申侯、鲁侯、许文公立平王于申。”陈奂据此以为申、许有立平王之功，故兼戍之。顾栋高云：“按，《王风·扬之水》，先儒谓讥平王忘父仇内德申侯为之遣戍者，非也。盖申侯可仇，申之地自不可弃。戍申自不容已，但不当使畿内之民戍耳。平王若能发愤兴师命方伯连帅南向讨楚侵扰之罪，申自不烦戍。即云戍，亦当使方伯连帅当其役，何至使畿内之民反为侯国远戍。是足顾居上，首顾居下，诗所以致怨于平王之微弱也。言激扬之水至不能流一束薪，喻以天子之威令不能役使群侯也。‘彼其之子’，指方伯应戍申者而言；‘不与我戍申’，言当时方伯不能为王家效命，而使我独当此苦，所以怀思而欲归也。如此才与兴意浃洽有味。朱《传》以‘之子’指其室家，则与‘束薪’意一毫无涉，上下文不联贯矣。至谓内德申侯，尤非。诗明言三国，戍申、戍甫、戍许。甫即吕也。后申、吕俱为楚灭，而许役属于楚。此时楚之侵扰，三国已被其祸，戍自时势不得不然。平王岂有德于吕、许二国者哉！且诗称‘彼其之子’，俱系贱恶之辞、外之之辞，如‘彼其之子，三百赤芾’、‘彼其之子，不称其服’，犹言‘乃如之人’、夫己氏云耳。”（《春秋大事表》）如此，实则平王戍申及吕，乃出于周室军事防御之需要。按申，即南申，在陈、郑之南，地近楚，西周宣王以来即为周天子防御淮夷和楚之屏障。故宣王命召伯虎营谢，谢在今河南南阳（李学勤《论仲称父簋与申国》，刊《中原文物》1984年第4期），使申伯徙居谢，以经营周之南土。东周初年，楚始大，平王使畿内之民戍申，用意仍在守卫南土。《扬之水》所言之戍申之事，即与此有关。

周平王命王人戍申，行役者作《君子于役》，刺久戍失时。《序》曰：“《君子于役》，刺平王也。君子行役无期度，大夫思其危难以风焉。”陈启源《毛诗稽古编》云：“《序》以《君子于役》为僚友相思之作，朱子非之，改为室家念其君子。夫大夫行役不归，室家固当系念，岂僚友之情独应置之膜外耶？至于行役过多，自是王者之失，何必以无考为讥？”胡辰珙《毛诗后笺》亦申述《序》说。

结合诗本文来看，当以朱熹“妇人目其夫之辞”（《诗集传》）之说为近是，《序》言诗述“行役无期度”有之，言“大夫思其危难以讽”则与诗文不符。王质《诗总闻》亦曰：“当是在郊之民，以役适远，而其妻于日暮之时，约鸡归栖，呼牛羊下来，故兴怀也。大率此时最难为别怀，妇人尤甚。”王先谦《诗三家义集疏》云：“案据诗文，鸡栖日夕，牛羊下来，乃室家相思之情，无僚友讽托之谊。所称君子，妻谓其夫，《序》说误也。”又云：“班彪《北征赋》：日晻晻其将暮兮，睹牛羊之下来。寤怨旷之伤情兮，哀诗人之叹时。班氏世习《齐诗》，赋云怨旷伤情，知齐义以此诗君子为室家之词。”今人陈子展《诗三百篇解题》亦从此说。参之史事，《君子于役》当作于平王朝。是时周平王遣畿内之民戍申，时久不归，其室家思夫之作应有之，姑系于此年。

公元前725年（周平王四十六年　鲁惠公四十四年　齐僖公六年）

管仲约生于此年。其思想对战国诸子多有影响。管仲，名夷吾，齐国人，为春秋前期杰出的政治家和思想家。顾颉刚以为管仲生于公元前七世纪初（《“周公制礼”的传说和〈周官〉一书的出现》，刊《文史》第六辑）。考之载籍，管仲于周庄王十二年，即公元前685年相齐桓公。此时他已人近中年，假定此时已40岁左右，以此上推，管仲约生于公元前725年左右。管仲执政四十年，相齐桓公“九合诸侯，一匡天下”。至周襄王七年，即公元前645年卒。管仲卒后96年而孔子生。其事迹见《国语·齐语》、《左传》、《史记·管晏列传》，及《说苑》、《新序》等书。

管仲的言论见于《国语·齐语》及《管子》。唐孔颖达云：“世有《管子》书者，或是后人所录。”（《春秋左传正义·庄公九年》）朱熹也说：“《管子》非管仲所著。仲当时任齐国之政，又有三归之溺，决不是闲工夫著书的人。著书是不见用之人也。其书想只是战国人收拾当时行事言语之类著之，并附以他书。”（黎靖德编《朱子语类》卷一百三十七，引文据中华书局1994年版王星贤点校本）此后经历代学者及现当代学人研究，可以确定《管子》一书非管仲遗著，其中思想比较驳杂，可能是稷下学派学者伪托管仲之名而作（参郭沫若《管子集校》，科学出版社1956年版；罗根泽《管子探源》，收其《诸子考索》，人民出版社1958年版；冯友兰《中国哲学史新编》第二册第十七章，人民出版社1964年版；赵守正《管子注译》，广西人民出版社1987年版；胡家聪《管子新探》，中国社会科学出版社1995年版；池万兴《管子研究》，高等教育出版社2004年版）。但也有学者以为其中的《经言》各篇及《外言》的《五辅》是管仲的著作（关锋、林聿时《管仲遗著考》，收《春秋哲学史论集》，人民出版社1963年版）。

公元前722年（周平王四十九年　鲁隐公元年　郑庄公二十二年）

鲁隐公元年，编年体史书《春秋》、《左氏春秋》记事始于是年。《春秋·隐公元年》曰：“元年春王正月。”《左传·隐公元年》曰：“隐公立……不书即位，摄也。”《史记·周本纪》：“（周平王）四十九年，鲁隐公即位。”

三月，鲁隐公与邾君克盟于蔑，盟辞无载。见《春秋·隐公元年》载。《文心雕龙·祝盟》曰：“盟者，明也。骍毛白马，珠盘玉敦，陈辞乎方明之下，祝告于神明者也。在昔三王，诅盟不及，时有要誓，结言而退，周衰屡盟，以及要劫。”盟必有载辞以示诚信，周衰寡信，诸侯屡盟。盟辞多押韵，为先秦及后世重要文体之一。

九月，鲁、宋盟于宿，盟辞无载。见《春秋·隐公元年》。此年盟辞无载。宿，风姓国，在今山东省东平县东南二十里。

郑庄公与邾盟于翼，盟辞无载。见《左传·隐公元年》。

郑人作《叔于田》、《太叔于田》，刺郑庄公。《郑风·叔于田》、《太叔于田》二诗，《毛序》均曰：“刺庄公也。叔处于京，缮甲治兵，以出于田，国人说而归之。”郑《笺》云：“叔往田，国人注心于叔，似如无人处。”三家诗无异义。孔颖达《疏》说同。严粲《诗辑》云："二《叔于田》皆美叔段之才武，无一辞他及。"何楷《诗经世本古义》引章潢曰："词虽美叔段，意实刺庄公，国人不敢直指其君故词在此而意在彼，乃风之体也。"王先谦《诗三家义集疏》发挥诗意云："叔者，段字。武姜溺爱，庄公纵恶，宠异其号，谓之京城太叔。从叔于京者，类皆谀佞之徒，惟导以田游饮酒之事，而国人亦同声贡媚，诗之所为作也。"则折中为美刺二说，以为诗人谄美叔段，实则讽庄公。崔述《读风偶识》认为仲与叔皆男子之字，未必指段叔。

按《诗》之古义古说，多赖《诗序》而存，以其近于古。如无确凿证据可以证其不可靠，当从《序》说为是。崔氏攻《序》虽甚，然仍不能否定其说。今姑从《序》说系于此年。

郑庄公克段于鄢，太叔出奔共。庄公怒母武姜偏袒叔段，置之城颍，誓曰："不及黄泉，无相见也。"见《左传·隐公元年》，《史记·郑世家》、《卫世家》所载略同。誓为先秦常见文体。

郑颍谷封人颍考叔谏郑庄公以孝，公见母武姜，遂有大隧之赋。这次双方都是赋新辞，不同于一般的赋诗言志。《左传·隐公元年》："遂置姜氏于城颍，而誓之曰：'不及黄泉，毋相见也。'既而悔之。颍考叔为颍谷封人，闻之，有献于公。公赐之食。食舍肉，公问之，对曰：'小人有母，皆尝小人之食矣；未尝君之羹，请以遗之。'公曰：'尔有母遗，繄我独无！'颍考叔曰：'敢问何谓也？'公语之故，且告之悔。对曰：'君何患焉？若阙地及泉，隧而相见，其谁曰不然？'公从之。公入而赋：'大隧之中，其乐也融融。'姜出而赋：'大隧之外，其乐也。'"

公元前721年（周平王五十年　鲁隐公二年）

鲁隐公与戎盟于唐。见《左传·隐公二年》。

卫人作《伯兮》，刺征战频繁，过时不返。《伯兮》，《序》云："刺时也。言君子行役，为王前驱，过时而不反焉。"郑《笺》："卫宣公之时，蔡人、卫人、陈人从王伐郑伯也。为王前驱久，故家人思之。"郑玄据《春秋·桓公五年》"鲁桓公五年（前707年）秋，蔡人、卫人、陈人从王伐郑"为说。细绎诗本文，郑玄之说不能成立。首先，诗中所说的地理方位与郑说相矛盾。郑国在卫国之南，卫人伐郑，当说"自伯之南"，而不能说"自伯之东"。如果说卫是从周王伐郑，则周在卫西，则诗中应当说"自伯之西"才对。此其一。其次，依郑说，桓王伐郑在秋天，古时用兵皆于秋，而言"过时而不反"，则自相矛盾。退一步讲，即便伐郑自秋至冬亦可云"过时"，但诗中说"其雨其雨，杲杲出日"，则不合于冬景冬情，盖冬日可爱，岂得以怨之。郑玄之说既不可信，则此诗作时当另求别解。以情理推断，春秋初年，周王室虽托庇于秦、晋、齐、郑等诸侯国，但尚有一定的军事实力，故《左传》所记王室召诸侯之师讨伐他国的事多在春秋初年。到春秋中叶以后，王室日渐衰微，"为王前驱"之事绝少见于典籍，故此诗当作于春秋初年。今人聂石樵等《诗经新注》即主此说。姑从此说系于此年。

纪子帛、莒子盟于密。见《春秋·隐公二年》、《左传》。

周人作《中谷有蓷》之诗，以悯乱离。《王风·中谷有蓷》，《毛序》曰："闵周也。夫妇日以衰薄，凶年饥馑，室家相弃尔。”三家诗无异义（王先谦《诗三家义集疏》）。孔颖达《正义》云：“作《中谷有蓷》诗者，言闵周也。平王之时，民人夫妇之恩日日益以衰薄，虽薄未至弃绝，遭遇凶年饥馑，遂室家相离弃耳。夫妇之重逢，遇凶年薄而相弃，是其风俗衰败，故作此诗以闵之。‘夫妇日益衰薄’，三章章首二句是也。‘凶年饥馑，室家相弃’，下四句是也。”朱熹《诗集传》、方玉润《诗经原始》从之。魏源《诗序集义》亦以为此诗作于东周平王之时。

以上诸家于诗之作时之说皆可信从，惟于诗义之说解犹有未尽之处。故姚际恒《诗经通论》曰：“仳离，仳字未详，合来恐只是流离失所之义。《毛传》训为别。按别离，以后人语，未可以仳之音近别而遂为别也。孔氏曰：以仳与离共文，故知当为别离，故以为夫弃其妻，其实不然。愚意此或闵嫠妇之诗，犹杜诗所谓无食无儿一妇人也。先言艰难，夫贫也。暵、修、湿由浅及深，叹、啸、泣亦然。”崔述《读风偶识》亦云：“仳离，犹云流离”，“自镐迁洛者所作”，“细玩其词，其为东迁之人所作明甚，非但与王族无涉，亦不必定在凶年饥岁时也”。今人或以为是弃妇之诗。诗作于平王朝，当在其末年，姑系于此。

公元前720年（周平王五十一年　鲁隐公三年　郑庄公二十四年）

二月己巳，日食。《春秋》以为灾异，故予以记录。《春秋·隐公三年》云：“三年春王二月，己巳。日有食之。”《汉书·五行志》曰：“推隐三年之食，贯中央，上下竟而黑。”此为全世界最早有确切记录之日食现象。

四月，周、郑交恶，君子引《诗·召南·采蘩》、《采蘋》、《大雅·行苇》、《泂酌》论忠信之道。忠、信后成为儒家重要的伦理道德规范。《左传·隐公三年》：“郑武公、庄公为周平王卿士。王贰于虢。郑伯怨王，王曰：‘无之。’故周、郑交质。王子狐为质于郑，郑公子忽为质于周。王崩，周人将畀虢公政。四月，郑祭足帅师取温之麦。秋，又取成周之禾。周、郑交恶。”君子之言曰：“信不由中，质无益也。明恕而行，要之以礼，虽无有质，谁能间之？苟有明信，涧、溪、沼、沚之毛，蘋、蘩、蕰、藻之菜，筐、莒、锜、釜之器，潢、污、行潦之水，可荐于鬼神，可羞于王公，而况君子结二国之信，行之以礼，又焉用质？《风》有《采蘩》、《采蘋》，《雅》有《行苇》、《泂酌》，昭忠信也。”

八月，宋穆公和卒，立其兄之子与夷，是为宋殇公，君子引《商颂·玄鸟》以赞之。《春秋·隐公三年》曰：“八月庚辰，宋公和卒。”《左传·隐公三年》云：“宋穆公疾，召大司马孔父而属殇公焉，曰：‘先君舍太子与夷而立寡人，寡人弗敢忘。若以大夫之灵，得保首领以没；先君若问与夷，其将何辞以对？请子奉之，以主社稷。寡人虽死，亦无悔焉。’对曰：‘群臣愿奉冯也。’公曰：‘不可。先君以寡人为贤，使主社稷。若启德不让，是废先君之举也，岂能曰贤？光昭先君之令德，可不务乎？吾子其无废先君之功！’使公子冯出居于郑。八月庚辰，宋穆公卒，殇公即位。君子曰：‘宋宣公可谓知人矣。立穆公，其子飨之，命以义夫！《商颂》曰：“殷受命咸宜，百禄是荷”，其是之谓乎！’”此事又见《史记·宋世家》，所载略同。

十二月，齐僖公郑庄公盟于石门。《春秋·隐公三年》及《左传》。此年盟辞无载。

公元前719年（周桓王元年　鲁隐公四年　卫桓公十六年）

春，卫公子州吁杀桓公自立。鲁大夫众仲论州吁必败之理。《左传·隐公四年》载鲁隐公问于众仲曰："卫州吁其成乎？"众仲对曰："臣闻以德和民，不闻以乱。以乱，犹治丝而棼之也。夫州吁，阻兵而安忍。阻兵无众，安忍无亲，众叛亲离，难以济矣。夫兵犹火也，弗戢，将自焚也。夫州吁弑其君而虐用其民，于是乎不务令德，而欲以乱成，必不免矣。"按：众仲，鲁大夫。《潜夫论·志氏姓篇》云："鲁之公族有众氏。"

秋，卫人作《击鼓》，怨州吁也，用兵暴乱，勇而无礼。《卫风·击鼓》为卫人所作以斥公子州吁之犯上作乱也。《毛序》曰："《击鼓》，怨州吁也。卫州吁用兵暴乱，使公孙文仲将而平陈与宋，国人怨其勇而无礼也。"郑《笺》云："将者，将兵以伐郑也。平，成也。将伐郑，先告陈与宋，以成其伐事。《春秋传》曰：'……及卫州吁立，将修先君之怨于郑，而求宠于诸侯，以和其民。使告于宋曰：君若伐郑，以除君害，君为主，敝邑以赋与陈、蔡从，则卫国之愿也。'宋人许之。于是陈、蔡方睦于卫，故宋公、陈侯、蔡人、卫人伐郑。是也。伐郑在鲁隐公四年。"孔颖达《正义》亦曰："知将兵伐郑者，州吁以隐四年春弑君，至九月被杀，其中唯夏秋再有伐郑之事，此言州吁用兵暴乱，是伐郑可知。"

此诗所述与州吁弑君伐郑之事相符。诗首章云："击鼓其镗，踊跃用兵。土国城漕，我独南行。"次章又云："从孙子仲，平陈与宋。不我以归，忧心有忡。"何楷《诗经世本古义》曰："先是平陈与宋，之后即往伐郑。既围其东门五日而还矣，未几鲁翚帅师来会，复往伐郑。自夏而秋，仅隔一时耳。必师归在途，又闻后命，未得班师，故曰'不我以归'也。"王质《诗总闻》亦云："夏还而秋再举，当是征夫不得还家。"王先谦《诗三家义集疏》曰："案州吁自立在隐四年春，至秋九月，即被杀于陈。数月之中，伐郑者再。据诗'平陈与宋'句，与《左传》合。则此诗是与陈宋伐郑之役军士所作。""一时怨愤离叛之状可见。"

诗之后三章云："爰居爰处？爰丧其马？于以求之？于林之下。""死生契阔，与子成说。执子之手，与子偕老。""于嗟阔兮，不我活兮。于嗟洵兮，不我信兮。"李黼平《毛诗䌷义》云："此诗丧马求林、离散阔洵之状，千载如见，盖诗为从军之士所作。"

范家相疑此诗非为州吁伐郑而作。其《诗瀋》曰："《左传》州吁以诸侯之师伐郑，以告于宋，无平陈与郑之事。其伐郑有二，一围其东门，五日而还；一败郑徒兵，取其禾而还。亦未尝旷日持久，如诗所云也。且诗云'土国城漕'，考《春秋》闵二年戴公渡河而庐于漕，僖二年文公又城楚丘，使漕既城，不城楚丘矣。诸家皆以为疑。"姜炳璋《诗序广义》驳之云："州吁连陈伐郑，推宋为主。'平陈与宋'者，连合陈宋之谓。两次虽俱未旷日持久，方其'踊跃用兵'必不先计往返之速。如是所以有居处丧马、死生契阔之悲。居无宫室即谓之庐，不系乎有城无城也。先城漕复城楚邱，为迁都计也，何疑为州吁之诗？"（胡辰珙《毛诗后笺》卷三所引，黄山书社1999年版，第157页）姜氏驳之甚是，诗为州吁暴乱而作，故系于此年。

公元前718年（周桓王二年　鲁隐公五年）

春，鲁隐公到宋、鲁交界之棠地观看上巳节中男女相会之场面，臧僖伯陈辞进谏，隐公不听。《诗·国风》之中有许多恋歌产生于上巳节对恋情的歌咏活动当中。《春秋·隐公五年》曰："五年春，公矢鱼于棠。"《左传·隐公五年》：春，公将如棠观鱼者。臧僖伯谏曰："凡物不足以讲大事，其材不足以备器用，则君不举焉。君将纳民于轨物者也。故讲事以度轨量谓之轨，取材以章物采谓之物，不轨不物谓之乱政。乱政亟行，所以败也。故春蒐夏苗，秋狝冬狩，皆于农隙以讲事也。三年而治兵，入而振旅，归而饮至，以数军实。昭文章，明贵贱，辨等列，顺少长，习威仪也。鸟兽之肉不登于俎，皮革齿牙、骨角毛羽不登于器，则公不射，古之制也。若夫山林川泽之实，器用之资，皂隶之事，官司之守，非君所及也。"鲁隐公以将略其地为辞。遂往，陈鱼而观之。臧僖伯称疾，不从。鲁史官载"公矢鱼于棠"。

关于"矢鱼"，《左传》、《公羊》、《穀梁》均以为非礼，但具体指何事，则众说纷纭。"三传"以为"矢鱼"即"陈鱼"。实则"矢鱼于棠"是"相属而观尸女于棠也"，故经传皆讳之，以其非礼也。

棠为春秋时期鲁、宋交界之地，济水所经，为男女游观之地。棠，杜预《注》及孔颖达《正义》、顾栋高《春秋列国都邑表》均以为鲁地，顾氏云："棠，鲁济上之邑，杜《注》：'高平方与县北有武唐亭，鲁侯观鱼台。'《水经注》：'菏水又东，经武唐亭，有高台二丈许，下临水，昔鲁侯观鱼处。'在今鱼台县东北十二里。'棠'与'唐'古通用，即二年公与戎盟之唐也。"钱穆《史记地名考》卷九则以棠为齐地。二说相较，当以前说为是。《左传》载隐公言"吾将略地焉"，巡行视察边境曰略。《礼记》仲春之月令会男女，相属而观。郑之溱洧，卫之桑间濮上，宋之桑林，皆为男女相会之地。棠为鲁、宋两国交界之地，故隐公以略地为名，相属而观于棠地。以国君之尊而如棠嬉戏，故臧僖伯谏以非礼，并因此称疾不出也。

《春秋·庄公二十三年》："春，公至自齐……公如齐观社。"《左传》以为"非礼也"。沈钦韩《左传补注》以为齐社如宋之桑林，所以聚男女而相游观者也。《穀梁传》云："观，无事之辞也。以为尸女也。"钟文烝《春秋穀梁经传补注》云："尸女云者，盛其车服，炫惑妇人，要其从己也。"郭沫若《释祖妣》一文则据《说文》"尸，陈也，象卧之形"的训释，以为尸女即是通淫（《甲骨文字研究》，科学出版社1962年版）。仲春游观、会男女、社祭尸女及祭高媒之神为同一习俗之不同组成部分。正如《国风》之郑、卫、陈等诗所咏。鲁庄公与孟任如齐观社，私定终身，事见《左传·庄公三十二年》，亦与其行事相类。鲁隐公"矢鱼于棠"，释"矢"为陈，即尸女也；释其为"观"，则游观、所属而观也。均与春秋各国间广为存在之游观会男女习俗有关。

臧僖伯为鲁臧孙氏之先，鲁孝公之子，又称公子滔。孔颖达《春秋左传正义》卷三曰："僖伯者，孝公之子，惠公之弟。惠公立四十六年而薨。则子臧此时年非幼少，呼曰叔父者，是隐公之亲叔父也。"又云："僖伯名滔，字子臧。《世本》云孝公之子，即此冬书'公子滔卒'是也。谥法：'小心畏忌曰僖。'是僖为谥也。诸侯之子称公子，公子之子称公孙。公孙之子不得祖诸侯，乃以王父之字为氏。计僖伯之孙始得以臧为氏，今于僖伯之上已加臧者，盖以僖伯是臧代之祖，传家追言之也。”据顾栋高《春秋大事表·春秋列国卿大夫世系表》，鲁国臧孙氏一族贤能辈出，皆为人正直，知书达礼，文辞斐然，堪称典范。见于《春秋》者计有臧文仲、臧宣叔（许）、臧武仲等，皆有言辞传世。

九月，鲁隐公为惠公母仲子筑宫，行祭礼，舞《万》，献六佾。见《春秋·隐公五年》、《穀梁传》。按，《万》见于甲骨文、《诗经·商颂》等文献，为商、周以来著名之歌舞。杨伯峻《春秋左传注》云：“万，舞名，包括文舞与武舞。文舞执籥与翟，故亦名籥舞、羽舞，《诗·邶风·简兮》所谓‘公庭万舞，左手执籥，右手秉翟’者是也；武舞执干与戚，故亦名干舞，庄二十八年《传》‘为馆于其宫侧而振《万》焉，夫人闻之，泣曰：先君以是舞也，习戎备也’者是也。万舞亦用于宗庙之祭祀，《诗·商颂·那》‘万舞有奕’，用之于祀成汤也；《鲁颂·閟宫》‘笾豆大房，万舞洋洋’，用之以祀周公也；此则用之于祭祀仲子，盖考宫之后而后拟用之。”

公元前717年（周桓王三年　鲁隐公六年　齐僖公十四年）

五月，鲁、齐盟于艾。盟辞无载。见《春秋·隐公六年》。

东都之人作《兔爰》，悯桓王失信，诸侯背叛，构怨连祸，君子不乐其生。《序》云：“《兔爰》，闵周也。桓王失信，诸侯背叛，构怨连祸，王师伤败，君子不乐其生。”《笺》亦从其说。王先谦《诗三家义集疏》谓三家诗无异义。孔颖达《正义》申毛说云：“作《兔爰》诗者，闵周也。桓王失信于诸侯，诸侯背叛之。王与诸侯交构怨恶，连结殃祸，乃兴师出伐诸侯。诸侯御之，与之交战，于是王师伤败，国内役赋不息，使君子之人皆不乐其生焉，故作此诗以闵伤之也。”由桓王即位开始，至此年，周、郑交恶，王师伐诸侯。周之失信于诸侯于此时始。《王风·兔爰》一诗三章，反复言：“我生之初，尚无为；我生之后，逢此百罹，尚寐无吪。”“我生之后，逢此百忧。”“我生之后，逢此百凶。”显而易见为衰世气象。平王东迁之初，诸侯尚尊礼王室，知此诗不作于平王之世。就诗文所述而言，与桓王之世周室日衰之现状相吻合，故系于此年。

公元前715年（周桓王五年　鲁隐公八年　齐庄公十六年　宋殇公五年　卫宣公四年）

七月庚午，宋、齐、卫盟于瓦屋。盟辞失载。见《左传·隐公八年》。

九月辛卯，鲁隐公及莒人入盟于浮来。盟辞失载。见《左传·隐公八年》。

十二月，鲁公孙无骇卒，羽父为之请谥与族，鲁隐公赐以展氏，大夫众仲论赐族之制。《左传·隐公八年》：“无骇卒。羽父请谥与族。公问族于众仲。众仲对曰：‘天子建德，因生以赐姓，胙之土而命之氏。诸侯以字为谥，因以为族。官有世功，则有官族，邑亦如之。’公命以字为展氏。”无骇，即展无骇。郑樵《通志·氏族略》言公子展之子曰公孙夷伯，孙曰展无骇。顾栋高《春秋大事表·春秋列国卿大夫世系表》云：“隐二年无骇帅师入极。杜《注》：‘不书氏，未赐族。’八年无骇卒。《传》公命以字，为展氏。杜《注》：‘公子展之孙，故为展氏。’”展氏一族中如展禽（柳下惠）、展喜等均为春秋名士。

羽父，即隐公四年之公子翚，为鲁国宗室。事又见《左传》鲁隐公十年、十一年。众仲，鲁大夫，众氏为鲁之公族。隐公四年鲁隐公有“州吁之问”，四年有“万舞羽数”之问。此年又有赐族氏之问，可知众仲知政知礼，学识之高，堪为隐公之师。据《礼记·檀弓上》，古人年五十而称伯仲，则众仲是时当已年过五旬。

又按，谥，即贵族死后依其人之行事而为之赐以相应之称呼之礼俗，为古代文化制度之一种。《周书》有《谥法解》一篇，记此礼制。杨伯峻《春秋左传注》据王国维《观堂集林》卷十八之《遹敦跋》一文结论，以为谥法起源于宗周共王、懿王之世。

族，即赐族。赐族之礼，亦即赐姓氏之礼。赐姓命氏是建立统治制度的手段之一。据众仲之说，姓氏之赐或“因生以赐”，或“以字为氏”，或以官爵为氏。毛奇龄《经问》云：“氏与族原无分别。襄仲以‘仲’为氏，以‘东门’为族，而《春秋》呼襄仲之子为东门氏，则族亦称氏。晋叔向曰：‘肸之宗十一族，惟羊舌氏在而已。’夫叔向以‘叔’为族，以‘羊舌’为氏，今并‘羊舌’而族之，则氏亦称族。无骇已是公孙之子，生前未尝赐氏，故于其死，羽父为之请氏。”顾炎武《日知录》卷四“卿不书族条”云：“春秋隐、桓之时，卿大夫赐氏者尚少，故无骇卒而羽父为之请族。如挟、如柔、如溺皆未有氏族者也。庄、闵以下，则不复见于经，其时无不赐氏者矣。”（黄汝成《日知录集释》，岳麓书社1994年点校本）

公元前712年（周桓王八年　鲁隐公十一年　齐僖公十九年　郑庄公三十二年）

春，滕侯、薛侯争行礼先后，论理于鲁隐公。公使羽父劝之，羽父引《周谚》以劝薛侯。《左传·隐公十一年》：“十一年春，滕侯、薛侯来朝，争长。薛侯曰：‘我先封。’滕侯曰：‘我，周之卜正也。薛，庶姓也，我不可以后之。’公使羽父请于薛侯曰：‘君与滕君辱在寡人。周谚有之曰：“山有木，工则度之；宾有礼，主则择之。”周之宗盟，异姓为后。寡人若朝于薛，不敢与诸任齿。君若辱贶寡人，则愿以滕君为请。’薛侯许之，乃长滕侯。”

薛，鲁国薛县。孔颖达《春秋左传注疏》卷四云：“薛，任姓，黄帝之苗裔奚仲封为薛侯，今鲁国薛县是也。奚仲迁于邳，仲虺居薛，以为汤左相，武王复以其胄为薛侯。齐桓霸诸侯，黜为伯。献公始与鲁同盟。小国无记，世不可知，亦不知为谁所灭。”

五月甲辰，郑庄公将伐许，依军礼授兵于祖庙。公孙阏与颍考叔争车，颍考叔挟辀以走，子都拔棘以逐之，及大逵，弗及，子都怒。事见《左传·隐公十一年》。按，太宫，即郑国祖庙。《左传·文公二年》云“郑祖厉王”，则郑之大宫，即周厉王庙。依军礼，古者出征于祖庙定谋授兵，凯旋亦如之。《周礼·夏官·司兵》：“司兵掌五兵五盾，各辨其物与其等以待军事。及授兵，从司马之法以颁之；及其受兵输，亦如之，及其用兵，亦如之。”郑国将伐许而授兵太宫也。

七月，鲁隐公会齐侯、郑伯伐许。壬午，遂入许。郑伯使许大夫百里奉许叔以居许东偏。使公孙获处许西偏。皆有辞以告之。君子谓郑庄公知礼。见《左传·隐公十一年》。

郑颍考叔死于伐许之役，庄公使人用豖及犬鸡，以诅射颍考叔者。君子讥之。此年诅辞失载。见《左传·隐公十一年》。诅为巫术仪式，诅必有辞（参杨宽《秦〈诅楚文〉所表演的“诅”的巫术》，刊《文学遗产》1995年第5期）。

《诗·小雅·何人斯》曰：“出此三物，以诅尔斯。”《毛传》云：“三物，豖、犬、鸡也。君以豖，臣以犬，民以鸡。”《左传·昭公二十年》：“民人苦病，夫妇皆诅。祝有益也，诅亦有损。”

君子以“恕”道论周桓王失郑之由。《左传·隐公十一年》：“王取邬、刘、邘、邘之田于郑，而与郑人苏忿生之田：温、原、絺、樊、隰郕、攒茅、向、盟、州、陉、隤、怀。君子是以知桓王之失郑也。恕而行之，德之则也，礼之经也。己弗能有，而以与人，人之不至，不亦宜乎?”孔子所倡之“恕”道盖出于此。《论语·卫灵公》：“子贡问曰：‘有一言而可以终身行之者乎?’子曰：‘其恕乎！己所不欲，勿施于人。’”《中论·修本篇》云：“孔子之制《春秋》也，详内而略外，急己而宽人。故于鲁也，小恶必书；于众国也，大恶始笔。夫见人而不自见者谓之矇，闻人而不自闻者谓之聩，虑人而不自虑者谓之瞀。故明莫大乎自见，聪莫大乎自闻，睿莫大乎自虑。”

息侯伐郑，郑伯与之战于境，息师大败而还。君子以“五不韪”论息必亡之由。《左传·隐公十一年》：“郑、息有违言，息侯伐郑。郑伯与战于竟，息师大败而还。君子是以知息之将亡也。不度德，不量力，不亲亲，不征辞，不察有罪，犯五不韪而以伐人，其丧师也，不亦宜乎！”“竟”通“境”。

公元前711年（周桓王九年　鲁桓公元年　郑庄公三十三年）

春，鲁桓公即位。鲁史书其事，并讥其失礼。《春秋·鲁桓公元年》：“元年春，王正月，公即位。”杜预《春秋左传集解》引《释文》曰：“桓公名轨，惠公之子，隐公之弟，母仲子。《史记》，亦名允。《谥法》，辟土服远曰桓。嗣子位定于初丧而改元必踰年者，继父之业，成父之志，不忍有变于中年也。诸侯每首岁必有礼于庙，诸遭丧继位者因此而改元正位，百官以序。故国史亦书即位之事于策。桓公篡立而用常礼，欲自同于遭丧即位者。《释例》论之备矣。”

四月丁未，郑庄公、鲁桓公盟于越。盟辞无载。见《左传·桓公元年》。

公元前710年（周桓王十年　鲁桓公二年）

四月，鲁桓公取郜大鼎于宋。戊申，纳于大庙。鲁大夫臧哀伯有辞以谏桓公。《左传·桓公二年》：夏四月，取郜大鼎于宋。戊申，纳于大庙。臧哀伯谏曰：“君人者，将昭德塞违，以临照百官，犹惧或失之，故昭令德以示子孙。是以清庙茅屋，大路越席，大羹不致，粢食不凿，昭其俭也。衮、冕、黻、珽，带、裳、幅、舄，衡、紞、纮、綖，昭其度也。藻、率、鞞、鞛，鞶、厉、游、缨，昭其数也。火、龙、黼、黻，昭其文也。五色比象，昭其物也。锡、鸾、和、铃，昭其声也。三辰旂旗，昭其明也。夫德，俭而有度，登降有数。文物以纪之，声明以发之，以临照百官。百官于是乎戒惧，而不敢易纪律。今灭德立违，而置其赂器于大庙，以明示百官，百官象之，其又何诛焉？国家之败，由官邪也。官之失德，宠赂章也。郜鼎在庙，章孰甚焉？武王克商，迁九鼎于雒邑，义士犹或非之，而况将昭违乱之赂器于大庙，其若之何？”桓公不听。周内史闻之曰：“臧孙达其有后于鲁乎！君违不忘谏之以德。”按：臧哀伯所论之礼数，多见于《周礼》及《礼记》所载。由其辞可见臧哀伯熟悉先代历史、文化与周礼。

九月，鲁桓公及戎盟于唐。《左传·桓公二年》：“公及戎盟于唐，修旧好也。”盟辞不载。

冬，鲁桓公从唐归来，依礼因祝史告于祖庙。《左传·桓公二年》：“冬，公至自唐，告于庙也。凡公行，告于宗庙；反行，饮至、舍爵，策勋焉，礼也。”杨伯峻《春秋左传注》云：“据《左传》及《礼记·曾子问》，诸侯凡朝天子，朝诸侯，或与诸侯盟会，或出师攻伐，行前应亲自祭告祖庙，又遣祝史告其余宗庙。返，又应亲自祭告祖庙，并遣祝史告其余宗庙。祭告后，合群臣饮酒，谓之饮至。”

公元前709年（周桓王十一年　鲁桓公三年　齐僖公二十二年）

正月，鲁桓公会齐僖公于嬴，成婚于齐。君子以为非礼。事见《春秋》、《左传》。婚礼是大事，应该有亲迎之礼，今桓公以赴会之名，行完婚之实，殊为非礼。经举其名，传言其实。“非礼”既是春秋时期评判政治行为的标准，又是评价赋诗、歌诗及用乐宜否的标准。其中包含着善与美统一的文艺思想。

夏，齐僖公、卫宣公会于蒲。结言而退。《左传·桓公三年》：“夏，齐侯、卫侯胥命于蒲，不盟也。”胥命者，诸侯相见，约言而不歃血。《荀子·大略篇》：“不足于行者，说过；不足于信者，诚言。故《春秋》善胥命，而《诗》非屡盟，其心一也。”《公羊传》：“胥命者何？相命也……古者不盟，结言而退。”蒲，卫地，在今河南省长垣县治稍东。

公元前707年（周桓王十三年　鲁桓公五年）

鲁国举行大雩之祭，以祈谷。按，雩有二，一为龙见而雩，当夏正四月，预为百谷祈雨，此常雩。常雩不书。一为旱而求雨之雩，此不时之雩。《礼记·月令》云：“大雩帝用盛乐。”《左传·桓公五年》：“秋，大雩，书，不时也。凡祀，启蛰而郊，龙见而雩，始杀而尝，闭蛰而烝。过则书。”依周礼，大雩之祭必歌盛乐。

东周贵族作《葛藟》，表达家族离散、求助不得的悲哀。在西周时期，家族是国家的基础，也是个人赖以生存的依托，但到了周桓王朝，郑等同姓诸侯国相继叛周，人心涣散，所以《葛藟》一诗悲叹人“莫我顾”、“莫我有”，语气沉痛，感情深沉。

公元前706年（周桓王十四年　鲁桓公六年　齐僖公二十五年　楚武王三十五年　郑庄公三十八年）

春，楚武王侵随，楚斗伯比言于楚王，使薳章与随少师于瑕议和，欲骄其志而后图随。随季梁以忠信之道谏随君，表现出较明确的民本思想，并提出“祝史正辞，信也”之说。季梁之谏语见《左传·桓公六年》载。按：由季梁之语观之，早期儒家的德行论是对西周春秋时代德行论的继承。季梁所谓“夫民，神之主也”，利用人们的宗教观念表现出突出的民本思想，同屈原《离骚》中说的“皇天无私阿兮，览民德焉措辅”完全一致。对后代诗人作家有实在的影响。所提出的“祝史正辞，信也”之说，实为孔子“修辞以立其诚”（《易传·文言》引）说之源头。

夏，齐侯复以女妻郑太子忽，忽固辞不受，引《诗·大雅·文王》之句以明其志。《左传·桓公六年》：“公之未昏于齐也，齐侯欲以文姜妻郑太子忽，太子忽辞。人问其故，太子曰：‘人各有耦，齐大，非吾耦也。《诗》云：“自求多福。”在我而已，大国何为。’君子曰：‘善自为谋。’及其败戎师也，齐侯又请妻之，固辞。人问其故，太子曰：‘无事于齐，吾犹不敢。今以君命奔齐之急，而受室以归，是以师昏也。民其谓我何?’遂辞诸郑伯。”《齐世家》、《郑世家》以为辞婚止一次。刘文淇《春秋左传旧注疏证》以为当以《左传》、《说苑·权谋篇》所载为是。

九月丁卯，鲁桓公太子生，行命名礼，桓公问名于申繻，申繻就命名之礼义对桓公之问。按，出生、命名为贵族人生礼仪重要组成部分，申繻所论，多与《礼记·内则》、《礼记·曲礼》所载命名礼相合。《左传·桓公六年》：“九月丁卯，子同生。以大子生之礼举之，接以大牢，卜士负之，士妻食之。公与文姜、宗妇命之。公问名于申繻，对曰：‘名有五：有信，有义，有象，有假，有类。以名生为信，以德命为义，以类命为象，取于物为假，取于父为类。不以国，不以官，不以山川，不以隐疾，不以畜牲，不以器币。周人以讳事神，名，终将讳之。故以国则废名，以官则废职，以山川则废主，以畜牲则废祀，以器币则废礼。晋以僖侯废司徒，宋以武公废司空，先君献、武废二山。是以大物不可以命。’公曰：‘是其生也，与吾同物，命之曰同。’”

申繻：鲁大夫，以其言论行事观之，为深学知礼、善于辞令之人。

公元前 704 年（周桓王十六年　鲁桓公八年　楚武王三十七年）

正月十四日，鲁国举行烝祭仪式。礼尚依时而动，此为违时之举。《穀梁传》云：“烝，冬事也；春兴之，志不时也。”

周桓公使家父聘鲁。此家父为周幽王朝作《节南山》家父之后。事见《左传·桓公八年》。家父，天子大夫。《诗·小雅·节南山》之末章：“家父作诵，以究王讻。”《节南山》作于幽王末年，作诗之家父与此年之家父相距百年之远，必非一人。孔颖达《毛诗正义》以为家父以父为字，累世相同。杜预《春秋左传注》则以为“家”为氏。无论如何，此家父当即作《节南山》家父之后无疑。

夏，楚伐随，季梁进退兵之谋，随侯不听季梁之谋，遂败。见《左传·桓公八年》。

秋，楚武王听斗伯比之言与随盟。盟辞无载。《左传·桓公八年》载是年秋天，随及楚平。楚子将不许，斗伯比曰：“天去其疾矣，随未可克也。”乃盟而还。《楚世家》载：楚武王三十七年，与随人盟而去，于是始开濮地而有之。

公元前 703 年（周桓王十七年　鲁桓公九年）

冬，曹太子射姑来朝鲁桓公，鲁以上卿之礼享之。工歌诗，间奏诗乐。事见此年

《春秋》经传。按，燕享礼为重要礼仪（具体仪程见《仪礼·燕礼》）。此礼仪中奏乐歌诗之事，计有："工歌《鹿鸣》、《四牡》、《皇皇者华》"；笙入，奏《南陔》、《白华》、《华黍》，间歌《鱼丽》，笙《由庚》；歌《南有嘉鱼》，笙《崇丘》；歌《南山有台》，笙《由仪》；歌乡乐，《周南》：《关雎》、《葛覃》、《卷耳》；《召南》、《鹊巢》、《采蘩》、《采蘋》。奏《肆夏》，下管《新宫》，舞《勺》。此享礼奏乐实为群体性的文艺表演与欣赏活动。

射姑当食而叹，鲁大夫施父以为犯忌。《左传·昭公二十八年》云："谚曰：'唯食亡忧。'"曹太子当食而叹，故施父云"曹太子其有忧乎！非叹所也"。说详杨树达《读左传》。当食弗叹，此盖春秋时代之禁忌也，然而曹太子之叹，或因闻诗而触动感情，故能抑制，以至当食而叹。

公元前702年（周桓王十八年　鲁桓公十年）

夏，虢仲谮其大夫詹父于周王。詹父有辞，以王师伐虢，虢公出奔于虞。按，虢仲，王之卿士。詹父，属大夫。孔颖达《春秋左传正义》云："《周礼》正卿之下，皆有大夫。《传》言'谮其大夫'，知是属己之大夫，非虢大夫者。若虢国大夫，虢仲自得加罪，无为谮之于王。且其若是虢人，不得以王师伐虢故也。"

虞，诸侯国之一。据郑玄《诗谱》，虞为姬姓。周太王之子、大伯之弟仲雍，是为虞仲，嗣大伯之后。武王克高，封虞仲之庶孙以为虞仲之后，处中国为西吴，后世谓之虞公，鲁僖公五年为晋所灭。

按，"有辞"之"辞"指辞令，外交场合中有辞即意味着有理可言。无理则不能强辞夺理。这也反映出当时人"修辞立其诚"的观念。"有辞"一语在《左传》中凡八见，均表示对有辞者的嘉许。"有辞"中也包含有善于辞令的意思在内。《襄公三十一年》子产相郑伯如晋，叔向曰："辞之不可以已也如是夫。子产有辞，诸侯赖之，若之何其释辞也？《诗》曰：'辞之辑矣，民之协矣。辞之绎矣，民之莫矣。'其知之矣。"

总之，"有辞"指有理可说，且能表达得当，说理清楚、有力。典籍中的"有辞"之人有子产、宾媚人、管仲、伯宗等，均为所谓君子。

秋，虞公贪求玉于其弟虞叔，其弟曰："周谚有之：'匹夫无罪，怀璧其罪'吾焉用此，其以贾害也？"乃献之。继而又求剑。以其贪，虞叔伐其君虞公，虞公出奔共池。事见《左传·桓公十年》。

公元前701年（周桓王十九年　鲁桓公十一年　齐僖公三十年　楚武王四十年　郑庄公四十三年）

正月，齐与卫、郑、宋盟于恶曹，盟辞失载。事见《左传》。《春秋》所载无宋。恶曹，疑"恶"为"乌"异文。恶曹即乌巢，地在今河南延津东南（沈钦韩《左传地名补注》、《清经解续编》本）。

楚莫敖屈瑕用斗廉之谋败郧师，而与贰、轸二国结盟。盟辞失载。按，莫敖屈瑕为屈原第六世祖。其事又见《左传·桓公十二年》、《桓公十三年》，由其行事看，屈瑕不仅能用人之谋而不忌，而且是一位多谋善断、富于韬略的将军。驻扎于绞之南北，而设伏于北门外山下。又令士兵坐于门下而诱绞国之师出来，从而夹击之，情节很富传奇性。此役本来是为了惩处带头反楚的绞国，但最后仍结盟而还，武而有节，亦可谓善用兵者。屈瑕在楚武王时期，防卫秦晋陈蔡，镇抚江汉流域诸小国，其功实与方城同等。

九月，郑昭公奔卫，厉公立。郑人作《有女同车》，以刺忽不婚于齐而婚于陈，以失系援。《左传·桓公十年》："初，祭封人仲足有宠于庄公。庄公使为卿。为公娶邓曼，生昭公，故祭仲立之。宋雍氏女于郑庄公，曰雍姞，生厉公。雍氏宗，有宠于宋庄公，故诱祭仲而执之，曰：'不立突，将死。'亦执厉公而求赂焉。祭仲与宋人盟，以厉公归而立之。秋九月丁亥，昭公奔卫。己亥，厉公立。"

《郑风·有女同车》，《序》云："刺忽也。郑人刺忽之不昏于齐。太子忽尝有功于齐，齐侯请妻之。齐女贤，而不娶，卒以无大国之助，至于见逐，故国人刺之。"王先谦《诗三家义集疏》云："按，昭公辞昏见逐，备见《左传》。隐八年如陈逆妇妫，诗所为作，三家无异义。"诗为郑忽辞昏失援而作，殆无异义。按此"齐女"非"文姜"。齐侯妻忽有两次，先以文姜，后复欲以他女妻之，他女必幼于文姜。而诗谓"孟姜"是也。胡辰珙《毛诗后笺》卷七云："《春秋》桓三年'夫人姜氏至自齐'，即文姜也。六年：'北戎伐齐'，郑太子忽帅师救齐。是时文姜归鲁已久，则所谓齐侯又请妻之者，其非文姜明甚。至称'孟姜'者，古者男女异长，嫡长称伯，宋伯姬是也；庶长称孟，齐孟姜是也。或文姜是嫡出，孟姜是庶出耳。"

赵文哲《娵雅堂别集》曰："朱子以忽之辞昏未为不正，其失国以势孤援弱，亦未有可刺之罪，故力斥《序》为失是非之正、害礼义之公，而疑此诗亦淫奔之作。闻尝考之，忽之辞昏有二。""始以非耦以辞，继以师昏为辞，其守义不可谓不正。特是郑庄之时，内多嬖宠，外有权臣，群公子交构其间，祸乱之萌已非一朝夕之故。忽以守小节而亡大援，以致失国，国人目击心伤，形诸嗟叹，亦未失忠厚之遗也。且忽之辞昏，祭仲不言之乎：'君多内宠，子无不援，将不立。'忽不能听，君子讥其善自为谋，而谋不及国。是当时，郑之廷臣及后之据经作传、亲承孔子之教如左氏者，皆以其辞昏为失，岂作诗者与序诗者一人之私言乎？""以为淫奔之诗者，朱子特以《郑风》而臆之耳。今就经文诠之：同车者，亲迎授绥之礼也。同行者，御轮三周之侯也。曰'佩玉'，是有矩步之节。曰'孟姜'，则本齐族之贵。彼《溱洧》之相谑，《桑中》之相要，有如是之威仪盛饰昭彰耳目者乎？"

陈启源亦持此说，并据史实对此诗作年也作了确定。《毛诗稽古编》卷六云："郑诗二十一篇，其六篇皆为忽而作。计忽两为君，其始以桓公十一年五月立，是年九月奔卫；其继以桓公十五年六月归，至十七年遇弑。前后在位不及三载，事至微矣，而国人闵之，刺之惓惓无已者，岂非以其世子，当立而不克令终，故独加怜欤？按，忽六诗，孔氏以《有女同车》、《褰裳》二篇为作于前立时……今合之郑事，殆不谬也。忽之立而出奔也，因宋人之执祭仲也，衅起于外也。使结齐昏，有大援，或当时有贤方伯起而正之，则郑实不能恃宋以窃国矣。故《有女》之刺辞昏，《褰裳》的之思见正，皆汲汲于外援也。"

《有女同车》为郑公子忽而作，另一证据是《左传·昭公十六年》载郑六卿饯韩宣子，子旗赋《有女同车》为有求于大国、相与唱和二义。说明古来之说如此。故系于郑忽奔卫之年。

公元前700年（周桓王二十年　鲁桓公十二年　楚武王四十一年　郑厉公元年　卫宣公十九年）

夏，鲁与莒、杞盟于曲池。盟辞失载。据《左传》莒伐杞（前719年），两国失和，鲁与莒、杞为邻，此年为之调解。按：曲池，地名。在今山东省宁阳县东北。

冬，郑、鲁盟于武父，帅师伐宋。时君子引《诗·小雅·巧言》刺宋之无信曰：苟信不继，盟无益也。《诗》云："君子屡盟，乱是用长"，无信也。事见《左传·桓公十二年》，宋以助立郑厉公有功，责赂于郑无厌。郑不堪，因不和。鲁桓公为之调停，于此年秋与宋盟于句渎之丘。宋屡背盟，又会于虚；冬又会于龟。宋公拒和。

楚屈瑕谋伐绞，设计诱绞师出，败之，迫其订城下之盟而还。《左传·桓公十二年》："楚伐绞……为城下之盟而还。"

《诗·邶风》之《雄雉》、《匏有苦叶》、《新台》等诗约作于此年前后。《邶风》之《雄雉》、《匏有苦叶》、《新台》，《序》以为刺卫宣公。《谷风》、《式微》、《旄丘》、《简兮》、《泉水》、《北门》、《北风》、《静女》、《二子乘舟》，及《卫风》之《氓》、《竹竿》、《有狐》诸诗，唐孔颖达《毛诗正义》、陈奂《诗毛氏传疏》均以为宣公时诗；《卫风》之《伯兮》，郑玄《笺》以为宣公时诗；《鄘风》之《墙有茨》、《君子偕老》、《桑中》、《鹑之奔奔》诸诗，《序》及朱熹《诗集传》，方玉润《诗经原始》等均以刺卫宣公夫人或公室淫乱。以上诸说，前人或是或否；考之诗本文，大多反映男女之思，无明确证据可以证明是刺诗。卫多情诗与其地文化习俗、价值观念有密切关系。卫宣公时，卫人违礼乱德之行尤多，解诗者或因此以为以上诸诗，皆由此产生。今人程俊英、陈子展等认为上述诸诗产生于卫宣公时代。姑从其说，系于此以待考。

公元前696年（周庄王佗元年　鲁桓公十六年　卫惠公四年）

冬，卫惠公出奔。左公子洩，右公子职作《芄兰》之诗，讽刺惠公诬兄谋国，骄而无礼。初，卫宣公夺其子急子（《史记》作"伋子"）之妇而恶急子。公子朔谋君位，又诬其兄急子于宣公。宣公设计使盗杀急子，朔于是立，为惠公。宣公之弟公子洩、公子职不服，逐惠公，惠公奔齐。事见《左传·桓公十六年》、《史记·卫世家》。

《芄兰》，今属《卫风》，《诗序》据《左传》以为刺卫惠公年少在位，骄而无礼。郑《笺》亦云："惠公以幼童即位，自谓有才能，而骄慢于大臣。但习威仪，不知为政以礼。"此诗三家无异义。刘向《说苑·修文篇》云："能治烦决乱者佩觿，能射御者佩拿，能正三军者搢笏。衣必荷规而成矩，负绳而准下。故君子衣服中而容貌得，接其服而象其德，故望玉貌而行能有定矣。《诗》云：'芄兰之支，童子佩觿'，说行能者也。"此为鲁诗说，亦指惠公。何楷《诗经世本古义》云："通篇皆比体，是借童子躐等之状为刺。"清儒陈启源、朱鹤龄、王念孙、胡辰珙、方玉润等皆从《序》说。胡氏《后笺》云："诗盖以'芄兰之支'兴君子当柔润温良，正与骄慢相对。又人君治成之人事，故以童子而佩觿。然虽服成人之佩，而不自谓我知，所以为柔润温良而有成人之德……此皆正言之以反刺惠公之骄慢，所谓陈美以刺恶也。”《左传・闵公二年》云：“初，惠公之即位也少。”杜预《注》：“盖年十五、六。”这与诗本文相合。今人程俊英、陈子展等亦不否认这一点。故从毛、郑之说，系于惠公被逐之年。

至于诗的作者，汪梧凤《诗学女为》云：“卫朔（惠云）佩服成人，而执心不定，放肆骄傲，卒至见逐失位，诗人忧而隐讽之，所以为忠厚也。且《说苑》曰：能治乱决烦者佩觿，能射御者佩位 。《尚书》注曰：人君十二而冠带为成人。藉非惠公，何以泛然童子亦得佩觿位，治成人之事耶？”

朱鹤龄《诗经通义》云：“惠公以谗构取国，为左右公子所恶，逐之奔齐。《春秋》书卫侯朔出奔齐，不言二公子逐，罪之也。是诗也，其即二公子之徒为之欤？”陈启源《毛诗稽古编》亦云：“《序》以《芄兰》为刺惠公，而朱子不信。夫惠公谮杀二兄，违距王命，其很抗不逊可知。《序》云：骄而无礼。正相合也。且即位时方十五六岁，宜有童子之称，又何疑乎？然则为此诗者，殆左公子泄右公子职之徒欤？”诗中说：“虽则佩觿，能不我知”，“虽则佩位，能不我甲”，确像是父兄大臣之口吻，左右二公子为宣公庶弟，为惠公父辈，又是惠公兄伋、寿之傅，朱鹤龄、陈启源之说似有较充分之理由。

公元前695年（周庄王佗二年　鲁桓公十七年　郑厉公六年）

春，鲁桓公会齐侯、纪侯盟于黄。事见《春秋・桓公十七年》、《左传》。

二月丙午，鲁桓公会邾仪父，盟于趡。事见《春秋・桓公十七年》、《左传》。

郑人歌《山有扶苏》之诗，刺忽不能用贤去奸，以致亡身。《诗序》解诗，有时言作诗者之义，有时则言用诗者之义。

《山有扶苏》本是一首情诗，郑人歌之以讽刺公子忽。《左传・昭公十六年》载郑六卿赋诗，表明郑国有此传统。《毛序》云：“刺忽也。所美非美然。”《笺》云：“言忽所美之人实非美人。”诗旨三家诗无异义。诗首章云：“山有扶苏，隰有荷花。不见子都，乃见狂且。”王先谦《诗三家义集疏》云：“《齐说》曰：视暗不明，云蔽日光。不见子都，郑人心伤（《易林・蛊之比》）；《鲁说》曰：时俗之所不誉者，未必为非也。其所誉者，未必为是也……言所谓好者非好，丑者非丑（《中论・审大臣篇》）。……明《齐》、《鲁》、《毛》文义并同。”此诗第二章云：“山有桥松，隰有游龙。不见子充，乃见狡童。”王先谦《诗三家义集疏》云：“《传》：‘松，木也。龙，红草也。子充，良人也。狡童，昭公也。’《笺》：‘游龙，犹放纵也。桥松在山上，喻忽无恩泽于大臣也。红草放纵枝叶于隰中，喻忽听恣小臣。此又言养臣颠倒，失其所也。人之好忠良之人，不往见子充，乃反往见狡童。狡童有貌而无实。’……狡童……《齐说》亦指昭公，不以为刺小人。下《狡童》诗《序》云‘刺忽’，《传》谓‘昭公有壮狡之志’，则以狡童指昭公，乃古义相承如此。《齐说》释诗，盖言不见善人相辅，惟见狡童孤立于上而已。”此据用诗者之义，于此年。下文系《萚兮》等诗同此。

郑歌《萚兮》，刺郑昭公忽君弱臣强，不倡而和。《萚分》本是仲春之月“含男女”时男女对唱的情歌，在当时社会上流传，被借用来讽刺郑昭公。《毛序》阐发《萚兮》的用诗者之义云：“刺忽也。君弱臣强，不倡而和也。”《笺》云：“不倡而和，君臣各失其礼，不相倡和。”王先谦《诗三家义集疏》云：“三家无异义。”胡辰珙《毛诗后笺》云：“李氏《集解》云：‘君倡臣和，理之常也。今也君弱臣强，专命自恣，不禀于君，不待君命而动，诗人所以刺之也。’苏氏《诗传》则谓此惊惧之词，而非倡和之意。吕《纪》、严《辑》皆本之，以风之吹萚喻国将危亡，以‘倡予和女’为大臣相约倡和以谋国难……仍当以《传》、《笺》为是。”

郑人歌《狡童》，刺郑昭公不能与贤臣图事，权臣擅命，以致亡身。《狡童》本是一首写女子失恋的诗，今人张君成认为这首诗和《郑风》中其他情诗一样，最初作于春秋早期，约在公元前700年至前600年间。据《毛序》云：“《狡童》，刺忽也。不能与贤臣图事，权臣擅命也。”这是说此诗被用于讽刺郑阳召公，是用诗者之义。朱鹤龄《诗经通义》云：“以愚臆之，此诗乃昭公见弑后，国人哀之，而假狡童以为刺也。……朱子（熹）又云忽无大罪，国人不应数刺之。然昭公之复国也，祭仲擅权而不能制，高渠弥发难而不能察，突居郑别都而不能讨，外无强援，内无良辅，以至于亡，则固多可刺之道矣。圣人录此等诗，以示戒万世，岂和一郑忽乎哉?”胡辰珙《后笺》亦云：“盖之为人，殆见贤而不能举，见不善而不能退者，故《山有扶苏》、《萚合》、《狡童》及《扬之水》皆致慨于其不能任忠良、去权奸，以致身弑国危而不悟也。”又云：“昭公志在自奋，而所与图者非其人，故惟其壮狡之志而暗于事机，终将及祸，愈使人思其故而忧之，至不能食息焉。”所说大体可以。

郑同姓之臣作《扬之水》，闵郑昭公忽兄弟相争，又无忠臣良士，终以死亡。《郑风·扬之水》，《序》云：“闵无臣也。君子闵忽之无忠臣良士，终以死亡，而作是诗也。”《笺》及《疏》从之。何楷《古义》曰：“郑突夺適非正，然其出奔也，诸侯尚有会师以谋纳之者。忽以世子当立，乃自其失位以至复国，迄于被弑，外不闻邻国之援，内未有臣民之戴。意其人必多猜喜忌，于物无亲者，读此诗可想其概。”魏源《诗序集义》则以为“刺兄弟相争”，说更贴近诗旨。严粲《诗缉》引曹氏曰：“忽突争国，子仪、子亹更立，至庄十四年，忽等已亡，而原繁谓厉公曰：‘庄公之子犹有八人’，不得为鲜。盖昭公兄弟虽众，无与同心者，要其终必不相助，虽多犹少也。”方玉润《诗经原始》、胡辰珙《毛诗后笺》与此相同，皆从《序》说。

关于此诗作时，陈启源《毛诗稽古编》云：“《山有扶苏》、《萚兮》、《狡童》、《扬之水》四篇为作于后立时，今合之郑事，殆不谬也。”“后立四诗，其作于忽未弑乎？……未弑，故多忧危之语。诗人忠爱之思，千载如见矣。”然《序》云：“闵无臣也。……终以死亡。”仍当从《序》说。

诗之作者，郑玄《笺》谓：“忽兄弟争国，亲戚相疑，后竟寡于兄弟之恩，独我与女有耳。作此诗者，同姓臣也。”

公元前694年（周庄王三年　鲁桓公十八年　齐襄公四年）

春，鲁桓公会齐襄公于泺，夫人姜氏与往，将行，鲁大夫申繻曰：“女有家，男有室，无相渎也。谓之有礼。易此，必败。”遂及文姜如齐，齐襄通焉。事见《左传·桓公十八年》，《齐世家》亦载此事。

齐大夫作《南山》之诗，刺齐襄公淫于其妹，行恶无礼。

《诗序》云："《南山》，刺襄公也。鸟兽之行，淫乎其妹，大夫遇是恶，作诗而去之。"《笺》云："襄公之妹，鲁桓公夫人文姜也。襄公素与淫通。及嫁公谪之。公与夫人如齐。夫人诉之襄公。襄公使公子彭生乘公而搤杀之，夫人久留于齐。"孔颖达《正义》云："作《南山》诗者，刺襄公也。以襄公为鸟兽之行。鸟兽淫不避亲，襄公行如之，乃淫于己之亲妹，人行之恶，莫甚于此。齐国大夫逢遇君有如是之恶，故作诗以刺君。其人耻事无道之主，既作此事，遂弃而去之。"

求之诗本文，知《序》、《笺》之说确实可信。全诗四章，每章六句。《毛诗》与三家诗均以首章以狐求匹耦于南山之上，喻襄公淫佚于人君之位，其可耻恶如狐貌。而鲁道荡然平易，文姜既由此而归嫁于鲁，既有夫矣，襄公何为复思之而与之通淫？次章言"鲁道有荡，齐子庸止。既曰庸止，曷又从止？"责襄公既用此道嫁文姜于鲁侯，又何送而从之，为淫泆之行？《集传》谓"前二章刺齐襄，后二章刺鲁桓"。何楷《古义》以为后二章"又追原其夫妇成昏之始"。第三章以艺麻兴娶妻，谓鲁侯既告庙而娶文姜于齐，宜以妇道禁之，泺之会不应使穷极邪意而至齐，卒招杀身之祸。第四章则以析薪必待斧，以兴娶妻必使媒。"既曰得之，曷又极止？"意即鲁桓既使媒而得娶文姜，又不能听申缙之言禁制文姜。整首诗均与齐襄公通文姜而杀鲁桓之事相合。因此就连疑古著称的姚际恒亦云："诗中曰'鲁道'，曰'齐子'，明是齐襄公、文姜之事。又四章皆有'既曰'及'曷又'字，其为刺辞亦甚显然。"（《诗经通论》卷六）

周公黑肩谋杀庄王，而欲以王子克代之。周大夫辛伯谏周公曰："并后，匹嫡、两政、耦国，乱之本也。"庄王杀黑肩，王子克奔南燕。《左传·桓公十八年》："周公欲弑庄王而立王子克，辛伯告王，遂与王杀周公黑肩。王子克奔燕。"《史记》所载略同，惟系于周庄王四年，即鲁庄公元年。

公元前693年（周庄王四年　鲁庄公元年　齐襄公五年）

三月，文姜私奔于齐。齐人作《敝笱》，讽刺文姜淫乱，为二国之患。《诗序》云："《敝笱》，刺文姜也。齐人恶鲁桓公微弱，不能防闲文姜，使至淫乱，为二国患焉。"孔颖达《正义》云："经三章，皆是恶鲁桓以刺文姜之辞。"又释《序》云："齐则襄公通妹，鲁则夫人外淫。桓公见杀于齐，襄公恶名不灭，是为二国患也。文姜既嫁于鲁，齐人不当刺之，由其兄与妹淫，齐人恶君而复恶文姜，亦所以刺君，故编之为襄公诗也。"王先谦《集疏》云："三家无异义……《齐说》曰：敝笱在梁，鲂逸不禁……笱敝而无闻，兴鲁桓之微弱。"

诗言"齐子归止，其从如云"。"归"字之义有两说：其一，朱熹《集传》云："齐人以敝笱不能制大鱼，比鲁庄公不能防闲文姜，故归齐而从之者众也。是以归为归齐，则此诗作于庄公时"；其二，"归"为女子出嫁，如《桃夭》"之子于归"。陈奂《传疏》云："桓三年《春秋》书'齐侯送姜氏于讙'，齐侯，僖公也。桓以弑兄篡国，求昏于齐，文姜又为僖公宠女，亲送之讙，嫁从之盛，骄伉难制。鲁为齐弱，由来者渐。至桓十八年，文姜如齐，与襄公通，桓即毙于彭生之手。《序》云'不能防闲使至淫乱'，则诗作于十八年之后，而追刺其嫁时之盛，以为淫乱之由，实始于微弱。"陈启源《稽古编》亦云：“《敝笱》篇《序》以为恶鲁桓微弱，是也。《朱传》以为刺庄公，失之矣。案女子之归有三，于归也，归宁也，大归也。舍是无言归者。文姜如齐始于桓末年耳，时僖公已卒不得言归宁，又非见出不得云大归，则诗言齐子归止定指于归无疑……笱之敝也，不敝于彭生乘公之日，而敝于公子翚逆女之年，诗人推见祸本，故不于如齐刺之，而以归鲁刺之。”如以归为嫁，则诗为追述鲁桓致祸之根本，刺桓公也。今人陈子展（陈说“大概是诗人看到了鲁桓公的不幸的结局才作出此诗的罢”）、程俊英、蒋见元亦持此说。

周庄王使大夫荣叔聘鲁，追锡鲁桓公命，行锡命礼。事见《春秋·庄公元年》。杜预《集解》云：“追命桓公，褒称其德，若昭七年王追命卫襄之比。”按鲁桓无德，王因嫁王姬之故也故追命之。苏辙《春秋集解》卷三云：“锡命者，命之以策也。卫襄公之没也，王使成简公追命之，曰：‘叔父陟恪我先王之左右，以佐事上帝，予敢忘高圉亚圉。’不称天王，阙文也。”杨伯峻《春秋左传注》云：“春秋之世，周天子赐诸侯命，有在即位时赐之者，于鲁文公、晋惠公是也；有即位后八年始赐之者，于鲁成公是也；于齐灵公，则天子将婚于齐乃赐之；于鲁桓公、卫襄公则既葬乃赐之。襄公十四年《传》载有命齐灵之辞，昭七年《传》载有追命卫襄公之辞。此赐桓公命，亦追命，其辞当与追命卫襄公者相近。”

公元前690年（周庄王七年　鲁庄公四年　齐襄公八年　楚武王五十一年）

二月，鲁文姜享齐侯于鲁地祝丘。《春秋·庄公四年》注云：“享，食也，两君相见之礼，非夫人所用，直书以见其失。祝丘，鲁地。”

齐人作《载驱》之诗，刺齐襄公无礼义，盛其车服，疾驱于通都大道，与文姜淫，播其恶于万民焉。《诗序》云：“《载驱》，刺齐襄公也。无礼义故，盛其车服，疾驱于通道大都，与文姜淫，播其恶于万民焉。”孔氏《正义》申《序》之说云：“《载驱》诗者，齐人所作以刺襄公也。刺之者，襄公身无礼义之故，乃盛饰其所乘之车与所衣之服，疾行驱驰于通达之道，广大之都，与其妹文姜淫通，播扬其恶于万民焉，使万民尽知情，无惭耻，故刺之也。国人刺君乃是常事，诸序未有举国之名言其民刺君。此独云‘齐人刺襄公’者，以文姜鲁之夫人，襄公往入鲁境，以其齐、鲁错，须言齐以辨嫌。无礼义，盛其车服者，首章次句（按即‘簟茀朱鞹’）与次章上二句（‘四骊济济，垂辔浉浉’）是也。疾驱，首章上句是也。于通道大都，下二章上二句（‘汶水汤汤，行人彭彭’。‘汶水滔滔，行人儦儦’。）是也。四章下二句皆言文姜来会齐侯，是与文姜淫之事，大都通道人皆见之。”

诗中言“汶水汤汤”，《笺》云：“汶水之上盖有都焉，襄公与文姜时所会。”按此前庄公元年文姜“逊于齐”。庄二年又会齐襄于禚，此年又享齐襄于鲁之祝丘，时时相会也。《正义》云：“此襄公入于鲁境，往会文姜，若是鲁桓尚存，不应公然如此。此篇所陈，盖是庄公时事。”孔说盖得之。朱熹《集传》、王质《诗总闻》、严粲《诗缉》均从毛、孔之说，惟以为乘车者为齐姜，“齐人刺文姜乘此车而来会襄公也。”苏辙《诗传》亦云：“襄公疾驰以会文姜，文姜夕发于鲁以会之。”胡辰珙《后笺》云：“许氏《诗深》曰：序诗之例，郑诗不书郑，齐诗不书齐，而此篇独系之齐人，正恐读者但见诗称齐子，不辨其何以刺襄，故加齐人以著之。使知载驱若指文姜，当其发夕于鲁，齐人何由见其薄之？惟属之襄公，则知簟茀国君之路车，非夫人之翟茀。固以齐人目击襄公之薄之载驱，遂想见齐子之发夕鲁道，而后诗意了然。可谓发淫人隐微深痼之疾而善言其情状矣。承珙案，齐人自刺其君，其词宜隐，故簟茀四骊但言其车马驰骤之盛，无所指斥，而以齐子对照出之，所谓言隐而旨隐也。”

三月，楚武王伐随，卒于军。令尹斗祁、莫敖屈重秘其丧，率兵围随。随惧，与楚盟。楚全师而退。屈重为屈原七世祖。见《左传·庄公四年》载。按：屈重，屈瑕之子，时任莫敖。此年伐随，距屈瑕之死九年，则屈重系继屈瑕而任莫敖者，故高士奇《左传姓名考》曰：“屈重，屈瑕子。”洪亮吉《春秋左传诂》亦云：“此屈重当系屈瑕之子。”伐随之役，“以王命入盟随侯，且请为会于汉汭而还。济汉而后发丧”。见其“沉着稳健，临事善谋，不辱君之遗命，真可谓栋梁之才”。

公元前688年（周庄王九年　鲁庄公六年　楚文王二年　卫惠公十二年　陈宣公五年）

六月，卫惠公入复位，逐黔牟，杀公子洩、公子职。时君子引《诗·大雅·文王》以为公子洩、公子职之立黔牟为“不度本末”。《左传·庄公六年》云：“夏，卫侯入，放公子黔牟于周，放宁跪于秦，杀左公子洩、右公子职，乃即位。君子以二公子之立黔牟为不度矣。夫能固位者，必度于本末，而后立衷焉。不知其本，不谋；知本之不枝，弗强。《诗》云：‘本枝百世。’”

按，卫惠复入，《史记·卫世家》在此年，与《左传》合，而《十二诸侯年表》与此不合，当以《左传》所载为是。

秋，鲁庄公伐卫归国，行告庙之礼。《春秋·鲁庄六年》杜预注云：“告庙，故书。”

冬，楚文王伐申，借道于邓，邓祁侯享之。“三甥”谏邓侯，请杀楚文王。弗听，楚遂灭邓。《左传·庄公六年》云：“楚文王伐申。过邓。邓祁侯曰：‘吾甥也。’止而享之。骓甥、聃甥、养甥请杀楚子。邓侯弗许。三甥曰：‘亡邓国者，必此人也。若不早图，后君噬齐。其及图之乎！图之，此为时矣。’邓侯曰：‘人将不食吾余。’对曰：‘若不从三臣，抑社稷实不血食，而君焉取余？’弗从。还年，楚子伐邓。十六年，楚复伐邓，灭之。”

周史以《周易》见陈厉公，公使筮其子陈完，遇《观》之《否》，曰：“是谓‘观国之光，利用宾于王。’此其代陈有国乎？不在此，其在异国；非此其身，在其子孙。光，远而自他有耀者也。……陈衰，此其昌大乎！”《左传·庄公二十二年》载：“陈厉公，蔡出也，故蔡人杀五父而立之。生敬仲。其少也，周史有以《周易》见陈侯者，陈侯使筮之，遇《观》之《否》……”按，陈厉公立在鲁桓公六年，陈完于此年生，则此年约16岁，尚未婚冠。故据“其少也”之说，系周史之筮辞于此年。又按：鲁昭公八年楚灭陈，陈桓子始大于齐，此即五世其昌，并于正卿之应验。至哀公十七年楚复灭陈，成子得政，即此言：“八世之后，莫之与京也。”

公元前687年（周庄王十年　鲁庄公七年　齐襄公十一年）

四月，辛卯，夜，恒星不见。夜中，星陨如雨。此为世界最早之天琴座流星记录。春秋人以为天人之间有某种神秘的对应关系，以流星雨为灾异，故记之。见《春秋·庄公七年》及《公羊传》、《穀梁传》。

齐人作《猗嗟》之诗，刺鲁庄公有威仪技艺，而不能防闲其母文姜。据《春秋》经、传，此年文姜与齐侯频频会面通奸，故诗人作诗以刺鲁庄公。《猗嗟》，《诗序》以为"刺鲁庄公"，"齐人伤鲁庄公有威仪技艺，然不能以礼防闲其母"。王先谦《集疏》云："三家无异义。"明清以来学者如何楷、王夫之、惠周惕（《诗说》）、孙广森（《经学卮言》）、陈奂《传疏》、胡辰珙、沈德潜等虽然在诗文理解方面稍有不同，但均从《序》说以为此诗为刺鲁庄公。沈德潜《说诗晬语》云："讽刺之词，直诘易尽，婉道无穷。卫宣姜无复人理，而《君子偕老》一诗止道其容饰衣服之盛，而首章末以子之不淑、云如之何二语逗露之。鲁庄公不能为父复仇，防闲其母，失人子之道。而《猗嗟》一诗止道其威仪技艺之美，而章首以猗嗟二字讥叹之。苏子所谓不可以言语求而得，而必深观其意者也。诗人往往如此。"点明此诗的写法。

关于诗的具体作年，旧有三说：一说以为作于鲁庄公四年公及齐人狩于禚之时。何楷首倡此说，其《诗经世本古义》云："《春秋·庄四年》：'冬，公及齐人狩于禚。'此诗疑即狩禚事，盖公朝齐而因以狩也。古者诸侯相朝则有宾射，故所言者皆宾射之礼。又诗曰：展我甥兮。自是庄公初至齐，而人骤见之语。孔广森《经学卮言》卷三、陈奂《传疏》、顾广誉《学诗详说》均从之。按诗写鲁庄威仪及射艺，与宾射之礼不同，故此说不可从。

一说以为作于庄公二十三年如齐观社之时。王夫之主此说，《诗经稗疏》云："考鲁庄当齐襄之代未尝如齐。二十二年如齐纳弊（币），二十三年观社，始两如齐。其时襄公已殪，文姜已死，齐桓立已十二年矣。鲁庄公于齐桓为中外兄弟，不当言外孙。且文姜禽行已成既往，何必辱及朽骨？按《尔雅》，妻之晜弟为甥，姊妹之夫为甥。然则大者盖呼姊婿为甥。其云甥者，指鲁庄娶哀姜而言之也。鲁庄如齐纳币踰年而归……盖与此诗合。"魏源《诗古微》从之。

一说以为作于鲁庄公二十二年至二十四年三年间。胡辰珙《后笺》云"王氏《总闻》以为庄公早年而桓公已殁，文姜挟母之尊，倚齐之强，安可防闲其后？郝氏敬、胡氏允嘉、邹氏忠胤、黄氏櫄容皆以庄之不能防闲有恕词焉。然则曷为刺庄？考庄公生于桓公六年，至即位之时才十三岁耳，固难责以防母。其即位后二年至七年，文姜屡会齐襄，庄公身已弱冠，责以不能防闲，固已无所逃罪。惟诗中历言庄公容貌技艺之美，非齐人熟观而审悉之，不能言之如此其详。……观末章"猗嗟娈兮"《传》云：壮好貌……岂亦以《猗嗟》作于如齐纳币逆女之时乎？"

以上三说均拘泥于诗人必熟观审悉鲁庄声容方可作此诗之陈套，故以鲁庄如齐为确定此诗作年之依据，孰不知作诗非画像，亦可据传闻，想象其音容笑貌；此外，诗刺庄公不能防闲文姜必在文姜尚在，且与齐襄频会之际。以此来看上述之说均不可以。惟此年文姜、齐襄由春至冬，频繁相会，故齐人刺之。姑系于此年。

公元前686年（周庄王十一年　鲁庄公八年　陈宣公七年）

陈大夫懿氏卜妻陈厉公之子陈完。其妻占之，曰："吉。是谓'凤凰于飞，和鸣锵锵。有妫之后，将育于姜。五世其昌，并于正卿。八世之后，莫之与京。'"《左传·庄公二十二年》云："初，懿氏卜妻敬仲。"敬仲即陈完。陈厉公立之年生完，厉公立在鲁桓公六年，则此年陈完约18岁，依礼制，议婚当在此年，故以懿氏之占辞系于此年。

夏，鲁、齐之师围郕，郕降齐。仲庆父请伐齐，鲁庄公引《夏书》以修德待时之理止之。《左传·庄公八年》载：夏，鲁、齐之师围郕。郕降于齐师。仲庆父请伐齐师。鲁庄公曰："不可。我实不德，齐师何罪？罪我之由。《夏书》曰：'皋陶迈种德，德，乃降。'姑务修德以待时乎。"秋，师还。君子是以善鲁庄公。

公元前684年（周庄王十三年　鲁庄公十年）

春，鲁师败齐师于长勺。鲁曹刿请见，与鲁桓公论为政及为战之道。曹刿之言论见《左传·庄公十年》载。清代余诚编《古文释义》收曹刿谏语，并评之曰："'远谋'二字，一篇眼目，却借答乡人语，闲闲点出。人后，层层写曹刿远谋，正以见'肉食者之未能远谋'也。通体不满一百二十字，而其间具无限事势，无限情形，无限问答，急弦促节，在《左传》中，另自是一词。"

按，长勺，鲁地名原为长勺氏所居。据《左传·定公四年》载，周成王分鲁以殷民六族，长勺氏即其一。则此长勺为其所居之地。又据《山东通志》，长勺地在今曲阜北境。

公元前683年（周庄王十四年　鲁庄公十一年　齐桓公三年　楚文王七年　宋闵公九年）

秋，宋大水，鲁桓公使臧文仲聘宋，吊其灾祸。吊辞曰："天作淫雨，害于粢盛，若之何不吊？"答辞曰："孤实不敬，天降之灾，又以为君忧，拜命之辱。"《周礼·大宗伯》云："以吊礼哀祸灾。"郑《注》云："祸灾谓遭水震火。"《左传·文公十五年》云："贺善吊灾"，《昭公十一年》云："贺其福而吊其凶"，《左传·昭公十八年》："宋、卫、陈、郑皆火。……使行人告于诸侯。宋、卫皆如是。陈不救火，许不吊灾，君子是以知陈、许之先亡也。"均可证春秋有吊灾、丧于邻国之礼。《周礼·司寇》小行人职："若国有祸灾，则令哀吊之。"据此，致吊辞则小行人司之。

按，此吊辞为吊灾问丧之礼专用辞令。《左传·襄公十四年》厚成叔吊卫侯之辞曰："闻君不抚社稷，而越在他境，若之何不吊？"措辞格式与此相类。晋挚虞《文章流别论》及刘勰《文心雕龙·哀吊》等论"哀吊"则当属之吊丧之文。如溯其源，则在吊灾之辞也。

臧文仲引述禹汤罪己之事，论宋人知礼，言其知礼必兴。《左传·庄公十一年》："秋，宋大水。公使吊焉，曰：'天作淫雨，害于粢盛，若之何不吊？'对曰：'孤实不敬，天降之灾，又以为君忧，拜命之辱。'臧文仲曰：'宋其兴乎！禹、汤罪己，其兴也悖焉，桀、纣罪人，其亡也忽焉。且列国有凶称孤，礼也。言惧而名礼，其庶乎'！"

《韩诗外传》卷三以为孔子之言。《说苑·君道》则以为君子之言。《史记·十二诸侯年表》、《宋世家》均以为臧文仲之言。

齐桓公适鲁，行亲迎之礼，迎娶周共姬。高士奇《左传纪事本末》云："鲁之王姬之嫁旧矣，故桓公之娶王姬，亦逆于鲁，盖鲁为王室懿亲也。"

齐人作《何彼秾矣》，赞美王姬下嫁于齐桓公。《诗序》云："《何彼秾矣》，美王姬也。虽则王姬亦下嫁于诸侯。车服不系其夫，下王后一等。犹执妇道。以成肃雍之德也。顾炎武《日知录》卷三云："《山堂考索》载林氏曰："二南之诗虽大概美诗，亦有刺诗，不徒西周之诗，而东周亦与焉，据《何彼秾矣》之诗可知矣。其曰：'平王之孙，齐侯之子。'考《春秋·庄公元年》书王姬归于齐，此乃桓王女、平王孙下嫁于齐襄公，非平王孙、齐侯子而何？说者必欲以为西周之诗，于时未有平王，乃以'平'为平正之王，'齐'为齐一之侯，与书言'宁王'同义，此妄也……诗人若曰言其容色固如唐棣矣，然王姬之车胡不肃雝乎？是讥之也。按此说桓王女、平王孙则是，其曰刺诗，于义未见。盖自邶、鄘以讫于桧、曹，皆太师之所陈者也。其中有美有刺，若二南之诗则用之为燕乐，用之为乡乐，用之为射乐，用之为房中乐，而《钟鼓》之卒章所谓'以雅以南'，《春秋传》所谓'象箾南籥'，《文王世子》所谓'胥鼓南'者也，安得有刺？此必东周之后，其诗可以存二南之遗音，而圣人附之于篇者也。且自平王之东，周德日以衰矣。麦禾之取，繻葛之战，几无以令于兄弟之国。且庄王之世，鲁、卫、晋、郑日以多故，于是王姬下嫁，以树援于强大之齐，寻盟府之坠言，继昏姻之夙好。且其下嫁之时犹能修周之旧典，而容色之盛、礼节之备有可取焉。圣人安得不录之，以示兴周道于东方之意乎？盖东周以后之诗得附二南者，惟此一篇而已。后之儒者乃疑之，而为是纷纭之说……夫妇人伦之本，昏姻王道之大，下嫁于齐，甥舅之国，太公之后，先王以周礼治诸侯之本也。诗之得附于南者以此……《何彼秾矣》以庄王之事而附于召南，其与《文侯之命》以平王之事而附于《书》一也。"顾氏以此诗作时及王姬下嫁以树援的分析判断大体可从，惟诗中所言"齐侯之子"当指桓公。清人黄汝成《日知录集释》及今人郭晋稀《风诗蠡测》论之甚详，其说可从。至于作诗者，由诗文来看，当为齐人无疑。

公元前682年（周庄王十五年　鲁庄公十二年　卫惠公十八年）

卫石祁子谏卫君勿保恶背盟。《左传·庄公十二年》："宋人请猛获于卫。卫人欲勿与。石祁子曰：'不可。天下之恶一也，恶于宋而保于我，保之何补？得一夫而失一国，与恶而弃好，非谋也。'卫人归之。"

按：石祁子，据顾栋高《春秋大事表·春秋列国卿大夫世系表》，为石骀仲之子，石骀仲为石碏之族。《礼记·檀弓下》："石骀仲仲卒，无嫡子，有庶子六人，卜所以为后者，石祁子兆。"郑《注》："骀仲，卫大夫石碏之族。"

公元前681年（周僖王胡齐元年　鲁庄公十三年　齐桓公五年）

春，齐桓公始盟诸侯。齐桓公为平宋乱，与宋、陈、蔡、邾之君会盟于齐之北杏。春秋时以诸侯而主天下之盟会，始于此。《左传·庄公十三年》云："十三年春，会于北杏，以平宋乱。”孔颖达《正义》云：“此云‘平宋乱’者，宋万已诛，宋新立君，其位未定，齐桓欲修霸业，为会以安定之，非欲平除新君，故宋人听命，来列于会也。”

冬，鲁庄公会齐侯，盟于柯。鲁始与齐通好。曹柯之盟经战国人附会，成为后世重要的文学素材。事见《春秋》经、传所载。按：柯之盟及曹刿之事，《公羊传》、《史记·十二诸侯年表》及《齐世家》所述与《左传》不同。《齐世家》云：“（桓公）五年，伐鲁，鲁将师败。鲁庄公请献遂邑以平，桓公许，与鲁会柯而盟。鲁将盟，曹沫以匕首劫桓公于坛上，曰：‘反鲁之侵地！’桓公许之。于是遂与曹沫三败所亡地于鲁。”征之《左传》，此年无伐鲁之役，更无劫持之事。《齐世家》非据《左传》，而据战国间传说。《荀子·王制篇》说“桓公劫于鲁庄”；《战国策》亦屡言曹沫劫桓公之故事。《齐策六》载鲁仲连《遗燕将书》举此事以劝燕将；《管子·大匡》、《吕氏春秋·贵信》所载与《战国策》、《荀子》相同。叶适《习学记言序目》卷十说：“是时东迁未百年，人材虽陋，未至便为刺客。”曹沫之故事，盖战国时人据史事附会而成为一文学上之素材。司马迁采之，书于《齐世家》、《鲁世家》，并为之作《刺客列传》。流波所及，汉武梁祠画像亦有曹沫劫桓公图像。至于后世诗文所咏，更是不可计数。

公元前680年（周僖王二年　鲁庄公十四年　楚文王十年　郑厉公二十二年）

夏，郑厉公复位，取郑子仪而代之。子仪有《王子婴齐炉铭》传世。《左传·庄公十四年》云：“郑厉公自栎侵郑，及大陵，获傅瑕。傅瑕曰：‘苟舍我，吾请纳君。’与之盟而赦之。六月甲子，傅瑕杀郑子及其二子，而纳厉公。”传世器有王子婴次炉，1923年出土于新郑，同出之器百余，仅二有铭，一即此炉。王国维因有“王子”字，说为楚子重婴齐器，器出新郑，则以为鄢陵之役楚师宵遁所遗（《观堂集林·史林·王子婴次炉跋》，中华书局1959年版，第899—900页）。郭沫若则以为即郑子仪之器。说详郭氏其《两周金文辞大系图录考释》（上海书店出版社1999年重印本，第182—183页）下。杨伯峻《春秋左传注》有异说。今从郭沫若说，系于此年。

初，内蛇与外蛇斗于郑南门中，内蛇死。至此年而郑厉公自外入郑复位。人以为有妖。鲁桓公问于鲁大夫申繻，申繻以“妖由人兴”对之。《左传·庄公十四年》载：“初，内蛇与外蛇斗于郑南门中，内蛇死。六年而厉公入。公闻之，问于申繻曰：‘犹有妖乎？’对曰：‘人之所忌，其气燄（炎）以取之。妖由人兴也。人无衅焉，妖不自作。人弃常，则妖兴，故有妖。’”

郑大夫原繁对郑厉公之问。对问之辞见《左传·庄公十四年》载。原繁，梁玉绳曰：“原繁始见《左传·隐公五年》，郑武公之子。”（《春秋分记》）。杜预《春秋世族谱》云：“亦曰原伯。”典司郑宗庙之事，知礼解文。

楚文王灭息，以息妫归。息妫知义能言，其事迹成为战国秦汉间重要的文学素材。事见《左传·庄公十四年》。息妫知义能对，后为《楚辞·天问》、《列女传·贞顺传》中之文学形象。刘向颂语云：“楚虏息君，纳其嫡妃。”又云：“夫人持固，弥久不衰。”（《列女传》）

公元前 679 年（周僖王三年　鲁庄公十五年　齐桓公七年。春，齐会宋、陈、卫、郑于鄄，齐桓公主盟，始称霸。

《春秋·庄公十五年》：“十有五年春，齐侯、宋公、陈侯、卫侯、郑伯会于鄄。”《左传》云：“十五年春，复会焉，齐始霸也。”《史记·十二诸侯年表》及《齐世家》所载同此。

管仲陈辞，论“成民”之术。管仲之辞见《国语·齐语》载。

管仲陈辞，论“制国”之术。管仲之辞见《国语·齐语》载。

公元前 678 年（周僖王四年　鲁庄公十六年　齐桓公八年　晋武公三十八年）

十二月，齐桓公会鲁庄公、宋桓公、陈宣公、卫惠公、郑厉公、许穆公、滑伯及滕子同盟于幽，齐桓公主盟。事见《春秋·庄公十六年》及《左传·庄十六年》。

周僖王使虢公锡命曲沃武公以一军为晋侯。《史记·十二诸侯年表》云：“曲沃武公灭晋侯缗，以宝献周，周命武公为晋君，并其地。”《晋世家》云：“晋侯（俗）二十八年，曲沃武公伐晋侯俗，灭之，尽以其宝器赂献于周釐王。釐王命曲沃武公为晋君，列位诸侯，于是尽并晋地而有之。”依礼锡命必有辞，此次无载。

《周礼·夏官·叙官》云：“凡制军，万有二千五百人为军。王六军，大国三军，次国二军，小国一军。”

晋大夫作《无衣》，赞美晋武公。《无衣》即《唐风》之《无衣》。《诗序》云：“美晋武公也。武公始并晋国，其大夫为之请命于天子之使而作是诗也。”孔氏《正义》、朱熹《集传》从其说。胡辰珙《毛诗后笺》卷十：“美”字，注疏本有作“刺”者，此疑武公非所当美，而《唐谱正义》有“《无衣》、《有杕之杜》皆刺武公”语，故据以改此《序》“美”为“刺”耳。然《序》下《正义》屡言“美武公”，则《序》本作“美”可知。至不当美而美，则《正义》明云：“《世家》称武公厚赂周僖王，僖王乃赐之命。是于法武公不当赐之。美之者，其臣之意美之耳。”此可谓善于读《序》。《毛诗后笺》引韩氏《读诗传藹》曰：“此诗作自曲沃之大夫，当其作之之始，亦止据事直陈，初不知其为美为刺也。而序诗者特以为美武公。”

胡氏广征众说，发明《序》义，指出作诗者为曲沃武公之大夫，皆言之有据。陈奂《传疏》云：“此诗即其大夫所作，故为美而不为美刺。”王先谦《诗三家义集疏》以为陈说是。又言此诗三家无异义。诗曰：“岂曰无衣七兮”，“岂曰无衣六兮”。《毛传》：“侯伯之礼七命，冕服七章。”又曰：“天子之卿六命，车旗衣服以六为节。”此言天子锡命礼仪制度，皆与礼合。可证此诗乃晋大夫因晋武公受命为侯伯而作。

公元前 677 年（周僖王五年　鲁庄公十七年　晋武公三十九年）

晋人作《有杕之杜》，刺晋武公无好贤之心，不求贤以自辅。此诗《诗序》云：“《有杕之杜》，刺晋武也。武公寡特，兼其宗族，而不求贤以自辅焉。”《毛诗正义》发挥序说：“言寡特者，言武公专任己身，不与贤人图事，孤寡特立也。兼其宗族者，昭侯以下为君于晋国者，是武公之宗族，武公兼有之也。武公初兼宗国，宜须求贤，而不求贤者，故刺之。经二章，皆责君不求贤人之事也。”

按，《唐风》另有《杕杜》一诗，诗云：“有杕之杜，其叶湑湑。独行踽踽，岂无他人？不如我同父。嗟行之人。胡不比焉？人无兄弟，胡不佽焉？”言兄弟不相亲，至使骨肉离散，乃致独行无依，无以为助。此《有杕之杜》亦以杕杜起兴，用意与前篇相同。后者云：“有杕之杜，生于道左。彼君子兮，噬肯适我？中心好之，曷饮食之。”郑《笺》云：“道左，道东也。日之热恒在日中之后，道东之杜，人所宜休息也。今人不休息者，以其特生，阴寡也。兴者，喻武公初兼其宗族，不求贤者与之在位，君子不归，似乎特生之杜然。”又云：“其不来者，君不求之。”“中兴好之，曷饮食之？”是说“君”无好贤之心。此篇兴义与前篇《杕杜》相似，惟前言不亲宗族，此则主刺不求贤者。盖杕杜之兴孤特，为时谣所歌，诗人习之，于创作中辄引用之。以晋武公行事看，《序》及《笺》、《正义》之说大体可信，故系于此年。

公元前674年（周惠王三年　鲁庄公二十年　郑厉公二十七年）

冬，王子颓享边伯等五大夫，为之演奏六代之乐《云门》、《大卷》、《大咸》、《大韶》、《大夏》、《大濩》、《大武》等。《国语·周语上》云：“王子颓饮三大夫酒，子国为客，乐及遍儛。”《左传·庄公二十年》云：“冬，王子颓享五大夫，乐及遍舞。”《注》云：“黄帝之《云门》、《大卷》，尧之《大咸》，舜之《大韶》，禹之《大夏》，汤之《大濩》，周武王之《大武》也。”《周礼·春官·大司乐》云：“以乐舞教国子，舞《云门》、《大卷》、《大咸》、《大磬diao》、《大夏》、《大濩》、《大武》。”

郑厉公引“哀乐失时，殃咎必至”之说，论王子颓必败。《左传·庄公二十年》云：“冬，王子颓享五大夫……郑伯闻之，见虢叔曰：‘寡人闻之：哀乐失时，殃咎必至。今王子颓歌舞不倦，乐祸也。夫司寇行戮，君为之不举，而况敢乐祸乎！奸王之位，祸孰大焉？临祸忘忧，忧必及之。盍纳王乎？’虢公曰：‘寡人之愿也。’”《国语·周语上》所载略同。

公元前673年（周惠王四年　鲁庄公二十一年　郑厉公二十八年）

郑厉公享周王，席间为之奏六代之乐。原庄公曰：“郑伯效尤，其亦将有咎。”《左传·庄公二十一年》云：“郑伯享王于阙西辟，乐备。”杜预《春秋左传注》：“备六代之乐也。”名目见前说。杨伯峻《春秋左传注》云：“郑伯效尤指乐备而言。郑伯既以王子颓乐及遍舞为非，而己又于享王时备六代之乐，是所谓‘尤人而效之’也。”

公元前672年（周惠王五年　鲁庄公二十二年　齐桓公十四年　晋献公五年　陈宣公二十一年）

春，陈宣公杀太子御寇，陈公子完与颛孙奔齐。齐桓公使陈完为卿，陈完长于辞令，引《诗》为辞以辞之，遂使为工正。陈完与齐桓公对问之辞见《左传·庄公二十二年》。其事又见《史记·陈世家》及《田敬仲完世家》、《十二诸侯年表》。

按，陈完，即陈公子完。梁玉绳曰：“陈公子完始见《左》庄廿二。亦曰陈完。亦曰田完。谥敬仲，厉公子……”《史记》有《田敬仲完世家》记其事。陈完为知礼之

人。

《左传》言陈厉公立，生陈完。陈厉公立于鲁桓公六年，而生陈完，则此年陈完34岁。陈完所引诗句，不见于今本《诗经》，为逸诗。杜预云："逸诗也。翘翘，远貌。古者聘士以弓，言虽贪显命，惧为朋友所讥责。"（《春秋左传集解》卷三）

七月丙申，鲁庄公及齐高傒盟于防地。见《春秋·庄公二十二年》。盟辞无载。

晋献公欲立骊姬为夫人，使史苏占之，不吉；史苏谏，弗听。《左传·僖公四年》："晋献公欲以骊姬为夫人，卜之，不吉；筮之，吉。公曰：'从筮。'卜人曰：'筮短龟长，不如从长。且其繇曰："专之渝，攘公之羭。一薰一莸，十年尚犹有臭。"必不可！'弗听，立之。"

史苏，晋献公大夫。《国语·晋语一》："献公卜伐骊戎，史苏占之。"《左传·僖公十五年》："晋献公筮嫁伯姬于秦，遇《归妹》之《睽》史苏占之。"《礼记·曲礼》之《正义》以为此卜骊姬为夫人亦为史苏。其说可从。

公元前671年（周惠王六年　鲁庄公二十三年）

夏，鲁庄公到齐国观看社祭会男女、祭高禖，曹刿以所行非礼谏之。《左传·庄公二十三年》云："二十三年，夏，公如齐观社，非礼也。曹刿谏曰：'不可。夫礼，所以整民也。故会以训上下之则，制财用之节，朝以正班爵之义，帅长幼之序，征伐以讨其不然。诸侯有王，王有巡守，以大习之。非是，君不举矣。君举必书，书而不法，后嗣何观？'"《国语·鲁语》所载略详。

按，社即祀社神之仪式。《诗·小雅·甫田》云："以社以方。"《墨子·明鬼下》云："燕之有祖，当齐之社稷、宋之有桑林、楚之有云梦也，此男女之所属而观也。"沈钦韩《左传地名补注》谓即聚男女而相游观者也。

公元前670年（周惠王七年　鲁庄公二十四年）

春，鲁庄公装饰桓公庙之楹，大夫匠师庆谏之，弗听。《国语·鲁语》"匠师庆谏庄公丹楹刻桷"章云："庄公丹桓宫之楹，而刻其桷。匠师庆言于公曰：'臣闻圣王，公之先封者，遗后之人法，使无陷于恶。其为后世，昭前之令闻也，使长监于世，故能摄固不解以久。今先君俭而君侈，令德替矣。'公曰：'吾属欲美之。'对曰：'无益于君而替前之令德，臣故曰庶可已矣。'公弗听。"《左传·庄公二十四年》所载略有不同。按，御孙庆，鲁国掌匠大夫，姓御孙，名庆。

夏，鲁庄公到齐国亲迎妇姜。事见《左传·庄公二十四年》。据《仪礼·士婚礼》，亲迎为婚礼六仪之最后一仪。贵族之婚礼亦然。

秋，鲁宗妇觌，哀姜用币。宗人夏父展陈辞以谏鲁庄公，弗听。《国语·鲁语》云："哀姜至，公使大夫、宗妇觌，用币。宗人夏父展曰：'非故也。'公曰：'君作故。'对曰：'君作而顺则故之，逆则亦书其逆也。臣从有司，惧逆之书于后也，故不敢不告。夫妇贽不过枣、栗，以告虔也。男则玉、帛、禽、鸟，以章物也。今妇执币，是男女无别也。男女之别，国之大节也，不可无也。'公弗听。"《左传》夏父展作御孙庆，此从《国语》。夏父展，鲁宗伯。夏父为其氏也。宗伯主男女贽币之礼。

公元前 669 年（周惠王八年　鲁庄公二十五年）

六月辛未，朔，日有食之，鲁伐鼓、用牲以祭社、祭门。《春秋·庄公二十五年》云："六月辛未，朔，日有食之，鼓，用牲于社。"《左传·庄公二十五年》亦载此事。杜预《春秋左传注》云："鼓，伐鼓也；用牲，以祭社也。"

秋，鲁国大水，伐鼓、用牲来祭社、祭门以禳灾。《左传·庄公二十五年》云："秋，大水，鼓，用牲于社、于门，亦非常也。凡天灾，有币，无牲。非日、月之眚不鼓。"《周礼·春官·小宗伯》云："凡天之大灾，类社稷宗庙则为位。"贾公彦《疏》云："天灾，谓日月食，星辰奔殒；地灾，谓震裂。则类祭社稷及宗庙，亦小宗伯为位祭之。"可知周代凡天地之灾，均必祭社，以为禳祓。

公元前 667 年（周惠王十年　鲁庄公二十七年　齐桓公十九年　晋献公十年）

六月，齐桓公盟诸侯于幽。事见《春秋·庄公二十七年》。《左传》云："夏，同盟于幽，陈、郑服也。"

冬，晋献公欲伐虢，士蔿以礼、乐、慈、爱之说谏之。按，士蔿，晋大夫。《通志·氏族略》四云："士氏，陶唐氏之苗裔，历虞、夏、商、周，至成王迁之杜，为伯。宣王杀杜伯，其子隰叔奔晋，为士师，故为士氏。其子孙居随及范，故又为随氏、范氏，有三族焉。隰叔生士蔿，字子舆，故亦谓之士舆。"《国语·晋语》八云："昔隰叔子违周难于晋国，生子舆，为理。"《左传·庄公二十年》为献公谋去富子之患，二十四年又谋游氏之二子，二十五年助献公尽杀游氏族人，二十六年为晋大司空。《左传·庄公二十七年》载："晋侯将伐虢。士蔿曰：'不可。虢公骄，若骤得胜于我，必弃其民。无众而后伐之，欲御我，谁与？夫礼、乐、慈、爱，战所畜也。夫民，让事、乐和、爱亲、哀丧，而后可用也。虢弗畜也，亟战，将饥。'"

周惠王使召伯廖赐齐桓公命。召伯廖，为周惠王卿士，召康公之后。

按，赐命，即行赐命之礼，诸侯有功，天子行封赏之礼。《左传·庄公二十七年》："王使召伯廖赐齐侯命，且请伐卫，以其立子颓也。"《史记·周本纪》云："惠王十年，赐齐桓公为伯。"《十二诸侯年表》亦载此事。

公元前 666 年（周惠王十一年　鲁庄公二十八年　齐桓公二十年　楚成王六年）

楚令尹子元欲引诱楚文王夫人息妫，筑馆于其所居宫之侧，而表演《万》舞。夫人闻之，泣曰："先君以是舞也，习戎备也。今令尹不寻诸仇雠，而于未亡人之侧，不亦异乎！"事见《左传·庄公二十八年》。息妫即楚文王夫人。子元为楚文王之弟，时为楚令尹。按，此《万》为武舞。《礼记·乐记》云："天子夹振之"，郑《注》云："夹振之者，上与大将夹舞者振铎以为节也。"文夫人云先君以是舞习戎备，是武舞，故曰"振《万》"。

冬，鲁有大饥荒，臧文仲依荒礼告籴于齐，辞令顺美，遂获齐援。《春秋·庄公二十八年》云："冬……大无麦、禾，臧孙辰告籴于齐。"《左传》云："礼也"。《国语·

鲁语》云："鲁饥，臧文仲言于庄公。曰：'夫为四邻之援，结诸侯之信，重之以婚姻，申之以盟誓，固国之艰急是为。铸名器，藏宝财，固民之殄病是待。今国病矣，君盍以名器请籴于齐？'公曰：'谁使？'对曰：'国有饥馑，卿出告籴，古之制也。辰也备卿，辰请如齐。'公使往。从者曰：'君不命吾子，吾子请之，其为选事乎？'文仲曰：'贤者急病而让夷，居官者当事不避难，在位者恤民之患，是以国家无违。今我不如齐，非急病也。在上不恤下，居官而惰，非事君也。'文仲以鬯圭与玉磬如齐告籴，曰：'天灾流行，戾于敝邑，饥馑荐降，民羸几卒，大惧乏周公、太公之命祀，职贡业事之不共而获戾。不腆先君之敝器，敢告滞积，以纾执事，以救敝邑，使能供职，岂唯寡君与二三臣实受君赐，其周公、大公及百辟神祇实永飨而赖之！'齐人归其玉而予之籴。"按，《周书·籴匡》："大荒，卿参告籴。"大荒告籴于邻国盖古礼也。

《周书·籴匡》至迟于此年前已流传于鲁。《周书·籴匡》一篇，备言周人备荒之礼，其中文句此年为鲁臧孙辰所引述，臧孙辰还声称告籴之礼为古之制也。由此可见，《籴匡》至迟于此年前已在鲁流传（黄怀信《逸周书源流考辨》，西北大学出版社1992年版，第94—95页）。

公元前665年（周惠王十二年　鲁庄公二十九年）

《周礼·夏官·圉师》之文约成于此年。《春秋·庄公二十九年》："春，新延厩。"《左传》："新作延厩，书，不时也。凡马，日中而出，日中而入。"此传文为概括《圉师》相关内容而成。可知《圉师》之产生必不晚于此年。

公元前664年（周惠王十三年　鲁庄公三十年　楚成王八年）

春，楚令尹子元复诱息妫，斗廉陈辞以谏。事见《左传》、《史记·楚世家》。

秋，申公斗班杀子元，子文始为令尹。事见《左传》、《史记·楚世家》。据《左传》、《楚辞·天问》及《说苑》、《汉书·古今人表》等，子文，即斗谷於菟，楚斗伯比之子。子文初生，弃之大泽中而虎乳之，楚语谓乳为谷，称虎为於菟，故名之曰斗谷於菟。此年起代子元为楚令尹，爱民勤政，执法公正，为民所戴。

九月庚午朔，日食，鲁人伐鼓、用牲于社以禳之。事见《春秋·庄公三十年》。古人以日食为灾异，故伐鼓用牲于社以禳灾，此为先秦常见之巫祭仪式。

冬，山戎侵燕，齐桓公用管仲之谋，北伐山戎。《国语·齐语》载齐桓公问管仲："吾欲北伐，何主？"管仲对曰："以燕为主。"遂北伐山戎、制令支、斩孤竹而南归。《晋语二》、《左传》、《管子·小问》、《韩非子·说林上》、《史记·晋世家》亦载此事。

公元前662年（周惠王十五年　鲁庄公三十二年　齐桓公二十四年）

春，齐桓公筑城于小穀，为管仲采邑。《春秋·庄公三十二年》云："三十有二年春，城小穀。"《左传》云："城小穀，为管仲也。"《水经注·济水》云："济水侧岸有尹卯垒，南去鱼山四十余里，是穀城县界，故春秋之小穀城也，齐桓公以鲁庄公二十三年（当作三十二年）城之，邑管仲焉。城内有夷吾井。"

七月，有神降于虢之莘地，周内史过引《明神之志》，对周惠王之问。内史过之辞见《左传·庄公三十二年》载。按：内史过，周惠王大夫，内史其职，过是其名。《周礼·春官·内史》云："内史掌王之八枋之法，以诏王治。一曰爵，二曰禄，三曰废，四曰置，五曰杀，六曰生，七曰予，八曰夺。执国法及国令之贰以考政事，以逆会计。掌叙事之法，受纳访以诏王听治。凡命诸侯及孤卿大夫，则策命之。凡四方之事书，内史读之。王制禄，则赞为之，以方出之。赏赐亦如之。内史掌书王命，遂贰之。"据此可知内史既要负责文书的起草，还要担任诵读奏章及保管文档的工作。

周惠王用内史过之谋，使太宰与祝、史帅丹朱之后狸姓之人，奉牺牲、粢盛、玉帛往莘献祭于丹朱，不要有祈求。《国语·周语上》："王曰：'其谁受之？'对曰：'在虢土。'王曰：'然则何为？'对曰：'臣闻之：道而得神，是谓逢福；淫而得神，是谓贪祸。今虢少荒，其亡乎？'王曰：'吾其若之何？'对曰：'使太宰以祝、史帅狸姓，奉牺牲、粢盛、玉帛往献焉，无有祈也。'"按，此事《左传·庄公三十二年》及《说苑·辨物篇》所载略同。

按，《周礼·天官》，太宰为王卿，掌祭祀礼俗。祝，太祝也，掌祝号祈福祥。史即太史，掌祭神次主位。狸姓，徐元诰《国语集解》卷一云："丹朱之后也。神不歆非类，故帅以往焉。"

十二月，虢公使祝应、宗区、史嚚享神。《左传·庄公三十二年》云："神居莘六月。虢公使祝应、宗区、史嚚享焉。神赐之土田。"

史嚚论虢将亡。其"国将兴，听于民；将亡，听于神"之说表现出明确的民本思想。《左传·庄公三十二年》："史嚚曰：'虢其亡乎！吾闻之：国将兴，听于民；将亡，听于神。神，聪明正直而壹者也，依人而行。虢多德，其何土之能得？'"

公元前661年（周惠王十六年　鲁闵公启方元年　齐桓公二十五年　晋献公十六年）

春，狄人伐邢。管仲引《诗·小雅·出车》句，谏齐桓公救邢。《左传·闵公元年》云："元年春……狄人伐邢。管仲言于齐侯曰：'戎狄豺狼，不可厌也；诸夏亲暱，不可弃也。宴安酖毒，不可怀也。《诗》云："岂不怀归？畏此简书。"简书，同恶相恤之谓也。诸救邢以从简书。'齐人救邢。"

八月，鲁闵公及齐桓公盟于齐地落姑，请复季友于陈，齐侯许之。事见《左传·闵公元年》。

冬，鲁内乱初平，齐仲孙湫适鲁省难，归齐而论鲁政于齐桓公。《左传·闵公元年》："冬，齐桓公孙湫来省难……归，曰：'不去庆父，鲁难未已。'公曰'若之何而去之？'对曰：'难不已，将自毙，君其待之。'公曰：'鲁可取乎？'对曰：'不可，犹秉周礼。周礼，所以本也。臣闻之："国将亡，本必先颠，而后枝叶从之。"鲁不弃周礼，未可动也。君其务宁鲁难而亲之。亲有礼，因重固，间携贰，覆昏乱，霸王之器也。'"

周大夫辛廖为毕万筮仕于晋之吉凶，得《屯》之《比》。《左传·闵公元年》："初，毕万筮仕于晋，遇《屯》䷂之《比》䷇。辛廖占之，曰：'吉。《屯》固、

《比》入，吉孰大焉？其必蕃昌。《震》为土车从马，足居之，兄长之，母覆之，众归之，六体不易，合而能固，安而能杀，公侯之卦也。公侯之子孙，必复其始。”

辛廖，杜预《注》以为晋大夫，刘炫用服虔说，以为周大夫。炫云：“若在晋国而筮，何得云‘筮仕于晋’？又有辛甲、辛有并是周人，何故辛廖独为晋大夫？”杨伯峻《春秋左传注》从此说。

晋大司空士蒍引时谚，论太子申生将有不测。《左传·闵公元年》载士蒍曰：“太子不得立矣。……且谚曰：‘心苟无瑕，何恤乎无家？’天若祚太子，其无晋乎？”《国语·晋语》载士蒍语甚详，惟其时在晋献公作二年伐霍前，与《左传》不同。此从《左传》。

晋大夫郭偃预言毕万之后必大。《左传·闵公元年》载卜偃曰：“毕万之后必大。万，盈数也；魏，大名也。以是始赏，天启之矣。天子曰兆民，诸侯曰万民。今名之大，以从盈数，其必有众。”

郭偃，即卜偃。为晋国掌卜大夫。杨伯峻《春秋左传注》云：“以其职曰卜偃，以其姓氏则曰郭偃（《晋语》）。《吕氏春秋·当染篇》云：‘文公染于咎犯、郄偃’，‘郄’为‘郭’之形近误，《太平御览·治道部》引正作‘郭’。《墨子·所染篇》作高偃，高乃郭旁转耳。参梁履绳《补释》。《商君书·更法篇》引有《郭偃之法》，《韩非子·南面篇》亦云：‘管仲毋易齐，郭偃毋更晋，则桓、文不霸矣。’参以《墨子》、《吕览》，则卜偃之于晋文公，实变法称霸之功臣。”

公元前660年（周惠王十七年　鲁闵公二年　晋献公十七年　郑文公十三年）

春，虢大夫舟之侨预言虢之将亡，率其族人迁居晋国。《国语·晋语》云：“虢公梦在庙。有神人面白毛虎爪，执钺立于西阿，公惧而走。神曰：‘无走！帝命曰：“使晋袭于尔门。”’公拜稽首。觉，召史嚚占之，对曰：‘如君之言，则蓐收也，天之刑神也，天事官成。’公使求之，且使国人贺梦。舟之侨告诸其族。曰：‘众谓虢亡不久，吾乃今知之。君不度而贺大国之袭，于己也何瘳？吾闻之曰：“大国道，小国袭焉，曰服。小国傲，大国袭焉，曰诛。”民疾君之侈也，是以遂于逆命。今嘉其梦，侈必展，是天夺之鉴而益其疾。民疾能其态，天又诳之；大国来诛，出令而逆；宗国既卑，诸侯远己，内外无亲，其谁云救之？吾不忍俟也！将行，’以其族适晋。六年，虢乃亡。”《左传·闵公二年》载此事稍异。

十二月，狄人灭卫，许穆夫人思归唁之，许人不许，作《蝃蝀》。《左传·闵公二年》、《史记·卫世家》均载此事。《序》云：“《蝃蝀》，止奔也。卫文公能以道化其民，淫奔之耻，国人不齿也。”朱熹《诗集传》云：“小序以为文公时诗，盖见其列于《定中》、《载驰》之间故尔，他无可考也。”朱子以为《序》说无实据。考察诗本文及其与《载驰》一诗之关系，则知《序》说为可信。翟人灭卫，戴公庐漕，齐筑楚丘，文公后兴，卫之大事，无有过此，屡见于《国风》，是必然的。小序以为《定之方中》美卫文公“徙居楚邱，始建城市而营宫室”；《载驰》为许穆夫人所作也。闵其宗国颠覆，自伤不能救。皆有根据，是以古今无异义。《蝃蝀》等三篇夹于两者之间，自不应与卫人之国难家仇无关。《载驰》云："许人尤之，众稚且狂。"又云："大夫君子，无我有尤。"可知许穆夫人欲归唁其兄，许人、许大夫加以指责，自有经文作为明据。《蝃蝀》一诗云："蝃蝀在东，莫之敢指"，盖卫在许之东北，世代淫昏；卫宣公、卫懿公皆淫乐奢侈而亡国，故诗人以蝃蝀比之，阻止夫人东归于卫。诗又云："朝隮于西，崇朝其雨。"许穆夫人本昭伯通于宣姜所生，西嫁于许，故许人暗刺之。诗后文又说"女子远行，远父母兄弟"。女子即指夫人，此句谓夫人即已嫁于许，已远离淫昏之族，不必有挂念之心而思归于卫。卫亡，许大夫既已往卫，而夫人犹欲亲行，是不信大夫，故曰"大无信也"；卫之亡实出天命，非人力能救助，夫人必欲亲往，是不知命也。

许穆夫人赋《载驰》，闵其宗国卫国颠覆，而不能救之。《诗·鄘风·载驰》，《序》云："许穆夫人所作也。闵其宗国颠覆，自伤不能救也。卫懿公为狄人所灭，国人分散，露于漕邑。许穆夫人闵卫之亡，伤许之小，力不能救，思归唁其兄，又义不得，故赋是诗也。孔颖达《正义》曰："此《载驰》诗者，许穆夫人所作也。闵念其宗族之国见灭，自伤不能救之。言由卫懿公为狄人所灭，国人分散，故立戴公，暴露而舍于漕邑。宗国败灭，君民播迁，是以许穆夫人闵念卫国之亡，伤己许国之小，而力弱不能救，故且欲归国而唁其兄。但在礼，诸侯夫人父母终，唯得使大夫问于兄弟，有义不得归，是以许人尤之，故赋《载驰》之诗而见己志也。"王先谦《诗三家义集疏》引《鲁》说曰："许穆夫人者，卫懿公之女，许穆公之夫人也。初，许求之，齐亦求之，懿公将与许，女因其傅母而言曰：'古者诸侯之有女子也，所以苞苴玩弄，系援于大国也。今者许小而远，齐大而近，若今之世，强者为雄，如使边境有寇戎之事，惟是四方之故，赴告大国，妾在不犹愈乎？今舍近而就远，离大而附小，一旦有车驰之难，孰可与虑社稷？'卫侯不听，而嫁之于许。其后狄人攻卫，大破之，而许不能救，卫侯遂奔走涉河，而南至楚丘。齐桓往而存之，遂城楚丘以居，卫侯于是悔不用其言。当败之时，许夫人驰驱而吊唁卫侯，因疾之而作诗云：'载驰载驱，归唁卫侯。驱马悠悠，言至于漕。大夫跋涉，我心则忧。既不我嘉，不能旋反。视尔不臧，我思不远。'君子善其慈惠而远识也。"《韩诗》、《齐诗》并同。

郑公子素恶高克事君不以礼，又恶郑文公逐臣不以道，故作《清人》之诗以刺之。《左传·闵公二年》云："冬十二月，狄人伐卫……郑人恶高克，使帅师次于河上，久而弗召，师溃而归，高克奔陈。郑人为之赋《清人》。"《清人》即《诗·郑风》之诗。《诗序》云："《清人》，刺文公也。高克好利而不顾其君，文公恶而欲远之不能。使高克将兵而御狄于竟，陈其师旅，翱翔河上。久而不召，众散而归，高克奔陈。公子素恶高克进之不以礼，文公退之不以道，危国亡师之本，故作是诗也。"孔颖达《正义》曰："作《清人》诗者，刺文公也。文公之时，臣有高克者，志好财利，见利则为，而不顾其君。文公恶其如是，而欲远离之，而君弱臣强，又不能以理废退。适值有狄侵卫，郑与卫邻国，恐其来侵，文公乃使高克将兵御狄于境。狄人虽去，高克未还，乃陈其师旅，翱翔于河上。日月经久，而文公不召，军众自散而归，高克惧而奔陈。文公有臣郑之公子名素者，恶此高克进之事君不以礼也，又恶此文公之逐臣不以道，高克若拥兵作乱则是危国，若将众出奔则是亡师。公子素谓文公为此，乃是危国亡师之本，故作是《清人》之诗以刺之。"是作诗者为郑公子名素者。陈奂《诗毛氏传疏》

云："《春秋》：闵二年冬十有二月，狄入卫，郑弃其师。《左传》云：郑人恶高克……郑人为之赋《清人》。案鲁闵公二年，郑文公之十三年也。郑卫连境，其时狄人入卫，郑能修方伯连率之职，救患恤同，此一役也，郑可以霸。乃徒寻君臣之小忿，外为救卫之师，内遂逐臣之怨。《春秋》讥其弃师，不啻自弃其国矣。此诗为公子素所作。《汉书·古今人表》有公孙素，与郑文公高克列上下，当是一人。"焦循《补疏》则云："以诸公子考之，士与素声相转，公子素盖公子士也。观其入滑、朝楚，非碌碌者，故能赋诗刺高克。楚人酖之，当亦忌其才，虞其得立也。华与华、瑕正同类。士为素之变，或本素字残缺，仅存上字头而椽作士，可用以互证。"是作诗者为公子士。未知《序》与《补疏》孰是。王先谦《诗三家义集疏》云此诗齐、鲁韩三家无异义，均为高克事而作，故系于此年。

晋献公使太子申生伐赤狄，欲害之，晋大夫里克谏献公，不听。《左传·闵公二年》："晋侯使大子申生伐东山皋落氏。里克谏曰：'大子奉冢祀、社稷之粢盛，以朝夕视君膳者也，故曰冢子。君行则守，有守则从。从曰抚军，守曰监国，古之制也。夫帅师，专行谋，誓军旅，君与国政之所图也，非大子之事也。师在制命而已，禀命则不威，专命则不孝，故君之嗣适不可以帅师。君失其官，帅师不威，将焉用之？且臣闻皋落氏将战，君其舍之！'"《国语·晋语》亦载此事。《史记·晋世家》从《左传》。

公元前658年（周惠王十九年　鲁僖公二年　齐桓公二十八年　卫文公二年）

春，齐桓公会诸侯城楚丘而封卫。事见《春秋·僖公二年》及《左传·僖公二年》。

九月，齐桓公及宋、江、黄之国君盟于宋之贯地。事见《左传·僖公二年》。江，国名，嬴姓，故城在今河南省息县西南。鲁文公四年为楚所灭。

虢公败戎于桑田。晋郭偃论虢之必亡。《左传·僖公二年》载："虢公败戎于桑田。晋卜偃曰：'虢必亡矣。亡下阳不惧，而又有功，是天夺之鉴，而益其疾也。必易晋而不抚其民矣。不可以五稔。'"《晋语》引"天夺其鉴，而益其疾"为虢史嚚之言。与《左传》有异。

卫人作《定之方中》之诗，美卫文公能复国养民。《诗序》云："《定之方中》，美卫文公也。卫为狄所灭，东徙渡河，野处漕邑。齐桓公攘戎狄而封之。文公徒居楚丘，始建城市而营宫室，得其时制，百姓说之，国家殷富焉。"郑《笺》从之。孔颖达《正义》结合史事解说诗义最为允当。孔氏云："作《定之方中》诗者，美卫文公也。卫国为狄人所灭，君为狄人所杀，城为狄人所入。其有遗余之民，东徙渡河，暴露野次，处于漕邑。齐桓公攘去戎狄而更封之，立文公焉。文公乃徙居楚丘之邑，始建城，使民得安处。始建市，使民得交易。而营造宫室，既得其时节，又得其制度，百姓喜而悦之。民既富饶，官亦充足，致使国家殷实而富盛焉，故百姓所以美之。言封者，卫国已灭，非谓其有若新造之然，故云封也。言徙居楚丘，即二章升墟、望楚、卜吉、终臧，是也。而营宫室者，而首章'作于楚宫'，'作于楚室'，是营宫室也。建城市，经无其事，因徙居而始筑城立市，故连言之。毛则'定之方中'，'揆之以日'皆为得其制。既得其制，则得时可知。郑则‘定之方中’得其时，‘揆之以日’为得其制，既营室得其时，树木为豫备，雨止而命驾，辞说于桑田，故‘百姓说之’。‘匪直人也，秉心塞渊’，是悦之辞也。国家殷富，则‘𫛞牝三千’是也。”（《毛诗正义》卷三）。王先谦《集疏》卷三云：“《左传闵二年传》：‘卫文公大布之衣、大帛之冠，务材、训农，通高、惠工，敬教、劝学，授方、任能。元年，革车三十乘；季年，乃三百乘。’……此徙居楚丘，始建城市营宫室，国人说而作诗。‘作于楚宫’，《毛传》引仲梁子曰：‘初立楚宫也。’《郑志》：‘仲梁子先师鲁人，当六国时。’案，《礼记·檀弓》有仲梁子，郑注‘鲁人’，疑即其人。又见《韩非子》，称仲梁氏，足证诗古义相承如此。《晋书·刘曜载记》和苞云：‘卫文公承乱亡之后，宗庙社稷漂流无所，而犹仰准乾象，俯顺民时，以构楚宫，故兴康叔武公之迹，以延九百之庆也。’三家无异义。”由此可见，《毛序》之说可从，故系于此年。

公元前657年（周惠王二十年　鲁僖公三年　齐桓公二十九年　晋献公二十年）

冬，齐桓公为阳谷之会，适鲁寻盟。事见《春秋·僖公三年》及《左传·僖公三年》。

晋大司空士芀引《诗·大雅·板》，以修德爱子之道谏晋献公。《左传·僖公五年》：“初，晋侯使士芀为二公子筑蒲与屈；不慎，置薪焉。夷吾诉之。公使让之。士芀稽首而对曰：‘臣闻之：“无丧而慼，忧必雠焉；无戎而城，雠必保焉。”寇雠之保，又何慎焉？守官废命，不敬；固雠之保，不忠。失忠与敬，何以事君？《诗》云：‘怀德惟宁，宗子惟城。’君其修德而固宗子，何城如之？三年将寻师焉，焉用慎？”

按，此筑城之事《史记·晋世家》在晋献公二十一年，即鲁僖公四年，公元前656年。杨伯峻《春秋左传注》云：“城曲沃在闵元年，则蒲、屈之筑当在稍后，以下文三年寻师之言（见上引《左传》文）推之，或在僖三年。”此从杨说。

士芀作诗，以言政出多人，无所适从之忧。《左传·僖公三年》：“公使让之……（士芀）退而赋曰：‘孤裘龙茸，一国三公，吾谁适从？’”《史记·晋世家》“赋”作“歌”，此赋诗为自作诗。

按，士芀所赋，今人傅道彬题为《狐裘赋》（《诗外诗论笺》，黑龙江教育出版社1993年版，第142—143页）。狐裘，杨伯峻谓：“大夫之服”。非也。《诗·桧风·羔裘》：“狐裘以朝。”《小雅·都人士》：“彼都人士，狐裘黄黄。”或言大夫之服，或泛指，区别等级之标准乃狐裘之颜色。《礼记·玉藻》：“君衣狐白，士不衣狐白……君子狐青裘豹袖……锦衣狐裘诸侯之服也。”《诗·邶风·旄丘》之《毛传》云：“大夫狐苍裘。”

公元前656年（周惠王二十一年　鲁僖公四年　齐桓公三十年　楚成王十六年）

管仲对楚王之问。《左传·僖公四年》云：“楚子使与师言曰：‘君处北海，寡人处南海，唯是风马牛不相及也，不虞君之涉吾地也，何故？’管仲对曰：“昔召康公命我先君大公曰：‘五侯九伯，女实征之，以夹辅周室！’赐我先君履，东至于海，西至于河，南至于穆陵，北至于无棣。尔贡包茅不入，王祭不供，无以缩酒，寡人是征。昭王南征而不复，寡人是问。”

夏，楚屈完对齐桓公之问。屈完及诸侯盟。屈完对问之辞载《左传·僖公四年》。清余诚《古文释义》评屈完之辞说：“不亢不卑，自是专对才。”《楚世家》、《齐世家》、《年表》俱载此事。

屈完：楚大夫，长于辞令，出师问，不辱使命。为屈原先祖。刘文淇《春秋左氏旧注证》云：“服虔取《公羊》说，屈完者何？楚大夫也。何以不称使？尊屈完也。曷为尊屈完？以当桓公也。”

公元前655年（周惠王二十二年　鲁僖公五年　齐桓公三十一年　晋献公二十二年）

秋，齐桓公与诸侯盟。郑文公逃归不盟，孔叔谏之，不听。《左传·僖公五年》：“秋，诸侯盟。王使周公召郑伯，曰：‘吾抚女以从楚，辅之以晋，可以少安。’郑伯喜于王命，而惧其不朝于齐也，故逃归不盟。孔叔止之，曰：‘国君不可以轻，轻则失亲；失亲，患必至。病而乞盟，所丧多矣。君必悔之。’弗听，逃其师而归。”

按，孔叔于僖公三年谏郑与楚盟，僖公七年又谏郑伯勿杀申侯，以其言论观之，孔叔当为郑之有识者。

晋复假道于虞以伐虢。宫之奇引谚及《周书》谏虞公，不听。宫之奇谏语见《左传·僖公五年》。诸吴楚材、吴调侯编《古文观止》收录此篇谏语并评曰：宫之奇三番谏诤，前段论势，中段论情，后段论理，层次分明，激昂尽致，终寻覆辙。读尽为之掩卷三叹。

十月，晋郭偃引晋童谣，为献公卜灭虢之时。《左传·僖公五年》载：八月甲午，晋围上阳。献公问于卜偃曰：“吾其济乎？”卜偃对曰：“克之。”公曰：“何时？”对曰：“童谣云：‘丙之晨，龙尾伏辰；均服振振，取虢之旗。鹑之贲贲，天策焞焞，火中成军，虢公其奔。’其九月、十月之交乎！丙子旦，日在尾，月在策，鹑火中，必是时也。”《国语·晋语》所载略同。

公元前654年（周惠王二十三年　鲁僖公六年　楚成王十八年）

冬，楚大夫逢伯对楚王问。《左传·僖公六年》：“冬，蔡穆侯将许僖公以见楚子于武城。许男面缚，衔璧，大夫衰绖，士舆榇。楚子问诸逢伯。对曰：‘昔武王克殷，微子启如是。武王亲释其缚，受其璧而祓之，焚其榇，礼而命之，使复其所。’楚子从之。”《史记·楚世家》亦载此事。

公元前653年（周惠王二十四年　鲁僖公七年）

春，孔叔引谚，谏郑文公事齐以救国。《左传·僖公七年》：“七年春，齐人伐郑。孔叔言于郑伯曰：‘谚有之曰：“心则不竞，何惮于病？”既不能强，又不能弱，所以毙也。国危矣，请下齐以救国。’”按，孔叔所引之谚，《风俗通义·十反篇》引作“心苟不竞，何惮于病?”《周书·乐逊传》载乐逊上疏引作“德则不竞，何惮于病?”

夏，楚子文引古谚，论楚文王之知人。《左传·僖公七年》：“夏，郑杀申侯以说于齐……初，申侯，申出也，有宠于楚文王。文王将死，与之璧，使行，曰：“唯我知女。女专利而不厌，予取予求，不女疵瑕也。后之人将求多于女，女必不免。我死，女必速行，无适小国，将不女容焉。’既葬，出奔郑，又有宠于厉公。子文闻其死也，曰：‘古人有言曰：“知臣莫若君”，弗可改也已。’”

按，子文所引之谚，《晋语七》祁奚引作“人有言曰，择臣莫若君，择子莫若父。”《管子·大匡篇》载鲍叔牙引作“先人有言曰，知子莫若父，知臣莫若君。”《战国策·赵策》赵武灵王谓周绍曰：“选子莫若父，论臣莫若君。”

子文，即斗穀於菟，斗伯比之子。《左传·庄公三十年》：“斗穀於菟为令尹。”斗氏为楚之世家，详顾栋高《春秋列国大夫世系表》。

七月，齐桓公会鲁、宋、陈、郑于鲁之宁母，盟。见《春秋·僖公七年》及《左传》。盟辞无载。

管仲以礼、信、德对齐桓公问。《左传·僖公七年》：“管仲言于齐侯曰：‘臣闻之：招携以礼，怀远以德。德、礼不易，无人不怀。’齐侯修礼于诸侯，诸侯官受方物。”按，《左传》此年管仲之言与《齐语》管仲教桓公亲邻国大致同义而后者较详。

公元前652年（周襄王元年　鲁僖公八年　齐桓公三十四年　晋献公二十五年）

春，齐桓公会鲁、宋、卫、许、曹之国君及陈世子款盟于洮，立周襄王。

见《春秋·僖公八年》及《左传·僖公八年》。载辞无载。

晋人作《葛生》，刺晋献公好攻战，国人多丧。《诗·唐风·葛生》，《诗序》云：“刺晋献公也。好攻战，国人多丧矣。”《笺》云：“丧，弃亡也。夫从征役弃亡不反，则其妻居家而怨思。”《正义》：“数攻他国，数与敌战，其国人或死行陈，或见囚虏，是以国人多丧，其妻独处于室，故陈妻怨之辞以刺君也。经五章，皆妻怨之辞。献公以庄十八年立，僖九年卒。按《左传》庄二十八年传称‘晋伐骊戎，骊戎男女以骊姬’。闵元年传曰：‘晋侯作二军，以灭耿、灭霍、灭魏。’二年传云：‘晋侯使太子申生伐东山皋落氏。’僖二年，‘晋师灭下阳’。五年传曰：‘八月，晋侯围上阳。冬，灭虢。又执虞公。’八年传称‘晋里克败狄于采桑’。见于传者已如此，是其好攻战也。”《法言·重黎篇》注云：“死则裹尸于葛，投之沟壑。”诗以葛起兴，又言归于其居，归于其室，“居”、“室”皆指坟墓而言。明为家中妇人悼亡之词。《诗序》之说，不为无据。

晋人作《采苓》，刺晋献公听信谗言，致使晋乱。《诗·唐风·采苓》，《诗序》云：“刺晋献公，献公好听谗焉。”胡辰珙《毛诗后笺》云：“此《序》语简意明，后儒从之皆无异义。范氏《补传》、王氏《总闻》并引申生事以实之。《吕记》引朱氏曰：献公好听谗，观骊姬谮杀太子及逐群公子之事可见也。及作《集传》，则第以为刺听谗之诗，谓未见其果作于献公时。郝氏仲舆曰：事之可据孰有如献公听谗者乎？如是犹谓不信，则诗必有年月日时、作者姓名乃可。”陈启源《毛诗稽古编》云：“《采

苓》刺献公，逸斋《补传》以骊姬谮申生事证之。谓工谗者，始则以甘言投之，譬如苓，苓味美也。继以苦言动之，譬则苦，苦味恶也。终则甘苦之言并进，譬则葑，葑味上美而下恶也。骊姬始请申生居曲沃，此甘言也。继夜半而泣，言申生将行强于君，此苦言也。又请君老而授之政，乃其释君，此甘苦并进也。案献公信谗之失莫大于杀申生事，用以实此诗颇优于理。其说三兴义亦曲而中。"今据诸家之说系于此。

公元前651年（周襄王二年　鲁僖公九年　齐桓公三十五年　晋献公二十六年　秦穆公九年）

夏，齐桓公会诸侯于葵丘，周襄王使宰孔致胙齐桓公，并有辞命。事见《春秋·僖公九年》及《左传》。《史记·齐世家》、《十二诸侯年表》等所载略同。

葵丘，当今河南省兰考县东南。《水经注·泗水注》云："黄沟自城南东迳葵丘下，《春秋·僖公九年》齐桓会诸侯于葵丘"，《元和郡县志》以为在考城县东南，《考城县志》云葵丘东南有盟台，其地名盟台乡。杨守敬《水经注疏》力主此说。

秋，齐桓公再盟诸侯于葵丘，作盟辞。《春秋·僖公九年》："九月戊辰，诸侯盟于葵丘。"《左传·僖公九年》："秋，齐侯盟诸侯于葵丘，曰：'凡我同盟之人，即盟之后，言归于好。'"《孟子·告子下》："五霸，桓公为盛。葵丘之会，诸侯束牲载书而不歃血。初命曰：'诛不孝，无易树子，无以妾为妻。'再命曰：'尊贤、育才，以彰有德。'三命曰：'敬老、慈幼，无忘宾旅。'四命曰：'士无世官，官事无摄，取士必得，无专杀大夫。'五命曰：'无曲防，无遏籴，无有封而不告。'曰：'凡我同盟之人，既盟之后，言归于好。'"《左传》中只摘录盟辞之关于各国政事数句，《孟子》中转录有关乎风化与伦理者。则齐桓公之能称霸于诸侯，也注意到协调社会矛盾，美化风俗，适应社会发展这一点。这是他能取得人心的一个重要方面。

冬，晋内乱，秦大夫公孙枝引《诗·大雅·皇矣》、《抑》及逸诗之句对秦穆公之问。对问之辞见《左传·僖公九年》载。《国语·晋语》载此事略同。

按，公孙枝，秦大夫，字子桑。《史记·李斯列传》引李斯上书云："昔穆公求士，来丕豹、公孙枝于晋"，则公孙枝原本晋人而仕于秦。《史记正义》引《括地志》云："公孙支岐州人。"公孙支，即公孙枝。此处所引诗句，二句见于今本《诗·大雅》之《皇矣》，二句见于《抑》。"惟则定国"一句，《吕氏春秋·权勋篇》云："赤章曼枝曰：'诗曰：惟则定国。'"则当为逸诗。洪亮吉《春秋左传诂》即以为逸诗。

公元前650年（周襄王三年　鲁僖公十年　晋惠公元年　秦穆公十年）

晋惠公背秦约，晋舆人作"诵"以讽刺之。《国语·晋语三》载晋惠公既复国，而外背秦人，内杀里克。舆人诵之曰："佞之见佞，果丧其田。诈之见诈，果丧其赂。得国而狃，终逢其咎。丧田不惩，祸乱其兴。"《左传·僖公十年》亦载此事。

晋惠公即位，起故太子申生之尸而重葬。晋人作"诵"以讽刺之。《国语·晋语三》载惠公即位，出共申生之尸而改葬之，臭达于外。国人诵曰："贞之无报也。孰是人斯，而有是臭也？贞为不听，信为不诚。国斯无刑，偷居幸生。不更厥贞，大命其倾。威兮怀兮，各聚尔有，以待所归兮。猗兮违兮，心之哀兮。岁之二七，其靡有徵兮。若狄公子，否是之依兮。镇抚国家，为王女己兮。”

公元前 649 年（周襄王四年　鲁僖公十一年　晋惠公二年）

春，周襄王使召武公、内史过赐晋惠公命。见《左传·僖公十一年》。“召”，日本金泽文库本作“邵”。“召”、“邵”字通。召武公即邵武公，为周宣王时中兴大臣召穆公（召伯虎）之后。《国语·周语上》记此事曰：“襄王使邵公过及内史过赐晋惠公命”，则其名“过”。召氏世为天子卿，《左传·庄公二十七年》之召伯廖，当为其父，《僖公十一年》有召武公，当为其子。据学者们研究，召武公父子应是《诗》的第一次编辑人。

内史过论礼。《左传·僖公十一年》载：周襄王使召武公、内史过赐晋惠公命。晋惠公受玉而惰。内史过归周，告襄王曰：“晋侯其无后乎？王赐之命而惰于受瑞，先自弃也已，其何继之有？礼，国之干也。敬，礼之舆也。不敬则礼不行，礼不行则上下昏，何以长世?”《国语·周语上》亦载此事，且录内史过之辞。

八月，鲁国举行大雩之祭。见《春秋·僖公十一年》。

公元前 648 年（周襄王五年　鲁僖公十二年　齐桓公三十八年）

冬，齐桓公使管仲平戎，周襄王以上卿之礼享管仲，受下卿之礼，襄王以辞命嘉之。《左传·僖公十二年》载：冬，齐侯使管夷吾平戎于王，使隰朋平戎于晋。王以上卿之礼飨管仲。管仲辞曰：“臣，贱有司也。有天子之二守国、高在。若节春秋来承王命，何以礼焉？陪臣敢辞。”王曰：“舅氏，余嘉乃勋，应乃懿德，谓督不忘。往践乃职，无逆朕命。”管仲受下卿之礼而还。君子曰：“管氏之世祀也宜哉。让不忘其上。《诗》曰：‘恺悌君子，神所劳矣。’”按，此处君子所引之诗句，语出《诗·大雅·旱麓》。

公元前 647 年（周襄王六年　鲁僖公十三年　晋惠公四年　秦穆公十三年）

九月，鲁国举行大雩之祭。事见《春秋·僖公十三年》。

冬，晋因饥荒乞籴于秦，秦穆公从公孙枝、百里奚之言，输粟于晋。《左传·僖公十三年》载：此年冬，晋有大饥荒，乞籴于秦。秦伯谓公孙枝（子桑）：“与诸乎?”公孙枝对曰：“重施而报，君将何求？重施而不报，其民必携。携而讨焉，无众必败。”谓百里奚：“与诸乎?”百里奚对曰：“天灾流行，国家代有。救灾恤邻，道也。行道有福。”《史记·秦本纪》及《晋世家》亦载此事。

公元前 646 年（周襄王七年　鲁僖公十四年　晋惠公五年　秦穆公十四年）

八月辛卯，晋沙鹿山崩，史官卜偃预言：期年将有大灾，几亡国。见《左传·僖公十四年》、《史记·晋世家》。古代一些政治家往往借天象、自然灾害以言政事，行劝谏，警告主政者。卜偃，晋国史官，世系不详。是春秋时期著名预言家。此年据沙鹿山崩而预言期年将有大灾，几乎亡国，即是一例。《左传·成公五年》云：“国主山川，故山崩川竭，君为之不举。”《国语·周语》载，幽王二年，西周三川皆震。伯阳父曰：

“昔伊、洛竭而夏亡，河竭而商亡。国必依山川，山崩川竭，亡国之征也。”杜预《注》云：“国主山川。山崩川竭，亡国之征。”孔颖达《正义》云：“卜偃明达灾异，以山崩为亡国之征，知其将有大咎，不言知之意，非末学者所得详也。”

冬，秦饥，乞籴于晋，晋人弗与。晋大夫庆郑、虢射谏晋惠公勿背信弃义，惠公不听。《左传·僖公十四年》载，是年冬，秦有饥荒，使乞籴于晋，晋人不与。庆郑曰：“背施无亲，幸灾不仁，贪爱不祥，怒邻不义。四德皆失，何以守国？”虢射曰：“皮之不存，毛将安傅？”庆郑曰：“弃信背邻，患孰恤之？无信患作，失援必毙，是则然矣。”虢射曰：“无损于怨而厚于寇，不如勿与。”庆郑曰：“背施幸灾，民所弃也。近犹仇之，况怨敌乎。”弗听，退曰：“君其悔是哉！”《国语·晋语三》、《史记·晋世家》、《秦本纪》所载略同。

公元前645年（周襄王八年　鲁僖公十五年　晋惠公六年　秦穆公十五年）

秋，秦穆公伐晋，卜徒父为秦伯筮之，其卦遇《易·蛊》。《左传·僖公十五年》载：晋食言背秦，秦伯伐晋。卜徒父筮之吉，其筮辞曰：“涉河，侯车败。”秦穆公诘之，卜徒父对曰：“乃大吉也，三败必获晋君。其卦遇《蛊》繇棻曰：‘千乘三去，三去之余，获其雄狐。’夫狐《蛊》，必其君也。《蛊》之贞，风也；其悔，山也。岁云秋矣，我落其实，而取其材，所以克也。实落材亡，不败何待？’三败及韩。”《国语·晋语三》、《史记·晋世家》、《秦本纪》所载略同。

卜徒父，秦之卜人，名徒父。文中所述卦爻辞及解卦之辞均带有民歌风味。

晋大夫庆郑为晋惠公论乘马之道。《左传·僖公十五年》：秦伐晋，晋惠公对大夫庆郑曰：“寇深矣，若之何？”庆郑对曰：“君实深之，可若何？”公曰：“不孙（孙，顺也）！”卜车右，庆郑吉，晋侯因其强谏之故，弗使。步扬御戎，家仆徒为右，乘小驷。庆郑入而谏曰：“古者大事，必乘其产。生其水土而知其人心，安其教训而服习其道，唯所纳之，无不如志。今乘异产以从戎者，及惧而变，将与人易。乱气狡愤，阴血周作，张脉偾兴，外强中干。进退不可，周旋不能，君必悔之。”晋惠公不听，终致兵败被俘。《国语·晋语三》亦载此事。

秦大夫公孙枝引西周史佚之言谏秦穆公。《左传·僖公十五年》载：秦获晋侯以归，诸大夫请以（晋惠公）入秦。穆公曰：“获晋侯，以厚归也。既而丧归，焉用之？大夫其何有焉？且晋人戚忧以重我，天地以要我。不图晋忧，重其怒也，我食吾言，背天地也。重怒难任，背天不祥，必归晋君。”公子絷曰：“不如杀之，无聚慝焉。”子桑（公孙枝）曰：“归之而质其天子，必得大成。晋未可灭，而杀其君，只以成恶。且史佚有言曰：‘无始祸，无怙乱，无重怒。’重怒难任，陵人不祥。”穆公乃许晋平。

史佚，杨伯峻《春秋左传注》云：“即《尚书·洛诰》之‘作册逸’，逸、佚古通。《晋语》‘文王访于莘、尹’，《注》谓尹即尹佚。《逸周书·世俘解》‘武王降自东，乃俾史佚繇书’。《淮南子·道应训》云：‘成王问政于尹佚。’则尹佚历周文、武、成三代。《左传》引史佚之言者五次，成公四年《传》又引《史佚之志》。则史佚之言恐当时人均据《史佚之志》也。《汉书·艺文志》有《尹佚》，《注》云：‘周臣，在成康时也。’此史佚为人名。”《尹佚》亦即史佚之书。

十月，晋大夫阴饴甥会秦伯，对秦伯之问。《左传·僖公十五年》：十月，晋阴饴甥会秦伯，盟于王城。秦伯曰："晋国和乎?"对曰："不和。小人耻失其君而悼丧其亲，不惮征缮以立圉也，曰：'必报仇，宁事戎狄。'君子爱其君而知其罪，不惮征缮以待秦命，曰：'必报德，有死无二。'以此不和。"秦伯曰："国谓君何?"对曰："小人戚，谓之不免；君子恕，以为必归。小人曰：'我毒秦，秦岂归君?'君子曰：'我知罪矣，秦必归君。二而执之，服而舍之，德莫厚焉，刑莫威焉。服者怀德，二者畏刑，此一役也，秦可以霸。纳而不定，废而不立，以德为怨，秦不其然。'"伯曰："是吾心也。"改馆晋侯，馈七牢焉。

按，此篇对问之辞为金圣叹《才子古文》卷一收录，题"阴饴甥对秦伯"。金批云："看他劈空吐出'不和'二字，却便随手分作小人、君子。凡我有唐突秦伯语，便都放在小人口中；有哀求秦伯语，便放在君子口中。于是自己只算述得一遍，既是不曾唐突，又并不曾哀求，真措辞入于甚深三昧者也。"

齐桓公复黄国，其始继君叔单作《叔单鼎铭》。《叔单鼎铭》云："唯黄孙子系君叔单自作鼎。"阮元《积古斋钟鼎彝器款识》卷四云："黄孙子系君者，盖黄灭后，子孙又续封，故称'黄孙子'也。系者，继也，续也。叔单为始续封之君，故曰'系君'。"按：黄为楚所灭，事在鲁僖公十二年，当公元前648年。其复国必在齐桓公未死之前。齐桓公四十一年合诸侯伐厉救徐，顺便复黄。《左传》虽未及此事，然齐桓终前数年只此年合诸侯，用兵于楚，可知复黄国必在此年。黄君复国而作器以示不忘之义。故系于此年。

晋大夫韩简引《诗·小雅·十月之交》论事不在占，祸由人招。《左传·僖公十五年》载：初，晋献公筮嫁伯姬于秦，遇《归妹》之蓫椪《睽》蓫椗。史苏占之，曰："不吉。其繇曰：'士刲羊，亦无衁也。女承筐，亦无贶也。西邻责言，不可偿也。《归妹》之《睽》，犹无相也。'《震》之《离》，亦《离》之《震》。为雷为火，为嬴败姬，车说其輹，火焚其旗，不利行师，败于宗丘。《归妹》、《睽》孤，寇张之弧。侄其从姑，六年其逋，逃归其国，而弃其家，明年其死于高梁之虚。"及惠公在秦，曰："先君若从史苏之占，吾不及此夫。"韩简侍，谓晋惠公曰："龟，象也，筮，数也。物生而后有象，象而后有滋，滋而后有数。先君之败德，及可数乎？史苏是占，勿从何益?《诗》曰：'下民之孽，匪降自天。僔沓背憎，职竞由人。'"按：此处追述晋献公不从史苏之占，意在证实筮占之灵验，史苏之言盖为时人所假托，故与韩简之谏语一并系于此年。韩简所引诗句，语出《诗·小雅·十月之交》，意谓下民之灾祸，非由天降，人相聚面语则雷同附和，相背则增疾毁谤，故皆当由人而生也。

晋史郭偃论晋惠公之败。《国语·晋语三》载秦师败晋惠公于韩。郭偃曰："善哉！夫众口，祸福之门。是以君子省众而动，监戒而谋，谋度而行，故无不济。内谋外度，考省不倦，日考而习，戒备毕矣。"

齐管仲卒。《国语·晋语四》云：晋文公在狄十二年，狐偃曰："齐侯长矣，而欲亲晋；管仲殁矣，多谗在侧。"重耳在狄十二年，当鲁僖公十六年，此时管仲死已逾年。《史记·齐世家》云："四十一年，管仲、隰朋皆卒。"齐桓公四十一年当鲁僖公十五年。

公元前643年（周襄王十年　鲁僖公十七年　齐桓公四十三年）

十月乙亥，齐桓公卒，齐大乱。事见《国语·晋语》、《左传·僖公十七年》、《史记·齐世家》及《管子·戒篇》、《庄子·徐无鬼》、《吕氏春秋·贵公篇》等。

重耳在齐，齐姜赋《诗·大雅·大明》、《小雅·皇皇者华》、《郑风·将仲子》，引《西方之书》、《瞽史之纪》及管仲之言等，谏重耳勿贪图安逸而忘大任。其谏语见《国语·晋语四》载。《左传》亦载此事，较《晋语》为略。

公元前642年（周襄王十一年　鲁僖公十八年　卫文公十八年）

卫人作《蝃蝀》，刺淫奔之人。《诗序》云："《蝃蝀》，止奔也。卫文公能以道化其民，淫奔之耻，国人不齿也。"孔颖达《正义》申《序》说云："作《蝃蝀》诗者，言能止当时之淫奔。卫文公以道化其民，使皆知礼法，以淫奔者为耻。其有淫之耻者，国人皆能恶之，不与之为齿列相长稚，故人皆耻之而自止也。"诗云："蝃蝀在东，莫之敢指。"是以此起兴。《尔雅·释天》："蝃蝀，谓之雩。蝃蝀，虹也。"《毛传》："夫妇过礼则虹气盛，君子见戒而惧讳之，莫之敢指。"郑玄《笺》云："虹，天气之戒，尚无敢指者，况淫奔之女，谁敢视之。"

三家诗以为刺淫奔之诗。见王先谦《诗三家义集疏》。《释名·释天》云："虹，又曰美人。阴阳不和，昏姻错乱，流淫风行，男美于女，女美于男，互相奔随之时，则此气盛，故以其盛时名之也。"魏源《诗序集义》以刺宣姜。

按，诗第三章言"乃如之人也！怀昏姻也，大无信也，不知命也。"责备"乃如之人"的"无信"、"不知命"，可知是刺诗。

此诗次于《定之方中》后，《毛序》以为卫文公时诗。今姑系于此。

公元前641年（周襄王十二年　鲁僖公十九年　宋襄公十年　卫文公十九年　陈穆公七年）

六月，宋、曹、邾之君盟于曹南。盟辞无载。事见《春秋·僖公十九年》。

宋襄公使邾文公杀鄫子而祭次睢之社，欲以属东夷。司马子鱼谏宋襄公。谏语见《左传·僖公十九年》载。此年宋襄公欲使东夷诸国归属于宋，使邾文公杀鄫子以祭于次睢之社。杀人以祭社，此东夷之俗。杜预《春秋左传注》云："睢水受汴，东经陈留、梁、谯、沛、彭城县入泗。此水次有妖神，东夷皆社祠之，盖杀人而用祭。"顾栋高《春秋大事表》以为次睢之社在山东省临沂县境。沈钦韩《春秋左传补注》则以在江苏省铜山市附近。以地理考之，沈说是。

秋，卫大旱，卜有事于山川，不吉。宁庄子借以劝卫文公伐邢。《左传·僖公十九年》："秋，卫人伐邢，以报菟圃之役。于是卫大旱，卜有事于山川，不吉。宁庄子曰：'昔周饥，克殷而年丰，今邢方无道，诸侯无伯。天其或者欲使卫讨邢乎？'从之，师兴而雨。"

宋司马子鱼引《诗·大雅·思文》，谏宋襄公勿伐曹。《左传·僖公十九年》：宋人围曹，讨其不服。子鱼言于宋公曰："文王闻崇德乱而伐之，军三旬而不降。退修教而复伐之，因垒而降。《诗》曰：'刑于寡妻，至于兄弟，以御于家邦。'今君德无乃犹有所阙，而以伐人，若之何？盍姑内省德乎。无阙而后动。”

司马子鱼，即宋桓公子、宋襄公兹父之兄目夷，知礼多文，有仁义贤德。《左传·僖公八年》载宋桓公病，太子兹父与目夷曾以国相让。

冬，陈穆公请修好于诸侯，以无忘齐桓之德，盟于齐，修桓公之好。据《左传·僖公十九年》。

卫人作《相鼠》，刺无礼之人。《诗序》云：“《相鼠》，刺无礼也。卫文公能正其群臣，而刺在位承先君之化无礼仪也。”孔颖达《正义》：“作《相鼠》诗者，刺无礼也。由卫文公能正其群臣，使有礼仪，故刺其在位有承先君之化无礼仪者。由文公能化之，使有礼，而刺其无礼者，所以美文公也。”诗首章云：“相鼠有皮，人而无仪！人而无仪，不死何为？”余两章均以相鼠起兴，言人之无礼。明为刺讥人之无礼。

三家诗与《毛诗》不同，以为此诗为妻谏夫之诗。王先谦《诗三家义集疏》云：“《白虎通·谏诤篇》：‘妻得谏夫者，夫妇一体，荣耻共之。《诗》曰：“相鼠有体，人而无礼，人而无礼，胡不遄死？”此妻谏夫之诗也。’《困学纪闻》引与今本同。《御览》四百五十七引《白虎通》作‘夫妻一体，荣辱共之’。《诗》云：‘相鼠有皮，人而无仪，人而无仪，不死胡为？’云云。是《鲁诗》以为妻谏夫，与《毛序》义异。所称夫妇，当时必实有其人，古义相承如是，特久而名不可考耳。左襄二十七年《传》：‘齐庆封来聘。叔孙与庆封食，不敬，为赋《相鼠》。’此则但取其义，与此诗大旨无涉，后来皆以为刺无礼之诗，固人人能言之矣。”魏源《诗序集义》则以为此诗为夷姜谏宣公而作，是对三家诗说的发展。

然而揆之诗本文，《毛诗》说失在泥于美文公，而三家诗及魏源妻谏夫之说则既无确切证据，又与诗意不合。不过《毛诗》以为诗作于文公时，大体可从。由此可以确定，此诗为卫文公时讽刺无礼之人而作。

公元前640年（周襄王十三年　鲁僖公二十年　齐孝公三年　宋襄公十一年　卫文公二十年）

秋，齐、狄盟于邢。盟辞无载。见《左传·僖公二十年》。

时君子引《诗·周南·行露》之句，论随不自量力。《左传·僖公二十年》载：随国率汉以东诸侯叛楚。冬，楚斗穀於菟帅师伐随，取成而还。君子曰：“随之见伐，不量力也。量力而动，其过鲜矣。善败由己，而由人乎哉？《诗》曰：‘岂不夙夜，谓行多露。’”按：由上下文意推之，此“君子”非《左氏春秋》编者，而为时人。其所引诗句属今本《诗经》之《周南·行露》。《周南》地属江汉流域，其诗为楚人所习知，故时君子引以论楚随之事。

宋襄公欲合诸侯。鲁大夫臧文仲闻之曰：“以欲从人则可，以人从欲鲜济。”事见《左传·僖公二十年》。以欲从人者，推己所之所欲以从人，使人同得所欲也；以人从欲者，强迫他人以逞己之欲。《左传·昭公四年》：“求逞于人，不可；与人同欲，尽济。”与此同意。孔子曰：“己所不欲，勿施于人”，是谓恕道，盖源于上述臧文仲之言。

卫人作《干旄》，美卫文公好善。《干旄》见《诗经》之《鄘风·干旄》。《毛诗》

以为“美好善也。卫文公臣子多好善，贤者乐告以善道也。”三家诗释此诗主题与《毛》略同。马瑞辰《毛诗传笺通释》云：“《左传》引逸诗‘翘翘车乘，招我以弓’，又曰：‘旃以招大夫，弓以招士，皮冠以招虞人。’《孟子》：‘庶人以旃，士以旂，大夫以旌。’是古者聘贤招士，多以弓旌车乘。此诗干旄、干旟、干旌，皆历举招贤者所建。《笺》谓卿大夫建此旌旄，失之。”王先谦《诗三家义集疏》以为：“《传》言‘大夫之旃’，又云‘臣有大功，其世官邑’，明谓旌旄是大夫所建。且《序》言卫臣好善，即使招聘出于君意，干旄本以求贤，而将命往招，亦是臣子之职，无妨是大夫建此旌旄、备此车马也。盖卫文草并于丧败之余，授方任能，励精为国，其臣如宁庄子辈，皆能宣扬德化，留意人才，故岩穴之儒，闻风兴起，思以善道告之，中兴气象，固不侔矣。”崔述《读风偶识》也认为是卫文公乐贤之诗。今人程俊英、蒋思元的《诗经注析》、聂石樵的《诗经新注》均以为是赞美卫文公招贤进士之诗。今姑系于卫文公二十年。

公元前 639 年（周襄王十四年　鲁僖公二十一年　宋襄公十二年）

春，宋召齐、楚盟于鹿上。事见《左传·僖公二十一年》。盟辞无载。

宋公子目夷谏宋襄公勿争盟主。《左传·僖公二十一年》：春，宋人为鹿上之盟，以求诸侯于楚。楚人许之。公子目夷曰：“小国争盟，祸也。宋其亡乎。幸而后败。”《史记·宋世家》：“襄公八年，齐桓公卒，宋欲为盟会。十二年春，宋襄公为鹿上之盟，以求诸侯于楚，楚人许之。公子目夷谏曰云云，其辞同。

夏，鲁国大旱，鲁僖公欲焚巫尪以求雨，臧文仲谏止之。《左传·僖公二十一年》载：夏，大旱。鲁僖公欲焚巫尪以禳灾。臧文仲谏曰：“非旱备也。修城郭、贬食、省用、务穑、劝分，此其务也，巫、尪何为？天欲杀之，则如勿生。若能为旱，焚之滋甚。”鲁僖公从其谏。此年鲁国虽出现饥荒而未成灾。

按，焚巫尪以求雨之俗起源甚早。甲骨文中已有焚巫以求雨之记载，可与文献中商汤自焚以求雨之说相印证。《礼记·檀弓下》云：“岁旱，穆公召县子而问然，曰：‘天久不雨，吾欲暴尪，而奚若?’曰：‘天久不雨，而暴人之疾子，虐，无乃不可与?’‘然则吾欲暴巫，而奚若?’曰：‘天则不雨，而望之愚妇人，于以求之，毋乃已疏乎?’”郑玄《注》云：“尪者面向天，觊天哀而雨之。”杜预《春秋左传注》云：“瘠病之人，其面向上，俗谓天哀其病，恐雨入其鼻，故为之旱，是以公欲焚之。”臧文仲谏鲁僖公勿焚尪巫，而宜修人事，其思想具有唯物的倾向。

冬，须句子奔鲁，鲁僖公母成风谏僖公从周礼以封须句。《左传·僖公二十一年》：“任、宿、须句、颛臾，风姓也。实司大皞与有济之祀，以服事诸夏。邾人灭须句，须句子来奔，因成风也。成风为之言于公曰：‘崇明祀，保小寡，周礼也，蛮夷猾夏，周祸也。若封须句，是崇皞、济而修祀纾祸也。’”“二十二年春，伐邾，取须句，反其君焉，礼也。”成风，据杜预《春秋左传注》等，为鲁庄公之妾，鲁僖公之母，须句为成风之母家。

公元前638年（周襄王十五年　鲁僖公二十二年　晋惠公十三年　楚成王三十四年　宋襄公十三年　郑文公三十五年）

夏，宋襄公伐郑。司马子鱼以为将为宋之祸。事见《左传·僖公二十二年》。

周大夫富辰引《诗·小雅·正月》，谏周襄王召王子带于齐。《左传·僖公二十二年》："富辰言于王曰：'请召大叔。《诗》曰："协比其邻，昏姻孔云。"吾兄弟之不协，焉能怨诸侯之不睦？'王说。王子带自齐复归于京师，王召之也。"

臧文仲引《诗·小雅·小旻》及《周颂·敬之》谏鲁僖公勿轻小国。《左传·僖公二十二年》载：邾人以须句之故出师伐鲁。鲁僖公轻视邾为小国，不设备而御之。臧文仲谏曰："国无小，不可易也。无备，虽众不可恃也。《诗》曰：'战战兢兢，如临深渊，如履薄冰。'又曰：'敬之敬之，天惟显思，命不易哉。'先王之明德，犹无不难也，无不惧也，况我小国乎。君其无谓邾小。蜂虿有毒，而况国乎。"鲁僖公不纳其谏。八月丁未，僖公与邾国之师战于升陉，鲁师败绩。邾人获僖公甲胄，悬诸鱼门以示威。按：臧文仲所引之诗句见于今本《诗·小雅·小旻》及《周颂·敬之》。意在强调临事勿骄而宜敬，否则其事必败。

十一月，子鱼陈辞谏宋襄公勿与楚战。《左传·僖公二十二年》载：楚人伐宋以救郑。宋公将战，大司马子鱼固谏曰："天之弃商久矣，君将兴之，弗可赦也已。"弗听。冬十一月己巳朔，宋襄公及楚人战于泓。按，此大司马，即司马子鱼，名目夷。文中"固"字非人名，固者，力也，力谏之也。说参《史记·宋世家》，顾炎武《左传杜解补正》亦主此说。或以"固"为公孙固，以此年《左传》下文司马子鱼论战来看，子鱼仍在司马之位，不当指公孙固。

宋司马子鱼论战。《左传·僖公二十二年》："宋人既成列，楚人未既济。司马曰：'彼众我寡，及其未既济也，请击之。'公曰：'不可。'既济而未成列，又以告。公曰：'未可。'既陈而后击之，宋师败绩。公伤股，门官歼焉。国人皆咎公。公曰：'君子不重伤，不禽二毛。古之为军也，不以阻隘也。寡人虽亡国之余，不鼓不成列。'子鱼曰：'君未知战。勍敌之人，隘而不列，天赞我也。阻而鼓之，不亦可乎？犹有惧焉。且今之勍者，皆吾敌也。虽及胡耇，获则取之，何有于二毛？明耻教战，求杀敌也。伤未及死，如何弗重？若爱重伤，则如勿伤，爱其二毛，则如服焉。三军以利用也，金鼓以声气也。利而用之，阻隘可也，声盛致志，鼓儳可也。'"

楚使师缙献凯于郑，会奏恺乐。君子以为楚非礼。见《左传·僖公二十二年》。按，师缙，楚乐师也，为主此礼者。《春秋左传正义》："书传所言师旷、师曹、师蠲之类皆是乐师，知此师缙亦是乐师也。"章太炎《春秋左传读》云："《大司乐》云：'王师大献，则会奏恺乐。'《乐师》云：'凡军大献，教恺歌，遂倡之'是战胜而归，乐官有事，故使师缙以俘馘示焉。"

楚成王入享于郑，行九献之礼，庭实旅百，加笾豆六品。《国语·晋语四》云："遂如楚，楚成王以君礼享之，九献，庭实旅百。"《周礼·秋官·大行人》："上公之礼，享礼九献。"《左传·僖公二十二年》："丁丑，楚子入享于郑，九献，庭实旅百，加笾豆六品。……取郑二姬以归。叔詹曰：'楚王其不没乎。为礼卒于无别，无别不可谓礼，将何以没？'诸侯是以知其不遂霸也。"

晋重耳在郑，郑大夫叔詹赋《周颂·天作》、引谚，谏郑文公礼遇重耳。叔詹之辞见《国语·晋语》载。《左传·僖公二十二年》亦记其辞，但其文似由概括《晋语》而来。

公元前637年（周襄王十六年　鲁僖公二十三年　晋惠公十四年　秦穆公二十三年　楚成王三十五年）

冬，晋狐突以“忠信”之道对晋怀公。见《左传·僖公二十三年》载，《国语·晋语》所载略同。

晋史官卜偃引《周书》，言晋怀公必有祸。《左传·僖公二十三年》载：晋怀公无道，史卜偃称疾不出，曰：“《周书》有之：‘乃大明，服。’己则不明，而杀人以逞，不亦难乎？民不见德，而唯戮是闻，其何后之有？”按，卜偃所引《周书》之句，见《尚书·康诰》，意谓君有明德，臣民乃服。

重耳在楚，楚成王享之，九献，庭实旅百，皆合《周礼》之仪。《国语·晋语四》载：晋公子重耳如楚，楚成王以周礼享之，九献，庭实旅百。公子欲辞，子犯曰：“天命也，君其飨之。亡人而国荐之，非敌而君设之，非天，谁启之心！”九献，依《周礼》，为天子宴请上公之礼节，席间献酒共九次，以示尊敬。庭实，将礼物陈列在庭中，是诸侯间相互访问的一种礼节。楚成王以九献之礼享重耳，是以之为国君，故子犯言重耳有天命。

重耳对楚成王之问。《左传·僖公二十三年》载：晋公子重耳之及于难也，及楚，楚成王飨之，曰：“公子若反晋国，则何以报不穀？”重耳对曰：“子女玉帛则君有之，羽毛齿革则君地生焉。其波及晋国者，君之余也，其何以报君？”曰：“虽然，何以报我？”对曰：“若以君之灵，得反晋国，晋、楚治兵，遇于中原，其辟君三舍，若不获命，其左执鞭弭、右属櫜鞬，以与君周旋。”子玉请杀之。楚子曰：“晋公子广而俭，文而有礼。其从者肃而宽，忠而能力。晋侯无亲，外内恶之。吾闻姬姓，唐叔之后，其后衰者也，其将由晋公子乎？天将兴之，谁能废之。违天，必有大咎。”乃送诸秦。

楚成王引《诗·曹风·候人》，论勿杀重耳。《国语·晋语四》载：晋公子重耳在楚，令尹子玉言于楚成王曰：“请杀晋公子。弗杀，而反晋国，必惧楚师。”成王曰：“不可。楚师之惧，我不修也。我之不德，杀之何为！天之祚楚，谁能惧之？楚不可祚，冀州之土，其无令君乎？且晋公子敏而有文，约而不谄，三材侍之，天祚之矣。天之所兴，谁能废之？”子玉曰：“然则请止狐偃。”王曰：“不可。曹诗曰：‘彼己之子，不遂其媾。’邮（邮，通“尤”）之也。夫邮而效之，邮又甚焉。效邮，非礼也。”于是怀公自秦逃归于晋。秦伯召公子重耳于楚，楚成王以隆重礼节送公子于秦。

晋公子重耳在秦，司空季子论黄帝以来姓氏婚姻之原委，谏重耳纳怀嬴。见《国语·晋语四》载。司空季子，司空，官名，六卿之一，负责掌管工程、器物制造，管理工匠。季子，即胥臣臼季，晋国大夫。其谏语引经据典，如数家珍，由此来看，司空季子熟知前代典章制度，明于治乱之理。

赵衰引《礼志》之语谏重耳纳秦女。《国语·晋语四》载：公子重耳将纳子圉（晋怀公）之妻秦女怀嬴，谓子犯曰：“何如？”对曰：“将夺其国，何有于妻，唯秦所命从也。”又问于赵衰，对曰：“《礼志》有之曰：‘将有请于人，必先有入焉。欲人之爱己也，必先爱人。欲人之从己也，必先从人。无德于人，而求用于人，罪也。’今将婚媾以从秦，受好以爱之，听从以德之，惧其未可也，又何疑焉?”重耳乃归女而纳币，且逆之。《左传·僖公二十三年》亦载此事。

《礼志》，志，记也，礼志即礼记，盖记载各种典礼及礼义之礼书。春秋时列国重视礼典的实行，国君及卿大夫之辈多有论礼意之辞，此《礼志》，盖为论礼典运用及礼意之言论之汇集。其性质如今本《礼记》。

秦穆公以国君之礼享重耳，重耳、秦穆公均先后赋诗。见《左传·僖公二十三年》载。按，文中所写宾主赋诗言志过程，对于了解春秋赋诗风气之实质，有重要参考价值。是重要的诗学研究材料。此事《史记·晋世家》及《韩非子·外储说》、《十过篇》,《吕氏春秋》、《淮南子》等多所引述。

重耳筮，筮史占之，皆曰吉，司空季子为之释《易》繇辞，鼓励重耳进取。司空季子之辞见《国语·晋语四》。

公元前636年（周襄王十七年　鲁僖公二十四年　晋文公重耳元年　郑文公三十七年）

春，重耳与子犯誓于河神。《左传·僖公二十四年》载：二十四年春，秦穆公护送重耳归晋。及河，子犯以璧授公子，曰：“臣负羁绁从君巡于天下，臣之罪甚多矣，臣犹知之，而况君乎？请由此亡。”公子誓曰：“所不与舅氏同心者，有如白水!”遂投其璧于河。按，子犯因流亡中对重耳多有冒犯，惧其为君后罪己，故授璧以求誓自保。《左传》所载重耳之言，即其誓辞。“有如白水”，即有如河水，意谓河神鉴之。《礼记·曲礼》：“约信曰誓，莅牲曰盟。”《说文·言部》：“誓，约束也。”段玉裁注曰：“凡自表不食言皆曰誓。”《诗·卫风·氓》云：“信誓旦旦。”《左传》此年之誓，从文体特征及功能讲，与《尚书》之“誓”体不同，为私誓。

董因引《瞽史记》之言，鼓励重耳争取成功。《国语·晋语四》：“董因迎公于河，公问焉，曰：‘吾其济乎?’对曰：‘岁在大梁，将集天行。元年始受，实沉之星也。实沉之墟，晋人是居，所以兴也。今君当之，无不济矣。君之行也，岁在大火。大火，阏伯之星也，是谓大辰。辰以成善，后稷是相，唐叔以封。《瞽史记》曰：“嗣续其祖，如谷之滋，必有晋国。”臣筮之，得《泰》之八。曰：是谓天地配亨，小往大来。今及之矣，何不济之有？且以辰出而以参入，皆晋祥也，而天之大纪也。济且秉成，必霸诸侯。子孙赖之，君无惧矣。’”《瞽史记》即《国语·晋语四》齐姜谏重耳时所引《瞽史之记》(见前643年)，为瞽史口头诵史之文本。

重耳入主晋国，祭祖于武宫。见《左传·僖公二十四年》。武宫，即曲沃武公之庙。晋侯每即位，必朝之。《左传·宣公二年》：“赵宣子使赵穿逆公子黑臀于周而立之；壬申，朝于武宫。”《成公十八年》：“（晋栾书）使荀罃、士鲂逆周子于京师而立之。庚午，盟而入。辛巳，朝于武宫。”杨伯峻《春秋左传注》以为武公在绛，曲沃自武公始为晋侯，而徙绛，故其庙在绛。

寺人披陈辞以谏晋文公。见《左传·僖公二十四年》。

竖头须谏晋文公。《左传·僖公二十四年》:“初,晋侯之竖头须,守藏者也。其出也,窃藏以逃,尽用以求纳之。及入,求见,公辞焉以沐。谓仆人曰:‘沐则心覆,心覆则图反。宜吾不得见也。居者为社稷之守,行者为羁绁之仆,其亦可也,何必罪居者?国君而仇匹夫,惧者甚众矣。’仆人以告,公遽见之。”《国语·晋语》亦载此事。

周大夫富辰述文王、武王封建诸侯以藩屏宗周,谏周襄王勿以狄人伐郑。富辰谏辞见《左传·僖公二十四年》载。按,据《通志·氏族略》、《唐书·宰相世系表》、《史记·周本纪》等文献,此处富辰所言之管、蔡、郕、霍、鲁、卫、毛、聃、郜、雍、曹、滕、毕、原、酆、郇,为周初所封诸侯国,皆文王之子。邘、晋、应、韩,四国皆武王之子,亦为周初所封诸侯国。凡、蒋、邢、茅、胙、祭,则为周公旦之后而受封为诸侯者。《书序》云:“武王既胜殷,邦诸侯,班宗彝,作《分器》。”《史记·周本纪》也说:“封诸侯,班赐宗彝,作《分殷之器物》。”据此似封建为武王所完成。然据上富辰语,则并非如此,而是由武王、周公、成王逐步完成。关于上述封国之地望,刘文淇《春秋左传旧注疏证》有详解,可参。富辰所引诗句,见《诗·小雅·棠棣》。

富辰谏周襄王勿纳狄女为后。《左传·僖公二十四年》:王德狄人,将以其女为后。富辰谏曰:“不可。臣闻之曰:‘报者倦矣,施者未厌。’狄固贪婪,王又启之。女德无极,妇怨无终,狄必为患。”襄王又不听。

公子臧无德而好聚鹬冠,郑文公杀之。君子赋《诗·曹风·侯人》及《小雅·小明》、引《夏书》,讥其服德不称,必致殃咎。《左传·僖公二十四年》载:郑子华之弟子臧出奔宋,好聚鹬冠。郑文公闻而恶之,使盗诱之。八月,盗杀之于陈、宋之间。君子曰:“服之不衷,身之灾也。《诗》曰:‘彼己其之子,不称其服。’子臧之服,不称也夫。《诗》曰‘自诒伊戚’,其子臧之谓矣。《夏书》曰‘地平天成’,称也。”杜预《注》:“鹬,鸟名,聚鹬羽以为冠,非法之服。”刘文淇《疏证》云:“《逸周书》曰:‘知天文者冠鹬冠’,盖以鹬鸟知天时故也。礼图谓之术士冠。如张说,则为鹬,为黄色鸟矣。《说苑》、《舆服志》皆谓鹬冠为知天者之冠,与《逸周书》合。惠周惕曰:颜师古以为子华好与术士游。然按下文服不衷,则不必如颜说也。按志说是也,术氏之称,盖以鸟名官。知天乃冠鹬,故杜谓非法之服。杜当本旧注。……聚,谓聚鹬毛羽为冠矣。《吕览·去私篇》:‘衣禁重。’《注》:‘不欲衣冠踰僭,若子臧好聚鹬是也。’按子臧之聚鹬冠,以其华美,非疏僭国君之服。”(刘文淇《春秋左传旧注疏证》,科学出版社1959年版,第358页)

按,古人以服示礼,故德与服相称方为合礼。儒家讲君子文质彬彬,表里如一,亦与此相关。公子臧有罪而出奔于宋,不思韬晦改过而好是华丽之服,故时君子以为无德而有是冠,必致殃咎。此种服与德称之观念在屈原《离骚》等作中,发展成为以“高余冠之岌岌兮,长余佩之陆离”、“制芰荷以为衣兮,集芙蓉以为裳”为象征形式的以服称德、内美修能并重的美学观念。

此处君子所赋诗句,出自今本《诗·曹风·侯人》、《小雅·小明》;所引《夏书》句,出自《尚书·大禹谟》。

冬,周襄王遣使告难于鲁,鲁大夫臧文仲对王使。《左传·僖公二十四年》载:此年冬，周襄王遣使来鲁告难曰："不谷不德，得罪于母之宠子带，鄙在郑地汜，敢告叔父。"鲁君使臧文仲对王使曰："天子蒙尘于外，敢不奔问官守？"王使简师父告于晋，使左鄢父告于秦。

公元前635年（周襄王十八年　鲁僖公二十五年　晋文公二年　卫文公二十五年）

春，卫文公灭邢。卫大夫礼至作铭曰："余掖杀国子，莫余敢止。"见《左传·僖公二十五年》。

晋文公欲纳周襄王，使郭偃卜之，得黄帝战于阪泉之兆。使筮之，遇《大有》之《睽》。见《左传·僖公二十五年》。

公元前634年（周襄王十九年　鲁僖公二十六年　齐孝公九年　楚成王三十八年）

春，鲁僖公会莒君及卫大夫宁庄子，盟于向，盟辞无载。见《左传·僖公二十六年》。

夏，齐孝公伐鲁，鲁使展喜犒师。展禽（柳下惠）有辞以对齐孝公。展禽之辞见《国语·鲁语上》。《左传·僖公二十六年》所载展喜辞令为摘录，稍有异同。展禽，鲁大夫，名获，字禽，或云食邑于柳下，或云居于柳下；据《列女传》，其妻私谥以惠，故又称柳下惠。《战国策》称柳下季，季盖其排行。乙喜，展喜。

楚人作歌赞诵令尹子文。《说苑·至公篇》载楚令尹子文之族有干法者，廷理闻其令尹之族也，释之。子文召廷理而责之，遂致其族人于廷理曰：不是刑也，吾将死。廷理惧，遂刑其族人。国人闻之，曰："若令尹之公也，吾党何忧乎？"乃相与作歌曰："子文之族，犯国法程。廷理释之，子文不听。恤顾怨萌，方正公平。"

按，此歌又见《渚宫旧事》卷一，《诗纪·前集二》。逯钦立《先秦汉魏晋南北朝诗》卷二"歌下"亦收此篇，题作"楚人诵子文歌"。歌之本事未知何年，姑系于此。

公元前633年（周襄王二十年　鲁僖公二十七年　晋文公四年）

冬，楚围宋。晋作三军，谋救宋。赵衰引《夏书》，论郤縠可为元帅。《左传·僖公二十七年》："冬，楚子及诸侯围宋。宋公孙固如晋告急。先轸曰：'报施救患，取威定霸，于是乎在矣。'狐偃曰：'楚始得曹，而新昏于卫，若伐曹、卫，楚必救之，则齐、宋免矣。'于是乎搜于被庐，作三军，谋元帅。"赵衰曰：'郤縠可。臣亟闻其言矣，说礼、乐而敦《诗》、《书》。《诗》、《书》义之府也，礼乐，德之则也，德义，利之本也。《夏书》曰："赋纳以言，明试以功，车服以庸。"君其试之。'乃使郤縠将中军，郤溱佐之；使狐偃将上军，让于狐毛，而佐之；命赵衰为卿，让于栾枝、先轸。使栾枝将下军，先轸佐之。荀林父御戎，魏犨为右。"

公元前632年（周襄王二十一年　鲁僖公二十八年　晋文公五年　楚成王四十年　卫成公三年）

曹共公二十一年。二月，晋文公与齐昭公盟于敛盂。《左传·僖公二十八年》。

楚成王引《军志》，论晋文公不可犯。《左传·僖公二十八年》：楚成王撤兵入居于申地，命楚将子玉撤围宋之兵，曰："无从晋师。晋侯在外十九年矣，而果得晋国。险阻艰难，备尝之矣，民之情伪，尽知之矣。天假之年，而除其害。天之所置，其可废乎？《军志》曰：'允当则归。'又曰：'知难而退。'又曰：'有德不可敌。'此三志者，晋之谓矣。"按，《军志》为古之兵书，多为韵语。

四月戊辰，晋、楚战于城濮。舆人之诵曰："原田每每，舍其旧而新是谋。"子犯为晋文公解梦释疑。《左传·僖公二十八年》："夏四月戊辰，晋侯、宋公、齐国归父、崔夭、秦小子慭次于城濮。楚师背酅而舍，晋侯患之。听舆人之诵曰：'原田每每，舍其旧而新是谋。'公疑焉。子犯曰：'战也。战而捷，必得诸侯。若其不捷，表里山河，必无害也。'公曰：'若楚惠何？'栾贞子曰：'汉阳诸姬，楚实尽之。思小惠而忘大耻。不如战也。'晋侯梦与楚子搏，楚子伏己而盬其脑，是以惧。子犯曰：'吉。我得天，楚伏其罪，吾且柔之矣。'"

舆人之诵，杜《注》云："恐众畏险，故听其歌诵。喻晋君美盛，若原田之每每然，可以谋立新功，不足念旧惠。"

丁未，晋文公献楚俘于周襄王。己酉，王命内史叔兴父等策命晋侯为侯伯。《左传·僖公二十八年》载：丁未，献楚俘于王：驷介百乘，徒兵千。郑伯傅王，用平礼也。己酉，王享醴，命晋侯宥。王命尹氏及王子虎、内史叔兴父策命晋侯为侯伯，赐之大辂之服、戎辂之服，彤弓一、彤矢百：弓矢千，秬鬯一卣，虎贲三百人。史官宣读册命之辞曰："王谓叔父，敬服王命，以绥四国，纠逖王慝。"晋侯三辞，从命。曰："重耳敢再拜稽首，奉扬天子之丕显休命。"出入凡三次行觐礼，受策书以出。

五月，王子虎盟诸侯于践土之王庭，有盟辞。《春秋·僖公二十八年》："五月癸丑，公会晋侯、齐侯、宋公、蔡侯、郑伯、卫子、莒子，盟于践土。"《左传·僖公二十八年》："癸亥，王子虎盟诸侯于王庭，要言曰：'皆奖王室，无相害也。有渝此盟，明神殛之。俾队其师，无克祚国，及而玄孙，无有老幼。'君子谓是盟也信，谓晋于是役也，能以德攻。"又《定公元年》薛宰曰："晋文公践土之盟曰：'凡我同盟，各复旧职。'"可见此皆摘引盟辞中的部分文句，原文应不止此。由此可以看出春秋时"盟"文体之大概。

子犯受赏，作编钟铭以记其事。《子犯编钟铭》是晋文公舅父狐偃所作器铭。据台湾陈鸿荣及大陆学者裘锡圭、李学勤等人的研究，铭作于晋父公五年，铭辞主义述晋、楚城濮之战及践土之盟，还追记晋父公即位的事。属于典型的纪功铭辞。铭文及考释文字详参李学勤《子犯编钟考释》（见《四海寻珍》，清华大学出版社1998年版，第268—273页）。

六月，晋人复卫侯，宁武子与卫人盟于宛濮。有盟辞。《左传·僖公二十八年》："六月，晋人复卫侯。宁武子与卫人盟于宛濮，曰：'天祸卫国，君臣不协，以及此忧也。今天诱其衷，使皆降心，以相从也。不有居者，谁守社稷？不有行者，谁捍牧圉？

不协之故，用昭乞盟于尔大神，以诱天衷。自今日以往，既盟之后，行者无保其力，居者无惧其罪。有渝此盟，以相及也。明神先君，是纠是殛。’国人闻此盟也，而后不贰。”

宁武子，名俞，卫大夫。贞忠而有气节。《论语·公冶长》载孔子尝称道其人。

秋，七月丙申，晋文公振旅，奏恺乐以入于晋，献俘、授馘于庙。君子引《诗》嘉之。《左传·僖公二十八年》：“秋七月丙申，振旅，恺以入于晋。献俘、授馘，饮至、大赏，征会、讨贰。杀舟之侨以徇于国，民于是大服。君子谓：‘文公其能刑矣，三罪而民服。《诗》云：“惠此中国，以绥四方。”不失赏刑之谓也。’”

冬，晋筮史谏晋文公，使复曹伯。筮史之辞见《左传·僖公二十八年》。筮史，晋掌卜筮之史官，长于言辞。

曹人作《候人》之诗，刺曹共公滥用小人。《曹风·候人》，《序》云：“刺近小人也。共公远君子而好近小人焉。”三家诗及郑、孔诸家无异说。故朱熹、方玉润亦以为刺曹共公。曹共公之昏悖，见于《左传·僖公二十三年》之观重耳骈胁及不用僖负羁之言。今观其诗，与《序》说大体相合。首章直赋其事，言曹之贤者在下位而小人则赤芾乘轩。二章以鹈鹕起兴，喻小人据高位而服不称其德。三章以南山之朝云喻小人之众多，而贤人沉于下僚，国以昏乱。考晋文公过曹在鲁僖公十九年。入曹数曹共公之罪在鲁僖公二十八年。据此可推知此诗当作于公元前641年至公元前632年之间。姑依其下限系于此年。

公元前630年（周襄王二十三年　鲁僖公三十年　晋文公七年　秦穆公三十年　郑文公四十三年）

夏，鲁大夫臧文仲谏鲁僖公，使其请晋文公释卫成公。臧文仲谏语见《国语·鲁语上》。

九月甲午，晋侯、秦伯围郑，烛之武谏秦穆公，退秦师。烛之武辞令见《左传·僖公三十年》。《史记·郑世家》、《十二诸侯年表》、《新序·善谋篇》所载略同，不具引。清人吴楚材、吴调侯《古文观止》、余诚《古文释义》对此文推崇有加。

公元前629年（周襄王二十四年　鲁僖公三十一年　卫成公六年）

春，鲁大夫臧文仲谏僖公请赏重馆人。臧文仲谏语见《国语·鲁语上》。《左传·僖公三十一年》载此事，文字稍略。

冬，卫大夫宁武子论鬼神非其族类，不歆其祀。《左传·僖公三十一年》：冬，狄围卫，卫迁于帝丘，卜曰三百年。卫成公梦康叔曰：“相夺予享。”相为夏代帝中康之子。成公命祀相。宁武子以为不可，论曰：“鬼神，非其族类，不歆其祀。杞、鄫何事？相之不享于此久矣，非卫之罪也，不可以间成王、周公之命祀。请改祀命。”孔颖达《正义》云：“昭七年《传》称晋居夏虚，祀鲧而晋侯疾瘳。此卫居帝丘，而不合祀相者，《祭法》云：‘鲧障洪水而殛死’，载在祀典。传称‘实为夏郊，三代祀之’。周室既衰，晋为盟主，当代天子祭绝祀之神，故祭鲧为得礼。相无功德于民，惟当子孙自祭，故称‘杞、鄫何事？非卫之罪’，与鲧异也。”则宁武子以为除祖宗之外，有功于民者亦可祀。此外他族之人，皆不为祀。则将祭祀限于纪念的范围之内，不主淫祀。此反映了一定的唯物思想和进步的历史观。

公元前628年（周襄王二十五年　鲁僖公三十二年　秦穆公三十二年）

秦大夫蹇叔谏秦穆公勿袭晋，秦穆公不听，蹇叔哭师。事见《左传·僖公三十二年》。《吕氏春秋·悔过篇》、《史记·秦本纪》亦载此事。

鲁国史官作《鲁颂》，颂扬鲁僖公。鲁颂四篇，即《駉》、《有駜》、《泮水》、《閟宫》。此四诗自《序》以来，多以为颂僖公有中兴之功业。考之史乘与诗本文，此说可信。惟此四诗，所述内容各不相同。《駉》与《有駜》，颂僖公能兴马政，是其用于祭马牧仪式之乐歌。《駉》全诗围绕坰野之马的强健且数量众多立意，既是对牧场实际情况的描绘，也包含着对马祖和先牧之神的祈祷，希望通过这种仪式来保证马政顺利。《有駜》一诗，历来以为僖公燕群臣之作，然而不知因何燕群臣，在何处燕群臣。诗开首反复歌咏："有駜有駜"，《毛传》："駜，马肥彊貌。"实际上是在祭马牧之神后大燕群臣时所歌。

僖公时鲁国"公车千乘"、"公徒三万"（《诗·閟宫》），合齐、宋而伐楚于召陵，颇知兴国强兵之道。鲁僖公在位33年，其间适逢齐桓称霸。季友辅之，平息内乱，稳固统治。外与齐桓结盟，政治、军事力量较之前大大恢复。史家以僖公"为鲁十二公之首，即求之春秋列国，如公之以德致颂者，亦绝无而仅有"，"若僖公者，洵无愧鲁之中兴之主矣"。重视马政是强兵的重要环节，鲁又以礼为邦本。在齐桓公时代尊王秉礼的大背景下，鲁因不弃周礼而得立强国之间。故僖公定期举行祭马祖、先牧的仪式，以示周礼在鲁之意及强兵兴国之志。《駉》、《有駜》就是由史官在上述背景下创作的。其文体来源，是巫马掌握的用以祈祷马祖先牧的祝辞。后世因僖公重视马政，能兴祖业，故《诗序》以为颂僖公。

《泮水》、《閟宫》二诗，则为鲁僖公从齐桓征伐淮夷，归而献俘、祭庙所歌。陈启源《毛诗稽古编》云："《泮水》、《閟宫》两诗述僖公武功，皆因人成事耳。伐淮夷，《郑谱》以十六年会淮夷当之。《孔疏》申其意，谓淮夷近鲁，霸者独会鲁伐之，应在十六年之末，经、传无文者，因旧史脱漏之故。戎狄是膺，《疏》亦以为史文脱漏；或十年齐伐北戎，鲁使人助之，帅贱师少故不书。其说或然。然源谓十三年会咸，十四年城缘陵，皆为淮夷病杞。十六年会淮，亦谓淮夷病鄫。鲁实从役，斯亦伐淮夷之一证也。而会咸之举，亦因王室有戎难，秋为戎难故，诸侯戍周。岂非膺戎之事乎？作者夸大其词，掠人之美，归功于君，臣子之常情耳。成二年鞍之战，襄十八年平阴之役，皆借晋力也。而季文子立武功以示后世，季武子以所得于齐之兵作林钟而铭鲁功焉……僖公时齐晋相继而霸，攘除四夷实有其事，会盟征伐鲁实与焉。"二诗中都有关于献俘、献捷、告庙、祭祖的内容，也是功成告庙之礼的应有之义，故陈奂《诗毛氏传疏》亦曰："前四章言修泮宫之化，后四章言伐淮夷之功。既作泮宫，淮夷攸服，此蒙上告下之词。"二陈之说是也，今从之。

关于鲁颂四诗的作时，根据诗本文中的内证和诗文涉及到的史事来看，当作于僖公生前，不应在其死后。魏源、皮锡瑞等人以为至迟当在僖公二十六年使襄仲文仲如楚乞师之前，绝不会在僖公死后（说见《诗古微》、《经学通论》）。按《左传·文公二年》已引《鲁颂》（《閟宫》之句），这是《鲁颂》作于僖公生前的最有力的证据。又《左传·文公二年》引《閟宫》而统言《鲁颂》，似说明此四篇作于同时。今姑一并系于此。

公元前627年（周襄王二十六年　鲁僖公三十三年　秦穆公三十三年　齐昭公六年　郑穆公元年）

春，周王孙满观秦师，论秦师必败。《左传·僖公三十三年》载：三十三年春，秦师侵郑，过周北门，左右免胄而下，超乘者三百乘。时王孙满尚幼，观之，言于周襄王曰："秦师轻而无礼，必败。轻则寡谋，无礼则脱。入险而脱，又不能谋，能无败乎?"《国语·周语》亦载之。

王孙满，《国语·周语》韦昭《注》云："满，周大夫王孙之名也。"徐元诰《国语集解》曰："《内传》云：'王孙满尚幼。'岂遽为大夫耶？韦解俟考。"《通志·氏族略》四引《英贤传》云："周共王生圉，圉曾孙满。"梁玉绳以为不可信（《汉书人表考》）。

秦师将袭郑，商人弦高犒秦师，一面令人急驰告于郑，以解郑之危。见《左传·僖公三十三年》，《淮南子·人间篇》："郑伯乃以存国之功赏弦高，弦高辞之。"弦高深明大义，于郑危难之际能舍弃私利而图宗国之安危，自《左传》彰其大义，后遂成为小说、戏曲、诗歌中爱国商人的典型形象和重要素材。

齐国庄子聘于鲁，礼成而敏，臧文仲赞之。《左传·僖公三十三年》："齐国庄子来聘，自郊劳至于赠贿，礼成而加之以敏。臧文仲言于公曰：'国子为政，齐犹有礼，君其朝焉。臣闻之，服于有礼，社稷之卫也。'"

据《仪礼·聘礼》，郊劳者，使者至受聘国之近郊，受聘国君使卿朝服用束锦劳之。赠贿者，聘事已毕，宾行，舍于郊，国君又使卿赠以礼物。

《仪礼·聘礼》文字当于此年前后编成。《左传·僖公三十三年》："齐国庄子来聘，自郊劳至于赠贿，礼成而加之以敏。"此记聘礼始自郊劳终至赠贿，所述仪节与今本《仪礼·聘礼》之文述郊劳之礼部分所载略同。对比二者可知，《左传》之文似针对《聘礼》郊劳之文而发，概述仪节大要，颇类《礼记》说礼文字。除此年之外，《左传》述及聘礼郊劳之仪者还有三次。《昭公二年》载："叔弓聘于晋，报宣子也。晋侯使郊劳。辞曰：'寡君使弓来继旧好，固曰："女无敢为宾!"彻命于执事，敝邑弘矣。敢辱郊使？请辞。'致馆。辞曰：'寡君命下臣来继旧好，好合使成，臣之禄也，敢辱大馆?'叔向曰：'子叔子知礼哉。吾闻之曰："忠信，礼之器也，卑让，礼之宗也。"辞不忘国，忠信也，先国后己，卑让也。《诗》曰："敬慎威仪，以近有德。"夫子近德矣。'"又《昭公五年》："楚屈生为莫敖，使与令尹子荡如晋逆女。过郑，郑伯劳子荡于汜，劳屈生于菟氏。晋侯送女于邢丘。子产相郑伯，会晋侯于邢丘。公如晋，自郊劳至于赠贿，无失礼。"又《昭公七年》："公如楚，郑伯劳于师之梁。孟僖子为介，不能相仪。及楚，不能答郊劳。"亦述郊劳之仪节，其中尤以《昭公二年》所述为详，然其仪节均与《僖公三十三年》所述相同。据此推断《聘礼》相关文字当于此年前后编

成。

按，据今人钱玄《三礼通论》，今本《仪礼》之撰作者及时代，传统以为周公作，一说孔子作，一说周公作孔子删定。清以来疑古学者则以为伪书。伪书说之不能成立，由汉代《仪礼》学之传授及先秦典籍多所称引《仪礼》之节文可知，此点清儒胡培翚《仪礼非后人伪撰辨》论之甚详。但周公作《仪礼》之说亦不可信。《大戴礼记·三本篇》谓："凡礼，始于脱，成于文，终于隆。"邵懿辰《礼经通论》说："礼本非一时一世而成，积久复习，渐次修整，而后臻于大备。"沈文倬《略论礼典的实行和〈仪礼〉书本的撰作》也指出，礼典的实践，以及礼物、礼仪等早已存在于春秋及之前的社会，而"礼书"的撰作则在礼典实行的基础上才能产生（载《文史》第十五、第十六辑）。如此，则《仪礼》当是在周公旦以来礼典实践的过程中，由相关之人渐次编写、整理而成的。至于完成的时间，梁启超认为："《仪礼》……大抵应为西周末春秋初之作。"《史记·孔子世家》谓"《书传》、《礼记》自孔氏。"此处"礼记"即指归纳和讨论各类礼仪的文字；又《儒林列传》谓"孔子闵王路废而邪道兴，于是论次《诗》、《书》，修起《礼》、《乐》"。"修起"即整理修得，免于亡佚。这说明孔子之前已有《仪礼》之记录各类礼仪程序，以及与此相关的升降仪节、揖让、周旋、宫室、衣服、器物等的文字流传于世，而至孔子之世多有废失或歧异，故孔子论次整理以继道统，教弟子。《左传·僖公三十三年》论郊劳之类文字，当即针对当时流传之聘礼之文而发。这些文献，也是孔子据以"修起"周礼的重要依据。

四月辛巳，晋败秦于殽。秦穆公素服郊次，作《秦誓》以悔过。《书序》云："秦穆公伐郑，晋襄公帅师败诸崤，还归，作《秦誓》。"《左传·僖公三十三年》："秦伯素服郊次，乡师而哭，曰：'孤违蹇叔，以辱二三子，孤之罪也。'不替孟明，曰：'孤之过也。大夫何罪？且吾不以一眚掩大德。'"《左传》所载正与《书序》合。故孔颖达《尚书正义》曰："秦穆公使孟明视、西乞术、白乙丙三帅帅师伐郑，未至郑而还。晋襄公帅师败之崤山，囚其三帅。后晋舍三帅，得还归于秦。秦穆公自悔已过，誓戒群臣。史录其誓辞，作《秦誓》。"《荀子·大略》："《春秋》贤穆公一以为能变也。"杨倞注："谓不用蹇叔、百里之言，败于崤、函而自变悔，作《秦誓》，询兹黄发是也。"

《史记·秦本纪》云："缪公败于殽，复益厚孟明等，使将兵伐晋……以报殽之役。晋人皆城守不敢出。于是缪公乃自茅津渡河，封殽中尸，为发丧，哭之三日，乃誓于军，以申思不用蹇叔、百里奚之谋，故作此誓，令后世以记余过。"按，《史记》之说不确，今从《书序》之说，系于此年。

公元前 626 年（周襄王二十七年　鲁文公兴元年　秦穆公三十四年　楚成王四十六年）

四月，周襄王使毛伯适鲁锡文公命。事见《春秋·文公元年》。锡命，即锡命之礼，属吉礼。苏辙《春秋集解》卷五云："毛伯，王之卿士也。礼，诸侯即位，天子锡之命圭合瑞以为信。晋惠公之立也，王使召武公、内史过锡之命，而惰于受瑞，是也。"杨伯峻《春秋左传注》云："此乃嗣位诸侯天子之锡命。"

秦穆公赋《诗·大雅·桑柔》，自责不听谏之过。《左传·文公元年》：崤之役，晋人既归秦帅，秦大夫及左右皆言于秦穆公曰："是败也，孟明之罪也，必杀之。"秦伯曰："是孤之罪也。周芮良夫之诗曰：'大风有隧，贪人败类。听言则对，诵言如醉。匪用其良，覆俾我悖。'是贪故也，孤之谓矣。孤实贪以祸夫子，夫子何罪？"复使孟明为政。按：芮良夫，周厉王大臣，厉王专利任用小人，不听忠言，于是芮良夫作《桑柔》之诗以谏王。

楚成王作《楚王媵邛仲尔南钟铭》。铭文见《薛氏钟鼎彝器款识》。铭文云："惟正月初吉丁亥，楚王媵邛仲尔南和钟，其眉寿无疆，子孙永保用之。"李零《楚国铜器铭文编年汇释》云："按，'邛仲尔南'，是楚媵嫁给邛国的女子。芈是母姓，即古书中的芈，邛是夫氏，其名为仲南。各书著录邛器，它们的铭文表明，邛与楚、黄等国来往密切，应是江淮间的诸侯国。郭沫若先生以为它就是古书中的江国是可信的。……古书记载嫁女于江，有楚成王的妹妹江芈。《左传·文公元年》载，楚成王欲立王子职而绌太子商臣，商臣听说，想落实消息的可靠性，找他的师傅潘崇商议，潘崇给他出主意，教他"享江芈而勿敬"，从江芈的反应揣测虚实。结果江芈怒曰："呼，役夫！宜君王之欲杀女而立职也。"商臣一看不妙，便先下手为强，弑王代立，是为穆王，郭沫若推测这个江芈有可能就是钟铭中的邛仲芈南。"（李零《楚国铜器铭文编年汇释》，载《古文字研究》第十三辑）今从李零之说系于此年。

公元前625年（周襄王二十八年　鲁文公二年　晋襄公三年　秦穆公三十五年）

春，秦孟明视帅师伐晋，晋侯御之，狼瞫败秦师，君子赋《小雅·巧言》、《大雅·皇矣》以赞之。《左传·文公二年》载：晋师及彭衙，既陈，狼瞫以其属部驰秦师，死焉。晋师从之，大败秦师。君子谓："狼瞫于是乎君子。《诗》曰：'君子如怒，乱庶遄沮。'又曰：'王赫斯怒，爰整其旅。'怒不作乱，而以从师，可谓君子矣。"

狼瞫，晋勇士，勇而知礼，勇不犯上。《左传·文公二年》又载：箕之役，先轸黜狼瞫而不用，立续简伯。狼瞫怒。其友曰："盍死之？"瞫曰："吾未获死所。"其友曰："吾与女为难。"瞫曰："《周志》有之，勇则害上，不登于明堂。死而不义，非勇也。共用之谓勇。吾以勇求右，无勇而黜，亦其所也。谓上不我知，黜而宜，乃知我矣。子姑待之。"至彭衙之役，以死而胜秦军，故君子称之。

晋卿赵衰引《诗·大雅·文王》句，论秦穆公用孟明，晋必有忧。见《左传·文公二年》。按，赵衰所引诗句出自《诗·大雅·文王》，惟今诗作"无念尔祖"，"无"、"毋"通，均为句首语气词，杜《注》："无念，即念也。"此句意谓念其祖考而修其德也。

四月己巳，晋人使阳处父与鲁文公盟，且使史官书曰："及晋处父盟。"《左传·文公二年》："夏四月己巳，晋人使阳处父盟公以耻之。书曰：'及晋处父盟。'以厌之也。适晋不书，讳之也。"按：阳处父，晋之大父。以大夫盟诸侯，且使史官书其事于册，故曰辱之。此举与《史记·廉颇蔺相如列传》所载秦、赵渑池之会的事颇为相类。

八月，夏父弗忌擅改昭穆以尊僖公，鲁宗有司引《鲁颂》谏之，不听。展禽言夏

父弗忌必有殃。谏语见《左传·文公二年》、《国语·鲁语》。对比《左传》、《国语》之文，可知《左传》引《鲁颂》之“君子”即《国语》之宗有司，非《左传》编者所托言。则《左传》中所引“君子曰”，亦应皆当时君子之语。

鲁大夫展禽论臧文仲祭“爰居”非政之宜。《国语·鲁语上》、《左传·文公二年》引孔子语：“臧文仲，其不仁者三，不知者三。下展禽，废六关，妾织蒲，三不仁也。作虚器，纵逆祀，祀爰居，三不知也。”

金圣叹《才子古文》卷三录展禽论臧文仲之辞，且评曰：“看其议论处，叙述处，结束处，凡发出无数典故，直是疏快。”“如此大篇，只用六字结，最严峭。”

公元前624年（周襄王二十九年　鲁文公三年　晋襄公四年　秦穆公三十六年）

秦穆公霸西戎，君子引《采蘩》、《烝民》、《文王有声》句，赞其善任人。《左传·文公三年》载：夏四月，秦穆公伐晋，济河焚舟，取王官及郊。晋人不出，遂自茅津济，封殽尸而还。遂霸西戎，用孟明也。君子是以知秦穆之为君也，举人之周也，与人之壹也，孟明之臣也，其不解也，能惧思也，子桑之忠也，其知人也，能举善也。《诗》曰，“于以采蘩？于沼于沚，于以用之？公侯之事”，秦穆有焉；“夙夜匪解，以事一人”，孟明有焉；“诒厥孙谋，以燕翼子”，子桑有焉。

劳孝舆《春秋诗话》卷三评此君子之语云：“三引诗，各有至理。孟明之有，显而易见；子桑之有，遽至贻谋；可知荐贤者庆流子孙，则蔽贤者毒流后世矣。识见极高，议论极大。若秦穆之有，乃至以用人之事谋及祖宗，微哉，微哉！非神明于诗而不泥于其解者，岂见及此。”

冬，鲁文公与晋襄公盟，晋侯享之，赋《菁菁者莪》，鲁文公赋《嘉乐》。《左传·文公三年》载：晋以去年使阳处父盟鲁君以辱之，无礼于公，今请改盟。鲁文公如晋，及晋侯盟。晋侯飨公，赋《菁菁者莪》。庄叔以公降、拜，曰：“小国受命于大国，敢不慎仪？君贶之以大礼，何乐如之？抑小国之乐，大国之惠也。”晋侯降，辞。登，成拜。公赋《嘉乐》。”

按，《菁菁者莪》，今在《诗·小雅》。杜预《注》：“取其‘既见君子，乐且有仪’。”《嘉乐》，今在《大雅》，杜《注》：“义取其‘显显令德，宜民宜人，受禄于天’。”劳孝舆《春秋诗话》卷一评此次赋诗云：“颂不忘规，诗之教也。以乐倡，即以乐和，一唱一和，视后人步韵往复者，倍有深情。”

公元前623年（周襄王三十年　鲁文公四年　卫成公十二年）

卫宁武子聘于鲁，鲁文公为赋《湛露》及《彤弓》。宁武子以其不类而不辞，亦不答赋。《左传·文公四年》：“卫宁武子来聘，公与之宴，为赋《湛露》及《彤弓》。不辞，又不答赋。使行人私焉。对曰：‘臣以为肄业及之也。昔诸侯朝正于王，王宴乐之。于是乎赋《湛露》，则天子当阳，诸侯用命也。诸侯敌王所忾，而献其功，王于是乎赐之彤弓一、彤矢百、玈矢千，以觉报宴。今陪臣来继旧好，君辱贶之，其敢干大礼以自取戾？’”

按，《湛露》、《彤弓》，均在今《诗·小雅》。《湛露》、《毛诗》及《三家诗》均以为是西周盛时天子夜宴诸侯同姓之诗；《彤弓》则是叙述天子以彤弓赏赐有功诸侯而作，通用为天子锡有功诸侯之乐章。今宁武子聘而鲁侯为赋二诗，明为僭礼之举。故宁武子佯装不知，不辞，亦不答赋。《论语·公冶长》云："子曰：'宁武子邦有道则知；邦无道则愚。其知可及也，其愚不可及也'。"正指此事而言。宁武子解此二诗，据诗意发挥之，谓诸侯于正月朝天子，天子宴之，奏乐，歌《湛露》，表示天子向日月而诏，诸侯效劳听命，诸侯以天子所恨之人为敌人，且献己功。天子因此赐诸侯以彤弓等物以表彰其功。重点强调了此二诗之礼仪之用。

公元前622年（周襄王三十一年　鲁文公五年　晋襄公六年）

春，周襄王使荣叔适鲁，为鲁僖公母成风行饭含之礼。召昭公来会葬。《左传·文公四年》："冬，成风薨。"《春秋·文公五年》："春王正，王使荣叔归含且赗。"《左传·文公四年》："王使荣叔来含且赗，召昭公来会葬，礼也。"郑注云："珠玉曰含，口实。"孔颖达《正义》引郑玄《箴膏肓》云："礼，天子于二王后之丧，含为先……于诸侯，含之……小君亦如之。"正与小君之礼合。《说苑·修文篇》云："口实曰含，天子含实以珠，诸侯以玉，大夫以玑，士以贝，庶人以谷实。"《公羊传》何休注云："孝子所以实亲口也，缘生以事死，不忍虚其口。天子以珠，诸侯以玉，大夫以碧，士以贝，春秋之制也。文家加饭以稻米。"赗（音凤），助丧之物，天子、诸侯、大夫、士各有等差，《礼记·既夕礼》："公赗玄𫄸束帛两马"是也。

召昭公，召穆公（召伯虎）之后。《左传·僖公十一年》有召武公，当为其父。召氏世称伯，《庄公二十七年》有召伯廖，或其祖。又《宣公十五年》之召戴公，或其子。《成公八年》之召桓公、《昭公二十二年》之召伯奂（召庄公），《昭公二十六年》的召伯盈（召简公），俱是其后。《诗经》第一次编集在公元前七世纪末叶（因第一次所收《周南》、《召南》、《邶风》、《鄘风》、《卫风》和《小雅》，其中有春秋初期的作品），据学者的研究，召武公、召昭公很有可能即是《诗经》的第一次编集者。

晋宁嬴论貌、言、情之关系及由言观人之理。见《国语·晋语五》载。《左传·文公五年》：宁嬴曰："（阳处父）以（太）刚。《商书》曰：'沈渐刚克，高明柔克。'夫子壹之，其不没乎。天为刚德，犹不干时，况在人乎？且华而不实，怨之所聚也。犯而聚怨，不可以定身。余惧不获其利而离其难，是以去之。"

按，《左传》记宁嬴之语引《商书》句出自《尚书·洪范》，今属《周书》。据《洪范》开首可知此篇为箕子口述的商之政典，自是商朝之文，宁嬴之语，亦为一确证。宁嬴论及貌、言、情之关系，涉及文学的真实性、言意关系等命题，对后来之文学理论有深远影响。此外孔子提出观人宜"听其言而观其行"的思想，当亦出于此。

公元前621年（周襄王三十二年　鲁文公六年　晋襄公七年　秦穆公三十九年）

春，赵盾始主晋国之政，制事典，正法罪，辟刑狱，由质要，治旧洿，本秩礼，续常职，出滞淹。见《左传·文公六年》。其中"制事典"就是制定办事为政的章程条例，“正法罪”则是制定刑法律令，“本秩礼”则是修订礼制，这几项都属于公务文书的写作。

臾骈引《前志》，论忠、勇之道。《左传·文公六年》载：夷之搜，贾季辱臾骈，臾骈之人欲尽杀贾氏以报焉。臾骈曰：“不可。吾闻《前志》有之曰：‘敌惠敌怨，不在后嗣，忠之道也。’夫子（赵盾）礼于贾季，我以其宠报私怨，无乃不可乎？介人之宠，非勇也。损怨益仇，非知也。以私害公，非忠也。释此三者，何以事夫子？”按，臾骈，晋大夫，姓臾，名骈，见知于赵盾。《前志》，即记载前言往行之志，由其内容来看，多涉及立身行事之道。文体类似于格言、谚语。

秦穆公卒，以三良为殉，国人作《黄鸟》之诗以哀之。《左传·文公六年》：“秦伯任好卒，以子车氏之三子奄息、仲行、鍼虎为殉，皆秦之良也。国人哀之，为之赋《黄鸟》。君子曰：‘秦穆之不为盟主也，宜哉。死而弃民。先王违世，犹诒之法，而况夺之善人乎？《诗》曰：“人之云亡，邦国殄瘁。”无善人之谓。若之何夺之？古之王者知命之不长，是以并建圣哲，树之风声，分之采物，著之话言，为之律度，陈之艺极，引之表仪，予之法制，告之训典，教之防利，委之常秩，道之礼则，使无失其土宜，众隶赖之，而后即命。圣王同之。今纵无法以遗后嗣，而又收其良以死，难以在上矣，’君子是以知秦之不复东征也。”

按，此《黄鸟》即《秦风·黄鸟》。《诗序》云：“《黄鸟》，哀三良也。国人刺穆公以人从死而作是诗也。”此诗主题，诗中自明。毛诗及三家诗均无异说。惟三良之死，一说以为秦穆公所杀。《史记·蒙恬列传》云：“昔者秦穆公杀三良，而死罪百里奚，而非其罪也，故立号曰缪。”《风俗通·皇霸篇》亦云：“缪公杀贤臣百里奚，以子车氏为殉，故谥曰穆。”一说以为三良为自杀以从死。《汉书·匡衡传》载匡衡上疏云：“秦穆公贵信，士多从死。”应劭注云：“秦穆公与群臣饮酒酣，公曰：‘生共此乐，死共此哀。’于是奄息、仲行、鍼虎许诺。及公薨，皆从死，《黄鸟》诗所为作也。”曹植《三良诗》云：“功名不可为，忠义我所安。秦穆先下世，三臣皆自残。生时等荣乐，既没同忧患。谁言捐躯易？杀身诚独难。《黄鸟》为悲鸣，哀哉伤肺肝。”

秋，鲁季孙行父将聘于晋，使从者查寻有关丧礼仪节之文献。见《左传·文公六年》载。季文子所欲求者，盖《仪礼·聘礼》一类礼文。

八月，晋襄公驩卒，灵公少，赵盾论立公子雍足以安民。见《左传·文公六年》。按，此处之赵孟即赵盾。杨伯峻《春秋左传注》：“自赵盾以后，赵氏世称孟。文公《传》之赵孟皆赵盾；襄公以及昭公元年《传》之赵孟皆赵武；昭二十三年以后迄哀十年传之赵孟，则赵鞅；哀二十年《传》以后之赵孟则赵无恤。”贾季，即狐射姑。《史记·晋世家》、《正义》引《国语》韦昭《注》以为贾季即贾佗，惠栋及全祖望已驳其非，参黄丕烈《国语札记》。

十月闰月，鲁国不行告朔之礼，弃时政也。《左传·文公六年》：“闰月不告朔，非礼也。闰以正时，时以作事，事以厚生，生民之道于是乎在矣。不告闰朔，弃时政也，何以为民？”告朔，每月以朔日告神。《论语·八佾》：“子贡欲去告朔之饩羊”，是告朔之礼用特羊。告朔之后，听治一月之政事，谓之听朔，《礼记·玉藻》：“天子听朔于南门之外，闰月则合门左扉，立于其中。诸侯皮弁以听朔于太庙。”即此事。听朔之后，祭于庙，谓之朝庙。详参孙诒让《周礼正义》之“春官太史”部分。

公元前620年（周襄王三十三年　鲁文公七年　晋灵公元年　秦康公元年）

四月，宋成公卒。宋司马乐豫引谚语，谏宋昭公勿去群公子。昭公不听，穆襄之族率国人以攻昭公。六卿和公室，昭公即位而葬死者。史书其事。见《左传·文公七年》。

先蔑将适秦迎公子雍，荀林父赋《板》之三章以谏之。《左传·文公七年》：先蔑之将使秦迎公子雍，荀林父止之，谏曰：“夫人、太子犹在，而外求君，此必不行。子以疾辞，若何？不然，将及。摄卿以往可也，何必子？同官为僚，吾尝同僚，敢不尽心乎。”先蔑不听。荀林父为赋《板》之三章，仍不听。及其事败而逃亡，荀伯尽送其帑及其器用财贿于秦，曰：“为同僚故也。”

贾季论赵衰、赵盾。《左传·文公七年》：“狄侵我西鄙，公使告于晋。赵宣子使因贾季责问狄相酆舒，且让之。酆舒问于贾季曰：‘赵衰、赵盾孰贤？’对曰：‘赵衰，冬日之日也；赵盾，夏日之日也。’”杜预《注》云：“冬日可爱，夏日可畏。”贾季之言，可谓妙喻。洵可为晋、宋间品评人物语体之先河。

八月，齐侯、宋公、卫侯、郑伯、许男、曹伯会晋赵盾盟于扈。见《左传·文公七年》，盟辞无载。

晋郤缺引《夏书》之言，谏赵盾宜务德，论及《九歌》之所起及歌谣的舆论作用。《左传·文公七年》载：晋大夫郤缺言于赵宣子曰：“日卫不睦，故取其地。今已睦矣，可以归之。叛而不讨，何以示威？服而不柔，何以示怀？非威非怀，何以示德？无德，何以主盟？子为正卿，以主诸侯，而不务德，将若之何？《夏书》曰：‘戒之用休，董之用威，劝之以《九歌》。勿使坏。’九功之德皆可歌也，谓之《九歌》。六府、三事，谓之九功。水、火、金、木、土、谷，谓之六府。正德、利用、厚生，谓之三事。义而行之，谓之德、礼。无礼不乐，所由叛也。若吾子之德，莫可歌也，其谁来之？盍使睦者歌吾子乎？”赵宣子以为是。

公元前618年（周顷王元年　鲁文公九年　楚穆王八年）

春，楚大夫范山谏楚穆王伐郑。见《左传·文公九年》。范山，楚大夫。范，楚邑，《左传·文公十年》有“范巫矞似”，杜预《注》谓“矞似，范邑之巫”。可证范山亦当以邑为氏。观范山谏语，切中晋政要害，明于晋楚形势，虽似简要而实有力度。自此年春伐郑始，夏、秋两次侵陈，楚对晋可谓步步进逼。

冬，楚斗椒聘鲁，傲慢无礼，鲁叔仲惠伯预言斗氏必有祸。《左传·文公九年》载：冬，楚子越椒来聘，执币傲。叔仲惠伯曰：“是必灭若敖氏之宗。傲其先君，神弗福也。”杜预注云：“子越椒，令尹子文从子。”若敖生斗伯比，斗伯比生令尹子文及司马子良，椒则子良之子。子越椒，即斗椒，字子越，亦字伯棼，连字与名言之，故曰子越椒。说参钱绮《左传札记》。

公元前617年（周顷王二年　鲁文公十年　楚穆王九年）

楚大夫申舟引《大雅·烝民》及《民劳》之句，为辱宋昭公之行辩护。见《左传·文公十年》。按，子舟，即文之无畏，也即《左传·宣公十四年》之申舟。《吕氏春秋·行论篇》、《淮南子·主术训》俱称为文无畏，梁履绳《左通补释》云："文盖以谥为氏者；申其采邑；舟，字也；之，语辞。"杨伯峻《春秋左传注》引万氏《氏族略》谓文之无畏为楚文王之后，故梁履绳谓"以谥为氏"。期思公复遂，即楚期思邑之令。《荀子·非相篇》、《吕氏春秋·赞能篇》俱言孙叔敖即期思之鄙人，其地即今河南省固始县西北之期思镇。又按，申舟所引诗句见《诗·大雅》之《烝民》及《民劳》。申舟为己之强横辩护，意谓宋昭公违背命令，虽然为国君也不能放纵他。

公元前616年（周顷王三年　鲁文公十一年）

冬，鲁叔孙得臣败鄋瞒，获长狄侨如，杀之，名其子曰侨如以旌其功。

《左传·文公十一年》：鄋瞒侵齐，接着伐鲁。鲁文公使叔孙得臣追之，侯叔夏御庄叔，绵房甥为右，富父终甥驷乘。冬十月甲午，败狄于咸，获长狄侨如。以戈杀之，埋其首于子驹之门，以其名'侨如'命其子。

鄋瞒，国名。《说文》："鄋，北方长狄国也，在夏为防风氏，在殷为汪芒氏。"陶正靖《春秋说》谓"鄋瞒者，狄之种名，犹后世之部落云尔。侨如等则其酋长云尔"。据《山海经·大荒北经》、《孔子世家》、《说苑·辨物篇》等，鄋瞒为釐姓。又据《方舆纪要》，鄋瞒国土在今山东省境。

叔孙得臣之子叔孙侨如，因获长狄侨如而名，此所谓"待事而名之"。杜预《注》云："以旌其功。"于鬯《香草校书》则云："实借敌人之名为厌胜之具。"

公元前615年（周顷王四年　鲁文公十二年　晋灵公六年　秦康公六年）

秋，秦康公使西乞术聘鲁，鲁使襄仲为上宾，依聘礼辞玉。《左传·文公十二年》："秦伯使西乞术来聘，且言将伐晋。襄仲辞玉，曰：'君不忘先君之好，照临鲁国，镇抚其社稷，重之以大器，寡君敢辞玉。'对曰：'不腆敝器，不足辞也。'主人三辞。宾答曰：'寡君愿徼福于周公、鲁公以事君，不腆先君之敝器，使下臣致诸执事，以为瑞节。要结好命，所以藉寡君之命，结二国之好，是以敢致之。'襄仲曰：'不有君子，其能国乎？国无陋矣。'厚贿之。"

按，辞玉，《仪礼·聘礼》："宾袭执圭，摈者入告，出，辞玉。"《左传》所载正与《聘礼》之文合。辞令亦见于《仪礼·聘礼》所载，大体相合。

秦伐晋，两军遇于河曲，臾骈献赵盾计克秦，秦士会献计破晋军。见《左传·文公十二年》。臾骈据秦使者表情曰："目动而心肆，惧我也"，表现出细致的心理分析能力。

赵盾论事君者当比而不党。见《国语·晋语五》。赵宣子所言，强调比而不党，为事君之正道。《论语》言君子朋而不党；屈原《离骚》云"惟夫党人之偷乐兮，路幽昧以险隘"。痛惜结党营私之人把持朝政，致使国家前途幽昧险恶。

韩献子，即韩厥。又称厥、献子等。为韩简之孙，其先韩万为曲沃庄伯之弟，见于桓公三年。陈厚耀《春秋世族谱》云："曲沃桓叔之子曰万，封于韩，故以韩为氏。"可见韩氏出自晋穆侯。韩厥奠定韩氏一族在晋之地位，先后为晋司马、卿、中军等职，与知庄子（荀首）、范文子（士燮）并称晋之三贤。韩献子知书达礼，长于辞令，宽厚正直，为政以德。其辞令比较突出者如《左传·成公六年》所载论国都之位置，及国政与国都之关系；《成公十五年》论战之在民，无民孰与战等，均为鞭辟入里、深刻感人之宏论。顾栋高《春秋人物表》将韩厥归入功臣一类，只注意到其政绩德行，而未及其辞令，尚欠全面。

公元前614年（周顷王五年　鲁文公十三年　晋灵公七年）

春，郤缺评士会与贾季孰贤。《左传·文公十三年》载：晋人患秦之用士会也，夏，六卿相见于诸浮。赵盾曰："随会在秦，贾季在狄，难日至矣。若之何？"中行桓子曰："请复贾季，能外事，且由旧勋。"郤缺曰："贾季乱，且罪大，不如随会，能贱而有耻，柔而不犯，其知足使也，且无罪。"于是谋士会于秦，使归晋。按，郤缺评价士会曰"能贱而有耻，柔而不犯"，正为后世儒家所提倡之君子风范。《论语·为政》："子曰：'道之以政，齐之以刑，民免而无耻；道之以德，齐之以礼，有耻且格。'""有耻"是儒家修养论中重要的命题，而"贱"则是检验其道德修养是否坚定持久的标准。

邾文公谋迁于绎，使史卜之，史曰："利于民而不利于君。"邾文公曰："苟利于民，孤之利也，天生民而树之君，以利之也。"《左传·文公十三年》载：邾文公卜迁于绎。史曰："利于民而不利于君。"邾子曰："苟利于民，孤之利也，天生民而树之君，以利之也，民既利矣，孤必与焉。"左右曰："命可长也，君何弗为？"邾子曰："命在养民。死之短长，时也。民苟利矣，迁也，吉莫如之。"遂迁于绎。五月，邾文公卒。君子曰："知命。"邾文公的议论充分体现出民本思想。

秋，鲁太室屋坏。太室，即明堂、世室，既是祭祀、议政之重要场所，亦为演奏颂神乐歌、祖先史诗之处。《左传·文公十三年》："秋七月，太室之屋坏，书，不共也。""太"，《公羊传》作"世"。惠栋《公羊古义》云："《公羊》皆以'世'为'太'。"太室，贾逵、服虔、杜预皆以为"太庙之室"，其说不确。当从《公羊》以为明堂世室。

明堂称谓始于西周，然其起源甚早。古又称"太室"、"世室"、"重屋"、"辟雍"等。《周礼·考工记·匠人》："夏后氏世室……殷人重屋……周人明堂。"郑玄注："世室者，宗庙也……重屋者，王宫正堂若大寝也。……此三者或举宗庙，或举王寝，或举明堂，互言之以明其同制。"《大戴礼记·明堂》："明堂者，古有之也……所以明诸侯尊。外水曰辟雍。"《公羊传·文公十三年》："大室屋坏，……大室犹世室也。"

冬，鲁文公如晋寻盟。见《左传·文公十三年》，盟辞无载。

郑穆公与鲁文公宴，郑子家赋《鸿雁》，鲁季文子答以《四月》；子家又赋《载驰》之四章，文子赋《采薇》之四章。《左传·文公十三年》载：郑穆公与鲁文公宴于棐。郑大夫子家赋《鸿雁》。季文子曰："寡君未免于此。"文子赋《四月》。子家赋《载驰》之四章，文子赋《采薇》之四章。郑伯拜，文公答拜。

杨伯峻《春秋左传注》云："《传》言赋诗某篇，不言某章，皆指首章。"按此次所赋之诗章如下：《鸿雁》出自《诗·小雅》，其首章云："鸿雁于飞，肃肃其羽。之子于征，劬劳于野。爰及矜人，哀此鳏寡。"子家赋此者，郑国以鳏寡自比，欲鲁文怜惜之，为之道路奔波，再度去晋而请和也。《四月》亦出自《诗·小雅》，其首章曰："四月维夏，六月徂暑。先祖匪人，胡宁忍予？"文子赋此，意谓鲁君臣思归祭祀，不欲更复适晋。《载驰》见《诗·鄘风》，其四章云："我行其野，芃芃其麦。控于大邦，谁因谁极？"子家赋此，意谓郑国欲求和于晋，望鲁从中周旋。文子赋《采薇》之四章："彼尔维何？维常之华。彼路斯何？君子之车。戎车既驾，四牡业业。岂敢定居？一月三捷。"委婉表示愿为郑复适晋而谋成也。劳孝舆《春秋诗话》评此次赋诗言志云："《鸿雁》自言寡弱，祈相恤也；《四月》，言已行役之劳，将归祭未遑也；《载驰》更告急也。《采薇》言不敢安居也。四诗拉遝称引，各各不言而喻，而当时大国凭陵，小国奔命之苦，凄然可见也。"

公元前613年（周顷王六年　鲁文公十四年　晋灵公八年）

七月乙卯夜，有星孛入于北斗。周内史叔服预言曰："不出七年，宋、齐、晋之君皆将死乱。"见《左传·文公十四年》。按：内史叔服，见《左传·文公元年》。杜预《注》云："后三年宋弑昭公，五年弑懿公，七年晋弑灵公。"

赵盾欲纳邾文公晋姬所生捷菑于邾，邾人辞之以礼，赵盾以为"辞顺而弗从，不祥"。乃还。《左传·文公十四年》：邾文公元妃齐姜，生定公；二妃晋姬，生捷菑。文公卒，邾人立定公。捷菑奔晋。赵盾以诸侯之师八百乘纳捷菑于邾。邾人辞曰："齐出貜且长。"宣子曰："辞顺而弗从，不祥。"乃还。

捷菑，邾国公子，其母晋出。《公羊传》作"接菑"。《元和姓纂》有捷姓，并引《风俗通》云："邾公子捷菑之后，以王父字为氏。"赵盾欲纳捷菑为邾君，邾人已立定公，辞以齐出之邾定公长，当立，合于立长之礼，故赵盾以为辞顺。

公元前612年（周匡王元年　鲁文公十五年　晋灵公九年　齐懿公元年　宋昭公八年）

三月，宋华耦适鲁寻盟，鲁文公享之，华耦辞令顺美，鲁人以为敏。《左传·文公十五年》："三月，宋华耦来盟，其官皆从之。书曰：'宋司马华孙'，贵之也。公与之宴，辞曰：'君之先臣督，得罪于宋殇公，名在诸侯之策，臣承其祀，其敢辱君，请承命于亚旅。'鲁人以为敏。"杜预《注》："古之盟会必备威仪，崇贽币，宾主以成礼为敬。故《传》曰'卿行旅从'，春秋时率多不能备仪，华孙能率其属以从古典，所以敬事而自重，使重而事敬，则鲁尊而礼笃，故贵而不名。"

鲁大夫叔彭生引"史佚之言"，以事亲之道谏襄仲。《左传·文公十五年》：鲁叔孙敖卒，帷堂而哭，其弟襄仲怨兄娶其妻，欲勿哭，叔孙敖之子惠伯谏襄仲曰："丧，亲之终也，虽不能始，善终可也。史佚有言曰：'兄弟致美，救乏、贺善、吊灾、祭敬、丧哀，情虽不同，毋绝其爱，亲之道也。'子无失道，何怨于人？"襄仲闻其言而悦，帅兄弟以哭之。

史佚，周成王太史。李贻德云："知史佚为周成王太史者，《书·洛诰》：'逸祝册'，《无逸篇》、《大传》逸作佚，《大戴记》'保傅常立于后，是史佚也，故成王中立而听朝'。《史记·晋世家》：'成王削桐叶为珪，以与叔虞曰：此封若。史佚因请择日立叔虞。'此皆史佚为成王时人之证也。"（刘文淇《春秋左传旧注疏证》引）儒家言立身之道，始于事亲，正与此年所引史佚之言暗合。

六月辛丑朔，日有食之。鲁人伐鼓、用牲于社以禳之。《左传·文公十五年》："六月辛丑朔，日有食之。鼓、用牲于社，非礼也。日有食之，天子不举，伐鼓于社，诸侯用币于社，伐鼓于朝，以昭事神、训民、事君，示有等威，古之道也。"则当时所谓礼仪之邦的鲁国，亦不完全按传统等级制度行事。所谓"周礼"，已在崩溃之中。

晋郤缺以上军、下军伐蔡，盟而还。《左传·文公十五年》："新城之盟，蔡人不与。晋郤缺以上军、下军伐蔡，曰：'君弱，不可以怠。'戊申，入蔡，以城下之盟而还。凡胜国，曰'灭之'，获大城焉，曰'入之'。"盟辞无载。

秋，齐侵鲁之西鄙，季文子引《诗·小雅·雨无正》、《周颂·我将》，论齐懿公多行无礼，必不能免祸。《左传·文公十五年》载：秋，齐人侵鲁西鄙，诸侯不能救，齐遂伐曹，入其郛，讨其朝鲁。季文子曰："齐侯其不免乎？己则无礼，而讨于有礼者，曰：'女何故行礼。'礼以顺天，天之道也。己则反天，而又以讨人，难以免矣。《诗》曰：'胡不相畏？不畏于天。'君子之不虐幼贱，畏于天也。在《周颂》曰：'畏天之威，于时保之。'不畏于天，将何能保？以乱取国，奉礼以守，犹惧不终，多行无礼，弗能在矣。"

十一月，晋灵公会诸侯，盟于扈以谋伐齐，齐贿晋，诸侯之师不克而还。鲁《春秋》书之。《左传·文公十五年》："冬十一月，晋侯、宋公、卫侯、蔡侯、陈侯、郑伯、许男、曹伯盟于扈，寻新城之盟，且谋伐齐也。齐人赂晋侯，故不克而还。于是有齐难，是以公不会。书曰'诸侯盟于扈'，无能为故也。凡诸侯会，公不与，不书，讳君恶也。与而不书，后也。"

公元前611年（周匡王二年　鲁文公十六年　楚庄王三年）

庸、麇分别率群蛮、百濮交侵楚国，芀贾谏楚庄王废迁都之议而伐庸。见《左传·文公十六年》。楚庄王用芀贾之谋伐庸，秦国、巴国出兵助楚，楚庄王遂灭庸国。楚国遂安，为争霸中原奠定了基础。楚庄王明于决断，为一代明主，其事迹成为后世叙事文学作品之重要素材。《史记·楚世家》"三年不鸣，鸣将惊人"之叙述，《说苑·正谏》纳诸御己之谏，皆是由此事而生发。

六月戊辰，鲁文公使襄仲赂于齐懿公，故盟于郪丘。见《春秋·文公十六年》及《左传》。盟辞无载。

楚人为诸御己歌。《说苑·正谏篇》曰：楚庄王筑层台，延石千里，延壤百里，大臣谏者七十二皆死矣。有诸御己者，违楚百里而耕。谓其耦曰：吾将入谏王。委其耕而入见庄王，遂解层台而罢民。楚人歌之曰："薪乎莱乎，无诸御己，讫乎无子乎！莱乎薪乎，无诸御己，讫乎无人乎！"

按，此歌又见《太平御览》卷四百五十五及《诗纪·前集二》，题作"楚人歌"。

逯钦立《先秦汉魏晋南北朝诗》亦录之。《史记·楚世家》载庄王即位，三年自静，以讲得失之说，《说苑·正谏》纳诸御己之谏当在此期间，今故系于此年。

公元前610年（周匡王三年　鲁文公十七年　晋灵公十一年　齐懿公三年　郑穆公十八年）

夏，齐伐鲁北鄙，鲁襄仲请盟。六月，鲁文公与齐懿公盟于谷。见《左传·文公十七年》。盟辞无载。杜预《注》云："晋不能救鲁，故请服。"

晋怒郑贰于楚，郑大夫子家与赵盾书，以告其故。《左传·文公十七年》：晋灵公不见郑伯，以为贰于楚也。郑大夫子家使执讯之官如晋而与之书，以告赵宣子。其书曰："寡君即位三年，召蔡侯而与之事君。九月，蔡侯入于敝邑以行。敝邑以侯宣多之难，寡君是以不得与蔡侯偕。十一月，克减侯宣多而随蔡侯以朝于执事。十二年六月，归生佐寡君之嫡夷，以请陈侯于楚而朝诸君。十四年七月，寡君又朝，以蒇陈事。十五年五月，陈侯自敝邑往，朝于君。往年正月，烛之武往朝夷也。八月，寡君又往朝，以陈、蔡之密迩于楚而不敢贰焉，则敝邑之故也。虽敝邑之事君，何以不免？在位之中，一朝于襄，而再见于君。夷与孤之二三臣相及于绛，虽我小国，则蔑以过之矣。今大国曰：'尔未逞吾志。'敝邑有亡，无以加焉。古人有言曰：'畏首畏尾，身其余几。'又曰：'鹿死不择音。'小国之事大国也，德，则其人也，不德，则其鹿也，铤而走险，急何能择？命之罔极，亦知亡矣。将悉敝赋以待于鯈，唯执事命之。文公二年六月壬申，朝于齐。四年二月壬戌，为齐侵蔡，亦获成于楚。居大国之间，而从于强令，岂其罪也。大国若弗图，无所逃命。"

按，子家之书，陈述郑国之所以服于楚，实出于晋不能救而不得已。言辞恳切，有理有节，于楚、晋争霸，晋因政衰而不能救诸侯，郑居大国之间之无奈情状，和盘托出。故晋人见其书，遂使大夫巩朔赴郑国修好，并使赵穿、公婿池为人质。

襄仲引臧文仲之言，预言齐君必死。《左传·文公十七年》："鲁大夫襄仲如齐，拜穀之盟。复曰："臣闻齐人将食鲁之麦，以臣观之，将不能，齐君之语偷。臧文仲有言曰：'民主偷，必死。'"民主，指齐懿公。语偷，即言辞中透露出苟且、无远虑的思想。

公元前609年（周匡王四年　鲁文公十八年）

春，齐懿公将伐鲁，有疾。鲁文公闻之，令卜。鲁大夫叔彭生命龟，卜人楚丘占之，曰："齐侯不及期，非疾也；君亦不闻。令龟有咎。"见《左传·文公十八年》。

十月，鲁襄仲杀公子恶及视而立宣公。鲁史书其事。《左传·文公十八年》：鲁文公二妃，敬嬴生宣公；敬嬴嬖，而私事襄仲。二月丁丑，鲁文公卒。宣公长，而属诸襄仲。襄仲欲立宣公，叔仲不可。襄仲见于齐侯而请之。齐侯新立而欲亲鲁，许之。冬十月，襄仲杀恶及视而立宣公。书曰'子卒'，讳之也。"《史记·鲁世家》所载略同。

史克受季文子之命作书，引佚《周礼》、《誓命》及《虞书》，论莒太子无德。见《左传·文公十八年》。《国语·鲁语上》所述至简略，而明确为里革（史克）之辞。

则是里革（史克）受季文子之命而作也。文中云："先大夫臧文仲教行父事君之礼，行父奉以周旋，弗敢失队。"又云："今行父虽未获一吉人"，是以季文子语气言之。文中所述"八元"、"八恺"之十六种德行范畴：齐、圣、广、渊、明、允、笃、诚，忠、肃、共、懿、宣、慈、惠、和，大部分为儒家学派所提倡。至于所谓父义、母慈、兄友、弟共、子孝之教，则更为儒家伦理思想之渊薮。

史克，《国语·鲁语》作"里革"。韦昭《国语注》云："鲁太史克也。"《诗·鲁颂·駉序》云："季孙行父请命于周而史克作是《颂》。"则史克是春秋时代一位重要作家。

公元前608年（周匡王四年　鲁宣公元年　晋灵公十三年）

冬，晋灵公邪侈，赵盾骤谏而不听。见《左传·宣公元年》："冬……晋人伐郑，以报北林之役。于是晋侯侈，赵宣子为政，骤谏而不入，故不竞于楚。"

公元前607年（周匡王五年　鲁宣公二年　晋灵公十五年　宋文公四年）

二月，华元战败逃归，城者作"讴"以刺之，华元使骖乘对之，役人续歌以刺。《左传·宣公二年》："宋人以兵车百乘、文马百驷以赎华元于郑。半入，华元逃归，立于门外，告而入。……宋城，华元为植，巡功。城者讴曰：'睅其目，皤其腹，弃甲而复。于思于思，弃甲复来。'使其骖乘谓之曰：'牛则有皮，犀兕尚多。弃甲则那?'役人曰：'从其有皮，丹漆若何?'华元曰：'去之，夫其口众我寡。'"

按，此宋城者之讴，以"目"、"腹"、"复"为韵（古音同在觉部）；"思"、"来"为韵（古音同在哈部）。"讴"即讴歌，为即兴创作之诗歌。明冯惟讷《古诗纪》、杜文澜《古谣谚》及今人逯钦立《先秦汉魏晋南北朝诗》均收之。

晋灵公不君，大夫随会引《诗·大雅·荡》及《烝民》之诗句以谏。见《左传·宣公二年》。

赵盾骤谏晋灵公，公患之，欲杀之而未克。赵穿杀灵公。晋太史董狐书曰："赵盾杀其君。"赵盾引《诗·邶风·雄雉》句以明其志。见《国语·晋语五》、《左传·宣公二年》。

公元前606年（周定王元年　鲁宣公三年　晋成公元年　楚庄王八年　郑穆公二十二年）

春，鲁废郊祀之礼，而举行望祭。《春秋·宣公三年》："三年春王正月，郊牛之口伤，改卜牛。牛死，乃不郊。犹三望。"《左传·宣公三年》："三年春，不郊而望，皆非礼也。望，郊之属也。不郊亦无望，可也。"

晋成公伐郑，郑服城下之盟，晋大夫士会入盟。《左传·宣公三年》："晋侯伐郑，及郔。郑及晋平，士会入盟。"盟辞无载。

楚庄王问鼎之大小轻重，王孙满受王命对之。《左传·宣公三年》载：楚庄王伐陆浑之戎，遂至于雒，观兵于周疆。周定王使王孙满慰劳楚师。楚庄王问鼎之大小轻重焉，王孙满对曰："在德不在鼎。昔夏之方有德也，远方图物，贡金九牧，铸鼎象物，百物而为之备，使民知神、奸。故民入川泽、山林，不逢不若。魑魅罔两，莫能逢之。用能协于上下，以承天休。桀有昏德，鼎迁于商，载祀六百。商纣暴虐，鼎迁于周。德之休明，虽小，重也。其奸回昏乱，虽大，轻也。天祚明德，有所底止。成王定鼎于郏鄏，卜世三十，卜年七百，天所命也。周德虽衰，天命未改。鼎之轻重，未可问也。”《史记·周本纪》：“王使王孙满应设以辞，楚兵乃去。”《楚世家》亦载此事。

按，王孙满，周大夫。《左传·僖公三十三年》：“王孙满尚幼。”至此时已过二十一年，当三十多岁。九鼎为王权之象征，楚庄王平定内乱，对内实行改革，对外打击强敌，与晋争雄，楚国实力大增，故观兵于洛，问九鼎之大小轻重，是欲争霸中原。

冬，郑穆公卒，关于其生死当时有传说。《左传·宣公三年》：初，郑文公有贱妾曰燕姞，梦天使与己兰，曰：‘余为伯鯈（《说文》云：“黄帝之后，姞姓。”）。余，而（尔）祖也。以是为而子。以兰有国香，人服媚之如是。’既而文公见之，与之兰而御之。辞曰：‘妾不才，幸而有子，将不信，敢征兰乎？’公曰：‘诺。’……公逐群公子，公子兰奔晋，从晋文公伐郑。石癸曰：‘吾闻姬、姞耦，其子孙必蕃。姞，吉人也，后稷之元妃也。今公子兰，姞甥也。天或启之，必将为君，其后必蕃。先纳之，可以亢宠。’与孔将钼、侯宣多纳之，盟于大宫而立之，以与晋平。穆公有疾，曰：‘兰死，吾其死乎！吾所以生也。’刈兰而卒。”由此可以看出取名风俗以及对于梦的看法。郑穆公立二十二年，有疾而刈兰而卒，可以看出其平静的心境。他对兰在心理上的认同，很带有传奇色彩。

公元前603年（周定王四年　鲁宣公六年　晋成公四年　郑襄公二年）

晋大夫荀林父引《周书》，谏晋成公勿伐赤狄。《左传·宣公六年》：“秋，赤狄伐晋，围怀及邢丘。晋侯欲伐之。中行桓子曰：‘使疾其民，以盈其贯，将可殪也，《周书》曰“殪戎殷”，此类之谓也。’”中行桓子，即荀林父。引“《周书》”，文见《尚书·康诰》。“殪”，灭绝也。荀林父引此，意谓周文、武待纣之恶贯满盈而一举灭之。晋之待赤狄亦应如此。

冬，郑公子曼满无德而贪，大夫伯廖引《周易·丰》之《离》，言其必败。《左传·宣公六年》：“郑公子曼满与王子伯廖语，欲为卿。伯廖告人曰：‘无德而贪，其在《周易·丰》之《离》，弗过之矣。’间一岁，郑人杀之。”

杜预《春秋左传注》云：“《丰·上六》曰：‘丰其屋，蔀其家，窥其户，阒其无人，三岁不觌，凶。’义取无德而大其屋，不过三岁，必灭亡。”

公元前601年（周定王六年　鲁宣公八年）

六月，鲁宣公禘祭周公于太庙。《左传·宣公八年》：“有事于太庙。”有事，即禘祭。《礼记·明堂位》：“季夏六月，以禘礼祀周公于太庙。”自孔子继承并弘扬周公旦之学说与思想，周公影响中国历史文化两千多年。孔子以前，诸侯国之思想家、政治家也常引述其言其诗，然周公主要只是鲁人之祖先，尚未确立华夏各国圣人之地位。

襄仲卒于垂，绎祭，《万》入，去籥。见《春秋·宣公八年》。《公羊传》：“绎者何？祭之明日也。”《穀梁传》：“绎者，祭之旦日之享宾也。”孔颖达《春秋左传正义》："绎，又祭，陈昨日之礼，所以宾尸。"又云"天子诸侯谓之绎，少牢馈食，大夫之礼也，谓之宾尸。《释诂》云：'绎，陈也。'是陈昨日之礼，以宾敬此尸也。……鲁人知卿佐之丧不宜作乐，故去其有声，而不知废绎，纳舞去籥，恶闻其声也。"

公元前600年（周定王七年　鲁宣公九年　楚庄王十四年　郑襄公五年　陈灵公十四年）

夏，鲁孟献子聘于周，言行有礼，周定王厚赏之。事见《左传·宣公九年》。孟献子，即仲孙蔑，穆伯仲孙敖之孙，文伯谷之子，又称孟、孟孙、献子、仲孙蔑等。"鲁之有季、孟，犹晋之有栾、范也，政令于是乎成"（《左传·成公十六年》叔孙宣伯语），献子与襄仲、叔孙侨如、季孙行父一样，均为鲁国重臣。孟献子熟知礼仪，礼节周全，于当时列国政治形势亦有独到的见解，且善于辞令。其言论中最有价值者，一是鲁宣公九年论小国事大国之道之辞；二是成公十三年论礼与敬之辞；三是襄公七年论郊祭礼礼义之辞。这些辞令，深切事理，有感而发，均内容充实，辞采斐然。

冬，陈灵公通于夏姬，大夫泄冶谏之，陈杀泄冶。泄冶谏而忘身，孔子称赞之。见《左传·宣公九年》。泄冶，陈大夫。《左传·宣公九年》载孔子观史，评之曰："《诗》云：'民之多辟，无自立辟。'其泄冶之谓乎。"谓泄冶不顾民邪国危而谏昏悖之君，乃自危其身。《孔子家语·子路初见篇》所载子贡与孔子论泄冶因谏而死，观点与此相同。泄冶事迹多见秦汉典籍，《贾子新书·杂事》云："陈灵公杀泄冶，而邓元去陈，以族徙。"《大戴礼记·保傅篇》亦载此事。

周卿士单襄公引《夏令》、《周制》、《周之秩官》、《先王之令》等前代文献，论陈违法度，必将亡国。单襄公谏辞见《国语·周语中》。《周语中》云："六年，单子如楚。八年，陈侯杀于夏氏。九年，楚子入陈。"据此，则单襄公归论陈政于定王当在定王七年，当鲁宣公九年。

郑败楚庄王，大夫子良预言郑必有祸。《左传·宣公九年》载：为厉之役故，楚庄王伐郑。晋郤缺救郑，郑伯败楚师于柳棼。国人皆喜，唯大夫子良忧，预言曰："是国之灾也，吾死无日矣。"

按，子良，郑大夫，即公子去疾，郑穆公庶子。杜预《春秋左传注》云："自是晋、楚交兵伐郑，十二年，卒有楚子入郑之祸。"依当时形势，郑弱楚强，楚、晋争霸，郑又处其间，以弱胜强，以小凌大，楚必报复，故子良预言郑有祸，可见其有政治远见。

公元前599年（周定王八年　鲁宣公十年　陈灵公十五年）

陈夏征舒弑陈灵公。陈人作《株林》之诗，刺陈灵公。《诗序》云："《株林》，刺灵公也。淫乎夏姬，驱驰而往，朝夕不休息焉。"三家诗说同。《株林》首章云："胡为乎株林？从夏南。匪适株林，从夏南。"《毛传》："夏南，夏征舒也。"是诗咏陈灵公行淫于夏征舒之家。《株林》诗意与《左传》所载夏征舒、陈灵公之事相合。今人陈子展、程俊荣、蒋见元均以为诗作于公元前600年至前599年之间。

公元前 598 年（周定王九年　鲁宣公十一年　晋景公二年　楚庄王十六年　郑襄公七年）

春，郑大夫子良讥晋、楚无信。主张郑亦不必守盟恪约。《左传·宣公十一年》载：十一年春，楚庄王又伐郑，及郑栎邑。郑大夫子良谏晋君曰："晋、楚不务德而兵争，与其来者可也，晋、楚无信，我焉得有信?"

按，宣公九年晋率诸侯戍郑，今年楚又伐郑，晋不能救，郑如服楚，乃背盟之举，不义；如不背盟，势必为楚所灭，故子良讥晋、楚不务德而兵争，郑大可不必守盟。于是郑背晋而从楚。郑处强国之间，只能采取此种弹性外交。子良之外交思想，实为子产所继承。

夏，楚、郑盟于辰陵。盟辞无载。见《左传·宣公十一年》。

秋，晋郤缺往盟众狄，引《诗·周颂·赉》之诗句，言"非德莫如勤"。无德以服远，则当劳以服远。《左传·宣公十一年》："晋郤成子求成于众狄，众狄疾赤狄之役，遂服于晋。秋，会于攒函，众狄服也。是行也。诸大夫欲召狄。郤成子曰：'吾闻之，非德，莫如勤；非勤，何以求人？能勤有继，其从之也。《诗》曰："文王既勤止。"文王犹勤，况寡德乎?'"按，郤成子，即冀缺，亦即郤缺。

楚申叔时引时谚，谏止楚庄王灭陈。申叔时谏语见《左传·宣公十一年》。申叔时，楚宗族，顾栋高《春秋大事表》以为申氏，陈厚耀《春秋世族谱》则另列为申叔氏。由相关记载观之，申叔时深明大义，既知治国为政之道，又知先朝训典，前代掌故，善于教育，且长于辞令，能言善谏。如此年谏楚庄王勿灭陈，即是一例。

楚申公巫臣引《康诰》"明德慎罚"之言，谏楚庄王勿纳夏姬。《左传·成公二年》载：夏氏乱陈，楚庄王讨伐之，既入陈，庄王欲纳夏姬，申公巫臣谏曰："不可。君召诸侯，以讨罪也。今纳夏姬，贪其色也。贪色为淫，淫为大罚。《周书》曰：'明德慎罚。'文王所以造周也。明德，务崇之之谓也，慎罚，务去之之谓也。若兴诸侯，以取大罚，非慎之也。君其图之。"王乃止。子反欲取之，巫臣曰："是不祥人也！是夭子蛮，杀御叔，弑灵侯，戮夏南，出孔、仪，丧陈国，何不祥如是。人生实难，其有不获死乎！天下多美妇人，何必是?"

公元前 597 年（周定王十年　鲁宣公十二年　晋景公三年　楚庄王十七年）

晋随会引《诗·周颂·酌》、《武》及仲虺之言，以遵养时晦之道谏荀林父勿与楚战。随会谏语见《左传·宣公十二年》。随会即士会，晋献公重臣士蒍之后。又称士季、季氏、范武子、武子、范会、随会、随季等，曾参加城濮之战，与赵盾谏晋灵公；此年将上军为六卿之一。士会为人忠厚正直，才干过人，鲁宣公十六年执晋政，平戎勤王，求典礼，修礼法。执政二年，晋国之盗尽逃于秦。此年论楚国内政之辞，征引《诗》篇及先贤之言，阐述德行政事典礼之重要性，详尽分析敌我形势，见解超人，极为深刻，展示了士会长于言辞的才干。

晋大夫荀首以《周易·师》之《临》爻辞及卦象，预言晋师必败。《左传·宣公十二年》载：楚兵已退，晋中军佐先谷（彘子）孤军渡河从追赶师。知庄子（荀首）曰："此师殆哉。《周易》有之，在《师》之《临》，曰：'师出以律，否臧，凶。'执事顺成为臧，逆为否。众散为弱，川壅为泽，有律以如己也，故曰律。否臧，且律竭也。盈而以竭，夭且不整，所以凶也。不行之谓《临》，有帅而不从，临孰甚焉？此之谓矣。果遇，必败，彘子尸之，虽免而归，必有大咎。”

按，知庄子，即荀首，此年为下军大夫。孔颖达《正义》评知庄子之辞曰：“庄子见彘子逆命，必当有祸，乃论其事云：此师之行，甚危殆哉！《周易》之书，而有此事。师之初六变而为临。初六爻辞云：军师之出，当须以法。若不善，则致其凶。既引《易》文，以人从律，今者师出，乃以律从人，则有‘不臧’之凶。”

晋师、楚师对峙，晋栾武子论楚师理直气盛，未可与战之理。栾武子之辞见《左传·宣公十二年》。栾武子，名书，又称栾书、栾伯、武子等，晋卿栾盾之子，栾枝之孙。陈厚耀《春秋世族谱》谓栾氏出自晋靖侯，食邑于栾，因以为氏。为晋大族。栾武子战功卓著，政绩突出。由此年论战言论来看，武子熟谙兵书，明于治乱，善于谋划；由鲁成公六年关于从善与从众之言论观之，栾书亦为从善如流、熟知历史掌故之人。

按，栾武子之言自楚克庸以来说起，经其先人世代经营，至楚庄王，国力渐强。而此次伐郑，郑服而楚师退，晋师乃从楚师，理在楚而不在晋；再者，楚师军纪严整，上下一心，号令统一，而晋军六卿意见不一，晋师实不能敌楚，其势甚明。荀林父为中军，而不能定夺，反为中军佐先谷所左右，遂导致大败。

楚败晋于邲，或进言收晋师以为京观。楚庄王述周武王功成作《武》乐及《武》乐六成之义。楚庄王之辞见《左传·宣公十二年》。

秋，晋士贞子引晋文公之言，谏晋襄公勿杀荀林父。《左传·宣公十二年》载：此年秋，晋师大败而归，荀林父请死，晋襄公欲许之。士贞子谏曰：“城濮之役，晋师三日谷，文公犹有忧色。左右曰：‘有喜而忧，如有忧而喜乎？’公曰：‘得臣犹在，忧未歇也，困兽犹斗，况国相乎？’及楚杀子玉，公喜而后可知也，曰：‘莫余毒也已。’是晋再克而楚再败也。楚是以再世不竞。今天或者大警晋也，而又杀林父以重楚胜。其无乃久不竞乎？林父之事君也，进思尽忠，退思补过，社稷之卫也，若之何杀之？夫其败也，如日月之食焉，何损于明？”晋襄公遂免荀林父之罪，使复其位如旧。《史记·晋世家》述此事以士贞子为随会。《说苑·尊贤篇》记此事则从《左传》。

按，此篇谏语，金圣叹《才子古文》录之，题作“士贞子谏杀林父”，评之曰：“快论，又快文”、“辞婉意辣”。

晋、宋、卫、曹同盟于清丘，盟辞曰：“恤病，讨贰。”《左传·宣公十二年》：“晋原谷、宋华椒、卫孔达、曹人同盟于清丘，曰：‘恤病，讨贰。’于是卿不书，不实其言也。宋为盟故，伐陈。卫人救之。卫大夫孔达曰：‘先君有约言焉。若大国讨，我则死之。’”以前约而背清丘之盟。杜《注》：“清丘，卫地。”

公元前595年（周定王十二年　鲁宣公十四年　齐顷公四年　卫穆公五年）

春，卫救陈，背清丘之盟，晋责之。卫大夫孔达自缢以践盟誓，卫人遍告诸侯。《左传·宣公十三年》：“清丘之盟，晋以卫之救陈也，讨焉。使人弗去，曰：‘罪无所归，将加而师。’孔达曰：‘苟利社稷，请以我说，罪我之由，我则为政，而亢大国之讨，将以谁任？我则死之。'"《宣公十四年》："十四年春，孔达缢而死，卫人以说于晋而免。遂告于诸侯曰：'寡君有不令之臣达，构我敝邑于大国，既伏其罪矣，敢告。'卫人以为成劳，复室其子，使复其位。"

按，盟必有誓，如背盟，必践盟誓之言以受惩罚。春秋背盟之事多，然受惩罚者实少。卫为小国，晋为大国，卫大夫孔达自缢以谢罪，实迫于其势。

冬，鲁公孙归父会齐顷公，见晏婴之父晏桓子，与晏桓子论鲁国之音乐。事后晏桓子有所评论。《左传·宣公十四年》："冬，公孙归父会齐侯于榖。见晏桓子，与之言鲁，乐。桓子告高宣子曰：'子家其亡乎？怀于鲁矣。怀必贪，贪必谋人；谋人，人亦谋己。一国谋之，何以不亡？'"

按，晏桓子，据杜预《春秋左传注》，即齐晏婴之父。晏盖以邑为氏。杨伯峻《春秋左传注》曰："今山东省齐河县西北二十五里之晏城盖即其地，《寰宇记》谓之晏婴城。"公孙归父，杜预《春秋左传注》以为鲁襄公之子，又称"子家"，此其字。河北省唐山出土有归父敦，即此人所作之器（李家浩《鲁归父敦小考》，刊《文史》第22辑）。

公元前594年（周定王十三年　鲁宣公十五年　晋景公六年　楚庄王二十年　宋文公十七年）

春，楚侵宋，宋告于晋，晋景公欲救之，大夫伯宗引《谚》以谏之。《左传·宣公十五年》载：宋人使乐婴齐告急于晋，晋侯欲救之。伯宗曰："不可。古人有言曰：'虽鞭之长，不及马腹。'天方授楚，未可与争。虽晋之强，能违天乎？谚曰：'高下在心。'川泽纳污，山薮藏疾，瑾瑜匿瑕，国君含垢，天之道也。君其待之。"

按，伯宗，《元和姓纂》引《世本》云："晋孙伯起生伯宗，因氏焉。"《国语·晋语五》载其事。

晋大夫解扬以信、义之说对楚庄王之问。对问之辞见《左传·宣公十五年》。解扬，晋大夫。《左传·文公八年》云："晋侯使解扬归匡、戚之田于卫。"其事又见《史记·郑世家》、《说苑·奉使篇》。《通志·氏族略》卷三云："晋大夫解扬，解狐之族，其先食采于解。"解在今山西省运城县境。

五月，楚与宋盟，盟辞曰："我无尔诈，尔无我虞。"见《左传·宣公十五年》。

晋景公伐酆舒，晋大夫伯宗论酆舒之罪。其辞颇似后世檄文。见《左传·宣公十五年》。潞，春秋时小国。潞子婴儿，"子"为其爵，"婴儿"为其名。酆舒为潞国执政大臣。

七月，晋景公略狄土，赏大夫士贞子及中军荀林父。晋羊舌职引《周书》、《诗·大雅·文王》，赞晋景公明德能赏。《左传·宣公十五年》："秋七月，秦桓公伐晋，次于辅氏。壬午，晋侯治兵于稷，以略狄土，立黎侯而还。及洛，魏颗败秦师于辅氏，获杜回，秦之力人也。……晋侯赏桓子狄臣千室，亦赏士伯以瓜衍之县。曰：'吾获狄土，子之功也。微子，吾丧伯氏矣。'羊舌职说是赏也，曰：'《周书》所谓"庸庸祗祗"者，谓此物也夫。士伯庸中行伯，君信之，亦庸士伯，此谓明德矣。文王所以造周，不是过也。故《诗》曰："陈锡哉周。"能施也，率是道也，其何不济？'"

按，羊舌职，杜预《春秋左传注》："职，叔向父。"羊舌氏世系详参顾栋高《春秋大事表》卷十二之《春秋列国卿大夫世系表》。

冬，鲁国实行初税亩制度，井田制开始瓦解。《左传·宣公十五年》："初税亩，非礼也。谷出不过藉，以丰财也。"古者籍而不税，行力役地租，借民之力以耕公田，私田无税。春秋之世，私田日辟，诸侯为增加其收入，田税遂兴。鲁国进行税赋制度改革，实行初税亩制度，无论公田私田一律按亩征税，这就承认私田的合法性，标志井田制在鲁国开始瓦解。《汉书·食货志》认为鲁宣公实行初税亩是加重税收，故《春秋》、《左传》、《公羊》均讥其贪。

公元前593年（周定王十四年　鲁宣公十六年　晋景公七年）

晋景公命士会将中军且为大傅，羊舌职引《诗·小雅·小旻》、《谚》，论景公能任善人。《左传·宣公十六年》："晋侯请于王。戊申，以黻冕命士会将中军，且为大傅。于是晋国之盗逃奔于秦。羊舌职曰：'吾闻之，禹称善人，不善人远，此之谓也夫！《诗》曰："战战兢兢，如临深渊，如履薄冰。"善人在上也。善人在上，则国无幸民。谚曰："民之多幸，国之不幸也。"是无善人之谓也。'"

冬，晋士会聘周，周定王论享礼。周定王之辞见《国语·周语中》，《左传·宣公十六年》亦载此事而所记较略。士会，晋大夫，即随会，也即士季武子。因其封邑在随（山西介休），后更受范（今河南范县东南），故亦称随会、士会、范会。

周定王论享礼之辞颇似一篇礼书，其中说到"肴烝"和"房烝"，肴烝，即在燕享礼中将招待客人的熟牲切成小块进献的礼节；房烝，将牲体切成两半进献的礼节；全烝将整个牲体进献客人的礼节。在享礼中，牲体越完整，表示礼仪越隆重。

晋大傅士会归晋，讲求三代之典礼，以修晋国之礼法。此属典籍整理和公文写作活动。《国语·周语中》载，随会聘于周，"归乃讲聚三代之典礼，于是乎修执秩以为晋法"。《左传·宣公十六年》亦云："武子归而讲求典礼，以修晋国之法。"韦昭《注》云："三代，夏、殷、周也。"又云："秩，常也。可奉执以为常也。晋文公蒐于被庐，作执秩之法。自灵公以来，阙而不用，故武子修之，以为晋国之法也。"吴曾祺《国语韦解补证》云："执秩是主爵秩之官。"徐元诰《国语集解》云："修，备也。执，主也。秩，官也。谓晋于是始主三代典礼之官也。修执秩，所以实行讲聚也。"徐说近是。

公元前592年（周定王十五年　鲁宣公十七年　晋景公八年　楚庄王二十二年）

春，晋郤克使齐，齐顷公母子戏之，郤克怒而誓曰："所不此报，无能涉河。"见《左传·宣公十七年》，《公羊传》、《穀梁传》、《史记·晋世家》、《说苑·敬慎篇》均载此事，文字略异。

夏，晋景公会诸侯于断道，齐使四大夫与会，晋侯执之，苗贲皇进谏。《左传·宣公十七年》载：晋景公会诸侯，齐侯使高固、晏弱、蔡朝、南郭偃与会。盟于卷楚，四大夫惧而逃会，晋人执之。晋苗贲皇言于晋侯曰："夫晏子何罪？昔者诸侯事吾先君，皆如不逮，举言群臣不信，诸侯皆有贰志。齐君恐不得礼，故不出，而使四子来。左右或沮之，曰：'君不出，必执吾使。'故高子及敛盂而逃。夫三子者曰：'若绝君好，宁归死焉。'为是犯难而来，吾若善逆彼以怀来者，吾又执之，以信齐沮，吾不既过矣乎？过而不改，而又久之，以成其悔，何利之有焉？使反者得辞，而害来者，以惧诸侯，将焉用之？"晋人缓之，逸。

苗贲皇，《国语·晋语五》作苗棼皇，"贲"、"棼"音同。据《左传·襄公二十六年》，苗棼皇为楚斗椒之子，鲁宣公四年楚灭若敖之族，逃奔晋，晋封之于苗邑，故氏苗。苗在今河南省济源县西南。

晋范会引《诗·小雅·巧言》，戒其子范燮。其辞类后世家训之体。《左传·宣公十七年》载：范武子（士会）将告老，召其子文子曰："燮乎，吾闻之，喜怒以类者鲜，易者实多。《诗》曰：'君子如怒，乱庶遄沮，君子如祉，乱庶遄已。'君子之喜怒，以已乱也。弗已者，必益之。郤子其或者欲已乱于齐乎？不然，余惧其益之也。余将老，使郤子逞其志，庶有豸乎？尔从二三子唯敬。"于是范武子告老，郤献子代其执政。《国语·晋语五》亦载此事。范会戒子之语，引经据典，淳淳教导，如后代之家书，实为家训。

楚申叔时为楚庄王论傅太子之道。申叔时之辞见《国语·楚语上》。按，此录申叔时之论，《楚语上》未系年。据《左传》、《史记·楚世家》，楚庄王卒于明年，今姑系于此。

楚优孟作歌，谏楚庄王。《史记·滑稽列传》曰：楚相孙叔敖病且死，嘱其子曰："若贫困，往见优孟。"居数年，其子贫困负薪，逢优孟，曰："我孙叔敖子也，父死时，属我贫困往见优孟。"孟即为孙叔敖衣冠，抵掌谈语。岁余，像孙叔敖，楚王置酒，优孟前为寿。庄王大惊，以为孙叔敖复生也。欲以为相，优孟曰："楚相不足为也。孙叔敖为楚相，尽忠为廉，王得以伯。今死，其子贫困负薪以自饮食。必如孙叔敖，不如自杀。"因歌曰："山居耕田苦，难以得食。起而为吏，身贪鄙者余财，不顾廉耻。身死家室富，又恐受赇枉法，为奸触大罪。身死而家灭，贪吏安可为也。念为廉吏，奉法守职，竟死不敢为非，廉吏安可为也。"楚庄王闻此歌，召孙叔敖之子，封之寝丘。按，此歌又见杨慎《风雅逸篇》卷六、冯惟讷《诗纪》前集二。与同卷所收之《慷慨歌》大体相同。杨慎云："按此无音韵章句，而史以为歌者，不可晓。岂当时隐括转换借歌声而成之欤？史不能述其音，但记其义耳。"今人逯钦立《先秦汉魏晋南北朝诗》录之，厕于先秦卷。据《史记》，楚庄王卒于公元前 591 年，故系此歌于此。

公元前 590 年（周定王十七年　鲁成公元年）

二月，天暖，无冰，鲁不能行藏冰之礼。见《左传·成公元年》。按古有取冰、藏冰之礼。《左传·昭公四年》载鲁大夫申丰之言曰："古者，日在北陆而藏冰……《七月》之卒章，藏冰之道也。"《诗·豳风·七月》："二之日凿冰冲冲，三之日纳于凌阴。""二之日"即周正二月。申丰曰："古者日在北陆而藏冰。""日在北陆"，即周正二月。《礼记·月令》：季冬之月"冰方盛，水泽腹坚，命取冰"。足见古有取冰、藏冰之礼。

周内史叔服谏刘康公勿伐戎。《左传·成公元年》载：刘康公乘戎不备，将袭之。周内史叔服谏之曰："背盟而欺大国，此必败，背盟不祥，欺大国不义，神人弗助。将何以胜？"不听，遂伐茅戎。三月癸未，败绩于徐吾氏之戎。叔服，周内史。《左传》称内史叔服，则内史为其官。

公元前589年（周定王十八年　鲁成公二年　齐顷公十年　晋景公十一年　楚共王二年　卫穆公十一年）

六月，齐侵鲁，晋率卫、曹盟军，与齐战于鞌。齐师败绩，晋景公复霸。见《左传·成公二年》。《史记·晋世家》、《齐世家》亦记此役。

齐国佐引《诗·大雅·既醉》、《小雅·信南山》、《商颂·长发》之句，谏郤克。见《左传·成公二年》。国佐谏郤克之辞，因郤克之语而发，引《诗》之句，先以不孝、不义驳之，指出盟主之行，应役王命而抚诸侯，晋则不然；继而表明如晋不许成，齐国将背水一战，语带威胁，遂使郤克无辞以对，与齐讲和。其谏语不亢不卑，柔中带刚。劳孝舆《春秋诗话》卷二评之云："两折晋人，三引诗以畅其说，皆中情理。诗可以言，信矣。"汪基《古文喈凤》卷三录之，题作"齐使国佐如师"。

楚共王论申公巫臣之功过。《左传·成公二年》载：楚共王即位，将为阳桥之役，使申公巫臣聘于齐，且告师期。巫臣尽室以行。申叔跪从其父，将适郢，遇之，曰："异哉，夫子有三军之惧，而又有桑中之喜，宜将窃妻以逃者也。"及郑，使介反币，而以夏姬行。将奔齐。齐师新败，曰："吾不处不胜之国。"遂奔晋，而因郤至，以臣于晋。晋人使为邢大夫。子反请以重币锢之，楚共王曰："止。其自为谋也，则过矣。其为吾先君谋也，则忠。忠，社稷之固也，所盖多矣。且彼若能利国家，虽重币，晋将可乎？若无益于晋，晋将弃之，何劳锢焉？"

晋师凯旋，范燮后入以让名，其父范会以为敏。《左传·成公二年》："晋师归，范文子后入。武子曰：'无为吾望尔也乎？'对曰：'师有功，国人喜以逆之，先入，必属耳目焉。是代帅受名也，故不敢。'武子曰：'吾知免矣。'郤伯见，公曰：'子之力也夫。'对曰：'君之训也，二三子之力也，臣何力之有焉？'范叔见，劳之如郤伯。对曰：'庚所命也，克之制也，燮何力之有焉？'栾伯见，公亦如之。对曰：'燮之诏也，士用命也，书何力之有焉？'"《国语·晋语五》所载略同，文繁不录。

冬，楚伐鲁，鲁使臧孙许赂楚，与之盟。见《左传·成公二年》，盟辞无载。

十一月，楚会鲁、蔡、许、秦、宋、陈、卫、郑及齐，盟于蜀。蔡侯、许男乘楚车，谓之"失位"，故史不书。见《左传·成公二年》。

晋景公献俘于周定王，违礼，故王使单襄公辞焉。《左传·成公二年》载：晋克齐、楚，使大夫巩朔献捷于周。周定王弗见，使单襄公辞焉，曰："蛮夷戎狄，不式王命，淫湎毁常，王命伐之，则有献捷。王亲受而劳之，所以惩不敬、劝有功也。兄弟甥舅，侵败王略，王命伐之，告事而已，不献其功，所以敬亲昵、禁淫慝也。今叔父克遂，有功于齐，而不使命卿镇抚王室，所使来抚余一人，而巩伯实来，未有职司于王室，又奸先王之礼。余虽欲于巩伯，其敢废旧典以忝叔父？夫齐，甥舅之国也，而大师之后也，宁不亦淫从其欲以怒叔父，抑岂不可谏诲？"巩朔（士庄伯）不能对。王使委于三吏，礼之如侯伯克敌使大夫告庆之礼，降于卿礼一等。

公元前588年（周定王十九年　鲁成公三年　晋景公十二年　楚共王三年）

夏，晋知䓨对楚王问。见《左传·成公三年》。知䓨对楚王问，汪基《古文喈凤》卷三收之，题作“楚归晋知䓨”。

十一月，臧宣叔以古制对鲁成公之问。《左传·成公三年》：“冬十一月，晋侯使荀庚来聘，且寻盟。卫侯使孙良夫来聘，且寻盟。公问诸臧宣叔曰：‘中行伯之于晋也，其位在三。孙子之于卫也，位为上卿，将谁先?’对曰：‘次国之上卿，当大国之中，中当其下下当其上大夫，小国之上卿当大国之下卿，中当其上大夫，下当其下大夫。上下如是，古之制也。卫在晋，不得为次国。晋为盟主，其将先之。’丙午，盟晋，丁未，盟卫，礼也。”

公元前587年（周定王二十年　鲁成公四年　晋景公十三年　楚共王四年）

夏，鲁成公如晋，晋景公不敬。鲁季文子引《诗·周颂·敬之》，谓晋侯必不免于祸。《左传·成公四年》：夏，鲁成公聘晋。晋景公见成公，不敬。季文子曰：“晋侯必不免。《诗》曰：‘敬之敬之，天惟显思，命不易哉。’夫晋侯之命在诸侯矣，可不敬乎?”按，季文子所引诗句出自《诗·周颂·敬之》，谓晋景公为诸侯霸主，诸侯之向背可定其命运，其不敬之甚，则不免于祸败。

秋，鲁成公欲成于楚而叛晋，季文子引史佚之《志》以谏之。《左传·成公四年》：秋，公至自晋，欲求成于楚而叛晋。季文子曰：“不可。晋虽无道，未可叛也。国大、臣睦，而迩于我，诸侯听焉，未可以贰。史佚之《志》有之，曰：‘非我族类，其心必异。’楚虽大，非吾族也，其肯字我乎?”公乃止。

公元前586年（周定王二十一年　鲁成公五年　晋景公十四年　郑悼公元年）

夏，梁山崩，伯宗遇绛人建议君降服、舍于郊，乘缦、撤乐，史官读祭神文辞于上帝，国三日哭，以礼。晋景公从之。见《国语·晋语五》及《左传·成公五年》。伯宗，晋大夫。《晋语五》韦昭《注》以其为孙伯纠之子。《穀梁传》作“伯尊”，王引之《春秋名字解诂》以为“伯宗字尊”。其事又见《韩诗外传》、《穀梁传》等。

八月，郑悼公叛楚，与晋盟于垂棘。见《左传·成公五年》，此年盟辞无载。

冬，晋会齐、鲁、宋、卫、郑、曹、邾、杞之君，盟于蟲牢。事见《春秋·成公五年》及《左传》。盟辞无载。蟲牢，郑地，今河南省封丘县北。

公元前585年（周简王元年　鲁成公六年　晋景公十五年　楚共王六年　郑悼公二年）

春，郑悼公聘晋，礼过谦卑，晋士贞伯预言其将死。《左传·成公六年》：“六年春，郑伯如晋拜成，子游相，授玉于东楹之东。士贞伯曰：‘郑伯其死乎？自弃也已，视流而行速，不安其位，宜不能久。'”子游即郑大夫公子偃。按，古代行礼在堂，堂上有东西两大柱，曰东楹、西楹。两楹之间曰中堂。行礼时如宾主身份相当，授受玉应在两楹之间。如宾身份低于主人，则在中堂与东楹之间，即在东楹之西。晋景公与郑悼公皆国君，依常礼，应授玉于中堂。郑悼以晋景公为霸主，不敢行平等之礼，亦当在中堂与东楹之间。今晋景安详缓步，而郑悼则快步又过谦，竟至东楹之东授玉，尤见自卑。故士贞伯以其缺乏自信，有将死之兆。

二月，鲁季文子立武宫以纪鞌之战功。《左传·成公六年》：“二月，季文子以鞌之功立武宫，非礼也。听于人以救其难，不可以立武，立武由己，非由人也。”武宫，即表示武功之纪念性建筑，鞌之战为晋人出兵救鲁而取胜，非由鲁独立作战取胜，故讲述瞽者以其非礼。这里也反映出古礼中独立自主的精神和实事求是的精神。

晋谋迁都之事，韩献子言迁新田之理于晋景公，从之。《左传·成公六年》：晋人谋去故绛，诸大夫皆曰：“必居郇、瑕氏之地，沃饶而近盬，国利君乐，不可失也。”韩献子将新中军，且为仆大夫。公问献子曰：“何如?”对曰：“不可。郇、瑕氏土薄水浅，其恶易觏，易觏则民愁，民愁则垫隘，于是乎有沉溺重月追之疾。不如新田，土厚水深，居之不疾，有汾、浍以流其恶，且民从教，十世之利也。夫山、泽、林、盬，国之宝也。国饶则民骄佚。近宝，公室乃贫，不可谓乐。”公从之。夏四月丁丑，晋迁于新田。新田，即今山西省侯马市。

冬，鲁季孙行父如晋，贺晋迁都。致贺必有辞令。见《左传·成公六年》。

楚伐郑，晋救之，楚师还，栾书欲伐之，荀首、士燮、韩厥谏之。欲战者以为三人之言不可从，栾书论从善之理。见《左传·成公六年》。此处引《商书》之言，出自《尚书·周书·洪范》，原文为“三人占，则从二人之言”，此节取其大意。栾书，即栾武子，武子。时为晋国中军帅，执晋政。由此事来看，栾书可谓善于纳言。

公元前584年（周简王二年　鲁成公七年　晋景公十六年　楚共王七年　郑成公元年）

春，吴伐郯，郯与之盟。鲁季孙行父引《诗·小雅·节南山》论惧乱之意。见《左传·成公七年》。郯，春秋时国名。据《左传·昭公十七年》，郯为少皞之后，己姓。郯国故城在今山东省郯城县西南二十里。季文子所引诗句见《诗·小雅·节南山》，意谓蛮夷入侵，中原各国无霸主以振其军威，诸侯将受乱。劳孝舆《春秋诗话》卷三评行父之言曰：“伤心之语，几于下泉之痛哭矣。”

秋，郑献楚乐师钟仪于晋。《左传·成公七年》：“秋，楚子重伐郑，师于氾。诸侯救郑。郑共仲、侯羽军楚师，囚郧公钟仪，献诸晋。”“晋人以钟仪归，囚诸军府。”

八月，晋景公盟诸侯于马陵。见《左传·成公七年》。

楚子重、子反杀申公巫臣之族，巫臣自晋遗二子书。《左传·成公七年》：楚围宋之役，师还，子重请取于申、吕以为赏田，王许之。申公巫臣曰：“不可。此申、吕所以邑也，是以为赋，以御北方。若取之，是无申、吕也，晋、郑必至于汉。”楚王乃止。子重是以怨巫臣。子反欲取夏姬，巫臣止之，遂取以行，子反亦怨之。及共王即位，子重、子反杀巫臣之族子阎、子荡及清尹弗忌及襄老之子黑要，而分其室。子重

取子阎之室，使沈尹与王子罢分子荡之室，子反取黑要与清尹之室。巫臣自晋遗二子书曰："尔以谗慝贪婪事君，而多杀不辜。余必使尔罢于奔命以死。"

公元前583年（周简王三年　鲁成公八年　晋景公十七年）

春，鲁季孙行父引《诗·卫风·氓》、《大雅·板》，论晋无霸主之德。《左传·成公八年》载：八年春，晋侯使韩穿来言汶阳之田，归之于齐。季文子饯之，私焉。文子曰："大国制义，以为盟主，是以诸侯怀德畏讨，无有贰心。谓汶阳之田，敝邑之旧也，而用师于齐，使归诸敝邑。今有二命曰：'归诸齐。'信以行义，义以成命，小国所望而怀也。信不可知，义无所立，四方诸侯，其谁不解体？《诗》曰：'女也不爽，士贰其行。士也罔极，二三其德。'七年之中，一与一夺，二三孰甚焉？士之二三，犹丧妃耦，而况霸主？霸主将德是以，而二三之，其何以长有诸侯乎？《诗》曰：'犹之未远，是用大简。'行父惧晋之不远犹而失诸侯也，是以敢私言之。"按，季孙行父所引诗句分别见于《诗·卫风·氓》、《大雅·板》，"是用大简"句，今本作"是用大谏"。《氓》本弃妇斥其夫二三其德之作，季孙行父引此言晋无信于诸侯，亦为断章取义，取其所求。春秋赋诗引诗，大多如此。

晋中军栾书从善如流，君子引《旱麓》以赞之。《左传·成公八年》："晋栾书侵蔡，遂侵楚，获申骊。楚师之还也，晋侵沈，获沈子揖初，从知、范、韩也。君子曰：'从善如流，宜哉。《诗》曰："恺悌君子，遐不作人?"求善也夫。作人，斯有功绩矣。'""恺悌"句，见《诗·大雅·旱麓》。此处发表评论之"君子"，盖为晋人之有识者。

夏，晋韩厥引《周书》，谏景公勿绝赵氏之祀。韩厥谏语见《左传·成公八年》，此事又见《国语·晋语》、《史记》。比较而言，以司马迁所述更富戏剧性，《赵世家》、《韩世家》说晋大夫屠岸贾欲诛赵氏，乃谓诸将赵穿弑灵公，子孙在朝者，请诛之。于是，攻赵氏于下宫，皆灭其族，孤儿赵武为程婴、公孙杵臼救出。《史记》之后，此事遂成为后世小说、戏剧之重要题材。

赵武行冠礼毕，执雉见卿大夫，栾书、中行宣子、韩献子等致祝辞。见《国语·晋语六》。按，此事《晋语》未系年，然据《左传》，此年立赵武，当以其已成年。《礼记·冠义》："成人之者……将责为人子，为人弟，为人臣，为人少者之礼行焉。"贵族加冠始为"成人"，方可继承父任以"治人"、为政。如此，则赵武之行冠礼，至迟应在其继赵氏之族之时，故系于此年。

据《仪礼·士冠礼》，贵族冠礼主要包括：行礼准备（筮日、戒宾、筮宾、宿宾、为期）、正式行礼（陈列器服、主人等就位、迎宾及赞者、始加冠、再加冠、三加冠、宾礼冠者、见母、宾字冠者）、正礼后诸仪节（冠者见兄弟、赞者、姑姊，冠者见国君、卿大夫、乡先生，礼宾、归宾俎）三个阶段。《晋语六》所述，当为正礼后诸仪节中之拜见卿大夫之仪。晋国诸卿或祝或戒，对赵武之言均与其成年将继赵氏之业及修身为政治国之道有关，这说明《仪礼·士冠礼》所述贵族冠礼在春秋时实有实行，并非出于后世伪托。

公元前582年（周简王四年　鲁成公九年　晋景公十八年）

春，晋范燮对季孙行父之问。《左传·成公九年》：因晋使鲁归汶阳之田于齐之故，晋失信于鲁，诸侯多叛晋，晋会齐、宋、卫、郑、曹、莒、杞、鲁于蒲，以寻马陵之盟。季文子谓范文子曰："德则不竞，寻盟何为?"范文子曰："勤以抚之，宽以待之，坚强以御之，明神以要之，柔服而伐贰，德之次也。"事又见《春秋》。

夏，鲁侯享季孙行父，行父赋《大雅·韩奕》之五章，宣公之夫人穆姜出，赋《邶风·绿衣》之卒章。《左传·成公九年》："夏，季文子如宋致女，复命，公享之。赋《韩奕》之五章。穆姜出于房，再拜。曰：'大夫勤辱，不忘先君，以及嗣君，施及未亡人，先君犹有望也。敢拜大夫之重勤。'又赋《绿衣》之卒章而入。"《韩奕》见《诗·大雅》，其五章大意谓蹶父属意韩姞，娶之。韩姞出嫁，生活安乐，且有美誉。《绿衣》见《邶风》，穆姜赋其卒章，意在"我思古人，实获我心"二句。劳孝舆《春秋诗话》卷一评此年赋诗云："《韩奕》，取其事之切。《绿衣》，略其事而取其义。同时共赋，而各不同，古人不执泥如此，可为诗法。"

秋，楚钟仪操南音，对晋景公之问。范燮以为君子。见《左传·成公九年》。按，南音，即南方之音乐。《吕氏春秋·音初篇》云："禹行功，见涂山氏之女，禹未之遇而巡于南土。涂山氏之女乃令其妾待禹于涂山之阳，女乃作歌，歌曰：'候人兮猗'，实始作为南音。周公及召公取风焉。以为《周南》、《召南》。"

时君子论莒人恃陋而不备，引《佚诗》曰："虽有丝麻，无弃菅蒯。虽有姬、姜，无弃蕉萃。凡百君子，莫不代匮。"见《左传·成公九年》。按，此逸诗不知作于何时，姑系于此。劳孝舆《春秋诗话》卷四曰："逸诗如此类，识解高绝，虽零金碎玉，令人把玩不忍释，夫子岂忍删之，或谓诗之自轶，或传之者失之，非夫子删之也。此说近理。"

公元前581年（周简王五年　鲁成公十年　晋景公十九年）

四月，鲁五卜郊，不从，乃废郊祭之礼。见《春秋·成公十年》。

五月，晋景公有疾，梦大厉，桑田巫为之占梦。又梦疾为二竖子。请医缓诊之。见《左传·成公十年》。按，古巫、医不分，由此年晋景公召桑田巫占梦，医缓之言与公梦暗合等事观之，桑田巫通医术，而医缓亦明巫术。

公元前580年（周简王六年　鲁成公十一年　晋厉公元年　秦桓公二十四年）

春，鲁成公与晋郤犨盟。见《左传·成公十一年》。按，郤犨，孔颖达《正义》据《世本》谓与郤克俱为郤豹曾孙。"犨"《世本》作"州"。《公羊传》所载正作"州"。

夏，鲁季孙行父如晋报聘，且莅盟。见《左传·成公十一年》。

秋，刘康公与单襄公遣辞以责郤至。其辞遣责对方有理有据，似檄文。《左传·成公十一年》载：晋郤至与周争鄇田，周简王命刘康公、单襄公讼诸晋。郤至曰："温，吾故也。故不敢失。"刘子、单子责之曰："昔周克商，使诸侯抚封，苏忿生以温为司寇，与檀伯达封于河，苏氏即狄，又不能于狄而奔卫，襄王劳文公而赐之温，狐氏、

阳氏先处之，而后及子。若治其故，则王官之邑也，子安得之?”晋侯使郤至勿敢争。

秦、晋为夹河之盟，范燮谓是盟不信。《左传·成公十一年》：“宋华元善于令尹子重，又善于栾武子。闻楚人既许晋籴茷成，而使复归命矣。……秦、晋为成，将会于令狐。晋侯先至焉，秦伯不肯涉河，次于王城，使史颗盟晋侯于河东。晋郤犨盟秦伯于河西，范文子曰：‘是盟也何益? 齐盟，所以质信也，会所，信之始也。始之不从，其可质乎?’秦伯归而背晋成。”

老子约生于此年。按，老子，为中国古代最伟大的哲学家、思想家之一，先秦道家学派创始人，老子晚年因见周政日衰，遂出关退隐，著有《道德经》一书，阐述其以“道”为核心的无为思想体系。老子其人，《史记·老子列传》有三说，一为老聃，即李耳，楚苦县人，周守藏史，著道德之意五千言；一为老莱子，亦楚人，与孔子同时，著书十五篇，言道之用；还有一个是太史儋，与秦献公同时。前两个老子同是楚人，又同为道家，所不同者，老聃著书曰《道德经》，老莱子著书曰《老莱子》。第三个太史儋，与前两个老子时代悬殊，与道家老子不可混为一谈。现代学者多认为《史记》三老子各为一人，而老聃是《道德经》之作者，与老莱子非一人，最为重要。

老聃生平事迹及生卒年，史无明确记载，歧说较多。一般认为，老子即春秋末年之老聃，与孔子同时。近年来，随着地下出土简帛文献的面世及其研究的深入，尤其是马王堆汉墓帛书《老子》及郭店楚简儒、道文书的面世，对老子其人生平的研究有了新的进展。李零认为,《史记·老子韩非列传》“老子者，楚苦县历乡曲仁里人也，姓李氏，名耳，字聃”。可见老子其实是“老李子”。而老莱子，刘向《别录》谓“老莱子，古之寿者”,“老”为寿考之意,“莱”为其氏。楚系帛书之“李”、“莱”二字皆从“来”得声，读音相同，写法也相近。老莱子其实就是老李子。传世文献中老聃和老莱子事迹亦多有重合，也可以进一步印证上说（李零《老李子和老莱子——重读〈史记·老子韩非列传〉》，收其《郭店楚简校读记》（增订本），北京大学出版社2002年版）。《史记》云：“孔子之所严事：于周则老子……于楚，则老莱子。”实际上老子即是老莱子，与孔子同时代而年稍长。据任继愈《中国哲学史》考证，老子约生于公元前580年左右，约比孔子年长三十岁上下。则孔子曾师事老子，故有适周问礼之说。史载老子长寿，假定其寿数在八九十岁，则其卒年应与孔子卒年接近，当公元前500年前后。

关于《老子》一书，从宋代叶适到清代的汪中都曾提出质疑，以致梁启超、冯友兰等认为出于战国晚期。然而从近年出土的荆门楚简《老子》来看,《老子》应是老子的著作，但其成书经历了一个较长的过程，但最晚不超过战国中期。因为由其后学据口授写定，所以文体带有战国色彩。

公元前579年（周简王七年　鲁成公十二年　晋厉公二年　楚共王十二年）

夏，晋、楚盟于宋西门之外，有誓辞。《左传·成公十二年》载：宋华元合晋、楚之盟。夏五月，晋士燮会楚公子罢、许偃。癸亥，盟于宋西门之外，誓曰：“凡晋、楚无相加戎，好恶同之，同恤菑危，备救凶患。若有害楚，则晋伐之，在晋，楚亦如之。

交贽往来，道路无壅。谋其不协，而讨不庭。有渝此盟，明神殛之，俾队其师，无克胙国。"

秋，晋郤至聘楚莅盟，楚王享之，为地室以悬钟磬，违礼作金奏，郤至引《诗·周南·兔罝》，论政以礼成，民是以息。见《左传·成公十二年》。按，金奏，金指钟镈，奏九夏，先击钟镈，后击鼓磬，谓之金奏。说详孙诒让《周礼·春官·钟师》之《正义》。此金奏，应是奏《九夏》之《肆夏》。据《左传·襄公四年》，《肆夏》本是天子享元侯乐曲，春秋时诸侯相见亦用之。此年楚王享郤至用此乐，违礼，故郤至曰"不敢"，范文子言楚人"无礼"。

冬，晋厉公与楚公子罢盟于赤棘。见《左传·成公十二年》，盟辞无载。

公元前578年（周简王八年　鲁成公十三年　晋厉公三年　秦桓公二十六年）

春，晋侯使郤锜适鲁乞师，不敬，孟献子论礼与敬，预言郤氏必亡。《左传·成公十三年》："十三年春，晋侯使郤锜来乞师，将事不敬。孟献子曰：'郤氏其亡乎。礼，身之干也；敬，身之基也。郤子无基。且先君之嗣卿也，受命以求师，将社稷是卫，而惰，弃君命也，不亡何为？'"

按，孟献子，即仲孙蔑。郤锜，郤克之子。郤克为晋景公上卿，郤锜为晋厉公之卿。临事不敬，后三年，即鲁成公十七年，晋杀郤锜。孔颖达《春秋左传疏》评此年孟献子之语云："干以树木为喻，基以墙屋为喻。"孟献子之论"礼"、"敬"也，可谓善喻。

三月，成肃公受脤于社，不敬，周卿士刘康公因以论"敬"之道。刘康公之辞见《左传·成公十三年》。按，执膰与受脤均为与神交通之大节，成肃公不敬其事，故《左传》书云："五月丁亥，成肃公卒于瑕。"

四月戊午，晋侯使吕相绝秦，作"绝秦之书"。《左传·成公十三年》载：秦背盟召狄欲攻晋，夏四月戊午，晋侯使吕相作书以绝秦，其书见《左传·成公十三年》载。按，吕相，晋大夫，魏锜之子。秦桓公既与晋厉公为令狐之盟，而又召狄与楚，欲道以伐晋。故晋厉公使吕相作此书宣己命数秦罪而绝之。杨伯峻《春秋左传注》云上引之文为"绝秦书，或由吕相执笔，或由吕相传递。其后秦作《诅楚文》，仿效此书"。亦可见此文影响之大。汪基《古文喈凤》录此文，题作"晋使吕相绝秦"，且评之曰："说秦则好中见恶，自叙虽恶亦好。开合顿挫，笔笔匠心"（《古文喈凤》卷三，上海广益书局1914年石印本）。

公元前577年（周简王九年　鲁成公十四年　卫定公十二年）

夏，卫侯享郤犨，郤犨傲，大夫宁殖引《诗·小雅·桑扈》，论傲为取祸之道。《左传·成公十四年》："夏，卫侯既归，晋侯使郤犨送孙林父而见之。……卫侯飨苦成叔，宁惠子相。苦成叔傲。宁子曰：'苦成叔家其亡乎。古之为享食也，以观威仪、省祸福也。故《诗》曰："兕觥其觩，旨酒思柔，彼交匪傲，万福来求。"今夫子傲，取祸之道也。'"按，苦成叔，即郤犨。宁惠子，即宁殖，卫大夫。所引诗句出自《诗·

小雅·桑扈》，意谓不骄傲不自大，为万福所聚；反之如郤犨，则自取其祸。

秋，叔孙侨如如齐逆女。鲁《春秋》记其事而舍其族氏，时君子对《春秋》行文有所评论。《春秋·成公十四年》："秋叔孙侨如如齐逆女。"《左传·成公十四年》："九月，侨如以夫人妇姜氏至自齐。舍族，尊夫人也。故君子曰：'《春秋》之称，微而显，志而晦，婉而成章，尽而不污，惩恶而劝善。非圣人，谁能修之？'"《春秋》行文极简，但严而有义法。此处君子之语加以总结弘扬，成为以后古代散文，尤其是记事文之准则。

公元前576年（周简王十年　鲁成公十五年　晋厉公五年　楚共王十五年　曹成公二年）

春，三月，癸丑，晋厉公会鲁、卫、郑、曹、宋、齐、邾诸国，盟于戚。见《春秋·成公十五年》、《左传·成公十五年》，盟辞无载。

曹子臧引《前志》之言以辞君位。《左传·成公十五年》："诸侯既执曹成公，将见子臧于王而立之，子臧辞曰：'《前志》有之，曰："圣达节，次守节，下失节。"为君，非吾节也，虽不能圣，敢失守乎？'遂逃，奔宋。"子臧从当时的伦理方面言之，能够守其节操；从当时政治斗争的尖锐和残酷方面言之，能看透现实，远祸保身，与吴公子季札一样，是贤达明哲。顾栋高《春秋大事表》卷四十九之《春秋人物表》列入"独行"类，与介之推、申包胥相次。

楚子反背盟侵郑，申叔时闻之，言"信以守礼，礼以庇身"，子反必不免。《左传·成公十五年》载：楚将北上侵郑、卫，子囊曰："新与晋盟而背之，无乃不可乎？"子反曰："敌利则进，何盟之有？"申叔时告老，在申，闻之，曰："子反必不免，信以守礼，礼以庇身，信礼之亡，欲免，得乎？"楚子侵郑，及暴隧。遂侵卫，及首止。郑子罕侵楚，取新石。

子囊，楚庄王之子，共王之弟，即公子贞。申叔时意谓信用所以守礼义，礼义所以保身。子反背盟弃信，故必不免于死。子反死于鄢陵之战，正应其言。

晋伯宗好直言，三郤谮而杀之，韩厥言郤氏必亡。《左传·成公十五年》："晋三郤害伯宗，谮而杀之，及栾弗忌。伯州犁奔楚。韩献子曰：'郤氏其不免乎。善人，天地之纪也，而骤绝之，不亡何待？'"又云："初，伯宗每朝，其妻必戒之曰：'"盗憎主人，民恶其上。"子好直言，必及于难。'"按，三郤，即郤锜、郤至、郤犨。"盗憎主人，民恶其上"二句，又见《孔子家语》载《金人铭》。《说苑·敬慎篇》作"盗怨主人，民害其贵"。可见此二句为民间俗语，流传甚久。

公元前575年（周简王十一年　鲁成公十六年　晋厉公六年　楚共王十六年）

夏，楚司马子反率兵救郑，过申见申叔时，申叔时引《周颂·思文》句，论德、刑、详、礼、义、信。《左传·成公十六年》载：郑叛晋服楚，晋师伐郑，郑使告于楚。楚救郑，过申，将军子反入见申叔时，曰："师其何如？"申叔时对曰："德、刑、详、义、礼、信，战之器也。德以施惠，刑以正邪，详以事神，义以建利，礼以顺时，信以守物。民生厚而德正，用利而事节，时顺而物成。上下和睦，周旋不逆，求无不具，各知其极。故《诗》曰：‘立我烝民，莫匪尔极。’是以神降之福，时无灾害，民生敦厖，和同以听，莫不尽力以从上命，致死以补其阙，此战之所由克也。今楚内弃其民，而外绝其好，渎齐盟，而食话言，奸时以动，而疲民以逞。民不知信，进退罪也。人恤所厎，其谁致死？子其勉之。吾不复见子矣。”

按，申叔时所引诗句，见于《诗·周颂·思文》。

六月，晋厉公筮之，吉。晋、楚之师遇于鄢陵。晋师于战前卜于先君，发命，听誓，然后接战。郤至于阵上以礼见楚王。楚师终败，晋复霸。《左传·成公十六年》：晋厉公筮之，史曰：“吉。其卦遇《复》䷗，曰：‘南国蹙，射其元王，中厥目。’国蹙王伤，不败何待？”公从之。楚共王登巢车以望晋军，见其召军吏谋于军中，然后张幕虔卜于先君，然后发命，听誓，最后进行战祷。反映出当时的军事礼仪及与军事有关的文章产生的具体环境。两军交战中郤至三遇楚子之卒，“见楚子，必下，免胄而趋风，楚子使工尹襄问之以弓，曰：‘方事之殷（盛也），有靺韦之跗注，君子也。识见不谷而趋，无乃伤乎？’郤至见客，免胄承命曰：‘君之外臣至从寡君之戎事，以君之灵，间蒙甲胄，不敢拜命，敢告不宁，君命之辱。为事之故，敢肃使者。’三肃使者而退”。反映了有修养的贵族在战争中的外交表现与辞令特征。《史记·晋世家》、《楚世家》述之甚详，文繁不录。

秋，叔孙侨如挑拨于晋，晋人执季孙行父，范燮谏栾武子赦而盟之。叔孙侨如奔齐，召叔孙豹于齐而立之。见《左传·成公十六年》。按，栾武子闻范宣子之言而赦季孙。季孙行父有忠信之德，又一心为公不为私，故能免于祸。则春秋时虽诸侯各自为政，但尚有一些共同之行为标准。而且，由于这些诸侯国家名义上仍在周天子之下，实际上也并非完全意义上相互对立、互无关系的国家，故在处理一些事情上，也有共同的标准，反映着共同的道德衡量尺度。

十二月，鲁季孙行父及晋郤犨盟于扈。见《左传·成公十六年》，盟辞无载。叔孙豹自此参与鲁政，主外交事务数十年，对维护鲁国利益作出大的努力，其张扬正义与道德，也产生深远的影响。

晋郤至献楚捷于周，与单襄公语而多自伐。单襄公引《夏书》句，言伐功聚怨，为亡之本。《左传·成公十六年》：“晋侯使郤至献楚捷于周，与单襄公语，骤称其伐。单子语诸大夫曰：‘温季其亡乎？位于七人之下，而求掩其上，怨之所聚，乱之本也，多怨而阶乱，何以在位？《夏书》曰：“怨岂在明？不见是图。”将慎其细也。今而明之，其可乎？’”

按，《国语·周语中》亦载此事。温季，即郤至，封于温，故称温季。单襄公所引《夏书》句今见《尚书·五子之歌》，意谓防止怨恨不仅在于明显之仇恨，尚须图谋不易见之细微怨恨。

鲁穆姜论《周易·随》“元、亨、利、贞”之义。见《左传·襄公九年》。按，此事虽载《左传·襄公九年》，然明言“初”，是为追述此年之事，故仍系于此年。穆姜，鲁宣公夫人，成公之母。《左传·成公九年》载其赋诗言志，此年事败又论“元、亨、利、贞”，吴闿生评之曰：“词令绝佳，以刺有文而无行者。”刘向《列女传·孽嬖传》

亦载穆姜之事。

公元前573年（周简王十三年　鲁成公十八年　宋平公三年）

六月，宋西鉏吾论宋、晋、楚关系。《左传·成公十八年》：夏六月，郑伯侵宋。鲁遂会楚子伐宋，取宋城邑，以三百乘戍之而还。宋人患之。西鉏吾曰："何也？若楚人与吾同恶，以德于我，吾固事之也，不敢贰矣。大国无厌，鄙我犹憾。不然，而收吾憎，使赞其政，以间吾衅，亦吾患也。今将崇诸侯之奸，而披其地，以塞夷庚。逞奸而携服，毒诸侯而惧吴、晋。吾庸多矣，非吾忧也。且事晋何为？晋必恤之。"西鉏吾不惧大国，而分析透彻，主张事晋以牵制楚，说极深刻。

公元前571年（周灵王元年　鲁襄公二年）

五月，鲁成公夫人齐姜薨，季孙行父取穆姜以美榎所作榇与颂琴以葬。鲁君子引《诗·大雅·抑》、《周颂·丰年》句，论季孙非礼。鲁君子之言论见《左传·襄公二年》。

七月，鲁叔孙豹聘于宋。《左传·襄公二年》："穆叔聘于宋，通嗣君也。"按，嗣君，指鲁襄公。叔孙豹，出鲁叔孙氏，叔孙侨如之弟。亦称叔孙穆子、穆叔、豹、穆子等。成公十六年因宣伯之乱，由齐国回鲁，立为叔孙氏之后。首见于《左传·庄公十六年》，卒于鲁昭公四年。叔孙氏世系详顾栋高《春秋大事表》卷十二。此时季孙行父虽当政，然已耆老，故盟会征伐，仲孙蔑专之。叔孙豹于是始参与鲁政，之后多次代表鲁国出使列国，成为鲁国重臣。他长于辞令，熟谙礼仪，性格刚正不阿，临危不惧。其言论涉及为政、外交、伦常、修养、文学等多方面，有些言论如其所述"三不朽"、论《九夏》之礼仪用场等，对后世影响极其深刻。顾栋高《春秋人物表》将叔孙豹与晋国叔向、吴国季札、楚左史倚相等一起归入"文学"一类。

公元前570年（周灵王二年　鲁襄公三年　晋悼公三年）

春，晋祁奚对晋悼公之问。君子引《商书》、《诗·小雅·裳裳者华》句，赞祁奚善举贤。见《左传·襄公三年》。祁奚事又见《韩诗外传》卷九、《大戴礼记·卫将军文子篇》。所载与《左传》略有出入，兹从《左传》。按，由上下文义可知，《左传》此处之"君子曰"应为当时有识之人闻知举贤之事，而评价祁奚之语。故系于此。此引《商书》句，今属《尚书·周书·洪范》。《墨子·兼爱下》引此作"周《诗》曰"，孙诒让《墨子间诂》云："古《诗》、《书》亦多互称。"《诗》、《书》均多载前言往行，引之者无别也。

六月，晋悼公召诸侯，为鸡泽之盟。见《左传·襄公三年》，盟书无载。

秋，鲁叔孙豹、诸侯大夫及陈袁侨盟。《左传·襄公三年》："秋，叔孙豹及诸侯之大夫及陈袁侨盟，陈请服也。"盟书无载。

鸡泽之会，魏绛开罪晋侯之弟扬干。晋侯欲杀绛，绛上书。《左传·襄公三年》载：鸡泽之会，晋悼公之弟扬干乱行于曲梁，魏绛戮其仆。晋悼公闻之，怒，谓羊舌赤曰："合诸侯，以为荣也，扬干为戮，何辱如之？必杀魏绛，无失也。"羊舌赤对曰：

“绛无贰志，事君不辟难，有罪不逃刑，其将来辞，何辱命焉?”言终，魏绛至，授仆人书，将伏剑，士鲂、张老止之。晋悼公读魏绛之书，其书曰：“日君乏使，使臣斯司马。臣闻师众以顺为武，军事有死无犯为敬，君合诸侯，臣敢不敬?君师不武，执事不敬，罪莫大焉。臣惧其死，以及扬干，无所逃罪。不能致训，至于用钺。臣之罪重，敢有不从，以怒君心?请归死于司寇。”晋悼公读其书毕，跣而出，曰：“寡人之言，亲爱也；吾子之讨，军礼也。寡人有弟，弗能教训，使干大命，寡人之过也。子无重寡人之过也，敢以为请。”晋侯以魏绛为能以刑佐民，厚与之礼物，且使佐新军。

按，《国语·晋语七》亦载魏绛之书，稍有不同。严可均《全上古三代文》收录此书，题作“授仆人书”。魏绛，魏其姓，陈厚耀《春秋世族谱》曰，魏氏出周文王之子毕公高之后。毕万仕晋，封于魏，以邑为氏。魏绛为毕万曾孙，魏绛之父犨曾追随晋文公出亡，僖公二十八年城濮之战为车右，位不在六卿之列。至魏绛，事晋悼公为列大夫，进中军司马，佐新军。谥曰庄子，一云昭子。魏绛是魏氏中兴之关键人物，他才智过人，对晋国赤胆忠心，又能言直谏，因此受晋悼公重用。其言论除此年上书外，较有代表性的如襄四年力陈以德待诸侯，论人君不可失人及荒于田猎；襄十一年，晋侯以金石之乐赐魏绛，绛谏君以德、义、礼、信、仁守邦国。这些言论，都有辞气恳切，有礼有节，入情入理，感人至深之特点。

公元前569年（周灵王三年　鲁襄公四年　晋悼公四年）

夏，叔孙豹聘于晋，晋侯享之，奏乐，穆叔论乐。《左传·襄公四年》：“穆叔如晋，报知武子之聘也。晋侯享之，金奏《肆夏》之三，不拜。工歌《文王》之三，又不拜。歌《鹿鸣》之三，三拜。韩献子使行人子员问之，曰：‘子以君命辱于敝邑，先君之礼，藉之以乐，以辱吾子。吾子舍其大，而重拜其细。敢问何礼也?’对曰：‘《三夏》，天子所以享元侯也，使臣弗敢与闻。《文王》，两君相见之乐也，使臣不敢及。《鹿鸣》，君所以嘉寡君也，敢不拜嘉?《四牡》，君所以劳使臣也，敢不重拜?《皇皇者华》，君教使臣曰：“必咨于周。”臣闻之，“访问于善为咨，咨亲为询，咨礼为度，咨事为诹，咨难为谋”。臣获五善，敢不重拜?’”《国语·鲁语下》所载略同。

秋，鲁君夫人定姒薨，丧礼不成，时君子论季氏无礼，必自及。《左传·襄公四年》载：秋，定姒薨。不殡于庙，无榇，不虞。匠庆谓季文子曰：“子为正卿，而小君之丧不成，不终君也，君长，谁受其咎?”初，季孙为己树六槚于蒲圃东门之外。匠庆请木，季孙曰：“略。”匠庆用蒲圃之槚，季孙不御。君子曰：“《志》所谓‘多行无礼，必自及也’，其是之谓乎。”

冬，晋魏绛引《夏训》、《虞人之箴》，谏晋悼公勿伐戎。见《左传·襄公四年》。按，魏绛谏语首拈一“德”字，突出以德服诸侯之为伯大略，次又引《夏训》，述后羿之事，借题发挥，一一点出和戎之五利，可谓有理有据，在情在理，故晋悼公闻其言而悦，使魏绛与戎结盟，且修民事，田猎以时。《国语·晋语七》、《史记·晋世家》亦载此事。

十月，鲁臧武仲败于狐骀，国人作歌以讥之。《左传·襄公四年》载：冬十月，邾人、莒人伐鄫。鲁臧纥救鄫，侵邾，败于狐骀。国人来逆丧者皆着髽服，自此鲁于是乎始釁。国人作诵刺之曰："臧之狐裘，败我于狐骀。我君小子，朱儒是使。朱儒，朱儒，使我败于邾。"朱儒，即侏儒，臧孙纥矮小，又无能，故讥之曰侏儒。按，冯惟讷《古诗纪》前集之三录此，云："一作歌。"《白帖》卷七仅引后二句。今人逯钦立《先秦汉魏晋南北朝诗》卷三作"朱儒诵"。

公元前 568 年（周灵王四年　鲁襄公五年　楚共王二十三年）

夏，鲁叔孙豹聘晋，《春秋》载之。《左传·襄公五年》："穆叔见鄫太子于晋，以成属鄫。书曰：'叔孙豹、鄫太子巫如晋'，言比诸鲁大夫也。"

秋，鲁国举行大雩之祭以祈雨。见《左传·襄公五年》。

楚杀其大夫公子壬夫，时君子引逸《诗》："周道挺挺，我心扃扃。讲事不令，集人来定。"论楚共王将不刑。《左传·襄公五年》："君子谓：'楚共王于是不刑，《诗》曰："周道挺挺，我心扃扃。讲事不令，集人来定。"己则无信，而杀人以逞，不亦难乎？《夏书》曰："成允成功。"'"

杜预《注》云："《逸诗》也。挺挺，正直也。扃扃，明察也。讲，谋也。言谋事不善，当聚致贤人以定之。"

公元前 567 年（周灵王五年　鲁襄公六年　齐灵公十五年）

十一月，齐灵公灭莱。《叔夷钟铭》作于此年。《左传·襄公六年》："十一月，齐侯灭莱，莱恃谋也。""十一月丙辰，而灭之。迁莱于郳。高厚、催杼定其田。"

按，《叔夷钟铭》，孙诒让、郭沫若均以为铭文多记齐灭莱之事，作于齐灭莱之时。铭中叔夷参与灭莱之役，有功，作器以纪之。叔夷乃宋出，其父为宋穆公之孙，已则出仕于齐，当齐灵公之世。铭中两见"桓武灵公"字样，"桓武"乃美灵公之辞；"灵公"为生号也。杨伯峻《春秋左传注》亦主此说。铭之释文及考证文字见录于郭沫若《两周金文辞大系图录考释》之《考释》。此钟铭作者为叔尸，"尸"读为"夷"。夷之先祖为成汤，其父为宋穆公之远孙。郭沫若先生以为，盖齐襄公之妹适秦，为成公妃，其女适宋为叔夷母。叔夷本宋人后裔，因为与齐有姻亲关系，故仕于齐，任齐之正卿，担待辅弼公家之事。因从齐灵公伐莱有功，受锡封于莱。所以作此铭以颂祖德而记功。齐灵公时当春秋中叶，殷之后裔，仕于他国者，仍不忘追孝于前人，所谓数典不忘祖也。商虽灭亡，文化不绝，皆因其祀祖之仪式长存商族之后裔也。

铭文中自"余典其先旧"以下均为韵文。祖、所、司、补、堵、女、所、虎、所、铝，押鱼部韵（司在之部，与鱼部合韵）；考、寿、老，幽部；祖、鲁、鼓、誉，鱼部；剿、粣，脂部；年、身，真部；字、右、已，之部；政、成，耕部。

叔夷钟七器，铭辞相接，为成套祭器，均用于祭礼仪式，是整个礼仪的一部分。据整个铭文的内容来看，这铭文是记载商人后裔的叔夷从齐灵公伐莱有功，灵公行册命礼，封叔夷于莱，作器以铭功的事。铭文中押韵的一段，颂扬远祖成汤，并自述家世，末尾表示祈福佑于祖先的意思。这与传世的商、周颂诗，在形式上如出一辙。所不同者，商、周庙堂颂诗，歌、舞、乐齐作；而器铭，则是凝固形态的颂诗。前者重在用颂神侑神的方式祈福求佑，后者则在祭祖的同时表示生者意欲将功业传之不朽的意识，这是从三代到春秋时代，人们宗教思想的变化。

公元前566年（周灵王六年　鲁襄公七年　晋悼公七年　卫献公十一年）

夏，鲁孟献子论卜、筮与郊祭之礼。其言涉及到仪式展演的文学性。《左传·襄公七年》："夏四月，三卜郊，不从，乃免牲。孟献子曰：'吾乃今而后知有卜、筮，夫郊，祀后稷以祈农事也，是故启蛰而郊，郊而后耕，今既耕而卜郊，宜其不从也。'"启蛰，节气名。杜预《注》："启蛰，夏正建寅之月。"春秋时尚无二十四节气之名。卜郊应在耕种之前，今鲁耕而后卜郊，有违启蛰而郊之古礼，故三卜而不许，孟献子赞美龟之灵验。

冬，韩无忌谏晋悼公立韩起，其谏语引《诗·召南·行露》、《小雅·节南山》、《小雅·小明》，论仁与德。晋侯以为仁，使掌公族大夫。见《左传·襄公七年》。按，公族大夫之职，主教育王族子弟。

卫孙文子聘鲁失礼，叔孙豹引《诗·召南·羔羊》，言孙文子必亡。《左传·襄公七年》：卫大夫孙文子聘鲁，且答拜季武子致谦之言，而续其父孙桓子与鲁君之盟约。行礼，鲁襄公登阶，孙文子亦登阶，不让于鲁君，违礼。叔孙穆子相，趋进而责之曰："诸侯之会，寡君未尝后卫君，今吾子不后寡君，寡君未知所过，吾子其少安。"孙子无辞以对，亦无悔改之容。穆叔预言曰："孙子必亡。为臣而君，过而不悛（悔改），亡之本也，《诗》曰：'退食自公，委蛇委蛇。'谓从者也。衡（专横）而委蛇，必折。"穆叔所引诗句，出自《诗·召南·羔羊》，意谓轻慢专横，无礼而不知悔改，必然招致祸患。《诗·鄘风·相鼠》："人而无礼，胡不速死。"即此意也。按，《韩非子·难四》亦载此事。

公元前565年（周灵王七年　鲁襄公八年　晋悼公八年　楚共王二十六年　郑简公元年）

四月，郑侵蔡，败之。郑人皆喜，子产预言郑祸将至。《左传·襄公八年》载：四月庚寅，郑子国、子耳侵蔡，获蔡司马公子燮。郑人皆喜，唯子产不以为然，预言曰："小国无文德，而有武功，祸莫大焉，楚人来讨，能勿从乎？从之，晋师必至，晋、楚伐郑，自今郑国不四、五年弗得宁矣。"子国怒之曰："尔何知？国有大命，而有正卿。童子言焉，将为戮矣。"

按，子产，子国之子，名侨，字子产。为郑国著名政治家，改革家，擅长于辞令，也是春秋时代卓越的散文作家。此时尚幼。《韩非子·外储说左下》载子国斥子产之言而与《左传》不同，沈钦韩《补注》以为"盖即此传怒子产之辞而传闻之讹也"。

九月，鲁国大旱，举行大雩之祭以禳灾。事见《左传·襄公八年》。

冬，楚伐郑，郑子驷引逸《周诗》、《小雅·小旻》句，论背晋从楚。见《左传·襄公八年》。按，子驷所引《周诗》，不见于今本《诗经》，为逸诗。据《左传·襄公二十二年》子产语，子驷此前曾从郑伯朝晋，晋侯不礼，故此年极力主张从楚背晋。

郑行人之官子驷告晋以盟楚背信之由。《左传·襄公八年》载：郑既从楚。子驷遂使王子伯骈告于晋，曰："君命敝邑：'修而车赋，儆而师徒，以讨乱略。'蔡人不从。

敝邑之人，不敢宁处，悉索敝赋，以讨于蔡，获司马燮，献于邢丘。今楚来讨曰：‘女何故称兵于蔡？’焚我郊保，冯陵我城郭。敝邑之众，夫妇男女，不遑启处，以相救也。翦焉倾覆，无所控告。民死亡者，非其父兄，即其子弟，夫人愁痛，不知所庇。民知穷困，而受盟于楚。孤也与其二三臣不能禁止，不敢不告。”

知䓨使行人子员对子驷。《左传·襄公八年》载：知武子（䓨）闻子驷之言，使行人子员对之曰：“君有楚命，亦不使一介行李告于寡君，而即安于楚。君之所欲也，谁敢违君？寡君将帅诸侯以见于城下，唯君图之。”

晋范宣子（士匄）聘鲁，鲁襄公享之。鲁大夫季孙宿与宣子赋《诗》言“志”。见《左传·襄公八年》。按，凡《左传》所谓“赋”者，皆赋其首章。此次宴会赋诗，范宣子赋《摽有梅》，见《国风·召南》，此诗本意是说男女婚姻应及时，宣子赋此，寄意于望鲁及时出兵伐郑；此时鲁襄公方十一岁，不知礼，故季孙宿为相，代为应对，赋《角弓》、《彤弓》，见《小雅》。取其“兄弟婚姻，无胥远矣”之意。

公元前564年（周灵王八年　鲁襄公九年　晋悼公九年　楚共王二十七年　宋平公十二年　郑简公二年）

春，宋乐喜防火，使祝宗用马牲祷于四墉，祀宋远祖盘庚于西门之外，以禳灾。以俗为后世祭城隍之滥觞。《左传·襄公九年》载：九年春，宋有天火。司城乐喜为政，先责有司作好防火准备，而后又举行巫术仪式：右师、左师令国都中四乡乡正虔敬祭祀群神，使祝宗用马祷于国都之四墉，且祀远祖盘庚于宋都城西门之外，以禳除火灾。

按，乐喜，即子罕。见《礼记·檀弓下》，《正义》引《世本》云：“倾生东乡克，克生西乡士曹，曹生子罕。”《通志·氏族略》：“乐吕孙喜字子罕。”宋六卿执政，其次第为右师、左师、司马、司徒、司城、司寇。右师最尊贵，贤则执政，华元是也；虽乐喜为司城位次第五，然其贤而有才，故此时主持宋国之政。

又按，《周礼·大祝》云凡国有天灾，祝官须遍祀群神以禳之。此实为三代禳灾巫术仪式。此年禳火即此。梁履绳《左通补释》卷十五以为用马牲祷于城之四墉，所祷为后世祭城隍神习俗之滥觞。

士弱对晋悼公之问，其辞详论天道。见《左传·襄公九年》。按，士弱之辞中所言之火正，官名，职掌祭祀火星，行火政。古代金、木、水、火、土五行各有正司之。祭祀火星时以心宿与柳宿配祭，阏伯为陶唐氏之火正，商人先祖相土继阏伯为火正，故而殷商以大火为祭祀主星。商人考察祸败之兆多缘于火星运行，因而过去自以为掌握天道（火星运行规律）。

士弱，士渥浊之子，谥曰庄子。由此年对晋悼公之辞观之，士弱熟知古史，明于天道，其言云国之治乱在于人道，不在天道，已具有唯物思想倾向。孔子所言“天道远，人道迩”，是对此类思想资源的进一步发挥。

子囊论晋政，谏楚共王勿从秦伐晋。《左传·襄公九年》：秦景公使士雃乞师于楚，将以伐晋，楚共王许之。子囊曰：“不可。当今吾不能与晋争，晋君类能而使之，举不失选，官不易方（政令）。其卿让于善，其大夫不失守，其士竞于教，其庶人力于农穑，商、工、皂、隶不知迁业。韩厥老矣，知罃禀（敬）焉以为政。范匄少于中行偃而上之，使佐中军。韩起少于栾黡，而栾黡、士鲂上之，使佐上军。魏绛多功，以赵武为贤，而为之佐。君明臣忠，上让下竞。当是时也，晋不可敌，事之而后可。君其图之。"王曰："吾既许之矣，虽不及晋，必将出师。"

郑与晋行成。郑公子騑为维护郑国的利益据理力争，晋士弱、郑子騑各为载书。见《左传·襄公九年》。按，载书，即盟书，亦可单称载。此为记载盟会仪式载书最为详尽之材料之一。载书之文体功能及写作要求，详参《周礼·秋官·司盟》郑玄注。

鲁季武子为鲁襄公行冠礼。依礼，当有冠辞。《左传·襄公九年》载：鲁襄公与晋悼公宴于河上，晋侯问襄公年岁。季武子代为对曰："会于沙随之岁，寡君以生。"晋侯曰："十二年矣。是谓一终，一星终也，国君十五而生子，冠而生子，礼也，君可以冠矣。大夫盍为冠具？"武子对曰："君冠，必以祼享之礼行之，以金石之乐节之，以先君之祧处之。今寡君在行，未可具也，请及兄弟之国而假备焉。"鲁襄公还鲁，过卫国，行冠礼于成公之庙，依礼假钟磬奏乐以节之。

按，此处鲁襄公之冠奏乐，仪节与《仪礼·士冠礼》、《大戴礼·公冠篇》所载冠礼不用乐者稍有不同。盖《仪礼·士冠礼》所述为较古之冠礼，故素朴不奏乐；而鲁襄之冠礼为春秋时冠礼，时移世易，礼仪较前有所发展，故而用乐。此犹周之郊礼与鲁之郊礼小有不同也。

公元前563年（周灵王九年（鲁襄公十年　晋悼公十年　宋平公十三年　郑简公三年）

夏，宋向戌谏晋悼公。《左传·襄公十年》载：诸侯之师灭偪阳，晋悼公欲以偪阳赐向戌，向戌谏曰："君若犹辱镇抚宋国，而以偪阳光启寡君，群臣安矣，其何贶如之？若专赐臣，是臣兴诸侯以自封也，其何罪大焉？敢以死请。"乃予宋公。

向戌，又称戌、合左师、左师等。宋国桓族后裔。孔颖达《春秋左传正义》以为向戌为向父肸之孙，杜预《注》以为宋桓公曾孙。向戌深谙礼仪与为政之道，执宋之政十数年，多次出使列国，应对诸侯，在列国间享有极高声誉。鲁襄公二十七年，向戌促成晋、楚弭兵之会，更是名声鹊起。楚国椒举谓向戌为诸侯之良，将其与郑国子产相提并论。

宋平公享晋悼公于楚丘，宋君请献《桑林》之舞，晋荀罃辞，而宋卒以《桑林》之舞享晋悼公。见《左传·襄公十年》。按，《桑林》之舞，为殷商所传旧乐，宋人因之。《庄子·养生主》："合于《桑林》之舞。"注云："《桑林》，殷天子乐名。"《吕氏春秋》、《荀子》、《尸子》等载汤时大旱七年，汤以身祷于桑林。《桑林》之舞盖由此得名。说详孔颖达《春秋左传正义》。

冬，郑子孔执政，作载书以专权，大夫、诸司、门子弗顺，子孔将诛之，子产以"众怒难犯，专欲难成"之理谏其焚载书以安众。见《左传·襄公十年》。子孔借盟誓之载书而欲达其专郑政之目的，可见盟誓载书在春秋时尚具相当之约束力。

公元前562年（周灵王十年　鲁襄公十一年　晋悼公十一年　郑简公四年）

春，三桓三分鲁公室，盟于僖公之庙，诅之于五父之衢。见《左传·襄公十一年》，《国语·鲁语》亦载此事，略有不同。

按，诅，祭神加祸于不守盟者，今季孙欲作三军，以三军改为季孙、叔孙、孟孙三族所私有，各族各得一军之指挥与编制之权，叔孙穆子恐季氏专权，欲取信于盟誓，故既盟而又诅。

晋会诸侯之师伐郑，七月，与郑为城下之盟，作盟书。《左传·襄公十一年》载：四月六月间，诸侯伐郑，围郑而困之，观兵于南门。郑人惧，乃行成。秋七月，同盟于亳。范宣子曰："不慎，必失诸侯，诸侯道敝而无成，能无贰乎？"乃盟，作载书曰："凡我同盟，毋蕴年，毋壅利，毋保奸，毋留慝，救灾患，恤祸乱，同好恶，奖王室。或间兹命，司慎司盟，名山名川，群神群祀，先王先公，七姓十二国之祖，明神殛之，俾失其民，队命亡氏，踣其国家。"

秋，郑人背盟，诸侯之师伐郑。冬，郑献晋乐师、歌钟、女乐以求和。《左传·襄公十一年》："郑人赂晋侯以师悝、师触、师蠲，广车、軘车淳十五乘，甲兵备，凡兵车百乘，歌钟二肆，及其镈、磬，女乐二八。"

师悝、师触、师蠲，皆乐师。"肆"，成套乐器。据出土编钟及铭文研究成果，似可论断，音调音阶完整能演奏乐曲的一组乐器为一肆。《周礼·小胥》："凡悬钟磬，半为堵，全为肆。"郑注以为"二八十六枚而在一虡谓之堵，钟一堵、磬一堵谓之肆。"郑注不确。

魏绛引《诗·小雅·采菽》、《周书》，以乐以安德之说谏晋悼公。见《左传·襄公十一年》。魏绛谏悼公之辞言及乐与德、仁、义、政之关系，与《礼记·乐记》关于乐与德、教、政治关系之论述颇有一致之处。由此可知后者思想的来源。

《逸周书·程典》约写成于此年前后。《左传·襄公十一年》魏绛谏晋悼公引《书》曰："居安思危。思则有备，有备无患，敢以此规。"杜预《注》云："此逸《书》。"梁履绳《左通补释》谓"盖括《周书》之义"。所云"《周书》"即《程典》。《程典》云："于安思危，于始思终，于迩思备，于远思近，于老思行。不备，无违严戒。"据此，《逸周书·程典》至迟当作于此年前后。

除此之外，从《程典》文本本身亦可发现断定此篇作时的证据。首先，《程典》篇内容主要是对西周统治经验的总结，多涉及礼乐行政及德义忠信等春秋早期文献常见之命题，这些都是用于指导春秋早期东周王室在新政治局势下如何行政的理论。其次，《程典》及《逸周书》中与此相类之文，在形式上大都假托文王、周公、武王等圣贤而立言，由《春秋》、《左传》等文献记载来看，这是春秋早期论说政治的言论常常采取的一种方式。再次，《程典》等篇章在文体方面具有"以数为纪"之特征，采取这种形式完全是为表述的方便，这与战国时期同类文章具有明确严密逻辑性之"以数为纪"完全不同，当为春秋早期之文风。朱右曾《逸周书集训校释序》云："愚观此书虽未必果出文武周召之手，要亦非战国秦汉人所能伪托。何者？庄生有言：圣人之法，以参为验，以稽为决，一二三四是也。周室之初，箕子陈畴，周官分职，皆以数纪，大致与此书相似，其证一也。"朱右曾氏所言可从。

《逸周书》中《度训》、《命训》、《常训》、《文酌》、《武称》、《允文》、《大武》、《大明武》、《小明武》、《酆保》、《大开》、《小开》、《文儆》、《文传》、《柔武》、《大开武》、《小开武》、《宝典》、《酆谋》、《和寤》、《武寤》、《大匡》、《文政》、《武儆》、《五权》、《成开》、《大戒》、《本典》等32篇，与《程典》文体相似，此一组文章亦当为春秋早期之作。

公元前561年（周灵王十一年　鲁襄公十二年　齐灵公二十一年）

秋，鲁国祭于周文王庙。依礼，当奏《清庙之诗》。《左传·襄公十二年》："秋，吴子寿梦卒。（鲁襄公）临于周庙，礼也。凡诸侯之丧，异姓临于外，同姓于宗庙，同宗于祖庙，同族于祢庙。是故鲁为诸姬，临于周庙，为邢、凡、蒋、茅、胙、祭，临于周公之庙。"按，"周庙"，杜预以为周文王庙。吴祖泰伯，鲁祖周公，鲁或无泰伯之庙，故以文王庙为周庙。《礼记·檀弓》郑玄注云："丧哭曰临。"

冬，晏桓子以"先王之礼辞"对齐灵公。《左传·襄公十二年》载：周灵王求后于齐，齐灵公问晏桓子。桓子对曰："先王之礼辞有之：'天子求后于诸侯，诸侯对曰："夫妇所生若而人，妾妇之子若而人。"无女而有姊妹及姑姊妹，则曰："先守某公之遗女若而人。"'""若而人"，即若干人（杨伯峻《春秋左传注》引阮芝生《杜注拾遗》）。"先王之礼辞"，即先代记载婚礼及其他礼仪之辞。由此可见春秋之前即已有记载礼仪之书。

公元前560年（周灵王十二年　鲁襄公十三年　晋悼公十三年　楚共王三十一年）

夏，晋悼公善用人，众卿皆让，让为礼之要义，时君子引《尚书·吕刑》、《诗·大雅·文王》、《小雅·节南山》以赞之。见《左传·襄公十三年》。此年君子赞晋君臣曰："让，礼之主也。范宣子让，其下皆让。栾黡为汰大，弗敢违也。晋国以平，数世赖之，刑善也夫。一人刑善，百姓休和，可不务乎？《书》曰：'一人有庆，兆民赖之，其宁惟永。'其是之谓乎！周之兴也，其《诗》曰：'仪刑文王，万邦作孚。'言刑善也。及其衰也，其《诗》曰：'大夫不均，我从事独贤。'言不让也。世之治也，君子尚能而让其下，小人农（努）力以事其上。是以上下有礼，而谗慝黜远，由不争也，谓之懿德。及其乱也，君子称其功以加小人，小人伐其技以冯君子。是以上下无礼，乱虐并生，由争善也，谓之昏德。国家之敝，恒必由之。"

秋，子囊论楚共王之谥。子囊之辞见《左传·襄公十三年》。谥号制度起源于西周中叶以后，表示对死者一生之评价。"灵"或"厉"皆恶谥，而楚共王欲得恶谥，另有原因。杜预注云："（楚共王）欲受恶谥以归先君也。乱而不损曰灵，戮杀不辜曰厉。"《白虎通·谥篇》云："所以临葬而谥之何？因众会欲显扬之也。"《国语·楚语上》叙此事云："及葬，子囊议事。"知子囊议谥在共王葬礼举行之前。

公元前559年（周灵王十三年　鲁襄公十四年　晋悼公十四年　吴王诸樊二年）

春，姜戎之使者赋《诗·小雅·青蝇》，对范宣子。对问之辞见《左传·襄公十四年》。按，戎狄之使者，尚能赋诗言志，且以言辞折服有知礼能言者如范宣子，表明春秋时中原与夷狄间文化交流之深刻。

吴季札辞君位。此事为后世诗文常见之素材。

《左传·襄公十四年》载：吴王寿梦长子诸樊既除父丧，将立其弟季札。季札辞曰："曹宣公之卒也，诸侯与曹人不义曹君，将立子臧，子臧去之，遂弗为也，以成曹君。君子曰：'能守节。'君，义嗣也，谁敢奸君？有国，非吾节也，札虽不才，愿附于子臧，以无失节。"季札让国之事又见《史记·吴世家》及《公羊传》。然所记略有不同，文繁不录。

夏，叔孙豹、叔向赋诗言志。《国语·鲁语下》：诸侯伐秦，及泾莫济。晋叔向见叔孙穆子曰："诸侯谓秦不恭而讨之，及泾而止，于秦何益？"叔孙穆子曰："豹之业，及《匏有苦叶》矣，不知其他。"叔向退，召舟虞与司马，曰："夫苦匏不材于人，共济而已。鲁叔孙赋《匏有苦叶》，必将涉矣。具舟除隧，不共有法。"此次出兵，鲁人率莒人先济，诸侯之师从之。此事《左传》在襄公十四年。叔向，晋国大夫，即羊舌职之子。晋之贤臣，博学而娴于辞令。

师旷引《夏书》，论君国之道，以对晋悼公之问。师旷之辞见《左传·襄公十四年》。按，师旷，字子野。为春秋时晋国主乐太师，习于前代礼乐制度及掌故，知阴阳，习音律，善鼓琴，又能言善辩。生活于晋悼公（前572—前558年在位）、晋平公（前557—前532年在位）时代。略早于孔子。他是个盲人，故自称盲臣或瞑臣。《汉书·艺文志·兵书略》有《师旷》八篇，《诸子略》有《师旷》六篇；《神奇秘谱》中有《阳春》、《白雪》、《玄默》三操，云为师旷作，当为后人伪托。其生平事迹材料可参阅今人卢文晖所辑《师旷》一书。

秋，周灵王赐齐灵公命，作命辞。《左传·襄公十四年》载：周灵王使刘定公赐齐侯命，命辞曰："昔伯舅大公右我先王，股肱周室，师保万民，世胙大师，以表东海。王室之不坏，繄伯舅是赖。今余命女环，兹率舅氏之典，纂乃祖考，无忝乃旧。敬之哉，无废朕命。"

按，锡命必以作册作命辞，于赐命仪式宣读之。由此年所载锡命之辞可见此类文体之特征。

荀偃引史佚与仲虺之言，对晋悼公关于卫国对策之问。《左传·襄公十四年》：卫内乱，卫献公出奔于齐。冬，晋会诸侯于戚，谋定卫。晋悼公问卫之事于荀偃（中行献子），荀偃对曰："不如因而定之。卫有君矣，伐之，未可以得志而勤诸侯，史佚有言曰：'因重而抚之。'仲虺有言曰：'亡者侮之，乱者取之，推亡固存，国之道也。'君其定卫以待时乎。"

公元前558年（周灵王十四年　鲁襄公十五年　楚康王二年）

春，楚康王能任贤，使公子午为令尹，屈到为莫敖，屈荡为连尹。到、荡为屈原之祖。见《左传·襄公十五年》。

《王子午鼎铭》约作于此年。此鼎出土于河南省淅川下寺楚墓，鼎铭中之王子午即《左传·襄公十五年》之令尹公子午。李零《楚国铜器铭文编年汇释》（《楚国铜器铭文编年汇释》，刊《古文字研究》第13辑）、刘彬徽《楚系青铜器研究》（《楚系青铜器研究》，湖北教育出版社1995年版）、赵世刚、刘笑春《王子午鼎铭文试释》（《王子午鼎铭文试释》，刊《文物》1980年第10期）等均以为作于楚康王二年到八年之间。其说可从。

《王孙遗者钟铭》约作于此年。《荆南萃古编》收《王孙遗者钟铭》。"遗者"、"追舒"音近，刘翔、孙启康等人据此以为铭中"王孙遗者"即《左传·襄公十五年》为箴尹之公子追舒（刘翔《王孙遗者钟新释》，《江汉论坛》1983年第8期。孙启康《楚器王孙遗者钟考辩》，《江汉论坛》1983年第4期）。铭文见郭沫若《两周金文辞大系图录考释》。

公元前557年（周灵王十五年　鲁襄公十六年　晋平公元年）

春，叔向习于《春秋》，晋平公即位，为太傅。《左传·襄公十六年》："平公即位。羊舌肸为傅，张君臣为中军司马，祁奚、韩襄、栾盈、士鞅为公族大夫，虞丘书为乘马御。改服修官，烝（祭）于曲沃。警守而下，会于溴梁。命归侵田。"《国语·晋语七》："羊舌肸习于《春秋》。"悼公立为太子彪之傅，今彪为君，叔向为太傅。此《春秋》当指列国史记，非专指鲁史。

晋平公宴诸侯于温，使诸大夫舞，曰："歌诗必类。"齐高厚歌诗不类。晋鲁等国大夫结盟。《左传·襄公十六年》："晋侯与诸侯宴于温，使诸大夫舞，曰：'歌诗必类。'齐高厚之诗不类。荀偃怒，且曰：'诸侯有异志矣。'使诸大夫盟高厚，高厚逃归。于是，叔孙豹、晋荀偃、宋向戌、卫宁殖、郑公孙虿、小邾之大夫盟曰：'同讨不庭。'"

按，古人舞、乐、诗一体，故舞必歌诗。《墨子·公孟篇》云："舞诗三百。"《楚辞·九歌·东君》："展诗兮会舞"，《诗·小雅·车辖》亦云："式歌且舞。"足证之。"歌诗必类"为春秋时用诗之文学观念。必类者，一则歌须与舞相配；二则所歌之诗须表达歌者之思想；三则所歌之诗宜与歌诗当时之背景、氛围相吻合，否则为"不类"，即违背了"取义恩好"的原则，破坏了温柔敦厚的气氛。此年高厚歌诗不符合诸侯盟会之主题，故荀偃怒且曰"有异志"，高厚并由歌诗不类而招致诸侯之声讨。"类"既是政治交流的情感原则，也是艺术欣赏的审美原则。

齐围鲁之成邑，冬，叔孙豹聘晋求救。见荀偃，赋《小雅·圻父》；见范宣子，赋《小雅·鸿雁》之卒章。见《左传·襄公十六年》。按，《圻父》见《诗·小雅》，今作"祈父"。杜预《注》云："诗人责祈父为王爪牙，不修其职，使百姓受困苦之忧，而无所止居者。""《鸿雁》，《诗·小雅》。卒章曰：'鸿雁于飞，哀鸣嗸嗸。唯此哲人，谓我劬劳。'言鲁忧困嗸嗸然，若鸿雁之失所。"劳孝舆《春秋诗话》卷二评之云："穆叔于春秋时赋诗最多，此章两赋俱感名卿，动容相谢，知其风雅之气深矣。"

公元前556年（周灵王十六年　鲁襄公十七年　齐灵公二十六年　宋平公二十年）

十一月，宋平公筑台，妨于农功。筑者作《泽门之皙讴》，歌以刺之。《左传·襄公十七年》载：此年十一月甲午，宋皇国父为大宰，为宋平公筑台，妨于农收。子罕请俟农功之毕，宋平公弗许。筑者讴曰："泽门之皙，实兴我役，邑中之黔，实慰我心。"子罕闻之，亲执扑，以巡行督查筑城者，抶其不勉力者，且曰："吾侪小人皆有阖庐以辟（避）燥湿寒暑，今君为一台，而不速成，何以为役?"讴者乃止。或问其故，子罕曰："宋国区区，而有诅有祝，祸之本也。"

泽门之皙指皇国父。居于泽门，而面白皙，因以呼之。邑中之黔指子罕，居城内而色黑，故呼之。"讴"为诗之一体，押韵，此讴皙、役为韵，古音同在锡部；黔、心为韵，同在侵、覃部。《泽门之皙讴》，又见录于冯惟讷《诗纪·前集一》，《白贴》三，《太平御览》卷百七十七、四百六十五。劳孝舆《春秋诗话》卷四录此诗作"宋筑城者讴"，评之曰："不斥其名，曰皙曰黔，举目所见，随口而吟，其情如见。"子罕的办法同周厉王弥谤的办法同，而大异于召伯虎、子产等人的主张。这也是春秋之时宋人少有文学、哲学等人才，思想不够活跃的原因之一。

晏弱卒，其子晏婴降礼以葬。事见《左传·襄公十七年》。晏婴，春秋时齐国思想家，名婴，字平仲，又称晏子。《史记·管晏列传》叙其事略。《汉书·艺文志·诸子略》儒家类著录有《晏子春秋》八七卷，载晏子事迹及思想甚详。前人以为后出之书。1972年山东省临沂银雀山汉武帝早期墓中出土简本《晏子》，与今本内容相同而略简明。据此可知，《晏子》一书成书战国中期，当是齐人淳于髡所编。详参赵逵夫《晏子春秋由淳于髡编成考》（《光明日报》2005年1月27日）。

公元前555年（周灵王十七年　鲁襄公十八年　晋平公三年）

秋，晋平公伐齐，作祷辞，沉玉以祷河神。《左传·襄公十八年》载：晋平公伐齐，将济河。中行献子以朱丝系玉二瑴，祷于河神曰："齐环怙恃其险，负其众庶，弃好背盟，陵虐神主，曾臣彪将率诸侯以讨焉，其官臣偃实先后之，苟捷有功，无作神羞，官臣偃无敢复济。唯尔有神裁之。"祈祷毕，沉玉于河。

巫皋为荀偃占梦。《左传·襄公十八年》："秋，荀偃（中行献子）将伐齐，梦与晋厉公讼，弗胜。厉公以戈击荀偃，首坠于前，跪而戴之，奉之以走，见梗阳之巫皋。他日，见巫皋于道，与之言，巫皋亦同时有此梦。巫占曰：'今兹主必死，若有事于东方，则可以逞。'献子许诺。"

冬，师旷歌北风、南风，以乐律卜出兵之吉凶。《左传·襄公十八年》载：晋人闻有楚师，师旷曰："不害。吾骤歌北风，又歌南风，南风不竞，多死声。楚必无功。"董叔曰："天道多在西北，南师不时，必无功。"叔向曰："在其君之德也。"

按，《周礼·太师》："太师执同律以听军声而昭吉凶。"是古人以乐律卜出兵之吉凶。师旷歌风即属此类。董叔之言，意谓晋有地利；叔向之言则"言天时、地利，不如人和"（杜预《注》）。孟子曰："天时不如地利，地利不如人和"者，盖出于此。

公元前554年（周灵王十八年　鲁襄公十九年　齐灵公二十八年　晋平公四年）

春，晋平公盟诸侯于祝柯，作盟辞。《左传·襄公十九年》载：此年春，诸侯还师自沂上，盟于督扬，誓曰："大毋侵小。"

季武子如晋，晋侯享之，范宣子赋《诗·小雅·黍苗》，季武子答以《诗·小雅·六月》。《左传·襄公十九年》载：季武子如晋谢讨齐，晋侯享之。范宣子为政，赋《黍苗》。季武子兴，再拜稽首曰："小国之仰大国也，如百谷之仰膏雨焉。若常膏之，其天下辑睦，岂唯敝邑？"赋《六月》。

按，《黍苗》，见《诗·小雅》，首二句云："芃芃黍苗，阴雨膏之。"范宣子赋此以示晋为伯而宜抚诸侯之意。《六月》亦在《诗·小雅》，为尹吉甫佐宣王征伐之诗。武子赋之，以晋侯比尹吉甫。劳孝舆评之曰："词旨雅令，撷诗之腴"（《春秋诗话》卷二）。

臧武仲论铭体之功能。这是一篇文体专论。《左传·襄公十九年》载：季武子以所得于齐之兵器，作林钟而铭记鲁功于其器。臧武仲谓季孙曰："非礼也。夫铭，天子令德，诸侯言时计功，大夫称伐。今称伐则下等也，计功则借人也，言时则妨民多矣，何以为铭？且夫大伐小，取其所得以作彝器，铭其功烈以示子孙，昭明德而惩无礼也。今将借人之力以救其死，若之何铭之？小国幸于大国，而昭所获焉以怒之，亡之道也。"

十一月，齐、晋盟于大隧。鲁叔孙豹见晋叔向，赋《载驰》之四章。《左传·襄公十九年》："齐及晋平，盟于大隧。故穆叔会范宣子于柯。穆叔见叔向，赋《载驰》之四章。叔向曰：'肸敢不承命。'穆叔归曰：'齐犹未也，不可以不惧。'乃城武城。"

公元前553年（周灵王十九年　鲁襄公二十年　晋平公五年　宋平公二十三年）

春，鲁及莒盟于向，盟辞无载。见《左传·襄公二十年》。

夏，晋会诸侯盟于澶渊。事见《春秋·襄公二十年》、《左传》。盟辞无载。

冬，季武子聘宋，赋《常棣》之七章及卒章；归复命，鲁襄公享之，武子赋《鱼丽》之卒章，公赋《南山有台》。见《左传·襄公二十年》。《常棣》，《诗·小雅》篇名。其七章云："妻子好合，如鼓琴瑟。兄弟既翕，和乐且湛。"其卒章云："宜尔家室，乐尔妻孥。是究是图，亶其然乎？"季武子赋此，意谓宋、鲁婚姻之国，宜和睦相处。归鲁复命，赋《小雅·鱼丽》之卒章，取其"物其有矣，维其时矣"，暗赞鲁襄公命其聘宋得时。而襄公赋《小雅·南山有台》，取其"乐只君子，邦家之基"。赞武子奉使，能为国之基。故武子闻此而避席以辞。劳孝舆则以为"南山之诗赞成国基焉，颂中有讥"（《春秋诗话》卷二）。

公元前552年（周灵王二十年　鲁襄公二十一年　晋平公六年）

春，臧武仲引《夏书》，与季武子论禁盗。其辞见《左传·襄公二十一年》。臧武仲引《夏书》句，今在《尚书·大禹谟》。

夏，叔向赋逸诗。《左传·襄公二十一年》载叔向曰："诗曰：'优哉游哉，聊以卒岁。'"此诗句不见于《诗三百》，当为逸诗。

叔向引《大雅·抑》，赞祁奚能举贤。《左传·襄公二十一年》载：乐王鲋见叔向

曰："吾为子请。"叔向弗应。出，不拜，其人皆咎叔向。叔向曰："必祁大夫。"室老闻之，曰："乐王鲋言于君无不行，求赦吾子，吾子不许，祁大夫所不能也，而曰'必由之'，何也？"叔向曰："乐王鲋，从君者也，何能行？祁大夫外举不弃仇，内举不失亲，其独遗我乎？《诗》曰：'有觉德行，四国顺之。'夫子，觉者也。"按，此年叔向引诗句见《大雅·抑》，意谓祁奚有正直之德，必能举荐贤者于晋君。

祁奚引《诗·周颂·烈文》、《书》言叔向之德，举叔向于范宣子。见《左传·襄公二十一年》，《国语·晋语八》亦载此事。此年祁奚引诗句见《周颂·烈文》；《书》句见今《尚书·胤征》，言有谋略、有训诲者，当明信而安保之。

冬，叔向论礼为政之舆。《左传·襄公二十一年》：齐侯、卫侯不敬。叔向曰："二君者必不免。会朝，礼之经也，礼，政之舆也，政，身之守也。怠礼失政，失政不立，是以乱也。"

《庚壶铭》作于此年。铭文172字，述晏婴之父晏弱（冉子）因功受赏之事。庚壶不知何地出土，何时贡入清内府，1793年《西清续鉴甲编》卷十六著录。今藏台湾省故宫博物院。张光远《春秋晚期齐庄公时庚壶考》（刊台北《故宫季刊》1982年第十六卷第三期）一文对此铭作了详细考察，通过原器目验、X光探究，作铭文考释，确定为齐庄公（前553—前548）时所作。张政烺《庚壶释文》（刊《出土文献研究》，文物出版社1986年版）在此基础上，根据铭文历日及文字特点、涉及内容等，进一步考定其中"冉子"即《春秋》所言"晏弱"。铭文经张政烺考释后，内容、时代均确凿清楚。

公元前551年（周灵王二十一年　鲁襄公二十二年　齐庄公三年　晋平公七年　郑简公十五年）

夏，子产对晋平公。子产之辞见《左传·襄公二十二年》。

秋，晋叛臣栾盈自楚适齐，晏平仲谏齐庄公勿纳之。《左传·襄公二十二年》：秋，栾盈自楚适齐。晏平仲言于齐侯曰："商任之会，受命于晋，今纳栾氏，将安用之？小所以事大，信也。失信不立，君其图之。"弗听。退告陈文子曰："君人执信，臣人执共。忠信笃敬，上下同之，天之道也，君自弃也，弗能久矣。"《史记·齐世家》亦载此事。

孔丘诞生于此年。孔丘先世为宋贵族，及孔防叔，因华氏之逼，自宋奔鲁。防叔生伯夏，伯夏生叔梁纥，叔梁纥娶颜氏女，生孔丘。《史记·孔子世家》述其事。关于孔子出生年月日，各书记载不一，此据《史记》所载，定于此年。

公元前550年（周灵王二十二年　鲁襄公二十三年　齐庄公四年　晋平公八年）

秋，齐侯将伐晋，晏婴谏之。《左传·襄公二十三年》载：秋，齐侯将伐晋。晏平仲谏曰："君恃勇力以伐盟主，若不济，国之福也。不德而有功，忧必及君。"

鲁臧纥举行饮酒礼，借此立季武子少子悼子为季氏继承人。见《左传·襄公二十三年》。按，据《仪礼·乡饮酒礼》，既献之后，由上宾降阶逆主人。臧纥于既献之时，命北面重席，而召悼子，降阶而逆之。是以悼子为嫡子，故众大夫皆起以示敬。乡饮酒礼之旅酬之仪，所以逮贱也。臧纥于此时召公鉏，使与悼子序齿。是以公鉏为庶子也。臧纥正是借乡饮酒礼之尊长尊嫡，当众确立悼子之位，而使公鉏无法犯众怒、违礼法而反对立嫡。

鲁闵马父以孝敬之道谏公鉏。《左传·襄公二十三年》载，季武子未立公鉏，以之为马正而抚慰之，公鉏怒而不出。闵子马见之，谏曰："子无然。祸福无门，唯人所召。为人子者，患不孝，不患无所。敬共父命，何常之有？若能孝敬，富倍季氏（悼子）可也。奸回不轨，祸倍下民可也。"按，"祸福无门，唯人所召"又见《文子》、《淮南子》等书，盖为先秦古谚。

鲁季武子立臧为主持臧氏之政，并与之结盟，然而盟辞无正当理由可书，季武子召外史之官，讨论盟辞的写法。《左传·襄公二十三年》载：鲁国孟孙氏立臧为为臧氏继承人，原任臧纥奔齐。臧纥所从之人以臧纥罪不当被逐。季武子将与臧为结盟，盟辞不好写，于是召掌管恶臣事迹的外史问盟辞的写法。外史回答说："过去与盟东门氏结盟，盟辞说：'不要像东门遂那样不听君命，杀嫡立庶。'与叔孙氏结盟，盟辞说：'不要像叔孙侨如那样废除国家常道，荡覆公室。'"季武子说："臧孙纥之罪，皆不及此。"孟椒说："何不说他攻门斩关的罪过？"季武子采用了，于是与臧氏盟，盟辞说："不要像臧孙纥那样凌国家之纪，犯门斩关。"臧孙纥在齐听说此事，说："鲁国有人才啊，是谁？恐怕是孟椒吧。"

周太子晋陈辞论治国之道，以谏周灵王勿壅洛水。太子晋谏语见《国语·周语下》。按，周灵王不听太子晋之谏，卒壅洛水之流。以《周语》编者之观点，周灵王不务德以治国，此举又惊扰洛水之神，故后导致周景王多宠人，乱于是乎始生。景王崩，王室大乱。及定王，王室遂卑。太子晋之谏语，实体现春秋时周室贵族总结西周及东周初统治经验，为时所用的思想意识。其性质与《逸周书》之《程典》等政书相类。

公元前549年（周灵王二十三年　鲁襄公二十四年　晋平公九年　郑简公十七年）

春，鲁叔孙豹与晋范宣子论"死而不朽"。《左传·襄公二十四年》载：此年春，穆叔如晋。范宣子问曰："古人有言曰，'死而不朽'，何谓也？"穆叔未对。宣子曰："昔匄之祖，自虞以上为陶唐氏，在夏为御龙氏，在商为豕韦氏，在周为唐杜氏，晋主夏盟为范氏，其是之谓乎！"穆叔曰："以豹所闻，此之谓世禄，非不朽也，鲁有先大夫曰臧文仲，既没，其言立，其是之谓乎！豹闻之：'大上有立德，其次有立功，其次有立言。'虽久不废，此之谓不朽。若夫保姓受氏，以守宗祊，世不绝祀，无国无之。禄之大者，不可谓不朽。"《国语·晋语八》亦载此事。

穆叔论不朽之语，阐述了立德、立功、立言的人生价值观念，三个层次的人生境界超越了人的有限的生命，而追求人生的永桓与终极价值，是最早关于人生价值的表述。尤其是其中立言不朽的思想，启发后世重视著述及文学创作，甚至以此为人生最高目标，开发愤抒情、发愤著书思想之先河，影响甚大。

郑子产致书信于范宣子以谏轻币。《左传·襄公二十四年》：范宣子为政，诸侯之币重，郑人病之。二月，子西相郑伯如晋，子产寓书于子西，以告宣子，其书曰："子为晋国，四邻诸侯不闻令德，而闻重币，侨也惑之，侨闻君子长国家者，非无贿之患，而无令名之难，夫诸侯之贿聚于公室，则诸侯贰。若吾子赖之，则晋国贰。诸侯贰，则晋国坏；晋国贰，则子之家坏。何没没（昧昧）也。将焉用贿？夫令名，德之舆也，德，国家之基也。有基无坏，无亦是务乎。有德则乐，乐则能久。《诗》云：'乐只君子，邦家之基。'（《小雅·南山有台》）有令德也夫。'上帝临女，无贰尔心。'（《大雅·大明》）有令名也夫。恕思以明德，则令名载而行之，是以远至迩安。毋宁使人谓子：'子实生我'，而谓'子浚我以生'乎？象有齿以焚（僵）其身，贿也。"

按，子产此书，由令德令名说起，按下郑轻币之请不表，却分析重币于晋之弊，言晋重币则诸侯贰，诸侯贰则晋国坏，晋国坏则执政之卿亦不能免，中引诗为证，末以象为喻。读之可谓在情在理，感人至深，故宣子以为是，乃许轻币。

叔孙豹聘于周，周灵王嘉其有礼也，赐以大路。事见《左传·襄公二十四年》。杜预《注》云："大路，天子所赐车之总名。"

公元前548年（周灵王二十四年　鲁襄公二十五年　齐庄公六年　晋平公十年　郑简公十八年）

春，陈文子为齐崔杼解说筮占之辞。《左传·襄公二十五年》：崔杼欲娶棠公之妻，有违同姓不婚之礼，故以《周易》筮之，得《困》之《大过》，史皆曰吉。示陈文子，文子解释曰："夫从风，风陨妻，不可娶也。且其繇曰：'困于石，据于蒺藜，入于其宫，不见其妻，凶。'困于石，往不济也，据于蒺藜，所恃伤也；入于其宫，不见其妻，凶，无所归也。"

五月乙亥，崔杼弑齐庄公而立景公，与晏婴结盟，晏子智改盟辞，临死地而不易其义。《左传·襄公二十五年》：崔杼弑齐庄公，立景公，己为相，庆封为左相，盟国人于大宫，誓曰："所不与崔、庆者……"读盟辞未毕，晏子插言改之曰："婴所不唯忠于君、利社稷者是与，有如上帝。"乃歃。《淮南子·精神篇》："晏子与崔杼盟，临死地而不易其义。""故晏子可迫以仁，而不可劫以兵。"

七月，晋赵文子为政，论弥兵之计。主张敬行其礼，导之以文辞。《左传·襄公二十五年》载：赵文子为政，令薄诸侯之币，而重其礼。穆叔见之。谓穆叔曰："自今以往，兵其少弭矣。齐崔、庆新得政，将求善于诸侯，武也知楚令尹，若敬行其礼，道之以文辞，以靖诸侯，兵可以弭。"

八月，郑子产献捷于晋，有辞以对士弱之问。子产之辞见《左传·襄公二十五年》。按，子产长于辞令，明于政事，于此可见一斑。故士庄伯不能诘难之，赵文子闻之曰："其辞顺，犯顺不祥。"仲尼曰："《志》有之：'言以足志，文以足言。'不言，谁知其志？言之无文，行而不远。晋为伯，郑入陈，非文辞不为功，慎辞也。"

冬，子产问为政于然明，对子大叔之问政。《左传·襄公二十五年》载：然明预言晋程郑卒，其言应验。子产始知然明，问为政焉。然明对曰："视民如子，见不仁者诛之，如鹰鹯之逐鸟雀也。"子产喜，以语子大叔，且曰："他日吾见蔑之面而已，今吾见其心矣。"

子产论为政如农功。《左传·襄公二十五年》载：子大叔问政于子产。子产曰："政如农功，日夜思之，思其始而成其终，朝夕而行之，行无越思，如农之有畔，其过鲜矣。"

公元前547年（周灵王二十五年　鲁襄公二十六年　齐景公元年　晋平公十一年　郑简公十九年　楚康王十三年）

春，叔向、师旷论晋国之政。《左传·襄公二十六年》：是年春，秦如晋结盟，叔向命召行人子员。行人子朱数请当职，叔向不应。子朱怒曰："班爵同，何以黜朱于朝？"抚剑从之。叔向曰："秦、晋不和久矣。今日之事，幸而集，晋国赖之。不集，三军暴骨。子员道二国之言无私，子常易之。奸以事君者，吾所能御也。"叔向欲斗，人止之。晋平公曰："晋其庶乎。吾臣之所争者大。"师旷曰："公室惧卑，臣不心竞而力争，不务德而争善，私欲已侈，能无卑乎？"《国语·晋语八》所载略同。

夏，郑子产以礼辞赏邑。《左传·襄公二十六年》："郑伯赏入陈之功。三月甲寅朔，享子展，赐之先路三命之服，先八邑。赐子产次路再命之服，先六邑。子产辞邑，曰：'自上以下，降杀以两，礼也，臣之位在四，且子展之功也，臣不敢及赏礼，请辞邑。'公固予之，乃受三邑。公孙挥曰：'子产其将知政矣！让不失礼。'"

七月，齐景公、郑简公如晋，晋侯赋《诗·大雅·假乐》以享之，国弱赋《蓼萧》、《辔之柔矣》，子展赋《郑风·缁衣》、《将仲子》，请释卫侯。见《左传·襄公二十六年》载。按，晋侯赋《嘉乐》，即《诗·大雅·假乐》，取其"嘉乐君子，显显令德，宜民宜人，受禄于天"。嘉乐齐、郑二君也；国弱赋《蓼萧》，见《诗·小雅》。子展赋《缁衣》，出《郑风》。二国赋诗，本意在望晋能见齐、晋之亲，晋能许其求以释卫侯。叔向明知其意，而晋侯不欲释之，叔向乃故意误解其意，且使晋侯拜。解诗本无达诂，各取所求，如此可见，故而国弱、子展又赋诗相求。《辔之柔矣》，杜预《注》谓"逸诗，见《周书》，义取宽政以安诸侯，若柔辔之御刚马"。"《将仲子》，《诗·郑风》。义取众言可畏，卫侯虽别有罪，而众人犹谓晋为臣执君"。劳孝舆评此年赋诗言志云："国君见执，怨巨矣，仇深矣，岂可以口舌争哉！二三君子善于解纷，但于杯酒赋咏间宛转开讽，而晋怒可平，卫难已解。甚矣诗之善移人情也。长门虽弃，旧爱未忘。长卿仅得诗意，遂横致千金，小儒从而诧之，抑何少见多怪哉。"（《春秋诗话》卷一）

蔡公孙归生引《诗·大雅·瞻卬》、《商颂·殷武》、《夏书》，论楚不能举贤授能，楚材多为晋用。公孙归生之辞见《左传·襄公二十六年》。按，声子，即公孙归生。蔡大师子朝之子。程公说《春秋分记·世族谱》云："公子朝，文公子。"即蔡景公弟。

孔丘弟子秦商约生于此年。秦商，字不慈。《左传》作丕慈，《史记》作子丕。楚人（《孔子家语》作鲁人），孔子弟子。明人包大爟考秦商生于周灵王二十五年（公元前547年），卒年不详，编年至周敬王四十一年壬戌（公元前479年）止［《秦商年谱》，收乾隆七年（1742年）丰城甘绂序刊本《四书类典赋》卷首《圣门年谱》，现存上海图书馆］。姑从其说。

老子弟子文子约生于此年。《汉书·艺文志·诸子略》道家类"《文子》九篇"

下，班固自注云："老子弟子，与孔子并时，而称周平王问，似依托者也。"在此基础上，柳宗元、孙星衍、王念孙、陶方琦、钱熙祚、梁启超、章太炎等人都对此提出自己的看法。孙星衍《问字堂集》卷四《文子序》云："盖谓文子生不与周平王同时，而书中称之，乃托为问答，非谓其书由后人伪托。宋人误会其言，遂疑此书出于后世也。"又云："书长平王，并无'周'字，班固误读此书。此平王何知非楚平王？"不少学者持此看法。1973年河北省定州八角廊出土了《文子》残简，引起了学者们重新探索《文子》一书与文子其人的兴趣。王叔珉、张岱年、何宁、李学勤、李定生等学者发表了很有价值的观点（赵逵夫《〈《文子》成书及其思想〉序》，见葛刚岩《〈文子〉成书及其思想》，巴蜀书社2006年版），可以肯定《文子》一书并非伪书，而是战国末年阐述老学之书。今本《文子》与简本《文子》均非其旧传本。而与《文子》一书有关之文子其人，则为春秋时人，班固"与孔子并时"之说大体可信。

公元前546年（周灵王二十六年　鲁襄公二十七年　齐景公二年　晋平公十二年　秦景公三十一年　楚康王十四年）

春，齐庆封以美车聘鲁，无礼。叔孙豹为之论"服美不称，必以恶终"，赋《诗·鄘风·相鼠》以刺之。《左传·襄公二十七年》："齐庆封来聘，其车美。孟孙谓叔孙曰：'庆季之车，不亦美乎？'叔孙曰：'豹闻之，"服美不称，必以恶终"。美车何为？'叔孙与庆封食，不敬。为赋《相鼠》，亦不知也。"

郑简公享赵孟于垂陇，郑子展、伯有、子西、子产、子大叔、印段、公孙段皆赋诗言志，赵孟论其赋诗之"志"，遂成春秋一大风雅场。见《左传·襄公二十七年》载。此年众卿所赋，分别出自《召南》、《鄘风》、《小雅》、《大雅》、《郑风》、《唐风》。赵武一一评其所赋，其于《诗三百》如数家珍，运用于赋诗言志，可谓得心应手。于此可见春秋士大夫之文学修养，与《诗》运用之广。劳孝舆《春秋诗话》卷一评曰："垂陇一享，七子赋诗，春秋一大风雅场也。惟七子中有伯有，正如竹林中有王戎，殊败人意，厥后被发之厉，卒如赵孟所料。仓卒一赋，遂定终身。此中机括，微哉微哉。非深得于诗者，未易语此也。建安七子，大历七子，若明之前后七子，皆以七名。风流胜事相仿如此，或曰：子谓作者七人，亦有所指云，岂其然欤！"列国外交，赋诗唱和，体现着春秋时代贵族阶层之温文尔雅。形成了文采风流、以诗赠答、互通款曲的独特文化景观。孔子所云"诗可以兴，可以观，可以群，可以怨"（《论语·阳货》），"兴于诗，立于礼，成于乐"（《论语·泰伯》），正是对春秋时风雅实践的理论概括。

楚薳罢如晋莅盟，晋侯享之，薳罢赋《既醉》以美晋平公。叔向有所评议。《左传·襄公二十七年》载：楚薳罢如晋莅盟，晋侯享之。将出，赋《既醉》。叔向曰："薳氏之有后于楚国也，宜哉。承君命，不忘敏，子荡将知政矣，敏以事君，必能养民，政其焉往？"杜预《注》："《既醉》，《诗·大雅》。曰'既醉以酒，既饱以德。君子万年，介尔景福'，以美晋侯，比之太平君子也。"将出而赋此，甚得其时，故叔向赞之曰"敏"。

公元前545年（周灵王二十七年　鲁襄公二十八年　齐景公三年　晋平公十三年）

春，鲁国史官梓慎占星，论阴不胜阳，预言宋、郑有饥荒。《左传·襄公二十八年》载：春，鲁地无冰。梓慎曰："今兹宋、郑其饥乎？岁在星纪，而淫于玄枵，以有时灾，阴不堪阳。蛇乘龙，龙，宋、郑之星也。宋、郑必饥。玄枵，虚中也。枵，耗名也。土虚而民耗，不饥何为？"按，服虔云："岁为阳，玄枵为阴。岁乘阴，进至玄枵。阴不胜阳，故温无冰。"古人也常借言天象以论政。如"土虚民耗"，即就现实言之。此古星象家议政谲谏之一法。

八月，鲁国大旱，行大雩之祭。据《左传·襄公二十八年》。

子产论蔡景公临事不敬，必将有祸。《左传·襄公二十八年》载：蔡景公归自晋，入于郑。郑伯享之，不敬。子产曰："蔡侯其不免乎？日其过此也，君使子展往劳于东门之外，而傲。吾曰：'犹将更之。'今还，受享而惰，乃其心也。君小国，事大国，而惰傲以为己心，将得死乎？若不免，必由其子，其为君也，淫而不父，侨闻之，如是者，恒有子祸。"蔡为小国，敬而有礼，犹不能免；傲慢无礼，必有祸患。杜预《注》云："襄公三十年蔡世子班弑其君。"正应其言。

齐国大臣庆封投奔鲁国，无礼，叔孙穆子使工诵《茅鸱》以讥之。《左传·襄公二十八年》载：齐庆封奔鲁。献车于季武子，美泽可以鉴，展庄叔见之，曰："车甚泽，人必瘁，宜其亡也。"叔孙穆子食庆封，庆封氾祭。穆子不说，使工为之诵《茅鸱》，亦不知，既而齐人来让，奔吴。吴句余予之朱方，聚其族焉而居之，富于其旧。子服惠伯谓叔孙曰："天殆富淫人，庆封又富矣。"穆子曰："善人富谓之赏，淫人富谓之殃，天其殃之也，其将聚而歼旃。"杜预《注》云："工，乐师。《茅鸱》，逸诗，刺不敬。"劳孝舆《春秋诗话》卷一云："前赋《相鼠》，今诵《茅鸱》，奚落已甚，然叔孙亦可谓对牛鼓簧，不惮烦矣。《茅鸱》诗名趣甚，惜其逸矣，想必活画一醉汉形容。"

孔丘弟子冉耕约生于此年。冉耕，字伯牛，鲁国人，孔门弟子，其事迹见《论语》、《史记·仲尼弟子列传》等。林春溥《孔门师弟年表》（收《竹柏山房十五种》，现藏北师大图书馆）考冉耕生于周灵王二十七年丙辰，即鲁襄公二十八年，卒年不详，编年至五十八岁。明人包大㸌《冉耕年谱》考冉耕生于周景王元年，卒于周敬王三十六年，年六十一。今从前说。

孔丘弟子曾点约生于此年。曾点言行狂狷，颇类隐士。曾点，字皙，鲁南武城人。包大㸌《圣门通考》考其于周灵王二十七年生，卒年不详。《论语·先进》"侍坐章"记子路、冉有、公西华各言其志，夫子问曾皙曰："点，尔何如？"鼓瑟希，铿尔，舍瑟而作，曰："异乎三子者之撰。"子曰："亦各言尔其志也。"曰："春服既成，冠者五六人，童子六七人，浴乎沂，讽乎舞雩，咏而归。"《礼记·檀弓》又记季武子丧，曾点倚其门而歌的事。故孟子答万章，以曾点与琴张、牧皮为孔子所谓"狂士"（《尽心下》）。

孔丘弟子颜路约生于此年。颜路，名无繇，字路（《孔子家语》作季路），鲁人，父子俱事孔子为师。据明人包大㸌《圣门通考》卷五《颜子考》，颜路生于周灵王二十七年丙辰，即鲁襄公二十八年。臧庸《颜路年表》亦主此说。其卒年不详，然据颜路生时曾葬其子颜回，其卒年当在周敬王三十一年（前489年）以后无疑。

公元前544年（周景王元年　鲁襄公二十九年　齐景公四年　晋平公十四年　秦景公三十三年　楚郏敖元年　吴王馀祭四年）

吴公子季札访问鲁国，观周乐，乐工为奏十五国风及《大雅》、《小雅》、《颂》，季札评乐论政。见《左传·襄公二十九年》。季札观乐是流传至今的孔子诗论之前最完整的文艺批评文献，涉及文学批评的多个方面，在当时及后世均有很大的影响。其一，由此年"观诗"可知周代对"诗乐"作过系统的整理工作，为诗歌批评奠定了基础；其二，可知当时诗、乐、舞是一体的，相互为用；其三，季札指出不同地域诗歌的优缺点，反映当时对乐调与诗歌风格多样化的欣赏；其四，季札借诗论政，是对以诗"观志"批评方法的继承与发展。后来《吕氏春秋·适音》云："凡音乐，通乎政而移风平俗者也。俗定而音乐化之矣。故有道之世，观其音而知其俗矣，观其政而知其主也矣。"《礼记·乐记》云："声音之道，与政通矣。""审音以知政，而治道备矣。"两者都提到"治世"之音、"乱世"之音的特点及其与政治之关系。这都显然受到季札之说的影响；其五，季札赞美《邶》、《鄘》、《卫》风"忧而不困"，《王风》"思而不惧"，《豳风》"乐而不淫"，又用"直而不倨，曲而不屈"等相反相成的范畴赞美《颂》，显然是《尧典》中"直而温，宽而栗，刚而无虐，简而无傲"等观念以及《唐风·蟋蟀》"好乐无荒"和赵孟所谓"乐而不荒，乐以安民，不淫以使之"（《左传·襄公二十七年》）等思想的发展，表现出对中和之美的强烈向往，为孔子赞美"《关雎》乐而不淫，哀而不伤"的先驱。以上几方面都表明，当时对于诗歌品评鉴赏的理论已经相当成熟。诗的专门化与职业化，意味着艺术已经从早期简单原始的群众性参与的艺术转变成为专门化职业化的观赏性艺术。春秋诗歌由"作诗"（创作）的阶段，全面进入"用诗"的阶段。

季札观"六代乐"，盛赞之。《左传·襄公二十九年》载：季札见舞《象箾》、《南籥》者，曰："美哉！犹有憾。"见舞《大武》者，曰："美哉，周之盛也，其若此乎！"见舞《韶濩》者，曰："圣人之弘也，而犹有惭德，圣人之难也。"见舞《大夏》者，曰："美哉，勤而不德，非禹，其谁能修之？"见舞《韶箾》者，曰："德至矣哉，大矣！如天之无不帱也，如地之无不载也。虽甚盛德，其蔑以加于此矣，观止矣。若有他乐，吾不敢请已。"

季札访齐，论齐国之政。《左传·襄公二十九年》载：季札其出聘，通嗣君。故遂聘于齐，说晏平仲，谓之曰："子速纳邑与政。无邑无政，乃免于难。齐国之政将有所归，未获所归，难未歇也。"故晏子因陈桓子以纳政与邑，是以免于栾、高之难。

季札访郑，与子产论郑国之政。《左传·襄公二十九年》载：聘于郑，见子产，如旧相识。与之缟带，子产献纻衣焉。谓子产曰："郑之执政侈，难将至矣。政必及子。子为政，慎之以礼。不然，郑国将败。"

季札访卫，云卫多君子。《左传·襄公二十九年》载：季札适卫，说蘧瑗、史狗、史鳅、公子荆、公叔发、公子朝，曰："卫多君子，未有患也。"季札自卫如晋，将宿于孙文子之采邑戚。闻钟声焉，曰："异哉。吾闻之也，'辩而不德，必加于戮。'夫子获罪于君以在此，惧犹不足，而又何乐？夫子之在此也，犹燕之巢于幕上。君又在殡，而可以乐乎？”遂去之。文子闻之，终身不听琴瑟。

蘧瑗，即蘧伯玉，其人《论语·宪问》所谓“欲寡其过而未能”，《淮南子·原道》所谓“年五十而知四十九年非”。史狗，杜《注》云：“史朝之子文子。”史鰌，即史鱼，其人又见《左传·定公十三年》、《论语·卫灵公》、《大戴礼记·保傅》等书。公子荆，《论语·子路》载孔子谓其从善居室。公叔发，杜《注》：“公叔文子。”其行事见《论语·宪问》、《礼记·檀弓》等书。公子朝，梁玉绳《史记志疑》疑为“公孙朝之误”。

季札访晋，与叔向、赵文子、韩宣子、魏献子论晋国之政。《左传·襄公二十九年》载：季札适晋，说赵文子、韩宣子、魏献子，曰：“晋国其萃于三族乎。”说叔向。将行，谓叔向曰：“吾子勉之。君侈而多良，大夫皆富，政将在家。吾子好直，必思自免于难。”

冬，晏婴荐田完之后裔穰苴于齐景公，使为大司马。据《史记·司马穰苴列传》：“司马穰苴者，田完之苗裔也。齐景公时，晋伐阿、甄，而燕侵河上，齐师败绩。景公患之。晏婴乃荐田穰苴曰：‘穰苴虽田氏庶孽，然其人文能附众，武能威敌，愿君试之。’景公召穰苴，与语兵事，大悦之，以为将军，将兵捍燕、晋之师。……尊为大司马。”又云：“及田常杀简公，尽灭高子、国子之族。至常曾孙和，因自立，为齐威王，用兵行威，大放穰苴之法，而诸侯侯齐。齐威王使大夫追论古者《司马兵法》而附穰苴于其中，因号曰《司马穰苴兵法》。”《晏子春秋·内篇杂上》亦载此事。宋人苏辙《古史》、叶适《习学记言》，清人梁玉绳《史记志疑》均以为司马穰苴为战国齐闵王时代人。钱穆《先秦诸子系年》以为《史记》所载司马穰苴之事系齐将田忌事迹之误解。此从《史记》、《晏子春秋》之说。

《司马法》中有春秋中期以前的军事文献的内容，也有司马穰苴总结当时的军事理论所写。从语言方面说，应主要是春秋时代的，但经后人修改增补。

体例完备的《诗》文本及乐舞在此年前后已在鲁国流传。《左传·襄公二十九年》载此年季札适鲁，请观周乐，乐工所歌，已及十五国风及大、小雅、颂。其体制规模与今本《诗经》相差无几，则《诗三百》于此年前后已经流传至鲁国，则其编成，当大大早于此年。

公元前 543 年（周景王二年　鲁襄公三十年　晋平公十五年　楚郏敖二年）

春，鲁季孙宿（武子）论晋政。《左传·襄公三十年》载：晋敬老任贤，季武子闻之曰：“晋未可媮（轻视）也。有赵孟以为大夫，有伯瑕以为佐，有史赵、师旷而咨度焉，有叔向、女齐以师保其君。其朝多君子，其庸可媮乎！勉事之而后可。”

夏，郑子皮引《仲虺之志》，论郑国之政。《左传·襄公三十年》载：郑国乱，众大夫聚谋。子皮曰：“《仲虺之志》云：‘乱者取之，亡者侮之。推亡、固存，国之利也。’罕（子皮）、驷（子皙）、丰（公孙段）同生，伯有汰侈，故不免。”子驷氏欲攻子产。子皮怒之曰：“礼，国之干也。杀有礼，祸莫大焉。”

按，子皮，名虎，子产之前郑国执政大臣。由此年言行观之，子皮熟知前代掌故，明于治乱，习于礼法。其让位于子产，则示其宽厚明智、任人唯贤之品质。《仲虺之志》，杜预《注》云：“仲虺，汤左相。”《仲虺之志》，即记载仲虺言行之书。其语又见《墨子·非命》、《荀子·尧问》等。

秋，楚公子围杀大司马芀掩，而取其室。申无宇有所评论。《左传·襄公三十年》：楚公子围杀大司马芀掩，而取其事。申无宇曰：“王子必不免。善人，国之主也。王子相楚国，将善是封殖，而虐之，是祸国也。且司马、令尹之偏，而王之四体也。绝民之主，去身之偏，艾王之体，以祸其国，无不祥大焉。何以得免?”《左传》此段只记此一段文字，则原文应有来源。

十月，宋灾之故，叔孙豹会晋、齐、宋、卫、郑及小邾之卿大夫于澶渊，以谋赈济之财。既而未予宋国，时君子评论之。《左传·襄公三十年》：“十月，叔孙豹会晋赵武、齐公孙虿、宋向戌、卫北宫佗、郑罕虎及小邾之大夫会于澶渊。既而无归于宋，故不书其人。君子曰：‘信其不可不慎乎！澶渊之会，卿不书，不信也。夫诸侯之上卿，会而不信，宠、名皆弃，不信之不可也如是。《诗》曰：“文王陟降，在帝左右。”信之谓也。又曰：“淑慎尔止，无载尔伪。”不信之谓也。书曰：“某人某人会于澶渊，宋灾故”，尤之也。不书鲁大夫，讳之也。’”

子产引《郑书》，与子太叔论政。《左传·襄公三十年》载：子产为政，有事伯石，赂与之邑。子大叔曰：“国皆其国也，奚独赂焉?”子产曰：“无欲实难。皆得其欲，以从其事，而要其成，非我有成，其在人乎？何爱于邑，邑将焉往?”子大叔曰：“若四国何?”子产曰：“非相违也，而相从也，四国何尤焉？《郑书》有之曰：‘安定国家，必大焉先。’姑先安大，以待其所归。”按，子产所引之《郑书》，盖为郑国之史籍。

孔子弟子子路约生于此年。子路，名仲由（《孔子家语》作季路），一称季子，鲁国卞人（一作弁人）。其事迹见《左传》、《论语》、《史记·仲尼弟子列传》等。明人赵时雍《子路年表》考其生年在周景王二年；林春溥《仲子年表》同赵说。林氏又考仲由卒于周敬王四十年辛酉，生年六十四岁。

公元前542年（周景王三年　鲁襄公三十一年　晋平公十六年　郑简公二十四年　卫襄公二年）

春，叔孙穆子以赵武言语含苟且之意，言赵武将死，鲁应预先结好韩宣，而孟孙赋诗，言更苟且。《左传·襄公三十一年》载：鲁襄公三十一年春，穆叔自澶渊之会归鲁，见孟孝伯，语之曰：“赵孟将死矣。其语偷，不似民主。且年未盈五十，而谆谆焉如八、九十者，弗能久矣。若赵孟死，为政者其韩子乎！吾子盍与季孙言之，可以树善，君子也。晋君将失政矣，若不树焉，使早备鲁，既而政在大夫，韩子懦弱，大夫多贪，求欲无厌，齐、楚未足与也，鲁其惧哉!”孝伯曰：“人生几何，谁能无偷？朝不及夕，将安用树?”穆叔出，而告人曰：“孟孙将死矣。吾语诸赵孟之偷也，而又甚焉。”又与季孙语晋故，季孙不从。及赵文子卒，晋公室卑，政在侈家。韩宣子为政，不能图诸侯。鲁不堪晋求，谗慝孔多，是以有平丘之会。

夏，鲁襄公适楚，美其容，归而作楚宫。叔孙穆子引《太誓》之语以谏。见《左传·襄公三十一年》。穆叔谏语所引《太誓》文为逸《书》，杜预《注》云：“今《尚书·太誓》无此文，故诸儒疑之。”

子产相郑简公至晋，晋平公未见，子产使坏其馆之垣而纳车马。晋士匄谴责之，子产陈辞以对。叔向曰：“子产有辞，诸侯赖之。”子产之辞见《左传·襄公三十一年》。按，子产长于辞令，以言辞为功，此又一例也。子产历数晋之不德，故此年士文伯复命。赵文子曰：“信，我实不德，而以隶人之垣以赢诸侯，是吾罪也。”使士文伯谢不敏焉。晋侯见郑伯，有加礼，厚其宴、好而归之。乃筑诸侯之馆。叔向曰：“辞之不可以已也如是夫。子产有辞，诸侯赖之，若之何其释辞也?《诗》曰：‘辞之辑矣，民之协矣；辞之绎矣，民之莫矣。’其知之矣。”劳孝舆评曰：“辞字是郑国安身立命处，亦是子产一生学问经济处，引诗一证，分明见辞之所系甚巨，正非徒为辅颊舌之咸。”（《春秋诗话》卷三）

十二月，卫国大臣北宫文子论郑国有礼，并言子产能任贤使能。《左传·襄公三十一年》：十二月，北宫文子相卫襄公以如楚，宋之盟故也。过郑，印段往劳于棐林，如聘礼而以劳辞。文子入聘。子羽为行人，冯简子与子大叔逆客。事毕而出，言于卫侯曰：“郑有礼，其数世之福也，其无大国之讨乎。《诗》云：‘谁能执热，逝不以濯。’礼之于政，如热之有濯也。濯以救热，何患之有?”

子产之从政也，择能而使之：冯简子能断大事，子大叔美秀而文，公孙挥能知四国之为，而辨于其大夫之族姓、班位、贵贱、能否，而又善为辞令，裨谌能谋，谋于野则获，谋于邑则否。郑国将有诸侯之事，子产乃问四国之为于子羽，且使多为辞令。与裨谌以适野，使谋可否。而告冯简子，使断之。事成，乃授子大叔使行之，以应对宾客，是以鲜有败事。北宫文子所谓有礼也。

其中说到公孙挥“能知四国之为……而辨于其大夫之族姓、班位……而又善为辞令”，正是春秋时行人之职的特征。子大叔“美秀而文”，也体现着外交人员的特征。春秋战国时代一些脍炙人口的辞令，系出于行人之手。

子产论用人以谏子皮。见《左传·襄公三十一年》。

十二月，卫国北宫文子论威仪。对问之辞见《左传·襄公三十一年》载。北宫文子论威仪之语云：“故君子在位可畏，施舍可爱，进退可度，周旋可则，容止可观，作事可法，德行可象，声气可乐，动作有文，言语有章，以临其下，谓之有威仪也。”“君子”的威仪涉及言语等因素，一定程度上反映了春秋时期的文学风气。

郑国之舆人作《子产诵》。《左传·襄公三十年》：“郑子皮授子产政。……从政一年，舆人诵之，曰：‘取我衣冠而褚之，取我田畴而伍（赋）之，孰杀子产，吾其与之。’”冯惟讷《诗纪·前集》云：“二章，一作歌。”按，诵为乐语之一。《周礼·大司乐》：“以乐语教国子，兴道讽诵言语。”郑《注》云：“以声节之曰诵。”此诵以褚、伍、与为韵。“褚”是子产为政后新设之财物税。

公元前541年（周景王四年　鲁昭公元年　晋平公十七年　秦景公三十六年　楚郏敖四年　郑简公二十五年）

正月，虢之会，晋卿赵武言于楚令尹子围，请免叔孙豹。见《国语·晋语八》。

楚令尹子围享赵孟，令尹子围与赵孟皆赋诗。叔向论令尹子围将不善终。见《左传·昭公元年》。劳孝舆《春秋诗话》卷一评此云："《大明》之赋，得意在'赫赫'二字。叔向即引诗赫赫二语，见不足恃。赫赫而得，则可为文王；赫赫而失，则灭于褒姒。孰谓《春秋》非诗史哉。"

四月，赵孟、叔孙豹、郑伯及子皮、子产赋诗言志。见《左传·昭公元年》。劳孝舆《春秋诗话》评曰："歌《瓠叶》以辞重享，雅甚。赋《常棣》以安吠尨，奇甚。主宾二诗，本不相蒙，看他牵合情理宛然，如此说诗，岂复有粘滞之病哉。尤妙赠答之前有一穆叔，《鹊巢》、《采蘩》，互为映发，愈有波澜。至群贤举兕，争奉颜色，则狐虎之威，跋扈飞扬，分明画出一则礼乐征伐自大夫出之世界矣。此会乃赵孟极得意之举，是左公极著意之文。与前范宣子受彤弓同一洗发，阅者毋草草忽之。"

六月，子产聘晋，为叔向言实沈、台骀之来历。子产之辞见《左传·昭公元年》。按，晋平公有疾，晋巫以为实沈、台骀二神致祟，子产谓叔向之一番言论，要在说明二神不可能为祟，晋侯之病，均由人为，其因有二：一是"昼夜昏乱"；二是违礼而娶同姓之美女。子产之言，合乎实际。故叔向曰："善哉！肸未之闻也。此皆然矣。"子产明于事理，不信天命鬼神，其思想颇有唯物倾向，于此可见一斑。

秦国名医和论六淫致病。医和之辞见《左传·昭公元年》。秦医和所讲理论对枚乘《七发》的构思应有一定影响。

医和释"蛊"，以对赵孟。《左传·昭公元年》载：医和为晋平公视疾出，告赵孟晋之良臣将死。赵孟曰："谁当良臣?"对曰："主是谓矣。主相晋国，于今八年，晋国无乱，诸侯无阙，可谓良矣。和闻之，国之大臣，荣其宠禄，任其大节，有灾祸兴而无改焉，必受其咎。今君至于淫以生疾，将不能图恤社稷，祸孰大焉。主不能御，吾是以云也。"赵孟曰："何谓蛊?"对曰："淫溺惑乱之所生也。于文，皿虫为蛊，谷之飞亦为蛊，在《周易》，女惑男，风落山，谓之'蛊'。皆同物也。"赵孟曰："良医也。"厚其礼而归之。

公元前540年（周景王五年　鲁昭公二年　齐景公八年　晋平公十八年　郑简公二十六年）

春，晋韩起（宣子）聘于鲁，观书于大史氏，见《易》、《象》与《鲁春秋》。《左传·昭公二年》载：鲁昭公二年春，晋侯使韩宣子聘鲁，告为政，礼也。宣子观书于鲁之大史氏，见《易》、《象》与《鲁春秋》，曰："周礼尽在鲁矣，吾乃今知周公之德，与周之所以王也。"按，韩宣子，即韩起，韩厥（献子）之子。传中有称宣子、韩子、韩起、起等。鲁襄公七年因其兄韩无忌有废疾得立为韩氏之嗣，此年至鲁昭公二十八年为晋中军帅。韩宣子为人知书明礼，然其执政，因晋公室已卑弱，政在侈家，故其为政，只能奉行自保而已。大史氏，即鲁国之大史。据《周礼》，大史掌文献档案策书等。

按，《易》、《象》，应从王应麟《困学纪闻》分读。《易》即《周易》，其六十四卦及卦爻辞作于西周初，存于鲁。《象》，杨伯峻《春秋左传注》以为即《左传·哀公三年》"命藏象魏"之"象魏"，因其悬挂于象魏，故以名之，亦省称象。象魏亦名象阙，又曰观，为宫门外悬挂法令俾众周知之地。据《周礼·大宰》，正月一日公布政治

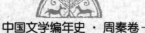

法令于象魏，此法令谓之治象；地官亦悬“教象”，为教育法令；夏官公布“政象”，秋官公布“刑象”，即军政法令、司法法令。公布十日，然后藏之，此象当是鲁国历代之政令。《鲁春秋》，即鲁国之《春秋》。《春秋》本为列国史书之通名，《墨子·明鬼下》言有周之《春秋》、燕之《春秋》、宋之《春秋》、齐之《春秋》，故鲁史曰《鲁春秋》。韩起观此书，而曰：“吾乃今知周公之德，与周之所以王也。”盖此《鲁春秋》记周公姬旦之事。

鲁昭公享韩起，宾主赋诗言志。赋及《大雅·绵》、《小雅》之《角弓·节》、《召南·甘棠》等诗。《左传·昭公二年》载此年春，晋侯使韩起来聘，且告为政，而来见，礼也。鲁昭公享之。季武子为之赋《绵》之卒章。韩子赋《角弓》。季武子拜，曰：“敢拜子之弥缝敝邑，寡君有望矣。”武子赋《节》之卒章。既享，宴于季氏。有嘉树焉，宣子誉之。武子曰：“宿敢不封殖此树，以无忘《角弓》。”遂赋《甘棠》。宣子曰：“起不堪也，无以及召公。”

韩起如齐纳币，与晏婴论齐国之政。《左传·昭公二年》载：韩起为晋平公娶少姜，如齐纳币。见子雅。子雅召其子子旗，使见韩起。韩起曰：“非保家之主也，不臣。”见子尾。子尾使之见其子子彊。宣子谓之如子旗。大夫多笑之，唯晏子信之，曰：“夫子，君子也。君子有信，其有以知之矣。”

按，子雅，齐大夫，子旗为其子；子尾，齐大夫，子彊为其子。宣子观其人言语动作不敬，故曰不臣。

韩起聘卫，卫侯享之。卫大夫北宫文子为赋《淇奥》，韩起赋《木瓜》以答。事见《左传·昭公二年》。北宫文子，卫大夫。杜预《注》云：“《淇奥》，《诗·卫风》，美武公也。言宣子有武公之德。”“《木瓜》亦《卫风》。义取于欲厚报以为好。”足以发明赋诗之意。

夏，鲁大夫叔弓聘于晋，晋侯以郊劳之礼迎之，叔弓辞让得体，叔向引《诗·大雅·生民》，赞其忠信知礼。《左传·昭公二年》载：鲁大夫叔弓聘于晋，报此年春韩起之聘鲁。晋侯使郊劳。叔弓辞曰：“寡君使弓来继旧好，固曰：‘女无敢为宾’，彻命于执事，敝邑弘矣。敢辱郊使！请辞。”晋人致馆。叔弓又辞曰：“寡君命下臣来继旧好，好合使成，臣之禄也，敢辱大馆?”叔向曰：“子叔子知礼哉！吾闻之曰：‘忠信，礼之器也，卑让，礼之宗也。’辞不忘国，忠信也，先国后己，卑让也。《诗》曰：‘敬慎威仪，以近有德。’夫子近德矣。”

叔弓，叔老之子，鲁公族大夫，《左传》中又称子叔子、敬子。叔弓为鲁国子叔氏后裔。其祖叔肸为宣公母弟（《左传·宣公十七年》），其后有子叔声伯（公孙婴齐）等。《左传》中记载叔弓多次代表鲁国出使列国，是三家之外鲁大夫中出使外国最多的一个。

秋，郑公孙黑将作乱，子产作书以数其罪。见《左传·昭公二年》。按，子产在鄙而闻公孙黑将作乱，惧已不及制止，故使吏数之罪。据此可知为作书以责让之。此书历数其三大罪状，痛斥其无礼，与后世之檄文相类。

郑子产为政三年，郑舆人作《子产诵》诵之。《左传·襄公三十年》载：子产为政，及三年，国中舆人作歌诵之，歌曰：“我有子弟，子产诲之，我有田畴，子产殖之，子产而死，谁其嗣之?”

按，子产始执郑国之政，在此前三年，故系此歌于此年。劳孝舆《春秋诗话》评此诵云：“舆人之诵，忽祝忽诅，子产若非久其位，则孰杀之语为终身病矣。危哉！故知火攻一道，亦是下策。”

邓析在世。钱穆《邓析考》据《左传》、《吕氏春秋》、《列子》、《淮南子》等所载，考定邓析为郑国大夫，好刑名之学，约与子产同时。其生年不可考，其卒年据《左传·定公九年》载，在公元前501年。曾制定《竹刑》。《汉书·艺文志》著录《郑析子》。今传本为伪书。详公元前501年相关条目。

孔子弟子漆雕开约生于此年。漆雕开，字子若，漆雕开之里籍，《史记·仲尼弟子列传》、《集解》引郑玄说以为鲁人。《正义》引家语以为蔡人。今从后者。《论语·公冶长》：“子使漆雕开仕，对曰：‘吾斯之未能信。’子悦。”《韩非子·显学篇》谓儒分为八，有“漆雕氏之儒”。《汉志·儒家》有《漆雕子》，自注曰：“孔子弟子漆雕启后。”据匡亚明《孔子年谱》考定，漆雕开生于此年。

公元前539年（周景王六年　鲁昭公三年　齐景公九年　晋平公十九年　秦景公三十八年　楚灵王二年）

春，郑卿游吉论晋国之政。见《左传·昭公三年》。按，游吉，即子大叔。

晏婴使晋为齐景公请婚，有辞令。见《左传·昭公三年》载。

叔向、晏婴论齐、晋之政。见《左传·昭公三年》。此番议论又见《晏子春秋·内篇·问下》。

四月，晋平公作“策”以嘉公孙段。君子引《诗·鄘风·相鼠》以赞之。《左传·昭公三年》载：夏四月，郑简公如晋，公孙段相礼，甚敬而卑，礼无违者。晋平公嘉焉，授之以策，策曰：“子丰（公孙段之父）有劳于晋国，余闻而弗忘，赐女州田，以胙乃旧勋。”伯石（公孙段）再拜稽首，受策以出。君子曰：“礼，其人之急也乎。伯石之汰也，一为礼于晋，犹荷其禄，况以礼终始乎?《诗》曰：‘人而无礼，胡不遄死’，其是之谓乎!”按，此处引诗，是强调礼之重要性。有礼则兴，无礼招祸，仍为春秋时普遍认可之观念。

按，策，即策书。嘉许公孙段有礼，书其事于简册以赐之。

八月，鲁大旱，行大雩之祭。见《左传·昭公三年》。

十月，郑简公聘楚，子产相。楚王享之，赋《吉日》。既享，子产具田备，与楚王田于江南之梦。见《左传·昭公三年》。《吉日》，见《诗经·小雅》。江南之梦，即云梦泽。先秦云梦泽的主体部分占据长江与汉水之间郢都以东的一大片地方，这里在战国时代仍然是一个大泽。长江水以北，汉水以北，其西部今钟祥、京山、天门三县接壤地带是一片在新石器时代业已成陆的平原。自此以东，今京山、天门一带为《尚书·禹贡》所说的云梦土，再以东便是汉北云梦泽。春秋战国时为楚王田猎之所在。云梦泽与楚文学关系至为密切，战国时屈原被流放至此，任掌梦之职，作《招魂》。云梦泽自然景观及其地流传的神话传说也是楚汉辞赋常见的题材。

公元前538年（周景王七年　鲁昭公四年　晋平公二十年　楚灵王三年）

春，楚椒举受命致命于晋。晋司马侯以修德之说谏晋平公勿与楚争。见《左传·昭公四年》。按，此谏语《新序·善谋篇》节录之。椒举，即伍举。《通志·氏族略》："伍举食采邑于椒，故其后为椒氏。"其后有伍尚、伍员。

子产对楚灵王，论晋、楚之政。《左传·昭公四年》载：楚灵王问于子产曰："晋其许我诸侯乎？"对曰："许君。晋君少安，不在诸侯，其大夫多求，莫匡其君。在宋之盟，又曰如一，若不许君，将焉用之？"王曰："诸侯其来乎？"对曰："必来。从宋之盟，承君之欢，不畏大国，何故不来？不来者，其鲁、卫、曹、邾乎？曹畏宋，邾畏鲁，鲁、卫逼于齐而亲于晋，唯是不来。其余，君之所及也，谁敢不至？"王曰："然则吾所求者，无不可乎？"对曰："求逞于人，不可；与人同欲，尽济。"

鲁申丰论藏冰之礼。申丰之语见《左传·昭公四年》。

椒举进言于楚灵王。《左传·昭公四年》载：六月丙午，楚子合诸侯于申。椒举言于楚子曰："臣闻诸侯无归，礼以为归，今君始得诸侯，其慎礼矣，霸之济否，在此会也。夏启有钧台之享，商汤有景亳之命，周武有孟津之誓，成有岐阳之搜，康有酆宫之朝，穆有涂山之会，齐桓有召陵之师，晋文有践土之盟。君其何用？宋向戌、郑公孙侨在，诸侯之良也，君其选焉。"王曰："吾用齐桓。"王使问礼于左师与子产。左师曰："小国习之，大国用之，敢不荐闻？"献公合诸侯之礼六。子产曰："小国共职，敢不荐守？"献伯、子、男会公之礼六。君子谓合左师善守先代，子产善相小国。

由此可以看出三点：一，当时确实礼崩乐坏，不是各国都有懂得礼仪较深的人；二，一些重要仪式，大多是模仿前代的仪式；三，礼根据社会发展及各国具体情况，有所变化。子产根据郑国的情况提供出六种伯、子、男会公之礼，未必完全是古礼。

椒举谏楚灵王勿示诸侯侈。楚灵王使椒举侍于后，以规过。卒事，椒举不规。灵王问其故，椒举对曰："礼，吾所未见者有六焉，又何以规？"楚子示诸侯侈，椒举曰："夫六王二公之事，皆所以示诸侯礼也，诸侯所由用命也。夏桀为仍之会，有缗叛之，商纣为黎之搜，东夷叛之，周幽为大室之盟，戎狄叛之。皆所以示诸侯汰也，诸侯所由弃命也。今君以汰，无乃不济乎？"

秋，郑子产作丘赋，国人谤之，子产引逸诗曰："礼义不愆，何恤于人言。"见《春秋·昭公四年》。

十二月乙卯，鲁叔孙豹卒。见《春秋·昭公四年》。叔孙豹是春秋时代杰出的政治家、外交家与散文作家，也表现出突出的爱国思想。他的诗学思想和美学精神对后代有积极的影响。

公元前537年（周景王八年　鲁昭公五年　晋平公二十一年　楚灵王四年）

春，晋女叔齐论礼仪与礼义之别，认为"礼所以守其国，行其政令，无失其民"。见《左传·昭公五年》。按，由此女叔齐论礼之言可知其时礼典之实行当有文可循，故晋平公据此评价鲁昭公自郊劳至于赠贿礼仪无违；然据女叔齐所论，则当时上层贵族中包括晋平公在内的相当一部分人只知默守礼之仪节，对礼典与礼义之别则已不甚了解，故而稍后孔子有礼乐废亡之叹。

晋平公嫁女于楚灵王，韩起如楚送女，叔向论知礼守信可以免祸。《左传·昭公五年》载：晋韩宣子如楚送女，叔向为介。郑子皮、子大叔劳诸索氏。大叔谓叔向曰："楚王汰侈已甚，子其戒之。"叔向曰："汰侈已甚，身之灾也，焉能及人？若奉吾币帛，慎吾威仪，守之以信，行之以礼，敬始而思终，终无不复，从而不失仪，敬而不失威，道之以训辞，奉之以旧法，考之以先王，度之以二国，虽汰侈，若我何？"

晋平公作媵器《晋公奠》，器铭记晋公嫁其元女，"宗妇楚邦"，"於昭万年，晋邦惟翰"。晋公奠铭文拓本见《三代吉金文存》18·13·3及郭沫若《两周金文辞大系》，其时代，唐兰、杨树达均以为晋定公时。李学勤据《左传》、《国语》晋平公嫁女于楚灵王的相关记载，考释其应为晋平公时器。作器的具体年代是平公二十一年，即公元前537年。今从李说系于此年。

楚薳启彊谏楚灵王勿违礼以速寇。薳启彊之辞见《左传·昭公五年》。按，薳启彊一番大言论，落脚处仍在一"礼"字，所谓"圣王务行礼"，昏君"无礼以速寇"也。故楚灵王闻其言而纳其谏，曰："不谷之过也，大夫无辱。"厚为韩子、叔向礼。

孔子十五岁，有志于学。《论语·为政》："吾十有五而志于学。"此时孔子在鲁，致力于学问德业上的提高与完善。

公元前536年（周景王九年　鲁昭公六年　晋平公二十二年　郑简公三十年　楚灵王五年）

三月，郑铸刑书，晋叔向引《周颂·我将》、《大雅·文王》，作书致子产。叔向之书信见《左传·昭公六年》。按，此书，即书信体。刑书即成文法，在当时为新事物。有刑书，则在下者可据以讼上，于等级社会不利。故当时统治者多持保守态度。盖叔向在晋闻郑铸刑书，作书使人致子产以论其事。

子产作书答叔向。《左传·昭公六年》载：郑人铸刑书于鼎，以为常法。叔向闻之，致书子产。子产复叔向书，书曰："若吾子之言，侨不才，不能及子孙，吾以救世也。既不承命，敢忘大惠！"按，子产之书，严可均《全上古三代秦汉三国六朝文》录之，题曰"致叔向书"。

六月，楚公子弃疾与郑三卿盟誓。《左传·昭公六年》：楚公子弃疾如晋，过郑，郑罕虎（子皮）、公孙侨（子产）、游吉（子大叔）从郑伯以劳诸柤。辞不敢见。固请见之。见，如见王，以其乘马八匹私面，见子皮如上卿，以马六匹。见子产，以马四匹。见子大叔，以马二匹。禁刍牧采樵，不入田，不樵树，不采蓺，不抽屋，不强匄。誓曰："有犯命者，君子废，小人降。"舍不为暴，主不慁宾。往来如是。郑三卿皆知其将为王也。

叔向引《诗》、《书》之言，谏晋平公勿效楚人。《左传·昭公六年》：上一年春韩起适楚，楚人未迎接。楚公子弃疾及晋境，晋平公亦将不行迎接之礼。叔向谏曰："楚辟，我衷，若何效辟？《诗》曰：'尔之教矣，民胥效矣。'从我而已，焉用效人之辟？《书》曰：'圣作则。'无宁以善人为则，而则人之辟乎？匹夫为善，民犹则之，况国君乎？"按，叔向引诗，见《小雅·角弓》，《书》见《尚书·说命》。

九月，鲁昭公大雩，旱也。据《春秋》经、传。

孔子弟子闵损约生于此年。闵损，字子骞，鲁国人。据《史记·仲尼弟子列传》，闵损少孔子十五岁，明张云汉《闵子世谱》考其生于周景王九年，即此年，卒于周敬王三十三年（鲁哀公八年），得年五十。臧庸《闵子年表》、匡亚明《孔子年谱》考其生年同张云汉说。闵子骞生年异说较多，或据《孔子家语》闵子骞少孔子五十岁之说，或据《素王世纪》、《山东通志》少孔子十六岁之说，均不可信。

公元前535年（周景王十年　鲁昭公七年　齐景公十三年　晋平公二十三年　郑简公三十一年　楚灵王六年）

春，楚灵王作章华之台，伍举引《周诗》（《大雅·灵台》）之句谏之。伍举谏语见《国语·楚语上》。《左传·鲁昭公七年》亦载此事，但较《国语》为略，且无伍举之谏语。

四月甲辰朔，晋平公因日食而问"彼日而食，于何不臧"（《小雅·节南山》句），士文伯以慎政之理答之。《左传·昭公七年》载：夏四月甲辰朔，日食。晋平公问士文伯说："谁将当日食?"士文伯回答说："鲁、卫恶之，卫大鲁小。"……平公曰："《诗》所谓'彼日而食，于何不臧'者，何也?"士文伯对曰："不善政之谓也。国无政，不用善，则自取谪于日月之灾，故政不可不慎也。务三而已，一曰择人，二曰因民，三曰从时。"于此可见时人对诗的讨论皆因事而发。《说苑·政理篇》亦载此事。

楚薳启彊陈辞，邀鲁昭公赴楚参加章华台落成典礼。见《左传·昭公七年》。

夏，郑子产聘于晋，为韩起言夏郊。《左传·昭公七年》："郑子产聘于晋，晋侯有疾，韩宣子逆客。私焉，曰：'寡君寝疾，于今三月矣，并走群望，有加而无瘳。今梦黄熊入于寝门，其何厉鬼也?'对曰：'以君之明，子为大政，其何厉之有? 昔尧殛鲧于羽山，其神化为黄熊，以入于羽渊，实为夏郊，三代祀之，晋为盟主，其或者未之祀也乎!'韩子祀夏郊。晋侯有间，赐子产莒之二方鼎。"由此可以看出关于鲧的神话在春秋时代的流传以及与当时祭祀礼仪的关系。

子产引古人之言致辞于韩起。《左传·昭公七年》：子产为丰施归州田于韩宣子曰："日君以夫公孙段为能任其事，而赐之州田，今无禄早世，不获久享君德，其子弗敢有，不敢以闻于君，私致诸子。"宣子辞。子产曰："古人有言曰：'其父析薪，其子弗克负荷。'施将惧不能任其先人之禄，其况能任大国之赐? 纵吾子为政而可，后之人若属有疆埸之言，敝邑获戾，而丰氏受其大讨，吾子取州，是免敝邑于戾，而建置丰氏也。敢以为请。"

子产就晋国对罕朔之安置答韩起。《左传·昭公七年》：子皮之族饮酒无度，故马师氏与子皮氏有恶。昭公七年春齐师还自燕之月，罕朔杀罕魋而奔晋。韩宣子问其位于子产。子产曰："君之羁臣，苟得容以逃死，何位之敢择? 卿违，从大夫之位，罪人以其罪降，古之制也。朔于敝邑，亚大夫也，其官，马师也，获戾而逃，唯执政所置之。得免其死，为惠大矣。又敢求位?"宣子为子产之敏也，使从嬖大夫。

八月，卫襄公卒。周景王追命之，作命辞。《左传·昭公七年》：秋八月，卫襄公卒。卫齐恶告丧于周，且请命。王使郕简公如卫吊。且追命襄公曰："叔父陟恪，在我先王之左右，以佐事上帝，余敢忘高圉、亚圉?"

九月，孟僖子自楚归鲁，病不能礼，乃讲学之。及其将死，召其大夫论礼。《左传·昭公七年》："九月，公至自楚。孟僖子病不能相礼，乃讲学之，苟能礼者从之。"（惠栋曰：下云"苟能礼者从之"，则"相"字衍。盖袭上文"相仪"之误，当从《释文》）及其将死也，召其大夫曰："礼，人之干也，无礼，无以立。"

军事家、思想家孙武约生于此年。孙武，字长卿，齐国田氏之后，孙书之孙。孙武事迹不见《左传》等先秦之书，故历代学者多疑其人因齐之孙膑而误。银雀山简本两《孙子》书之发现，使其说不攻自破。孙子生年取杨善群说（详参《孙子评传》之《孙武大事年表》，南京大学出版社1992年版）。

齐景公时，齐之贵族互相砍伐，孙武避乱于吴，伍员荐之吴王阖庐。《史记·孙子吴起列传》："孙子武者，齐人也。以兵法见于吴王阖庐。阖庐曰：'子之十三篇，吾尽观之矣，可以小试勒兵乎？'对曰：'可。'阖庐曰：'可试以妇人乎？'曰：'可。'于是许之，出宫中美女，得百八十人。孙子分为二队，以王之宠姬二人各为队长，皆令执戟。令之曰：'汝知而心与左右手背乎？'……妇人曰：'诺。'约束既布，乃设铁钺，即三令五申之。于是鼓之右，妇人大笑。孙子曰：'约束不明，申令不熟，将之罪也。'复三令五申而鼓之左，妇人复大笑。孙子曰：'约束不明，申令不熟，将之罪也，既已明而不如法者，吏士之罪也。'乃欲斩左右队长。吴王从台上观，见且斩爱姬，大骇。……孙子曰：'臣既已受命为将，将在军，君命有所不受。'遂斩队长二人以徇。用其次为队长，于是复鼓之。妇人左右前后跪起皆中规矩绳墨，无敢出声。于是孙子使使报吴王曰：'兵既整齐，王可试下观之，唯王所欲用之，虽赴水火犹可也。'吴王曰：'将军罢休就舍，寡人不愿下观。'孙子曰：'王徒好其言，不能用其实。'于是阖庐知孙子能用兵，卒以为将。西破强楚，入郢，北威齐晋，显名诸侯，孙子与有力焉。"

《汉书·艺文志》有《吴孙子兵法》八十二篇，而本传则称十三篇。前人多以为其人其书，皆出于后人伪托。说详钱穆《先秦诸子系年·孙武辨》。1972年山东临沂银雀山与汉墓同时出土简本《孙子兵法》、《孙膑兵法》。前者与今本《孙子兵法》篇数、内容基本相同。也与《史记》所说相合。经学者进一步研究，以为《孙子兵法》虽非孙武亲著，却为其后学录其军事思想而成，成书过程约从春秋末期的吴国开始，到战国时的齐国，经过长期整理，于战国中期成书（李零《关于银雀山简本〈孙子〉研究的商榷》，刊《文史》第七辑；《银雀山简本〈孙子〉校读举例》，刊《中华文史论丛》1981年第4辑。吴九龙《简本与传本〈孙子兵法〉比较研究》，收《孙子新探》），或者以为其书约成于孙武卒后40年左右，即公元前496—前453年间，由其弟子整理而成（郑良树《论〈孙子〉的成书年代》，收《竹简帛书论文集》，中华书局，1982年版）。今取现代学者研究成果。

此年，孔子之母颜徵在卒。事见《史记·孔子世家》。

鲁季氏宴请士一级贵族，孔子赴宴，季氏家臣阳虎拒之。事见《史记·孔子世家》。

公元前534年（周景王十一年　鲁昭公八年　晋平公二十四年　楚灵王七年　陈哀公三十五年）

春，师旷对晋平公之问。《左传·昭公八年》载：八年春，晋平公筑虒祁之宫，石言于晋魏榆。晋侯问于师旷曰："石何故言?"师旷对曰："石不能言，或冯焉，不然，民听滥也，抑臣又闻之曰：'作事不时，怨讟动于民，则有非言之物而言。'今宫室崇侈，民力彫尽，怨讟并作，莫保其性。石言，不亦宜乎。"

叔向引《诗》，赞师旷。《左传・昭公八年》载：晋平公筑虒祁之宫，师旷谏之。叔向闻其言，赞之曰："子野（师旷）之言，君子哉。君子之言，信而有征，故怨远于其身。小人之言，僭而无征，故怨咎及之。《诗》曰：'哀哉不能言，匪舌是出，唯躬是瘁。哿矣能言，巧言如流，俾躬处休。'其是之谓乎。是宫也成，诸侯必叛，君必有咎，夫子知之矣。"按，叔向所引出自《诗・小雅・雨无正》。《说苑・辩物篇》亦载此事。

十一月，楚灵王灭陈。史赵论陈将再兴。《左传・昭公八年》：冬十一月壬午，楚灭陈。晋侯问于史赵曰："陈其遂亡乎！"对曰："未也。"公曰："何故?"对曰："陈，颛顼之族也。岁在鹑火，是以卒灭，陈将如之。今在析木之津，犹将复由。且陈氏得政于齐。而后陈卒亡。自幕至于瞽瞍，无违命。舜重之以明德，置德于遂，遂世守之，及胡公不淫，故周赐之姓，使祀虞帝。臣闻盛德必百世祀，虞之世数未也。继守将在齐，其兆既存矣。"史官之论述，当有所本。

公元前533年（周景王十二年　鲁昭公九年　晋平公二十五年）

二月，周大夫与晋大夫争阎田，晋梁丙伐颍。詹桓伯受周景王之命有辞以责晋。叔向陈辞于韩起。见《左传・昭公九年》，[按，詹桓父，詹伯之后]其责让之辞，历述周初封晋、晋文称伯之事，以明晋有卫护王室之责，今晋忘其职，因小隙召阴戎而侵王室，无礼之甚。辞严义正，充分体现出"责让"文体功能。颇类后世之檄文。故叔向闻其言而谓宣子曰："文之伯也，岂能改物?翼戴天子而加之以共，自文以来，世有衰德而暴蔑宗周，以宣示其侈，诸侯之贰，不亦宜乎?且王辞直，子其图之。"一"直"字，足见其辞之特点。

六月，晋膳宰屠蒯有辞以谏晋平公。屠蒯之辞见《左传・昭公九年》。其谏语说"味以行气，气以实志，志以定言，言以出令……"隐约涉及到气、志与言的关系，反映了辞令创作中的本质特点，开了后世"文气"说的先河。

师旷论乐。《国语・晋语八》载：晋平公悦新声，师旷曰："公室其将卑乎！君之明兆于衰矣。夫乐以开山川之风也，以耀德于广远也。风德以广之，风山川以远之，风物以听之，修诗以咏之，修礼以节之。夫德广远而有时节，是以远服而迩不迁。"

徐元诰《国语集解》云："新声者，卫灵公将如晋，舍于濮水之上，闻琴声焉甚哀，使师涓以琴写之。至晋，为平公鼓之，师旷抚其手而止之曰：'止！此亡国之音也。昔师延为纣作靡靡之乐，后而自沈于濮水之中，闻此声者，必于濮水之上乎!'"《初学记・乐部》引贾逵曰："乐所以通山川之风类，以远其德。"意谓八音以通八风，作乐以象其德。

公元前532年（周景王十三年　鲁昭公十年　晋平公二十六年　郑简公三十四年）

春，郑裨灶以星象占卜，预言晋平公将死。见《左传・昭公十年》。[按，裨灶，郑史官，春秋时著名星占家］其事除此年外，尚有《左传·襄公二十八年》占周王楚王死、《襄公三十年》占郑伯有氏之亡、《昭公九年》占陈将复封、《昭公十七年》、《昭公十八年》占郑火。以上各事，都属典型的星占学预言。裨灶似乎特别熟悉木星运动，前四事皆据此立论。其立论之法，则或故神其说，或牵强附会。如此年，天象为女宿出现新星，欲预言晋君将死，似乎毫不相干，乃由二十八宿而十二次（玄枵之次跨女、虚、危三宿），由十二次而颛顼（《尔雅·释天》：玄枵，虚也，颛顼之墟也），由颛顼而姜氏任氏，由姜氏而邑姜，由邑姜而晋之先妣，最终及于晋君。此种论证方式，以今人视之，虚妄之甚；然为春秋时大部分人所接受，并不以为虚妄。

七月，鲁季孙意如伐莒，取郠，献俘，始用人祭于亳社。臧武仲引《诗》论鲁无义，周公将不享鲁祭。见《左传·昭公十年》。

此年孔丘任委吏，其子伯鱼约生于此年。《孔子家语》云："孔子年十九，娶于官氏，一岁而生伯鱼。伯鱼之生也，鲁昭公以鲤赐孔子。荣君之贶，故名曰鲤而字伯鱼。"《阙里志·年谱》亦云，孔子此年任委吏，即管理仓库之小吏。其子伯鱼生于此年，因鲁君赐鲤鱼于孔子，故以鲤为名而字伯鱼。

公元前531年（周景王十四年　鲁昭公十一年　晋昭公元年）

叔向聘周，赞单靖公有敬、俭、让、咨之德。《国语·周语下》载：晋羊舌肸（叔向）聘于周，发币于大夫及单靖公。单靖公享之，俭而敬；宾礼赠饯，视其上而从之；燕无私，送不过郊，语说《皞天有成命》。单之老送叔向，叔向赞靖公。按，单靖公，单襄公之孙，单顷公之子。叔向赞单靖公之语《国语》未系年，按《左传》载叔向事迄于鲁昭公十五年，晋灭羊舌氏，在昭公二十八年。今据其下限，系于此年。叔向之言解《周颂·皞天有成命》之诗旨甚详，为后世解《诗》者开风气之先。

公元前530年（周景王十五年　鲁昭公十二年　晋昭公二年　宋元公二年　楚灵王十一年）

夏，宋华定聘鲁，享之，为之赋《蓼萧》，不答赋。叔孙婼评其必亡。《左传·昭公十二年》载：夏，宋华定来聘，通嗣君也。享之，为赋《蓼萧》，弗知，又不答赋。昭子曰："必亡，宴语之不怀，宠光之不宣，令德之不知，同福之不受，将何以在？"

［按，叔孙婼，又称昭子、叔孙昭子，鲁国名臣叔孙豹之子］从昭公七年季孙宿卒、叔孙婼为政，至昭公二十五年卒为止，昭子执政凡19年。为人刚毅正直，临危不惧，有胆有识。其言论涉及治国之道、礼乐制度，均能以理服人，以情动人。此年解赋《诗·小雅·蓼萧》之义，表明其亦精通《诗》学，《蓼萧》有句云："燕笑语兮，是以有誉处兮。"故讥华定"宴语之不怀"；诗云："为龙为光。"故云"宠光之不宣"；诗云："宜兄宜弟，令德寿恺。"故云"令德之不知"；诗云："万福攸同。"华定不答赋，是以云其"同福之不受"。

晋昭公与齐景公宴，行投壶礼，中行穆子作投壶之辞。见《左传·昭公十二年》。［按，冯惟讷《古诗纪·前集七》录此年穆子所作之辞，惟题作《投壶辞》］投壶，据《礼记》、《大戴礼记》之《投壶篇》，即先秦时期主客燕饮时娱乐之投壶礼。郑玄《礼记目录》云："名曰投壶者，以其记主人与客讲论才艺之礼。"此礼盖由射礼演变而来，春秋以前饮酒礼亦有射礼，大约后因一般贵族举行燕礼席间空间狭小，无法行射礼，故尔改为投壶。投壶时设壶，以矢投其中，多中者为胜，胜者酌饮负者。据《大戴礼记》王注引《考工记》曰，投壶礼之前要祭侯，祭侯之礼以酒脯醢。其辞曰："惟若宁侯，毋或若女不宁侯，不属于王所，故亢而射女，强食，诒尔曾孙，诸侯百福。"投壶中须由乐师间歌《狸首》之诗，并击鼓以为节（鲁、薛两国举行投壶礼之鼓谱尚见载于《礼记·投壶篇》）。旧以《狸首》为逸诗，据《大戴礼记》王注，其诗实见载于《大戴礼记·投壶》。

鲁国季氏家臣南蒯将叛季氏，其乡人作歌以谏。季氏家臣南蒯将叛季氏，其乡人或知之，南蒯将适费，饮乡人酒。乡人或歌之曰："我有圃，生之杞乎！从我者子乎，去我者鄙乎，倍其邻者耻乎！已乎已乎！非吾党之士乎！"（《左传·昭公十二年》）

［按，此歌前二句以圃之生杞起兴，谓圃不生菜蔬而生杞柳，喻所得违其所欲］乡人知南蒯之将叛，微辞以讽。《诗纪·前集一》作"乡人饮酒歌"，逯钦立《先秦汉魏晋南北朝诗》作"南蒯歌"。歌以杞、子、鄙、已、耻、士为韵，古音同在咍部。

南蒯枚筮之，子服惠伯解《易》以论善美。见《左传·昭公十二年》。［按，枚筮，杜预《注》云："不指其事，泛卜吉凶。"］卜筮必先述所问之事，如《仪礼·特牲馈食礼》有命筮之辞；若卜，则有命龟之辞。若不言所卜所筮之事，则曰枚卜或枚筮。俞樾《群经平议》云："枚当读为微，微，匿也。匿其事而使之筮，故为微筮。哀十七年《传》'王与叶公枚卜子良以为令尹'，义亦同此。"此年南蒯将叛，不便明确卜筮吉凶，故枚卜。子服惠伯习《易》，明知其目的，借释"黄裳元吉"，指出"《易》不可以占险"，喻微谏之意。

冬，楚右尹子革对楚灵王。见《左传·昭公十二年》。

孔子弟子南宫适（敬叔）约生于此年。据《史记·仲尼弟子列传》、《左传》，南宫适字子容，鲁国孟僖子之次子。匡亚明《孔子年谱》考其生于此年。

公元前529年（周景王十六年　鲁昭公十三年　晋昭公三年　郑定公元年　楚灵王十二年）

五月，楚灵王卒，叔向以"五难"、"五利"之说论楚国之政。见《左传·昭公十三年》。

叔向赞齐桓公、晋文公。其赞语似一篇史论。《左传·昭公十三年》载：叔向赞齐桓公、晋文公，其语云："齐桓，卫姬之子也，有宠于僖。有鲍叔牙、宾须无、隰朋以为辅佐，有莒、卫以为外主，有国、高以为内主。从善如流，下善齐肃，不藏贿，不从欲，施舍不倦，求善不厌，是以有国，不亦宜乎？我先君文公，狐季姬之子也，有宠于献。好学而不贰，生十七年，有士五人。有先大夫子余、子犯以为腹心，有魏犨、贾佗以为股肱，有齐、宋、秦、楚以为外主，有栾、郤、狐、先以为内主。亡十九年，守志弥笃。惠、怀弃民，民从而与之。献无异亲，民无异望，天方相晋，将何以代文？……"

八月七日，子产谏晋昭公减贡赋。《左传·昭公十三年》载：此年八月七日，晋会

诸侯同盟于平丘，及盟，子产论周制诸侯进贡物品之轻重次序，并谏晋昭公减郑国之赋。其辞曰："昔天子班贡，轻重以列，列尊贡重，周之制也，卑而贡重者，甸服也。郑伯，男也，而使从公侯之贡，惧弗给也，敢以为请。诸侯靖兵，好以为事。行理（使者）之命无月不至。贡之无艺（极），小国有阙，所以得罪也。诸侯修盟，存小国也，贡献无极，亡可待也。存亡之制，将在今矣。"

［按，子产善以言辞折服诸侯，此年又引述周制轻郑之赋］《左传》谓其"自日中以争，至于昏，晋人许之"。故孔子赞子产曰："于是行也，足以为国基矣。《诗》曰：'乐只君子，邦家之基。'（《小雅·南山有台》）子产，君子之求乐者也。""合诸侯，艺贡事，礼也。"

公元前 528 年（周景王十七年　鲁昭公十四年　晋昭公四年）

十二月，叔向引《夏书》，论三奸同罪，对韩起问狱。孔子闻之，赞其"治国制刑，不隐于亲"。事见《左传·昭公十四年》、《国语·晋语九》、《列女传·羊叔姬传》。［按，叔向所引《夏书》，已逸］叔向熟知前代刑典，引以断狱，韩起从其言。孔子因此亦赞之曰："叔向，古之遗直也。治国制刑，不隐于亲，三数叔鱼之恶，不为末减，曰义也夫，可谓直矣。平丘之会，数其贿也。以宽卫国，晋不为暴。归鲁季孙，称其诈也，以宽鲁国，晋不为虐。邢侯之狱，言其贪也，以正刑书，晋不为颇。三言而除三恶，加三利，杀亲益荣，犹义也夫？"

公元前 527 年（周景王十八年　鲁昭公十五年　晋昭公五年）

十二月，叔向论周景王失礼。《左传·昭公十五年》载：此年十二月，晋荀跞如周，籍谈为介。周景王享之，樽以鲁壶。王曰："伯氏，诸侯皆有以镇抚王室，晋独无有，何也？"籍谈归晋以王言告叔向。叔向曰："王其不终乎！吾闻之，所乐必卒焉。今王乐忧，若卒以忧，不可谓终。王一岁而有三年之丧二焉，于是乎以丧宾宴，又求彝器，乐忧甚矣，且非礼也。彝器之来，嘉功之由，非由丧也。三年之丧，虽贵遂服，礼也。王虽弗遂，宴乐以早，亦非礼也。礼，王之大经也。一动而失二礼，无大经矣。言以考典，典以志经，忘经而多言举典，将焉用之？"

叔向论忧德不忧贫。见《国语·晋语八》。［按，叔向之言，列举晋国近期的历史教训，通过栾郤两家正反经验的对比以为借鉴，立意剀切，利害分明。旨在谏韩起忧德勿忧贫。故韩起闻其言而拜稽首，且曰："起也将亡，赖子存之，非起也敢专承之，其自桓叔以下嘉吾子之赐。"］清人倪承茂《古文约编》评此文说："从来'贺'字不与'忧'字为类。叔向故出一奇，以耸宣子之听，及至说来，俱极平实道理。可悟小题文字化平为奇之法。"后柳宗元作《贺王进士失火书》，即仿叔向谏语之意。足见其影响之大。

公元前 526 年（周景王十九年　鲁昭公十六年　晋昭公六年　郑定公四年）

四月，郑六卿在郑郊为韩起饯行，宾、主赋诗言志。见《左传·昭公十六年》。劳孝舆《春秋诗话》卷一云："按六诗自《羔裘》美大夫外，余如《同车》、《扶苏》、

《搴兮》。《序》以为刺忽者，固为不根。若朱《传》以为皆淫诗，而莫淫于《褰裳》。诚如其言，诸卿不且自扬国丑乎？大抵诗人取兴，多托之男女绸缪之辞以言其情。王平仲云《蔓草》一诗，子太叔赋于垂陇，子皮以饯韩宣，孔子与程木子倾盖而赋。古人于君臣朋友间，每托言配偶，至流连想慕之际，多言美人。其非淫奔之诗也明矣。此佳人芳草，骚之所以托始也欤！"

九月，鲁旱，举行大雩之祭。事见《左传·昭公十六年》。

郑大旱，使屠击、祝款、竖柎祭于桑山。《左传·昭公十六年》："郑大旱，使屠击、祝款、竖柎有事于桑山。斩其木，不雨。子产曰：'有事于山，蓺山林也，而斩其木，其罪大矣。'夺之官邑。"子产不信祝官之言，体现出他思想中的唯物主义倾向。

公元前525年（周景王二十年　鲁昭公十七年）

春，小邾穆公朝鲁，鲁昭公享之，宾主赋诗言志。《左传·昭公十七年》载：是年春，小邾穆公朝鲁，鲁昭公与之燕。季孙意如（平子）赋《小雅·采菽》，邾穆公赋《小雅·菁菁者莪》。叔孙婼（昭子）嘉其能答赋，赞曰："不有以国，其能久乎？"以邾国之君而熟悉《诗》，又知礼，言其贤，故能有国也。

六月甲戌朔，日食，鲁史官引《夏书》与叔孙婼、季孙意如讨论祭社禳灾之礼。《左传·昭公十七年》载：夏六月甲戌朔，日食。祝史请问所用祭品。叔孙婼曰："日有食之，天子不举，伐鼓于社，诸侯用币于社，伐鼓于朝，礼也。"季孙意如曰："止也。唯正月朔，慝未作，日有食之，于是乎有伐鼓用币，礼也，其余则否。"鲁大史曰："在此月也。日过分而未至，三辰有灾。于是乎百官降物，君不举，辟移时，乐奏鼓，祝用币，史用辞。故《夏书》曰：'辰不集于房，瞽奏鼓，啬夫驰，庶人走。'此月朔之谓也。当夏四月，是谓孟夏。"

秋，郯子朝鲁，答叔孙婼之问，论少皞氏以鸟名官之故。孔子闻之，见郯子而问学。答问之辞见《左传·昭公十七年》载。郯子之辞带有传说性质，显为口耳相传的本族历史故事。

冬，鲁史申须、梓慎占星，预言宋、卫、陈、郑将有火灾。《左传·昭公十七年》载此年冬，彗星现于大火星侧，其光向西及河汉，鲁史官申须、梓慎预言宋、卫、陈、郑将有火灾。

［按，申须、梓慎，盖为鲁国史官］司马迁云："文史星历，近乎卜祝之间"（《报任安书》）。二人盖以史官而掌星占之事。此年梓慎占星之理论依据为分野之说。《周礼·春官·宗伯》载保章氏"掌天星以志星辰日月之变动，以观天下之迁，辨其吉凶。以星土辨九州之地，所封封域，皆有分星，以观妖祥。以十有二岁之相观天下之妖祥"。此段记载已涉及分野理论之要点，即将天球分为若干区域，使之与地上之某区域相对应；如某一天区出现某种天象，所主吉凶即为针对地上对应郡国而示兆者。

公元前524年（周景王二十一年　鲁昭公十八年　郑定公六年）

春，单穆公引《夏书》、《诗·大雅·旱麓》，谏周景王勿铸大钱。单穆公之辞见《国语·周语下》，铸大钱之事在周景王二十一年，当鲁昭公十八年，故系单穆公谏语

于此。

去年（郑定公五年）冬，郑裨灶言于子产曰：“宋、卫、陈、郑将同日火。若我用瓘、斝玉瓒，郑必不火。”子产不与（见《左传·昭公十七年》）。此年五月，郑有火灾，子产严密布置救灾，同时使祝史禳于玄冥、回禄，祈于四鄘。子产论“天道远，人道迩”。见《左传·昭公十八年》。

公元前523年（周景王二十二年　鲁昭公十九年）

秋，鲁闵子马论学。其关于学习重要性的论点为荀况《劝学》所继承。秋，鲁使往曹参加曹平公葬礼，见到周王室之原伯鲁，与之语，原伯鲁流露出不喜欢学习典章文化的意思，鲁使归而言于闵子马，闵子马曰：“夫必多有是说，而后及其大人。大人患失而惑。又曰：‘可以无学，无学不害。’不害而不学，则苟而可，于是乎下陵上替，能无乱乎？夫学，殖也。不学将落。原氏其亡乎？”

孔子学琴于师襄子。事见《阙里志》（《皇清经解续编》本）、《孔子家语·辩乐解》。

公元前522年（周景王二十三年　鲁昭公二十年　齐景公二十六年　郑定公八年）

十二月，晏婴以忠信之道谏齐景公勿诛祝固、史嚚。晏婴谏语见《左传·昭公二十年》。《晏子春秋·外篇上》载此事略同，文繁不录。

十二月，晏婴论“和”与“同”。“和”、“同”是重要的美学范畴。晏婴言论见《左传·昭公二十年》。和与同为中国哲学的重要范畴，晏子论和，以五味五色五音为喻，可谓善于论理。《晏子春秋·外篇上》载此事略同，文繁不录。

子产卒，孔子引《大雅·民劳》、《商颂·长发》，赞子产为政。《左传·昭公二十年》载：子产有疾，谓子大叔曰：“我死，子必为政。唯有德者能以宽服民，其次莫如猛。夫火烈，民望而畏之，故鲜死焉；水懦弱，民狎而玩之，则多死焉。故宽难。”疾数月而卒。仲尼闻而赞子产曰：“善哉，政宽则民慢，慢则纠之以猛。猛则民残，残则施之以宽。宽以济猛，猛以济宽，政是以和。《诗》曰：‘民亦劳止，汔可小康。惠此中国，以绥四方。’施之以宽也。‘毋从诡随，以谨无良。式遏寇虐，惨不畏明。’纠之以猛也。‘柔远能迩，以定我王。’平之以和也。又曰：‘不竞不絿，不刚不柔。布政优优，百禄是遒。’和之至也。”

孔子弟子冉求约生于此年。冉求，字子有，鲁人。《史记·仲尼弟子列传》、《孔子家语》均云其少孔子二十九岁。明人包大爣《冉求年谱》考其生于周景王二十三年，即此年。臧庸《冉子年表》、冯云鹓《冉子年表》等均从其说。《论语·公冶长》载孔子称其千室之邑，百乘之家，可使为宰，故与子路同以政事见长。冉有言志，自谓“求也为之，比及三年，可使足民。”盖长于理财。尝为季氏聚敛，孔子曰：“求，非吾徒也，小子鸣鼓而攻之可也。”其个性恰与子路相反。故孔子曰：“求也退，故进之；由也兼人，故退之。”（《先进》）《孔子世家》载季康子先召冉有返鲁，卒以其言迎孔子归老。孔子之得返鲁终者，冉有之功也。

孔子弟子冉雍约生于此年。冉雍，字仲弓。《集解》引郑玄云：“鲁人。”《索隐》引《家语》曰：“伯牛之宗族，少孔子二十九岁。” 包大爟《仲弓年谱》考其生于周景王二十三年，即此年。程复心《孔子论语年谱》、臧庸《仲弓年表》、蒋伯潜《诸子年表》等均同包说。《论语·先进》列于德行。《雍也篇》孔子称其“可使南面”，尝为季氏宰。

公元前521年（周景王二十四年　鲁昭公二十一年）

春，单穆公谏周景王勿铸无射之钟。谏语见《国语·周语下》。单穆公之谏语，集中论述音乐“和”美观念在音域方面的表现。周景王铸无射律编钟，为满足听觉审美需要，要在无射宫下方小三度之林钟律位，再铸一大钟（无射之羽），以扩大编钟音域。单穆公由听觉心理角度，指出大钟音域太低，撞击后声波产生各种泛音使人听之不协和。“耳之察和”，人耳对乐音的听辨有其限度，“大不出钧，重不过石”，必须要考虑音域，如超出此度，则“钟声不可以知和”。另外，单穆公还从周景王耗费民资以铸大钟，从声和—心和—人和—政和的关系，告诫景王若如此下去，不仅不能有乐，并且“国其危哉”。单穆公提出音乐审美方面的听觉音域之和的问题，这是值得重视的音乐审美思想。

伶州鸠谏周景王勿铸无射之钟。表现出崇尚“和”的音乐美学思想。伶州鸠谏语见《国语·周语下》。[按，伶，即乐官，州鸠是其名] 此年论乐之辞又见于《左传·昭公二十一年》，惟所述稍简。伶州鸠认为以“和平之声”或“中音”所谱成的音乐能够顺理八方之风（“遂八风”），使阴阳之气处于正常的状态，因而风调雨顺，万物繁殖，人民和统治者的生活都得以安定和富足起来（“气无滞阴，亦无散阳，阴阳序次，风雨时至，嘉生繁祉，人民龢利，物备而乐成，上下不罢”）。或者按《左传》所载，按正常自然之风所作成的音乐，是合于自然事物的规律或其正常状态的，能够使万物长得好（“省风以作乐……则和于物，物和则嘉成。”）。故而伶州鸠劝谏统治者应崇尚“中和之声”、“和平之声”，景王欲铸无射之钟，与此中和音乐美学思想相悖，故而有“离民怒神”之害。

伶州鸠论乐律。其言论涉及乐的起源、功能。伶州鸠言论见《国语·周语下》。[按，伶州鸠言论集中体现了春秋时期关于音乐起源与功能的思想，在音乐思想史、美学史上有重要地位] 伶州鸠认为社会事物不超出天、地、人，亦即“正德”、“利用”、“厚生”三个范围，而音乐即用于天神、地祇、人鬼，故可分为三类。此即所谓“纪之以三”。天有“六气”，其中阴阳是对立统一的基本之气。由于阴阳之气的对立统一的变动流转，产生出阴、阳、晦、明、风、雨六种天象和一年十二个月。音律即是效法阴阳之气，所以也有阴阳之分：阴为六吕（六间），阳为六律。上述三类音乐就是用律吕之音作成的。这就是所谓“平之以六，成于十二”。也即所谓天之道也。正因为音乐效法天地阴阳之气的运行规律，所以能“遂八风”，“宣养六气九德”，具有“阴阳序次，风雨时至，嘉生繁祉”之功能。景王作钟而罢民费财，故伶州鸠以为不“和”。他对钟乐之“和”的认识，已从听觉审美层次进入到社会学、伦理学层次。

伶州鸠论七律。伶州鸠言论见《国语·周语下》。

孔子弟子巫马施、高柴、宓不齐约生于此年。巫马施，字子旗（《孔子家语》作子旗），鲁人，或作陈人。少孔子三十岁。明人包大燿《圣门年谱》考其生于此年，近人陈电飞《孔门师弟年表》、蒋伯潜《诸子通考》从其说。

高柴，字子羔（或作皋），卫人（《孔子家语》谓齐人）。《史记·仲尼弟子列传》谓其少孔子三十岁（《孔子家语》谓少孔子四十岁）。明人包大燿《圣门年谱》考其生于此年，卒年不详，编年至周敬王四十三年（前477年）。

宓不齐，字子贱，鲁人。《史记》卷六十七谓少孔子四十九岁，《史记索引》引古本《孔子家语》谓少孔子三十岁，今从后一说。臧庸《七十子年表》考子贱生于此年。

孔子弟子颜回约生于此年。颜回，字子渊，一作颜渊，鲁人，父子俱师事孔子。《史记·仲尼弟子列传》云其少孔子三十岁，孔门德行科高材生。明人刘濬《颜子年谱》考定其生于周景王二十四年，卒于周敬王三十年，即鲁哀公五年，年三十二。臧庸《颜子年表》、近人蒋伯潜《诸子通考》均同其说。颜回好学乐道，闻一知十，身居陋巷而不改其志，深得孔子喜爱。其事见《史记》、《论语》等。

公元前520年（周景王二十五年　鲁昭公二十二年　郑定公十年）

夏，子大叔论王室之不宁以对范献子。《左传·昭公二十四年》：夏，郑伯如晋，子大叔相，见范献子，范献子问王室若何，子大叔曰："老夫其国家不能恤，敢及王室，抑人亦有言曰：'嫠不恤其纬，而忧宗周之陨，为将及焉。'今王室实蠢蠢焉，吾小国惧矣，然大国之忧也，吾侪何知焉？吾子其早图之。《诗》曰：'瓶之罄矣，惟罍之耻。'王室之不宁，晋之耻也。"

孔子弟子端木赐约生于此年。子贡长于言语，善为辞令。端木赐，字子贡，卫国人。《史记·仲尼弟子列传》、《孔子家语》均云其少孔子三十一岁，包大燿《端木子年表》据此考其生于周景王二十五年，即此年。臧庸《子贡年表》、冯云鹓《端木子年表》，近人陈电飞《子贡年表》、蒋伯潜《诸子大事年表》、匡亚明《孔子年谱》等均同此说。《论语·先进》："言语，宰我、子贡。"盖以言语见长者。《仲尼弟子列传》言齐将伐鲁，子贡往说吴，纵越伐齐，又往晋，说击吴。"故子贡一出，存鲁、乱齐、破吴、强晋而霸越。"记其行事类纵横家，殆以其长于言语，故有此傅会。《先进》又云："赐（子贡）不受命，而货殖焉，亿则屡中。"子贡之富，在同门中似首屈一指，而原宪之贫，则与箪瓢陋巷之颜回同，故《孔子家语》及《韩诗外传》均记述子贡访原宪之故事。子贡推崇孔子之言论，见于《论语》、《孟子》者不少。故崔述曰："孔子之遂显于当世，子贡之力居多。"

公元前519年（周敬王元年　鲁昭公二十三年　楚平王十年）

沈尹戌引《大雅·文王》，论囊瓦为政之失。沈尹戌之言论见《左传·昭公二十三年》。[按，《左传》此段文字主要在记此篇议论，当有所本，应为沈尹戌之书启之类]沈尹戌，本为吴王阖庐之臣，后逃至楚为左司马，又称左司马戌。沈尹戌对楚国忠心耿耿，恪尽职守。在国君昏庸、令尹无能，楚国内外交困时，沈尹戌在外交及内政方面表现出卓越的认识。其论楚政之辞，指摘时弊，切中要害，又引经据典，气势凛然，可谓文质兼得。

囊瓦，即子常，楚令尹。子常祖父为庄王之子，曾佐其兄共王征战四方而有大功，有才识德能。子常则贪而信谗，杀郤宛，执唐侯、蔡侯，为楚国招来大祸。他刚愎自用，妒贤忌能，不能用沈尹戌之谋而致吴师入郢。

公元前518年（周敬王二年　鲁昭公二十四年）

春，仲孙貜引《正考父鼎铭》及臧孙纥之言，赞孔丘。《左传·昭公七年》载：仲孙貜（孟僖子）将死，召其大夫，曰："礼，人之干也，无礼，无以立。吾闻将有达者曰孔丘，圣人之后也，而灭于宋。其祖弗父何以有宋而授厉公，及正考父佐戴、武、宣，三命兹益共（恭）。故其鼎铭云：'一命而偻，再命而伛，三命而俯，循墙而走，亦莫余敢侮。饘于是，鬻于是，以糊余口。'其共（恭）也如是。臧孙纥有言曰：'圣人有明德者，若不当世，其后必有达人。'今其将在孔丘乎？我若获没，必属说与何忌于夫子，使事之，而学礼焉，以定其位。"

[按，仲孙貜聘楚，不能答郊劳之礼，归而修礼] 此为临终嘱子之言。《春秋·昭公二十四年》云："二月丙戌，仲孙貜卒。"故系于此年。

孔子引《小雅·鹿鸣》赞仲孙貜能补过。《左传·昭公七年》、《春秋·昭公二十四年》载：仲孙貜（孟僖子）将死，使孟懿子与南宫敬叔师事仲尼，仲尼赞之曰："能补过者，君子也，《诗》曰：'君子是则是效。'孟僖子可则效已矣。"

孔子适周，问礼于老聃。《史记·孔子世家》载："孔子适周，将问礼于老子。老子曰：'子所言者，其人与骨皆已朽矣，独其言在耳。且君子得其时则驾，不得其时则蓬累而行。吾闻之，良贾深藏若虚，君子盛德，容貌若愚。去子之骄气与多欲，态色与淫志，是皆无益于子之身。吾所以告之，若是而已。'"《史记》所记老子之言与《老子》思想一致，学者们因此认为司马迁所记孔子问礼于老子之事大体可信。在先秦典籍中道家学派的《庄子》、儒家学派的《礼记》与杂家的《吕氏春秋》，皆记载孔子问礼于老子的事实。其中《庄子》有八次，这些记载经一些学者考察并非凭空杜撰。《吕氏春秋》也有两处说"孔子学于老聃"，也是毫无问题的。此外，儒家的《礼记·曾子问》、《孔子家语》等也有相同的记载。可见"孔子问礼于老子"是不容怀疑的历史事实。

孔子问礼于老子的具体时间，典籍记载有歧异，历来有三种说法：1. 孔子十七岁时问礼于老子。边韶《老子铭》、《水经注·渭水注》述其事，现代学者中高亨《老子正诂》持此说；2. 孔子三十四岁时问礼于老子。清人阎若璩据《曾子问》中关于孔子从老子助葬时"日有食之"的记载，及《春秋·昭公二十四年》有日食，从而推算适周问礼在孔子三十四岁时，清人程复心《孔子论语年谱》亦持此说；3. 孔子五十一岁时问礼于老子。《庄子·天运》："孔子行年五十有一而不闻道，乃南之沛见老聃。"除此之外，还有近人黄方刚主张孔子五十七岁问礼说、清人孔广森所主张的孔子四十五岁问礼说等。今人陈鼓应综合诸说研究指出，孔子问礼于老子可能不止一次。古代交通不便，信息不通，因此各家所记只是其熟悉地区之传闻，故而造成典籍所载不同。换言之，《庄子》记宋地关于孔、老关系之事实，《礼记》则记鲁地发生之事，《史记》

的《老子传》、《仲尼弟子列传》、《孔子世家》则记孔子适周（洛阳）问礼之事。诸家记载各异，然大体当为事实。陈氏这一说法很好地解决了诸说之间相互矛盾的地方，比较合理，故从其说将《史记》所载适周问礼之事系于此年。

公元前517年（周敬王三年　鲁昭公二十五年　宋元公十五年　郑定公十三年）

春，宋元公享叔孙婼，赋《新宫》，叔孙赋《小雅·车辖》。《左传·昭公二十五年》载：此年春，叔孙婼聘宋求婚，宋元公享之，赋《新宫》。叔孙婼（昭子）赋《车辖》。

［按，《新宫》，杜预《注》以为逸诗］江永《群经补义》以为即《小雅·斯干》。《车辖》，今见《小雅》，“周人思贤女以配君子。昭子将为季孙迎宋公女，故赋之”。

宋乐祁论哀乐之道。《左传·昭公二十五年》载：宋元公与叔孙婼宴，饮酒，乐。宋公使叔孙婼右坐，语相泣也。乐祁佐，退而告人曰：“今兹君与叔孙，其皆死乎？吾闻之，哀乐而乐哀，皆丧心也，心之精爽，是谓魂魄，魂魄去之，何以能久？”

［按，乐祁，又称乐祁犁、司城子梁、子梁等］与乐大心同为司城子罕之后。乐祁于鲁昭公二十年以宋华、向之乱而为司城，鲁定公八年卒。乐祁明于《诗》礼，善于言辞。此年论哀乐之道，提出与肉体对应的魂魄之说，体现春秋时人对人体自身之认识，表现出当时人的灵魂观念。

乐祁引《大雅·瞻卬》论鲁国之政。宋元公忧鲁将逐季氏，将勿与其女，告乐祁。乐祁曰：“与子。如是，鲁君必出，政在季氏三世矣，鲁君丧政四公矣，无民而能逞其志者，未之有也。国君是以镇抚其民。《诗》曰：‘人之云亡，心之忧矣。’（《大雅·瞻卬》）鲁君失民矣，焉得逞其志？靖以待命犹可，动必忧。”

夏，郑游吉（子大叔）引子产之言，论礼、仪之别。问对之辞见《左传·昭公二十五年》载。

师己引童谣预言三桓将逐鲁昭公。《左传·昭公二十五年》载：有鸜鹆来巢，鲁大夫师己占曰：“异哉，吾闻文、成之世，童谣有之，曰：‘鸜之鹆之，公出辱之。鸜鹆之羽，公在外野，往馈之马。鸜鹆跦跦，公在乾侯，征褰与襦。鸜鹆之巢，远哉遥遥。稠父丧劳，宋父以骄。鸜鹆鸜鹆，往歌来哭。’童谣有是，今鸜鹆来巢，其将及乎？”

［按，此事又见《史记·鲁世家》］师己，杜预《注》云：“鲁大夫。”“稠父，昭公。死外，故丧劳。宋父，定公。代立，故以骄。”《史通·杂说》云：“夫论成败者，固当以人事为主。必推命而言，则其理悖矣。盖周之季也，由幽王之惑褒姒；鲁之逐也，由稠父之违子家。然则‘檿弧箕服’，章于宣厉之年；‘征褰与襦’，显自文成之世。恶名早著，天孽难逃！”此年师己引童谣，处处暗指三桓逐鲁昭公之事，此种形式古代称为谶谣，这是一种韵文形式的政治预言，把谶的神秘性、预言性与谣的通俗性流行性相结合，以歌谣的通俗形式预言人事的祸福与政治的成败。

此谣以鹆、辱为韵，古音同在屋部；羽、野、马为韵，古音同在模部；跦、侯、襦为韵，古音同在侯部；巢、遥、劳、骄为韵，古音同在豪部；鹆、哭为韵，古音同在屋部。

九月，孔子由鲁适齐，为高昭子家臣，欲以通乎齐景公。《史记·孔子世家》："孔子年三十五，而季平子与郈昭伯以斗鸡得罪鲁昭公，昭公率师击平子，平子与孟氏、叔孙氏三家共攻昭公，昭公师败，奔于齐，齐处昭公乾侯。其后顷之，鲁乱。孔子适齐，为高昭子家臣，欲以通乎景公。"

钱穆《先秦诸子系年·孔子适齐考》云："《左传·昭公二十五年》，公伐季氏，不克，奔齐，鲁乱。《世家》系孔子适齐于是年乱后，是也。时孔子年三十五。"

公元前516年（周敬王四年　鲁昭公二十六年　齐景公三十二年　曹悼公八年）

冬，王子朝奉周之典籍奔楚，又引"先王之命"作书以告诸侯。王子朝书见《左传·昭公二十六年》。按，王子朝引先王之命，告诸侯以"王后无嫡则择立长"之礼，以为自己当嗣位。鲁大夫闵马父闻子朝之辞，评之曰："文辞以行礼也，子朝干景之命，远晋之大，以专其志，无礼甚矣。文辞何为?"阐明文辞必须合乎礼，反映礼的内容，否则无论其形式如何华美，亦为无益。

晏婴引《大雅·假乐》、《荡》，谏齐景公重修德，勿禳灾。《左传·昭公二十六年》载：有彗星见于齐，景公使巫祝禳之以除灾。晏子进谏曰："无益也，只取诬焉。天道不谄（疑），不贰（忒）其命，若之何禳之？且天之有彗也，以除秽也。君无秽德，又何禳焉？若德之秽，禳之何损？《诗》曰：'惟此文王，小心翼翼。昭事上帝，聿怀多福。厥德不回，以受方国。'君无违德，方国将至，何患于彗?《诗》曰：'我无所监（鉴），夏后及商。用乱之故，民卒流亡。'若德回乱，民将流亡，祝史之为，无能补也。"按，晏子谏语又见《新序·杂事四》及《论衡·变虚篇》。

孔子在齐学《韶》乐，答齐景公问政。见《史记·孔子世家》。《论语·颜渊》亦载："齐景公问政于孔子。孔子对曰：'君君，臣臣，父父，子子。'"《论语·述而》："子在齐闻《韶》，三月不知肉味，曰：'不图为乐之至于斯也。'"

曹人作《下泉》之诗，赞美晋卿荀跞纳周敬王于成周。《曹风·下泉》，《序》以为是衰周乱世曹人思明王贤伯之作。其说大体合于诗旨。诗产生的具体时代，何楷、马瑞辰、王先谦以为当在周敬王之世，是曹人在周者为美晋荀跞纳周敬王于成周而作。马瑞辰《毛诗传笺通释》云："按何楷《诗世本古义》据《易林·蛊之归妹》云：下泉苞稂，十年无王。荀伯遇时，忧念周京。此诗当为曹人美荀跞纳敬王于成周而作。其说以自《春秋》昭二十二年王子朝作乱，至昭三十二年城成周，为十年无王。《左传》：天王使告于晋曰，天降祸于周，俾我兄弟并有乱心，以为伯父忧。我一二亲昵甥舅不遑启处，于今十年。勤戍五年，余一人无日忘之。与《易林》十年无王合。又以昭二十三年天王居于狄泉，即此诗下泉。郇伯即荀跞也。荀即郇国之后，去邑称荀也。称荀伯者，《左传·昭公三十一年》：晋侯使荀跞唁公，季孙从知伯如乾侯。知伯即荀跞也。诸荀在晋，别为知与中行二氏，故又称知伯。荀跞犹知伯也。美荀跞而诗列《曹风》者，昭二十五年，晋人为黄父之会，盟王室，具戍人。二十七年会扈令成周。三十二年城成周。曹人盖皆与焉，故歌其事也。"此说有理有据，后之说诗者亦多从之。姑且系于此。

孔子于此年自齐返鲁。《史记·孔子世家》载齐景公欲用孔子，晏婴止之。孔子遂行，于此处返鲁。江永《乡党图考》云："昭二十七年，吴季札聘上国，反于齐，子死嬴博间，而夫子往观葬，盖自鲁往观，嬴博间近鲁境也。然在齐不过一年耳。"林春溥以为孔子归鲁在下一年春，其《孔门师弟年表后说》云："嬴博在泰安县境，距齐都远，于曲阜为近。夫子观葬，盖自齐归鲁，途中偶遇，未必特为此行。则归鲁当在是年春可知。"崔述《洙泗考信录》则以为孔子归鲁在定公既立之后，为误读《孔子世家》文而致，不可信。要之孔子去齐归鲁当在今冬明春之间，姑从江永说系于此年末。

公元前515年（周敬王五年　鲁昭公二十七年　楚昭王元年　吴王僚十二年）

春，季札聘于晋。《左传·昭公二十七年》云："遂聘于晋，以观诸侯。"

四月，阖庐说专诸刺吴王僚。此事为秦汉后叙事作品之重要素材。见《左传·昭公二十七年》。《史记·吴世家》、《刺客列传》，《吴越春秋·王僚使公子光传》等亦载此事。"鱄设诸"，诸书作"专诸"。之后此事成为叙事作品中重要的题材，专诸则为刺客、义士之典型。

季札聘齐，其子死，葬于嬴、博之间，孔子往观其葬礼。《礼记·檀弓下》云："延陵季子适齐，于其反也，其长子死，葬于嬴博之间。孔子曰：'延陵季子，吴之习于礼者也。'往而观其葬焉。其坎深不至于泉，其敛以时服。既葬而封，广轮掩坎，其高可隐也。既封，左袒，右还其封且号者三，曰：'骨肉归复于土，命也。若魂气则无不之也，无不之也。'而遂行。孔子曰：'延陵季子之于礼也，其合矣乎！'"程复心《孔子论语年谱》云："（孔子）三十七岁，归鲁，见延陵季子葬子，以为合礼。"匡亚明《孔子年谱》亦系于此年。

九月，楚沈尹戌谏令尹子常杀费无极以止谤言。谏语见《左传·昭公二十七年》。

孔子弟子樊须、原宪约生于此年。据《史记·仲尼弟子列传》及《论语》所载，樊须，字子迟，齐人（《孔子家语》作鲁人）；原宪，字子思，鲁人（《孔子家语》谓宋人）。包大爟《原宪年谱》考其二人生于周敬王五年，即此年，卒年不详，编至周敬王四十一年（前479年）止。程复心《孔子论语年谱》、臧庸《原宪年表》考其生年同包说。

公元前514年（周敬王六年　鲁昭公二十八年　晋顷公十二年）

六月，司马叔游引《郑书》、《大雅·板》，谏栾盈勿自陷邪僻。《左传·昭公二十八年》载：晋祁盈家臣祁胜与邬臧易妻而淫，祁盈将执之，访于司马子游。子游谏祁盈曰："《郑书》有之，'恶直丑正，实蕃有徒'。无道立矣，子惧不免。《诗》曰：'民之多辟，无自立辟。'姑已，若何?"祁盈不听，遂执之。祁胜赂荀跞，荀跞为之言于晋侯。夏六月，晋侯杀祁盈及其党杨食我。遂灭祁氏、羊舌氏。

［按，司马叔游，司马叔侯之子］由此年谏语观之，叔游熟知故典、明于治乱。杜预《注》："《郑书》，古书名也。言害正直者，实多徒众。""世乱谗胜。"

秋，魏舒为政，遍举贤才，孔子闻而赞之。《左传·昭公二十八年》载：秋，晋韩宣子卒，魏献子为政。分祁氏之田以为七县，分羊舌氏之田以为三县。举司马弥牟、贾辛、司马乌、魏戊、知徐吾、韩固、孟丙、乐霄、赵朝、僚安为大夫。孔子闻魏子之举，以为义，赞之曰："近不失亲，远不失举，可谓义矣。"又闻其命贾辛也，以为忠："《诗》曰：'永言配命，自求多福'（《大雅 · 文王》），忠也。魏子之举也义，其命也忠，其长有后于晋国乎。"

[按，此年孔子三十八岁，《左传》所载赞语，当为孔子闻晋国之事有感而发，非事后所言]

晋大夫成鱄引《大雅 · 皇矣》论"九德"。成鱄言论见《左传 · 昭公二十八年》。孔颖达《正义》评成鱄之语曰："成鱄引此诗者，唯欲取克类、克比之事，同于文王，故云'近文德矣'。文王以有此德，故得施于子孙。魏子既近文德，亦将所及远也。"

公元前513年（周敬王七年　鲁昭公二十九年　晋顷公十三年）

秋，龙见于晋都绛郊，太史蔡墨口述古史、据引《周易》，与魏舒论龙及豢龙氏、御龙氏及社稷五祀。见《左传 · 昭公二十九年》。[按，蔡史墨，又作蔡墨] 杜预《春秋左传注》云："蔡墨，晋太史。"《左传 · 昭公三十一年》称"史墨"。《哀公二十年》有史黯，据杜《注》及《国语 · 晋语九》、《郑语》韦昭《注》，即史默。《吕氏春秋 · 如类篇》又作史默。《说苑 · 尊贤篇》、《宋书 · 乐志》并见其人。杨伯峻《春秋左传注》云："盖其人姓蔡，官太史，墨其名，黯其字，默则同音假借。"

冬，晋铸刑鼎，孔子、蔡史墨闻而论之。孔子史墨之语见《左传 · 昭公二十九年》。

公元前512年（周敬王八年　鲁昭公三十年　楚昭王四年　郑献公二年）

八月，子大叔（游吉）聘晋吊丧，口述葬礼之制，对魏舒之问。见《左传 · 昭公三十年》。[按，《左传 · 襄公三十一年》云："子大叔美秀而文。"故子产常使应对宾客] 此年对魏舒，口述葬礼之制，言辞文质彬彬，在情在理，使晋人不能诘。颇能显示其"文"。顾栋高《春秋人物表》将其归入"文学"一类，颇为合理。

子西谏楚昭王。谏语见《左传 · 昭公三十年》。[按，子西，即宜申，平王庶长子，楚昭王庶长兄]《史记 · 楚世家》以为平王之庶弟。《左传 · 昭公二十六年》言楚平王卒，令尹子常以子西长而善，欲立之，子西辞之曰："是乱国而恶君王也。国有外援，不可渎也，王有嫡嗣，不可乱也。败亲速仇，乱嗣不祥，我受其名。赂吾以天下，吾滋不从也。楚国何为？必杀令尹。"可见其为人有礼有德，且明于治乱。

孔子自称"四十而不惑"。《论语 · 为政》载孔子云："吾十五有志于学，三十而立，四十不惑……"所谓不惑，即不疑惑。程树德《论语集释》引皇《疏》云："业成后已十年，故无所惑也。"又引孙绰曰："四十强而仕，业通十年，经明行修，德茂成于身，训洽邦家，以之莅政，可以无疑惑也。"盖指而立之年时确立的世界观、人生观到此时已坚定不移。

孔子弟子澹台灭明约生于此年。澹台灭明，字子羽，鲁国武城人。生于周敬王八年、鲁昭公三十年。相貌甚恶，欲事孔子，孔子以为材薄。既已受业，退而修行，行

不由径，非公事不见卿大夫。南游至江，从弟子300人，设取予去就，名施乎诸侯。参明包大爔《子羽年谱》，收入《四书类典赋》本《圣门年谱》，上海图书馆藏；林春溥《澹台灭明年表》，清咸丰五年闽中林氏刊本《竹柏山房十五种》本《孔门师弟年表》，现藏华东师大图书馆。

公元前511年（周敬王九年　鲁昭公三十一年　晋定公元年）

冬，邾国之黑肱以滥来奔，鲁《春秋》贱其人而重其地，书作“邾黑肱以滥来奔”，时君子有所评论。论春秋笔法。见《左传·昭公三十一年》。

十二月辛亥，晋太史蔡墨为赵鞅占梦，预言吴将败楚。《左传·昭公三十一年》：“十二月辛亥朔，日有食之。是夜也，赵简子（赵鞅）梦童子裸而转以歌。旦占诸史墨，曰：‘吾梦如是，今而日食，何也?’对曰：‘六年及此月也，吴其入郢乎。终亦弗克。入郢，必以庚辰。日月在辰尾，庚午之日，日始有谪（灾）。火胜金，故弗克。’”

沈钦韩《补注》云：“转者，舞之节以应歌也。《淮南子·齐俗训》‘古者歌乐而无转’，又《修务训》‘动容转曲’。”赵鞅梦见童子裸体式歌且舞，恰巧与日食会，谓咎在己，故问之。史墨知梦非日食之应，故释日食之咎，而不释其梦（杜预《注》）。

孔子弟子陈亢约生于此年。《论语·季氏》皇侃《义疏》云：陈亢，字子元，一字子禽，春秋时陈国人。少孔子四十岁。《论语·季氏》、《礼记·檀弓下》、《家语·弟子解》、《说文解字》均载其事。明包大爔《子亢年谱》考其生于周敬王九年（前511年），卒年不详，编至周敬王四十一年（前479年）；林春溥《陈亢年表》据《孔子家语》考其生于鲁昭公三十年（前512年）。今从前一说，系于此年。

公元前510年（周敬王十年　鲁昭公三十二年　晋定公二年）

夏，吴伐越，太史墨占星，预言越必灭吴。《左传·昭公三十二年》载：夏，吴伐越，始用师于越。史墨曰：“不及四十年，越其有吴乎。越得岁而吴伐之，必受其凶。”［按，岁，木星］《周礼·春官·保章氏》郑玄注分星（分野）云：“今其存可言者，十二次之分也。星纪，吴、越也……”顾炎武《日知录》云：“吴越虽同星纪，而所入星度不同，故岁独在越。”钱绮亦云：“星纪之次，起斗十二度初，终女七度末。斗宿凡二十六度，余去十一度，尚余十五度；牛八度并女七度，亦十五度。是岁前半年岁星在斗宿，后半年在牛、女二宿。《传》文云‘夏，吴伐越’，则其时岁星尚在斗宿。斗为越分野，故史墨言越得岁。《越绝书》、《淮南子》与史墨之言合。”

八月，周敬王致晋定公书，请修成周之城。见《左传·昭公三十二年》。［按，此年秋周敬王使富辛与石张如晋，“天子曰”云云，盖代传天子之命，或即后世之传圣旨也］故以为王“书”。《国语·周语下》载此事以欲城周者为刘文公与苌弘，与《左传》所载不同，今从《左传》。

史墨引《小雅·十月之交》、《周易》论鲁之政，对赵鞅之问。史墨之言见《左传·昭公三十二年》。［按，此年史墨云：“社稷无常奉，君臣无常位。”倡言天命可易，有德者有天下。其思想带有革命性、进步性］

孔子弟子公西赤约生于此年。林春溥《子华年表》考公西赤生于孔子四十二岁时，即鲁昭公三十二年（前 510 年）。赤，字子华，鲁国人。孔子曾称赞他有才能，能为其他弟子之师。《仲尼弟子列传》："公西赤字子华，少孔子四十二岁。"蔡仁厚《子华年表》则以为生于周敬王元年，即公元前 519 年。

公元前 509 年（周敬王十一年　鲁定公元年　晋定公三年　宋景公八年）

春，孔子弟子孟懿子会诸侯大夫城成周。《左传·定公元年》："元年春，王正月辛巳，晋魏舒合诸侯之大夫于狄泉，将以城周。……孟懿子会城成周。"

狄泉之会，晋女叔宽论周苌弘、齐高张引逸诗。《左传·定公元年》载：诸侯狄泉之会，周苌弘、齐高张后，不从诸侯，晋女叔宽曰："周苌弘、齐高张皆将不免。苌弘违天，高张违人。'天之所坏，不可支也。众之所为，不可奸。'"按，《国语·周语》云："周诗有之：天之所支，不可坏也。其所坏，不可支也。"则本周诗，传闻异辞。

薛宰口述古史、引据盟书，论宋国无道，役使小国。《左传·定公元年》载：诸侯会而城成周。庚寅，夯土。宋大夫仲几使滕、薛、郳三国代宋受役。薛宰曰："宋为无道，绝我小国于周，以我适楚，故我常从宋。晋文公为践土之盟，曰：'凡我同盟，各复旧职。'若从践土，若从宋，亦唯命。"仲几曰："践土固然。"薛宰曰："薛之皇祖奚仲，居薛以为夏车正。奚仲迁于邳，仲虺居薛，以为汤左相。若复旧职，将承王官，何故以役诸侯。"仲几曰："三代各异物，薛焉得有旧？为宋役，亦其职也。"

公元前 508 年（周敬王十二年　鲁定公二年　楚昭王八年）

楚大夫观射父与楚昭王论祭祀与为政之道。见《国语·楚语下》，此条亦未系年，然在"斗且论子常蓄积必亡"之前。《国语》中也大体以时间先后为序，据《楚语下》，斗且之论在吴楚柏举之战前一年，则观射父之论又在此前。姑系于此。

孔丘弟子卜商约生于此年。《史记·仲尼弟子列传》云："卜商，字子夏。少孔子四十四岁。"裴氏《集解》引《家语》以为子夏为卫人。又引郑玄说以为魏人。详见钱穆《先秦诸子系年》。孔子卒后，他在西河讲学，颇有影响。

[按，卜商长于文学，尤善说《诗》，已见上文所引] 故汉儒多言卜商作《诗序》。《诗·常棣》正义引《经典释文·毛诗音义·关雎序》云："沈重云：'按郑《诗谱》意，《大序》是子夏作，《小序》是子夏、毛公合作。'卜商意有不尽，毛更足成之。"陆玑《毛诗草木鸟兽虫鱼疏》卷下亦云："孔子删《诗》，授卜商，商为之序。"此说虽不可确信为真，然《诗序》实非一人一时之作，作《序》者必不会舍子夏说《诗》之论而不采。故今传《诗序》中必有子夏之论，子夏于《诗序》之成立，亦与有功焉。

公元前 507 年（周敬王十三年　鲁定公三年　楚昭王九年）

邾庄公卒，邾隐公即位，将冠，使人问冠礼于孔子。据《左传》，邾庄公卒于鲁定公三年。匡亚明《孔子年谱》考邾隐公使人问冠礼在此年。

楚大夫斗且论令尹子常必亡。斗且言论见《国语·楚语下》。《左传·定公三年》载子常为政贪婪，为勒索唐君名马、蔡君玉佩而扣押二君。后二君返国，联吴伐楚。斗且之论盖由此而发。又《楚语下》于斗且之语后云"期年，乃有柏举之战，子常奔郑，昭王奔随”。柏举之战在下一年，则斗且论子常在此年。

公元前506年（周敬王十四年　鲁定公四年　晋定公六年　楚昭王十年　郑献公八年　卫灵公二十九年）

三月，晋荀寅谏范献子勿伐楚。《左传·定公四年》载：此年三月，晋会诸侯于召陵，欲从蔡国之请盟诸侯而伐楚。荀寅求货于蔡侯，弗得，于是谏范宣子曰：“国家方危，诸侯方贰，将以袭敌，不亦难乎！水潦方降，疾疟方起，中山不服，弃盟取怨，无损于楚，而失中山，不如辞蔡侯。吾自方城以来，楚未可以得志，只取勤焉。”

卫国大祝子鱼辞卫灵公。《左传·定公四年》载：卫灵公将与召陵之盟，卫大夫子行敬子言于灵公曰：“会同难，啧有烦言，莫之治也，其使祝佗从。”公从之，乃使子鱼。子鱼辞曰：“臣展四体，以率旧职，犹惧不给而烦刑书，若又共二，徼大罪也。且夫祝，社稷之常隶也，社稷不动，祝不出竟，官之制也。君以军行，祓社衅鼓，祝奉以从，于是乎出竟。若嘉好之事，君行师从，卿行旅从，臣无事焉。”固请乃行。

大祝子鱼口述古史、据引命辞及载书，论会同尚德之理。子鱼之辞见《左传·定公四年》。按，祝鮀，杜预《注》云：“即大祝子鱼。”《论语·雍也》：“不有祝鮀之佞”，“鮀”、“佗”音近，当是一人。由《左传》此年之记载看，祝佗熟知历史，谙习礼仪，亦长于辞令。此年谏语引述古史、“命书”、“载书”以说苌弘，遂使其长卫侯于盟会。以其言辞为功者也。其所述为现存之周初历史之重要史料。

子大叔卒，赵鞅述其言而吊之。《左传·定公四年》载：召陵之会后，郑子大叔未归郑而卒。晋赵简子吊之，甚哀。述其言曰：“黄父之会，夫子语我九言，曰：‘无始乱，无怙富，无恃宠，无违同，无敖礼，无骄能，无复怒，无谋非德，无犯非义。’”

冬，吴师入郢，申包胥乞师秦庭，秦哀公赋《秦风·无衣》。《左传·定公四年》：吴师入郢，楚昭王奔随，申包胥如秦乞师，谏秦哀公曰：“吴为封豕、长蛇，以荐食上国。虐始于楚，寡君失守社稷，越在草莽。使下臣告急，曰：‘夷德无厌，若邻于君，疆埸之患也。逮吴之未定，君其取分焉。若楚之遂亡，君之土也，若以君灵抚之，世以事君。’”秦哀公使辞焉，曰：“寡人闻命矣，子姑就馆，将图而告。”申包胥对曰：“寡君越在草莽，未获所伏，下臣何敢即安?”立，依于庭墙而哭，日夜不绝声，勺饮不入口七日。秦哀公为之赋《无衣》，九顿首而坐，秦师乃出。

［按，申包胥，服虔《注》云：“楚大夫王孙包胥。”］《战国策》作“棼冒勃苏”，《文选注》引《战国策》又作“樊冒勃苏”。今考棼冒勃苏即申包胥，音之转。“棼”与“申”、“胥”与“苏”，皆同音。“包”字急读即为“冒勃”。“棼”又作“樊”者，亦以音同而转也。洪亮吉《春秋左传诂》引庄述祖云：“申包胥，楚之公族。棼冒即楚之先蚡冒，其后为蚡冒氏，犹若敖之后为若敖氏也。”《公羊传》、《穀梁传》、《吕氏春秋》、《史记·伍子胥列传》、《淮南子·修务训》、《吴越春秋》及《越绝书》等亦载申包胥乞师救楚之事，与《左传》有所不同。申包胥乞师秦庭秦汉后成为历史题材叙事作品之重要素材。

斗辛引《大雅·烝民》，论勇、仁、孝、知。《左传·定公四年》载：吴师入郢，楚昭王奔随，过郧，郧公斗辛之弟斗怀将弑王，曰：“平王杀吾父，我杀其子，不亦可乎?”斗辛曰：“君讨臣，谁敢仇之？君命，天也。若死天命，将谁仇?《诗》曰：‘柔亦不茹，刚亦不吐。不侮矜寡，不畏强御。’唯仁者能之。违强凌弱，非勇也。乘人之约，非仁也。灭宗废祀，非孝也。动无令名，非知也。必犯是，余将杀女。”

［按，斗辛，楚郧县（今湖北安陆）令，子文之后，蔓成然之子，昭公十四年楚平王杀成然］故斗怀欲杀楚昭王以复仇。由此年引《诗》及论及勇、仁、孝、知来看，其为知书达礼，深明大义之人。勇、仁、孝、知为后世儒家思想之重要范畴。《论语》云“知耻而后勇”，“知者乐山，仁者乐水”；至于“仁”、“孝”更是言之甚多。

孔子弟子言偃约生于此年。言偃，字子游，一作子由，又称叔氏。《仲尼弟子列传》以为吴人，《索隐》引《孔子家语》以为鲁人。钱穆《先秦诸子系年》引崔述云：“吴之去鲁，远矣。若涉数千里而北学于中国，此不可多得之事。传记所记子游言行多矣，何以皆无一言及之？且孔子没后，有子、曾子、子夏、子张与子游相问答之言甚多。悼公之吊有若也，子游摈。武叔之母死也，子游在鲁。而鲁之县子公叔戌亦皆与子游游。子游之非吴人审矣。其子言思，亦仍居鲁，则固世为鲁人矣。”

言偃生年，《史记》谓少孔子四十五岁，《孔子家语》以为少三十五岁。清人臧庸以为《史记》之说可信，考定其生于鲁定公四年（公元前506年），蒋伯潜《诸子大事年表》、匡亚明《孔子年谱》同其说。子游尝仕鲁，为武城宰，《论语·阳货》：“子之武城，闻弦歌之声。夫子莞尔而笑，曰：‘割鸡焉用牛刀?’子游对曰：‘昔者偃也闻诸夫子曰：君子学道则爱人，小人学道则易使也。’子曰：‘二三子！偃之言是也，前言戏之耳。’”牛刀割鸡之戏，盖惜其大材小用耳。子游与子夏均以文学见称，而又长于礼。《论语·八佾》：“子游问孝。子曰：‘今之孝者，是谓能养。至于犬马，皆能有养。不敬，何以别乎?’”《子张》：“子游曰：‘丧至乎哀而止。’”《礼记·礼运》载子游与孔子论礼之事，畅言礼之起源、演变及“大同”、“小康”之说。《礼运》，殆子游之门人所记也。

公元前505年（周敬王十五年　鲁定公五年）

季氏家臣阳虎夺权，盟季孙斯于稷门之内，且大诅。见《左传·定公五年》。［按，稷门，杜预《注》：“鲁南城门。”］诅，祭神以加祸于某某。大诅者，与诅者多也。《尚书·吕刑》：“民兴胥渐，泯泯棼棼。罔中于信，以覆诅盟。”《周礼·春官·诅祝》：“（诅祝）掌盟诅类造攻说禬之祝号。”郑玄《注》云：“大事曰盟，小事曰诅。”古籍中所载诅、盟常连用。如《左传·襄公十一年》：“季武子将作三军……穆子曰：‘然则盟诸?’乃盟诸僖闳，诅诸五父之衢。”此年阳虎之诅亦与盟并用。战国秦刻石有《诅楚文》，亦即诅之产物。

季孙斯与孔子论坟羊。《国语·鲁语下》载：“季桓子穿井，获如土缶，其中有羊焉。使问之仲尼曰：‘吾穿井而获狗，何也?’对曰：‘以丘之所闻，羊也。丘闻之：木石之怪曰夔、魍魉，水之怪曰龙、罔象，土之怪曰羵羊。’”

［按，《鲁语》此条未系年，《史记》系于此年，姑从其说］坟羊，《淮南子·汜论训》称：“山出枭阳，水生罔象，木生毕方，井生坟羊。人怪之，闻见鲜而识物浅也。”桓子穿井得坟羊实际是一次偶然的文物发现。郑岩指出：“商周时期常见有铜、玉、

石、陶、木等各种质料的动物造型，大多数为写实，制作精细，其中羊形文物也有发现。史前时期的各种动物造型的小件器物也时有出土，如新近湖北荆州天门出土的动物陶塑，随手捏成，形象生动，活泼可爱，但这类作品有的不求细节的刻画，失之粗率，以至难以分辨动物的种类。季桓子穿井所得，似狗似羊，书中虽未谈及质料，也无从推考其年代，但估计便是这类粗率拙朴的陶质或石质的小件动物雕塑”（郑岩《孔子辨坟羊解》，《中国文物报》1991年5月22日）。故孔子所说有附会之嫌。

孔子五十岁，与弟子论《易》。《论语·述而》：“子曰：‘加我数年，五十以学《易》，可以无大过矣。’”此章所述学《易》之事历来争议较大。或以《鲁论语》“易”作“亦”而云孔子未曾言学《易》之事，此实不足据。《史记·孔子世家》云：“孔子晚而喜《易》，序《彖》、《系》、《象》、《说卦》、《文言》。读《易》，韦编三绝，曰：‘假我数年，若是，我于《易》则彬彬矣。’”邢昺《论语正义》云：“此章孔子言其学《易》年也。加我数年，方至五十，谓四十七时也。”林春溥《开卷偶得》卷六曰：“《正义》以为四十七时语，尝疑其无据，及读《史记》，孔子四十七岁以阳虎叛不仕，退修《诗》、《书》、《礼》、《乐》，弟子弥众，乃知斯语之非妄。”马王堆帛书《周易》的传文部分有一篇题为《要》，记载孔子同子贡的问答，也说到“夫子老而好《易》”，“后世之士疑丘者，或以《易》乎。”李学勤据此研究认为：“孔子晚年对《周易》十分爱好，而且自己撰成了《易传》（至少其中一部分）。”

孔子弟子曾参、颜辛约生于此年。朱彝尊《孔子弟子考》：“南武城曾子参，字子舆。少孔子四十六岁。初仕于莒，其后齐迎以相。楚迎以令尹，晋迎以上卿。唐开元中追赠郕伯，宋大中祥符二年进郕侯，政和元年改赠武城侯……《汉书·艺文志》：‘《曾子》十八篇。’王应麟曰：‘舆与弟子公明仪、乐正子春、单居离、曾元、曾华之徒，论述立身孝行之要，天地万物之理。’”又云：“鲁颜子幸（《通典》作柳，咸淳《临安志》作韦，或作辛。）字子柳，少孔子四十六岁。”匡亚明《孔子年谱》从之，亦系于此年。

公元前504年（周敬王十六年　鲁定公六年　晋定公八年　楚昭王十二年）

二月，鲁伐郑过卫，阳虎以陪臣执国命，强命孟懿子不借道于卫。卫侯使追鲁师，公叔文子谏卫侯。见《左传·定公六年》。公叔文子，即公叔发。《礼记·檀弓下》谓之贞惠文子。

夏，季孙斯如晋献郑俘，晋人享之。《左传·定公六年》：“夏，季桓子如晋，献郑俘也。阳虎强使孟懿子往报夫人之币。晋人兼享之。孟孙立于房外，谓范献子曰：‘阳虎若不能居鲁，而息肩于晋，所不以为中军司马者，有如先君。’献子曰：‘寡君有官，将使其人。鞅何知焉？’献子谓简子曰：‘鲁人患阳虎矣。孟孙知其衅，以为必适晋，故强为之请，以取入焉。’”

楚大夫观射父引《尚书·吕刑》，为楚昭王论“绝地天通”。见《国语·楚语下》，此条未系年，然据《左传·定公六年》：“四月己丑，吴大子终累败楚舟师，获潘子臣、小惟子及大夫七人。楚国大惕，惧亡。子期又以陵师败于繁扬。令尹子西喜曰：‘乃今可为矣。’于是乎迁郢于鄀，而改纪其政，以定楚国。”以情势推之，此必在归国后，又遭新败之时，昭王此时大惕，惧亡，故有发愤图强之志，始有此问也。

秋，鲁阳虎盟定公及三桓于周社，盟国人于亳社，诅于五父之衢。见《左传·定公六年》。此年盟辞无载。

公元前503年（周敬王十七年　鲁定公七年）

孔子弟子颛孙师约生于此年。据《史记·仲尼弟子列传》，颛孙师，字子张，陈国人。明人包大燿《子张年谱》考颛孙师生于周敬王十七年（前503年），卒年不详。编至周敬王四十四年（前476年）。清人冯云鹓《颛孙师年表》[冯云鹓《颛孙师年表》，收入清道光十二年（1832年）崇川冯氏刊本《圣门十六子·颛孙子书》。现藏华东师大图书馆]考其生年亦在周敬王四十四年，卒年在周贞定王二十四年（前445年）。蔡仁厚《颛孙师年表》、匡亚明《孔子年谱》说同。

公元前502年（周敬王十八年　鲁定公八年）

冬，阳虎叛，孔子论鲁政之衰。《论语·季氏》："孔子曰：'天下有道，则礼乐征伐自天子出；天下无道，则礼乐征伐自诸侯出。自诸侯出，盖十世希不失矣；自大夫出，五世希不失矣；陪臣执国命，三世希不失矣。天下有道，则政不在大夫；天下有道，则庶人不议政。'"

同篇又载孔子曰："禄之去公室五世矣，政逮于大夫四世矣，故夫三桓之子孙微矣。"

公山不狃召孔子，孔子欲往仕，因子路反对而未成行。《史记·孔子世家》："定公八年，公山不狃不得意于季氏，因阳虎为乱，欲废三桓之嫡，更立其庶孽阳虎素所善者。遂执季桓子。桓子诈之，得脱。"《论语·阳货》："公山弗扰以费畔，召。子欲往，子路不说，曰：'末之也已！何必公山氏之之也！'子曰：'夫召我者，而岂徒哉？如有用我者，吾其为东周乎！'"

钱穆征引诸家之说，以为此时弗扰未叛，且揭示当时孔子之心理云："弗扰即不狃，谓其以费畔，乃指其存心叛季氏。而孔子在当时讲学授徒，以主张反权臣闻于时，故不狃召之，亦犹阳虎之欲引孔子出仕，以张大反季氏之势力。孔子闻召欲往者，此特一时久郁之心遇有可为，不能无动。因其时不狃反迹未著，而其不阿季氏之态度则已暴露，与人俱知。故孔子闻召，偶动其欲往之心。子路不悦者，其意若谓孔子大圣，何为下侪一家宰。但孔子心中殊不在此等上计较。故曰：'如有用我者，吾其为东周乎。'孔子自有一番理想与抱负，固不计用我者之为谁也。然而终于不往。其欲往，见孔子之仁。其终于不往，见孔子之知。"

公元前501年（周敬王十九年　鲁定公九年　郑献公十三年）

春，郑驷歂杀邓析，而用其《竹刑》。君子引《诗·邶风·静女》、《鄘风·竿旄》、《召南·甘棠》，以咎驷歂。见《左传·定公九年》。邓析，郑国人，刑名家。与子产同时。《吕氏春秋·离谓篇》："郑国多相悬以书者，子产令无悬书，邓析致之。子产令无致书，邓析倚之。令无穷，则邓析应之亦无穷。"又曰："子产治郑，邓析务难之。与民之有狱者约，大狱一衣，小狱襦绔，民之献衣襦绔而学讼者不可胜数。以非为是，以是为非，是非无度，而可与不可日变。所欲胜，因胜。所欲罪，因罪。郑国大乱，民口讙哗。子产患之，于是杀郑析而戮之。民心乃服，是非乃定，法律乃行。”《列子·力命篇》亦云：“邓析子操两可之说，设无穷之辞。当子产执政，作《竹刑》，郑国用之，数难子产之治。子产执而戮之，俄而诛之。”然据此年《左传》，杀邓析者为驷歂，非子产。且子产卒于鲁昭公二十年，下距此年已二十一年。故杜预《春秋左传注》云：“邓析，郑大夫，欲改郑年铸旧制，不受君命，而私造刑法，书之于竹简，故云《竹刑》。”孔颖达《春秋左传正义》云：“昭六年，子产铸刑书于鼎。今邓析别造《竹刑》，明是改郑所铸旧制。若用君命遣造，则是国家法制，邓析不得独专其名。驷歂用其刑书，则其法可取，杀之不为作此书也。”钱穆《邓析考》云：“按，《左传》子产铸刑书，叔向谏曰：‘民知争端矣。锥刀之末，将尽争之。乱狱滋丰，贿赂并行。终子之世，郑其败乎！’今邓析之所为，即是叔向之所料。是驷歂之诛邓析，正为其教讼乱制。然必子产《刑书》疏阔，故邓析得变易是非，操两可，设无穷，以取胜。亦必其《竹刑》较子产《刑书》为密，故驷歂虽诛其人，又不得不舍旧制而用其书也。时晋亦有刑鼎，仲尼曰：‘鼎在民矣，何以尊贵！’盖自刑之有律，而后贱民之赏罚，得不全视夫贵族之喜怒，而有所征以争。邓析之《刑书》，殆即其所以教民为争之具，而当时之贵者，乃不得不转窃其所以为争者以为治也。此亦当时世变之一大关键也。其后不百年，魏文侯用李克，著《法经》，下传吴起商鞅，然后贵族庶民一统于法。而昔者‘礼不下庶人，刑不上大夫’之制，始不可复。然鞅起皆以身殉。今邓析，其为人贤否不可知，其《竹刑》之详亦不可考。要之与鞅起异行同趣，亦当时贵族平民势力消长中之一才士也。《汉书·艺文志》名家有《邓析子》二篇，刘向《叙》：‘臣所得储中《邓析书》四篇，臣叙书一篇，凡中外书五篇，以相校除重复，为五篇，其论无厚者言之异同，与公孙龙同类。’今按《韩非子》云：‘坚白无厚之词章，而宪令之法息。’《淮南子》亦云：‘邓析巧辩而乱法。’则《邓析书》乃战国晚世桓团辨者之徒所伪托。邓析实仅有《竹刑》，未尝别自著书也。……则今传《邓析子》，复非战国晚世之真也。”

阳虎奔齐，孔子于是年始仕，任鲁中都宰，卓有政绩。《史记·孔子世家》：“八年……其后定公以孔子为中都宰，一年，四方皆则之，由中都宰为司空，由司空为大司寇。”崔述《洙泗考信录》据《世家》、《家语》、《论语》、《春秋》等材料，以为阳虎以八年战败，孔子以十年相定公会于夹谷，为司寇当在虎败之后，夹谷之前。江永《乡党图考》、钱穆《孔子仕鲁考》亦主此说。因定宰中都在定公九年。

孔子弟子冉鲁、曹卹、伯虔、颜高、叔仲会约生于此年。朱彝尊《孔子弟子考》谓鲁，字子鲁，鲁国人；卹，字子循，蔡国人；虔，字子析，鲁国人；高，字子骄，鲁国人；会，字子期，鲁国人。均少孔子五十岁。匡亚明《孔子年谱》系于此年。

孔子与弟子子张、子贡、子游等论周礼。《礼记·仲尼燕居》：“仲尼燕居，子张、子贡、言游侍，纵言至于礼。子曰：‘居！女三人者，吾语女礼，使女以礼周流无不遍也。’子贡越席而对曰：‘敢问何如？’子曰：‘敬而不中礼，谓之野；恭而不中礼，谓之给；勇而不中礼，谓之逆。’子曰：‘给夺慈仁。’子曰：‘师，尔过；而商也不及。

子产犹众人之母也，能食之不能教也。’……”《礼记正义》曰：“此之一篇是仲尼燕居，子张、子贡、言游三子侍侧，孔子为说礼事。”吕思勉《经子解题》亦云：“《仲尼燕居》篇记孔子为子张、子贡、子游说礼乐。”“燕居”，据郑玄《目录》，即退朝而处，则当时孔子在朝为官，方仕时也，即任中都宰时。

《礼记·仲尼燕居》约成篇于此年或稍后。《仲尼燕居》属今本《礼记》第二十篇，主要记录孔子与其弟子子贡、子张、子游论周礼，内容涉及礼的本质、内容、作用以及行礼的意义，违背礼的害处等。《仲尼燕居》文字与《孔子家语》之《论礼》、《问玉》大同小异，据考证，其成篇约在此年或稍后。

公元前500年（周敬王二十年　鲁定公十年　齐景公四十八年）

孔子任鲁小司空，又升大司寇，摄相事。据《史记·孔子世家》、崔述《洙泗考信录》及江永《乡党图考》等。

夏，鲁定公与齐景公会于夹谷，孔子相鲁侯。见《左传·定公十年》。[按，此事亦见《穀梁传》、《孔子家语》及《史记·孔子世家》等书，江永《乡党图考》云：“事以《左传》为信，《穀梁》、《史记》、《家语》皆有斩侏儒事，后儒伪造也。”]梁玉绳《史记志疑》云：“夹谷之会，《左》、《谷》述此事各异，《史》合采二传又不同。《家语》但窃二传以成文。”崔述《洙泗考信录》认为《左传》之说为最可靠。

晏婴约卒于此年。《史记·齐世家》以为晏子卒于齐景公四十八年。《孔子世家》定公十年晏子与夹谷之会，钱穆《晏子卒年考》以为不可信。冯友兰《中国哲学史》、张习孔等所编《中国历史大事年表》、朗丰生《晏子年表》等均以为晏子卒于此年。

公元前499年（周敬王二十一年　鲁定公十一年）

孔子为鲁大司寇，鲁国大治，国人诵之。据《吕氏春秋·乐成》、《孔丛子·陈士义》。

公元前498年（周敬王二十二年　鲁定公十二年）

孔子弟子公孙龙约生于此年。公孙龙，字子石，卫人，一作楚国人。孔门弟子。明人包大爣《公孙龙年谱》考其生于周敬王二十二年，卒年不详。臧庸《子石年表》从其说。

公元前497年（周敬王二十三年　鲁定公十三年　齐景公五十一年　卫灵公三十八年　陈湣公五年）

春，季桓子受齐女乐，与鲁定公殆于政事。孔丘去鲁适卫。据《史记·十二诸侯年表》、《鲁世家》、《史记·孔子世家》。

卫人端木赐从孔子游，孔子与之论《易》，诵之，言《损》《益》之道，以戒门弟子。《马王堆帛书易传·要篇》云：“子贡曰：‘赐闻诸夫子曰逊正而行义，则人不惑矣。夫子今不安其用而乐其辞，则是用倚于人也，而可乎？’子曰：‘谬哉，赐！吾告汝，易之道……’子贡曰：‘夫子亦信其筮乎？’子曰：‘易，我复其祝卜矣，我观其德义耳也。幽赞而达乎数，明数而达乎德，又仁者而义行之耳。赞而不达于数，则其为之巫；数而不达于德，则其为史。史巫之筮，向之而未也，好之而非也。后世之士疑丘者，或以《易》乎？吾求其德而已，吾与史巫同途而殊归者也。君子德行焉求福，故祭祀而寡也；仁义焉求吉，故卜筮而希也。祝巫卜筮其后乎？'孔子籀《易》，至《损》、《益》二卦，未尝不废书而叹，戒门弟子曰：'二三子！夫损易之道，不可不审察也，吉凶之□也。益之为卦也，春以授夏之时也，万物之所出也，长日之所至也，产之室也，故曰益。损者，秋以授冬之时也，万物之所老衰也，长夕之所至也，故曰产。……损益之道，足以观天地之变，而君者之事已。是以察以损益之道者，不可以动以忧……损益之道，足可以观得失矣……'"

卫灵公礼遇孔子，既而信谗而疑之。程复心据《论语》、《孔子世家》等所作《孔子论语年谱》云："孔子五十五岁，失鲁司寇，将之荆，先之以子夏，又申之以冉有，不果行。于是子适卫……卫灵公闻孔子至，喜而郊迎。孔子至卫，主于子路妻兄颜浊邹家。灵公问孔子居鲁得禄几何，对曰，奉粟六万。卫人亦致粟六万。弥子之妻，与子路之妻，兄弟也。弥子谓子路曰：'孔子主我，卫卿可得也。'……居顷之，或谮孔子于卫灵公，灵公使公孙余假一出一入。孔子恐获罪焉。"

十月，仲尼去卫适陈，困于匡，复返卫。据匡亚明《孔子年谱》。

公元前496年（周敬王二十四年　鲁定公十四年　吴王阖庐十九年　越王勾践元年）

夫差伐越，勾践起师迎战，文种谏越王约辞以行成于吴。见《国语·吴语》载。[按，《左传·定公十四年》载：夫差即位后急于为父报仇，故有此年兴师而伐越之举，因越求成而罢兵。由越国君臣之对话来看，此年越并非不能与吴抗衡而求成，而是欲广侈吴王之心，使之骄奢淫逸，是另有所谋。故此年之出兵于越，并非夫差即位之后"三年，乃报越"之战]

越大夫诸稽郢陈婉约之辞，求成于吴。其辞见《国语·吴语》。诸稽郢所陈之辞，屡屡代称勾践之名于吴王，大约当时诸稽郢代呈越王勾践所做之书信，编《吴语》者据以成此篇文字。

公元前495年（周敬王二十五年　鲁定公十五年）

春，郲隐公朝鲁，子贡往观礼，且言鲁定公将卒。《左传·定公十五年》："十五年春，郲隐公来朝。子贡观焉。郲子执玉高，其容仰，公受玉卑，其容俯。子贡曰：'以礼观之，二君者，皆有死亡焉。夫礼，死生存亡之体也。将左右周旋，进退俯仰，于是乎取之。朝礼丧戎，于是乎观之。今正月相朝，而皆不度，心已亡矣。嘉事不体，何以能久？高仰，骄也，卑俯，替也。骄近乱，替近疾。君为主，其先亡乎？'"

五月，鲁定公卒，哀公立。仲尼曰："赐不幸言而中，是使赐多言者也。"据《左传》、《春秋·定公十五年》、《史记·鲁世家》及《年表》。

公元前 494 年（周敬王二十六年　鲁哀公元年　楚昭王二十二年　吴王夫差二年）

春，吴败越，勾践求和，伍员征引俗谚、口述古史以谏夫差。谏语见《左传·哀公元年》。［按，文种，越大夫，文为其氏，种为其名］字禽，楚之南郢人，楚平王时曾为楚之宛令。其事又见于《吴越春秋》、《吕氏春秋·当染篇》、《史记·吴世家》等。比较而言《国语》所据史料可能更原始。

秋，楚子西预言吴王夫差必败。见《左传·哀公元年》。按，《国语·楚语》为此言者乃蓝尹亹，与《左传》不同。

公元前 493 年（周敬王二十七年　鲁哀公二年　晋定公十九年　卫灵公四十二年）

孔子在卫，卫灵公不用，欲西适晋，因故如曹适宋，过郑，取道之陈。《孔子世家》："孔子不用于卫，将西见赵简子，闻窦鸣犊舜华之死，而返。"又云"孔子行，佛肸为中牟宰，赵简子攻范中行，伐中牟。佛肸叛，使人召孔子，孔子欲往"。崔述《洙泗考信录》辨其误云："赵鞅弱王室，侮诸侯，而叛其君。春秋大夫罪未有大于鞅者。孔子何取，而欲见之？晋大夫见于传者多矣，即赵氏家臣董安于、尹铎、邮无恤之伦，皆得以才见于传。窦鸣犊、舜华果贤大夫，传记何为悉遗之？且鞅，卫之仇雠，孔子无故去卫而往见其雠，不遂而复返乎卫，亦何异于朝秦暮楚者？则其事已为无据，必矣。"。钱穆进一步揭示《史记》所误之原因，是因为中牟及匡、蒲春秋时在河南，地与晋相邻，孔子实至蒲而返卫，并未至晋，但因其地接近晋国，故而后世有孔子将至晋，临河不济之说。

八月，晋赵鞅誓师，作誓辞。誓辞见《左传·哀公二年》。

赵鞅欲纳卫大子蒯聩，临战，蒯聩为祷辞，祷于祖。《左传·哀公二年》载：甲戌，赵简子欲助卫大子蒯聩入卫即君位，临战，蒯聩惧，祷曰："曾孙蒯聩敢昭告皇祖文王，烈祖康叔，文祖襄公：郑胜乱从，晋午在难，不能治乱，使鞅讨之。蒯聩不敢自佚，备持矛焉。敢告无绝筋，无折骨，无面伤，以集大事，无作三祖羞。大命不敢请，佩玉不敢爱。"

公元前 492 年（周敬王二十八年　鲁哀公三年）

五月，鲁祖庙失火，孔子弟子南宫敬叔谋救之。孔子在陈，闻火，曰："其桓、僖乎！"见《左传·哀公三年》。

孔子论楛矢之来历以答陈闵公。《国语·鲁语下》载：仲尼在陈，有隼极于陈侯之庭而死，楛矢贯之，石砮其长尺有咫。陈惠公使人以隼如仲尼之馆问之。仲尼曰："隼之来也远矣！此肃慎氏之矢也。昔武王克商，信道于九夷、百蛮，使各以其方贿来贡，使无忘职业。于是肃慎氏贡楛矢、石砮，其长尺有咫。先王欲昭其令德之致远也，以示后人，使永监焉，故铭其栝曰'肃慎氏之贡矢'，以分大姬，配虞胡公而封诸陈。古者，分同姓以珍玉，展亲也；分异姓以远方之职贡，使无忘服也。故分陈以肃慎氏之贡。君若使有司求诸故府，其可得也。"使求，得之金椟，如之。

秋，季孙斯临终，嘱其子季孙肥相鲁以后必召孔子从鲁政，季孙肥不听，而召冉求。见《史记·孔子世家》。

鲁正卿季孙肥（康子）求教于大夫公父文伯之母敬姜，敬姜答以“君子能劳，后世有继”，子夏闻而赞之。《国语·鲁语下》载：季康子问于大夫公父文伯之母曰：“主亦有以语肥也。”敬姜对曰：“吾能老而已，何以语子。”康子曰：“虽然，肥愿有闻于主。”敬姜对曰：“吾闻之先姑（丈夫之母）曰：‘君子能劳，后世有继。’”子夏闻之，曰：“善哉！商闻之曰：‘古之嫁者，不及舅姑，谓之不幸。’夫妇，学于舅姑者也。”主，大夫及其妻皆可称主，此处指公父文伯之母敬姜。按，据《左传》，季孙肥主鲁政在鲁哀公三年，其求教敬姜之事当在此年前后。

公元前491年（周敬王二十九年　鲁哀公四年　越王勾践六年）

越大夫范蠡对勾践之问。对问之辞见《国语·越语下》。[按，范蠡，王利器、王贞珉《汉书人表疏证》（齐鲁书社1988年版，第209页）云：“梁玉绳曰：‘范蠡始见《越语》。字少伯（《列仙传》，《吕氏春秋·当染》注），南阳人（《史记·越世家》、《集解》引司马迁《素王妙论》，故《吕·当染》注云楚三户人，《水经·淯水注》云宛人，《越绝》六云生于宛橐。惟《列仙传》以为徐人。恐非）。亦曰子范子（《越语》），亦曰范伯（《越绝》七），亦曰范生（《抱朴子·审举》、《任命》、《安贫》），又辞越浮海止齐，变姓名曰鸱夷子皮（《世家》、《墨子·非儒》），又止陶称陶朱公，死于陶（《世家》。而《集解》引晋张华谓冢在南郡华容县西，非也，乃蠡之后，晋西戎令范君墓，《水经·夏水注》辨其误）。宋徽宗宣和五年封为遂武侯（《宋史·乐志》）。”]

敬姜论劳逸。孔子闻之曰：“弟子志之，季氏之妇不淫矣。”《国语·鲁语下》载：鲁大夫公父文伯退朝回家，去看望母亲敬姜，母亲正在织麻布。文伯以为母亲织布，人家会说自己不能孝顺母亲，因而加以劝阻。其母敬姜教训文伯说了论劳逸的一席话，主张劳则思善，逸则思恶，并援引古代政治制度加以考察，步步说来，最后指出若不修德敬业则会丧家亡国。不仅立意高远，切中肯綮，而且在情在理，人人至深，十分精彩。故孔子闻而赞之为不图安逸之人，并要求自己的学生记住敬姜的训子之语。

公元前490年（周敬王三十年　鲁哀公五年　齐景公五十八年）

十月，齐群公子出奔，莱人作歌以哀群公子失所。《左传·哀公五年》：夏，齐景公有疾，使国惠子、高昭子立其妾鬻姒之子荼，而置群公子于莱。秋，景公卒，冬十月，其子公子嘉、公子驹、公子黔奔卫，公子鉏、公子阳生奔鲁。东鄙莱邑之人作歌曰：景公死乎不与埋，三军之事乎不与谋，师乎师乎，何党之乎？

[按，杜预《注》：“师，众也。党，所也。之，往也。称谥，盖葬后而为此歌，哀群公子失所。”] 此歌又收《史记·齐世家》、《诗纪》前集一、《太平御览》卷五百七十，今人逯钦立《先秦汉魏晋南北朝诗·先秦诗》亦录之，并有校勘。歌辞以埋、谋、之为韵。王引之谓第二句衍一“之”字，第三句末衍一“乎”字。杨伯峻以为王说不可信。依王说，则此歌为七言三句。实际如句中之语助词“乎”不计，此歌颇似成相

体"三、三，四、三，四、四"句式。

驷秦奢侈僭礼，郑人杀之。子思引《诗·大雅·假乐》、《商颂·殷武》论其事。《左传·哀公五年》：郑国驷秦富而奢侈骄横，其为嬖大夫，而常陈列卿之车服于其庭。郑人恶而杀之。子产之子子思闻之，论其事曰："《诗》曰：'不解于位，民之攸塈。'不守其位，而能久者鲜矣。《商颂》曰：'不僭不滥，不敢怠皇，命以多福。'"子思所引诗句见于《诗·大雅·假乐》、《商颂·殷武》，意谓骄奢淫逸，不遵礼法，必致祸殃。

此年，孔子在陈。[按，《史记》于孔子在陈之事记载多自相矛盾，故崔述《洙泗考信录》云："谓孔子三至卫而三至陈，甚不可解也。"] 年代久远，史无确载，故此处舍其细节，举其大者，各家所云孔子自陈适蔡，又自蔡回陈等说，皆从略。

孔子弟子颜回约卒于是年。据明包大爣《颜子年谱》。

敬姜想为其子文伯娶妻，谋于宗老，赋《绿衣》之三章。鲁乐师师亥闻之，赞敬姜循礼，并曰："诗所以合意，歌所以咏诗也。今诗以合室，歌以咏之，度于法矣。"《国语·鲁语下》载：公父文伯之母欲室文伯，飨其宗老，而为赋《绿衣》之三章。老请守龟卜室之族。师亥闻之曰："善哉！男女之飨，不及宗臣；宗室之谋，不过宗人。谋而不犯，微而昭矣。诗所以合意，歌所以咏诗也。今诗以合室，歌以咏之，度于法矣。"

公元前489年（周敬王三十一年　鲁哀公六年　楚昭王二十七年）

春，孔子离陈，过蔡之负函，会楚贤大夫诸梁（叶公）。见《史记·孔子世家》。程复心《孔子论语年谱》所载同此。[按，叶公：《史记集解》引孔安国曰："叶公名诸梁，楚大夫，食采于叶，僭称公。"]

孔子去叶反蔡，长沮、桀溺耦而耕，孔子以为隐者，使子路问津焉。见《论语·微子》。《史记正义》引《括地志》云："黄城山俗名菜山，在许州叶县西南二十五里。圣贤冢墓记云黄城山即长沮、桀溺所耕处。下有东流，则子路问津处也。"

楚狂接舆作歌以讽孔子。《论语·微子》："楚狂接舆歌而过孔子曰：'凤兮凤兮，何德之衰？往者不可谏，来者犹可追。已而，已而！今之从政者殆而！'孔子下，欲与之言，趋而辟之，不得与之言。"[按，此歌又见《庄子·人间世》："孔子适楚，楚狂接舆游其门曰：'凤兮凤兮何德之衰也。来世不可待。往事不可追也。天下有道。圣人成焉。天下无道。圣人生焉。方今之时。仅免刑焉。福轻乎羽。莫之知载。祸重乎地。莫之知避。已乎已乎。临人以德。殆乎殆乎。画地而趋。迷阳迷阳。无伤吾行。吾行却曲。无伤吾足。'"]《史记·孔子世家》、《太平御览》卷五百七十、《古诗纪》前集二、《古诗源》题作"接舆歌"。逯钦立《先秦汉魏晋南北朝诗》作"楚狂接舆歌"。

七月，楚昭王卒，是岁，楚地见有云如众赤鸟，夹日以飞。周太史以为当应于王身，可禜而移于令尹、司马，昭王不许。及昭王有疾，卜之，言河为祟，大夫请祭于郊，昭王以其非楚之望，亦不许。昭王死，孔子引《夏书》，赞其为知大道者。见《左传·哀公六年》。

公元前488年（周敬王三十二年　鲁哀公七年　吴王夫差八年）

夏，鲁哀公会吴王于鄫，吴王征百牢，子服景伯以其弃礼背本而陈辞。《左传·哀公七年》："夏，公会吴于鄫。吴来征百牢，子服景伯对曰：'先王未之有也。'吴人曰：'宋百牢我，鲁不可以后宋，且鲁牢晋大夫过十，吴王百牢，不亦可乎？'景伯曰：'晋范鞅贪而弃礼，以大国惧敝邑，故敝邑十一牢之，君若以礼命于诸侯，则有数矣，若亦弃礼，则有淫者矣。周之王也，制礼，上物不过十二，以为天之大数也。今弃周礼，而曰必百牢，亦唯执事。'吴人弗听。景伯曰：'吴将亡矣，弃天而背本。不与，必弃疾于我。'乃与之。"

吴大宰伯嚭如季康子，康子使子贡辞，子贡言周礼以答伯嚭。《左传·哀公七年》："大宰嚭召季康子，康子使子贡辞。大宰嚭曰：'国君道长，而大夫不出门，此何礼也？'对曰：'岂以为礼，畏大国也，大国不以礼命于诸侯，苟不以礼，岂可量也？寡君既共命焉，其老岂敢弃其国？大伯端委以治周礼，仲雍嗣之，断发文身，裸以为饰，岂礼也哉？有由然也。'反自鄫，以吴为无能为也。"

孔子在卫。子路问政，孔子答以正名之说。《论语·子路》："子路曰：'卫君待子而为政，子将奚先？'子曰：'必也正名乎！'子路曰：'有是哉，子之迂也！奚其正？'子曰：'野哉，由也！君子于其所不知，盖阙如也。名不正，则言不顺；言不顺，则事不成；事不成，则礼乐不兴；礼乐不兴，则刑罚不中；刑罚不中，则民无所错手足。故君子名之必可言也，言之必可行也。君子于其言，无所苟而已矣。'"

邢昺《论语正义》卷十三云："此章论正名也。……［按《世家》，孔子自楚反乎卫，是时卫君辄父不得立，在外，诸侯数以为让，而孔子弟子多仕于卫，卫君欲得孔子为政，故子路问之曰……］"

公元前486年（周敬王三十四年　鲁哀公九年　晋定公二十六年　越王勾践十一年）

宋伐郑，晋赵鞅卜救郑，占诸史赵、史墨、史龟，阳虎以《周易》筮之。见《左传·哀公九年》。

越大夫范蠡谏勾践无早图吴。《国语·越语下》："四年，王召范蠡而问焉，曰：'先人就世，不谷即位。吾年既少，未有恒常，出则禽荒，入则酒荒。吾百姓之不图，唯舟与车。上天降祸于越，委制于吴。吴人之那不谷，亦又甚焉。吾于与子谋之，其可與？'对曰可：'未可也。蠡闻之，上帝不考，时反是守，强索者不祥。得时不成，反受其殃。失德灭名，流走死亡。有夺，有予，有不予，王无蚤图。夫吴，君王之吴也，王若蚤图之，其事又将未可知也。'王曰：'诺。'"韦昭《国语注》云："四年，反国四年，鲁哀九年。"

公元前485年（周敬王三十五年　鲁哀公十年　卫出公八年　吴王夫差十一年　越王勾践十二年）

冬，楚伐陈，吴延州来季子救陈。《左传·哀公十年》。［按，此吴延州来季子即季札］杜预《注》云："季子，吴王寿梦少子也。寿梦以襄十二年卒，至今七十七岁。寿梦卒，季子已能让国，年当十五六，至今盖九十余岁。”孔《疏》引孙毓说以为杜说非是。然此年《左传》明言“季子”，且其言“务德”云云，断非吴札之后代。

伍子胥引《商书·盘庚》，谏吴王夫差勿伐齐。《左传·哀公十一年》：“吴将伐齐。越子率其众以朝焉，王及列士，皆有馈赂。吴人皆喜，惟子胥惧，曰：‘是豢吴也夫。’谏曰：‘越在我，心腹之疾也，壤地同，而有欲于我，夫其柔服，求济其欲也，不如早从事焉。得志于齐，犹获石田也，无所用之。越不为沼，吴其泯矣。使医除疾，而曰“必遗类焉”者，未之有也。《盘庚》之诰曰：“其有颠越不共，则劓殄无遗育，无俾易种于兹邑。”是商所以兴也。今君易之，将以求大，不亦难乎?’弗听。”［按，《国语·吴语》亦载此事，惟子胥谏语较《左传》为详］均应为摘录其要，故各不相同。

越范蠡以“人事至矣，天应未至”谏勾践无早图吴。见《国语·越语下》载。

孔子在卫。孔文子将攻大叔，访于仲尼。据《左传·哀公十一年》，孔文子攻大叔在下一年，即鲁哀公十一年冬天，然其谋划此事，则在此年。文子以其事访于仲尼，仲尼知卫不可久留。适逢季康子当政，冉有为其辅，召孔子，故孔子于下一年春返鲁。

公元前484年（周敬王三十六年　鲁哀公十一年　齐简公元年　吴王夫差十二年　越王勾践十三年）

春，齐伐鲁，孔子弟子冉求为谋应战事，樊须参与之。孔子曰：“能执干戈以卫社稷，可无殇也。”冉有用矛于齐师，故能入其军。孔子曰：“义也。”见《左传·哀公十一年》。

季康子当政，孔子返鲁。鲁哀公问政，孔子论选臣举直。《史记·孔子世家》载孔子此年返鲁，鲁哀公问政，孔子曰：“政在选臣。”《论语·为政》：“哀公问曰：‘何为则民服?’孔子对曰：‘举直错诸枉，则民服；举枉错诸直，则民不服。’”

孔子论防风氏以答吴使。《国语·鲁语下》载：吴伐越，堕会稽，获骨焉，节专车。吴王使来好聘，且问之仲尼，曰：“无以吾命。”宾发币于大夫，及仲尼，仲尼爵之。既彻俎而宴，客执骨而问曰：“敢问骨何为大?”仲尼曰：“丘闻之：昔禹致群神于会稽之山，防风氏后至，禹杀而戮之，其骨节专车。此为大矣。”客曰：“敢问谁守为神?”仲尼曰：“山川之灵，足以纪纲天下者，其守为神；社稷之守者，为公侯。皆属于王者。”客曰：“防风何守也?”仲尼曰：“汪芒氏之君也，守封、嵎之山者也，为漆姓。在虞、夏、商为汪芒氏，于周为长狄，今为大人。”客曰：“人长之极几何?”仲尼曰：“僬侥氏长三尺，短之至也。长者不过十之，数之极也。”

齐国书作《国书鼎铭》。杨树达《积微居金文说·余说·国书鼎跋》谓传世国书鼎为齐国书之器（中华书局1997年版，第255—256页）。按，齐国书于鲁哀公十一年夏死于艾陵之战，姑以其器铭系于此年。严可均《全上古三代文》卷十三录此铭作《国诸铭》。“诸”即“书”之借。

五月，吴伐齐，战于艾陵。将战，齐公孙夏命其徒歌《虞殡》之歌。《左传·哀公十一年》：“为郊战故，公会吴子伐齐。五月克博，壬申，至于嬴。中军从王。胥门巢将上军，王子姑曹将下军，展如将右军。齐国书将中军，高无将上军，宗楼将下军。

陈僖子谓其弟书：'尔死，我必得志。'宗子阳与闾丘明相厉也。桑掩胥御国子。公孙夏曰：'二子必死。'将战，公孙夏命其徒歌《虞殡》。陈子行命其徒具含玉。"

［按，《虞殡》，即送葬之挽歌，唱之以示必死］《虞殡》之歌，详见何焯《义门读书记》、李贻德《辑述》及杨伯峻《春秋左传注》。

吴胜齐，夫差使伍子胥自杀。见《左传·哀公十一年》。［按，《国语·吴语》、《吕氏春秋·知化篇》、《史记·吴世家》、《越世家》、《伍子胥列传》、《仲尼弟子列传》、《说苑·正谏篇》、《吴越春秋》、《越绝书》等亦载此事，事不尽同，有详有略，文繁不录］

秋，越大夫范蠡谏勾践缓伐吴。《国语·越语下》："又一年，王召范蠡而问焉，曰：'吾与者谋吴，子曰"未可也"，今申胥骤谏其王，王怒而杀之，其可乎？'对曰：'逆节萌生。天地未形，而先为之征，其事是以不成，杂受其刑。王姑待之。'王曰：'诺。'""又一年"下韦昭注："反国六年，哀公十一年。"

季康子问政，孔子答之。《论语·颜渊》载季康子问政，孔子云："政者正也，子帅以正，孰敢不正？"又《论语·为政》："季康子问：'使民敬、忠以劝，如之何？'子曰：'临之以庄，则敬；孝慈，则忠；举善而教不能，则劝。'"

冬，季孙欲以田赋，使冉有问于孔子。《左传·哀公十一年》："季孙欲以田赋，使冉有访诸仲尼。仲尼曰：'丘不识也。'三发，卒曰：'子为国老，待子而行，若子何子之不言也？'仲尼不对。而私于冉有曰：'君子之行也，度于礼，施取其厚，事举其中，敛从其薄。如是则以丘亦足矣。若不度于礼，而贪冒无厌，则虽以田赋，将又不足。且子季孙若欲行而法，则周公之典在。若欲苟而行，又何访焉？'弗听。"

公元前483年（周敬王三十七年　鲁哀公十二年　吴王夫差十三年　越王勾践十四年）

春，鲁季康子用田赋。见《左传·哀公十二年》。

夏，鲁昭公夫人孟子卒，孔子往吊之。见《左传·哀公十二年》。

孔子崇尚雅乐，正《雅》、《颂》之声，与鲁大师论乐。《论语·卫灵公》："颜渊问为邦。子曰：'行夏之时，乘殷之时，乘殷之辂，服周之冕，乐则《韶》、《舞》。放郑声，远佞人，郑声淫，佞人殆。'"《论语·子罕》："子曰：'吾自卫反鲁，然后乐正，《雅》、《颂》各得其所。'"《论语·泰伯》："子曰：'师挚之始。《关雎》之乱，洋洋乎盈耳哉！'"孔子与鲁大师论乐，详见《史记·孔子世家》。

秋，鲁哀公会吴王于橐皋，不与盟，使子贡对伯嚭。《左传·哀公十二年》："公会吴于橐皋。吴子使大宰嚭请寻盟。公不欲，使子贡对曰：'盟所以周信也，故心以制之，玉帛以奉之，言以结之，明神以要之，寡君以为苟有盟焉，弗可改也已。若犹可改，日盟何益？今吾子曰，必寻盟。若可寻也，亦可寒也。'乃不寻盟。"

鲁哀公、卫出公与吴王夫差会于郧，拘卫君，子服景伯使子贡说服伯嚭，遂释卫君。见《左传·哀公十二年》。

十二月，鲁有蝗灾，季孙问于孔子。《左传·哀公十二年》："冬十二月，螽，季孙问诸仲尼，仲尼曰：'丘闻之，火伏而后蛰者毕。今火犹西流，司历过也。'"

越大夫范蠡谏勾践暂缓伐吴。《国语·越语下》："又一年，王召范蠡而问焉，曰：'吾与子谋吴，子曰"未可也"，今其稻蟹不遗种，其可乎？'对曰：'天应至用处，人事未尽也，王姑待之。'王怒曰：'道固然乎，妄其欺不谷邪？吾与子言人事，子应我以天时；今天应至矣，子应我以人事。何也？'范蠡对曰：'王姑勿怪。夫人事必将与天地相参，然后乃可以成功。今其祸新民恐，其君臣上下，皆知其资财之不足以支长久也，必彼将同其力，致其死，犹尚殆。王其且驰骋弋猎，无至禽荒；宫中之乐，无至酒荒；肆与大夫觞饮，无忘国常。彼其上将薄七德，民将尽其力，又使之往往而不得食，乃可以致天地之殛。王姑待之。'""又一年"下韦昭注云："反国七年，鲁哀公十二年。"

孔子之子伯鱼卒。其孙孔伋约生于此年。据匡亚明《孔子年谱》考定，伯鱼卒于此年；蒋伯潜《诸子通考》考伯鱼之卒在周敬王二十五年。今从前说。[按，孔伋，字子思，为孔子之孙，曾子弟子，孟轲为其再传弟子]《汉志》有《子思》二十三篇，《隋书·音乐志》引沈约奏答，说《中庸》、《表记》、《坊记》、《缁衣》皆取《子思》。郭店楚简中《缁衣》、《五行》、《鲁穆公问子思》，李学勤、李零等研究者认为，是与子思有关的文献。总之，子思及思孟学派在中国古代思想史上具有重要的地位。

公元前482年（周敬王三十八年　鲁哀公十三年　晋定公三十年　吴王夫差十四年　越王勾践十五年）

夏，鲁哀公、晋定公、吴夫差会于黄池。见《左传·哀公十三年》。这一件事在《国语·吴语》中写得情节紧张而有戏剧性，描述吴军连夜布阵亦甚有气势，对以后历史演义有一定影响。可见此事此后在民间流传的情况。

鲁子服景伯对吴使。子服景伯对问之辞载《左传·哀公十三年》。

秋，黄池之会，晋赵简子与其介司马寅不辱使命，司马寅作《赵孟庎壶铭》，以纪功。《赵孟庎壶铭》，载于"赵孟庎壶"，壶有二件，铭云："禺邗王于黄池，为赵孟庎，邗王之易金，台为祠器。"杨树达《积微居金文说》云："按此即春秋哀公十三年吴晋会于黄池事。赵孟谓赵鞅，《左传》记此会吴晋争先，赵鞅谓司马寅曰：'日旰矣，大事未成，二臣之罪也'，是其事也。禺假为遇。《国策·秦策》云：'因退为逢泽之遇。'《吕氏春秋·淫辞篇》云：'空雄之遇。'高《注》并云：'遇，会也。'邗王即吴王。经传多称吴为干。《庄子·刻意篇》云：'夫有干越之剑者。'《荀子·劝学篇》云：'干越夷貉之子生而同声'，干越皆即吴越也。邗为国邑之名，字从邑，为本字，经传多假干为邗，省形存声耳。庎假为介，经传皆作介。易假为赐。台假为以，以今作以。有谓禺邗即吴邗者，如其说，铭文首句无动字，不成文理，又与下称邗王者不合，其说非也。为赵孟庎，此制器者自明其职位，然不具名氏，古人淳朴不尚名如此。"

[按，此铭中之"赵孟庎"，即"赵孟介"。"介"，据杜预《春秋左传注》，即出使朝聘中之副使]据《左传·哀公十三年》所载，黄池之盟晋方使臣为赵鞅，即铭文中之赵孟。其副使，惟有司马寅足以当之。则此铭为司马寅归而纪功所作可知。

吴申叔仪乞粮于公孙有山氏，作《乞粮歌》。《左传·哀公十三年》："吴申叔仪乞

粮于公孙有山氏，曰：‘佩玉繠兮，余无所系之。旨酒一盛兮，余与褐之父睨之。’对曰：‘粱则无矣，粗则有之。若登首山以乎曰，庚癸乎，则诺。’”

［按，此歌《白帖》、《太平御览》六百九十三、《诗纪》前集二题作“庚癸歌”］

勾践伐吴，越大夫范蠡论兵法。范蠡言论载《国语·越语下》，其语多为韵语，说理颇具文采。

公元前481年（周敬王三十九年　鲁哀公十四年　齐简公四年）

春，鲁人西狩于大野获异兽，以为不祥，孔子观之，曰：“麟也。”《春秋·哀公十四年》：“十四年春，西狩获麟。”《左传·哀公十四年》：“十四年春，西狩于大野，叔孙氏之车子鉏商获麟，以为不祥，以赐虞人。仲尼观之，曰：‘麟也。’然后取之。”《公羊传》：“西狩获麟，孔子曰：‘吾道穷矣。’”《穀梁传》、《史记》等亦载此事。古人认为麟为祥瑞，故孔子借以说事。经秦汉经师附会，成为经学神话。

子路对季康子。《左传·哀公十四年》：“小邾射以句绎来奔，曰：‘使季路要我，吾无盟矣。’使子路，子路辞。季康子使冉有谓之曰：‘千乘之国，不信其盟，而信子之言，子何辱焉？’子路对曰：‘鲁有事于小邾，不敢问故，死其城下可也，彼不臣而济其言，是义之也。由弗能。’”

六月，齐陈桓弑君，孔子请鲁哀公伐齐。《左传·哀公十四年》：“甲午，齐陈恒弑其君壬于舒州。孔丘三日斋，而请伐齐三。公曰：‘鲁为齐弱久矣，子之伐之，将若之何？’对曰：‘陈恒弑其君，民之不与者半，以鲁之众，加齐之半，可克也。’公曰：‘子告季孙。’孔子辞。退而告人曰：‘吾以从大夫之后也，故不敢不言。’”《论语·宪问》亦载此事，细节略有不同。

八月辛丑，孔子弟子孟懿子卒。《左传·哀公十四年》：“秋八月辛丑，孟懿子卒。”

鲁国编年体史书《春秋》记事止于此年。《春秋·哀公十四年》杜预《注》云：“麟者仁兽，圣王之嘉瑞也。时无明王，出而遇获。仲尼伤周道之不兴，感嘉瑞之无应，故因《鲁春秋》而修中兴之教，绝笔于获麟之一句，所感而作，固所以为终也。”杜说本《史记·三代世表序》、《十二诸侯年表序》及《孔子世家》。顾栋高《春秋大事表·春秋绝笔获麟论》则谓因“是年请讨陈恒不行而绝笔”。以上两说均不可信。史载孔子因《鲁春秋》而笔削之，盖《鲁春秋》原本止于此年，非有他故。

公元前480年（周敬王四十年　鲁哀公十五年　齐平公元年　卫庄公元年　陈湣公二十二年）

夏，陈闵公使芋尹盖对吴大宰嚭，芋尹盖论丧礼。对问之辞载《左传·哀公十五年》。［按，芋尹盖，芋尹其氏（楚有芋尹之官，盖以此为氏），盖其名。陈大夫］

秋，齐陈恒之兄陈瓘聘楚，过卫，子路谏其善鲁。《左传·哀公十五年》：“秋，齐陈瓘如楚。过卫，仲由见之，曰：‘天或者以陈氏为斧斤，既斫丧公室，而他人有之，不可知也，其使终飨之，亦不可知也。若善鲁以待时，不亦可乎？何必恶焉？’子玉曰：‘然。吾受命矣，子使告我弟。’”

冬，鲁与齐议和，子服景伯乐聘齐，以子贡为介，子贡对陈恒。子贡对问之辞见

《左传·哀公十五年》。

卫内乱，孔子弟子高柴出奔，子路死于卫。孔子在鲁，闻而叹之。见《左传·哀公十五年》。

公元前479年（周敬王四十一年　鲁哀公十六年　卫庄公蒯聩二年）

春，卫庄公即位，使鄢武子告于周，周敬王使单平公对卫使。《左传·哀公十六年》："卫侯使鄢武子告于周，曰：'蒯聩得罪于君父君母，逋窜于晋。晋以王室之故，不弃兄弟，置诸河上。天诱其衷，获嗣守封焉。使下臣肸敢告执事。'王使单平公对曰：'肸以嘉命来告余一人，往谓叔父，余嘉乃成世，复尔禄次，敬之哉，方天之休，弗敬弗休，悔其可追。'"

四月己丑，孔丘卒，鲁哀公作诔以吊之。子贡以哀公对孔子"生不能用，而死诔之"有失于礼。《左传·哀公十六年》："夏四月己丑，孔丘卒。公诔之曰：'旻天不吊，不慭遗一老，俾屏余一人以在位，茕茕余在疚，呜呼哀哉。尼父，无自律。'子赣曰：'君其不没于鲁乎！夫子之言曰："礼失则昏，名失则愆。"失志为昏，失所为愆。生不能用，死而诔之，非礼也。称一人，非名也。君两失之。'"

按，孔子以思想家的眼光而关注此前的礼乐制度与典籍文化，春秋之前几千年的文化有赖于孔子而得到保存传承，春秋之后几千年的文化有赖于孔子而开其风气。孔子既是古代文化的整理者与传播者，也称得上中国历史上第一位文学批评家，对于文艺比先秦墨、道、法诸家有更多的注意与提倡，在漫长的封建社会中影响极为深广。孔子的言论，主要见于《论语》，此外，《左传》、《孟子》、《荀子》、《易传》、《大戴礼记》、《礼记》等典籍中也时见孔子的言论。近年来出土的帛书《周易》、郭店楚竹书儒家类、上海博物馆馆藏战国楚竹书《孔子诗论》等则更为集中地反映了孔子关于《诗》、《书》、《礼》、《乐》、《易》的言论。

综观孔子在文学方面的贡献，大体可以归纳为两个方面：一是致力于对《诗》、《书》、《礼》、《乐》、《易》等前代文化典籍的整理工作；二是其思想体系中针对诗歌、音乐、绘画所发表的评论所包含的富于创造性的文学批评理论。孔子重视"文"，并以"文学"、"言语"与"德行"、"政事"作为教育学生的重要科目。由此出发，他系统论述了"文学"、"言语"与"礼"、"仁"的关系，以及"文"与"质"、"美"与"善"的关系；孔子所说的"文"，有着相当广泛的内容，其中包括诗歌。他对诗歌关注尤多，为之发表过许多见解，对中国古代诗论的发展做出过巨大的贡献。孔子首先重视诗歌在德行、言语、政事方面的社会作用，提出"诗教说"和"兴、观、群、怨"说；同时孔子还很注意诗歌的思想与艺术价值，并对诗歌的某些主要文学特征如比兴修辞以及审美风格等做了精彩的评述，提出"无邪"、"中和"的范畴，强调诗歌应当具有中正和平、含蓄蕴藉、哀而不伤、乐而不淫的美学风格。

公元前478年（周敬王四十二年　鲁哀公十七年　晋定公三十四年　卫庄公三年）

七月，卫庄公梦浑良夫被发北面而歌。《左传·哀公十七年》："卫侯梦于北宫，见

人登昆吾之观，被发北面而噪曰：‘登此昆吾之墟，绵绵生之瓜，余为浑良夫，叫天无辜。’”噪，《一切经音义》引《广雅》云：“鸣也。”此歌以墟、瓜、夫、辜为韵，古音同在鱼、模部。

卫庄公先筮后占，兆、繇皆凶。《左传·哀公十七年》：卫庄公梦于北宫见浑良夫，惧，亲筮之；胥弥赦占之，庄公无道，卜人不敢以实相对，曰：“不害。”惧而逃奔宋。卫侯贞卜，其《繇》曰：“如鱼赪尾，衡流而方羊，裔焉大国，灭之将亡，阖门塞窦，乃自后踰。”卫庄梦见浑良夫，惧而筮占，结果皆是凶。其秋，戎人杀卫庄公，子起立。按，占卜之繇，与歌谣之谣通，多为韵文。孔《疏》引刘炫云：“卜繇之词，文句相韵”，此繇羊、亡为韵，同属阳唐部；窦、踰为韵，古音同在侯部。

十月，赵简子引叔向之言论卫不可灭。《左传·哀公十七年》：冬十月，晋复伐卫，入其郛。将入城，简子曰：“止。叔向有言曰：‘怙乱灭国者无后。’”卫人出庄公而与晋平，晋立襄公之孙般师而还。

十二月，鲁哀公会齐侯，盟于蒙，孟武伯相，孔子弟子高柴对孟武伯之问。《左传·哀公十七年》：“公会齐侯，盟于蒙，孟武伯相。齐侯稽首，公拜。齐人怒，武伯曰：‘非天子，寡君无所稽首。’武伯问于高柴曰：‘诸侯盟，谁执牛耳？’季羔曰：‘鄫衍之役，吴公子姑曹，发阳之役，卫石魋。’武伯曰：‘然则彘也。’”

［按，季羔，即孔子弟子高柴，字子羔。其事又见《论语》、《史记·仲尼弟子列传》］

《礼记·哀公问》论礼、政之文字大约产生于此年前后。《哀公问》篇属今本《礼记》第二十七篇，郑玄《目录》曰：“名曰‘哀公问者，善其问礼，著谥显之也。此于《别录》属通论。’”按《哀公问》为对话体，记鲁哀公与孔子问答之辞。哀公所问内容涉及礼、为政，如哀公问于孔子曰：“大礼何如？君子之言礼，何其尊也？”孔子曰：“丘也小人，不足以知礼。”君曰：“否！吾子言之也。”孔子曰：“丘闻之：民之所由生，礼为大。非礼无以节事天地之神也，非礼无以辨君臣上下长幼之位也，非礼无以别男女父子兄弟之亲、婚姻疏数之交也；君子以此之为尊敬然。然后以其所能教百姓，不废其会节。有成事，然后治其雕镂文章黼黻以嗣。其顺之，然后言其丧算，备其鼎俎，设其豕腊，修其宗庙，岁时以敬祭祀，以序宗族。即安其居，节丑其衣服，卑其宫室，车不雕几，器不刻镂，食不贰味，以与民同利。昔之君子之行礼者如此。”

孙希旦《礼记集解》曰：“哀公所问有二，前问礼，后问政。二者非一时之言，记者合而记之。”鲁哀公问礼、政于孔子，文献多载之，其事可信。故《哀公问》应为史官或弟子所记孔子之言论。任铭善云：“今按孔子三见哀公，答问之辞，有《三朝记》七篇，今存《大戴记》。而《大戴记》又有《哀公问五义》，亦见于荀子之书，而今《家语·五仪解》同之。又见于《中庸》者有‘哀公问政’一章，而《家语·哀公问政》同之。皆在《三朝记》外，而并为孔子弟子所补记，故称谥焉。此篇既本二事，故《家语》分为《问礼》、《大婚》二篇”（任铭善《礼记目录后案》，齐鲁书社1982年版，第62页）。《哀公问》篇出于史官或弟子所记，所记为孔子之语，反映的是孔子的思想，应为孔子之作。

考鲁哀公于公元前494年至公元前479年在位。《史记·孔子世家》载孔子去鲁，

公元前472年（周元王四年　鲁哀公二十三年　齐平公九年　晋出公三年　宋景公四十五年）

春，宋景公之母卒，鲁季康子使冉有吊，且送葬。见《左传·哀公二十三年》。

夏，晋荀瑶伐齐，战于犂丘，擒齐大夫颜庚。颜庚为孔子弟子，卒于此年。见《左传·哀公二十七年》。[按，颜庚，杜预《春秋左传注》谓即齐大夫颜涿聚。颜涿聚，《史记·孔子世家》作颜浊邹，《晏子春秋·外篇》、《汉书·古今人表》作颜烛邹，《淮南子·氾论训》作颜喙聚（“喙”当为“啄”之讹），并声同通用]《孔子世家》云：“孔子以《诗》、《书》、《礼》、《乐》教，弟子盖三千焉，身通六艺者七十有二人，如颜浊邹之徒，颇受业者甚众。”《吕氏春秋·尊师》云：“颜涿聚，梁父之大盗也，学于孔子。”《韩非子·外储说左下》记南宫敬叔问颜涿聚曰：“季孙养孔子之徒，所朝服与坐者以十数而遇贼，何也？”《淮南子·氾论训》云：“颜啄聚，梁父之大盗也，而为齐忠臣。”《左传·哀公二十七年》载晋荀瑶伐郑，郑驷弘请救于齐。齐师将兴，陈成子召颜浊聚之子晋曰：“隰之役，而父死焉。以国之多难，未女恤也。今君命女以是邑也，服车而朝，毋废前劳。”则颜喙聚卒于此年。

公元前471年（周元王五年　鲁哀公二十四年　越王勾践二十六年）

越王勾践称霸，杀大夫文种。越王称霸及杀大夫文种两事，或系在去年。然勾践灭越之后，未及回越，而范蠡归隐，不当于一年之中谋杀功臣。依情理推之，当在一年以后。宋刘恕《资治通鉴外纪》载勾践灭吴后，会齐、晋及其他诸侯于徐州，致贡于周。周元王策封勾践为伯。越以淮上之地与楚，归吴所侵宋地于宋，与鲁泗东地六百里。越横行江淮以东，遂霸诸侯。

公元前469年（周元王七年　鲁哀公二十六年　宋景公四十八年　卫出公后八年）

宋六卿三族共听政，宋景公卒，大尹使祝襄为载书，强迫六卿与盟。六卿共逐之，立宋昭公，且盟曰：“三族共政，无相害也。”见《左传·哀公二十五年》。

子贡引《诗·周颂·烈文》，对卫出公辄之问。《左传·哀公二十六年》：“卫出公自城鉏使以弓问子赣，且曰：‘吾其入乎？’子赣稽首受弓，对曰：‘臣不识也。’私于使者曰：‘昔成公孙于陈，宁武子、孙庄子为宛濮之盟而君入，献公孙于齐，子鲜、子展为夷仪之盟而君入。今君再在孙矣，内不闻献之亲，外不闻成之卿，则赐不识所由入也。《诗》曰：“无竞惟人，四方其顺之。”若得其人，四方以为主，而国于何有？’”

公元前468年（周贞定王元年　鲁哀公二十七年）

二月，越与鲁哀公盟于平阳，三桓皆从。鲁弱，又无善于辞令之行人，不能辞盟。季康子、孟武伯皆念子赣。事见《左传·哀公二十七年》。春，越王勾践使舌庸聘鲁，使鲁归邾之田，商定以骀上为鲁、邾之界。二月盟于平阳。三桓皆从。“康子病之，言及子赣：‘昔在此，吾不及此矣。’”[按，子赣，即子贡，端木氏，名赐，卫人，孔子弟子，少孔子三十一岁，时年五十五岁，善于外交辞令，又善经商致富］鲁哀公六年孔子绝粮于陈，使子贡至楚营救。次年吴向鲁征百牢，吴大宰嚭召季康子，康子使子贡辞。哀公十一年吴王夫差赐叔孙甲、剑铍，叔孙不能应对，由子贡代对。次年卫侯会吴于郧，为吴所执，经子贡进言大宰嚭而得释。是年越以霸主而遣使者至鲁，约定以骀上为鲁、邾之间疆界，并迫使鲁哀公及三桓听命于平阳之盟，季康子为越使所困，因而欲召子贡前来救解。此后不见有关子贡之记载。

思想家墨翟生于此年。关于墨翟的生卒年，历史上没有留下确切可靠的资料。从文献记载的墨翟的活动及与其所交往的人物间接推测，其生活年代应在孔子死后、孟子生前这一段时间。清人孙诒让考证其生年约在公元前468年，目前学术界亦有异说，此从孙诒让说，系于此年。

公元前464年（周贞定王五年　越王鹿郢元年）

越王勾践剑铭云："越王鸠浅（勾践）自乍（作）用剑。"［按，此剑1965年湖北江陵1号楚墓出土，经专家考定为越王勾践之剑，剑铭之"鸠浅"即越王勾践］不知器铭作于勾践何年，姑依其下限，系于此年。

公元前458年（周贞定王十一年　晋出公十七年）

孔子弟子宰予卒。宰予，春秋时鲁国人。字子我，为孔门高第，在言语科。仕齐为临淄大夫。清包大爟《子我年谱》考谱主生于周敬王十八年（前502年），卒年不详。编至周敬王四十一年（前479年）。谱中辨子我为陈桓所杀。清人冯云鹓《宰予年谱》考谱主生于周景王二十三年（前522年），卒于周贞定王十一年（前458年）。记鲁昭公三十二年（前510年）从孔子学；鲁定公九年（前501年），署中都宰；鲁哀公十六年（前479年），孔子卒，与诸弟子服心丧，葬孔子于泗上，偕诸弟子各记所闻以为《论语》、《家语》诸书。

晋知氏、赵氏、韩氏、魏氏共分范氏、中行氏地以为邑。据《史记·晋世家》，四卿灭中行氏在此年，然《赵世家》、《六国年表》系于周贞定王十五年（公元前454年），较《晋世家》迟四年。考《韩非子·十过》与《赵策一》第二章，称知伯率赵、韩、魏灭范、中行之后，"反归休兵数年"。因索地于韩、魏、赵，赵弗与，知伯因约韩、魏攻赵，围晋阳三年，终于魏、韩反而与赵共灭知伯，而三分其地。周贞定王十五年正当知伯与魏、韩合围晋阳之时。可知《六国表》、《赵世家》所记四卿分范、中行氏地之时间不确。既然四卿分范、中行地，与知伯等围赵晋阳之间，尝休兵数年，知伯又围赵于晋阳三年，可知《晋世家》所载是年分范、中行地是实。今从《晋世家》。

公元前457年（周贞定王十二年　晋出公十八年）

晋之三卿（智瑶、韩虎、魏驹）燕于蓝台。知襄子戏韩康子而侮其相段规，智伯国闻之，引《夏书》、《周书》，谏智伯，弗听。《国语·晋语九》："还自卫，三卿宴于蓝台，智襄子戏韩康子而侮段规。智伯国闻之，谏曰：'主不备，难必至矣。'曰：'难将由我，我不为难，谁敢兴之！'对曰：'异于是。夫郄氏有车辕之难，赵有孟姬之谗，栾有叔祁之诉，范、中行有亟治之难，皆主之所知也。《夏书》有之曰："一人三失，怨岂在明？不见是图。"周书有之曰："怨不在大，亦不在小。"夫君子能勤小物，故无大患。今主一宴而耻人之君相，又弗备，曰"不敢兴难"无乃不可乎！夫谁不可喜，而谁不可惧？蚋蚁蜂虿，皆能害人，况君相乎！'弗听。自是五年，乃有晋阳之难。段规反，首难，而杀智伯于师，遂灭智氏。"

[按，此事又见《说苑·贵德第二十九章》] 所载略同，文繁不录。

智国，《说苑》又作智果。黄式三谓果、国双声，是一人。杨宽以为智果非智国(《战国史料编年辑证》，上海人民出版社2001年版，第91页)，未知孰是。《国语·晋语九》："智宣子将以瑶为后，智果曰：'不如宵也。'宣子曰：'宵也佷。'对曰：'宵之佷在面，瑶之佷在心。心佷败国，面佷不害。瑶之贤于人者五，其不逮者一也。美鬓长大则贤，射御足力则贤，伎艺毕给则贤，巧文辩惠则贤，强毅果敢则贤。如是而甚不仁。以其五贤陵人，而以不仁行之，其谁能待之？若果立瑶也，智宗必灭。'弗听。智果别族于太史为辅氏。及智氏之亡也，唯辅果在。"

段规，韦昭《国语注》云："段规，魏桓子之相也。"董增龄《国语正义》云："《韩非子·十过》知过曰：韩康子之谋臣曰段规，今云魏桓子之相，与韩非异义矣。"今按韦注误。段规当为韩康子之相。智襄子戏韩康子而侮段规，智伯国谓"耻人之君相"，即指韩康子及其相段规。

公元前456年（周贞定王十三年　齐平公二十五年）

齐田成子卒，齐人歌之曰："妪乎采芑，归乎田成子。"子盘立，是为襄子。据《史记·田世家》，田成子，即陈成子，陈僖子之子，名恒，又名常。先后相齐简公、平公，执政二十九年。大力推行陈僖子之政，以大斗出贷，以小斗收进，减轻剥削，争取人心。夷公族中之强者，扩大封邑，卒使齐政皆归田氏。

公元前455年（周贞定王十四年　晋出公二十年）

任章引《周书》谏魏驹。据《战国策·魏策一》、《说苑·权谋篇》、《韩非子·十过篇》所载，晋智瑶索地于韩，韩与之。索地于魏，魏欲不与，魏驹之相任章引《周书》曰："将欲败之，必姑辅之；将欲取之，必姑与之。"魏遂与万家之邑，知瑶益骄。又求地于赵，赵不与。知瑶怒，遂率韩、魏之师伐赵。赵无恤奔保晋阳（今山西太原南古城营），三家遂围之。

任章，《说苑》作"任增"，"增"、"章"乃一声之转。《汉书·古今人表》亦作任章，列入中中等，王先慎《韩非子集解》谓《韩非子·外储说左上》之王登，即是任章，并云："王即壬之误，任壬古通，章登盖一人而二名耳。"此说非是。任章为魏宣子之臣，王登为赵襄子所属中牟令，并非一人。

晋智瑶为美室，士茁引《志》语谏之。《国语·晋语九》："智襄子为室美，士茁夕焉。智伯曰：'室美夫！'对曰：'美则美矣；抑臣亦有惧也。'智伯曰：'何惧？'对曰：'臣以秉笔事君，《志》有之曰："高山峻原，不生草木。松柏之地，其土不肥。"

今土木胜，臣惧其不安人也。’室成；三年而智氏亡。”［按，事亦见《说苑·贵德篇》。所载略同］

公元前454年（周贞定王十五年）

此年，孔子弟子樊须六十二岁，原宪六十二岁，澹台灭明五十九岁，陈亢五十八岁，公西赤五十七岁，卜商五十五岁，曾参五十四岁，颜幸五十四岁，颛孙师五十二岁，冉鲁四十八岁，曹卹四十八岁，伯虔四十八岁，颜高四十八岁，叔仲会四十八岁，公孙龙四十五岁。

第三章

周贞定王十六年至秦王政二十五年（公元前453年—公元前222年）共232年

·引 言·

《史记·屈原贾生列传》：余读《离骚》、《天问》、《招魂》、《哀郢》，悲其志。

《史记·田完世家》：宣王喜文学游说之士，自如邹衍、淳于髡、田骈、接子、慎到、环渊之徒七十六人，且数百千人。

《汉书·艺文志》：大儒孙卿及楚臣屈原离谗忧国，皆作赋以风，咸有恻隐古诗之义。其后宋玉、唐勒，汉兴枚乘、司马相如，下及扬子云，竟为侈丽闳衍之词，没其风谕之义。

《文章流别论》：前世为赋者，有孙卿、屈原，尚颇有古诗之义，至宋玉则多淫浮之病矣。《楚辞》之赋，赋之善者也。故扬子称赋莫深于《离骚》。

《文心雕龙·辨骚》：自《风》、《雅》寝声，莫或抽绪，奇文郁起，其《离骚》哉！固已轩翥《诗》人之后，奋飞辞家之前，岂去圣之未远，而楚人之多才乎！昔汉武爱《骚》，而淮南作《传》，以为"《国风》好色而不淫，《小雅》怨诽而不乱，若《离骚》者，可谓兼之矣。蝉蜕秽浊之中，浮游尘埃之外，皭然涅而不缁，虽与日月争光可也"。班固以为"露才扬己，忿怼沉江；羿浇二姚，与左氏不合；昆仑悬圃，非经义所载；然其文辞丽雅，为词赋之宗，虽非明哲，可谓妙才"。王逸以为"《诗》人提耳；屈原婉顺，《离骚》之文，依经立义，驷虬乘翳，则时乘六龙；昆仑流沙，则《禹贡》敷土；名儒辞赋，莫不拟其仪表，所谓金相玉质，百世无匹者也"。

《文心雕龙·辨骚》：将核其论，必征言焉。故其陈尧舜之耿介，称禹汤之祗敬，典诰之体也；讥桀纣之猖披，伤羿浇之颠陨，规讽之旨也；虬龙以喻君子，云霓以譬谗邪，比兴之义也：每一顾而掩涕，叹君门之九重，忠怨之辞也。观兹四事，同于《书》、《诗》者也。至于托云龙，说迂怪，假丰隆求宓妃，托鸩鸟媒娀女，诡异之辞也；康回倾地；夷羿蔽日，木夫九首，土伯三目，谲怪之谈也；依彭咸之遗则，从子胥以自适，狷狭之志也；士女杂坐，乱而不分，指以为乐；娱酒不废，沉湎日夜，举以为欢，荒淫之意也；摘此四事，异乎经典者也。故论其典诰则如彼，语其夸诞则如此。固知《楚辞》者，体宪于三代，而风杂于战国，乃《雅》、《颂》之博徒，而辞赋之英杰也。观其骨鲠所树，肌肤所附，虽取熔经意，亦自铸伟辞。故《骚经》、《九章》，朗丽以哀志；《九歌》、《九辩》，靡妙以伤情；《远游》、《天问》，瑰诡而惠巧；《招魂》、《大招》，耀艳而采华；《卜居》标放言之致，《渔父》寄独往之才。故能气往轹古，辞来切今，惊采绝艳，难与并能矣。自《九怀》以下，遽蹑其迹，而屈、宋逸步，莫之能追。故其叙情怨，则郁伊而易感；述离居，则怆怏而难怀；论山水，则循声而得貌；言节候，则披文而见时。是以枚、贾追风以入丽，马、杨沿波而得奇，其衣被词人，非一代也。……不有屈原，岂见《离骚》。惊才风逸，壮采云高。山川无极，情理实劳。金相玉式，艳溢缁毫。

《文心雕龙·诠赋》：及灵均唱《骚》，始广声貌。然则赋也者，受命于《诗》人，而拓宇于《楚辞》者也。于是荀况《礼》、《智》，宋玉《风》、《钓》，爰锡名号，与诗画境，六义附庸，蔚成大国。……观夫荀结隐语，事义自环；宋发夸谈，实始淫丽。

《文心雕龙·颂赞》：三闾《橘颂》，辞采芬芳。比类属兴，又覃及细物矣。至于秦政刻文，爰颂其德。

《文心雕龙·杂文》：宋玉含才，颇亦负俗，始造《对问》，以申其志，放怀寥廓，气实使文。

《文心雕龙·铭箴》：战代以来，弃德务功，铭辞代兴，箴文萎绝。

《文心雕龙·谐隐》：谐之言皆也。辞浅会俗，皆悦笑也。昔齐威酣乐，而淳于说“甘酒”；楚襄宴集，而宋玉赋《好色》。意在微讽，有足观者。及优旃之讽漆城，优孟之谏葬马，并谲辞饰说，抑止昏暴。是以子长编史，列传《滑稽》，以其辞虽倾回，意归义正也。

《文心雕龙·史传》：及纵横之世，史职犹存。秦并六王，而战国有策。盖录而弗叙，故即简而为名也。

《文心雕龙·诸子》：逮及七国力政，峻乂蜂起。孟轲膺儒以磬折，庄周述道以翱翔，墨翟执俭确之教，尹文课名实之符，野老治国于地利，驺子养政于天文，申、商刀锯以制理，鬼谷唇吻以策勋，尸佼兼总于杂术，青史曲缀以街谈，承流而枝附者，不可胜算，并飞辩以驰术，餍禄而余荣矣。暨于暴秦烈火，势炎昆冈，而烟燎之毒，不及诸子。……《礼记·月令》，取乎吕氏之纪；三年问丧，写乎荀子之书；此纯粹之类也。若乃汤之问棘，云蚊睫有雷霆之声；戴晋对梁王，云蜗角有伏尸之战；《列子》有移山跨海之谈，淮南有倾天折地之说，此踳驳之类也。是以世疾诸子，鸿洞虚诞。按《归藏》之经，大明迂怪，乃称羿弊十日，嫦娥奔月，殷《易》如兹，况诸子乎！至如商、韩，《六虱》、《五蠹》，弃孝废仁，轘药之祸，非虚至也。公孙之《白马》《孤犊》，辞巧理拙，魏牟比之井鼃，非妄贬也。昔东平求诸子、《史记》；而汉朝不与，盖以《史记》多兵谋，而诸子杂诡术也。然洽闻之士，宜撮纲要，览华而食实，弃邪而采正，极睇参差，亦学家之壮观也。……研夫孟、荀所述，理懿而辞雅；管、晏属篇，事核而言练；列御寇之书，气伟而采奇；邹子之说，心奢而辞壮；墨翟、随巢，意显而语质；尸佼、尉缭，术通而文钝；鹖冠绵绵，亟发深言；鬼谷眇眇，每环奥义；

情辩以泽，文子擅其能；辞约而精，尹文得其要；慎道析密理之巧；韩非著博喻之富；吕氏鉴远而体周。

《文心雕龙·论说》：暨战国争雄，辩士云涌；纵横参谋，长短角势；《转丸》驰其巧辞，《飞钳》伏其精术；一人之辩，重于九鼎之宝；三寸之舌，强于百万之师。六印磊落以佩，五都隐赈而封。……夫说贵抚会，弛张相随，不专缓颊，亦在刀笔。范雎之言疑事，李斯之止逐客，并顺情入机，动言中务，虽批逆鳞，而功成计合，此上书之善说也。

《文心雕龙·章表》：降及七国，未变古式，言事于主，皆称上书。秦初定制，改书曰奏。

《文心雕龙·奏启》：《礼》疾无礼，方之鹦猩；墨翟非儒，目以羊彘；孟轲讥墨，比诸禽兽；《诗》《礼》儒墨，既其如兹，奏劾严文，孰云能免。

《文心雕龙·事类》：观夫屈、宋属篇，号依《诗》人，虽引古事，而莫取旧辞。

《文心雕龙·比兴》：楚襄信谗，而三闾忠烈，依《诗》制《骚》，讽兼比兴。

《文心雕龙·夸饰》：自宋玉、景差，夸饰始盛。……且《诗》、《骚》所标，并据要害。……然屈平所以能洞监《风》人之情者，抑亦江山之助乎？

《文心雕龙·时序》：春秋以后，角战英雄，六经泥蟠，百家飙骇。方是时也，韩、魏力政，燕、赵任权，五蠹六虱，严于秦令，唯齐、楚两国，颇有文学。齐开庄衢之第，楚广兰台之宫，孟轲宾馆，荀卿宰邑。故稷下扇其清风，兰陵郁其茂俗，邹子以谈天飞誉，驺奭以雕龙驰响，屈平联藻于日月，宋玉交彩于风云。观其艳说，则笼罩《雅》、《颂》。故知暐烨之奇意，出乎纵横之诡俗也。

《文心雕龙·才略》：战代任武，而文士不绝。诸子以道术取资，屈、宋以楚辞发采，乐毅报书辩以义，范雎上书密而至，苏秦历说壮而中，李斯自奏丽而动。若在文世，则杨、班俦也。荀况学宗而象物名赋，文质相称，固巨儒之情也。

《文选·序》：古诗之体，今则全取赋名。荀宋表之于前，……又楚人屈原，含忠履洁，君匪从流，臣进逆耳，深思远虑，遂放湘南。耿介之意既伤，抑郁之怀靡诉。临渊有怀沙之志，吟泽有憔悴之容。骚人之文，自兹而作。……老庄之作，管孟之流，盖以立意为宗，以不能文为本，今之所选，又以略诸。若贤人之美辞，忠臣之抗直，谋夫之话，辩士之端，冰释泉涌，金相玉振。所谓坐狙丘，议稷下，仲连之却秦军……盖乃事美一时，语流千载。

《史通·六家》：观《左传》之释经也，言见经文而事详传内，或传无而经有，或经阙而传存。其言简而要，其事详而博。信圣人之羽翮，而述者之冠冕也。

《诗薮·内编》：裂周而王者，七国也。……屈、宋、唐、景，鹊起于先，故一变为汉，而古诗千秋独擅。……纡回断续，《骚》之体也；讽谕哀伤，《骚》之用也；深远优柔，《骚》之格也；宏肆典丽，《骚》之词也。……昔人云：诗文之有骚赋，犹草木有竹，禽兽有鱼，难以分属。然骚实歌行之祖，赋则比兴一端，要皆属诗。近之若荀卿《成相》、《云》、《礼》诸篇，名曰诗赋，虽谓之父可也。屈、宋诸篇，虽遒深闳肆，然语皆平典。

《诗薮·杂编》：周末庄、列、屈、宋，无异后世词人矣。

《诗薮·杂编》：宋玉赋《高唐》、《神女》、《登徒》及《风》，皆妙绝今古。

《古文辞类纂·序目》：论辩类者，盖源于古之诸子，各以所学著书昭后世，孔孟之道与文，至矣。自老庄以降，道有是非，文有工拙。

《艺概·文概》：《左传》善用密，《国策》善用疏。《国策》之章法、笔法，奇矣。若论字句之精严，则左公允推独步。

《艺概·文概》：《公》、《穀》二传，解义皆推见至隐。……《左氏》尚礼，故文；《公羊》尚智，故通；《穀梁》尚义，故正。……《公羊》堂庑较大，《穀梁》指归较正。《左氏》堂庑更大于《公羊》，而指归往往不及《穀梁》。……《檀弓》语少意密。显言直言所难尽者，但以句中之眼、文外之致含藏之，已使人自得其实。是何神境?……《左氏》森严，文瞻而义明，人之尽也。《檀弓》浑化，语疏而情密，天之全也。……文之自然无若《檀弓》，刻画无若《考工》、《公》、《穀》。……《檀弓》诚悫颀至，《考工》朴属微至。

《艺概·文概》：《问丧》一篇，缠绵凄怆，与《三年问》皆为《戴记》中之至文。《三年问》大要出于《荀子》，知《问丧》之传，亦必古矣。

《艺概·文概》：战国说士之言，其用意类能先立地步，故得如善攻者使人不能守，善守者使人不能攻也。不然，专于措辞求奇，虽复可惊可喜，不免脆而易败。

《艺概·文概》：文之快者每不沉，沉者每不快，《国策》乃沉而快。文之隽者每不雄，雄者每不隽，《国策》乃雄而隽。

《艺概·文概》：《孟子》之文，至简至易，如舟师执柁，中流自在，而推移费力者不觉自屈。……《孟子》之文，百变而不离其宗，然此亦诸子所同。其度越诸子处，乃在析义至精，不惟用法至密也。……集义养气，是《孟子》本领。不从事于此，而学《孟子》之文，得无象之然乎?

《艺概·文概》：荀子明《六艺》之归，其学分之，足了数大儒。其尊孔子，黜异端，贵王贱霸，犹孟子志也。

《艺概·文概》：屈子《离骚》之旨，只“百尔所思，不如我所之”二语，足以括之。

《艺概·文概》：《庄子》寓真于诞，寓实于玄，于此见寓言之妙。

《艺概·文概》：《庄子》是跳过法，《离骚》是回抱法，《国策》是独辟法，《左传》、《史记》是两寄法。

《艺概·文概》：有路可走，卒归于无路可走。如屈子所谓“登高吾不说，入下吾不能”是也。无路可走，卒归于有路可走。如庄子所谓“今子有五石之瓠，何不虑以为大樽，而浮于江湖”，“今子有大树，何不树之于无何有之乡，广莫之野”是也。而二子之书之全旨，亦可以此概之。

《艺概·文概》：柳子厚《辩列子》云："其文辞类《庄子》，而尤为质厚，少为作。好文者可废耶？"［按，《列子》实为《庄子》所宗本，其辞之谲诡，时或甚于《庄子》，惟其气不似《庄子》放纵耳］

《艺概·文概》：文章蹊径好尚，自《庄》、《列》出而一变。

《艺概·文概》：文家于《庄》、《列》外，喜称《楞严》、《净名》二经。识者知二经乃似《关尹子》，而不近《庄》、《列》。盖二经笔法，有前无却。《庄》、《列》俱有曲致，而《庄》尤缥缈奇变，乃如风行水上，自然成文也。

《艺概·文概》：周、秦间诸子之文，虽纯驳不同，皆有个自家在内。后世为文者，于彼于此，左顾右盼，以求当众人之意，宜亦诸子所深耻与！

《艺概·文概》：文如云龙雾豹，出没隐见，变化无方。此《庄》、《骚》、《太史》所同。

《艺概·文概》：尚礼法者好《左氏》，尚天机者好《庄子》，尚性情者好《离骚》，尚智计者好《国策》。

《艺概·文概》：大抵儒学本《礼》，荀子是也……玄学本《易》，庄子是也；文学本《诗》，屈原是也。

《艺概·文概》：文有四时：《庄子》"独寐寤言"，时也；《孟子》"向明而治"，时也；《离骚》"风雨如晦"，时也；《国策》"饮食有讼"，时也。

《艺概·诗概》：《九歌》，乐府之先声也。《湘君》、《湘夫人》是南音，《河伯》是北音。即设色选声处，可以辨之。

《艺概·诗概》：《楚辞·大招》云："四上竞气，极声变只。"此即古乐节之"升歌笙入、间歌合乐"也。屈子《九歌》，全是此法。

《艺概·诗概》：诗，一种是歌，"君子作歌"是也。一种是诵，"吉甫作诵"是也。《楚辞》有《九歌》与《惜诵》，其音节可辨而知。……《九歌》，歌也，《九章》，诵也。

《艺概·赋概》：荀卿之赋直指，屈子之赋旁通。……《骚》之"抑遏蔽掩"，盖有得于《诗》《书》之隐约。自宋玉《九辨》，已不能继，以才颖渐露故也。……《楚辞·九歌》，两言以蔽之，曰："乐以迎来，哀以送往。"……《九歌》与《九章》不同。《九歌》纯是性灵语，《九章》兼多学问语。

《艺概·赋概》：屈子《九歌》，如《云中君》之"猋举"，《湘君》之"夷犹"，《山鬼》之"窈窕"，《国殇》之"雄毅"，其擅长得力处，已分明一一自道矣。……屈子之文，取诸六气，故有晦明变化、风雨迷离之意。读《山鬼》篇，足觇其概。……宋玉《招魂》，在《楚辞》为尤多异彩。约之亦只两境：一可喜，一可怖而已。

《艺概·赋概》：赋盖有思胜于辞者。荀卿《礼》、《智》、《云》、《蚕》诸赋，篇虽短，却已想透无遗。……赋因人异。如荀卿《云赋》，言云者如彼，而屈子《云中君》，亦云也，乃至宋玉《高唐赋》，亦云也。……以赋观人者，当于此着眼。

《文史通义·诗教上》：周衰文弊，六艺道息，而诸子争鸣。盖至战国而文章之变尽，至战国而著述之事专，至战国而后世之文体备；故论文于战国，而升降盛衰之故可知也。战国之文，奇衺错出，而裂于道，人知之；其源皆出于六艺，人不知也。后世之文，其体皆备于战国，人不知；其源多出于《诗》教，人愈不知也。知文体备于战国，而始可与论后世之文。知诸家本于六艺，而后可与论战国之文，知战国多出于《诗》教，而后可与论六艺之文；可与论六艺之文，而后可与离文而见道；可与离文而见道，而后可与奉道而折诸家之文也。

《文史通义·诗教上》：战国之文，其源皆出于六艺。何谓也？曰：道体无所不该，六艺足以尽之。诸子之为书，其持之有故而言之成理者，必有得于道体之一端，而后乃能恣肆其说，以成一家之言也。所谓一端者，无非六艺之所该，故推之而皆得其所本；非谓诸子果能服六艺之教，而出辞必衷于是也。《老子》说本阴阳，《庄》、《列》寓言假象，《易》教也。邹衍侈言天地，关尹推衍五行，《书》教也。管、商法制，义存政典，《礼》教也。申、韩刑名，旨归赏罚，《春秋》教也。其他杨、墨、尹文之言，苏、张、孙、吴之术，辨其源委，挹其旨趣，九流之所分部，《七录》之所叙论，皆于物曲人官得其一致，而不自知为六典之遗也。

《文史通义·诗教上》：战国之文，既源于六艺，又谓多出于《诗》教，何谓也？曰：战国者，纵横之世也。纵横之学，本于古者行人之官。观春秋之辞命，列国大夫，聘问诸侯，出使专对，盖欲文其言以达旨而已。至战国而抵掌揣摩，腾说以取富贵。其辞敷张而扬厉，变其本而加恢奇焉，不可谓非行人辞命之极也。……纵横家者流，推而衍之，是以能委折而入情，微婉而善讽也。九流之学，承官典于六典，虽或原于《书》、《易》、《春秋》，其质多本于礼教，为其体之有所该也。及其出而用世，必兼纵横，所以文其质也。古之文质合于一，至战国而各具之质，当其用也。必兼纵横之辞以文之，周衰文弊之效也。故曰：战国者，纵横之世也。

《文史通义·诗教上》：后世之文，其体皆备于战国。……后世之文集，舍经义与传记、论辨之三体，其余莫非辞章之属也。而辞章实备于战国，承其流而代变其体制焉。……今即《文选》诸体，以征战国之赅备。京都诸赋，苏、章纵横六国，侈陈形势之遗也。《上林》、《羽猎》，安陵之从田，龙阳之同钓也。《客难》、《解嘲》，屈原之《渔父》、《卜居》，庄周之惠施问难也。韩非《储说》，比事征偶，《连珠》之所肇也，而或以为始于傅毅之徒，非其质矣。孟子问齐王之大欲，历举轻暖肥甘，声音采色，《七林》之所启也；而或以为创之枚乘，忘其祖矣。邹阳辨谤于梁王，江淹陈辞于建平，苏秦之自解忠信而获罪也。《过秦》、《王命》、《六代》、《辨亡》诸论，抑扬往复，诗人讽谕之旨，孟、荀所以称述先王，儆时君也。

《文史通义·诗教上》：至战国而文章之变尽，至战国而后世之文体备，其言信而有征矣。至战国而著述之事专，何谓也？……《论语》记夫子之微言，而曾子、子思，俱有述作以垂训，至孟子而其文然后闳肆焉，著述至战国而始专之明验也。……至战国而官守师傅之道废，通其学者，述旧闻而著于竹帛焉。中或不能无得失，要其所自，不容遽昧也。以战国之人，而述黄、农之说，是以先儒辨之文辞，而断其伪托也；不知古初无著述，而战国始以竹帛代口耳。实非有所伪托也。然则著述始专于战国，盖亦出于势之不得不然矣。著述不能不衍为文辞，而文辞不能不生其好尚。后人无前人之不得已，而惟以好尚逐于文辞焉，然犹自命为著述，是以战国为文章之盛，而衰端亦已兆于战国也。

公元前453年（周贞定王十六年）

《左传·哀公二十七年》末尾一段文字作于本年后。《左传》本名《左氏春秋》，汉以后被割裂附于《春秋》有关条之后，成为《春秋》的“传”，因改称《左传》。其成书年代，千余年来，莫衷一是。书末尾有“知伯贪而愎，故韩、魏反而丧之”记载。魏、赵、韩三家灭知伯在周贞定王十六年（前453年），则记此事之文当在本年后。

《国语·晋语九》三篇写灭智伯内容之文作于本年或其后。《国语》成书，《史记·太史公自序》以为“左丘失明，厥有《国语》”。《国语》中《晋语》、《郑语》、《吴语》、《越语》同《左氏春秋》一样，是春秋时瞽史依据史书讲述历史故事的记录本。其最后编成在战国中期以前，但其中大部分篇章应是春秋时代及春秋以前所传，后来有所附益和增加。今日要具体考察《国语》每一篇成书年代已不可能，但《晋语九》“智果论智瑶必灭宗”、“士茁谓土木胜惧其不安人”、“智伯国谏智襄子”三篇均谈到智氏之亡，其作应不得早于本年。

《礼记》的《坊记》、《中庸》、《表记》、《缁衣》或为子思作，《乐记》或为公孙尼子作。《礼记》作为儒家经典之一，内容十分丰富。《汉书·艺文志》著录“《礼记》百三十一篇”。自注：“七十子后学者所记也。”此后人们对此书的成书年代，大都以为不在先秦。（关于历代对《礼记》成书年代的情况，请参阅彭林《郭店楚简与〈礼记〉的年代》一文。《中国哲学》第二十一辑）沈从文从周秦两汉墓葬所反映的制度来判断《礼记》的年代，不失为一种很有说服力的研究方法。他说：“所发墓葬，其中制度，凡汉代者，以《礼记》证之皆不合；凡春秋、战国者，以《礼记》证之皆合；足证《礼记》一书必成于战国，不当属之汉人也。”（《顾颉刚学术文化随笔》引，中国青年出版社1998年）彭林从《礼记》通论各篇许多内容见于先秦文献的事实，结合郭店楚简有不少内容与《礼记》有关的情况，以为“《礼记》通论诸篇多作于战国”。[《郭店楚简与〈礼记〉的年代》及姜广辉《郭店楚简与原典儒学》（该书综述了国内学术界关于郭店楚简研究情况）均载《中国哲学》第二十一辑]

《曾子问》主要记录孔子答曾子问，也有孔子答子游、子夏问。任善铭以为《曾子问》“亦以篇首字名篇也。皆曾子问于孔子者，而子游问一事、子夏问二事附之。盖曾子弟子所记也”。（《礼记目录后案》，齐鲁书社1982年版）以《曾子问》内容观之，此篇有可能是曾子等人当时或事后记录下来，后又有人根据这些文字整理而成。其时间，大概晚于子游，早于孟子。据钱穆《先秦诸子系年》考证，子游生卒年大约在前506—前445年，则《曾子问》当成于战国初年。

《坊记》或为子思之作。《汉书·艺文志》“儒家”类著录“《子思》二十三篇”。《隋书·音乐志》引梁沈约说：“《中庸》、《表记》、《坊记》、《缁衣》皆取《子思子》。”以《隋书·经籍志》、《旧唐书·经籍志》、《新唐书·艺文志》对《子思子》均有著录情况可知，隋唐时期，《子思子》还在流传。郭店楚墓竹简出土后，李学勤《〈语丛〉与〈论语〉》（《清华大学思想文化研究所集刊》第2辑）、彭林《郭店楚简与〈礼记〉的年代》（《中国哲学》第二十一辑）等人证明《坊记》是子思的作品。

《史记·孔子世家》云："子思作《中庸》。"朱熹《四书章句集注》称："《中庸》何为而作也？子思子忧道学之失其传而作也。"其后有许多人认同此说。但《中庸》第二十章有"今天下车同轨，书同文，行同伦"记载，讲的是秦统一以后的情况。对此，李学勤这样解释："孔子生当春秋晚年，周室衰微，在政治、文化上趋于分裂，已经没有'车同轨，书同文，行同伦'的实际，……不能因这段话怀疑《中庸》的年代。"（《失落的文明》，上海文艺出版社1997年版）

《表记》或为子思所作。马总《意林》卷一、《太平御览》卷四〇三各征引《子思子》一条，俱见于《表记》。郭店楚简、上博简有一些与《表记》类似的句子，表明《表记》成篇应在战国中期以前。

《缁衣》作者说法不一。如《经典释文·礼记音义》引刘瓛之说，以为《礼记·缁衣》为公孙尼子所作。仔细考察，似以子思之说是。《隋书·音乐志》引沈约说，以为《缁衣》取自《子思子》；马总《意林》卷一录《子思子七卷》。其中一条亦见《文选》卷五一王子渊《四子讲德论》李善注引《子思子》曰："民以君为心，君以民为本。心正则体修，心肃则身敬也。"此句既见于今本《礼记·缁衣》，也见于郭店楚简《缁衣》。《文选》卷二四《张茂先答何劭二首》李善注引《子思子》："《诗》云：'昔吾有先正，其言明且清。国家以宁，都邑以成。'"此句也见于今本《礼记·缁衣》。上博竹简也有《缁衣》篇。除今本第一、十六、十八章外，其余内容大体相同，说明《缁衣》在战国中期已在广泛流传。董仲舒《春秋繁露·循天之道》引公孙之养气曰："裹藏泰实则气不通，泰虚则气不足，热胜则气□，寒胜则气□，泰劳则气不入，泰佚则气宛至，怒则气高，喜则气散，忧则气狂，惧则气慑。凡此十者，气之害也，而皆生于不中和。故君子怒则反中而自说以和，喜则反中而收之以正，忧则反中而舒之以意，惧则反中而实之以精。"孙诒让据《太平御览》以为《公孙尼子》佚文。

《乐记》作者说法不一，似以七十子弟子、战国前期的公孙尼子之说是。这是因为：《汉书·艺文志》"乐"类著录"《乐记》二十三篇，《王禹记》二十四篇"是两种不同的文献；《汉书·艺文志》"儒家"类著录"《公孙尼子》二十八篇"。自注："七十子弟子。"《隋书·音乐志》引沈约奏答以为"《乐记》取《公孙尼子》"。《史记·乐书》张守节《正义》云："其《乐记》者，公孙尼子次撰也。"战国晚期的著作已有引《乐记》的。如《荀子·乐论》除末尾袭用《礼记·乡饮酒义》，前面大部分在用《乐记》时插入了一些批评墨子的话。《吕氏春秋·适音》等文字有相同者，郭沫若、杨公骥、沈文倬、李学勤等已作过对比，认为是《荀子》、《吕氏春秋》抄袭《乐记》。同时，郭店楚简《性自命出》思想与《乐记》一致，很多词语也与《乐记》相同。《北堂书钞》引公孙尼子云："太古之人，饮露，食草木实。圣人为火食，号燧人，饮食以通血气。"《文选》卷三〇沈修文《三月三日率尔成篇一首》李善注引公孙尼子曰："众人役物而忘情。"另《太平御览》卷二一、卷七二四亦引公孙尼子之语。王先谦《汉书补注》"本志"第十卷"艺文志"《公孙尼子》条依据《初学记》、《意林》等类书引公孙尼子语见于《乐记》，证明《公孙尼子》至唐代尚存。李学勤说："其（《性自命出》）根本思想与《乐记》一致，……梁沈约、唐张守节都曾说《乐记》系公孙尼子所撰，我讨论过，公孙尼子是孔门七十子之弟子，其学说倾向于子思，又可能同韩非所说仲良氏之儒有关。郭店简儒书多与子思关联，有这样的乐论是自然的。”（《重写文学史》，河北教育出版社 2002 年版）有的学者主张公孙尼子学说与子思、孟子有关系。李学勤《失落的文明》将《乐记·乐化》中的“中和”概念、《中庸》的“中和”概念，与《春秋繁露·循天之道》所引公孙养气的一段议论相比较，得出结论：“足见与公孙尼子思想有共通处。公孙尼所论‘养气’，与孟子的‘养气’说也显有关连。从这些迹象看来，公孙尼子与思、孟有一定关系是不可否认的。公孙尼子可能与韩非所仲良氏之儒有关。”

《战国策·赵策一》的《知伯从韩魏兵以攻赵》、《知伯帅赵韩魏而伐范中行氏》作于本年后。由于材料来源的复杂性，《战国策》文作者与作时很大程度上已难考。就《战国策》各篇创作时间，一般而言，文中涉及事件年代有些即为该文创作年代；有些篇章中看不出明确时间、地点、人物、事件，即无法确定其创作的时间界限；有些篇章前面有说明背景的文字，后面有证明游说结果的文字，与说辞创作时间不一致。就是前、后两部分，也不一定出于一人之手。对此类《策》文，若能从本身考知说辞的创作年代，则予以系年；若根据文本提供线索，只能确定《策》文所涉事件下限，则以事件下限为《策》文创作上限。以此为原则，对那些散文特色较突出、结构完整、主题集中、自具首尾的辞令、书信、上书、对问等标出大体创作年代。还有些文学性较强的纪事之文，自然记述时代要迟一些；我们也据事件发生之下限，作为文章之产生上限时间加以系年。

《战国策·赵策一》中《知伯从韩魏兵以攻赵》、《知伯帅韩魏而伐范中行氏》所涉之事，均与周贞定王十六年（前 453 年）魏、赵、韩三家灭知伯之年有关。但《知伯从韩魏兵以攻赵》结尾言“韩、魏之君果反矣”，《知伯帅韩魏而伐范中行氏》结尾云“知氏尽灭，唯辅氏存焉”。则《策》文之作应在此年后。

《战国策》记豫让刺赵襄子文作于本年后。魏、赵、韩三家灭知伯在周贞定王十六年（前 453 年），《策》文记豫让为给知伯报仇杀赵襄子，则其作不得早于本年。孔子弟子漆雕开（子若，一作子开）卒于本年前后。《史记·仲尼弟子列传》云：“漆雕开，字子开。”《集解》引郑玄说以为鲁人，《索隐》引《家语》云：“蔡人，字子若，少孔子十一岁。又曰：习《尚书》，不乐仕。孔子曰：‘可以仕矣。’对曰：‘吾斯之未能信。’”《家语》之说，或许来自《论语·公冶长》“子使漆雕开仕。对曰：‘吾斯之未能信。’”《论语》记漆雕开言论，仅此一见。漆雕开为孔门“七十子之徒”之一。《韩非子·显学》云：“自孔子之死也，……有漆雕氏之儒。”《汉书·艺文志》“儒家”类著录“《漆雕子》十三篇。”但其书已佚。王充《论衡·本性》云：“宓子贱、漆雕开、公孙尼子之徒，亦论情性，与世子相出入，皆言性有善有恶。”漆雕开卒年，文献大多无明确记载。明包大燿《漆雕开年谱》、清林春溥《漆雕开年表》，近人蔡仁厚《漆雕开年表》均不言其卒年。

公元前 450 年（周贞定王十九年）

孔子弟子端木赐（子贡）卒于本年前后。《史记·仲尼弟子列传》云：“端沐赐，卫人，字子贡，少孔子三十一岁。”《索隐》：“《家语》作‘木。’”“孔门四科”中，子贡以“言语”见长。《论语·先进》：“言语：宰我、子贡。”《孟子·公孙丑上》：“宰我、子贡，善为说辞。”故子贡以游说闻名于诸侯。《韩诗外传》卷九：“孔子与子贡、子路、颜渊游于戎山之上。……孔子曰：‘勇士哉！赐，尔何如?’对曰：‘得素衣缟冠，使于两国之间，不持尺寸之兵，升斗之粮，使两国相亲如弟兄。’孔子曰：‘辩士哉！’”《韩非子·五蠹》记子贡为鲁游说之事。《史记·孔子世家》记子贡从孔子游，被困于蔡，孔子使其游说于楚，然后得免。《仲尼弟子列传》还云：“子贡利口巧辞，孔子常黜其辩。……故子贡一出，存鲁、乱齐、破吴，强晋而霸越。子贡一使，使势相破，十年之中，五国各有变。”孔门“七十子之徒”，子贡以货殖而富。《吕氏春秋·察微》、《史记·货殖列传》、《论衡·知实》等对此均有记载。《史记·儒林列传》言“子贡终于齐。”但其卒年，文献无明确记载。明包大爣《子贡年谱》、清林春溥《端木赐年表》，近人蔡仁厚《子贡年表》均不言其卒年。清冯云鹓《端木子年表》定其卒在周贞定王十三年（前 456 年）。今依钱穆《先秦诸子系年》系其卒在本年前后。

列子本年前后生于郑，名圄寇、圉寇。《庄子·天下》、《荀子·非十二子》评诸子学术，均未提及列子。司马迁《史记》也只字未提。后人颇多疑为拟托人物。但《列子·说符篇》、《淮南子·缪称训》皆称列子学于壶丘子，《庄子》有十多处提到列子，似不无根据。《庄子·应帝王》、《尔雅·释诂》邢昺疏引《吕氏春秋·不二》、《尸子·广泽》云“子列子贵虚”。《战国策·韩策二》史疾与楚王的对话，反映出列子学术当时已流传。又，《淮南子·泰族训》亦记列子语。这些史籍片段，从不同角度肯定了列子的存在。

《庄子·让王》记载列子与郑子阳同时，《淮南子·氾论训》记子阳被杀事。高诱注《吕氏春秋·首时》以为：“子阳，郑相也；一曰郑君。”但史无郑君名“子阳”者，当以郑相子阳为是。陆德明《经典释文·庄子音义下》曰：“子阳，郑相。”晁公武《郡斋读书志》卷三（上）云：“然三代之书，经秦火之后幸而存者，其错乱参差类如此。……列子郑穆公时人，而有子阳馈粟是也。”据《史记·郑世家》、《六国年表》、《楚世家》，郑杀子阳在周安王四年（前 398 年）。

又，刘向《别录叙》云：“列子，郑人，与郑缪公同时。”刘向所说“郑缪公”，依《史记·郑世家》《集解》、林春溥《战国纪年》引马骕之说、梁玉绳《汉书人表考》、纪昀《四库全书总目提要》及今人钱穆《先秦诸子系年·列御寇考》、马叙伦《列子伪书考》等，应为“郑繻公”。

子阳何时为相，现已无从考知，但其被杀在前 398 年。以《庄子·禳王》所记列子经历、列子对郑国局势的分析及拒绝子阳之粟做法看，其在子阳为相时已显老成。又从列子与其妻谈话可知，子阳为相可能时间较长。以《淮南子·氾论训》记载看，子阳当因过于严酷激起百姓反抗被杀。郑繻公于前 422 年至前 396 年在位，前后凡二十六年。假若子阳任相二十年左右，则初任相在前 420 年前后。若列子生于前 450 年，子阳任相时已三十岁左右。符合《庄子》及《汉书·艺文志》自注“圄寇，先庄子，庄子称之”实际。梁启超《先秦学术年表》、钱穆《先秦诸子系年·通表》等均定列子之生大约在此年。

公元前447年（周贞定王二十二年）

孔子弟子颛孙师（子张）卒于本年前后。《吕氏春秋·尊师》："子张，鲁之鄙家也。"《史记·仲尼弟子列传》："颛孙师，陈人，字子张。少孔子四十八岁。"子张言论，《论语·子张》、《为政》、《颜渊》、《卫灵公》，《史记·仲尼弟子列传》等有记载。《韩非子·显学》："自孔子之死也，有子张氏之儒……儒分为八。"子张一派为八儒之首。以《论语·卫灵公》"子张问行。子曰……子张书诸绅"观之，《论语》中或许有子张记录之孔子言论。《史记·儒林列传》云："自孔子卒后，七十子之徒，散游诸侯。大者为师傅卿相，小者友教士大夫。或隐而不见。故子路居卫，子张居陈。"则子张或许卒于陈。子张卒年，文献大多无明确记载。明包大爟《子张年谱》、清林春溥《子张年表》，近人蔡仁厚《颛孙师年表》均不言其卒年。清冯云鹓《颛孙师年表》定其卒在周贞定王二十四年（前445年）。孔子弟子中，《汉书·艺文志》"儒家"类还著录"《宓子》十六篇"。班固自注："名不齐，字子贱。孔子弟子。"又著录"《景子》三篇"。自注："说宓子语，似其弟子。"还有"《世子》二十一篇"。自注："名硕，陈人也，七十子弟子。"

墨子或闻蔡亡。《墨子·非攻中》载墨子谈到陈、蔡亡于吴、越。楚伐蔡事，《说苑·奉使》亦有记载。楚伐蔡之时，以《史记·管蔡世家》、《六国年表》观之，当在楚惠王四十二年（前447年）。后孙诒让《墨子间诂·非攻中》以为《史记》为是。《墨子·非攻》或为墨子自作，其中记载此事，应为其所见闻。

公元前445年（周定王二十四年　魏文侯元年）

孔子弟子言偃（字子游）卒于本年前后。《史记·仲尼弟子列传》："言偃，吴人，字子游。少孔子四十五岁。"《孔子家语》以为鲁人。《论语·雍也》载："子游为武城宰"。《阳货》："子之武城，闻弦歌之声。夫子莞尔而笑，曰：'割鸡焉用牛刀？'子游对曰：'昔者偃也闻诸夫子曰：君子学道则爱人，小人学道则易使也。'子曰：'二三子！偃之言是也。前言戏之耳。'""孔门四科"，子游以"文学"见长。《论语·先进》："文学：子游、子夏。"《孟子·公孙丑上》："昔者窃闻之：子夏、子游、子张，皆有圣人之一体。"后人或以为子游与子夏为《论语》的编纂者。言偃卒年，文献无明确记载。明包大爟《子游年谱》、清林春溥《子游年表》均不言其卒年。近人蔡仁厚《子游年表》以为孔子卒后三十六年子游卒。今依钱穆《先秦诸子系年》系于此年。宁越生于本年前后。宁越其事，《吕氏春秋·博志》云："孔、墨、宁越，皆布衣之士也。虑于天下，以为无若先王之术者，故日夜学之。""宁越，中牟之鄙人也。苦耕稼之劳，谓其友曰：'何为而可以免此苦也？'其友曰：'莫如学。学三十岁则可以达矣。'宁越曰：'请以十五岁。人将休，吾将不敢休；人将卧，吾将不敢卧。'十五岁而周威公师之。"《不广》还云："齐攻廪丘。赵使孔青将死士而救之，与齐人战，大败之。……宁越谓孔青曰……"钱穆《先秦诸子系年》卷二推断其生应在本年前后。《汉书·艺文志》"儒家"类著录"《宁越》一篇"。自注："中牟人，为周威王师。"书已散佚。《吕氏春秋·先识》、《说苑·尊贤》各引其说一节。马国翰辑入《玉函山房辑佚书》，并以诸书所载事迹附后。子夏居西河，为魏文侯师，魏国成为儒学重要中心。《史记·

仲尼弟子列传》："孔子既没，子夏居西河教授，为魏文侯师。其子死，哭之失明。"《儒林列传》记载孔子弟子活动，亦云："自孔子卒后，七十子之徒散游诸侯，大者为师傅卿相，小者友教士大夫，或隐而不见。……子夏居西河……是时独魏文侯好学。"《魏世家》亦载："文侯受子夏经艺。"《索隐》："子夏为魏文侯师。"《新序·杂事第四》还载："孟尝君问于白圭……白圭对曰：'魏文侯师子夏，友田子方，敬段干木，此名之所以过于桓公也。'"此事史籍多载，以为美谈。《吕氏春秋·尊师》载："段干木，晋国之大驵也，学于子夏。"子夏为魏文侯师教西河之地，《史记·仲尼弟子列传》《索隐》、《正义》等均有考证。钱穆《先秦诸子系年》卷二以为："子夏居西河在东方河济之间，不在西土龙门汾州。"即今河南、山东交界之地。《史记·魏世家》云："魏文侯元年，秦灵公之元年也。与韩武子、赵桓子、周威王同时。"据《六国年表》，此即周威烈王二年（前 424 年）。后陈梦家《六国纪年》、杨宽《战国史》、马雍《读云梦秦简〈编年记〉书后》（《云梦秦简研究》，中华书局 1981 年版）、张习孔主编《中国历史大事年表》、缪文远《战国策考辨》均以魏文侯元年为周定王二十四年（前 445 年）。魏文侯在位凡五十年。在位期间，先后任用魏成子、翟黄、李悝为相，乐羊为将，吴起为西河郡守，西门豹为邺令，对政治、军事、经济进行改革，使魏成为战国初期最先强大的国家。同时，《仲尼弟子列传》《正义》云："孔子卒后，子夏教于西河之上，文侯师事之，咨问国政焉。"其尊子夏为师，以子夏年龄观之，应如蒋伯潜《诸子通考》所说："大约文侯嗣立，即聘子夏。"其时魏国成为儒学重要中心。钱穆《先秦诸子系年》卷二《魏文侯礼贤考》云："魏文以大夫僭国，礼贤下士，以收人望，邀誉于诸侯，游士依以发迹，实开战国养士之风。"在魏的贤者先后有：子夏、田子方、段干木、魏成子、翟黄、翟角、吴起、李克、西门豹、乐羊、屈侯鲋、赵苍唐。

魏人诵《段干木歌》在此后数年间。《吕氏春秋·期贤》记载：魏文侯对段干木很敬重。"于是国人皆喜，相与诵之曰：'吾君好正，段干木之敬；吾君好忠，段干木之隆。'"此歌亦见于《新序·杂事》等。魏文侯礼贤段干木等人，《史记·魏世家》在文侯即位后二十四年与二十五年之间。司马迁在《史记》中对不能确定具体时间，但大体应在某个时间段材料，往往采用插叙手法，本段材料亦如此。魏文侯在位计五十年，因而以子夏、田子方、段干木为师应在其即位后数年间。魏人诵《段干木歌》亦应在此期间。李悝为魏文侯上地守，初为秦所败，后败秦在本年后。《韩非子·外储说左上》云："李悝警其两和曰：'谨警敌人，旦暮且至击汝。'如是者再三而敌不至。两和懈怠，不信李悝。居数月，秦人来袭之，至，几夺其军。此不信患也。"李悝与秦人战事，《内储说上》载："李悝为魏文侯上地之守，而欲人之善射也，乃下令曰：'人之有狐疑之讼者，令之射的，中之者胜，不中者负。'令下而人皆疾习射，日夜不休。及与秦人战，大败之，以人之善射也。"以《韩非子》所载材料看，李悝为上地守，非止一年。魏文侯前 445 年即位后，任贤使能。《吕氏春秋·察贤》："魏文侯师卜子夏，友田子方，礼段干木，国治身逸。"魏文侯任贤使能事，《吕氏春秋·下贤》、《期贤》，《史记·魏世家》等均有记载。李悝为魏文侯所用，当在其即位后不久。李悝后又助魏文侯变法，使魏在战国初期诸侯中率先富强。故其为上地守，当在前 445 年魏文侯即位后不久。

墨子在鲁，闻公输般将攻宋，与其辩论。公输般事迹，古籍中一般只记载楚欲攻宋，“公输般九设攻城之机变，子墨子九拒之”事。《墨子·鲁问》、《公输》则有其与墨子几次对话。据钱穆《先秦诸子系年》卷二《公输般自鲁游楚考》考证，公输般游楚并为舟战之器在楚惠王四十四年（前445年）前。楚惠王十六年（前473年）越灭吴后，就形成了楚、越两强争雄局面。两国沿江舟战，旷日持久。起初越屡胜，公输般至楚后则楚屡胜。楚反败为胜之因，《墨子·鲁问》以为是公输般发明的兵器，在楚、越争夺东方之地水战中，对楚转败为胜起了关键作用。

墨子何时至鲁难以确定。但在公输般至楚前，二人应已相识。公输般亦知墨子“非攻”主张。当公输般助楚胜越后要向东北扩展疆域时，必先攻宋。故当公输般告诉墨子“我舟战有钩强，不知子之义亦有钩强乎”时，墨子回答：“我义之钩强，贤于子舟战之钩强。我钩强，我钩之以爱，揣之以恭。”并展开论述其理由（见《墨子·鲁问》）。当时公输般在楚、而墨子在鲁，则二人应以书信方式就一些问题进行辩论。

“西河学术中心”始于本年稍后。战国时形成了五个较大的“学术中心”，根据时间先后为：西河学术中心、兰台学术中心、稷下学术中心、兰陵学术中心、咸阳学术中心。最早出现者当为西河学术中心。

周定王二十四年（前445年）魏文侯即位后，礼贤下士，任用李悝为相，吴起为西河郡守，西门豹为邺令，并以乐羊为将攻取中山，使魏最先富强。魏文侯礼贤，《史记·仲尼弟子列传》、《儒林列传》均有记载。据钱穆《先秦诸子系年·魏文侯礼贤考》，其“贤者”除上举诸人外，还有魏成子、翟黄、翟角、李可、屈侯鲋、赵苍唐。“西河学术中心”即在魏文侯礼贤背景下，以这些人为基础形成。“西河学术中心”主要有以子夏为代表的儒家，以李悝为代表的法家。吴起、禽滑釐虽学儒，但吴起后为法家兼兵家，禽滑釐又成墨子弟子。诸人著作，《汉书·艺文志》“儒家”类著录“《魏文侯》六篇”、“《李可》七篇”（《史记·孟荀列传》：“魏有李悝，尽地力之教。”《平準书》：“魏用李克，尽地力，为强君。”《货殖列传》：“当文侯时，李克务尽地力。”《汉书·食货志》改李克为李悝。《古今人表》李克在中上，李悝在上下，显然分为两人。《汉书·艺文志》“儒家”有“《李克》七篇”。自注：“子夏弟子，为魏文侯相。”“法家”有“《李子》三十二篇”。自注：“名悝，相魏文侯，富国强兵。”由此可知，班固时二人书并存。故《史记·货殖列传》《索隐》：“《汉书·食货志》李悝为魏文侯作尽地力之教，国以富强。今此及《汉书》言‘克’，皆误也。刘向《别录》则云‘李悝’也。”后世学者，如宋刘恕《通鉴外纪》、吕祖谦《大事记》、王应麟《困学纪闻》、清梁玉绳《史记志疑》、林春溥《战国纪年》、黄式三《周季编略》、沈钦韩《汉书疏证》、王先谦《汉书补注》，皆从其说。但崔适《史记探源》卷八《货殖列传第六十九》则谓：“《孟荀列传》亦云‘魏有李悝尽地力之教。’《魏世家》、《吴起列传》皆有李克对魏文侯语，且尝为中山守。尽地力即为守之职，是‘李克’即‘李悝’。‘悝、’‘克’一声之转，古书通用，非误也。唐人不通汉读，故以不误为误。”其后顾实《汉书艺文志讲疏》、蒙文通《法家流变考》亦以克、悝为一人。今人钱穆《先秦诸子系年》同。但齐思和《中国史探研》收《李克、李悝非一人辨》力辨非一人。郭沫若《十批判书》以为李悝为魏文侯相，金德建《先秦诸子杂考》同。但杨宽

《战国史》力辩李悝在魏文侯时，李克在武侯时。根据史料记载及学者们研究成果，我们以为：当以班固所说为是）；“法家”类著录“《李子》三十二篇”，自注：“名悝，相魏文侯，富国强兵”；“兵权谋家”类著录“《吴起》四十八篇”。

公元前444年（周贞定王二十五年　楚惠王四十五年）

墨子自鲁之楚，止楚攻宋并劝楚王勿攻郑，后又献书楚惠王，未受。惠王曾以书社五里封墨子，未受。后去楚返鲁。《史记·楚世家》载楚惠王四十二年楚灭蔡后东侵，“广地之泗上”。《正义》：“正，长也。江、淮北谓广陵县，徐、泗等州是也。”《战国纵横家书》第十四章言“宋以淮北与齐讲”，第十七章言“楚割淮北”。淮北或原为宋地，后为楚所得。楚既得志江、淮之北，要进一步扩展疆域时，从地理形势而言，位于楚东北的宋国为首选目标。故《墨子·公输》载：“公输般为楚造云梯之械成，将以攻宋。”《战国策·宋策》载墨子闻知此事，往见公输般，与其辩论。此事鲍彪《战国策注》以为在宋景公时，但其时墨子尚未出生。唐余知古《渚宫旧事·周代上》谓“惠王之末，墨翟重茧趋郢”则近于事实。惠王在位五十七年，墨子献书在其五十年，惠王年齿已高，故以老辞。因之墨子止楚攻宋在惠王四十五年（前444年）许。

由《墨子·耕柱》、《鲁问》记载墨子与鲁阳文君的对话可知，楚欲攻宋时亦欲攻郑，墨子亦止之。之后墨子可能在楚逗留。“见楚献惠王，献惠王以老辞。”（《墨子·贵义》）墨子献书惠王最晚不过其五十年（前439年）。又据《渚宫旧事·周代中》，墨子献书惠王不遇，便离楚至鲁。

公元前436年（周考王五年）

曾子卒于本年前后。《礼记·檀弓上》、《史记·仲尼弟子列传》载子夏居西河丧子，哭之失明，曾子曾予以指责。其事应在前445年后。《檀弓上》又言鲁穆公之母卒，派人问于曾子。此“曾子”为曾参之子曾申。由曾申之言可知，曾子卒在鲁穆公时。穆公元年在周威烈王十一年（前415年）。孔继汾《阙里文献考》以为曾子“年七十，学闻名天下”。其生在前505年，若曾子年七十而卒，则在周考王五年（前436年）。

曾子在孔子弟子中年纪较轻。《论语》不但尊称其为“子”，且所载言行远多于孔门其他弟子。不仅记述曾子与孔子问答，有十三章还专记曾子言行。可见曾子为孔子晚年最主要弟子，亦为最认真接受孔子学问者。他指出“忠”、“恕”为孔子“一以贯之”思想。并注重修身，提出“吾日三省吾身”的修养方法。曾子以“孝”著称，主张“慎终追远”。

曾子著述，据《史记·仲尼弟子列传》以为：孔子以为曾参能通孝道，“故授之业，作《孝经》”。则《孝经》当为其弟子述其平生所讲。孔子弟子有系统著作者，《汉书·艺文志》著录三人。即“《曾子》十八篇”，“《漆雕子》十三篇”，“《宓子》十六篇”，但只有《曾子》流传至今。朱熹《大学章句》言《礼记·大学》前两节（朱氏并为一节），是曾子述孔子之言，以下为曾子门人所记曾子对“经”（即开头两节）的解释。今本《大戴礼记》保存有《曾子》十篇。即《曾子立事》、《曾子本孝》、《曾子立孝》、《曾子大孝》、《曾子事父母》、《曾子制言上》、《曾子制言中》、《曾子制言下》、《曾子疾病》、《曾子天圆》。近年李学勤以为"《大学》应该是曾子作，或曾子说，弟子记"（见王博《美国达慕思大学郭店〈老子〉国际学术讨论会纪要》，载《道家文化研究》第十七辑）。

《论语·泰伯》"曾子有疾"两章作于本年后。由《论语·卫灵公》"子张问行。子曰……子张书诸绅"情况看，孔子弟子所记载夫子言论，应是《论语》最原始的材料。《论语》成书，《汉书·艺文志》、《汉书·匡衡传》、赵岐《孟子题辞》、何晏《论语序》引刘向之说，以为弟子将各人所记孔子语言编纂而成。陆德明《经典释文序录》引郑玄之说，以为《论语》是"仲弓、子夏等所撰定"。《论语》的成书应经历了一个较长的过程（近年郭沂《郭店竹简与先秦学术思想》以为《论语》结集者当仅限于孔子弟子和再传弟子两代，上海教育出版社2001年）。《泰伯》"曾子有疾"两条当在曾参卒后。

公元前434年（周考王七年）

《孔子诗论》成于本年后。上海博物馆于1994年5月从香港文物市场上购回一批战国楚竹简。《孔子诗论》就在其中。它的发现在文学史上有重要意义。《孔子诗论》或许非孔子时学生所记，而是其弟子教授后学学《诗》时的记录。其原始本子比竹简本要早，成书可能在战国早期。其中"孔子曰"有可能是孔门再传弟子所为。《孔子诗论》文字，与战国中期楚系简帛文字大抵相同。"因此，在抄写成书的年代上，应视为战国早期之作，即孔子再传弟子的抄本，或是上课时耳闻手抄的笔记；而从竹简上的文字观察，应可将之定在战国中、晚期之交。其作者或为子夏。"（陈立《〈孔子诗论〉的作者与时代》，载《上博馆藏战国楚竹书研究》，上海书店出版社2002年）上海博物馆濮茅左《〈孔子诗论〉简序解析》言："《孔子诗论》是我国文学史上一篇重要的儒家经典，两千数百年来，它的再现为我们认识先秦时期《诗》的编次、诗的本意提供了最直接、最真实的史料，为我们了解孔子思想、孔子对《诗》意的评价、孔子授《诗》的方法提供了可靠的依据。"（载《上博馆藏战国楚竹书研究》）《孔子诗论》的作者，李学勤《〈诗论〉的体裁和作者》以为只能是子夏。江林昌《上博竹简〈诗论〉的作者及其与今传本〈毛诗〉序的关系》亦以为："竹简《诗论》可能是失传了两千多年的子夏《诗》序。"陈立《〈孔子诗论〉的作者与时代》则以为"倘若仅凭书中所言《子羔》、《鲁邦大旱》、《孔子诗论》的字形、形制一致等，即认定此应指弟子子羔，则流于仓促立言"。（均载《上博馆藏战国楚竹书研究》）竹简作者由最初的孔子，到后来的子夏、子羔、孔子再传弟子各说。黄怀信以为应当是孔子再传弟子，但不能确定为哪位。关于其成书时代，他以为应当是在战国初期，孟子之前（参《战国楚竹书〈诗论〉解义》，社会科学文献出版社2004年版）子夏卒于本年后。《史记·仲尼弟子列传》、《孔子家语》等均言子夏为魏文侯师，但未云何年。魏文侯于前445年至前396年在位，称侯在周考王七年（前434年），周威烈王分封之为诸侯在烈王二十三年（前403年）。子夏为魏文侯师，应在魏文帝初年至前434年自称侯期间内。其后不见子夏事迹，或不久而卒。《汉书·艺文志》未著录子夏作品，盖其为“述而不作”者。其主要功业为传经。康有为《万木堂口说·学术源流七》曾说：“传经之学，子夏最多。”（《康有为全集》第二册，上海古籍出版社 1990 年版）《论语·子张》章记弟子之言，以子夏为最多，子贡次之。《史记·仲尼弟子列传》载子谓子夏曰：“汝为君子儒，无为小人儒。”《孔子世家》云：“孔子在位，听讼，文辞有可与人共者，弗独有也。至于为《春秋》，笔则笔，削则削，子夏之徒不能赞一辞。”子夏在孔门弟子中以“文学”著名。此时之“文学”主要指文献，但也包括《诗经》等在内。《论语·八佾》载：“子夏问曰：‘巧笑倩兮，美目盼兮，素以为绚兮。’何谓也？子曰：‘绘事后素。’曰：‘礼后乎？’子曰：‘起予者商也！始可与言《诗》已矣。’”孔子以为子夏能启发他，并可以与子夏讨论《诗经》。《论语·先进》还载：“文学：子游、子夏。”《史记·仲尼弟子列传》《索隐》以为：“子夏文学著于四科，序《诗》，传《易》。又孔子以《春秋》属商。又传《礼》，著在《礼志》。”说明子夏在传播《诗》、《易》、《春秋》、《礼》四艺上有功绩。洪迈《容斋续笔》卷十四《子夏经学》云：“孔子弟子惟子夏于诸经独有书，虽传记杂言未可尽信，然要为与他人不同矣。于《易》则有《传》，于《诗》则有《序》。而《毛诗》之学，一云子夏授高行子，四传而至小毛公；一云子夏传曾申，五传而至大毛公。与《礼》则有《仪礼·丧服》一篇，马融、王肃诸儒多为之训说。于《春秋》，所云‘不能赞一辞’，盖亦尝从事于斯矣。公羊高实受之于子夏；穀梁赤者，《风俗通》亦云子夏门人。于《论语》，则郑康成以为仲弓、子夏等所撰定也。后汉徐防上疏曰：‘《诗》、《书》、《礼》、《乐》，定自孔子，发明章句，始于子夏。’斯其证云。”魏文侯任用李悝改革魏政治，作“尽地力之教”，行平籴法，始著《法经》在本年前后。《史记·孟子荀卿列传》载：“魏有李悝，尽地力之教。”《汉书·食货志》云：“李悝为魏文侯作尽地力之教。……又曰：籴甚贵伤民，甚贱伤农。民伤则离散，农伤则国贫。故甚贵与甚贱，其伤一也。善为国者，使民勿伤而农益劝。”其中所录存一大段文字，可以看出李悝的思想与行文风格。魏文侯之所以能使魏成为当时各诸侯国中最强者，与李悝改革不可分。魏文侯即位十年后自称侯，更加雄心勃勃，欲图一番大业。此前李悝为上地守，在与秦人战中反败为胜以后，魏文侯任用其改革。前 434 年时晋君仅有绛、曲沃等地，反要朝韩、魏、赵之君。《六国年表》周威烈王二十三年（前 403 年），魏文侯被周威烈王分封为诸侯。晋自己称侯年代，在周威王十九年（前 434 年），雷学淇《竹书纪年义证》、陈梦家《六国纪年》等已辨其误。魏文侯之所以于前 403 年被封为诸侯，与魏之强紧密相关；而魏之强，又与李悝改革分不开。若李悝至前 406 年始行改革，时已至魏文侯四十年，后十年而卒，事实上魏之强远在此前。以文侯政绩而言，李悝应于此时改革。同时，李悝改革在早年，因政绩而在季成、翟黄之后任魏文侯相，更合事实。李悝著书，当是对自己主张的阐释。

公元前 431 年（周考王十年）

墨子或闻见莒亡。《墨子·非攻中》记墨子谈莒亡于齐、楚的原因。《史记·楚世家》、《六国年表》均以为周考王十年（前 431 年）楚灭莒。以孙诒让《墨子间诂》引杜预《春秋释例》及苏时学之说看，可能齐先灭莒，时在齐威王九年至十四年间（前348年至前343年）；楚又取莒于齐，时在楚顷襄王年间。或以为《史记》称前431年楚灭莒为太史公之误（见蒙文通《越史丛考》，人民出版社1983年版）。而大多数学者以《史记》之说为是（如杨宽《战国史》、翦伯赞主编《中外历史年表》均主前431年楚灭莒）。墨子在鲁可能闻知此事，故《墨子·非攻中》才有记载。

公元前425年（周威烈王元年）

《国语·晋语九·赵襄子使新稚穆子伐狄》作于本年或稍后。《国语》此文提到赵襄子谥号。襄子之卒，在周威烈王元年（前425年），故此文之作不得早于本年。

公元前420年（周威烈王六年）

墨子在鲁游其弟子公尚过于越，公尚过受越王之托至鲁请墨子，墨子答之。墨子游公尚过于越，《墨子·鲁问》有记载。越王勾践于周考王四年（前437年）攻破吴都，吴王夫差自杀，越有吴地。同时，据《吴越春秋》、《越绝书》、《汉书·地理志》等，勾践迁都琅邪在周考王三年（前438年）（“琅邪”在今山东胶南琅邪台西北）。周安王二十四年（前378年），越王翳又迁都于吴（今江苏苏州）。故公尚过游越只能在越有吴地后至迁都吴期间，即前438年至前378年间。墨子生在前478年左右，学成而声誉远扬，应在四十岁以后，即前438年以后。墨子之卒在前376年左右，前378年越迁都吴时或已卒。即使还在，也不可能以九十高龄远涉他国。从《鲁问》可知，公尚过自越返鲁后欲迎墨子于鲁。孙诒让《墨子间诂·墨子传略》以为此事为越王翁中晚年事。因而定上述之事在前420年前后。前415年 周威烈王十一年 子思在本年稍后为鲁穆公师。《史记·孔子世家》载：“孔子生鲤，字伯鱼。伯鱼年五十，先孔子死。伯鱼生伋，字子思，年六十二，尝困于宋。子思作《中庸》。”伯鱼之卒，在周敬王三十七年（前483年）。或谓子思为遗腹子，则子思之生至迟应在周敬王三十七、八年（前479年—前480年）。《礼记·檀弓上》载曾子曰：“小功不为位也者，是委巷之礼也。子思之哭嫂也为位，妇人倡踊。”子思既有嫂则必有兄。伯鱼早卒，子思又有兄，则子思之生自在伯鱼早年。其卒年，最晚不出周威烈王末年（前402年）。其年世与墨子正相当。鲁穆公元年，《史记·鲁周公世家》定在周威烈王十七年（前409年），《六国年表》推后两年。翦伯赞主编《中外历史年表》在前409年、前407年。但都标为“鲁穆公显元年”，显然有误。张习孔等主编《中国历史大事编年》同《六国年表》。钱穆《先秦诸子系年》力辨鲁穆公元年为周威烈王十一年（前415年）而非十七年，并以为子思生年“六十二”为“八十二”之误。在钱穆之前，梁玉绳《史记志疑》卷二十五已辨子思生年应为八十二岁。若子思只活了六十二岁，则鲁穆公时已死。以《孟子》、湖北荆门郭店楚竹简文字所记子思与鲁穆公谈话观之，子思与鲁穆公相处之时较长。应以梁玉绳、钱穆之说为是。《孟子·公孙丑下》载：“昔者鲁缪公无人乎子思之侧，则不能安子思；泄柳、申详无人乎缪公之侧，则不能安其身。”“缪”同“穆”。焦循《孟子正义》引赵岐注：“往者鲁缪公尊礼子思，子思以道不行则欲去。缪公常使贤人往留之，说以方且听子为政，然后子思复留。”另如《万章下》、《告子下》，《韩非子·难三》，《吕氏春秋·审礼》，《礼记·檀弓下》，《说苑·杂言》，《论衡·非韩》等史籍均有鲁穆公礼贤子思事记载。《孟子·告子下》云："鲁缪公之时，公仪子为政，子柳、子思为臣。"《万章下》亦两次提到缪公与子思对话。《离娄下》还载："子思居于卫，有齐寇。或曰：'寇至，盍去诸?'子思曰：'如伋去，君谁与守?'"卫、齐之事，难详其年。但据《史记·田完世家》记载，鲁缪公元年齐伐卫、取贯丘。或许即为《离娄下》所记之事。或者子思先事卫，在齐伐卫后离卫至鲁，受鲁穆公礼遇。郭店楚墓竹简有"鲁穆公问子思"，其内容主要是答鲁穆公"何如而可为忠臣"之问。子思言："恒称其君之恶者，可谓忠臣。"而"鲁穆公问子思"或是子思弟子所记。《汉书·艺文志》班固注："名伋，孔子孙，为鲁缪公师。"朱熹《四书集注》释为："缪公尊礼子思，常使人候伺，道达诚意于其侧，乃能安而留之也。"鲁缪公礼贤，应在即位初。钱穆《先秦诸子系年》卷二《鲁缪公礼贤考》共列以下贤人：曾申、子思、公仪休、泄柳、申详、墨子、南宫边。

公元前408年（周威烈王十八年）

墨子与鲁穆公有所论说。墨子一生以居鲁时间为多，此时亦在鲁，并与鲁君有谈话，《墨子·鲁问》对此有记载。其中的"鲁君"，或以为楚之"鲁阳文君"，苏时学以为"鲁国之君"。但战国封君中，楚才有"鲁阳文君"。据《国语·楚语下》，楚惠王时封公孙宽为"鲁阳文君"。《墨子》之《耕柱》、《贵义》、《鲁问》诸篇，"鲁君"与"鲁阳文君"在一篇中同时出现，当非一人。此"鲁君"应是鲁国之君。以《史记·田完世家》"（齐）宣公四十八年，取鲁之郕"证之，此"鲁君"为鲁穆公。《六国年表》亦载周威烈王十九年（前408年）齐伐鲁。《墨子·鲁问》记载齐将项子牛三侵鲁地，"郕"或为侵鲁时所取鲁地之一。前406年 周威烈王二十年 李悝任魏文侯相、著成《法经》在本年后。《史记·六国年表》周威烈王十八年（前408年）："魏使太子伐中山。"《战国策·魏策一·乐羊为魏将而攻中山》所记应为同一事。《韩非子·说林上》、《淮南子·人间训》、《说苑·贵德》等亦载此事。吕祖谦、林春溥、顾观光，今人杨宽、缪文远等均系此事在前408年，而以其攻克中山在前406年。《吕氏春秋·举难》、《史记·魏世家》、《韩诗外传》卷三、《新序·杂事》、《说苑·臣术》载魏文侯与李克论置相事。其中言及中山已拔，以季成为相。李悝为相在季成、翟黄后，故其为相当在前406年或稍后。桓谭《新论》云："魏文侯师李悝著《法经》，以为王者之政莫急于盗贼，故其律始于《盗贼》。……卫鞅受之人相于秦，是以秦、魏二国深文峻法相近。"《晋书·刑法志》："魏明帝改士庶罚金之令……是时承用秦汉旧律，其文起自魏文侯师李悝。悝撰次诸国法，著《法经》。以为王者之政，莫急于盗贼，故其律始于《盗贼》。盗贼须劾捕，故著《囚》、《捕》二篇。其轻狡、越城、博戏、借假不廉、淫侈、逾制，以为《杂律》一篇，又以《具律》具其加减。是故所著六篇而已，然皆罪名之制也。商君受之以相秦。"卫鞅入秦在前361年，在此前已习李悝之法。前已言之，李悝著《法经》在前434年前后。故其为中山相之际，《法经》应已成书。李克与魏文侯论置相，治中山，后为中山相。《史记·魏世家》载魏文侯与李克曾有下面一段对话："'先生尝教寡人曰：家贫则思良妻，国乱则思良相。今所置非成则黄，二子何如?’李克对曰：‘臣闻之，卑不谋尊，疏不谋戚。臣在阙门之外，不敢当命。’文侯曰：‘先生临事勿让。’李克曰：‘君不察故也。居视其所亲，富视其所兴，达视其所举，穷视其所不为，贫视其所不取，五者足以定之矣，何待克哉?’”在对话过程中言及中山已拔，故陈置相之辞应在此时。李克治中山，《吕氏春秋·适威》、《史记·魏世家》、《说苑·臣术》等均有记载。《韩非子·外储说左下》记翟黄言于田子方曰：“得中山，忧欲治之，臣荐李克而中山治。”《难二》亦载李克治中山。《史记·魏世家》记翟黄谓李克曰：“中山已拔，无使守之，臣进先生。”魏灭中山在前406年，故李克治中山在此年后。《汉书·艺文志》“儒家”类著录“《李克》七篇。”自注：“子夏弟子，为魏文侯相。”但战国史料无李克为魏文侯相之记载。《吕氏春秋·适威》云：“魏武侯之居中山也，问于李克曰：‘吴之所以亡者何也?’”此《适威》此说，高诱注以为是李克为武侯分封中山之时。《淮南子·道应训》有“魏武侯问于李克”记载。高注：“李克，武侯之相。”亦指李克所任之相为武侯分封中山时相。如此，则李克在魏文侯时已被分封为中山之相，武侯时沿之。其时间在前406年后。李克曾传《诗经》之学，故二十世纪五十年代河北平山县三汲村战国古墓出土的青铜器铭文，反映《诗经》在中山风行就不是偶然的。

公元前405年（周威烈王二十一年　齐悼子六年）

墨子自鲁游齐在本年或稍后。墨子至齐事，《墨子·贵义》载：“子墨子自鲁即齐。”《耕柱》亦记高石子离卫至齐，见墨子。《鲁问》又载墨子见齐大王，并有对话。唐虞世南《北堂书钞》引刘向《新序》也有齐王问墨子语。墨子一生至齐仅一次。墨子至齐时间，《鲁问》有“齐大王”之说。《史记·田完世家》载：“庄子卒，子太公和立。”“太公”即“田和”。齐僭王号之后亦尊其祖为“太王”。田齐自田和始有国，而姜齐诸君无称“王”者，因而《鲁问》之“大王”即“田和”。《史记·齐太公世家》载：“（康公）十九年，田常曾孙田和始为诸侯，迁康公海滨。”康公十九年为前386年。《六国年表》对此亦有记载。苏时学《墨子刊误》卷一云：“‘大’当读‘太’。即太公田和也。盖齐僭王号之后，亦尊其祖为太王，如周之古公云。”墨子见田和当在其即位之后、被封为诸侯之前，即前419年至前386年间。墨子见齐大王前先见了齐将项子牛，见项子牛又在其“三侵鲁地”后。而“三侵鲁地”事，《墨子·鲁问》有记载。据《史记·田完世家》记载，齐侵鲁应在前412年至前386年间。而前408年墨子还在鲁，故其见齐大王应在前407年至前386年间。《墨子·非乐》载墨子指责齐康公兴乐万。而《史记·田完世家》载齐康公“贷立十四年，淫于酒、妇人，不听政，太公乃迁康公于海上”。时在康公十九年（前386年）。《非乐》所记墨子之说，应在齐康公元年至迁海上之前（前404年至前386年）。前408年时墨子还在鲁国，因而游齐应在前405年或稍后。

公元前403年（周威烈王二十三年）

《管子·水地》作于本年后数年间。《管子·水地》末段“何以知其然也”至“故其民间易而好正”，共罗列齐、楚、秦、燕、晋、宋、越等七国。由此可知，作《水

地》时，主要有上述七国。因春秋前期十二诸侯国，鲁、卫、陈、蔡均处昌盛期，但《水地》未涉及。或许作者作文时，此数国已衰弱，故文不应成于春秋前期。因春秋末期吴越并称，文中提到“越”而未及“吴”，则作此文时吴已为越所灭。据此，该文也不成于春秋末。文中“齐晋”，历代注家众说纷纭。黄钊以为：“齐”字，乃“参”（即“叁”字）之误。“参”，古写作“叁”，“齐”，古写作“亝”，二字仅一笔之差，形极相似，故误耳。“齐晋”乃“叁晋”之误。因之《地水》成于前403年“三家分晋”之后（见黄钊《〈管子·水地〉篇考论》，载《道家文化研究》第二辑）。《水地》文末论及诸侯之水时，所提各国应是国别而非地域。因为“齐晋”实际指三家分晋后的魏、赵、韩。称“越”而不称“吴”，亦指灭吴后占领吴地的越国。以此推之，撰著此文时，宋国尚在。而齐灭宋在周赧王二十九年、齐闵王十五年（前286年）。这样，创作《管子·水地》的时间范围就在三家分晋之后、齐灭宋以前。前402年 周威烈王二十四年 子思卒。《史记·孔子世家》以为子思“年六十二”，梁玉绳《史记志疑》卷二十五加案语辨《史记》“六十二”是“八十二”之误，后人大多从梁玉绳说。则其卒约在本年。《韩非子·显学》云：“世之显学，儒、墨也。儒之所至，孔丘也。墨之所至，墨翟也。自孔子之死也，有子张之儒，有子思之儒，有颜氏之儒，有孟氏之儒，有漆雕氏之儒，有仲良氏之儒，有孙氏之儒，有乐正氏之儒。……故孔、墨之后，儒分为八。”孔子之后，以子思为首的儒家学派，将儒学思想发展为完整体系，并以文献形式记载下来。《论语》一书，或为子思之徒所编定。后世尊称子思为“述圣”。战国时期“儒墨之争”，实际上就是以子思为代表的儒家，与以墨子为代表的墨家的争论。孟子因就学于子思之门人，对子思学说加以继承和发展，故后世有“思孟学派”之称。

公元前400年（周安王二年　秦简公十五年　韩景侯九年）

在战国论说体文学发展中占有一定地位的《黄帝四经》作于本年前后。《汉书·艺文志》“道家”类与黄帝有关作品共著录：“《黄帝四经》四篇”、“《黄帝铭》六篇”、“《黄帝君臣》十篇”（班固注：“起六国时，与《老子》相似也。”）、“《杂黄帝》五十八篇”（班固注：“六国时贤者所作。”）、“《力牧》二十二篇”（班固注：“六国时所作，托之力牧。力牧，黄帝相。”）。《艺文志》“阴阳家”还著录“力牧十五篇”（自注：“黄帝臣，依托也。”）。另外，在“阴阳家”、“兵家”、“小说家”、“天文家”、“五行家”、“医经家”、“经方家”、“神仙家”等类托名黄帝的著述尚有二十余种。除“医经家”《黄帝内经》尚存外，其余在东汉后全佚。长期以来人们对这些作品莫知其详。1973年长沙马王堆汉墓出土帛书，包括《经法》、《十大经》、《称》、《道原》先秦古佚书四篇。唐兰、李学勤、陈鼓应等人以为这四篇古佚书或即《汉书·艺文志》著录的《黄帝四经》，但有的学者提出不同看法（唐兰说见《座谈马王堆汉墓帛书》，《文物》1974年第9期，后又在《马王堆出土〈老子〉乙本卷前古佚书的研究》一文予以详述，《考古学报》1975年第1期；另参陈鼓应《关于〈黄老帛书〉四篇成书年代等问题的研究》，见裘锡圭《马王堆帛书〈老子〉乙本卷前古佚书并非〈黄帝四经〉》文引，裘文载《道家文化研究》第3辑；王葆玹《南北道家贵阴贵阳说之歧异》，载《道家文化研究》第15辑；白奚《郭店儒简与战国黄老思想》，载《道家文化研究》第 17 辑；李学勤《新发现简帛佚籍对学术史的影响》)。近年研究“黄老之学”与《黄帝四经》及马王堆出土帛书，成果颇丰，可以参阅英国学者雷敦龢《关于马王堆黄帝四经的版本和讨论》一文（载《道家文化研究》第十八辑）。

《黄帝四经》的作者，有郑、楚、越、齐诸说。成书年代，大体有战国中期以前、战国中期以后、战国末期之说。唐兰在论证了马王堆汉墓帛书即《汉书·艺文志》的《黄帝四经》后云：“我认为它的写成时代，应该是战国前期之末到中期之初，即公元前 400 年前后。”（见《马王堆出土〈老子〉乙本卷前古佚书的研究》，载《考古学报》1975 年第 1 期。李学勤《范蠡思想与帛书〈黄帝书〉》一文同意唐兰说，《浙江学刊》1990 年第 1 期）陈鼓应从汉语词汇演变先有单词后有复合词规律，论证了《黄帝四经》至少与《孟子》及《庄子》内篇同时（见《黄帝四经今注今译》，台湾商务印书馆 1995 年版）；李学勤还通过古史传说系统演变，论证其作不会晚于战国中期（见《楚帛书与道家思想》，载《道家文化研究》第五辑）。他说：“我曾引述《史记》中的三处引文，证明西汉人公认《黄帝书》为道家之言。同时，根据唐兰先生等位的工作，指出《黄帝书》与《老子》、《文子》、《管子》、《鬼谷子》、《六韬》、《鹖冠子》、《淮南子》等书有共通文句。这些书都属道家或与道家有关。我还说明《黄帝书》和《申子》、《慎子》、《韩非子》也有共通文句，而三者《汉志》皆在法家，申不害、慎到、韩非三人，均曾学黄老之术。”“上述各书，除《老子》外，其与《黄帝书》文字共通之处，多可论证为对《黄帝书》的引用阐发。按申不害的年代，前人推为公元前 400 至公元前 337 年；慎到的年代，前人推为公元前 350 至公元前 275 年。他们是战国中期的人，《黄帝书》不应较之更晚。”（《申论〈老子〉的年代》，载《当代学者自选文库·李学勤卷》，安徽教育出版社 1999 年版）王博指出“气”在《黄帝四经》中只为一般名词，而在《管子》中却已具有了哲学抽象意义，从而论证了《黄帝四经》早于《管子》（见《〈黄帝四经〉与〈管子〉四篇》，载《道家文化研究》第一辑）。陈鼓应《从郭店简本看〈老子〉尚仁及守中思想》第 77 页注释言：“深一层分析，可以看出《内心》、《心术上》代表两种不同的倾向。《内业》着重内圣之学，重在修身，《心术上》侧重治道。在论治道方面，《心术上》与帛书《黄帝四经》较为接近。《管子》四篇是齐文化稷下学宫的重要代表作，我个人认为《黄帝四经》虽也可能是稷下作品，参见拙著《黄帝四经今注今译》）但大部分学者认为其为楚地之作。”（载《道家文化研究》第十七辑）近年有人又从人性论演变、认识论、阴阳五行思想发展、先秦子书古史传说系统几个方面论证其早出（白奚《稷下学研究》，三联书店 1998 年版）。王葆玹云：“考虑到《史记·孟荀列传》说齐宣王时的稷下先生慎到、田骈等人‘皆学黄老道德之术’，则《黄帝》四篇的成书也一定是在齐宣王以前。《史记·申韩列传》说申不害‘本于黄老而主刑名’，韩昭侯八年（公元前 355 年）始用申不害为相，则《黄帝》四篇似应在此年以前成书。这样，在考虑到《黄帝四经》屡言帝王之术而带有强烈的战国色彩的情况下，可将《黄帝四经》的成书时代限定在一个狭小的时间范围之内，即在田齐桓公午在位的时期（公元前 374 年至公元前 357 年），这也是魏武侯末期至魏惠王初期的交替时期，在楚国则远在魏王以前。”他又从帛书《黄帝四经》关于帝王的说法，得出了相同的结论。这一时期是齐稷下学宫初设的时期，《黄帝四经》是早期稷下学的代表作（《老庄学新探》，上海文化出版社2002年版）。综合上述各家之说，姑系于此。

今本《老子》改订成书于本年或稍前。以文献看，老子学说在春秋末应已流传，并形成了不同的传抄本。今日所见本子或许是保留下来、经过增益的不同的传抄本。这应是今天我们认识《老子》的一个基本思路。

《老子》现有三种本子：今本《老子》、1973年湖南长沙马王堆汉墓出土帛书《老子》、1993年湖北荆门郭店楚墓出土竹简《老子》。这三种《老子》，以楚简本为最早。帛书《老子》与今本流传的《老子》相差不大，但竹简本《老子》与帛书本、今本《老子》有着较大的差别：帛书本与今本皆为五千言，而简本却只有二千言；帛书本与今本皆由《道》、《德》两篇组成（帛书本《德》篇在前，《道》篇在后；今本《道》篇在前，《德》篇在后），而竹简本没有《道》、《德》两篇的区分，且在章次上与帛书本、今本更有较大的差异，并有甲、乙、丙三组不同的文字。在思想内容上，帛书本与今本《老子》都存在猛烈抨击儒家仁义和礼的思想的相同文句，竹简本则无。

长沙马王堆汉墓出土帛书《老子》，否定了其书晚出的看法。《老子》原书应是春秋时老聃所著，而后人有所修订。今本的成书年代，至少是在战国时期。帛书乙本前面有《黄帝书》（或称《黄帝四经》、《黄老帛书》）四篇，其与《老子》有共通之处。而《黄帝书》的著成年代，学术界一般承认唐兰推断在战国前期之末、中期之初，即前400年左右的结论（唐兰《马王堆出土〈老子〉乙本卷前古佚书的研究》。李学勤在引述唐兰、陈鼓应的说法后言："综合有关各方面来看，这应当是可信的判断。那么，为《黄帝书》所称引的《老子》，必须再早上一个时期，也就是说不会晚于战国早期。""古书所记老子长于孔子，《老子》之书先成之事，可以认为是确实可据的。"（《申论〈老子〉的年代》，载《古文献丛论》，上海远东出版社1996年版）郭店竹简本《老子》则是比帛书本更早的一个传抄本。裘锡圭《郭店〈老子〉简初探》同意王博之说："甲组与乙组、丙组可能由不同的编者在不同的时间完成，但其内容又见于今传《老子》中。这种情形说明，也许在此之前已经出现了一个几乎是五千余字的《老子》传本。郭店《老子》的甲组与乙组、丙组只是依照不同主题或需要，从中选辑的结果。"（载《道家文化研究》第十七辑）

或为关尹遗说的《太一生水》成于本年前后。"太一"概念，《庄子》之《列御寇》、《徐无鬼》、《天下》凡五见，《鹖冠子》之《泰训》、《泰录》，《淮南子》之《精神》、《本经》、《主术》、《诠言》亦有。但此概念非道家所独有。如《礼记·礼运》、《荀子·礼论》、《吕氏春秋·大乐》、《楚辞·九歌》均出现。李学勤言："《礼运》、《大乐》的思想来源是清楚的，就是《易传·系辞上》的'易有太极，是生两仪，两仪生四象，四象生八卦'。互相比较，不难知道'太一'就是太极。这一点，唐代孔颖达已经悟到，他在《礼记·月令》疏中便说，《老子》讲'道生一'，'与《易》之太极、《礼》之太一，其义不殊，皆为气形之始也'。""太极、太一属于宇宙论的范围。朱伯崑先生在《易学哲学史》中说：'在中国哲学史上，关于宇宙形成的理论有两个系统：一是道家的系统，本于《老子》的'道生一'说；一是《周易》的系统，即被后来易学家所阐发的太极生两仪说。'"（《荆门郭店楚简所见关尹遗说》，《中国哲学》第二十辑）庞朴以为："宇宙发生之原，在此取名为太一。'一'者数之始，体之全；'太'者大于大，最于最。则'太一'在时间上指最早最早的时候，空间上指最源最源的地方。这或许便是取名的用意。"（《〈太一生水〉说》，《中国哲学》第二十一辑）

《汉书·艺文志》"道家"类著录"《关尹子》九篇。"自注："名喜，为关吏，老子过关，喜去吏而从之。"刘汝霖《周秦诸子考》对《史记》所载关尹之名提出两点疑问。王葆玹《老庄学新探》针对刘汝霖之说，提出了这样的看法："其说《史记》原文当为'关尹喜曰'，'喜'非人名，与先秦诸书均称'关尹'的情况相合，当是成立的。而说'关尹'为姓名而非职称，却只是推测。实际上，'关尹'为姓名的可能性，根据《史记》'至关，关（令）尹喜曰'的明文就可以排除，'关尹'因老子'至关'而得遇，为守关吏无疑。此关被公认是函谷关，则关尹当为秦国守关的官员。"战国时儒分为八，墨分为三，道家也有不同流派，《庄子·天下》对此有记载。李学勤《荆门郭店楚简所见关尹遗说》言："此处以老聃、关尹为一派，其学'建之以常无有'，尚可与《老子》对应，'主之以太一'则不见于《老子》，当为关尹的学说。""《庄子·达生》和《吕氏春秋·审己》都记有列子请问关尹的事迹。吕书高诱注云：'关尹喜，师老子也。'顾实先生《汉书艺文志讲疏》指出列子曾师壶丘子林，可见关尹的年代确与老子相及。"（《中国哲学》第二十辑）《关尹子》一书久已亡佚。《吕氏春秋·不仁》言"关尹贵清"，《庄子·天下》曾引关尹之说。

1993年在湖北荆门沙洋区四方乡郭店村战国楚墓出土竹简中，有"太一生水"等文字。竹简整理小组以为"太一生水"简"形制及书体均与《老子》丙相同，原来可能与《老子》丙合编一册"。（见荆门市博物馆《郭店楚墓竹简》，文物出版社1998年版）李学勤言："太一生水这一章晚于传世本《老子》各章，证据是'太一'一词在《老子》中并未出现。《老子》不少地方讲'一'，如第十章、二十二章'抱一'，三十九章'得一'，却不见'太一'。同样，《老子》很推尚水，如第八章'上善若水'，七十八章'天下莫柔弱于水'，但也不曾有'太一藏于水'的观点。太一生水章在思想上，和《老子》殊有不同，只能理解为《老子》之后的一种发展。""太一生水章不可能和《老子》各章是同时的著作，应该是道家后学为解释《老子》所增入。"（《荆门郭店楚简所见关尹遗说》，《中国哲学》第二十辑）墓的下葬时间，在公元前300年左右，竹简抄写时间会更早。还有人明确指出《太一生水》产生在公元前350年前后。（如荆门市博物馆崔仁义《荆门楚墓出土的竹简〈老子〉初探》以为：竹简《老子》抄定时间晚于公元前377年。其依据是与简本《老子》同时出土有《鲁穆公问子思》篇，鲁穆公卒于公元前377年，这批竹简当抄定于鲁穆公卒后。载《荆门社会科学》1997年第5期）此外，包山楚简、马王堆汉墓帛画"都有'太一'崇拜的证据，尤其是后者——学者或称之为《太一将行图》，更是'太一'流行于战国中后期的铁证"。（参丁四新《郭店楚墓竹简思想研究》第二章《〈太一生水〉考论》，东方出版社2000年版）

申不害本年前后生于郑。据《史记·韩世家》、《老韩列传》、《六国年表》记载，韩灭郑在周烈王元年（前375年），而申不害曾仕于郑，则韩灭郑时至少应在三十岁左右，上推其生年应在前400年前后。《汉书·古今人表》列申不害与韩昭侯（前362年

—前 333 年在位）同时。依《韩非子·定法》、《史记·韩世家》及《老韩列传》、《淮南子·要略》，申不害确与韩昭侯同时，且于前 355 年为相。既然申不害为“故郑之贱臣”，在郑为韩所灭之后，又学术以干韩昭侯，若其生于前 400 年前后，前 355 年相韩时四十岁左右。有前面所说的经历就很正常。

《吕氏春秋·任数》高注：“申不害，郑之京人。”《审应》高注：“申向，周人。申不害之族。”似为矛盾。京地当在周、郑之间，或属周，或属郑，不同时期有所变化。申不害则郑之京人无误。《老韩列传》《索隐》引《别录》云：“京，今河南京县是也。”《正义》引《括地志》云：“京县故城在郑州荥阳县东南二十里，郑之京邑也。”

鬼谷子生于此年前后。《史记·苏秦列传》言，苏秦“东事师于齐，而习之于鬼谷先生”。而《管子·九守》篇在内容上与《鬼谷子·符言》几乎完全相同。根据许富宏的研究，是《九守》抄《鬼谷子》，反映了鬼谷子曾在稷下活动过，因《管子》中有不少篇章出于稷下先生之手。根据鬼谷子曾为孙膑、庞涓之师，又为苏秦、张仪之师，且游于稷下，文献中称其为“先生”的事实推断，当生于前 400 年前后。其后隐居于颍川阳城。（许富宏博士论文《鬼谷子》真伪及文学价值）其地属于韩国。

《鬼谷子》一书，最早著录于《隋书·经籍志》，新、旧唐书并著录之。以之同新出土帛书《十大经》、《称》、《法经》，郭店楚简《太一生水》、《语丛四》等进行比较，同《管子》、《邓析子》、《战国策》、《淮南子》等传世典籍进行比较，从该书所反映思想及用韵习惯方面加以论证，则此书虽在流传过程中可能经过增改，但基本上是一部先秦古书。从文本的内容、结构及流传方面分析，其前六篇，即《捭阖》、《反应》、《内揵》、《抵巇》、《飞箝》、《忤合》及《符言》为鬼谷子本人所著。这不仅是中国心理学的开山的著作，其中反映出的文艺思想、美学观点也很值得深入研究。

公元前 397 年（周安王五年　韩烈侯三年）

《战国策》记聂政刺韩傀之文作于本年后，传说聂政刺韩傀时“白虹贯日”。《战国策·东周策》、《韩策二》、《韩非子·说林上》、《内储说下》对此事均有记载。《史记·韩世家》、《六国年表》载此事在列侯三年。其后严仲子遭聂政行刺。“聂政直入，上阶刺杀侠累，左右大乱。”由《韩世家》、《六国年表》、《刺客列传》可知：司马迁肯定聂政所杀为韩相侠累。但《韩世家》既言“列侯三年，聂政杀韩相侠累”，《刺客列传》又云事在韩哀侯时。则其事究竟在何时，司马迁已不能明。同时，《韩世家》又载：“（哀侯）六年，韩严弑其君哀侯，而子懿侯立。”依此，则哀侯为韩严所杀。就韩景侯以下几位国君世系而言，《世本》、《竹书纪年》、《史记》各不相同。《史记·韩世家》：“景侯卒，子列侯取立。”《索隐》：“《系本》作‘武侯’。”“十三年，列侯卒，子文侯立。”《纪年》无文侯，《系本》无列侯。

今人陈梦家《六国纪年》云：“上节所引《韩世家》《索隐》述《纪年》哀侯之见弑，司马贞按语谓若山即懿侯，韩严为韩山坚是也。‘严’古当作‘巖’，故字山坚。懿侯《六国表》作庄侯，《索隐》云：《世家》作懿侯，《世本》无名。”（上海人民出版社 1957 年）陈奇猷注《韩非子·内储说下》引顾广圻曰：“《说林上篇》及《韩策》

‘廆’作‘傀’，同字。哀侯即《世家》之烈侯，《世本》谓之武侯，《战国策》及此谓之哀侯，各不同。事在三年，与《世家》之哀侯非一人。”陈奇猷又加“按语”云：“吴师道注《韩策》改哀侯为烈侯是也。……则聂政刺韩廆事与哀侯无涉，此哀侯当为烈侯甚明。”（《韩非子新校注》，上海古籍出版社2000年）

对《史记·韩世家》所记聂政与韩严之事也有不同看法。杨宽《战国史》后附《战国大事年表》在周安王五年（前397年）记：“聂政刺杀韩相侠累（即韩傀）。”其后在周烈王二年（前374年）记：“韩山坚（韩严）杀死韩哀侯，韩若山继立，即韩懿侯。”从民间文学传播的一般规律看，此似为同一事之衍变。今以《韩非子》与《战国策》记载为主系其事。《战国策·魏策四》载唐且对秦王谈“士之怒”时言：“聂政之刺韩傀也，白虹贯日。”

公元前395年（周安王七年）

李悝卒于本年后。史载李悝最晚事迹，《吕氏春秋·骄恣》云：“魏武侯谋事而当。攘臂疾言于庭曰：‘大丈夫之虑莫若寡人矣！’立有间，再三言。李悝趋进曰……李悝可谓能谏其君矣，壹称而令武侯益如君人之道。”此事《荀子·尧问》、《新序·杂事》皆载之，但“李悝”皆作“吴起”。李悝、吴起大体同时而吴起稍后。同为先秦书，既有此记载，说明李悝此时或在。故陈奇猷《吕氏春秋校释》云：“本书《骄恣》在其与魏武侯答问，则李悝至武侯时尚存。”此时应为九十高龄，其卒当在本年后不久。李悝著述，《汉书·艺文志》“法家”类著录“《李子》三十二篇”。自注：“名悝，相魏文侯，富国强兵。”但其书已亡。又《兵书略》之“权谋”类有“《李子》十篇”。二书内容不同。李悝汇集各国法律所编《法经》，为我国古代首部较完整法典。分为《盗法》、《贼法》、《囚法》、《捕法》、《杂法》、《具法》。其内容从《史记》、《汉书·食货志》、《晋书·刑法志》、《通典·食货二》等大体可知。李悝著述对《秦律》、《汉律》均有影响。李悝著作，黄奭、马国翰各有辑本。李克卒于本年前后。《吕氏春秋·适威》载：“魏武侯之居中山也，问于李克曰：‘吴之所以亡者何也？’”《淮南子·道应训》亦载“魏武侯问于李克”。由此可知魏武侯即位时李克尚在，故其卒亦应在魏武侯即位后不久。李克著述，《汉书·艺文志》“儒家”类著录“《李克》七篇”。自注：“子夏弟子，为魏文侯相。”其书已亡。杨朱本年前后生于秦。杨朱其人，《孟子》、《列子》、《庄子》、《韩非子》、《吕氏春秋》记载其行事与思想，《管子》、《荀子》等对其学派主张有所评述。其生年，《孟子·滕文公下》云：“杨朱、墨翟之言盈天下。天下之言，不归杨，则归墨。”《尽心上、下》亦有孟子评杨朱言论。以孟子对杨朱评论可知，杨朱稍早于孟轲。《庄子·应帝王》载：“阳子居见老聃。”《寓言》载：“阳子居南之沛，老聃西游于秦，邀于郊，至于梁而遇老子。”历来大都以“阳子居”即杨朱。《孟子·尽心上》赵岐注：“杨子，杨朱也。”《庄子·骈拇》成玄英疏：“杨者，姓杨名朱，字子居，宋人也。”钱穆《先秦诸子系年》、郑宾于《杨朱传略》、高亨《杨朱学派》同（《古史辨》第四册，上海古籍出版社1982年版）。但《庄子》中阳子居与“为我”之杨朱毫无关涉。《孟子·尽心上》以为“杨子取为我，拔一毛而利天下，不为也。”《韩非子·显学》评杨朱“为轻物重生之士”。《吕氏春秋·不二》谈到各家学

术主张时，以为“阳生贵己”。此“阳生”，陈奇猷《吕氏春秋校释》引毕沅之说：“李善注《文选·谢灵运述祖德诗》引作杨朱。阳、杨古多通用。”又引松皋圆、蒋维乔等曰：生当作朱，形似而误。诸人之说或是。但《庄子》中“阳子居”言行，与杨朱思想不同，故《庄子》中“阳子居”或非杨朱。《淮南子·汜论训》云：“夫弦歌鼓舞以为乐，盘旋揖让以修礼，厚葬久丧以送死，孔子之所立也，而墨子非之。兼爱尚贤，右鬼非命，墨子之所立也，而杨朱非之。全性保真，不以物累形，杨子之所立也，而孟子非之。”此段文字亦可证孟子后于杨朱。《列子·杨朱篇》载：“杨朱见梁王，言治天下如运诸掌。”《说苑·政理》记载同。杨伯峻《列子集释》引王重民之说云：“《类聚》九十四引作‘梁惠王’，下文‘梁王曰’无‘梁’字。”又引王叔岷之说云：“《事类赋》二二引‘杨朱’上有‘初’字。《文选》东方曼倩《答客难》注、《事文类聚》后集三九、《韵府群玉》六、《天中记》五四引‘梁’下亦并有‘惠’字。”《列子·力命篇》云：“杨朱之友曰季梁。季梁得病，七日大渐。”《战国策·魏策四》：“魏王欲攻邯郸，季梁闻之，中道而返。”魏围赵邯郸在前354年。杨朱既与季梁友，而季梁事魏惠王，惠王在位凡五十一年，故杨朱见梁王必为惠王（前369年—前319年在位）。根据以上材料所提供线索，依钱穆《先秦诸子系年》系杨朱生前395年前后。杨朱里籍，《庄子·骈拇》“骈于辩者……而杨墨是已。”成玄英疏以为“杨”即杨朱，“宋人也”。《庄子·山木》云：“阳子之宋。”成疏：“秦人也。”由《山木》观之，若“阳子”为杨朱，则其非宋人自明。清代于鬯以为魏人（《香草续校书》，张华民点校，中华书局1963年版）。当代有人以为卫、魏、鲁人，均不足信。《荀子·王霸》云：“杨朱哭衢途。”杨倞注：“衢途，歧路也。秦俗以两为衢。”则杨朱应为秦人。尸子本年前后生于晋，名佼。尸佼其人，《史记·孟荀列传》在叙述齐宣王时“稷下”学术盛况时云：“楚有尸子、长庐，阿之吁子焉。”《集解》引刘向《别录》云：“楚有尸子，疑谓其在蜀。今按《尸子》书，晋人也，名佼，秦相卫鞅客也。卫鞅商君谋事画计，立法理民，未尝不与佼规之也。”《索隐》亦云：“尸子名佼，音绞，晋人，事具《别录》。”刘向《荀子叙录》云：“尸子非先王之法，不循孔子之术。”《汉书·古今人表》中尸子与邹衍、田骈相先后。《汉书·艺文志》“杂家”类著录“《尸子》二十篇”。班固自注：“名佼，鲁人，秦相商鞅师之。鞅死，佼逃入蜀。”刘向、班固所说，乃与商鞅同时之尸子。刘勰《文心雕龙·诸子》云：“尸佼兼总于杂术。”肯定其非儒家。王应麟《汉书艺文志考证》卷七云：“今按《尸子》书，晋人也。名佼，秦相卫鞅客也。”上述史籍均肯定战国时尸子与商鞅同时。近人孙次舟《论〈尸子〉的真伪》云：“考《史记》通例，凡古人之有著作大行于汉代者，《列传》中率不论其书。若其书稍隐僻，则录其要旨。”孙氏以例证说明：“可见《尸子》之书，亦必煊赫于当时。”“凡诸子书之通行于汉代而为太史公所不论者，《汉书·艺文志》并著录之。”“由此以言，则《史记·孟荀传》、刘向《别录》、《汉书古今人表》，以及《艺文志》所言之《尸子》，实为一人，即商鞅之师尸佼也。”（《古史辨》第六册，上海古籍出版社1982年版）上述各说或言尸子为商鞅客，或言为其师，盖为其上宾，时有所请益。其生年当较商鞅略早。鞅生前390年前后，故系尸子生于此年前后。尸佼籍贯，《史记》以为楚人，刘向《别录》以为晋人，《汉书·艺文志》自注以为鲁人。《后汉书·

吕强列传》注同《别录》。梁玉绳《汉书·人表考》以尸佼为晋人。《艺文志》本于《别录》而作“鲁人”者，字之误也。

公元前393年（周安王九年　楚悼王九年）

墨子止楚鲁阳文君伐郑在本年或稍前。墨子一生两次游楚，首次在前444年前后并曾止楚攻宋。前405年前后时墨子曾游齐，此次游楚当在离齐后不久。《墨子·耕柱》、《鲁问》所记墨子与鲁阳文君谈话内容，除《鲁问》记载鲁阳文君与墨子有一段谈论怎样做才算是忠臣的内容外，余皆围绕“伐郑”展开。据《史记》记载，前403年三晋列为诸侯时，楚已北上夺得郑国不少土地。其后在向中原拓展过程中，三晋与楚发生冲突。前400年三晋联军在魏文侯主持下南下伐楚，至桑丘。《六国年表》还载，前399年楚将榆关归还郑国。前398年楚又“败郑师，围郑”。鲁阳文君与墨子对话，即在此背景下进行。

与墨子对话之“鲁阳文君”，或以为是司马子期之子公孙宽，其封地在鲁阳。但据《左传·哀公十六》记载，子期死，“白公之乱”在鲁哀公十六年（前479年），第二年宽即嗣父为司马，则白公作乱时宽至少已弱冠。到《墨子·鲁问》中谈到前396年郑缟公被杀时已逾百岁。即使还在世，按理说不可能谋攻郑了。还有人以为可能是子期幼子甚至孙子，其封地仍在鲁阳。《国语·楚语下》载：“惠王以梁与鲁阳文子，文子辞。……与之鲁阳。”韦昭注：“文子，平王之孙，司马子期子鲁阳公也。”《淮南子·览冥训》高诱注以“鲁阳公”即鲁阳文子。鲁阳为宽封地可肯定，但“文子”若非宽，又说鲁阳为文子始封就无法解释。因而“鲁阳文子”可能就是公孙宽。盖未封之前，按惯例称为“子”，被封后全称为“鲁阳文君”。但有一点可以清楚：《墨子·鲁问》云“郑人三世杀其父”之“鲁阳文君”不是公孙宽。或为宽之子，袭封鲁阳公。楚国封君在其封邑有很大权力。《墨子·鲁问》载鲁阳文君曰：“鲁四境之内，皆寡人之臣也。”

据《墨子·鲁问》，墨子与鲁阳文君论伐郑，在“郑人三世杀其父”之后。《史记·郑世家》：“哀公八年，郑人弑哀公而立声公弟丑，是为共公。”“幽公元年，韩武子伐郑，杀幽公。”“二十七年，子阳之党共弑缟公骀而立幽公弟乙为君，是为郑君。”幽公非郑人所杀，“三世杀其父”应为“二世杀其父”，所杀之君应是缟公。缟公被杀在前396年，郑之负黍（今河南登封西南）重归韩在前394年，楚攻韩、取负黍在前393年。墨子与鲁阳文君论伐郑时，言及“郑人三世杀其父”事，因而论伐郑应在此前后。

公元前390年（周安王十二年）

卫鞅本年前后生于卫，本名公孙鞅，世称“卫鞅”，号“商君”，史称商鞅。卫鞅事迹，《战国策·魏策一》载：“魏公叔痤为魏将，而与韩、赵战浍北，擒乐祚。”据《史记·赵世家》、《六国年表》，前362年魏以公叔痤为将败韩、赵师，同年秦败公叔痤于少梁，获公叔痤。但不久获释，返魏后又居相位。其死应在居相位后不久。缪文远《战国策新校注》引“吴《补》曰《大事记》显王八年，公叔痤卒。《解题》：‘痤去年为秦所获，寻归之而终于相位也。今年卫鞅自魏适秦，则痤死必在今年。'”（巴蜀书社 1998 年）周显王八年即前 361 年。此年卫鞅自魏入秦，受秦孝公器重。既然前 361 年公叔痤已知卫鞅贤，并推荐于惠王，则此年卫鞅年龄不应很轻。若此年三十许，上推其生年，应在前 390 年前后。

卫鞅遭车裂在前 338 年。据《吕氏春秋·无义》：“公孙鞅以其私属与母归魏，襄庇不受。”由此可知，卫鞅死时年岁不会太大。钱穆《先秦诸子系年·商鞅考》：“今姑定商君入秦年三十，则其生应与孟子相先后。其寿殆过五十而未及六十也。”以卫鞅经历观，其说是也。

《史记·商君列传》：“商君者，卫之诸庶孽公子也。名鞅，姓公孙氏。其祖本姬姓也。”二十世纪主要在陕西发掘了大批秦墓，出土了很多由秦铸造的青铜器，其中包括不少兵器，许多刻有铭文。其中有秦孝公十三年（前 349 年）的大良造鞅戟，与《史记》记载相同。因出于卫，故称卫鞅。春秋战国之世，国君之孙皆谓之公孙，故鞅为公孙氏。鞅后被秦孝公封于商，号“商君”，史称商鞅。

江乙本年前后生于魏，又作江一、江尹、江已。江乙为战国名辩士。其事迹，《战国策·楚策一》载：“江乙恶昭奚恤，谓楚王曰……邯郸之难，楚进兵，大梁取矣。”这里江乙言及“邯郸之难”，而魏围赵邯郸在周显王十五年（前 354 年）。其既言“邯郸之难”，则恶昭奚恤在前 354 年后。据《战国策·楚策一》、《韩非子·内储说上》，“邯郸之难”后，江乙为魏使楚。《楚策一》“江乙为魏使楚”等章系年，顾观光《国策编年》为周显王十六年（前 353 年），黄式三《周季编略》、于鬯《战国策年表》均为周显王十七年（前 352 年）。今人缪文远同黄、于。依所涉史实推之，此说当是。江乙在此年前曾仕魏，后又仕楚。且在楚谈话，已显老成。故前 352 年时年岁当以四十岁左右为宜，上推其生年则为前 390 年前后。江乙为魏人，由其为魏王使楚时说“昭奚恤取魏之宝器，以臣居魏知之。故昭奚恤常恶臣之见王”可推知。陈奇猷《韩非子集释》引松皋圆说云：“《说苑》、《新序》并作江乙。楚策注：江乙，魏人，后乃使楚。”江乙，《战国策·楚策一》“荆宣王问于群臣”章作“江一”，“江尹欲恶昭奚恤于楚王”章作“江尹”，《韩非子·内储说上·七术》作“江已”。今人所校各种典籍均作“江乙”。前 386 年 周安王十六年 宋钘本年前后生于宋，又称宋荣子、宋子、宋牼。《孟子·告子下》载：“宋牼将之楚。孟子遇于石丘。曰：‘先生将何之?’曰：‘吾闻秦、楚构兵，我将见楚王说而罢之。楚王不悦，我将见秦王说而罢之。'”宋牼即宋钘。此段文字中，孟子称宋钘为“先生”。赵岐注云：“宋牼，宋人，名牼。学士年长者，故谓之先生。”“孟子敬宋牼，自称其名曰轲。”朱熹《四书集注》赞同此说。蒋伯潜《诸子通考》以为“此次秦、楚构兵，在孟子去齐后，当周赧王三年。孟子以先生称之，其年辈殆长于孟子也”。胡适《中国哲学史大纲》以为：“宋钘是纪元前 360 年至 290 年，尹文是纪元前 350 年至 270 年。”钱穆《先秦诸子系年·通表》同。陈鼓应《庄子今注今译》引汪奠基《中国逻辑史料》认为宋钘生当齐威、宣时代，大约为纪元前 400 年至纪元前 320 年间人。钱穆《先秦诸子系年》又云：“先生自是稷下学士先辈之通称。孟子亦深敬其人，故遂自称名为谦耳。”对稷下之士，《史记》或称“稷下先生”，或称“稷下学士”。《史记》多次述及齐宣王时稷下学术盛况，均未提及孟子、宋钘，可能二人在稷下所待时间不长。孟子一生两次至宋，首次为前334年前后，此时秦、楚无战事。其次在前312年前后。据《战国策·楚策一》、《史记·秦本纪》等史籍记载，是年秦将魏章战胜楚于丹阳，虏楚将屈丐，取汉中地。《战国纵横家书》二十二亦云："齐、宋伐魏，楚围雍氏，秦败屈匄。"孟子约生前385年，至前312年时已七十上下，若宋钘长于孟子，应有七十多岁。据此推断，孟子应于宋钘年龄大体相当。杨倞注《荀子·天论》、今人杨宽《战国史》亦曰宋钘与孟子同时。梁启超《先秦学术年表》则定宋钘生前386年前后。其说是也。《汉书·艺文志》"小说家"类著录"《宋子》十八篇。"自注："孙卿道宋子，其言黄老意。"钱穆《先秦诸子系年》、唐钺《尹文和尹文子》据《荀子·正论》："二三子之善于子宋子者，殆不若止之，将恐得伤其体也"之说，以为荀子著述时宋钘尚在（唐说见《古史辨》第六册）。荀子生前325年前后，宋钘前312年前后仍健在。荀子著述应自三十岁左右始。若宋钘生前386年前后，荀子著述时仍在当为事实。梁启雄《荀子柬释》云："本书《正论》之宋子即宋钘之尊称也。"《汉书·艺文志》"名家"类著录"《尹文子》一篇"。颜师古注："刘向云与宋钘俱游稷下。"则尹文与宋钘年代相差不会太大。尹文生前350年前后，得见齐宣王、闵王并答问。孟子在齐闵王时已卒。尹文得见宋钘，宋钘应长于尹文，其同尹文先后游稷下。但《孟子》有宋钘而无尹文，学术上还有"宋尹学派"之说。一般同一学术派别，排名体现学术承传关系。如"老庄学派"，"思孟学派"。以此例之，宋钘亦应早于尹文。综合上述推断，宋钘当以生前385年前后为宜。宋钘，《孟子·告子下》称"宋牼"；《庄子·逍遥游》、《韩非子·显学》称"宋荣子"；《荀子·正论》称"子宋子"；《天论》、《解蔽》称"宋子"；《尸子·广泽》称"料子贵《别囿》"，马叙伦《庄子义证》同意梁玉绳"宋荣子即宋钘"之说。钱穆《先秦诸子系年·宋钘考》从之。当是"宋"字坏，误识为"米"，旁又加其他符号，遂识作"料"。陈奇猷《韩非子新校注》引王先慎说，以为"宋荣即宋钘。荣、钘偏旁相通。奇猷案：诸说均是。宋子、宋牼、宋荣子、宋铏（铏疑钘之误）皆为一人。"陈鼓应《庄子今注今译》亦以为古籍中上述称谓皆指宋钘。宋钘里籍，《孟子》赵岐注、《荀子》杨倞注均以为宋人。

公元前385年（周安王十七年（齐和子二年）

孟子本年前后生于邹，字子车，或曰子舆、子居。孟子生年，清周广业《孟子四考》云："就旧《谱》寿八十四言之，叙生年当改'定'字去'三'字，为安王十七年。"其说是。"定"乃"安"字之误，"三"乃因"王"字模糊而衍。宋朱熹《四书集注》谓："自孔子卒，至孟子游梁时方百四十余年，而孟子已老。然则孟子之生，去孔子未百年也。"清周广业《孟子四考》："《杂记》载《孟氏谱》云：孟子以周定王三十七年四月二日生，即今之二月二日。赧王二十六年正月十五日卒，既今之十一月十五日，寿八十四岁。"周广业以为《孟氏谱》"不知定于何时"。宋时包括朱熹在内未见有人引用。因此该《谱》可能作于宋末元初。《孟氏谱》所言孟子生卒年代与历史年代不符。周朝前后有两定王。春秋时之周定王瑜，前606年至前586年在位；战国时之周定王介，前468年至前441年在位。《孟氏谱》所指当为战国时定王介。但定王介在

位止二十八年，则此说不可取。

又元中叶程复心编《孟子年谱》载："孟子生于周烈王四年、鲁共公五年己酉四月二十，卒于周赧王二十六年、鲁文公六年壬申正月十五日。周正建子，改朔不改月也。寿八十四岁。"《孟子年谱》以其生年为前372年，卒于前289年。是以孟子卒年为基准，依寿八十四之传统说法，上溯八十四年而得出其生年。故清陈宝泉《孟子时事考征》云："盖自赧王二十六年，遥溯烈王四年，孟子年适八十有四。况此年距孔子生一百八十年，距孔子卒一百八年，与孟子自云由孔子而来百有余岁亦合。"但此说依据仍为《孟氏谱》。《孟氏谱》既不可靠，此说亦未必可靠。但《孟子年谱》之说与《孟子》一书中所涉及重大历史事件、孟子一生所接触历史人物均基本相符，且从孟子游历诸侯事迹考察，活动年代也相去不太远，故程氏之说在清代广为赞同。但程复心未指出所据历史文献资料，有文献不足之虞。明陈镐《阙里志》云："孟子生在安王十七年。"周广业《孟子四考》以为："就旧《谱》寿八十四言之，叙生年当改'定'字去'三'字，为'安王十七年'，则上距孔子卒九十五年，其卒当在赧王十三年或十二年，而《谱》倒为'二十'，又衍六字也。"此说显然受《孟氏谱》启发演化出来。人们发现了《孟氏谱》之错，便改"定王"为"安王"。又以"三十七年"之"三"字为"王"字之误，遂定孟子生年为安王十七年（前385年）。又据《孟氏谱》年寿之说，定孟子卒年为赧王十二年或十三年（前303年或前302年）。结合孟子活动年代及战国史实来看，其说是。孟子生年，另还有周安王初年（前400年）（陈士元《孟子杂记》）、周安王二十年（前382年）（宋翔凤《孟子事迹考辨》）、周安王二十四年（前378年）（任兆麟《孟子年谱》）、周安王二十五年（前377年）（臧庸《孟子编年略》）等说。近、现代学者如魏源《孟子年表》、梁启超《先秦学术年表》、杨宽《战国史》定孟子生前385年前后，钱穆《先秦诸子系年》为前390年，蒋伯潜《诸子通考》为前372年，杨伯峻《白话四书·孟子引言》为前388年。以《孟子》所载生平事迹、结合战国史实予以考察。孟子在前319年前后游梁，其时六十岁余，上推其生年，应在前385年前后（近年董洪利《孟子研究》对此有很好考论，可参看，江苏古籍出版社2000年版）。

孟子名轲，见于《孟子·梁惠王上》、《孟子·尽心下》。字子车（见《孔丛子·杂训》），亦曰子舆（见《北堂书钞》引《孟轲传》、《荀子·非十二子》杨倞注、《文选》刘峻《辨命论》及李善注引《傅子》。程复心《孟子年谱》云："孟子名轲，字子车，一云字子舆。"），或作子居（《太平御览》引《圣证论》），盖因"车"、"居"音同而误。孟子里籍，《史记·孟子列传》云："孟轲，驺人也。"赵岐《孟子题辞》云："孟子，邹人也。""邹"、"驺"同。

孙膑本年前后生于齐。《史记·孙吴列传》云："孙武既死，后百余岁有孙膑。"清代毕以循《孙子叙录》引邓名世《姓氏辨证》云："武生三子：驰、明、敌。明食采于富春。生膑，即破魏军擒太子申者也。"据此，则膑为武之孙也。孙武生卒年不详，但后世一般以为大体与孔子同时。孔子卒于前479年，孙武约卒于是年前后。《史记》既云孙武卒后百有余年有孙膑，则孙膑之生约在前380年前后。

据《史记·孙吴列传》孙膑与齐威王谈兵法，银雀山西汉墓出土《孙膑兵法》残简，亦有孙膑与齐威王、田忌对话。根据这些材料可以推断出：前356年齐威王即位时孙膑三十余岁。因齐威王即位三年即“桂陵之战”，若孙膑年纪很轻，恐不能有前所述经历，也难为田忌出谋划策，取得如此重大的胜利。

孙膑里籍，《史记·孙子吴起列传》以为“膑生阿、鄄之间”。《司马穰苴列传》《索隐》：“阿、鄄皆齐邑。”《汉书·刑法志》以为齐人。杨伯峻以为《孙吴列传》是正确的（《孙膑和〈孙膑兵法〉杂考》，《文物》1975年第3期）。但《潜夫论·贤难》云：“孙膑修能于楚，庞涓自魏变色，诱以刖之。”高诱注《吕氏春秋·不二》云：“孙膑，楚人，为齐臣，作《谋》八十九篇，权之势也。”楚之东国，有时成齐地，则当是齐、楚之间人。

淳于髡本年前后生于齐。《史记·孟子荀卿列传》载：“淳于髡，齐人也。博闻强记，学无所主。其谏说，慕晏婴之为人也，然而承意观色为务。”虽先秦典籍及后代如《汉书·艺文志》等史籍均不载其著述，但淳于髡为“稷下”诸子之一，又为战国一名士。其人“滑稽多辨”（《史记·滑稽列传》），为战国诸子中以滑稽闻名于世者，其与当时许多士人有来往。由淳于髡的活动，可以看出战国诸子交往活动情况。诸子文学，有许多即在诸子间诘难、论辩中产生。先秦诸子，首先是思想家，但也是文学家。《史记·滑稽列传》：“淳于髡者，齐之赘婿也。长不满七尺，滑稽多辨，数使诸侯，未尝屈辱。”此段记载中的“赘婿”，《滑稽列传》《索隐》释云：“女之夫也，比于子，如人疣赘，是余剩之物也。”《汉书·贾谊传》云：“商君遗礼义，并心于进取，行之二岁，秦俗日败。故秦人家富子壮则出分，家贫子壮则出赘。”颜师古注引应劭曰：“出作赘婿也。”师古曰：“谓之赘婿者，言其不当出在妻家，亦犹人身体之有肬赘，非应所有也。一说，赘，质也，家贫无有聘财，以身为质也。”《汉书·严助传》：“间者，数年岁比不登，民代卖爵赘子以接衣食。”颜师古注引如淳曰：“淮南俗卖子与人作奴婢，名为赘子，三年不能赎，遂为奴婢。”颜师古解释为：“赘，质也。一说，云赘子者，谓令子出就妇家为赘婿耳。”这些情况说明，淳于髡或因家贫为人“赘婿”，或因家贫为人奴。钱穆《先秦诸子系年·附淳于髡为人家奴考》引钱大昕云：“‘赘而不赎，主家以女匹之，则谓之赘婿。’朱骏声亦同此说。余谓赘婿者，主家以女奴相配，其实奴也，非其婿也。”照此看来，则地位连“赘婿”都不如。淳于髡虽有如此卑贱身世，但在齐威王初年时，已显名“稷下”，身在朝廷，以讔语劝威王。《文心雕龙·谐讔》曰：“昔齐威酣乐，而淳于说‘甘酒。’”淳于髡不仅身在朝廷，且在“国人莫敢谏”情况下，敢以“讔”面说威王，可见为其所重。《吕氏春秋·雍塞》载：“齐王欲以淳于髡傅太子，髡辞曰：‘臣不肖，不足以当此大任也。王不若择国之长者而使之。’”淳于髡生卒年，因史料阙如，难确考。他历经齐威、宣两朝。若在宣王朝，年事已高。年龄、学识均不算“少者”，故此“齐王”应为威王。以威王欲以淳于髡为太子傅，其又以“少者”辞之可知，此事应在齐威王即位后不久。《史记·田完世家》、《新序·杂事》又载，邹忌在齐威王初年为相后，淳于髡曾去诘难。而邹忌以相位之尊，“谨受教”于淳于髡，足见其名气之大。淳于髡之所以能在威王初年时已有声誉，是因“齐人颂曰‘炙毂过髡’”的“善说”。在“邦无定交，士无定主”的战国时代，士人有“士贵耳，王者不贵”的自我人格觉悟，并可以做到“一怒而诸侯惧，安居而天下熄”。统治者意识到“得士则昌，失士则亡”而“养士”，对士“尊宠之”。士可由一介寒士位至卿相。因而战国是中国历史上“士”人最为扬眉吐气的一个时代。“辩士”受统治者重视，成为当时风气和时尚。淳于髡在威王初年时，不仅已身居朝廷，还为齐“诸侯主客”。《史记·滑稽列传》载：“威王八年，楚大发兵加齐。齐王使淳于髡之赵请救兵。……髡辞而行，至赵。赵王与之精兵十万，革车千乘。楚闻之，夜引兵而去。威王大说，……以髡为诸侯主客。宗室置酒，髡尝在侧。”齐“诸侯主客”职事，《史记》《正义》：“今鸿胪卿也。”“鸿胪卿”，唐杜佑《通典》卷二十六：“周官大行人，掌大宾客之礼。……汉改为鸿胪。”宋郑樵《通志》沿用此说。明董说《七国考》卷一在“诸侯主客”下加按语云：“《周礼》有掌四方宾客，主即掌也。”缪文远《战国制度通考》以为“诸侯主客为接待四方宾客之官”。看来，淳于髡不仅在齐宗室置酒时在场，在朝廷还负责对外接待诸侯来宾。由上述情况看，淳于髡在齐威王初年三十岁上下。上推其生年，应在前 385 年前后。《孟子·离娄上》、《告子下》载有孟子与淳于髡对话。故焦循《孟子正义》卷十五引周广业《孟子出处时地考》云：“……威王八年，使之赵，请救兵。至与孟子相见，年当耆老，而称孟子为‘夫子’，自称曰‘髡’，知年相若也。”

公元前 383 年（周安王十九年　楚悼王十九年）

吴起因为王错的排挤，由魏至楚，任宛守。适息县，向息公屈宜臼请教。屈宜臼，又作屈宜咎，为屈原之祖。春秋时屈御寇、屈子朱俱曾为息公，以防卫北方，应为屈氏世职。

公元前 382 年（周安王二十年）

楚悼王任吴起为令尹。吴起行县，适息，再次向屈宜臼请教，屈宜臼教其“无贵于举贤”。《说苑·指武》载：吴起为苑守，向屈宜臼请教，屈宜臼不对。次年王任吴起为令尹，吴起行县，适息，再一次请教。屈公问：“子将奈何?”吴起曰：“将均楚国之爵，而平其禄；损其有余，而补其不足；厉甲兵，以时争天下。”表现了法家的政治主张。屈宜臼则主张“不变故，不易常”。并且说：“兵者，凶器也；争者，逆德也。今子阴谋逆德，好用凶器，殆人所弃，逆之至也，行者不利。”他认为“楚国无贵于举贤”。屈宜臼的举贤的思想和注重国内治理而不主要靠武力争天下的思想，应对屈原有一定影响。

公元前 376 年（周安王二十六年）

墨子卒于本年或稍前。《史记·孟荀列传》载：“盖墨翟，宋之大夫，善守御，为节用。或曰并孔子时，或曰在其后。”二说相较，后者为是。《索隐》引刘向《别录》：“《墨子》书有文子，文子即子夏弟子，问于墨子。”司马贞以为：“如此，则墨子在七十子后。”但以《论语·子张》看，墨子年事应较晚于子夏。《汉书·艺文志》“墨家”著录“《墨子》七十一篇”。自注：“名翟，为宋大夫，在孔子后。”《后汉书·张衡列传》李贤等注引《张衡集》以为：“班与墨翟并当子思时，出仲尼后。”《淮南子·要略》："墨子学儒者之业，受孔子之术。"《论语》中孔子未提墨子，但《墨子》中墨子屡称孔子，即其后于孔子之证。清毕沅《墨子注叙》以为墨子实六国时人，至周末犹存，但此说太后。

《墨子》所涉最晚事在《亲士》与《非乐》。《亲士》载："吴起之裂，其事也。"吴起被害在楚悼王二十一年（前 381 年）。孙诒让力辩吴起死时墨子尚存。《非乐》载墨子曰："为乐，非也。昔者齐康公兴乐万。"齐康公薨在吴起死后二年，即前 379 年。此为墨子所言之事下限，此后不久墨子或卒。虽《墨子》有许多篇目为其门人所编，但所记内容应为墨子所谈及，因而孙诒让言墨子卒于前 376 年可取。

《汉书 · 艺文志》"墨家"类著录"《墨子》七十一篇"。今本《墨子》有十五卷，五十三篇。宋濂《诸子辨》以为《墨子》三卷为宋大夫墨翟撰。上卷七篇号曰《经》，中卷、下卷六篇号曰《论》，共十三篇。先前学者将《墨子》中一些篇的写作时间定得很晚。但根据出土文献，对其中一些墨家后学的著作，应予重新认识。《孟子 · 滕文公上》载孟子因徐辟传话给墨者夷之，评论墨子学说。则孟子之时，墨子言论已广泛流行了。《墨子》则为墨家总集。其各篇著者及大体时代排比如下：

《经上、下》、《经说上、下》为墨家学者解说墨经之作，不出于一人一时，成书在战国后期。《大取》、《小取》篇中有"坚白"、"同异"等学说，为墨巨子作。汪中《述学 · 墨子后序》以为公孙龙、惠施始为"坚白"、"同异"之说。公孙龙"当赵惠文、孝成二王之世。惠施相魏，当惠、襄二王之世。……是时墨子之没久矣。"魏惠王元年为前 369 年，赵孝成王末年为前 245 年，因而《大取》、《小取》所作在前 369 年后。《尚贤》、《尚同》、《兼爱》、《非攻》、《节用上中》、《节葬下》、《天志》、《明鬼下》、《非乐上》、《非命》，总计三十三篇。均有"子墨子曰"，当是墨子自著或其弟子据墨子谈话记录而成。《耕柱》、《贵义》、《公孟》、《鲁问》、《公输》、《非儒》为语录体，记墨子言行。是墨子弟子据其师之讲说整理而成。因各篇多称墨子弟子为"子"，（如称禽滑釐为"子禽子"）有可能为禽滑釐弟子所编成。《亲士》、《修身》、《所染》、《法仪》、《七患》、《辞过》、《三辩》当为墨家后学所作。

《备城门》、《备高临》、《备梯》、《备水》、《备突》、《备穴》、《备蛾傅》、《迎敌祠》、《旗帜》、《号令》、《杂守》十一篇，清代苏时学《墨子刊误》卷二《号令第十七》云："此盖出于商鞅辈所为，而世之为墨学者，取以益其书也。倘以为墨子之言，则误矣。"《四库提要》以为"第五十二篇（《备城门》）以下皆兵家言，其文古奥，或不可句读，与全书为不类。疑因五十一篇（《公输》）言公输般九攻、墨子九拒之事，其徒因采摭其术，附记其末"。今人蒙文通、陈直以为秦人之书。（蒙说见《儒学五论 · 论墨学源流与儒墨汇合》。其云："自《备城门》以下诸篇，备见秦人独有之制，何以谓其不为秦人之书？……推而明之，其为秦墨之书无惑也。"陈说见《〈墨子 · 备城门〉等篇与居延汉简》。（《中国史研究》1980 年第 1 期）截止目前，岑仲勉《墨子城守各篇简注》似为研究《墨子》中上述各篇的惟一专书。针对二十世纪秦墓出土的青铜器有铁器情况，岑仲勉云："今《墨子》这几篇里说铁者不少，如铁鍱或铁什，齐铁矢，铁鐕，铁纂，撒铁以害敌人（均《备城门》），铁服说或铁鈇，铁钩距（均《备穴》），铁蕹（《旗帜》），又征发各边乡铜铁（《杂守》），铁之为用极溥，可以想见。"

（《墨子城守各篇简注》再序）1972 年山东临沂银雀山汉墓有《墨子》残简。罗福颐言："临沂简中得四十余号，与《墨子》的《备城门》、《备蛾傅》、《号令》诸篇文辞多有相似者，然今以孙氏《墨子间诂》校之，仅少数可以确定为《墨子》，其他佸作佚文附录于后。"（《临沂汉简所见古籍概略》，《古文字研究》第十一辑）后银雀山汉简整理小组以为："内容记述守城的设施及法令，当即木牍所记之《守法》、《守令》两篇。"篇文"内容与《墨子》论守城之法的《备城门》、《号令》等篇相似"。（《银雀山汉墓竹简》（壹），文物出版社 1985 年版）朱德熙、裘锡圭以为："《墨子·杂守》虽然并非墨子所作，但仍可能是先秦作品。""《墨子·备城门》以下各篇，是秦国墨家的作品。"（《战国时代的"料"和秦汉时代的"半"》，《文史》第八辑）李学勤言："1957 年发现的信阳长台关一号楚墓第一组简，年代是战国中期，已经破坏残断。过去一直以为是儒家书籍，经过不少学者研究，看来实际是《墨子》的佚篇，其语句曾为《太平御览》所引，明标《墨子》。这座墓的年代与墨子距离不远，而同这一佚篇近似的《墨子》若干篇章，前人都以为较晚，观点是必须修正的。""另外，临沂银雀山一号汉墓的竹简《守法》曾袭用《墨子》里的《备城门》、《号令》。《守法》出自齐人，《备城门》等则系秦墨者手笔。《守法》是先秦的，因而《备城门》等不会太晚，估计是秦惠文王或略迟的时候形成的。参照上述，《墨子》全书的年代应比过去估量的要早一些。"（《新发现简帛佚籍对学术史的影响》，载《道家文化研究》第十八辑）其后又在《秦简与〈墨子〉城守各篇》将《号令》等篇与竹简秦律相比较后，得出结论："《墨子》城守诸篇作于秦人之手，应无疑问。""如《迎敌祠》篇称'公素服誓于太庙'，应作于秦称王以前；《号令》篇提到'王'，当成于秦称王之后。秦简也有类似的迹象，如《律说》引刑法本文有'公祠'，解说改作'王室祠'，可见本文是秦称王前制订的，解说则作于称王之后。""城守各篇或称'公'或称'王'，很可能是惠文王及其以后秦国墨者的著作。篇中屡称禽滑釐，墨学这一支派大约是禽子的徒裔。"（《简帛佚籍与学术史》，江西教育出版社 2001 年版）《墨子》还有些佚文，见孙诒让《墨子间诂》。

儒家董无心与墨子弟子缠子有辩难，著《董子》。马总《意林》卷一载缠子佚文云："缠子修墨氏之业，以教于世。儒有董无心者，其言修而谬，其行笃而庸。言谬则难通，行庸则无主。欲事缠子，缠子曰：'文言华世，不中利民。倾危缴绕之辞者，并不为墨子所修。劝善兼爱，则墨子重之。"董子曰：'子信鬼神，何异以踵解结？终无益也。'缠子不能应。"《文选》卷三十陶渊明《杂诗二首》李善注据《缠子》引董无心曰："无心，鄙人也，不识世情。"《文选》卷四五班孟坚《答宾戏》李善注据《缠子》引董无心曰："离娄之目，察秋毫之末于百步之外，可谓明矣。"孙诒让《墨子间诂》后附《缠子佚文》以为《文选》注所引均董无心难缠子语。《汉书·艺文志》"儒家"类著录"《董子》一篇"。自注："名无心，难墨子。"《隋书·经籍志》"儒家"类著录"《董子》一卷"。注："战国时，董无心撰。"《旧唐书·经籍志》"儒家"类著录"《董子》二卷"。注："董无心撰。"《新唐书·艺文志》、《宋史·艺文志》"儒家"类均著录为一卷。由此可知，此书流传甚广。孙诒让《墨子间诂》附《缠子佚文》下云："晁公武《读书志》云'吴祕注'，《玉海》引《中兴馆阁书目》云：'《董子》一卷，与学墨者缠子辩上同、兼爱、上贤、明鬼之非，缠子屈焉。’是《缠子》与《董子》为一帙，主墨言之则题《缠子》，主儒言之则题《董子》，无二书也。《馆阁书目》谓缠子屈于董子，与《意林·缠子》不能应之言合，则是书自是先秦儒家遗籍，入《墨》为非其实。其书明时尚有传本，今则不复可得，佚文仅从六事，不足征其论难之恉也。”

河南长台关竹简《墨子》佚篇作于本年前后。1956年春，河南信阳长台关有农民无意中发现一楚木椁墓。次年，河南省考古学者对此墓予以发掘，简讯在当年9月发表。1957年11月27日，李学勤在《光明日报》发表《信阳楚墓中发现最早的战国竹书》，对竹简进行了初步探讨。1959年，商承祚《信阳出土楚竹简摹本》，对其作了整理缀合，并有释文。1963年，史树青《信阳长太关出土竹书考》也有对竹简的释文（《北京师范大学学报》1963年第4期）。1976年，中山大学的研究者发表该竹简的文章（参李学勤《东周与秦代文明》第十章，文物出版社1991年版）。此墓下葬年代，李学勤以为在战国中期。此墓所出竹简共两组。第一组内容起初一般都认为是儒家佚书，第二组是记录随葬物品的遣策。李学勤早年亦这样认为（《信阳楚墓中发现最早的战国竹书》，《光明日报》1957年11月27日），但近年又重新作了论证。他引述了中山大学学者在传世文献中找到同简文相当的文字。即《太平御览》卷八〇二中有一段儒墨对话形式的《墨子》佚文："周公见申徒狄曰：'贱人强气则罚至。'"此条在孙诒让《墨子间诂》附录《墨子佚文》中也收录。《墨子佚文》还收录了《太平御览》与《艺文类聚》记载申徒狄的话。他还举出简文中的"贱人"一词，见于《墨子》的《兼爱》、《节葬》、《明鬼下》、《非乐上》、《贵义》、《鲁问》诸篇。而"贱人"一词其他古籍罕见，这可以作为简文是《墨子》佚文的证据。同时，简文还有"尚贤"一词，见于《墨子》的《尚贤》三篇及《鲁问》，明显是《墨子》特有的术语。反过来看，简文中一些被指为儒家的术语，均见于《墨子》。另外，从思想的角度考察，简文的思想内容符合墨家宗旨。李学勤据此以为是《墨子》佚文，竹简年代同墨子相距甚近（《简帛佚籍与学术史》）。

《墨子》佚文在长台关发现，与墨学的流传有关。墨子本人曾到过楚国，与楚封君鲁阳文子有过辩论，《墨子·耕柱》载墨子曾游弟子耕柱子于楚。后来到楚威王时，墨家田鸠又与威王问答。依孙诒让《墨子间诂》所附《墨学传授考》之说，《韩非子·显学》所称"邓陵氏之墨"中的邓陵氏为楚人，墨子三传弟子苦获、已齿也应为楚人。由此可知，战国中期时楚国的墨学很兴盛。

公元前375年（周烈王元年）

列子卒于本年前后。《庄子·襄王》载列子曾拒绝郑相子阳所送之粟，后子阳被杀。据《史记·六国年表》，周安王四年（前398年）"郑人杀子阳"。周安王六年（前396年），"郑相子阳之徒杀其君繻公"。自前396年后，再无列子活动记载，可能后数年而卒。今依梁启超《先秦学术年表》、钱穆《先秦诸子系年·通表》等，估系列子卒于前375年。

《汉书·艺文志》"道家"类著录"《列子》八篇"。自注："先庄子，庄子称之。"

《隋书·经籍志》与《旧唐书·经籍志》、《新唐书·艺文志》同。首次对《列子》进行整理者为刘向，其后为东晋张湛。自柳宗元《辨列子》以来，学者们多怀疑其书伪。朱熹《朱文公文集》卷六十七《观列子偶书》、高似孙《子略》、叶大庆《考古质疑》等均以为此书为杂抄他书，“特出于后人会萃而成之耳”。清姚际恒《古今伪书考》、钱大昕《十驾斋养新录》、姚鼐《惜抱轩文后集》卷二《跋列子》等，则将其视为晋人依托。到近代，梁启超在《古书真伪及其年代》以《列子》为例，云：“有一种书完全是假的，其毛病更大，学术源流都给弄乱了。”顾实《汉书艺文志讲疏》云：“盖《列子》书出晚而亡早，故不甚称于作者。魏晋以来，好事之徒，聚敛《管子》、《晏子》、《论语》、《山海经》、《墨子》、《尸佼》、《韩非》、《吕氏春秋》、《韩诗外传》、《淮南》、《说苑》、《新序》、《新论》之言，附益晚说，成此八篇。假为向序以见重。”刘汝霖《周秦诸子考》、吕思勉《经子解题》、顾颉刚《〈古今伪书考〉跋》等均以为伪。20世纪50年代，杨伯峻《从汉语史的角度来鉴定中国古籍写作年代的一个实例——列子著述年代考》根据用语、语法、习惯词义考辨后，得出结论：“《列子》托名为先秦古籍，却找出了不少汉以后的词汇，甚至是魏晋以后的词汇，这是无论如何说不过去的。”（《列子集释》附）20世纪60年代初期，“英国汉学家葛尔汉（A. C. Graham）也观察了书中‘吾’、‘弗’、‘亡’、‘都’及‘焉’等的用法，并与其他古籍比较，结论是本书晚出。”（转引自郑良树《诸子著作年代考·〈列子〉成书时代研究管窥》，北京图书馆出版社2001年版）马叙伦《列子伪书考》引日本学者武义内雄《列子冤词》云：“向《序》非伪，《列子》八篇非御寇之手，且多经后人删改，然大体上尚存向校定时面目，非王弼之徒所伪作。姚氏以郑缪公之误，断为《序》非向作，因一字之误，而疑《序》之全体，颇不合理。况由后人之伪写，抑由向自误，尚未可知。”（《列子集释》附录）20世纪80年代，刘禾发表了《从语言的运用上看列子是伪书的补证》一文，其中讨论了“朕”、“吾”、“弗”等词义及构词，认为：“它虽托名曰先秦古籍，而书中却出现了不少汉以后的语汇及与先秦语言规律不合的用法。”（《东北师大学报》1980年第3期）从汉语史角度分析古文献，方法科学。但对杨、刘之说，陈广忠《从古词语看列子非伪》予以反驳（《道家文化研究》第十辑）。

当年柳宗元《辨列子》怀疑其有伪作，同时又认为“《杨朱》、《力命》，疑其杨子书”。纪昀《四库全书总目提要》也认为《周穆王篇》“可信于秦以前书”。近年又有人认为：即使《列子》是一部伪书，但它至少也“抄录了先秦的一些材料”。（张岱年《中国哲学史史料学》，三联书店1982年版）“《列子》基本上是一部先秦道家典籍，基本保存了列子及其后学的思想。它大约作于战国中后期，并非一时一人所著，而是列子学派后学所为，并夹杂有道家杨朱学派后学的著作（《杨朱篇》）。具体地说，《黄帝篇》、《汤问篇》很可能成书较早，先于《庄子·内篇》，而《天瑞篇》则作于《庄子》外杂篇同时或稍晚。其它诸篇大抵亦作于战国中后期。但《列子》一书，在历史上曾遭前后两次散佚而后复得的命运，以此它不免流落于民间，为人们所伪纂、增删或文字上的润色，这是不足为奇的。”（见许抗生《列子考辨》，载《道家文化研究》第一辑）

《列子》之书，经东、西汉年间战乱尤其是汉末长期战乱，有散佚缺失。后人整理，孱入魏晋时代文字。《列子》中杂入魏晋时材料，非全书皆伪。近年来严灵峰有《列子辨诬及中心思想》（台北时报文化出版事业有限公司 1983 年版），郑良树有《列子成书时代研究管窥》（《诸子著作年代考》），陈广忠有《〈列子〉非伪书考》系列论文三篇（《道家文化研究》第十辑），马达有《列子真伪考辨》（北京出版社 2000 年版），所论均有一定的道理。简单地以今本《列子》为先秦时著作并不合于该书的实际，而认为全书皆伪，也不是科学的态度。

公元前 370 年（周烈王六年）

尉缭生于本年或稍前。梁惠王时尉缭，除《尉缭子》中有其与梁惠王对话外，史料再无其事迹记载。《汉书 · 艺文志》“杂家”类著录“《尉缭子》二十九篇”。自注：“六国时。”颜师古注：“尉，姓，缭，名也。音了，又音聊。刘向《别录》云‘缭为商君学。’”班固与颜师古均肯定此《尉缭子》为战国时尉缭所作。《汉书 · 艺文志》“兵形势家”类又著录“《尉缭子》三十一篇”。后《隋书 · 经籍志》在“杂家”著录“《尉缭子》五卷”，并云“梁惠王时人”。《隋书》无“兵家”《尉缭子》。《新唐书 · 艺文志》“杂家”类著录六卷。唐《群书治要》有《尉缭子》四篇，盖为选本。《宋史 · 艺文志》有“兵书”《尉缭子》而无“杂家”《尉缭子》。但“兵书”《五经七书》有二十四篇本《尉缭子》。后代一般以为《尉缭子》为伪书。纪昀《四库全书总目提要》详论之。但梁玉绳《瞥记》据《汉书 · 艺文志》将“杂家”《尉缭》列于《尸子》之前，“兵家”《尉缭》列于《魏公子》之前，肯定了尉缭为不同时代两人。以《尉缭子》所提供线索、结合刘向之说，可大体推测其生年。《尉缭子》首篇即为尉缭与梁惠王问答。其中引证历史人物、事件，上至黄帝、尧、舜，下至吴起，但未及孙膑、卫鞅。其原因或为此二人先后迫使魏迁都，使魏元气大伤。即孙膑在前 353 年“桂陵之战”、前 342 年“马陵之战”中，两次指挥齐军大胜魏军。前 340 年卫鞅用计擒魏公子卬，大败魏军。梁惠王悔未早杀卫鞅，故尉缭不便引证。如此，则尉缭与梁惠王对话，应在前 340 年后，此时尉缭年岁应不下三十。上推其生年，应在前 370 年或前。另外《尉缭子》曾两次引用孟子语，表明其生稍后于孟子。颜师古以为尉为姓，缭为人名。崔适《史记探源》卷三《秦始皇帝本纪第六》加“按”语以为：“此以官代姓，犹伊尹、吕尚以官代名也。”钱穆《先秦诸子系年 · 尉缭辨》云：“则所谓尉缭者，尉乃其官名，如丞相绾，御史大夫劫，廷尉斯之例，而逸其姓也。”以为尉为官名，缭为人名，而姓已失。宋代施子美云尉缭为齐人，生战国之际。《汉书 · 艺文志》“兵家”类著录“《尉缭》三十一篇”，未注明作者。“杂家”类著录“《尉缭》二十九篇”。自注：“六国时。”表明班固已对二书作者不明。钱穆《先秦诸子系年 · 尉缭辨》云：“若是，则秦有尉缭，岂得魏亦有尉缭，而秦之尉缭，又系魏之大梁人？以此言之，知非二人矣。《汉志》如《齐孙子》《吴孙子》，所以别同名之嫌。若尉缭系两人则亦应书秦尉缭梁尉缭也。且缭之说秦，与《秦策》顿弱之言同。其称秦王居约易出人下，得志亦轻食人，事类范蠡。窃疑《史记》载缭事已不足尽信，书又称梁惠王问，则出依托。”书中第一篇《天官》即为尉缭答梁惠王问，且自首篇至末篇，不断有“臣闻”、“臣谓”、“臣以为”、“听臣之言”、“用臣之术”等措辞，则其书非伪。或后人又

有所改动。1972 年山东临沂银雀山西汉墓与《孙子兵法》、《孙膑兵法》等兵书同时出土，有竹书残简六篇与今本《尉缭子》同。另外，银雀山竹简涉及古代土地制度的《田法》，开篇一段同于《尉缭子·兵谈》，《兵令》同于《尉缭子·兵令》。因这些竹简字体在隶书中又有明显篆书风格，同时不避汉初皇帝"邦"（高祖刘邦）、"盈"（惠帝刘盈）、"恒"（文帝刘恒）、"启"（景帝刘启）、"彻"（武帝刘彻）名讳，"可能是高祖末年或晚至惠帝和吕后时代抄写的"。（唐兰《马王堆出土〈老子〉乙卷本前古佚书的研究》，《考古学报》1975 年第 1 期）李学勤在为孙开泰《吴起传》所作《序》云："临沂银雀山竹简里又有兵书《尉缭子》，和今本相对照，多有异同。细加考察，得知今本《尉缭子》不类古书，是该书传授者以当时通行文体加以改易的结果。"在《银雀山简〈田法〉讲疏》中他还这样肯定说："看来《尉缭子》不可能出自《史记·秦始皇本纪》所说大梁人尉缭之手。"（《中国文化与中国哲学》第 1 辑）何法周《〈尉缭子〉初探》云："银雀山汉墓，已断定为西汉前期武帝初年的墓葬。那么，出土的《尉缭子》等兵书竹简的书写年代，则还应更早。""远在《史记》、《汉书》成书之前，《尉缭子》一书就早已存在，并广泛流传，深有影响；它在后来的长期流传过程中，篇章虽可能有所散失，文字虽可能有所增删修改，但它是先秦古籍无疑。《汉书》附注中关于'六国时'著作的说法是可靠的；伪作之说不攻自破。"（《文物》1977 年第 2 期）先秦诸子成书一般为其后学所编，《尉缭子》当也不例外。另外，史书中对尉缭在魏职掌未做具体说明，或许魏当时也有像后来秦"国尉"那样职责官职，而尉缭正好任此官职，其对职责范围内之事亦当熟悉。由"国尉"职事来判定今本《尉缭子》中一些作品为秦尉缭所作，似欠不妥。但先秦古籍，相混杂者不少，今本《尉缭子》杂入后人作品也是当然。今本《尉缭子》中有梁惠王时尉缭之作，但其第十三篇至二十二篇多言军令军制，似属国尉职掌，有可能出自秦尉缭之手。前后尉缭相去百年左右，后人在编纂时有可能将二人作品杂而编之，故出现今本情况。刘勰《文心雕龙·诸子》云："尸佼、尉缭，术通而文钝。"但《尉缭子》有些地方写得很有文采。如《战威》："地所以养民也，城所以守地也，战所以守城也。故务耕者民年饥，务守者地不危，务战者城不围：三者先王之本务。本务者兵最急，故先王专于兵。有五焉：委积不多则士不行，赏禄不厚则民不劝，武士不选则众不强，器用不备则力不壮，刑罚不中则众不畏。务此五者，静能守其所固，动能成其所欲。"语气流畅，逻辑严密，环环相扣，颇有气势。

惠施本年前后生于宋。《吕氏春秋·爱类》记载匡章责备惠施"王齐"。这里的"王齐"，指前 334 年魏惠王率韩昭侯等到齐徐州（今山东滕县东南）朝见齐威王，并尊齐威王为"王"，齐同时也承认魏惠王年号，即所谓"会徐州相王"。此事由惠施主谋，可能此时其已相魏，则年龄至少应在三十岁左右。同时，惠施与庄周年龄相当而稍长。此年庄周约三十岁许，惠施亦应大体相近。上推其生年，则应在前 370 年前后。

惠施最晚事迹，见《战国策·赵策三》。其中所云为前 312 年诸侯谋救燕事。此时惠施尚可由魏使赵，年龄应不会很大。前 312 年后史料无惠施事迹记载，可能不久而卒。钱穆《先秦诸子系年·惠施卒年考》以为其寿在六十左右。以此上推，亦应生于前 370 年左右。惠施籍贯，《吕氏春秋》高诱注、《庄子》成玄英注以为宋人，后世无异议。

公元前368年（周显王元年）

庄子生于本年或稍后，名周，宋之蒙人。庄子名周，有《庄子·山木》引庄子自言“周将处乎材与不材之间”为证。其生年，《史记·老韩列传》以为与梁惠王、齐宣王、楚威王同时。《六国年表》记此三王在位时间分别为前370年至前335年、前342年至前324年、前339年至前329年。《竹书纪年》出土后，发现《六国年表》对梁惠王、齐宣王在位时间记录有差误。其一，《年表》谓梁惠王在位三十六年、子襄王立，襄王在位十六年卒，哀王立。实际上，梁并无哀王。惠王在位三十六年，与诸侯会“徐州相王”并改元。改元后十六年而卒。《年表》将惠王后十六年误属襄王，至襄王即位时，事无所隶，乃讹“襄”为“哀”，于是梁之世系，添出一代。其二，田齐自田常以后，经十二代而亡，《年表》所记仅有十代，遗漏悼子、田侯剡两代。又太公和在位年数亦少却数年。因此威王、宣王两世误移前二十二年。这样，订正后梁惠王在位年代为前369年至前319年，齐宣王在位为前319年至前301年。

《史记·老韩列传》既云庄周“与梁惠王、齐宣王同时”，则其生应在前369年后。又云楚威王“许以为相”。楚威王前339年至前329年在位，在位凡十年。楚威王既能闻庄周贤，其时庄周应在三十岁以上为宜。又，据《庄子》记载，庄周与惠施为友，庄周似略小于惠施。惠施约生前370年前后，庄周则应在此后不久，据此定其生在前368年前后。

庄子籍贯，司马迁已不清楚。故在《老韩列传》只说“庄子者，蒙人也。”汉代学者一般认为蒙为战国时宋国地域，故庄子为宋人。如《老韩列传》《索隐》引刘向《别录》云庄周为“宋之蒙人”。《淮南子·修义训》高诱注：“庄子名周，宋蒙县人。”《汉书·艺文志》“道家”类著录“《庄子》五十二篇”。自注：“名周，宋人。”张衡《髑髅赋》：“吾宋人也，姓庄，名周。”

战国时宋地，西汉时封属梁。《汉书·地理志》：“梁国领县八，其三即蒙。”故唐代学者因此或称庄子为梁人。如《隋书·经籍志》：“《庄子》二十卷。”注：“梁漆园吏庄周撰。”陆德明《经典释文序录》亦云庄子为“梁国蒙县人也”。但《庄子·山木》载：“庄子衣大布而补之，正絜系履而过魏王。”此“魏王”当是与庄周同时之魏惠王。庄周与魏王对话，在答惠王“何先生之惫邪”问时，言“今处昏上乱相之间”。假如庄周为梁人，应不能当王之面有“昏上”说法。另，惠王之相惠施，《庄子》中虽有批评，但也每每称誉。其死，庄子不胜其悲。按理，他不会贬称惠施为“乱相”，由此也可证庄子非梁人。

《太平寰宇记》卷十二“宋城县”条云：“本宋国蒙县。以宋公及诸侯盟于蒙门而为县名。……小蒙故城在县南十五里。六国时楚有蒙县，俗谓小蒙城，即庄周之本邑。”今人钱穆《先秦诸子系年·庄周生卒考》认为：“盖庄子居邑，本在梁宋间，其游踪所及，因以两国为多耳。”马叙伦《庄子义证》附《庄子宋人考》提出两条比较有力的证据：一条“寻《春秋庄十一年》《左传》：‘宋万弑闵公于蒙泽。’”另一条引自《史记·宋世家》《索隐》所据《庄子》佚文：“桓侯（按，指宋桓侯，名辟）行，

未出城门，其前驱呼辟，蒙人止之，后为狂也。”这样，我们可以得出结论：蒙为战国时宋之地，庄周为宋之蒙人。

《史记·老子韩非列传》附《庄周》传言庄周曾为蒙之漆园吏，楚威王闻其贤，使人厚币迎之，庄周曾拒绝。今存《庄子》一书，内篇为庄周所自著，外篇、杂篇为门人、弟子承其师之学说而作，个别篇章为他人之作，汉代误编入《庄子》一书。

公元前 361 年（周显王八年）

《管子·轻重戊》作于本年或稍后。《管子·轻重戊》提到了梁国。据《史记·魏世家》：“（惠王）三十一年……秦用商君，东地至河，而齐、赵数破我，安邑近秦，于是徙治大梁。”《集解》引《汲冢纪年》曰：“梁惠成王九年四月甲寅，徙都大梁也。”惠王九年为前 361 年。魏自此年始称梁。《管子·轻重戊》既言及梁，故其作不得早于本年。

公元前 360 年（周显王九年　魏惠王十年）

张仪生于本年前后，为魏贵族后裔，传言曾向鬼谷子学“纵横之术”。《孟子·滕文公下》载纵横家景春称公孙衍、张仪为大丈夫。由此可知，孟子时张仪已为“纵横家”著名人物，时孟子尚不知苏秦。后《淮南子·泰族训》、《法言·渊骞》、《三国志·蜀书·秦宓传》等均列张仪在苏秦前。

张仪确切生卒年已无从考知，只能根据其活动年代来推测。前 328 年，张仪为秦相（详前 328 年条）。依《史记·张仪列传》，其在相秦前就已至楚，尝从楚相饮，路经东周而入秦，得东周昭文君礼遇与资助。据此并结合后来活动，张仪相秦时应在 30 岁左右。上推其生年，则应在前 360 年左右。孟子生在前 385 年前后，若张仪生前 360 年前后，其出名时可为孟子所知。

张仪籍贯，《吕氏春秋·报更》云：“张仪，魏氏余子也。”以《史记·张仪列传》及《索隐》、《正义》看，张仪为魏公族庶支出身。其师承，《史记·张仪列传》、《论衡·答佞》均以为习之于鬼谷先生。

公元前 356 年（周显王十三年）

淳于髡于本年或稍后至“稷下”。《史记·滑稽列传》载，齐威王八年，楚欲攻齐，淳于髡曾为威王之赵请救兵。说明此时淳于髡已在齐都（详前 349 年条）。邹忌任齐相在威王九年或稍前。据《史记·田完世家》记载：“邹忌子见三月而受相印。淳于髡见之曰：‘善说哉！髡有愚志，愿陈诸前。’”接下便是淳于髡与邹忌有关治理国家中应注意问题的对话。《新序·杂事》亦载，“邹忌既为齐相，稷下先生淳于髡之属七十二人，皆轻忌。以谓设以辞，邹忌不能及。乃相与俱往见邹忌”，并设辞以难邹忌。故淳于髡至“稷下”应在威王即位之初或稍后。

《管子·权修》写成于本年后数年间。此篇是论政权建设的论文，其中有一段法家名言云：“见其可也，喜之有征；见其不可也，恶之有刑。赏罚信于其所见，虽其所不见，岂敢为之乎？”《韩非子·难三》以为管子之语引之。将本文论点与《史记·田完世家》所载齐威王变法情况相对比，威王赏即墨大夫、烹阿大夫是史实，文章强调树立赏善、罚恶的样板，是理论概括。应该是先有其法治实践，后有其理论概括。齐威王于前356年即位后不久，任用邹忌改革齐政。若此文是对齐威王改革实践的理论概括，则其撰作在齐变法后。

公元前354年（周显王十五年　韩昭侯九年）

申不害答韩王问。《战国策·韩策一》载：魏围邯郸时，魏王问申不害是否与韩结盟，申不害当时未正面回答，而是通过赵卓、韩晁察言观色，掌握韩王的心理后才进迎合之言，“王大说之”。此事《韩非子·内储说上》也有记载。只不过“赵卓”、“韩晁”分别作“赵绍”、“韩沓”。据文中“始合于韩王，然未知王之所欲”情况，其时应在申不害相韩不久。《史记·六国年表》周显王十五年（前354年）“魏围我邯郸”，故申不害答韩王问亦在本年。

《杨朱歌》作于本年前后。《列子·力命》载：杨朱之友季梁病，请杨朱为其歌。杨朱歌曰：“天其弗识，人胡能觉？匪祐自天，弗孽由人。我乎汝乎，其弗知乎！医乎巫乎，其知之乎？”《战国策·魏策四》载：魏欲攻邯郸时，季梁返魏。魏围赵邯郸，《史记·六国年表》载此事在周显王十五年（前354年），杨朱为季梁歌应在此前后。

《战国策·宋卫策·梁王伐邯郸》作于本年后。《策》文云：“梁王伐邯郸，而征师于宋。”据《史记·六国年表》，魏围邯郸在周显王十五年（前354年），《策》文所言当即此事。但《策》文结尾有议论，故作时不得早于本年。

公元前353年（周显王十六年　楚宣王十七年　齐威王四年）

孙膑为齐将田忌军师，大败魏军于桂陵时，提出了“避实就虚”、“围魏救赵”的著名策略。《史记·孙吴列传》载：魏伐赵，赵急，请救于齐。齐威王欲任孙膑为将以救赵。膑以“刑馀之人”辞谢。于是齐王以田忌为将，而孙子为帅。居辎车中，坐为计谋。田忌欲引兵直奔赵。接下便是孙子“避实就虚”、“围魏救赵”的著名议论。

屈原生于本年前后，名平，字原，楚句亶王熊伯庸之后。《离骚》云：“摄提贞于孟陬兮，惟庚寅吾以降。”王逸注“摄提贞于孟陬”句云：“太岁在寅曰摄提格。孟，始也。贞，正也。于，於也。正月为陬。”则王逸以为屈原生于摄提格年（寅年）正月（寅月）庚寅日。朱熹《楚辞集注·楚辞辨证》认为“摄提，星名，随斗柄以指十二辰”。对朱熹之说，顾炎武《日知录》卷二十予以辩驳。对屈原生年的推断，大体有十说：一、清刘梦鹏首先根据屈原生平确定生于楚宣王四年乙卯（前366年）夏历正月。

二、清邹汉勋根据历史年表，参照《史记》所载屈原活动年代用殷历推算，生于楚宣王二十七年戊寅（前343年）正月二十一日。刘师培用夏历计算，结果完全相同。

三、清陈玚用周历推算，结果与邹汉勋基本一致，为楚宣王二十七年戊寅正月二十一日或二十二日。

四、清曹耀湘推算生于楚宣王十五年丙寅（前355年）夏历正月。以上五家四说，刘梦鹏之推定无多根据，其他都据干支历史年表推算。然而顾炎武在其《日知录》卷二十已指出：“古人不用干支年岁。”“后人谓干支岁，癸亥岁，非古人。”所以，这些

结论均不可靠。

五、郭沫若从《吕氏春秋·序意》里记载的“惟秦八年，岁在涒滩（太岁在申曰涒滩）”推算，楚宣王二十九年（前341年）应当是寅年；但这年无庚寅，因之郭沫若以为在这一百多年中太岁超了一次辰，故减去一年，为前340年。根据新城新藏《东洋天文学史研究》所附《战国秦汉长历图》，这年正好初七为庚寅日。（《屈原研究》）

六、浦江清以《史记·历书》和《汉书·律历书》都记载的汉武帝太初元年太岁在寅（摄提格）的史实为起点，根据岁星一周天的年月，推算为前341年。但因这年没有庚寅日，因而他提出岁星纪年有两种方式，一种是以岁星在星纪宫为摄提格，另一种是以岁星在娵訾宫为摄提格；据《吕氏春秋·序意》所载“惟秦八年，岁在涒滩”的记载看，战国时都是以岁星在娵訾宫为摄提格，因而挪后两年，定前339年夏历正月十四日为屈原生日（《屈原生年月日的推算问题》，《历史研究》1954年第1期；又见《楚辞研究论文集》，作家出版社1957年版）。

七、林庚从朱熹之说，认为“摄提”非“摄提格”，不是指年而是星名。正月（寅月）、“庚寅”应指正月中有特殊意义的一天。林庚认为应指“人日”（正月初七），而据新城新藏的《战国秦汉长历》，只有楚威王五年（前335年）的正月初七日为庚寅日。故定前335年正月初七日为屈原生日（林庚《屈原生卒年考》，见《诗人屈原及其作品研究》，古典文学出版社1957年版）。

八、汤炳正据《史记·天官书》“岁星一曰摄提”的记载和1976年陕西临潼出土利簋铭文，确定《离骚》中“摄提”即指岁星。岁星的会合周期如在夏历正月，则这个月一定是建寅之月。而这一年也就是后代说的“太岁在寅”之年。又据1972年临沂银雀山汉墓出土的帛书《五星占》，周显王三年（前366年）正月，岁星（木星）的位置恰恰是晨出东方，即所谓“摄提格”之年。根据木星同太阳的会合周期，楚宣王二十八年（前342年）正月，木星亦晨出东方。据《战国秦汉长历》，这一年又恰是庚寅日。因此，推断前342年夏历正月二十六日为屈原生日（《历史文物的新出土与屈原生年月日的再探讨》，《四川师范学院学报》1978年第4期，又见《屈赋新探》，齐鲁书社1984年版）。

九、陈久金在汤炳正研究的基础上作了更为严密的论证，确定为前341年正月（《屈原生年考》，《社会科学战线》1980年第2期）。

十、胡念贻在太初元年为岁在星纪基础上重作推算，比起浦江清的结论来，多加了岁星一个周天的时间，为前353年，这年正月二十三日为庚寅。（《屈原生平新考》，《文史》第五辑；又见《先秦文学论稿》，中国社会科学出版社1981年版）

以上六种看法，郭沫若之说因为前340年岁星事实上不在星纪宫，故不能成立。林庚之说是依据了魏晋之后才有的“人日”风俗所确定。当时张汝舟已指出其不可取（《谈屈原的生年》，《光明日报》1951年10月13日），汤炳正、陈久金的推算依据了地下出土的天文资料，较以往各说都严密而可信程度大，唯前342年岁星在十一月下旬才进入星纪宫，那年不是寅年；而前341年正月无庚寅日。浦江清依据汉武帝太初元年太岁在寅的可靠记载推算，唯因无形中受此前学者所推屈原生年，皆在前343年到前339年之间的影响，只在这几年的范围中确定之，故在前104年基础上，直接加了二十个岁星周期的时间；又因这年没有庚寅日，因而据钱大昕《太岁太阴辨》，“疑心上面所推的元前三四一年是太阴在寅，欲求太岁在寅还要移后两年，应该是元前339年。”但浦江清以岁星在娵訾宫为摄提格并不可信，证之以《汉书·天文志》“太岁在寅曰摄提格”一句，引石氏《星经》“在斗，牵牛”，及甘氏《星经》“在建星婺女”，均是言在星纪宫的位置，非娵訾宫位置，故其前提不能成立。胡念贻在此基础上重作推算，比起浦江清的结论来，多加了岁星一个周天，为前353年，这年正月二十三日为庚寅日（《屈原生平新考》，《文史》第五辑）。本文取胡念贻之说。

屈原名平，字原。《史记·屈原列传》云：“屈原者，名平，楚之同姓。”古人取字与名之义相连。王逸《楚辞章句》：“高平曰原。”洪兴祖《补注》：“正则以释名平之义，灵均以释字原之义。名有五，屈原以德命也。”姜亮夫《史记屈原列传疏证》云：“按《公羊》昭元年传：‘上平曰原。’《说文》原解作‘高平之野，人所登’。《尔雅·释地》：‘大野曰平，广平曰原。’则名平、字原，字义相应。”

屈原《离骚》还言：“皇览揆余初度兮，肇赐余以嘉名。名余曰正则兮，字余曰灵均。”姜亮夫《史记屈原列传疏证》解释“正则”为“平”之意，“灵均”为“原”之意，是也。“正则”中隐含屈原名之义，“灵均”中隐含屈原字之义。因为是写诗，不便直言其名、字。

屈氏始自西周末年熊渠长子伯庸。伯庸之子为屈侯。其后有屈瑕、屈重、屈完、屈御寇（子边）、屈赤角（子朱）、屈荡（叔沱）、屈巫、屈到（子夕）、屈乘、屈建（子木）、屈荡、屈申、屈生、屈罢、屈大心、屈春、屈建、屈庐、屈固（公阳）等。战国之时有屈将、屈宜臼（咎）、屈匄（丐、盖）、屈易等。据文献中记载，屈氏从春秋时起任莫敖之职，屈易在怀王前期任大莫敖（见《包山楚简》），则应为屈原的父亲。被屈原称为“皇考”或“皇”之伯庸，即熊渠长子熊伯庸（参赵逵夫《屈氏先世与句亶王熊伯庸——兼论三闾大夫的职掌》、《屈子赤角考》、《屈氏世系与屈原思想的形成》，并见其《屈原与他的时代》，人民文学出版社2002年）。

公元前352年（周显王十七年　韩昭侯九年）

江乙为魏使楚，诋毁楚之贵幸州侯及楚相昭奚恤于楚王前。“狐假虎威”、“恶狗溺井”寓言即出自江乙论昭奚恤之语。《战国策·楚策一》载：“江乙为魏使于楚，谓楚王曰：‘臣入境，闻楚之俗不蔽人之善，不言人之恶，诚有之乎?’王曰：‘诚有之。’江乙曰：‘然则白公之乱得无遂乎！诚如是，臣等之罪免矣。’楚王曰：‘何也?’江乙曰：‘州侯相楚，贵甚矣而主断，左右俱曰无有，如出一口矣。’”文中“州侯”为楚幸臣，封于州。江乙恶昭奚恤，《楚策一》还有《江乙欲恶昭奚恤于楚》、《江乙欲恶昭奚恤于楚王》、《江乙恶昭奚恤》各章。《江乙恶昭奚恤》章载其为魏使楚时，对楚王说：“人有以其狗为有执而爱之。其狗尝溺井，其邻人见狗之溺井也，欲入言之。狗恶之，当门而噬之。邻人惮之，遂不得入言。邯郸之难，楚进兵，大梁取矣。昭奚恤取魏之宝器。以臣居魏知之，故昭奚恤常恶臣之见王。”《韩非子·内储说上·七术》亦载此事。江乙与楚王谈话言及“邯郸之难”。据《战国策·齐策一》，《史记·魏世家》、《赵世家》、《田完世家》、《六国年表》，魏惠王拔赵邯郸在周显王十六年（前353年）。

由江乙谈话内容可知，其使楚在“邯郸之难”后次年，即前352年。《江乙恶昭奚恤》章所说“大梁取矣”并非事实。据《史记·赵世家》、《魏世家》及《六国年表》，前354年，魏惠王伐赵，围邯郸。次年，楚侵魏地。《战国策·楚策一》载：“邯郸之难，昭奚恤谓楚王曰：‘王不如无救赵而以强魏，魏强，其割赵必深矣。赵不能听，则必坚守，是两弊也。’景舍曰：‘不然。昭奚恤不知也。……魏、赵相弊而齐、秦应楚，则魏可破也。’楚因使景舍起兵救赵。邯郸拔，楚取睢、濊之间。”睢、濊为二水名，属魏之东南境，其地近楚。实际上，楚非诚心救赵，而是借救赵之名，乘机取利。昭奚恤在侵魏时夺魏之宝器，为江乙所知。江乙为魏人，对昭奚恤所作所为深恶之。依《资治通鉴》、《大事记》，昭奚恤于前354年或次年相楚。此前，“昭奚恤常恶臣之见王”，即因江乙知其隐私，而江乙在前352年后亦仕楚。《战国策·楚策一》载：“荆宣王问群臣曰：‘吾闻北方之畏昭奚恤，果诚何如?’群臣莫对。江乙对曰：‘虎求百兽而食之，得狐。狐曰：子无敢食我也，天帝使我长百兽，今子食我，是逆天命也。子以我为不信，吾为子先行，子随我后，观百兽之见我而敢不走乎？虎以为然，故遂与之行。兽见之皆走。虎不知兽畏己而走也，以为畏狐也。今王之地方五千里，带甲百万，而专属之昭奚恤，故北方之畏昭奚恤也，其实畏王之甲兵也，犹百兽之畏虎也。’”《新序·杂事》等亦有记载。此段记载显出江乙辩论技巧之高。江乙答楚王问、仕楚在本年或后。《战国策·楚策一》载：“昭奚恤与彭城君议于王前，王召江乙而问焉。江乙曰：‘二人之言皆善也，臣不敢言其后，此谓虑贤也。’”彭城君，楚宣王时封君；彭城，楚邑，今江苏徐州市。此章江乙不言昭奚恤之非，与别章异。故缪文远《战国策新校注》云：“此章言江乙不议昭奚恤之是非，与它章江乙屡恶昭奚恤之言不类，或此乃楚王面昭奚恤而召问江乙，故其言若此欤?”江乙为聪明善辩之人，其观情势，在楚王前对昭奚恤或不一味贬斥之。江乙此年或稍后仕楚。

公元前350年（周显王十九年　秦孝公十二年　赵成侯二十五年　楚宣王二十年　齐威王七年）

秦筑冀阙宫于咸阳，卫鞅在秦发布《恳令》，第二次变法。《史记·商君列传》载：周显王十七年（前352年），卫鞅围魏安邑，降之。后三年筑冀阙宫廷于咸阳。此事《秦本纪》、《六国年表》也有记载。今本《商君书·垦令》非商鞅当时变法令原文，为史官所整理。其中叙及恳令之所从出，同时对变法内容也有概括反映。《战国策》、李斯《谏逐客书》、《史记》、《汉书》、《论衡》、《通典》等对商鞅变法均有记载与赞誉。

田骈本年前后生于齐，史籍中又作“陈骈”，号“天口骈”。田骈为齐宣王时“稷下先生”之一。《史记·田完世家》、《孟荀列传》对此均有记载。宣王前319年即位，在位十九年。陈奇猷《吕氏春秋校释》据《史记·田完世家》记载，以为田骈游稷下在宣王十八年。但司马迁是在宣王十八年后从总体上追述稷下学术盛况，非特指此年众人至稷下，因为次年宣王即卒。若诸子在宣王卒前一年始至稷下，就不会在宣王时形成如此规模。以《田完世家》所记宣王时稷下人数规模观之，宣王即位伊始就应招纳文学之士。田骈此时至稷下，并据下面所载材料综合推断，其年岁应在三十上下。

上推其生年应在前350年前后。

《战国策·齐策四》载齐人见田骈曰："闻先生高议，设为不宦，而愿为役。"此《策》文难考其时。缪文远《战国策新校注》言"田骈为齐宣、闵时人"。（巴蜀书社1998年）齐闵王在位凡十七年，若田骈在齐宣王末年时三十上下，则完全可与齐宣、闵王同时。

《庄子·天下》将慎到与田骈并列，二人年岁应相当。慎到生于前350年前后。据此，定田骈生于前350年前后较为适宜。桓宽《盐铁论·论儒》论齐闵王末年诸儒散去情形时，言及田骈入薛。钱穆《先秦诸子系年》、蒋伯潜《诸子通考》均以为此说为是。齐闵王末年为前284年，若田骈生于前350年前后，此时六十上下。

《吕氏春秋·不二》载："陈骈贵齐。"陈奇猷《吕氏春秋校释》引范耕研、王蘧常说以为"陈骈"即田骈。《淮南子·人间训》："唐子短陈骈子于威王，威王欲杀之，陈骈自于其属出亡奔薛。"此"陈骈"即田骈。孟尝君田文之早年，当齐威王末年。虽被封在宣王晚年，但后人记事中以后来之封号称说早期之事，也有可能。根据以上推测，田骈当生于前350年前后。

《汉书·艺文志》班固注曰："名骈，齐人，游稷下，号'天口骈'。"王应麟《汉书艺文志考证》卷六著录"《田子》二十五篇"。并引《七略》云："齐田骈好谈论，故齐人为语曰'天口骈'。'天口'者，言田骈子不可穷其口，若事天。"田骈为齐人，《史记》有载，《淮南子·人间训》记孟尝君与田骈对话也说得很清楚。

慎到本年前后生于赵。慎到为战国时重要思想家。《孟子·告子下》曾记载鲁欲使慎子为将军，孟子止之。赵歧注："慎子，善用兵者。滑釐，慎子名。"朱熹《四书集注》谓："慎子，鲁臣。"梁玉绳《人表考》："按《战国策》有慎子，为襄王傅。鲁亦有慎子，见孟子。此与庄、惠并列，则非此人也。"蒋伯潜《诸子通考》亦以为："此慎子名滑釐，鲁人，与孟子同时，别为一人。"张岱年《中国哲学史史料学》说："此慎子名滑釐，不是慎到。有人认为是一人，那是错误的。慎到是齐稷下学士，哪里能做鲁国的将军举兵伐齐呢?"但焦循《孟子正义》云："慎子名滑釐，其名为到，与墨子之徒禽滑釐同名。"钱穆《先秦诸子系年·慎到考》从焦说。二人均以此"慎子"即为慎到。慎子名"滑釐"，除《孟子》外，史籍别无记载。若此"慎子"即为慎到，则年龄与孟子相当。桓宽《盐铁论·论儒》记慎到于齐闵王末年（前284年）亡去。此时孟子已卒，则慎到稍后于孟子。孟子生于前385年前后，慎到之生应在前385年后。

据《战国策·楚策二》记载，楚襄王先前为太子质于齐欲返楚时，齐王以割地为条件，襄王提出要问其傅慎子。此章林春溥《战国纪年》、顾观光《国策编年》系于周赧王十六年（前299年），黄式三《周季编略》系于周赧王十七年（前298年），于鬯《战国策年表》系于周赧王十九年（前296年）。据于鬯《战国策年表》考证，楚太子辞齐归楚，为齐闵王六年（前295年）。钱穆《先秦诸子系年》、缪文远《战国策考辨》均以为此"慎子"为慎到，却非襄王傅。但蒋伯潜《诸子通考》以为"此慎子当即见于《孟子》之慎滑釐"。若此"慎子"为慎到，则于齐宣王（前319年至前301年在位）、齐闵王（前300年至前284年在位）同时。如此，则慎到之生当在前385年后至前 319 年前之间。但有的学者以为《楚策四》这段文字为拟托，不一定可信。

《吕氏春秋·慎势》载慎子曰：“今一兔走，百人追之。”高诱注：“慎子名到，作《法书》四十一篇，在申不害、韩非前，申、韩称之。”高诱此注，或本于《汉书·艺文志》班固自注：“慎子名到，先申、韩，申韩称之。”而《艺文志》班固注《申子》又云：“相韩昭侯。”《汉书·古今人表》列申不害与韩昭侯（前 362 年至前 333 年在位）同时，列慎子与齐闵王同时，则慎子在韩非之前，而大体与申不害同时或稍后。

以《吕氏春秋·正名》看，慎到与齐宣王、闵王同时。《史记·田完世家》言慎到齐宣王时始游稷下，《盐铁论》记齐闵王末年慎到亡去。则慎到大体与齐宣王、闵王同时。《荀子·非十二子》杨倞注以为尹文子与慎到同时。齐宣王元年为前 319 年，齐闵王末年为前 284 年。二王在位凡三十五年。依《田完世家》所记，齐宣王末年稷下已达“数百千人”之规模。宣王在位十八年，大约在其即位之初就开始招贤纳士。慎到在此情况下至稷下，并与淳于髡等“各著书言治乱之事，以干世主”（《史记·孟荀列传》）。因此，前 319 年齐宣王即位时，慎到应以三十岁上下为宜。上推其生年，为前 350 年前后。后于申不害、孟子，而先于韩非子。钱穆《先秦诸子系年·通表》亦定其生此时。吕振羽《中国政治思想史》云：“近人张季同则考其生年为公元前 395 年，卒年为公元前 315 年，颇确。”（人民出版社 1961 年）近年出版有关诸子辞典从其说。张季同说见《古史辨》第四册《关于老子年代的一假定》一文。在该文后所写“附识”中补充道：“现在又想起来了：我那篇文中还有一个大错，即把慎到年代算得太早了，这是缘于误从《汉书·艺文志》。原来胡适之先生在《哲学史大纲》上曾说过：‘《汉书》云：慎子先申韩，申韩称之。此言甚谬。慎子在申子后。’这说得很对，我当时忘却了。”

尹文本年前后生于齐。以《庄子·天下》所列顺序观之，尹文应在宋钘之后。宋钘与尹文学术思想主张有相同处。《韩非子·显学》、《吕氏春秋·正名》均有记载。《吕氏春秋·正名》还言：“齐闵王是以知说士，而不知所谓士也。故尹文问其故，而王无以应。”高诱注：“尹文，齐人，作《名书》一篇，在公孙龙前，公孙龙称之。”《说苑·君道》：“齐宣王谓尹文曰：‘人君之事何如？’尹文对曰……宣王曰：‘善。’”《汉书·艺文志》自注：“说齐宣王，先公孙龙。”颜师古注：“刘向云与宋钘俱游稷下。”《庄子·天下》成玄英注云：“宋钘、尹文并齐宣王时人。”今人向宗鲁《说苑校证》云：“魏山阳仲长氏《尹文子序》曰：‘尹文子者，盖出于周之尹氏，齐宣王时居稷下，与宋钘、田骈同学于公孙龙。’（此说误。《郡斋读书志》已辨之。）”（中华书局 2000 年）

由上述材料可知：尹文生活于齐宣王、闵王之际；先于公孙龙，但年岁相差不甚远；在稷下学术兴盛时游之。齐宣王招文学之士应在其即位之初，尹文游稷下亦应在此时。宣王初即位，欲有所为，故向尹文询及人君之事。若前 319 年宣王即位时尹文三十上下，则其生年应在前 350 年前后。另，仲长统称公孙龙为尹文师为误，或者尹文为公孙龙师而流传中误倒。由公孙龙称赞尹文看，尹文当为公孙龙师。公孙龙生前 320 年前后，依年龄而言，亦相合。钱穆《先秦诸子系年·通表》、胡适《中国哲学史大纲》定尹文生前 350 年。

湖南长沙马王堆汉墓竹简《称》篇作于本年前后。1973年底，湖南长沙马王堆三号汉墓出土了大批帛书及竹简。帛书《老子》乙本前有四篇佚书：《经法》、《经》、《称》、《道原》。其中《称》之性质，可能是一种语录汇编体。李学勤云："但细看其文字风格，尚有异于《论语》及后世的语录。篇中不少地方，似乎是辑录当时的格言，甚至流行的俗语。""《称》篇之所以题为'称'，是因为'称'训为言（《礼记·射义》注）或述（《国语·晋语》注），并不像一些作品理解的，是度量的意思。所谓'称'，就是指语句的汇集。"他将《称》与《慎子》一些篇目进行比较后，得出结论："《称》篇的年代很可能早于慎子。"又依据钱穆《先秦诸子系年》对慎子生卒年（约前350年—约前270年）的考证，以为"《称》篇的写成当不迟于战国中期"。（《简帛佚籍与学术史》）

公元前349年（周显王二十年　秦孝公十三年　楚宣王二十一年　齐威王八年）

楚欲攻齐，齐王命淳于髡往赵请救兵，淳于髡引《禳田辞》讽谏齐王。《史记·滑稽列传》载：齐威王八年，楚大兵攻齐，齐王派淳于髡之赵请救兵，临行时淳于髡引《禳田辞》："瓯窭满篝，污邪满车，五谷蕃热，穰穰满家。"《说苑·复恩》对此亦有记载。

淳于髡借饮酒以谏齐威王。《史记·滑稽列传》记淳于髡退楚兵后，齐威王很高兴，置酒后宫款待淳于髡并问饮多少至醉。淳于髡曰："赐酒大王之前，执法在傍，御史在后，髡恐惧俯伏而饮，不过一斗径醉矣。若亲有严客，髡帣韝鞠𪖐，侍酒于前，时赐余沥，奉觞上寿，数起，饮不过二斗径醉矣。若朋友交游，久不相见，卒然相睹，欢然道故，私情相语，饮可五六斗径醉矣。若乃州闾之会，男女杂坐，行酒稽留，六博投壶，相引为曹，握手无罚，目眙不禁，前有堕珥，后有遗簪，髡窃乐此，径可八斗而醉二参。旦暮酒阑，合尊促坐，男女同席，履舄交错，杯盘狼藉，堂上烛灭，主人留髡而送客，罗襦襟解，微闻芗泽，当此之时，髡心最欢，能饮一石。故曰酒极则乱，乐极则悲，万事尽然。"

公元前348年（周显王二十一年　齐威王九年）

淳于髡以"一鸣惊人"谑语讽谏齐威王。淳于髡讽谏齐威王，《史记·滑稽列传》有记载。据《韩非子·喻老》、《吕氏春秋·重言》、《史记·楚世家》、《新序》卷二、《吴越春秋·王僚传》等记载，春秋时楚大臣谏楚庄王，与之完全一样。淳于髡熟知各代文史，据以为说，是暗将齐威王比做楚庄王，以激发其意志。齐威王也因而受到启发，以楚庄王之说相对。《史记》所载在"国人莫敢谏"情况下淳于髡为谲谏之辞。淳于髡于前一年曾退欲攻齐楚兵，楚王对其恩宠有加。在此情况下，淳于髡说齐威王当然更为方便。《田完世家》载威王九年之后，"遂起兵西击赵、卫，败魏于浊泽而围惠王。惠王请献观以和解，赵人归我长城。于是齐国震惧，人人不敢饰非，务尽其诚。齐国大治。"特别是前342年即为历史上著名的"马陵战役"。是齐威王听邹忌、淳于髡讽谏的结果。

苏代本年前后生于东周雒阳。苏代、苏秦、苏厉为战国时重要辩士。但其事迹，司马迁、刘向已不能明。《史记·苏秦列传》云："苏秦之弟曰代，代弟苏厉，见兄遂，亦皆学。"故《战国策》、《史记》记"三苏"事迹，人、事往往混淆不清。《战国策》好多篇目作"苏秦"，《史记》作"苏代"。刘向《说苑》、《新序》保存大量先秦时人物史料，但于"三苏"却极少。《史记·苏秦列传》司马贞《索隐》引谯周云："秦兄弟五人，秦最少。"当代学者如唐兰、徐中舒、诸祖耿以为苏代为苏秦、苏厉之兄。

《战国策》中，情况很复杂。有的记同一件事，此章作"苏秦"，另章作"苏代"。如《燕策一》"人有恶苏秦于燕王"与"苏代谓燕昭王"两章，当为一事两传。但前章作苏秦，后章作苏代。也有改"苏秦"为"苏代"，或以"客"指代，以致策文"主名误"者。如《秦策二》"陉山之事"章，《燕策二》"客谓燕王"章。还有一些"无主辞"，辞主应为某一苏子。如《东周策》"谓薛公"章辞主应为苏秦，《秦策三》"谓应侯曰君禽马服"章辞主当为苏代。《战国策》中有时径直称"苏子"，从原文不能直接看出为谁。如《秦策二》"甘茂亡秦且之齐"章，《楚策二》"女阿谓苏子"章。这些现象，增加了后代判断的难度。

《史记》中记苏秦、苏代、苏厉事，显得混乱。自"苏秦既死，其事大泄"至"燕立昭王，而苏代、苏厉遂不敢入燕，皆终归齐，齐善待之"一段，与《战国策·燕策一》"燕王哙既立"、"初苏秦弟厉"两章及《燕世家》所记事几同，但人称混乱。又《田完世家》"苏代谓田轸"一段，内容同帛书《战国纵横家书》二十二章"苏秦谓陈轸"。《史记》游说者自称"今者臣立于门"，而帛书则为"今者秦立于门"，显然是苏秦非苏代。

《史记·苏秦列传》《索隐》："苏秦字季子，盖苏忿生之后，己姓也。"又引谯周云："秦兄弟五人，秦最少。兄代，代弟厉及辟、鹄，并为游说之士。"

从史籍所记材料看，"三苏"年岁当相差不大。除《战国策》、《史记》外，苏代事在《韩非子·外储说右下》已有记载，苏厉在《战国纵横家书》中亦见。就"三苏"次第而言，《战国策·秦策一》、《史记·苏秦列传》中拟托材料均以为苏秦有兄嫂。唐兰说："《史记》说苏代是苏秦之弟，事实上苏代当是兄，我过去的论断，看来也没有错。苏代游说诸侯较早，在前四世纪末期，已来往于楚魏燕齐各国。苏秦的事迹要晚得多。"（《战国纵横家书》所附《司马迁所没有见过的珍贵史料》，文物出版社1976 年版）其说是。

《战国策》明确载为苏代事迹者，大约有 22 条。分别见于《西周策》、《秦策二》、《齐策四》、《赵策四》、《魏策二》、《韩策一》、《燕策一》、《燕策二》。可信为苏代材料者，仅有《西周策》"雍氏之役"章、《魏策二》"苏代为田需说魏王"章。

《史记·苏秦列传》所记之事，与《战国策·燕策一》"苏秦死"章所记事同。《燕策一》此章辞主，"苏代"为"苏秦"之讹，学者们已有考述。《苏秦列传》中接下"燕相子之与苏代婚"至"而苏代、苏厉遂不敢入燕，皆终归于齐，齐善待之"一段，又见于《战国策·燕策一》"燕王哙既立"、"初苏秦弟厉"两章及《史记·燕世家》。其下"苏代过魏"至"代之宋，宋善待之"一段，又见《魏策一》"苏秦拘于魏"、《燕策一》"苏代过魏"两章。上述两段据《战国纵横家书》记载及后代学者们考订，“苏代”应为“苏秦”。接下“齐伐宋，宋急，苏代乃遗燕昭王书曰”至“竟破齐，闵王出走”一段，同《燕策一》“齐伐宋宋急”章；接下“久之，秦召燕王，燕王欲往，苏代约燕王曰”至《苏秦列传》结尾一段，同《燕策二》“秦召燕王”章。此两章似为拟托，不可信。另外，《史记 · 田完世家》中“苏代”，以《战国纵横家书》校之，应为苏秦。

《史记 · 孟尝君列传》有“苏代为西周谓曰”一段文字，与《战国策 · 西周策》“薛公以齐为韩魏攻楚”一章相同。该书说薛公者为“韩庆”。即《索隐》所谓：“《战国策》作‘韩庆为西周谓薛公’。”此章辞主，徐中舒的《论〈战国策〉的编写及有关苏秦诸问题》以为应是苏秦。（《历史研究》1964 年第 1 期）缪文远的《战国策新校注》该章解题以为“此乃或为周最说薛公收之以厚行也”。未确定说者为谁。徐中舒之说近是。

这样看来，关于材料，前面所述之外，《孟尝君列传》中所记苏代其他两事可靠；《燕世家》所记，同《战国策 · 燕策一》“燕王哙既立”章。其中“燕哙三年”以下一段事，又见于《韩非子 · 外储说右下》，其材料应为可信；《韩世家》载材料或为可信。在此基础上再来考察苏代生年。

《韩非子 · 外储说右下》：“子之相燕，贵而主断。苏代为齐使燕。”子之相燕之时，《史记 · 燕世家》记载燕王哙三年苏代为齐使于燕。燕王哙三年为前 318 年。苏代此时能为齐使燕，年岁当以三十上下为宜。以此上推，则其生应在前 348 年前后。苏代籍贯，以《战国纵横家书》及《战国策》苏秦自称观之，当以东周雒阳为是。

公元前 342 年（周显王二十七年　齐威王十五年）

孟子于本年前后自邹游齐平陆后返邹，后又自邹至任，自任至平陆，在平陆与地方长官孔距心有问答。由《孟子 · 告子下》记载可知，孟子先游平陆后返邹，又由邹至任，再由任至平陆。焦循《孟子正义》引赵岐注：“任，薛之同姓小国也。季任，任君季弟也。任君朝会于邻国，季任为之居守其国也。致币帛之礼以交孟子，受之而未报也。平陆，齐下邑也。储子，齐相也。亦致礼以交孟子，受而未答也。”“平陆”为齐邑。《史记 · 田完世家》载：“威王二十三年，与赵王会平陆。”“任”为邹之临国。《孟子 · 告子下》记载，任人有问屋庐子礼与食谁重要的问题不能对，次日至邹告诉了孟子。文中“明日至邹”表明邹与任为临国。孟子在平陆时曾与地方长官孔距心问答，见《孟子 · 公孙丑下》。上述孟子活动，应在始游诸侯之前。此时孟子尚未知名于诸侯，只在邹附近活动。因平陆与邹相距不远，而前 342 年时齐威王正以邹忌为相改革齐政，奋发有为，故孟子在此时至齐。

孟子于本年前后自齐之平陆之至齐都临淄，始游诸侯。因观点与齐威王不合，未被重用，也无缘宣传“王道”、“仁政”政治理想。孟子与同行弟子公孙丑及齐大夫蚳蛙有所论说，与齐大将匡章有交往，与淳于髡有“礼”、“权”之辩。

孟子游历诸侯，在清代争议颇多。归纳起来，焦点在于：其一，孟子游说诸侯始、终于何年？其二，先自齐、还是梁始游诸侯？其三，几次游齐？

孟子游历诸侯顺序，司马贞已说过：“轲游齐、魏，其说不通。”（《史记 · 孟荀列传》《索隐·述赞》）后通过清代至当代学者们研究，在孟子于齐威王时自齐始游诸侯、后游梁，于齐宣王时再游齐诸问题上，认识基本趋于一致。实际上，《史记·孟荀列传》记载孟子始游诸侯自齐始，顺序是也。司马迁将孟子游齐定为宣王时，是因《田完世家》齐纪事自威王以下，均提前了二十多年，《六国年表》遂定齐威王元年在周安王二十四年（前378年）之故。本来齐宣王与梁惠王年代不同时。梁惠王卒，齐宣王立。但这样一提前就同时了。说孟子"道既通，游事齐宣王，宣王不能用"，也是因时间提前，将"威王"作"宣王"之故。《史记·儒林列传》云："然齐、鲁之间，学者独不废也。于威、宣之际，孟子、荀卿之列，咸尊夫子之业而润色之，以学显于当世。"就肯定了孟子在威王时游齐。又，《孟荀列传》载："邹忌以鼓琴干威王，因及国政，封为成侯而受相印，先孟子。其次邹衍，后孟子。"表明孟子游齐在邹忌为相以后。

《史记·孟荀列传》载孟子"游事齐宣王，宣王不能用。适梁，梁惠王不果所言，则见以为迂远而阔于事情"。《儒林列传》记载孟子在齐威王时已游齐之稷下。徐干《中论·亡国》云："齐桓公立稷下之官，设大夫之号，招致贤人而尊宠之，孟轲之徒皆游于齐。"郭沫若《十批判书·稷下黄老学派的批判》以为："这位齐桓公便是齐威王的父陈侯午。"（人民出版社1976年版）张福信《关于稷下学昌盛的缘由》以为："《管子·桓公问》中所说的'啧室之议'，应该就是稷下之学的开始。"（《齐鲁学刊》1983年第1期）对徐干说齐桓公田午时设稷下学宫，钱穆《先秦诸子系年·稷下通考》以为"《中论》以外无言者"。

孟子"受业子思之门人，道既通"（《史记·孟荀列传》）后，在家乡邹、鲁一带招收门徒讲学，为邹、鲁等小国国君出谋划策。但他以"如欲平治天下，当今之世，舍我其谁"的远大志向和社会责任感（《孟子·公孙丑下》），要宣传自己"仁政"学说，并将其推行于天下，仅限于邹、鲁之类小国，显然不行。而这时恰逢齐威王任用邹忌改革，广招人才，奋发有为之际。孟子感到在齐可以大有可为，于是东至齐。

孟子至齐时间，有一条材料似乎未引起人们重视。即孟子在齐时，提到四十不动心。赵岐注："孟子言《礼》四十强而仕，我志气已定，不妄动心有所畏也。"赵岐引《礼》之语，出自《礼记·曲礼上》。原文作"四十曰强，而仕"。《四书集注·孟子注》以为："四十强仕，君子道明德立之时。孔子四十而不惑，亦不动心之谓。"顾炎武《日知录》卷七"不动心"条解释更为具体、切当："'我四十不动心者'，不动其行一不义，杀一不辜，而得天下，有不为也之心。"孔子认为四十岁是人生之重要阶段。他多次谈到四十岁时应达到之境界。（如《论语·阳货》："年四十而见恶焉，其终也矣。"《子罕》："四十、五十而无闻焉，斯亦不足畏也已。"）《论语·为政》提出"四十而不惑"。并且说"智者不惑"（《论语·子罕》）。孟子所谓"四十不动心"便是达到了"智者"境界。具体言之，一是个人价值观念、生活信仰等已完全确定，"浩然正气"之"大丈夫"伟岸人格业已形成（"浩然正气"见《孟子·公孙丑上》，"大丈夫"见《孟子·滕文公下》）；二是以"仁政"为核心之政治理想，以及体现这种理想之具体主张已完全成熟。孟子一生反对"以力假仁者霸"之"霸道"，主张"行一不义、杀一不辜，而得天下，皆不为也"。谋求"以德行仁者王"之"王道"（均见

《孟子·公孙丑上》)。上述“个人”和“社会”之双重因素，又构成他终生不渝之“本心”。守住“本心”，便不会失掉“本性”，也就知道怎样安身立命了。这便是人生之“道”。如此，在四十岁后“道既通”情况下，便要去“尚志”。《孟子·尽心上》:“王子垫问曰：‘士何事?’孟子曰：‘尚志。’曰：‘何谓尚志?’曰：‘仁义而已矣。杀一无罪，非仁也。非其有而取之，非义也。’”所以孟子“遂以儒道游于诸侯，思济其民”。(赵岐《孟子题辞》)即《孟子·滕文公下》所载“传食于诸侯”，开始宣传其主张。钱穆《先秦诸子系年·孟子在齐威王时先已游齐考》云：“余考《孟子》书，其初在齐，乃值威王世。去而至宋滕诸国及至梁，见惠王襄王，又重返齐，乃值宣王也。”

《孟子·公孙丑上》载孟子与公孙丑两段对话，均为假设之辞。威王其时正以“战”称雄谋利，而孟子却恰恰宣传“不战”，“不言利”，与威王主张背道而驰，未受威王重视就很自然，因之公孙丑有此问。孟子颇感恼火，故责备公孙丑“子诚齐人也”。而孟子言其“四十不动心”，说明始游齐时年已四十。其生在前 385 年前后，至前 342 年前后时，正好四十岁左右。

以《孟子·公孙丑下》记载观之，孟子先至齐，后至宋，再至薛。孟子至宋时，当时尚作为世子的滕文公在使楚返滕时曾见孟子，即位后又派然友之邹问孟子行丧事宜。而在齐宣王孟子再次至齐、并为卿于齐时，滕文公卒，孟子以齐卿身份参加葬礼。《公孙丑下》载：“孟子为卿于齐，出吊于滕。”若孟子在齐宣王时首次至齐再至宋，滕文公已死，无缘与其见面。另，孟子此次在齐未受威王重用，对威王之百金，认为无理由接受。并提出“至大至刚”之“浩然之气”，表明自己“大丈夫”志向。

从齐之实际情况言，威王为战国时有为之君。《史记·田完世家》载威王在位期间“齐国大治，诸侯闻之，莫敢致兵于齐二十余年”，“于是齐最强于诸侯，自称为王，以令天下”。而使齐强大重要原因，便是齐威王重视人才。《史记·田完世家》等对此均有记载。孟子曾在邹附近活动，又曾至齐平陆。对威王改革政治、富国强兵之举应有所闻，因而至齐。

匡章与孟子年龄相当，且为朋友。《滕文公下》载匡章与孟子讨论陈仲子是否为廉士。孙开泰《孟子事迹考辨》(《中国哲学》第十五辑)、董洪利《孟子研究》还以孟子在齐与匡章交游、在宋与滕世子会面，考辨其在齐威王时始游齐。其说是。孟子此次在齐未受威王重视，对齐大夫蚳蛙不向王进言不解，见《孟子·公孙丑下》。

孟子第一次游齐时与淳于髡之间交往、辩论，《孟子·离娄上》有记载。孟子四十岁时始游诸侯为齐威王十二年前后，正是其励精图治、雄心勃勃地想称霸中原之际。孟子便在如此背景下至齐都临淄。此时淳于髡为齐“诸侯主客”，负责接待诸侯来宾，便有了二人首次交往。淳于髡“多辩”(《史记·滑稽列传》)，孟子“好辩”(《孟子·滕文公下》载公都子曰：“外人皆称夫子好辩，敢问何也?”)，二人均为有名“辩士”而持论不同，自然会有诘难、论争。孟子未受齐威王重视，无缘直接向其宣传自己观点，而在“稷下”同淳于髡等“稷下先生”、“稷下学士”论辩。

孟子此次游齐后去向，以《孟子·公孙丑下》观之，是先至宋，又至薛。故崔述《孟子事实录》云：“‘兼金’章以在齐为‘前日’，在宋、薛为‘今日’，则是至宋、至薛亦在孟子在去齐后也。”据钱穆《先秦诸子系年·宋君偃元年乃周显王三十一年非四十一年乃幼年嗣位非弑兄自立辩》考证，宋君偃即位在前338年，十年后始称王改元。因为《孟子》中宋君偃为“将行王政”（《孟子·滕文公下》）之君。而《战国策·宋策》、《史记·宋世家》、《新序·杂事》等史籍，又载其“淫于酒、妇人，群臣谏者辄射之。于是诸侯皆曰‘桀宋’”（《史记·宋世家》）。暴虐残忍，行赛桀、纣，最后至于“索为匹夫不可得也”（《荀子·王霸》）。终于在前286年为齐闵王所灭。为什么同为一人，史籍所载其事有天壤之别?《孟子》所载应是其即位后至前328年称王期间做法。此时宋君偃也想有一番作为。若其一开始便“射天笞地”（《战国策·宋策》），孟子应该不会至宋。其至宋应在前338年宋君偃即位后不久。

孟子宣传的“仁”、“义”等观点，不仅为要以“战”称雄之齐威王不接受，亦为淳于髡所讥讽。便有了淳于髡与孟子关于礼、权的辩论。程复心《孟子年谱》有这样一段话：“孟子处齐，有忧色，拥楹而叹，孟母见……孟子曰：‘今道不用于齐，愿行，而母老，是以忧也。’孟母曰：‘……今子成人也，而我老矣。子行子义，吾行乎吾礼。’”此段文字中，孟母呼其为“成人”，说明年龄不会太大。若在宣王时，孟子已七十上下，其母不会如此称呼。更何况宣王时孟母已卒，孟子曾自齐改葬于鲁。正因为这样，孟子感到“我无官守，我无言责，则吾之进退，岂不绰绰然有余裕哉·”（《孟子·公孙丑下》）儒家虽“志于道”，但“道不同，不相与谋”。（《论语·卫灵公》）孟子便在前338年前后离齐至宋。因而，其与淳于髡此次交往及关于“礼”之论辩，也就在孟子初至齐到前338年前后期间。焦循《孟子正义》引阎若璩《释地》以为“名”、“实”之辩在离齐后，但孟子离齐后过宋返邹，就与万章等著书去了，无缘再与淳于髡相见。言“名”、“实”之辩在孟子第二次离齐后亦欠妥。

《孙膑兵法》有些篇章成于本年前后。《史记·孙吴列传》叙完“马陵之战”云：“孙膑以此名显天下，世传其兵法。”其中一些篇章当成于是年后。杨伯峻《孙膑和〈孙膑兵法〉杂考》根据1972年山东临沂银雀山汉墓竹简《孙膑兵法》残简，以为此书未必是孙膑亲手编定。他从“编定的年代”、“书中所反映的思想”、“孙膑在齐国已有弟子”三方面证明己见。但他也不排除《孙膑兵法》的“一部分或大部分是孙膑的原著，最后经过他的弟子增补编定”。（《文物》1975年第3期）张震泽言《孙膑兵法》“似亦有孙膑自著，已为学术界所公认”。（《孙膑兵法校理·自序》）

苏秦本年前后生于东周雒阳。苏秦为战国纵横家代表人物。但因其一生主要为齐“反间”于燕，其“工作性质”决定了行为有隐蔽性。其有关信件均属机密，在世时不可能公开。而死后加之“秦火”，又有散失。还因“苏秦被反间死，天下共笑之，讳学其术。然世言苏秦多异，异时事有类之者皆附之苏秦”。（《史记·苏秦列传》）故史籍载其事迹，极为混乱。司马迁因没有见到苏秦的第一手资料，故以为苏秦在前、张仪在后，还以为苏秦死于燕王哙（前320年—前314年在位）之时。刘向沿袭司马迁之误，在《战国策·秦策一》、《楚策一》、《燕策一》等策文记载中，定苏秦活动大致在前333年至前311年之间。《论衡·案书》以为：“张仪与苏秦同时，苏秦之死，仪固知之。”皆袭司马迁之误。

苏秦事迹，见于《战国策》者，有以下各章：《秦策一》“苏秦始将连横说秦”、

《燕策一》"苏秦将为从北说燕"、"奉阳君李兑不取于苏秦"、"人有恶苏秦于燕王"、"苏秦死"，《赵策二》"苏秦从燕之赵"、《韩策一》"苏秦为楚合从说韩王"、《魏策一》"苏秦为赵合从说魏王"、《齐策一》"苏秦为赵合从说齐宣王"、《楚策一》"苏秦为赵合从说楚"。但上列资料以《战国纵横家书》及学者们研究成果校之，多不可信。其中有些《策》文与苏代事相混。《竹书纪年》记事终于魏襄王二十年（前299年），而《战国纵横家书》大部分资料反映的年代，恰恰在前299年之后。这样不仅可补文献不足，而且可以校正文献所记载的这一段史实。

《战国纵横家书》其一云："封秦也，任秦也，比燕于赵。令秦与兑（李兑）……"；其三云："奉阳君（李兑）使周纳告寡人（齐闵王自称）曰：燕王（燕昭王）请勿任苏秦以事"；其四云："王（燕昭王）信田代、参去疾之言攻齐，使齐大戒而不信燕，臣秦拜辞事"；其八云："臣谓曩（韩曩，即齐相韩珉）曰：'请劫之。子以齐大重秦，秦将以燕事齐'"；其九云："王（齐闵王）诚重御臣，则天下必曰：'燕不应天下以师，又使苏（秦）……'"；其十二云："若楚不遇，将与梁王复遇于围地，收秦等（指苏秦），遂明攻秦（指秦国）。"

上举六章帛书，第四章有一小部分见于《战国策·燕策二》，但《战国策》所记文字多错误，且将最重要的"臣秦拜辞事"一句脱落了。刘向编《战国策》时将此章归于苏代。由这六章帛书所记苏秦活动看，苏秦与燕昭王（前311年—前279年在位）、齐闵王（前300年—前284年在位）同时。这样，我们就将苏秦活动时间范围，大体划定在前312年至前284年间。

《战国纵横家书》二十二云："齐宋攻魏，楚围雍氏，秦败屈匄。谓陈轸曰：'愿有谒于公，其为事甚完，便楚，利公。成则为福，不成则为福。今者秦立于门……"此章内容《史记·田完世家》亦有记载。依司马迁所记，此时苏秦已早死，故改"苏秦"为"苏代"。"楚围雍氏"之役在前312年。帛书"今者秦立于门"显然为苏秦自称。由苏秦见陈轸自称名，而称陈轸为"公"的情况可知，前312年时苏秦年纪尚轻，还未知名，但已能出使诸侯，立于朝廷。故前312年时年岁大约三十岁上下。上推其生年，应在前342年前后。

据《战国策·东周策》"东周欲为稻"章，前312年苏秦说西周为东周下水。又，《西周策》"楚请道于二周之间"章载，前312年苏秦曾答周君关于楚借道一事，后至楚。若苏秦生于前342年前后，此时为三十上下，始学成游说诸侯。因其为周人，故上干人主先自周始。《战国策·燕策一》苏秦自称"臣，东周之鄙人也"。《战国纵横家书》第五章"苏秦谓燕王"自言："臣愿辞而之周负笼操锸，毋辱大王之廷。"《史记·苏秦列传》："苏秦，东周雒阳人也。"则为雒阳人无疑。

《汉书·主父偃传》记苏秦"学长短纵横之术"。服虔注："苏秦法百家书说也。"足见长短纵横之术以苏秦为代表。《韩非子·五蠹》："从者，合众弱以攻一强也；而横者，事一强以攻众弱也。"其承学，《史记·苏秦列传》："东事师于齐，而习之于鬼谷先生。""苏秦闻之而惭，自伤，乃闭室不出，出其书遍观之。""于是得《周书阴符》，伏而读之。期年，以出揣摩，曰：'此可以说当世之君矣。'"《集解》引徐广曰："颍川阳谷有鬼谷，盖是其人所居，因为号。骃按，《风俗通义》曰'鬼谷先生，六国时纵横家’。”《索隐》：“鬼谷，地名也。扶风池阳、颍川阳城并有鬼谷墟，盖是其人所居，因为号。”

公元前340年（周显王二十九年　秦孝公二十二年　齐威王十七年）

淳于髡以“疾犬狡兔”寓言劝齐威王止伐魏。《战国策·齐策三》记载齐欲伐魏时淳于髡对齐王有一番劝谏。此章黄式三《周季编略》系于周显王三十年（前339年）、顾观光《国策编年》系于周赧王元年（前314年）、于鬯《战国策年表》系于周显王三十六年（前333年）。《史记·六国年表》，周显王二十九年（前340年）齐“与赵会，伐魏”。此次齐欲伐魏之事，或因淳于髡劝阻而止，故史无记载。

淳于髡见梁惠王，辞卿相位在本年前后。《史记·孟子荀卿列传》云：“客有见髡于梁惠王，惠王屏左右，独坐而再见之，终无言也。惠王怪之，以让客曰：‘子之称淳于先生，管、晏不及，及见寡人，寡人未有得也。岂寡人不足为言邪？何故哉？’客以谓髡。髡曰：‘固也。吾前见王，王志在驱逐；后复见王，王志在音声：吾是以默然。’”后与梁惠王“壹语连三日三夜无倦。惠王欲以卿相位待之，髡因谢去。于是送以安车驾驷，束帛加璧，黄金百镒。终身不仕”。《淮南子·道应训》：“齐人淳于髡以从说魏王，魏王辨之。约车十乘，将使荆，辞而行。人以为从未足也，复以衡说，其辞若然。魏王乃止其行而疏其身。”《说苑·臣术》记邹忌言于齐威王曰：“忌举田居子为西河，而秦、梁弱；忌举田解子为南城，而楚人抱罗绮而朝；忌举黔涿子为冥州，而燕人给牲，赵人给盛；忌举田种首子为即墨，而于齐足究；忌举北郭刀勃子为大士，而九族益亲，民益富。举此数良人者，王枕而卧耳，何患国之贫哉？”由此看出齐威王所用之人。正如杨宽《战国史》言：“可知齐威王所重用的大臣，就是邹忌推荐的。”齐威王二十四年为前333年。从齐威王谈话中可知，邹忌推荐之人中无淳于髡，或因邹忌已知淳于髡拒绝梁惠王之事。苏秦曾说齐闵王云：“昔者魏王拥土千里，带甲三十六万，其强北拔邯郸，西围定阳，又从十二诸侯朝天子，以西谋秦。”（《战国策·齐策五》）此即《韩非子·说林上》载：“魏惠王为臼里之盟，将复立天子。”淳于髡既不愿仕梁惠王，也不会仕齐威王。且邹忌此前已与淳于髡有过交谈，知其不愿仕。又本年前后淳于髡曾劝齐威王毋伐魏，或是与梁惠王交谈后，淳于髡知其为有为之君，故劝之。结合以上几种情况看，淳于髡拒梁惠王予卿相位当在前340年前后。乐毅本年前后生于中山灵寿。乐毅事迹，《史记·乐毅列传》记载颇详，但记其活动时间较晚：“及武灵王有沙丘之乱，乃去赵适魏。”据《赵世家》及《六国年表》，赵大臣“围杀主父”之“沙丘之乱”在周赧王二十九年（前286年）。此前因“乐毅贤，好兵，赵人举之”。《战国策·赵策三》云：“齐破燕，赵欲存之。乐毅谓赵王曰……乃以河东易齐，楚、魏憎之，令淖滑、惠施之赵，请伐齐而存燕。”依《孟子·梁惠王下》、《战国策·魏策一》、《史记·魏世家》等记载，齐破燕在周赧王三年（前312年）。乐毅此时已因贤好兵仕于赵。乐毅既为赵定易地之计，使齐孤立而燕得救，足见其已成熟老练。由此推知，前312年诸侯谋救燕时，乐毅年岁至少有三十上下。依此上推，其生应在前340年前后。乐毅之家世里籍，《史记·乐毅列传》云：“乐毅者，其先祖曰乐羊。乐羊为魏文侯将，伐取中山，魏文侯封乐羊以灵寿。乐羊死，葬于灵寿，其后子孙因家焉。中山复国，至赵武灵王时复灭中山，而乐氏后有乐毅。”《索隐》：“中山，魏虽灭之，尚不绝祀，故后更复国，至赵武灵王又灭之也。”以此观之，乐毅为乐羊之后，当为中山灵寿人。

《战国策·秦策一·卫鞅亡魏入秦》作于本年后。此策文为叙事体。自卫鞅亡魏入秦一直写到被惠王车裂。据《史记·秦本纪》：“孝公卒，子惠文君立。是岁，诛卫鞅。”《商君列传》记载相同。则《策》文作时应在卫鞅遭车裂之后。

公元前339年（周显王三十年　楚威王元年）

楚爱国作家莫敖子华作《对楚威王》，此文对屈原、庄辛、宋玉都有积极影响，对汉赋的形成也有意义。莫敖子华，即沈尹氏，名章，字子华。为春秋时楚国爱国将领左司马沈尹戌、叶公子高（诸梁）之后。楚威王初年任莫敖之职，具有法制思想与爱国思想。其《对楚威王》一文对后来的屈原显然有一定影响。《战国策·楚策一》载其对威王问一段文字（《古文辞类纂》作“楚莫敖子华对威王”），颇有文采。《策》文系年，林春溥《战国纪年》、于鬯《战国策年表》均系于周显王二十九年（前340年）。是年为楚宣王死、威王即位之年。黄式三《周季编略》、顾观光《国策编年》皆系于周显王三十年（前339年）。各家均定为威王初立时事。楚威王初立而欲有所作为，亲贤远小，询及老成，亦情理中事，诸家系年，当大体不错。《对楚威王》便是莫敖子华追记同楚威王的谈话。依此，此篇文字之作应在前339年后（参赵逵夫《屈原之前楚国的一位爱国作家——莫敖子华》、《莫敖子华〈对楚威王〉考校》，见其《屈原与他的时代》）。

庄周于本年或稍后钓于濮水，楚威王使使厚币迎之，许为相，庄周拒绝。事载《庄子·秋水》。《史记·老子韩非列传》记载略同。庄周故里为宋之蒙，但游于楚，并可能在宋、楚交界之地长住。据《水经注》记载，濮水从古之蒗荡渠分出，自今河南淮阳东至鹿邑南，系春秋时陈地之水。《经典释文·庄子音义中》亦云濮水为“陈地水也”。陈在楚惠王十一年（前478年）为楚公孙朝率师早灭，濮水自然归楚。此时庄子可能游于濮水，楚王才使人聘之。战国时代如顾炎武《日知录·周末风俗》所说“邦无定交，士无定主”。楚威王闻庄周贤而聘之，当在其初立之时。

公元前338年（周显王三十一年　秦孝公二十四年）

孟子于本年前后离齐首次至宋，劝宋行“仁政”，并提出“什一，去关税之征”等体现仁政思想之经济政策。叹宋王少“贤臣”，与宋勾践论游说之道，两次见滕世子，并言必称尧、舜。据《孟子·公孙丑下》，孟子此次离齐后，先至宋，再到薛。《史记·六国年表》定宋君偃即位在周显王四十一年（前328年）。据钱穆《先秦诸子系年》所考，宋君偃元年乃周显王三十一年（前338年），非四十一年。其在位时间当为前338年至前286年。孟子至宋，在宋君偃即位后、未称王前，即前338年至前328年间。

《孟子·滕文公下》所载孟子答万章问，朱熹《四书集注》谓：“宋王偃尝灭滕伐薛，败齐、楚、魏之兵，欲霸天下，疑即此时也”。此说或有夸张。但从万章与孟子谈话及另章“孟子谓戴不胜曰”可知，宋君偃即位初，或也想有所作为，曾行仁政。并在孟子支持下也实行了仁政，但未完全按孟子主张行事。孟子对宋不很好行仁政不满意。依《史记·六国年表》，周显王三十三年（前336年）“宋太丘社亡”。缪文远《战国史系年辑证》前336年条云：“社为祭地神之处。社亡，指祭坛崩塌，据说这是宋国将亡的征兆。”（巴蜀书社1997年版）据《战国策·宋策》记载，宋君偃“射天笞地，斩社稷而焚之，曰：‘威服天地鬼神。’骂国老谏者”。《史记·宋世家》亦载，宋君偃十一年称王后，“盛血以韦囊，悬而射之，命曰‘射天’。淫于酒、妇人。群臣谏者皆射之。于是诸侯皆曰‘桀宋’”。宋君偃有此昏暴之举，故于前286年为齐所灭。

《孟子·尽心上》所载孟子与宋勾践谈话亦在此时。孟子第二次至齐在前312年前后。那次只是做短暂停留，按理不会与宋勾践有时间交谈。更重要者为孟子与宋勾践谈话时云：“子好游乎？吾语子游。人知之，亦嚣嚣；人不知，亦嚣嚣。”即游说态度应是：他人理解我，我自得其乐；他人不理解我，我也自得其乐。此前孟子曾游齐，未受威王重视，故离齐至宋时有此议论。

宋勾践，赵岐注：“宋，姓也。勾践，名也。”唐林宝《元和姓纂》卷八云：“宋，子姓，殷王帝乙长子微子启，周武王封于宋，传国三十六世，致君偃为楚所灭，子孙以国为氏。”如此，则宋勾践为宋人，而且孟子正好在宋。故《孟子·尽心上》“孟子谓宋勾践曰”一段文字所载之事，应在此次孟子游宋时。

《孟子·滕文公上》：“滕文公为世子，将之楚，过宋而见孟子。孟子道性善，言必称尧、舜。世子自楚反，复见孟子。孟子曰：‘世子疑吾言乎？夫道一而已矣。’”孟子一生两次至宋，而同滕文公见面应是此次孟子在宋时。（详前322年条）第二次至宋在前312年，无缘同滕文公见面。

卫鞅在秦遭车裂。卫鞅在秦变法，损害了旧贵族利益，又因太子犯法曾予以制裁并刑其傅。故“宗室贵戚多怨望者”（《史记·商君列传》）。秦孝公卒，太子即位为惠王。“公子虔之徒告商君欲反，发吏捕商君。商君亡，至关下，欲舍客舍。”但舍人不纳。后又“去之魏。魏人怨其欺公子卬而破魏师，弗受”。卫鞅只得回封地商邑发兵抵抗，失败后秦惠王车裂了商君。依《六国年表》，其时在周显王三十一年（前338年）。《战国策·秦策一》、《史记·秦本纪》均同。《汉书·艺文志》“法家”类著录“《商君》二十九篇”。《隋书·经籍志》、《旧唐书·经籍志》、《新唐书·艺文志》皆五卷。《隋书》、《新唐书》作《商君书》，《旧唐书》作《商子》。《通志·艺文志》著录“《商君书》五卷。”注：“秦相卫鞅撰。《汉》有十九篇，今亡三篇。”晁公武《郡斋读书志》亦以为亡者三篇。陈振孙《直斋书录解题》以为《汉书·艺文志》著录十九篇，今二十八篇，已亡其一。则宋时其书已有散佚。吕思勉《经子解题》云：“严万里得元刻本，凡二十六篇，而中亡其二，实二十四篇。”今存二十四篇。《商君书》作者，黄震《黄氏日抄》卷五十、马端临《文献通考》卷二百十二引《周氏涉笔》均以为非商鞅作。《四库全书总目提要》卷一〇一《子部·法家类》著录“《商子》五卷”。并云：“《汉志》称商君二十九篇。《三国志先主传》注亦称《商君书》。其称《商子》，则自《隋志》始也。……今考《史记》，称秦孝公卒，太子立，公子虔之徒告鞅欲反，惠王乃车裂鞅以徇。则孝公卒后，鞅即逃死不暇，安得著书？如为平日所著，则必在

孝公之世，又安得开卷第一篇即称孝公之谥？殆法家者流掇鞅余论，以成是编。”是《提要》以为《商君书》全出自其学生或后学之手。顾实《汉书艺文志讲疏》以为“《弱民篇》曰：‘秦师至，鄢郢举，若振槁。唐篾死于垂沙，庄蹻发于内楚。’此皆秦昭王时事，非商君所及见也。”胡适《中国哲学史大纲》更肯定商君书是假书。罗根泽《诸子考索》以为“必作于秦人或客卿为秦谋者之手”。但吕思勉《经子解题》以为：“今《商君书》精义虽不逮《管》、《韩》之多，然要为古书，非伪撰；全书宗旨，尽于□民于农战一语。其中可考古制，及古代社会情形处颇多，亦可贵也。此书有朱师辙《解诂》，最便观览。”《史记·商君列传》载太史公曰：“余尝读商君《开塞》、《耕战》书，与其人行事相类。”今有人以为《垦令》、《境内》、《战法》、《立本》等篇出自卫鞅之手，多数是其学生或后学所作，但反映的全是商鞅学派思想。《商君书》成书时代，《韩非子·五蠹》言：“今境内之民皆言治，藏商、管之法者家有之。”《定法》亦言：“申不害、公孙鞅，此二家之言孰急于国？”因《韩非子》大部分为韩非自作，而非死于前233年。由此可知，前233年后，《商君书》至少已有一部分传世，最迟应在秦始皇统一中国之前。《淮南子·泰族训》：“今商君之《启塞》，申子之《三符》，韩非之《孤愤》，张仪、苏秦之纵横，皆掇取之权，一切之术也，非治之大本，事之恒常，可博闻而世传者也。”罗根泽举出七条证据后，得出了这样的结论：“有上七证，则其为战国末年之书，而非汉或汉以后人之伪，彰彰明矣。书中言及之事，最后者为长平之战，当公元前260年，则必作于二六〇年以后。《韩非子》已引及此书，则其成书最晚不能后于韩非。……始皇十四年，当公元前二三三年，然则此书成于公元前二六〇年至二三三年之间乎？”郭沫若《十批判书·前期法家的批判》与之类似。以《徕民》涉及前260年秦、赵“长平之战”等史实推测，大致在前251年左右。《商君书》形式活泼，陈述事理透辟，文章风格多样，语言整齐紧凑。对汉代重要散文家贾谊、董仲舒有一定影响。尸佼逃于蜀，有所著述，大约本年卒于蜀。《史记·孟荀列传》云：“楚有尸子、长卢，阿之吁子焉。自如孟子至于吁子，世多有其书，故不论其传云。”《集解》引刘向《别录》云：“楚有尸子，疑谓其在蜀。今按《尸子》书，晋人也，名佼，秦相卫鞅客也。卫鞅商君谋事画计，立法理民，未尝不与佼规之也。商君被刑，佼恐并诛，乃逃入蜀。自为造此二十篇书，凡六万余言。卒，因葬蜀。”《汉书·艺文志》自注：“鞅死，佼逃入蜀。”商鞅被车裂在前338年。依刘向之言，尸佼著书亦应在其逃蜀之后，其卒又在此后若干年。今依梁启超《先秦学术年表》、钱穆《先秦诸子系年·通表》，估定尸子卒前338年前后。《汉书·艺文志》“杂家”类著录“《尸子》二十篇”。《隋书·经籍志》、《旧唐书·经籍志》、《新唐书·艺文志》皆云“《尸子》二十卷”。《隋书·经籍志》还载：“《尸子》二十卷，目一卷。”注：“梁十九卷，秦相卫鞅上客尸佼撰。其九篇亡，魏黄初中续。”《后汉书·宦者吕强列传》引尸子曰：“君如杅，民如水，杅方则水方，杅圆则水圆。”唐初李贤注：“尸子，晋人也，名佼，秦相卫鞅客也。鞅谋计，未尝不与佼规也。商君被刑，恐并诛，乃亡逃入蜀，作书二十篇，十九篇陈道德仁义之纪，一篇言九州险阻，水泉所起也。”唐《群书治要》卷三十六录有《劝学》等十三篇。南宋后，其书全部散佚。清代任兆麟、章宗源、孙星衍、汪继培等有辑本。其中章、孙辑集为二卷。上卷十六篇，下卷佚文数十则。稍后汪继培又加订补。删章、孙辑本中《止楚师》、《君治》二篇，合《广》与《广泽》为一篇，计十三篇。对其下卷亦有所增补，共一万二千余字。孙星衍在《尸子集本序》中说："其书出周秦之间。"汪继培辑本最为完备。今人吕思勉《经子解题》云："此书虽阙佚特甚，然确为先秦古籍。殊为可贵。"张西堂认为："现在通行的《尸子》，决不是尸佼的著述，但当日确有尸佼这个人。我承认《穀梁传》上的尸子，在当日或确有其人，不过他决不是尸佼这人，现行的《尸子》上面，或者至少有他的许多学说思想在内。"（《古史辨》第四册）其说未免绝对。李学勤以为："尸子名佼，鲁人（或云晋人），为商鞅师，鞅死，亡逃入蜀，著书二十篇，六万余言。商鞅死于公元前338年，则《尸子》之作在战国中期之末，晚于《黄帝书》而早于《鹖冠子》。"（《简帛佚籍与学术史》）明归有光《诸子汇函》卷九引同时代人王俊川之说，以为其书"秦火之烬仅存者，予爱其精深宏博，光辉焕烨，亦可充味古者之一脔尔"。

湖北云梦睡虎地竹简三种秦律撰成在本年后至秦王政二十六年前。1975年湖北云梦睡虎地出土有三种秦法律竹简，文中有"守孝公"字样，表明在秦孝公卒后。而孝公之卒在其二十四年（前338年）。文中又有"以玉问王"字样，表明成于秦王政二十六年（前221年）称"皇帝"之前。

公元前337年（周显王三十二年）

申不害卒于此年。《史记·六国年表》记申不害卒于周显王三十二年（前337年）。《韩世家》则曰："（韩昭侯）二十二年，申不害死。"钱穆《先秦诸子系年》云："按《年表》昭后二十二年，申不害卒，是年实为昭侯二十六年。然则申子卒在是年盖不误，史公特误以申子之卒为昭侯卒年也。"其说是。

《史记·老韩列传》记申不害为相后，"内修政教，外应诸侯，十五年。终申子之身，国治兵强，无侵韩者"。《汉书·艺文志》自注："名不害，相韩昭侯，终其身诸侯不敢侵韩。"但《史记·老韩列传》《索隐》引王劭按语："纪年云'韩昭侯之世，兵寇屡交'，异乎此言矣。"

申不害之学，《史记·老韩列传》附《申不害传》云："申子之学本于黄老而主刑名。著书二篇，号曰《申子》。"《集解》引刘向《别录》曰："今民间所有上、下二篇，中书六篇，皆合二篇，已备，过太史公所记。"《索隐》曰："今人间有上、下二篇，又有中书六篇其篇中之言，皆合上、下二篇，是书已备，过于太史公所记也。"《正义》："阮孝绪《七略》云《申子》三卷也。"

申不害曾在韩推行改革，主张法治，尤重"术"。《韩非子·定法》载："申不害、公孙鞅，此二家之言孰急于国?""今申不害言术，而公孙鞅为法。"《战国策·韩策三》载有人谓韩王："昭厘侯，一世之明君也；申不害，一世之贤士也。"《韩非子·外储说左上》、《定法》、《外储说右上》对申不害之"术"多有评价。

《史记·申不害列传》载申不害"著书二篇，号曰《申子》"。"申子、韩子皆著书，传于后世，学者多有"。这说明司马迁见过《申子》二篇。由以"子"名书来看，至少此书结集当由申不害门徒或后学完成。《汉书·艺文志》"法家"类著录"《申子》六篇。"已佚。唐《群书治要》卷三十六辑有《大体》一篇。另有片段文字散见于

《艺文类聚》、《意林》等。严可均从《群书治要》等书中辑录《大体》、《君臣》两篇及其他佚文若干条，收在《全上古三代秦汉三国六朝文》中。

公元前335年（周显王三十四年　楚威王五年）

杨朱卒于本年前后。杨朱卒年，各家看法不一。《列子·杨朱》篇言及“杨朱见梁王，言治天下如运诸掌”。《说苑·政理》所载同。此“梁王”应为惠王，但由此篇无法得出其卒年结论。可据材料惟《列子·力命》所记“杨朱之友曰季梁”。而季梁之死，依《战国策·魏策四》：“魏王欲攻邯郸，季梁闻之，中道而反，衣焦不申，头尘不浴，往见王曰……”魏围邯郸，《史记·六国年表》在周显王十五年（前354年），则季梁之死在前354年后。今依钱穆《先秦诸子系年·通表》，定杨朱卒在前335年前后。《史记》只字未提杨朱，或许是司马迁对其情况已不明。《汉书·艺文志》没有关于其书的记载。后世有人怀疑其人的存在，或以为杨朱即庄周。杨朱本人虽无书传下来，但其学说在战国中、后期却与儒、墨鼎足而三。其思想，只能通过其他文献来掌握。一般认为杨朱属道家学派，主张“为我”。但杨朱既不同于道家，更不同于墨家、儒家。《孟子·尽心上》云：“杨子取为我，拔一毛而利天下，不为也。”与墨家“兼爱”相对。《吕氏春秋·不二》云“阳生贵己”。其学说，同儒、墨俱为当时显学。《孟子·滕文公下》：“圣王不作，诸侯放恣，处士横议。杨朱、墨翟之言盈天下，天下之言，不归杨，则归墨。”《尽心下》：“逃墨必归于杨，逃杨必归于儒，归斯受之而已矣。”儒、墨、杨、公孙龙、惠施五派先后展开过辩论。《庄子·徐无鬼》载庄子问惠施：“然则儒墨杨秉四，与夫子为伍，果孰是邪？”惠施答：“今夫儒、墨、杨、秉，且方与我以辨，相拂以辞，相镇以声，而未始吾非也。则奚若矣。”《庄子·胠箧》：“削曾、史之行，钳杨、墨之口，攘弃仁义，而天下之德始玄同矣。”《骈拇》：“骈于辩者，累瓦结绳，窜句棰辞，游心于坚白同异之间，而敝跬誉无用之言非乎？……而杨墨是已。”《孟子·滕文公下》、《尽心上》对杨朱学说大加抨击。认为“杨氏为我，是无君也；墨氏兼爱，是无父也。无君无父，是禽兽也”。“杨墨之道不息，孔子之道不著，是邪说诬民，充塞仁义也。”孟子如此排挤，也可见当时影响之大。陈奇猷《吕氏春秋校释·不二》引王蘧常曰：“杨朱行事不甚可考，或云‘字子居’（张湛《列子注》），卫人。盖尝学于老子，或云后于墨子，莫能详也，要承道家之学而稍变者。其书不传，惟略见《庄子》、《孟子》、《韩非》及今本《列子》所称而已。而今本《列子·杨朱篇》述其言行最详，惟所述一意纵恣肉欲，仰企桀、纣若弗及，与《淮南子》‘全性保真，不以物累形，杨子之所立也’云云（见《汜论训》）不合，未必足据。《淮南子》上文尚有‘兼爱、尚贤、右鬼、非命，墨子之所立也，而杨子非之’云云，‘兼爱’以下，皆《墨子》篇名，则‘全性保真’，或亦《杨子》书中篇名矣。杨子可非墨子，则后于墨子之说较信。今本《列子》亦载杨子与墨子弟子禽滑釐问答之辞。‘贵己’即孟子所谓‘为我’。……今本《列子·杨朱篇》亦载其为我之学说，如曰‘有生之最灵者人也。人者，爪牙不足以供守卫，肌肤不足以自捍卫，趋走不足以逃利害，无毛羽以御寒暑，必将资物以为养性，任智而不恃力。故习之所贵，存我为贵，力之所贱，侵物为贱’，又曰：‘古之人损一毫利天下不与也，悉天下奉一身不取也，人人不损一毫，人人不利天下，天下治矣'，颇能言为我之精义，当有所本。”蒙文通《杨朱学派考》以为：“《庄子》一书，抵牾者多。校书者不能辨而误入之庄书者每有之。《让王》诸篇，倘为杨朱一派之书，为编者误入，若是之比，宁止一二。”“魏牟、陈仲、詹何、子华、田骈、慎到，皆杨朱之流派，而列子者，倘又杨朱之远源也。”杨朱学说继承者主要有子华子、詹何。子华子，《庄子·禳王》载：“韩、魏相与争侵地。子华子见昭僖侯，昭僖侯有忧色。子华子曰：今使天下书铭于君之前，书之言曰：'左手攫之则右手废，右手攫之则左手废，然而攫之者必有天下。'君能攫之乎？昭僖侯曰：'寡人不攫也。'子华子曰：'甚善！自是观之，两臂重于天下也，身亦重于两臂。韩之轻于天下亦远矣，今之所争者，其轻于韩又远。君固愁身伤生以忧戚之不得也。'僖侯曰：'善哉！教寡人者众矣，未尝得闻此言也。'子华子可谓知轻重矣。”此事《吕氏春秋·审为》亦载之。郭庆藩《庄子集释》引成玄英《疏》云：“僖侯，韩国之君也。华子，魏之贤人也。”又引《经典释文》云：“子华子，司马云：魏人也。”但《列子·周穆王篇》有“宋阳里华子中年病忘。朝取而夕忘，夕与而朝忘。在涂则忘行，在室则忘坐；今不识先，后不识今”。此“华子”，陈奇猷《吕氏春秋校释》以为即子华子。“昭僖侯”，文献中也作“昭釐侯”，即韩昭侯（前362年—前333年在位）。梁玉绳《人表考》、马叙伦《庄子义证》、王叔岷《庄子校释》等均证“昭僖侯”即为昭侯。由《庄子》所记可推知，子华子与韩昭侯同时。钱穆《先秦诸子系年》卷三《子华子考》云：“又《吕氏去宥篇》：'荆威王学书于沈尹华，昭釐恶之。'沈尹华疑即子华子，如匡章称章子，田盼称盼子，田文称文子也。沈尹为楚姓。《左传·宣公十二年》'沈尹将中军'，《墨子所染篇》'楚庄染于孙叔沈尹'，沈尹华当其后人。又《楚策》有莫敖子华，疑亦一人也。又按楚威王元，已值韩昭侯二十四年。其后六年，昭侯卒。又五年，威王卒。今姑定威王元，华子年四十，则其生在楚肃王之初年。相其年代，当较杨朱季梁稍后，较惠施庄周稍前，而皆为并世。”从《庄子》、《韩非子》、《吕氏春秋》、《淮南子》等书观之，先秦典籍应有《子华子》一书。刘向《子华子书录》云：“所校雠中子华书，凡二十有四篇，以相校，复重十有四篇。定著十篇。皆以杀青。书可缮写。子华子，程氏，名本，字子华。晋人也。晋自顷公失政，政在六卿。赵简子始得志。招徕贤俊之士，为其家臣。子华子生于是时。博学，能通《坟》《典》、《丘》、《索》，及故府传记之书。……聚徒著书。……今其书编离简断，以是门人弟子共相缀，随记其所闻，而无次叙。非子故所著之书也。大抵子华子以道德为指归，而纲纪以仁义。存诚养操，不苟于售。”刘向《叙录》列子华子与晏子、孔子同时，不妥。陈奇猷《吕氏春秋校释》引汪中说：“《先己》、《诬徒》、《知度》、《明理》诸篇并引子华子语。《审为篇》载子华子与韩昭釐侯同时，据此，则孔子不及见之矣。或谓即程子，孔子遇之于道者，未知所据。”刘向虽有《子华子叙录》，但《汉书·艺文志》却未著录其书，则已散佚。《吕氏春秋·贵生》、《情欲》、《重己》、《本性》、《尽数》等篇或采自子华子、詹何学派学说。《贵生》引子华子曰：“全生为上，亏生次之，死次之，迫生为下。”这是子华子学说的要旨。詹何，《庄子·禳王》载中山公子牟谓瞻子曰：“'身在江海之上，心居乎魏阙之下，奈何？'瞻子曰：'重生，重生则利轻。'中山公子牟曰：'虽知之，未能自胜也。'瞻子曰：'不能自胜则从，神无恶乎？不能自胜而强不从者，此之谓重伤。重伤之人，无寿类矣。'”成玄英《疏》云：“瞻子，魏之贤人也。”《经典释文·庄子音义下》云：“公子牟，司马云魏之公子，封中山，名牟。瞻子，贤人也。《淮南》作‘詹。'”《吕氏春秋·执一》载：“楚王问为国于詹子。詹子对曰：‘何闻为身，不闻为国。’詹子岂以国可无为哉？以为为国之本在于为身，身为而家为，家为而国为，国为而天下为。故曰以身为家，以家为国，以国为天下。”高诱注：“詹何，隐者。”“詹”，《庄子·襖王》作“瞻”，字通。《列子·汤问》张湛注：“詹何，楚人。”《列子·说符》载此事“楚王”作“楚庄王”。考《庄子·让王篇》及本书《审为篇》载詹何与中山公子牟答问，则詹何当是楚顷襄王时人。顷襄王，文献中作既作“庄襄王”，也作“庄王”。则此文楚王盖指顷襄王。《韩非子·解老》、《吕氏春秋·先己》、《孝行》、《求人》、《处方》、《淮南子·原道训》、《览冥训》等均引有詹何的言论。詹何学说，据《庄子·襖王》、《吕氏春秋·审为》等，主要是主张“重生”而“轻利”。子华子与詹何主张节制情欲，注重养生之道。

庄辛本年前后生于楚。其为楚国重要的散文作家，也是目前所能考知的最早的小说作者。庄辛为屈原以后与宋玉同时的散文作家，是目前所能考知的最早的小说作者。其勤政爱民思想和敏锐透彻的政治洞察力，与其渊博知识及生动文笔相结合，使其在楚辞之外的文学其他领域，也留下了荆山玉璧。由《战国策·楚策四》与《新序·杂诗第二》所载庄辛谏楚襄王文字，可得到两点信息：其一，关于楚亡巫山等地之时。据《史记·楚世家》：“（襄王）十九年，秦伐楚，楚军败，割上庸、汉北地予秦。二十年，秦将白起拔我西陵。二十一年，秦将白起遂拔我郢，烧先王墓夷陵。楚襄王兵散，遂不复战，东北保于陈城。二十二年，秦复拔我巫、黔中郡。”襄王十九年为前280年，文中所叙诸事均在此年前后。其二，此时襄王称庄辛为“先生”，又责其为“老昏”。依战国时称“老”至少在五十岁以上习惯可知，此时庄辛应在五十以上。以此上推，则其生应在前335年前后。

庄辛姓氏，宋郑樵《通志·氏族略第四》：“庄氏，芈姓。楚庄王之后，以谥为氏。……周有庄辛。”《战国策·楚策四》吴师道注引《元和姓纂》卷五：“庄辛，楚庄王之后，以谥为号。”《汉书·古今人表》作“严辛”，《文选》卷二三阮籍《咏怀诗·湛湛长江水》李善注误作“剧辛”。（战国时另有一“剧辛”为燕将，与此“剧辛”无关）皆汉人避明帝讳而改（参赵逵夫《庄辛——屈原之后楚国杰出的散文作家》，《西北民院学报》1990年第4期）。

公元前334年（周显王三十五年　魏惠王后元元年　楚威王六年）

庄周于本年或稍后见梁相惠施，以“腐鼠鹓雏”之喻讥讽惠施。依《战国策·魏策二》记载，前342年“马陵之战”时，惠施已在魏。惠施相梁在前334年至前322年间，《庄子·秋水》所载其与庄周谈话应在此期间。

屈原行冠礼，作《橘颂》以明志。《说苑·修文》：“冠者，所以别成人也。”古代行冠礼除天子、诸侯外，皆在二十岁之时。《礼记·曲礼上》：“人生十年曰幼，学；二十曰弱，冠。”孔颖达《疏》云：“幼者，自始生至十九岁时。‘二十曰弱，冠者。’二十成人，初加冠，体犹未壮，故曰弱也。”《礼记·内则》还载：“十年，出就外傅，居

宿于外，学书计；……十有三年，学乐、诵诗、舞勺。成童舞象，学射御；二十而冠，始学礼。”唐贾公彦《仪礼正义》卷三引郑玄《三礼目录》谓：“童子任职居士位，年二十而冠。”行冠礼时，要由父亲主持冠礼。即《孟子·滕文公下》言：“丈夫之冠也，父命之。”《穀梁传·文公十二年》：“男子二十而冠，冠而列丈夫。”《盐铁论·未通》：“御史曰：古者，十五入大学，与小役；二十冠而成人，与戎。”“文学曰：十九年以下为殇，未成人也；二十而冠；三十而娶，可以从戎事。”屈原生于前353年，此年二十，行加冠之礼。

《说苑·建本》说周召公“见正而冠”。《韩诗外传》卷七云：“十九见志，请宾冠之，足以成其德。”则“正”即“志”也。指出古人冠礼时两个主要宗旨：一是“见志”，一是“成德”。《橘颂》中这两方面都有突出的表现。对照《议礼·士冠礼》记先秦时士冠礼始加冕的八段各种祝辞，《橘颂》有六个方面值得注意：第一，《橘颂》在《九章》中为惟一的四言之作，最为特殊。而且“这里找不出任何悲愤的情绪”（郭沫若《屈原研究》），不少学者据此断之为屈原青少年时代的作品。第二，士冠礼意味着从此要承担社会的责任，标志着脱离父母监护下的生活而从事社会活动的开始。也就是说，以后将独立地步入人生。所以士冠辞中讲到“敬尔威仪，顺尔成德”、“以成厥德”。《橘颂》一诗也突出地体现了这一点。显然，这是诗人在举行冠礼之后所抒怀抱之作。第三，古之冠辞亦称为“颂”。《孔子家语·冠颂》云：“明年夏六月，既葬（按，指葬武王），冠成王而朝于祖，以见诸侯，以为君也。周公命祝雍作颂，曰：‘祝王达而未多。’祝雍辞曰：‘使王近于民，远于年，啬于时，惠于财，亲贤而任能。’其颂曰：‘令月吉日，王始加元服。……’”这样看来，《仪礼》中的《冠辞》，也可以称之为《冠颂》。屈原的《橘颂》借物写志，不是宾祝的祝颂辞，但却是仿士冠颂而作，故亦称之为“颂”。这是《橘颂》的题目同《九章》中其他八篇完全不同而名之为“颂”的原因。第四，《橘颂》开头云：“后皇嘉树，橘徕服兮。受命不迁，生南国兮。”表现出一种“天将降大任于斯人”及“天生我材必有用”的味道。钱澄之《屈诂》注“受命不迁”等句云：“受命不迁，得之天也；深固难徙，存乎志也。惟有志乃能承天。”《橘颂》所包含的这层意思同《仪礼》所录冠辞中“受天之庆”、“承天之休”、“承天之祜”、“承天之庆，受福无疆”等的意思大体一致，而更表现出诗人的自信。第五，《仪礼》录《士冠辞》云：“弃尔幼志，顺尔成德。”《孔子家语》录《成王冠颂》中也有“去王幼志”之语。《橘颂》则云：“嗟尔幼志，有以异兮。”这不是语言上的偶然巧合。所谓“幼志”，在当时是有固定的意义的，乃指未成年时的种种愿望。《士冠辞》指出“弃尔幼志”，意思是自此已为成人，应树立大志。而屈原说“嗟尔幼志，有以异兮”，是因而进之，来表现自己从小已树立为国效力的大志。这一句虽然表现了全新的思想，也反映了屈原继承中的创造性，但显然是来于冠辞的成句。这是《橘颂》作于诗人举行冠礼时的又一个可靠证据。第六，《橘颂》全诗的语言，也体现出因《士冠辞》而成文的痕迹。由以上六点可以肯定，《橘颂》是屈原举行冠礼时明志之作（参赵逵夫《论〈橘颂〉的创作时间》，《文史知识》1996年第1期）。

公元前332年（周显王三十七年）

淳于髡说齐威王止伐魏在本年稍后。《战国策·魏策三》载："齐欲伐魏，魏使人谓淳于髡曰：'齐欲伐魏，能解魏患唯先生也。敝邑有宝璧二双、文马二驷，请致之先生。'淳于髡曰：'诺。'入说齐王曰：'楚，齐之仇敌也；魏，齐之与国也。夫伐与国，使仇敌制其余敝，名丑而实危，为王弗取也。'齐王曰：'善。'乃不伐魏。"此章林春溥《战国纪年》系于周显王三十六年（前333年），黄式三《周季编略》系于周显王二十九年（前340年），顾观光《国策编年》系于周赧王元年（前314年）。《史记·六国年表》载周显王三十六年（前333年），楚"围齐于徐州"，大败齐。"徐州之役"前夕，"犀首谓梁王曰：'何不阳与齐而阴结于楚？二国恃王，齐、楚必战。齐战胜楚，而与乘之，必取方城之外；楚战胜齐，而与乘之，是太子之仇报矣。'"此章中淳于髡言及"楚，齐之仇敌也；魏，齐之与国也"。正好说明淳于髡劝齐王止伐魏在前333年"徐州之役"后。

公元前329年（周显王四十年　楚威王十一年）

屈原于本年或稍前供职楚兰台之宫，作《大招》为楚威王招魂。楚之"兰台"汇集图书供国君与贵族阅读之用，又聚集文人讲学论艺。宋玉《风赋》云："楚襄王游于兰台之宫，宋玉、景差侍。"《文心雕龙·时序》记载屈原、宋玉均曾供职于兰台。由之可见兰台为文人学士聚会处，国君亦时时临幸。从屈原自身实际来看，其年轻时当为文学侍臣。

由屈原二十岁行冠礼时所写《橘颂》，学习《诗·鸱枭》取喻方法和称说《尚书》中"伯夷"可知，屈原二十岁时已对《诗》、《书》等典籍十分熟悉，并有体会，自然会得到楚王的赏识。《史记·屈原列传》云屈原"娴于辞令"，这也应是他青年时能供职于兰台的原因之一。

王逸《楚辞章句·大招序》："《大招》者，屈原之所作也，或曰景差，疑不能明也。"此赋应是屈原招威王之魂而作。首先，楚威王前329年卒时屈原二十五岁，应已在兰台之宫，王逸之说应非无据。其次，此篇艺术上较弱，《楚辞》一书列在《招魂》之后，却名之曰"大招"而不名"小招"。一则春秋战国时区分相同篇名往往在前者或加小或不加，在后者加"大"以区别。如《诗》之《小雅》、《大雅》，《叔于田》、《大叔于田》。二则《招魂》为屈原招怀王之魂所作，《大招》为招怀王之父威王所作，故按君王之辈分，名招威王之魂者曰"大招"。再次，从《大招》所写内容看出，只有比较亲近君王之人，才能写出楚宫美味佳肴、音乐舞蹈美女之乐、居室之美。特别是最后一段，直接夸楚国之强大和表现作者对于美政看法，流露出一定程度上政治改良设想，均反映出屈原作为楚三王后代，追念楚国最强盛时代，既要尊称国君先祖，又要光荣自己始祖之心情（参赵逵夫《屈原的冠礼与早期任职》，见其《屈原与他的时代》）。

张仪恶陈轸于秦王，陈轸陈辞自解。陈轸为战国时著名游说之士。先在秦，后在楚，同张仪有隙，支持屈原的联齐抗秦策略，年长于屈原。《战国策·秦策一》有两篇载张仪谮陈轸不为秦王所信事，在张仪为秦惠王相前一年。《史记·陈轸列传》云：

"陈轸者，游说之士。与张仪俱事秦惠王，皆贵重，争宠。张仪恶陈轸于秦王曰……居秦期年，秦惠王终相张仪。"此段文字，中间张仪与秦王、陈轸三人对话与《策》文基本相同。张仪相秦，《史记·秦本纪》："（惠王）十年，张仪相秦。"《楚世家》："怀王元年，张仪始相秦惠王。"楚怀王元年即秦惠王十年（前328年）。因而《策》文之作应在张仪相秦前一年（前329年）。

公元前328年（周显王四十一年　楚怀王元年）

楚兰台之宫文学与学术活动当兴盛于本年以后。楚设"兰台之宫"在何时，现已难考。但据《文心雕龙·时序》载："唯齐楚两国，颇有文学。齐开庄衢之第，楚广兰台之宫，孟轲宾馆，荀卿宰邑。故稷下扇其清风，兰陵郁其茂俗。邹子以谈天飞誉，邹奭以雕龙驰响，屈平联藻于日月，宋玉交彩于风云。"屈原在楚威王卒时或已在兰台之宫。因屈原为杰出诗人，他入"兰台之宫"应是"兰台学术中心"兴盛之标志。以《文选》载宋玉《风赋》观之，"兰台之宫"在顷襄王时仍存在。

兰台之宫应主要聚会一些长于诗歌辞赋的文人，或创作，或探讨学术，反映了当时楚国文化的兴盛。它同后面所谈的"兰陵学术中心"均在楚国。南方两个"学术中心"与北方"西河学术中心"、"稷下学术中心"（见前319年条）呈现不同风貌。就战国文学而言，北方"诸子散文"偏重于哲理性，富有文学意味；但《楚辞》作家相对于北方诸子，可以说是"自觉"进行文学创作。屈原、庄辛、宋玉、景差、唐勒均为"兰台作家"，且由于文体、风格、体裁、意旨接近，有"作家群体"特征，文学史才以"屈宋"连称。兰台之宫作家创作，不仅繁荣了战国文学，而且与庄子等一起使战国文学呈现出南北不同的风格。

公元前325年（周显王四十四年　赵武灵王元年）

荀况本年前后生于赵。荀况生年，许多学者据已有资料进行过考证。梁启超假定为前308年（见《古史辨》第四册《荀卿及荀子·荀卿之年代及行历》），刘汝霖考其生于前313年（《周秦诸子考》），梁启雄定其生在前334年（《荀子简释》），罗根泽定其生于前313—312年前后，游国恩定其生于前314年（均见《古史辨》第四册）。孔繁对荀况生平估计为"约在公元前298年到前238年之间"（《荀子评传》，南京大学出版社1997年版）。近年马积高以为荀子可能生于前335年左右（《荀学源流》，上海古籍出版社2000年版）。根据《战国策·楚策四》、《韩非子·难三》、《史记·荀卿列传》、《孙卿书录》、《盐铁论·毁学》这些材料，可以确定荀子生平上、下限的基本范围。马积高说："《史记》这篇传记很简略，然有两点很重要：一是荀子在齐襄王时（前283—前265）曾为稷下学人之长，'三为祭酒'；二是在楚曾为兰陵令，其卒在楚春申君死（前238）之后。这两点可说是考证他的生平的两个坐标，也是后人没有疑义的地方。"

人们对荀子"年五十"还是"年十五"来游学于齐有不同看法。应劭《风俗通义·穷通》、晁公武《郡斋读书志》卷三（上）引刘向《孙卿新书》、清人胡元仪《郇卿别传》、梁玉绳《史记志疑》卷二十九，后代学者如钱穆等均以为"年五十"当作

"年十五"（钱说见《先秦诸子系年·荀卿年十五之齐考》）。马积高《荀学源流》则云："但改'年五十'为'年十五'，也遇到困难。清汪中《荀子通论》曾指出：'颜之推《家训·勉学篇》荀子五十始来游学，之推所见《史记》古本已如此，未可遽以为讹字也。'这还不算，最大的疑窦是：《韩非子·难三》篇有云：'燕王哙贤子之而非孙卿，故身死为僇。燕王哙前三二〇年即位，前三一五年让位于子之，燕大乱，齐趁机攻燕，次年燕王哙为齐兵所杀。如荀子当时在燕，计其年当不少于二十岁。以此推论，荀子至齐滑王末年（前285前后）正好约五十岁，而非十五岁。可见司马迁'年五十'之说是有来历的。而韩非为荀子学生，似非妄言，未可抹煞。我以为，可疑的倒是《盐铁论·毁学》所言荀子生平的下限。前已指出，李斯为秦丞相虽可能在始皇三十四年或稍前，但其在始皇统一六国前早已获得信任，由长史、客卿仕至廷尉（当时秦的廷尉是仅次于丞相的要职），《盐铁论》盖以其后为丞相而终言之。《史记·李斯列传》云：'（始皇）二十余年，竟并天下，尊为皇帝，以李斯为丞相。'即是终言之，实际当始皇二十六年李斯还是廷尉。荀子的去世盖在春申君死后数年间。当时李斯已在秦掌权，故'为之不食'。然即使如此，他大概也活到百岁左右了。这仍是颇不寻常的，但在没有别的证据之前，只好暂时作如是观了。"是马积高以为作"年五十"，但从荀况的年寿方面说也存在一定难点。今从张岱年之说，系荀况生于此年（见北京大学《荀子》注释组《荀子新注》所附《荀况生平大事年表》，中华书局1979年版）。

荀况又称孙子、荀卿、孙卿子、荀子。《战国策·楚策四》"客说春申君"称"孙子"，《史记·孟荀列传》称"荀卿"。《索隐》："名况。卿者，时人相尊而号为卿也。仕齐为祭酒，仕楚为兰陵令。后亦谓之孙卿子者，避汉宣帝讳改也。"《汉书·楚元王传》颜注："孙卿姓荀名况，为楚兰陵令，汉以避宣帝讳，改之曰孙。"《汉书·艺文志》"儒家"类著录"《孙卿子》三十三篇"。颜师古注："本曰荀卿，避宣帝讳，故曰孙。"清谢墉以为"汉时尚不讳嫌名"，"盖荀音同孙，语遂移易"。胡元仪《郇卿别传》言："盖周郇伯之遗苗。郇伯公孙之后，或以孙为氏，故又称孙卿焉。"其《郇卿别传考异》对为什么称郇卿有说明。（谢墉、胡元仪之说均转引自王先谦《荀子集解·考证》，见《诸子集成》，浙江古籍出版社1999年版）

蒋伯潜《诸子通考·荀子略考》认为称人为"卿"是战国时风尚。虞卿、荀卿、荆卿，同为时人之称，非同字曰"卿"。此说是也。"卿"在其时只食禄，非官职。罗根泽云："古声音同则可假借，于人名亦然，故荀卿又作孙卿，荆卿又作庆卿，厥例綦繁，不必枚举。"（《诸子考索》，人民出版社1958年版）近年马积高则云："又《史记》只称荀卿，不著其名，刘向始言'孙卿名况'，则'卿'为美之之辞，犹荆轲之称荆卿、庆卿，或以为其尝为卿于齐，恐未足据。"（《荀学源流》）

公元前323年（周显王四十六年　楚怀王六年　燕易王十年）

楚大司马昭阳攻齐，陈轸以"画蛇添足"之喻劝阻或在本年（《古文辞类纂》作《陈轸为齐说昭阳》）。《战国策·齐策二》云："昭阳为楚伐魏，覆军杀将，得八城，移兵而攻齐。陈轸为齐王使，见昭阳。再拜贺战胜，起而问：'楚之法，覆军杀将，其官爵何也？'昭阳曰……陈轸曰：'……楚有祠者，赐其舍人卮酒。舍人相谓曰：数人饮之不足，一人饮之有余，请画地为蛇，先成者饮酒。一人蛇先成，引酒且饮之。乃左手持卮，右手画蛇，曰：吾能为之足。未成，一人之蛇成，夺其卮曰：蛇固无足，子安能为之足？'”在陈轸“画蛇添足”之喻说服下，“昭阳以为然，解军而去。”《策》文所载之事，《史记·六国年表》亦载之。《楚世家》云：“（怀王）六年，楚使柱国昭阳将兵而攻魏，破之于襄陵，得八邑。”后面文字与《策》文基本相同。《鄂君启节》铭文中有“大司马昭阳败晋师于襄陵之岁”之语，即《孟子·梁惠王上》所谓“南辱于楚者”。楚怀王六年为前 323 年。《策》文所写为当年事，或许当时有人记录此事。林云铭云：“撰出妙喻。知昭阳已为令尹，赏无可加，其言易入也。……文亦清敬可颂。”王文濡云：“为齐计则善矣，为楚及昭阳计亦未尝不善。面面都到，妙语解颐。”

拟托苏秦说燕王之辞作于本年后。《战国策·燕策一》云：苏秦将为从，北说燕文侯。此章非苏秦之作，缪文远《战国策考辨》辨之甚详。文中称燕文侯为“大王”，而燕、赵、中山、魏、韩“五国相王”在周显王四十六年（起 323 年），故《策》文之作当在本年后。

记载楚国水陆贸易交通路线的《鄂君启节》铭文作于本年。1957 年安徽寿县丘家花园出土五件鄂君启节，有长篇错金铭文，根据内容记载应作于前 323 年。节文详细记载楚国的水陆交通路线（参殷涤非、罗长铭《寿县出土的“鄂君启金节”》，《文物》1958 年第 4 期；刘和惠《鄂君启节新探》，《考古与文物》1982 年第 5 期；李学勤《东周与秦代文明》第十章《楚》）。

公元前 322 年（周显王四十七年　魏惠王更元十三年）

孟子本年或稍前自宋过薛经鲁至邹，在鲁时，曾劝阻鲁君以慎子为将军。孟子于前 338 年前后至宋，劝宋君偃行仁政。宋君偃在起初几年也想有所作为，但前 328 年称王后就荒淫暴虐了，孟子在此情况下便离宋。离宋后去向，据《孟子·公孙丑下》、《滕文公上》记载，应先至薛（齐之封邑），后至鲁，再至邹。孟子在邹趁机向来请教的然友宣传三年之丧，然友返滕告世子。“定为三年之丧，父兄百官皆不欲。”于是，“然友复之邹问孟子”，后滕世子从孟子之说。“及至葬，四方来观之，颜色之戚，哭泣之哀，吊者大悦。”则孟子经薛至邹。《风俗通义·穷通》云：“孟子绝粮于邹、薛，困殆甚。”钱穆《先秦诸子系年》以为《孟子》中邹穆公与孟子问答即在此时。但蒋伯潜《诸子通考》以为“其见诸侯，当自邹穆公始。是时孟子盖年四十一。……《孟子·梁惠王篇》记邹与鲁哄，穆公问曰云云，孟子对曰云云。孟子邹人，故首见邹穆公也”。录以备参考。

孟子在由宋至邹途中曾至鲁。其至鲁国原因之一是：“鲁欲使乐正子为政。孟子曰：‘吾闻之，喜而不寐。’”（《孟子·告子下》）至鲁后，因乐正子举荐，鲁平公欲见孟子，但因臧仓谗言而罢（见《孟子·梁惠王下》）。文中所说“前丧”为丧父，“后丧”为丧母。此段文字中，孟子称鲁平公为“鲁侯”，则在前 322 年平公立后。

鲁平公元年，《史记·鲁周公世家》：“景公二十九年卒，子叔立，是为平公。是时六国皆称王。平公十二年，秦惠王卒。”前 323 年，魏公孙衍约三晋与燕、中山“五国相王”。加前已相王之国，则其时六国皆称王。秦惠文王卒于前 311 年，上推十二年为前322年。依此，则鲁平公元年为前322年。《六国年表》定鲁平公元年为周赧王元年（前314年）。钱穆《先秦诸子系年》已力辨鲁平公元年为周显王四十七年（前322年）。孟母之卒在前342年，鲁平公即位在前322年。文中臧仓称孟子为"匹夫"，应在至齐前。前319年前后孟子至齐后"为卿于齐"，臧仓应不会如此称呼。故鲁平公欲见孟子，因臧仓阻挠未果事应在前322年后至前319年间。孟子在鲁阻慎子为将军，《孟子·告子下》有记载。

孟子于本年自邹至滕，滕君"馆于上宫"，厚待之，孟子答滕文公多次咨询，并回答然友关于丧、毕战关于井地、公都子关于滕更之疑问。同先儒后农之陈相进行了战国时"儒"、"农"学派间一场重要论战，又答公孙丑"君子之不耕而食，何也"之问。

滕文公为世子时，与孟子有交往，并赞成孟子主张，故其即位后孟子便自邹至滕。《滕文公上》载孟子与其言曰："子力行之，亦以新子之国。"称滕文公为"子"。而在《梁惠王下》同滕文公谈话时，两次称其为"君"。黄式三《周季编略》卷六（下）"周显王四十五年"条云："按《礼》既葬称'子'，愈年称君。"依此，孟子至滕在滕文公即位之当年。

滕文公即位时间，应在齐封田婴于薛前后。《梁惠王下》载滕文公问曰："齐人将筑薛，吾甚恐。"而齐封田婴于薛，《战国策·齐策一》有"齐将封田婴于薛"章。《史记·六国年表》载此事在周显王四十八年（前321年）。《史记·孟尝君列传》："（齐）闵王……即位三年，而封田婴于薛。"《史记》记齐威王以下之年事均提前了二十余年，故《索隐》云："《纪年》以为梁惠王后元十三年四月，齐威王封田婴于薛。十月，齐城薛。"梁惠王后元十三年即前322年。这样，齐封田婴于薛应在前322年，故孟子至滕应在此时前后。

孟子至滕后，受到了很高待遇并与滕文公等人有一系列对话。《孟子·梁惠王下》、《尽心下》、《滕文公上》均有记载。孟子在滕时，滕君之弟滕更向孟子有问，孟子不答。公都子因此问孟子："滕更之在门也，若在所礼。而不答，何也？"孟子回答说："挟贵而问，挟贤而问，挟长而问，挟有勋劳而问，挟故而问，皆所不答也。滕更有二焉。"（《孟子·尽心上》）焦循《孟子正义》引赵岐《注》："滕更，滕君之弟，来学于孟子者也。"

"农家"为战国时注重农业生产的一个学术流派，其学说也称为"神农之说"。《汉书·艺文志》列为"九流十家"之一，著录其代表人物著作九种。并云："农家者流，盖出于农稷之官。播百谷，勤耕桑，以足衣食，故八政一曰食，二曰货。孔子曰'所重民食，'此其所长也。"先秦典籍如《管子·地员》、《轻重》，《吕氏春秋·任地》、《上农》等篇讲农业技术及农家政治理想。先秦时所传的《神农之禁》、《神农之教》、《神农之数》、《神农之法》、《神农书》、《神农占》等，都应是战国时农家的著作。其中反映了当时的农业生产状况及农村风俗，有些是长久流传的谚语，具有一定的文学价值。

许行是战国时著名农家代表人物，楚人。《吕氏春秋·当染》载："禽滑釐学于墨子，许犯学于禽滑釐，田系学于许犯。""许犯"即许行（参钱穆《先秦诸子系年·许行考》)。从《孟子·滕文公上》所载情况看，滕在孟子支持下实行了仁政，引起了时人注意，故许行及陈相自楚至滕并与许行之徒陈相有辩论。这便是战国时“儒”、“农”两家的一次重要论战。同时，孟子以社会分工论反对许行君民共耕主张，公孙丑对此说不解而问，见《孟子·尽心上》。

《神农》、《野老》当为农家与重农之他家杂著而成。《汉书·艺文志》“农家”类著录“《神农》二篇”。自注：“六国时，诸子疾时怠于农业，道耕农事，托之神农。”颜师古注引刘向《别录》云：“疑李悝及商君所说。”《艺文志》还著录“《野老》十七篇”。自注：“六国时，在齐、楚间。”应劭云：“年老居田野，相民耕种，故号《野老》。”应是战国时避乱隐居者整理以往有关文献、总结当时农业经验而成。

《神农》与《野老》自《隋书·经籍志》已不著录，则亡佚甚早。二书著者，应非一人。其作时，刘向与颜师古均以为战国时人托于神农。此说是也。战国时李悝主张“尽地力之教”，发展农业生产（见《史记·孟荀列传》、《汉书·食货志》）。商鞅第一次变法更规定：“戮力本业，耕织致粟帛多者，复其身；事未利及怠而贫者，举以为收孥。”（《史记·商君列传》）重农抑商，奖励耕织，犹重垦荒。因而《野老》一书，其中或含有重农之李悝、许行、商鞅等著的内容。

《神农》其书，当为许行著。其书虽亡，但由古籍所引，可窥其概略。如《商君书·画策》：“神农之世，男耕而食，妇织而衣。刑政不用而治，甲兵不起而亡。”《尸子》卷下载：“神农氏夫负妻戴，以治天下。尧曰：‘朕之比神农，犹旦之与昏也。’”《吕氏春秋·爱类》：“神农之教曰：‘士有当年而不耕者，则天下或受其饥矣；女有当年而不绩者，则天下或受其寒矣。’故身亲耕，妻亲绩，所以见致民利也。”另《淮南子·齐俗训》、《文选》李善注等亦有所称引。《野老》他书无征引，马骕《绎史》以为即《吕氏春秋》中论农诸篇。马国翰《玉函山房辑佚书》即据此辑出《吕氏春秋》论农诸篇以为《神农》。陈轸去楚之魏，张仪恶之于魏王，陈轸听左爽之言，利用张仪之毁而得返楚。《战国策·楚策三》载：“陈轸去楚之魏。张仪恶之于魏王曰：‘轸犹善楚，为求地甚力。’左爽谓陈轸曰：‘仪善于魏王，魏王甚信之。公虽百说之犹不听也。公不如以仪之言为资，而得复楚。’”于是陈轸将张仪之言传于楚国，楚王闻之喜，因而复用陈轸。“去”原作“告”，鲍本改为“去”。吴师道《补正》曰：“恐当作去。”则鲍改是也。张仪相魏在魏惠王更元十三年（前322年），正为魏王信任。张仪与陈轸终身为敌，此时陈轸之魏，张仪恶其于魏王并为魏所逐为理所当然。《策》文既记此事，则其作不得早于本年。（《魏策三》“张仪恶陈轸于魏王”章重出此篇，左爽作“左华”，形近而成歧误）

惠施或于本年以“兼听则明、偏听则暗”说魏惠王。惠子说魏王之辞，见《战国策·魏策一》、《韩非子·内储说上》。据《史记·秦本纪》：“（秦惠文王更元）三年，张仪相魏。”在此情况下，其他人于惠王前多赞成张仪之言就很正常。

公元前320年（周慎靓王元年　赵武灵王六年

齐威王三十七年）淳于髡为齐使楚，返齐过薛时见孟尝君，并说齐宣王救薛。《吕氏春秋·报更》载：“孟尝君前在于薛，荆人攻之。淳于髡为齐使于荆。还反，过于薛。孟尝君令人礼貌而亲郊送之，谓淳于髡曰：'荆人攻薛，夫子弗为忧，文无以复侍矣。'淳于髡曰：'敬闻命矣。'至于齐，毕报。王曰：'何见于荆？'对曰：'荆甚固，而薛亦不量其力。'王曰：'何谓也？'对曰：'薛不量其力，而为先王之清庙，荆固而攻薛，薛清庙必危，故曰薛不量其力，而荆亦甚固。'齐王知颜色，曰：'嘻！先君之庙在焉。'疾举兵救之，由是薛遂全。"此事《战国策·齐策三·孟尝君在薛》章亦有记载。林春溥《战国纪年》以为田婴之卒、田文之立在齐闵王元年，缪文远从之。但《史记·楚世家》、《魏世家》、《韩世家》、《田完世家》、及《六国年表》皆载前301年孟尝君率齐、韩、魏三国联军，大败楚，杀楚将唐昧、取楚地。又据《战国策·赵策四》："魏败楚于陉山，禽唐明。楚王惧，令昭应奉太子以委和于薛公。"以当时楚新败、委太子于薛以求和情势，不会于次年即攻薛公田文之封邑。即使攻薛，以其时挟齐、韩、魏三军，权倾齐国之田文，也不会要借淳于髡之力才能说齐王发兵救薛。《史记·孟尝君列传》云："宣王九年，田婴相齐。……田婴相齐十一年，宣王卒，闵王即位。即位三年，而封田婴于薛。"《孟尝君列传》《索隐》引《纪年》以为："十月，齐城薛。十四年，薛子婴来朝。十五年，齐威王薨，婴初封彭城。"《史记》于齐纪年有误。"宣王十年"应为"威王二十四年"（前333年）。田婴封薛前十一年已为齐相。《战国策·齐策一》载："靖郭君谓齐王曰：'五官之计，不可不日听而数览。'王曰：'说五而厌之。'今与靖郭君。"《韩非子·外储说右下》亦载田婴专权之事。齐相田婴封薛后仍在临淄处理政事。《战国策·齐策一》："宣王立，靖郭君之交大不善于宣王，辞而之薛。"恰为田婴任相不居薛之明证。田婴不在薛，便要择能子主其家政。《史记·孟尝君列传》："于是婴乃礼文，使主家待宾客。宾客日进，名声闻于诸侯。诸侯皆使人请薛公田婴以文为太子，婴许之。"故孟尝君代父守薛，荆人攻之，才使淳于髡说齐王救薛。为区别于田文被免相后冯谖陪其居薛，故《吕氏春秋·报更》才言"孟尝君前在于薛"。说明指田文代父守薛时事。淳于髡说齐王救薛时言及"先王清庙"，非冯谖为孟尝君"营三窟"时所造之宗庙。因早在齐威王死、宣王立时，薛已建有"先王之庙"。《战国策·齐策一》载，宣王初即位时，"大不善"田婴，齐人昆辨为之说齐王："（靖郭君）至于薛，昭阳请以数倍之地易薛，辨又曰：'必听之。'靖郭君曰：'受薛于先王，虽恶于后王，吾独谓先王何乎？且先王之庙在薛，吾岂可以先王之庙与楚乎？'"此庙为威王庙。《史记·孟尝君列传》载："田婴者，齐威王少子而齐宣王庶弟也。"少子不当奉先王之祀。但田婴因任相国而擅权，故私立先父威王之庙于其封地。其立庙，应在威王新亡而宣王初立时。事为宣王所不知，故淳于髡提及时，惊讶道："嘻！先君之庙在焉！"才发兵救薛存庙。由此可知，淳于髡存薛，当在威王新亡、宣王初立之年，即前320年。

公孙龙本年前后生于赵。《史记·孟荀列传》载："赵亦有公孙龙，为坚白同异之辩。"司马迁将公孙龙与李悝、孟轲等战国中期时人列在一起，说明他已不明其时。但依《平原君列传》："虞卿欲以信陵君之存邯郸为平原君请封，公孙龙闻之，夜驾见平原君曰……""平原君厚待公孙龙。公孙龙善为坚白之辩，及邹衍过赵，言至道，乃绌公孙龙。"则公孙龙与虞卿、平原君、邹衍同时。《正义》："《艺文志》、《公孙龙子十四篇》，颜师古云即为坚白之辩。按《平原君传》，邹衍同时。"邹衍生前320年前后，虞卿生前 310 年前后，则公孙龙大约生于此期间。

《吕氏春秋・应言》曾载公孙龙说燕昭王休兵，则公孙龙与燕昭王相前后。燕昭王前 311 年至前 279 年在位。据《战国策・齐策六》、《吕氏春秋・权勋》、《史记・乐毅列传》、《六国年表》等记载，其破齐在前 284 年。公孙龙说燕昭王在前 284 年后至前 279 年昭王卒之间。以此时公孙龙三十岁左右计，则应生于前 320 年前后。

《吕氏春秋・审应》载赵惠王对公孙龙谈休兵。文中"赵惠王"即赵惠文王，亦可见公孙龙与赵惠文王相前后。惠文王前 298 年至前 266 年在位。由《吕氏春秋》可知，"偃兵"为公孙龙之学说。赵惠文王即位后，前 298 年即位后至前 286 年战事较少，后频繁。惠文王称"偃兵十年"事，应在此期间。赵惠文王与公孙龙谈话应在前 286 年后。若公孙龙生前 320 年前后，前 286 年时四十岁上下。其"偃兵"学说完全能为惠文王所知，并就此进行讨论。今人钱穆、王琯、谭介甫、庞朴及严北溟等均以为公孙龙生于前 320 年前后。（钱穆说见《先秦诸子系年》；王琯说见《公孙龙子悬解》所附《公孙龙传略》，中华书局《新编诸子集成》本 1996 年；谭介甫说见《公孙龙子形名发微》；庞朴说见《公孙龙子研究》，中华书局 1979 年；严北溟、严捷说见其所著《列子译注》，上海古籍出版社 1986 年）

公孙龙，赵人。见《列子・仲尼篇》、《史记・孟荀列传》、《庄子・秋水》司马彪注、《汉书・艺文志》自注。高诱注《吕氏春秋・应言》以为魏人。或其地曾属魏，在赵、魏之间。公孙龙，字子秉。《庄子・徐无鬼》载庄子曰："然则儒墨杨秉四，与夫子为五，果孰是邪?"成玄英疏："秉者，公孙龙字也。"《汉书・艺文志》自注："字子秉。"但对《庄子・徐无鬼》之说，钱穆《先秦诸子系年・公孙龙说燕昭王偃兵考》云："然惠施卒，龙在童年，庄周之死，龙亦其学初成，岂遽与儒墨杨惠为五？若公孙龙诚字子秉，则其语盖出庄子卒后，公孙龙成名之际。"《庄子・杂篇》一般认为为后人收集、编纂，自然会窜入后世作品。钱穆之说是也。公子牟本年前后生于魏。先秦至汉初典籍记载公子牟事迹，主要有以下这些：《庄子・秋水》载："公孙龙问于魏牟曰：'龙少学先王之道，长而明仁义之行。合同异，离坚白；然不然，可不可。困百家之知，穷众口之辨。吾自以为至达已。今吾闻庄子之言，汇焉异之。不知论之不及与，知之弗若与？今吾无所开吾喙，敢问其方。'公子牟隐机太息，仰天而笑曰……公孙龙口呿而不合，舌举而不下，乃逸而走。"又《禳王》："中山公子牟谓瞻子曰：'身在江海之上，身居乎魏阙之下，奈何?'瞻子曰：'重生。重生则轻利。'……魏牟，万乘之公子也，其隐岩穴也，难为于布衣之士。虽未至乎道，可谓有其意矣。"此段文字亦见《吕氏春秋・审为》，但《审为》无《让王》所载一段议论。《淮南子・道应训》记此事时在公子牟与瞻子对话之后，加了"故老子曰"一段议论。《列子・仲尼》："中山公子牟者，魏国之贤公子也。好与贤人游，不恤国事，而悦赵人公孙龙。乐正子舆之徒笑之。"由以上材料可知：公子牟与公孙龙同时；其为魏之公子，其封地或在中山。《史记・魏世家》："（文侯）十七年，伐中山，使子击守之，赵仓唐傅之。"魏文侯十七年为前 429 年。今人杨宽《战国史》以为魏灭中山在魏文侯四十年（前 406 年）。由《史记・六国年表》可知，周威烈王十二年（前 414 年）中山武公初立。《史记・魏世家》又载：（魏惠王）"二十八年，齐威王卒，中山君相魏。"《索隐》："魏文侯灭中山，其弟守之，后寻复国，至是始令相魏。其中山后又为赵所灭。”梁玉绳《史记志疑》、钱穆《先秦诸子系年》均已辨之。钱穆云：“然则中山非能复国，乃魏之别封耳。其后更出少子挚封中山，而复太子挚，则中山之君乃魏文侯少子魏挚之裔，而公子牟亦其后人。”则公子牟为魏宗族。公子牟著述，《汉书 · 艺文志》“道家”类著录“《公子牟》四篇”。班固注：“魏之公子也，先庄子，庄子称之。”班固注云其为魏之公子，是也，然言其“先庄子”则非。公子牟在战国末年比较活跃。《荀子 · 非十二子》列举诸子十二人，魏牟列第二；《韩诗外传》卷四列诸子十人，分别为：范雎、魏牟、田文、庄周、慎到、田骈、墨翟、宋钘、邓析、惠施。

邹衍本年前后生于齐。《史记 · 孟荀列传》云：“齐有三邹子。……其次邹衍，后孟子。”“是以邹子重于齐。适梁，惠王郊迎，执宾主之礼。适赵，平原君侧行撇席。如燕，昭王拥彗先驱。”此外，《封禅书》、《平原君列传》、《燕世家》、《田完世家》也有零星记载。据此可知，邹衍在孟子后。但《史记 · 魏世家》云：“（梁惠王）三十五年，与齐宣王会平阿南。……邹衍、淳于髡、孟轲皆至梁。”将邹衍置孟子前。对此，崔适《史记探源》卷六《魏世家第十四》云：“邹衍世次不与髡、孟相接，详《孟荀列传》。见于此者，古书有因此以及彼例。如《论语》‘禹、稷躬稼而有天下。’……此亦因髡与孟子而及邹衍也。”崔适之说是也。

平原君卒于前 251 年。据《韩非子 · 饰邪》：“凿龟数筴，兆曰大吉，而以攻燕者赵也。凿龟数筴，而以攻赵者燕也。剧辛之事，燕无功而社稷危。邹衍之事，燕无功而国道绝。”文中所说“邹衍之事”，依《史记 · 燕世家》、《六国年表》，燕王喜四年（前 251 年）燕伐赵，赵破燕军，杀燕将栗腹。陈奇猷《韩非子集释》以为：“此时邹衍在赵，而邹衍乃一方士，疑是役之初，邹衍曾为卜，其卜吉，故韩非有此语。”邹衍为阴阳家，占卜为可能之事。如此，邹衍前 251 年尚存。

《战国策 · 燕策一》云：“燕昭王收破燕后即位，卑身厚币以招贤者……邹衍自齐往。”《大戴礼记 · 保傅》：“燕昭王得郭隗，而邹衍乐毅以齐至。”燕昭王前 311 年至前 279 年在位，在位凡三十二年。邹衍至燕，并不一定在昭王即位之初。杨宽《战国史料编年辑证》以为史载燕昭王即位伊始即招贤，郭隗诸人至燕为虚构。（上海人民出版社 2001 年）据《史记 · 孟荀列传》，齐襄王时“稷下学宫”复兴，荀卿最为老师。而此时邹衍学说已大兴。“稷下学宫”在宣王时兴盛，延续至闵王末年（前 284 年）。邹衍能为“稷下先生”，且在襄王（前 283 年至前 265 年在位）时影响很大。若其生于前 320 年前后，与燕昭王同时并为其师，又在齐襄王时以学术闻名，俱为无碍。

以《史记 · 平原君列传》观之，公孙龙与邹衍同时。钱穆《先秦诸子系年 · 邹衍考》引张守节之说以为：“邹衍与公孙龙同时，是也。”庞朴《公孙龙子研究》云：“公孙龙，……与邹衍同时。”公孙龙生于前 320 年前后，邹衍亦大约生于此时。钱穆定邹衍生前 305 年前后，并说明邹衍与梁惠王、燕昭王不同时。其以邹衍与梁惠王不同时为是，但以与燕昭王不同时则非。蒋伯潜《诸子通考 · 稷下诸子考》言邹衍“不与梁惠王同时”，“惠王”应为昭王。而魏昭王与燕昭王同时。则蒋伯潜肯定邹衍与燕昭王同时。

邹衍号“谈天衍”，见《史记 · 孟荀列传》。《集解》引刘向《别录》曰：“邹衍之所言五德始终，天地广大，尽言天事，故曰‘谈天’。”《文心雕龙·时序》亦云：“邹子以谈天飞誉。”

屈原作《九歌》当在此年或稍前。《九歌》为屈原作品，应无可疑。唯作时、作地学者们看法不一。王逸以为屈原放逐后窜伏沅湘之地，“出见俗人祭祀之礼，歌舞之乐，其词鄙陋，因为作《九歌》之曲”。朱熹基本上从王逸之说，唯以为是屈原见南郢之邑、沅湘之间的祭祀歌舞词“词既鄙俚，而其阴阳人鬼之间，又或不能无亵慢淫荒之杂。原既放逐，见而感之，故颇为更定其词，去其泰甚，而又因彼事神之心，以寄吾忠君爱国眷恋不忘之意”。此后学者大体都依违于此二说之间。近代以来产生了一些新说，如以为本为楚地民间祭歌（胡适《读楚辞》，陆侃如《九歌之意义与时代》、《屈原评传》等）。或以为是楚宫廷郊祀之歌（闻一多《什么是九歌》，孙作云《九歌非民歌说》）。这些说法各有所见，也都道出了部分的真理。根据《九歌》所祀神灵的性质、各篇的内容及祭祀的规模分析，其中一些神灵及有关祭祀活动、祭祀歌词本形成于民间，但就《九歌》这一完整结构的组诗来说，应是用于楚宫廷祭祀的。郭沫若说：以《九歌》歌辞的清新，调子的愉快，可以断定是屈原未失意时的作品。20 世纪 60 年代在江陵望山一号墓出土楚简，70 年代在江陵天星观一号墓出土楚简中，都将司命、云中等神同楚先王一起祭祀，而这两座墓都距纪南城（战国时楚都）不远。由此看来，《九歌》中虽有祭沅湘一带神灵之辞（《湘君》、《湘夫人》、《山鬼》），但总体来说，是屈原所创作用于楚朝廷祭祀的歌舞词。荆门包山二号墓出土楚简中记载楚人所祀神灵之名最多，而名称多与《九歌》异。司命之外，有司祸。据学者们的研究，其中的“太”即太一，“二天子”即湘君、湘夫人，“高丘”即巫山神女，也即山鬼。

关于《九歌》的创作时间，金开诚认为当在怀王五年至十年之间（《九歌研究》，《屈原辞研究》，江苏古籍出版社 1992 年版），汤漳平也有深入研究，看法大体一致（《出土文献》与〈楚辞·九歌〉》，中国社会科学出版社 2004 年版）。

公元前 319 年（周慎靓王二年　魏惠王后元十六年　楚怀王十年　齐宣王元年）

孟子自滕之魏，以“五十步笑百步”寓言说梁惠王行王道、仁政。因说客景春对公孙衍、张仪的评价，引发何为“大丈夫”之辩，提出了“富贵不能淫，贫贱不能移，威武不能屈”名言，同白圭有如何定税率及治水之辩，就大禹的评价驳斥了白圭的说法，回答了周霄“古之君子仕乎”之问。

孟子于前 322 年前后至滕，受到滕文公很高待遇。而滕为小国，“夫滕，壤地褊小”，时时存在被兼并危险（参《孟子·滕文公上》）。面对滕文公“如之何则可”的询问，孟子对曰：“是谋非吾所能及也。无已，则有一焉：凿斯池也，筑斯城也，与民守之，效死而民弗去，则是可为也。”（《梁惠王下》）显然，如滕之类小国实现不了“仁政”、“王道”理想，故孟子又游诸侯并至魏。

孟子至梁时间，《史记·魏世家》在惠王三十五年（前 335 年）后。《六国年表》周显王三十三年（前 336 年）：“孟子来，王问利国，对曰：‘王不可言利。’”（魏在前 361 年由安邑徙都大梁，故魏惠王又称“梁惠王”）梁玉绳《史记志疑》卷九辨之云：

"《年表》、《世家》并言惠王三十五年孟子至梁，后儒皆从之，其实误也。观《孟子》本书，当是晚始游魏，故惠王尊之为叟，居魏亦甚暂，故书中梁事无多。然则孟子至魏，必在惠王改元之十五六年间，为周慎靓王元、二两年。孟子见魏襄王有'不似人君'之语，盖襄王初立，而遂去魏游齐也。"其言是也。孟子至梁时间，《梁惠王上》孟子称惠王为"王"，则在前334年魏称王后无疑。

《梁惠王上》载梁惠王曰："晋国，天下莫强焉，叟之所知也。及寡人之身，东败于齐，长子死焉；西丧地于秦七百里；南辱于楚。"梁惠王所说"东败于齐"指前342年前后之"马陵战役"。而据《战国策·魏策三》、《史记·魏世家》等记载，自前340年秦将公孙鞅大败魏后，秦于前330年、前329年、前322年间频繁伐魏，迫使魏将河西郡全部和上郡十五县献秦，秦又取魏曲沃、平周，这便是"西丧地于秦七百里"。"南辱于楚"，应指《战国策·齐策二》、《史记·楚世家》、《六国年表》等记载前323年楚、魏"襄陵之战"。黄式三《周季编略》卷六（下）"周显王三十九年"条云："前后数年，魏频献地，《孟子》录惠王言丧地七百里，统数年而言。"如此，孟子至梁在前323年后。至梁后，惠王急不可耐地问"利吾国"之事。孟子便以"五十步笑百步"的寓言故事，阐发了"不违农时，谷物不可胜食也"一段有名观点（见《孟子·梁惠王上》）。孟子在梁时与景春问答，《孟子·滕文公下》有记载。景春，焦循《孟子正义》引赵岐注："孟子时人，为纵横之术者。"据史籍记载，周显王四十一年（前328年），秦始设相邦，张仪为秦相；周显王四十五年（前324年），张仪伐取魏之陕，筑上郡塞；周显王四十六年（前323年），公孙衍发起燕、赵、中山、魏、韩"五国相王"；周显王四十八年（前321年），张仪兼相秦魏；周慎靓王二年（前319年），齐、楚、燕、赵、韩等国支持公孙衍为魏相。此段时间内，公孙衍、张仪活跃于合纵连横舞台。同时，公孙衍、张仪在魏活动时与孟子在魏时相合，二人又为魏人，故景春有此问。

孟子在魏时与白圭就如何定税率有问答，见《孟子·告子下》。白圭，《韩非子·喻老》："白圭之行隄也塞其穴，丈人之慎火也涂其隙。使以白圭无水难，丈人无火患。"《内储说下》载"白圭相魏"。《战国策·魏策四》载白圭与魏王对话。《吕氏春秋·不屈》言"白圭新与惠子相见"。据《史记·货殖列传》为周人，阎若璩《四书释地续编》辨之甚详。《新序·杂事》邹阳上书云："白圭战亡六城，为魏取中山。"赵仲邑《新序详注》以为："白圭是中山将，失落了六座城池。中山的国君想把他杀掉，他跑到魏国。魏文侯待他很好，他反过来替魏国攻下了中山。见《史记·邹阳列传》《集解》引张晏曰。"（中华书局1997年版）《孟子》中白圭曾任魏相，善生产，曾筑堤治水。依《战国策·魏策四》，魏之白圭与孟子同时。故其与孟子问答应在此时。襄王即位后，"孟子见梁襄王。出，语人曰：'望之不似人君，就之而不见所畏焉。'"（《孟子·梁惠王上》）孟子在梁时与周霄问答见《孟子·滕文公下》。焦循《孟子正义》："《国策·魏策》云：'魏文子、田需、周霄相善，欲罪犀首。'鲍彪注云：'周霄，孟子时有此人。至是三十年矣。'吴师道《正》云：'田文前相魏，当襄王时，孟子见梁襄王，相去不远也。'周氏广业《孟子出处时地考》云：'按史田需、犀首皆在秦惠王时，故霄得问孟子也。'"

孟子自魏又至齐，回答了公孙丑关于守孝时间、齐宣王问卿等一系列问话。“王顾左右而言他”成语即出自孟子与齐宣王谈话。齐宣王元年为前319年，故威王之卒应在上年或本年前半年，孟子至齐时宣王还在守孝。《孟子·尽心上》载：“齐宣王欲短丧。公孙丑曰：‘为期之丧犹愈于乎？’”公孙丑与孟子问答应在第二次始至齐时。《梁惠王下》则记载了孟子与齐宣王内容十分广泛的谈话。即：“文王之囿方七十里，有诸”、“交临国有道乎”、“贤者亦有此乐乎”、“人皆谓我毁明堂，毁诸，已乎”、“王之臣，有托其妻子于其友而之楚游者。比其反也，则冻馁其妻子，则如之何”、“所谓故国者，非谓有乔木之谓也，有世臣之谓也”、“汤放桀，武王伐纣，有诸”、“为巨室，则必使工师求大木”。孟子与齐宣王谈话，除以上内容外，《离娄下》有孟子告戒齐宣王应如何待臣，《万章下》载齐宣王问卿，孟子作答。

孟子居齐时曾到滕国吊丧。孟子此次由齐至滕吊丧，应是吊滕文公之亡。因滕定公薨时，尚为世子的滕文公曾派然友之邹向孟子请教治丧事宜。据《孟子·滕文公上》记载，此次是到滕为文公吊丧。

孟子在齐先后与庄暴和宣王论好乐，回答王子垫之问而论“尚志”。孟子与庄暴论好乐，见《孟子·梁惠王下》。焦循《孟子正义》引赵岐注：“庄暴，齐臣也。”朱熹、杨伯峻亦如此认为。孟子第一次至齐时未与威王见面，而此段文字明确记载孟子见齐王，则应在宣王时。《孟子·尽心上》言王子垫问“士何事”，孟子答之。赵岐注：“齐王子名垫也。”孟子此次仕齐时间较长，这里称“王子”，所以应是齐王之子。

乐正子从王欢来齐，遭孟子严厉责斥。孟子在齐时曾至滕国吊丧。“王使盖大夫王欢为辅行。王欢朝暮见，反齐、滕之路，未尝与之言行事也。”公孙丑问原因，孟子说他既然一个人独断专行，我还说什么呢？（《孟子·公孙丑下》）对王欢甚为反感。故此次乐正子与王欢同来时遭到孟子严责。并对乐正子说：“子亦来见我乎？”《离娄上》也有孟子对乐正子的指责。

孟子在齐吊公行子丧，答右师王欢责问。事载《孟子·离娄下》。焦循《孟子正义》引赵岐注：“公行子，齐大夫也。右师，齐贵臣王欢，字子敖。”顾炎武《日知录》卷七云：“《礼》，父为长子斩衰三年。故公行子有子之丧，而孟子与右师及齐之诸臣皆往吊。”

惠施自宋返魏，说魏太子更葬期。为魏使楚时与庄周或在濠上论学，后又讨论生与死、有情与无情问题。惠施于前322年被魏逐后，先至楚，后至宋，在宋居不久而返魏，返魏时正值惠王卒。《史记·魏世家》：“十六年，襄王卒，子哀王立。张仪复归秦。”《史记》记魏纪年有误。襄王十六年实为惠王后元十六年（前319年）。故张仪离魏在前319年。惠施当初因张仪被逐，今张仪去，惠施于此年复归魏。《战国策·魏策二》、《吕氏春秋·开春》载惠施劝太子改变葬期。

钱穆《先秦诸子系年·惠施返魏考》云：“是事在惠王卒岁之冬，故哀王称太子，又观群臣以告犀首，而犀首称惠子，知其时惠子非相魏，初无言责。张仪已去，故犀首为魏廷领袖也。”因《史记》于魏纪年有误，故后人对魏惠王卒年，看法不一。陈梦家《六国纪年·六国纪年表》在周慎靓王三年（前318年），雷学淇《战国年表》（见《介庵经说》卷九）、杨宽《战国史》所附《战国大事年表》、范祥雍《〈古本竹书纪年辑校〉订补》所附《战国年表》、缪文远《战国策考辨》均以为在周慎靓王二年（前319年）。

《战国策·楚策二》载其返魏后第二年使楚，《赵策三》载其于前314年使赵，其后惠施事无考，或不久而卒。在前相魏及后仕魏期间，不会有闲情去与庄周论学。故《庄子·秋水》“庄子与惠子游于濠梁之上”之“濠上之诘”，《德充符》记惠子与庄子人有情无情之论辩，只能在惠施再度仕魏的几年间。郭庆藩《庄子集释》引成玄英疏：“濠是水名，在淮南钟离郡，今见有庄子之墓，亦有庄惠遨游之所。石绝水为梁，亦言是濠水之桥梁，庄惠清谈在其上也。”淳于髡于本年前后为“稷下”“列大夫”。向齐宣王荐举人才，曾一日荐七人，宣王疑之，有辞以对，并回答齐宣王“寡人何好”之问以论好士。据《史记·田完世家》载：“宣王喜文学游说之士……是以齐稷下学士复盛，且数百千人。”齐宣王前319年即位，在位共十九年，至末年稷下如此兴盛，招纳文学之士应在即位之初。淳于髡在齐威王时至稷下，至宣王时虽年事已高，但仍居稷下。《史记·孟子荀卿列传》：“于是齐王嘉之，自如淳于髡以下，皆命曰列大夫，为开第康庄之衢，高门大屋，尊宠之。”《战国策·齐策三》云：“淳于髡一日而见七人于宣王。王曰：‘子来，寡人闻之，千里而一士，是比肩而立；百世而一圣，若随踵而至也。今子一朝而见七士，则士不亦众乎？’淳于髡曰：‘不然。夫鸟同翼而聚居，寿同足而俱行。今求柴葫、桔梗于沮泽，则累世不得一也。及之皋黍、梁父之阴，则郄车而载耳。夫物各有畴，今髡贤者之畴也。王求士于髡，譬若挹水于河，而取火于燧也。髡将复见之，岂特七士哉！’”由此段文字可知，淳于髡至稷下时，齐宣王正招贤纳士，淳于髡才有“一日而见七人于宣王”之举。而齐宣王招贤纳士，应在即位之初。《说苑·尊贤》载齐宣王问淳于髡曰：“先生论寡人何好”？淳于髡曰：“‘古者所好四，而王所好三焉。’宣王曰：‘古者所好，何与寡人所好？’淳于髡曰：‘古者好马，王亦好马；古者好味，王亦好味；古者好色，王亦好色；古者好士，王独不好士。’宣王曰：‘国无士耳，有则寡人亦说之矣。’淳于髡曰：‘古者有骅骝骐骥，今无有，王选于众，王好马矣；古者有豹象之胎，今无有，王选于众，王好味矣；古者有毛嫱、西施，今无有，王选于众，王好色矣；王必将待尧、舜、禹、汤之王而后好之，则尧、舜、禹汤之士亦不好王矣。’宣王默然无以应。”《战国策·齐策四》“先生王斗”章之议论文字与之大体相同，但《齐策四》作王斗之语。《齐策四》此章后半与《赵策三》魏牟谓赵王之语全同，显然为杂抄缀辑而成。《说苑》所载，人物清楚，对话简洁。记淳于髡谈话，风格与《史记》等其他史籍所载同。今据《说苑》录作淳于髡之辞。

屈原任楚怀王左徒。《史记·屈原列传》载屈原“为楚怀王左徒”。其任左徒时间，蒋骥《山带阁注楚辞·楚世家节略》云：“（怀王）十一年，苏秦约纵，六国共攻秦，楚为纵长，至函谷关。秦兵出击六国，六国皆引归。按，《战国策》齐助楚攻秦，取曲沃，当在是年之前后。盖屈子为怀王左徒，王甚任之。故初政精明如此。《惜往日》所谓‘国富强而法立’也。”以此说，则屈原任左徒在怀王十一年（前318年）或稍前。屈复《楚辞新注》定屈子为左徒在怀王十一年。今之学者姜亮夫从之，游国恩、陈子展亦大体从之。

陆侃如《屈原年表》定此事在楚怀王十年（见《中国诗史》第三编第三章《屈

平》，百花文艺出版社 1999 年）。聂石樵《屈原论稿》第二章《屈原的生平》第三节《从为官到见疏》云："大概在楚怀王十一年以前，当楚国任六国纵长与强秦争胜负的时候。他以'明于治乱'的说辞，为怀王所重视，因而升为左徒。这一年，屈原才二十二岁。"（人民文学出版社 1992 年版）聂石樵认为屈原生于前 339 年。依此，屈原二十一岁为楚怀王十年（前 319 年）。

因六国联盟从怀王十年已开始，至十一年有攻秦之事。楚国在怀王六年尚派昭阳攻齐败魏，至魏惠王后元十三年（即楚怀王七年、前 322 年），秦取魏沃、平周之地。魏惠王后元十六年（即楚怀王十年、前 319 年），秦败韩取鄢，又有屈原、陈轸、苏秦、公孙衍等沟通联络，六国联盟遂成，随之有五国伐秦之事。也就是说：楚国之能参加六国联盟，同屈原有一定关系。所以，屈原担任左徒这个直接负责外交之官职，应在楚怀王十年（参赵逵夫《〈战国策〉中有关屈原初任左徒时的一段史料》，《北方论丛》1995 年第 5 期）。

慎到于本年或稍后自赵至齐，为稷下先生，有所著述。由《史记·田完世家》可知，齐宣王时稷下大兴。宣王于前 319 年即位，在位凡十八年。稷下能如此兴盛，其招文学之士应在即位之初。慎子也应在此时至齐。

据《史记·孟荀列传》，当时百家竞相著书宣传己见。"慎到，赵人。……皆学黄老道德之术，因发明序其指意。故慎到著十二论，环渊著上下篇，而田骈、接子皆有所论焉。"

唐勒、景差本年前后生于楚。唐勒为楚太史唐眛之孙。唐勒、景差事迹，《史记·屈贾列传》云："屈原既死之后，楚有宋玉、唐勒、景差之徒者，皆好辞而以赋见称。然皆祖屈原之从容辞令，终莫敢直谏。其后楚日以削，数十年竟为秦所灭。"另外，《法言·吾子》、《汉书·艺文志》、《西京杂记》卷三、《襄阳耆旧传》均有零星记载。由以上材料看，唐勒、景差均比宋玉稍微年长。

首先，《古文苑》载宋玉《大言赋》云："楚襄王与唐勒、景差、宋玉游于阳云之台。"同书《小言赋》两次提到三人，均以"景差、唐勒、宋玉"为序。又，《古文苑》载宋玉《讽赋》云："楚襄王时宋玉休归，唐勒谗之于王曰：'玉为人身体容冶，口多微词，出爱主人之女。入事大王，愿王疏之。'"可见当宋玉年轻而美姿容之时，唐勒已以老成自居。

其次，扬雄《法言·吾子》载："或问'景差、唐勒、宋玉、枚乘之赋也，益乎？'曰：'必也淫。''淫则奈何？'曰：'诗人之赋丽以则，辞人之赋丽以淫。'"亦列景差、唐勒于前。当时民间存先秦古书尚多，又去六国未远，关于六国末年一些人物的生平等，大体有些认识，故有如此排列顺序。

第三，《汉书·艺文志》"赋家"类首列"《屈原赋》二十五篇"，紧接着是"《唐勒赋》四篇"。自注："楚人。"再是"《宋玉赋》十六篇"。自注："楚人，与唐勒并时，在屈原后也。"如以唐勒、宋玉二人之声名言之，当如《屈原列传》先宋而后唐；如以当时所存篇数言，亦当先宋而后唐。《汉书·艺文志》注重编排体例，故以时为序胪列各家著作，唐勒在宋玉前。

第四，晋习凿齿《襄阳耆旧传》言宋玉"始事屈原，原既放逐，求事楚友景差"。

景差资历较宋玉为早，应与唐勒相近。

以上材料及 1972 年出土于银雀山汉墓《唐勒》一书中《论义御》篇，均言唐勒、景差与宋玉共仕于顷襄王。位在大夫之列，实为文学侍臣。因二人年长于宋玉，故其生应在前 319 年前后。

关于唐勒的家世，葛洪《西京杂记》卷三云："楚大夫唐勒产二子，一男一女，男曰贞夫，女曰琼华。皆以先生为长。"除此外，纬书中有几条材料，可帮助我们确定唐勒的职掌，并了解其思想的特征。明董说《七国考》卷一引张华《感应类从志》云："有苍云围轸，——轸，楚之分野——是不善之征。楚太史唐勒乃夜以葭灰遗于地，乃更灭拂之，其苍云为之减半。"《太平御览》卷八引《春秋文耀钩》云："楚有苍云如霓，围轸七蟠，中有荷斧之人，向轸而蹲。于是唐史画遗灰而云灭。故曰：唐史之策，上灭苍云。"卷二三五所引文字稍异："楚立唐氏，以为史官。苍云如蜺，围轸七蟠，中有荷斧之人，向轸而蹲。楚惊。唐史曰：'君慢命，又简宗庙。'于是画遗炎（逵夫按，当为灰字之误）烟耀于苍云，精消无文。唐史之册，上灭苍云。"均作"唐史"，因唐勒为史，故径称为唐史也。《北堂书钞》卷五五引《春秋文耀钩》云："楚有苍云如霓，唐史曰：'君慢令，简宗庙，以无礼见患。七国皆谋，皆怀屠君。'王于是立礼正推，祷醮于庙堂之前曰：'唐史之策，上灭苍云。'谓之神史也。不以知道之原哉。"所记显然为同一事，"唐史"即唐勒。但《七国考》卷十三引《北堂书钞》，"唐史"作"唐举"。按"唐举"其人见《史记·蔡泽列传》。《集解》："荀卿曰梁有唐举。"《索隐》："《荀卿书》作唐莒。"则唐举为魏人，非楚之太史。董说误也。又台湾中央图书馆所藏孤本书《事类寄奇》卷一引《春秋文耀钩》曰："太史唐勒以葭灰遗于地，乃更灭拂之，其苍云为之减半；又遗灰如前，乃尽去之。"由这些材料可知：唐勒应为楚之太史，曾借星象以劝谏楚王。

春秋以前各国无统一纪年，战国天文星占家始用天象纪年。史官纪史而系之天象，于是因一些偶然事件，使他们形成星象同人事有一定联系的看法，故史官而言天道。《史记·楚世家》载：楚昭王二十七年（前 489 年），昭王病于军中，有赤云如乌，夹日而飞。昭王问周太史，太史曰："是害于楚王，然可移于将相。"昭王未从，由此可知太史之职掌。春秋时楚有著名左史倚相，楚灵王（前 540—前 529 年在位）时人，见于《国语·楚语上》、《左传·昭公十三年》、《韩非子·说林下》。盖楚人本称为左史。大约到战国之时仍依中原国家通称改称太史，并成为唐氏的世职。《吕氏春秋·士容》言唐尚至可以为史之年龄而不愿为史。《说文》："尉律，学僮年十七以上，始试讽籀书九千字，乃得为史。"此乃汉法，盖沿秦楚之制。《诸子品节》引《吕氏春秋》注："史，明习天文之官。"可知《春秋文耀钩》言"楚立唐氏以为史官"，其说可信。楚于昭王十一年（前 505 年）灭唐，则唐氏为楚太史自在春秋末年之后。又《史记·天官书》载"昔之言天数者"，楚只举唐眛，言其同赵之尹皋、齐之甘公、魏之石申俱"因时务论其书传，故其占验凌杂米盐"。又《史记·天官书》言"汉之为天数者，星则唐都"。《太史公自序》云："太史公学天官于唐都"。《后汉书·方术列传》载豫章人唐檀"尤好灾异星占"。则秦汉以后，唐氏仍以家传习星占。由此可知，唐勒为楚之太史，应无可疑。唐眛于楚怀王十六年前后又任司马，二十八年死于重丘之战，时已为令尹。唐眛之后任太史者，唐氏尚应有人，则唐勒应为唐眛之孙（参赵逵夫《唐勒〈论义御〉与由楚辞向汉赋的转变——兼论〈远游〉的作者问题》，见《屈原与他的时代》）。

“稷下学宫”（“稷下学术中心”）于本年后大盛。稷下学宫，是战国时五大学术中心中规模最大、集中人数最多、学派最复杂、持续时间最长、成果最丰富的。依《中论·亡国》，其创设在田齐桓公之时。稷下学宫地址，在齐都临淄稷门之下。《史记·田完世家》《集解》引刘向《别录》曰：“齐有稷门，城门也。谈说之士期会于稷下也。”《孟荀列传》《索隐》：“稷下，齐之城门也。或云稷下，山名。谓齐之学士集于稷门之下。”“稷下学宫”在齐宣王时达到鼎盛。《史记·田完世家》：“宣王喜文学游说之士，自如邹衍、淳于髡、田骈、接予、慎到、环渊之徒七十六人，皆赐列第，为上大夫，不治而议论。是以齐稷下学士复盛，且数百千人。”到齐闵王时散去。后至“齐襄王时，而荀卿最为老师。齐尚修列大夫之缺，而荀卿三为祭酒焉”（《史记·孟子荀卿列传》）。桓宽《盐铁论·论儒》以为齐宣王时“稷下先生，千有余人”。宣王前319年至前301年在位。即位后也想有所作为，便招贤纳士。由此段文字可知，稷下在宣王末年时已至“数百千人”规模。按情理，其招纳文学之士应在即位之初。

“稷下”诸子，据钱穆《先秦诸子系年》所考有：淳于髡、彭蒙、宋钘、尹文、慎到、接子、田骈、环渊、王斗、荀况、邹衍、邹奭、田巴、鲁仲连。存疑者为：孟轲、季真、兒说。蒋伯潜除列淳于髡、邹衍、邹奭、田骈、慎到、环渊、尹文、宋钘外，增加剧子、李悝、吁子。但李悝在魏文侯（前445年—前396年在位）时，其时稷下学术中心尚未形成。至于季真、兒说、剧子、吁子，因史料所限，已难考其是否应列稷下。现在可考名姓者有告子、邹忌、淳于髡、宋钘、兒说、孟轲、彭蒙、环渊、慎到、田骈、接子、尹文、田巴、荀况、鲁仲连、邹衍、邹奭等近二十名。《战国策·齐策一》之齐貌辨、《齐策四》之颜斶，两人或亦在“稷下学宫”为“稷下先生”。钱穆《先秦诸子系年》卷四《田骈考》附“王斶”云：“今按《汉人表》有王升、颜歜。窃疑王升即王斶之脱讹，又误分颜、王为两姓。观颜斶对宣王曰：‘斶前为慕势，王前为趋士’，而王升之对亦然，知其为一事两传矣。其后当闵王之亡，有画邑人王蠋，乐毅闻其贤，令环画三十里毋入，而使人请之，蠋自经而死。盖即宣王时高论士贵之王斶也。……其人盖亦稷下先生之贤者。当闵王之末，诸儒散亡，彼殆以邦土未去，遂以死节也。”

“稷下”诸子，《史记·孟荀列传》列举邹衍、淳于髡、慎到、环渊、接子、田骈、邹奭之徒。《汉书·艺文志》对其中许多人著述都有记载。其中像环渊《汉书·艺文志》虽不著录其作，但在“道家”类著录“《蜎子》十三篇”。自注：“名渊，楚人，老子弟子。”《史记·孟荀列传》言环渊等“皆学黄老道德之术，……而田骈、接子皆有所论焉”。据《孟荀列传》，慎到、田骈、接子、环渊应属稷下“黄老学派”。但《庄子·天下》论及道家分化时，将宋钘、尹文归为一系，彭蒙、田骈、慎到为一系，关尹、老聃为一系。故郭沫若《青铜时代·宋钘、尹文遗著考》以为稷下黄老学分为三派（人民出版社1954年版）。后代许多人以为《艺文志》中“《蜎子》十三篇”即为环渊之作。

稷下学者不仅著书立说，而且还进行学术编纂工作，整理各派学说。如《管子》的《心术》上下、《白心》、《内业》等。郭沫若《青铜时代·宋钘、尹文遗著考》根据《庄子·天下》评论宋钘、尹文时有“人我之养，毕足而止，以此白心”语与《管子·白心》篇名相同，断定《管子》中《心术》等四篇为宋钘、尹文遗作。但冯友兰《中国哲学史新编》、张岱年《中国哲学史史料学》、朱伯崑《〈管子〉四篇考》（《中国哲学史论文集》第一辑）均不同意郭说。《管子·经言》一篇，郭沫若、冯友兰、顾颉刚等均以为出于稷下之学。但关锋、林聿时《春秋哲学史论文集·管仲遗著考》以为《经言》为春秋前期的管仲遗著（人民出版社 1963 年版）。胡家聪《稷下争鸣与黄老新学》以为“《管子》书出于稷下学，系尊崇先驱者管仲的管子学派论著之汇集。”“《管子·经言》这组文献……千真万确出自稷下先生之手，实非管仲遗著。”他认为《管子·经言》是稷下法家学派的作品（中国社会科学出版社 1998 年版）。关锋、林聿时《管子遗著考》亦认为《管子》一书中包括有“被当作齐国的国家档案保存下来的”部分篇章。其中也有稷下学者搜集管仲佚文遗事所著篇章，也杂有稷下学者的论著（《春秋哲学史论集》）。顾颉刚《“周公制礼”的传说和〈周官〉一书的出现》言：“我很怀疑《管子》书竟是一部‘稷下丛书’。”（《文史》第六辑）冯友兰以为：“从《管子》这部书称为‘管子’这点看，《管子》这部书必定是和齐国有关的。……而当时能够写出这么多文章的人才聚集的组织，只有稷下学宫。……《管子》所收的文章都是当时稷下先生们写的。”是“稷下学术中心的一部论文总集。”（《中国哲学史新编》，人民出版社 1983 年版）郭沫若还以为《管子·弟子职》是稷下学宫为从学弟子制订的统一学则（《管子集校·弟子职》，科学出版社 1956 年版）。《司马兵法》、《晏子春秋》也有可能经过稷下学者编辑。《史记·司马穰苴列传》云：“齐威王使大夫追论古者《司马兵法》而附《穰苴》于其中，因号曰《司马穰苴兵法》。”“世既多《司马兵法》，以故不论。”今人如金德建以为今本《司马兵法》虽非全书，但并非伪作。《晏子春秋》编辑成书于战国中期（《司马迁所见书考》）。胡家聪《稷下争鸣与黄老新学》以为“此书有可能经稷下先生整理编辑而来”。近年有学者以为马王堆帛书《黄帝四经》为稷下黄老学著作，帛书《易传》和今本《易传》亦出稷下道家。

《庄子·天道》、《荀子·非十二子》、《韩非子·显学》、《史记·孟荀列传》对稷下一些著名人物思想主张均有评论。综合各家记载言之，“考稷下先生之可见者约十数人，以司马迁所列六家分隶之，曰邹衍、邹奭，此阴阳家也；曰孟子、荀卿，此儒家也；曰宋钘，墨家也；曰尹文，名家也；曰慎到、田骈，此法家也；曰接予、环渊，此道家也。惟田巴、徐劫持说不可知，儒家鲁连、名家兒说，亦在稷下。”（蒙文通《经学抉原》，见刘梦溪主编“中国现代学术经典”《廖平、蒙文通卷》，河北教育出版社 1996 年版）

“稷下”各派论争，内容十分广泛。战国时许多命题与学说，如“名”、“实”，“阴阳五行”均在“稷下”或论辩，或成熟。“黄老之学”为“稷下”主流学派。“由马《记》、刘《略》言之，尹文、宋钘、田骈、慎到、接子、环渊，皆本于黄老、游稷下。知以诸儒之盛，聚于稷下，而黄老之说以兴。实后来所称黄老之学，始于稷下。”（蒙文通《杨朱学派考》）《管子》中《心术》上下、《内业》、《白心》、《水地》、《枢言》、《宙合》、《形势》、《势》、《正》、《九守》、《四时》、《五行》等篇属于稷下道家黄老之作；《文子》、《六韬》、《老子》、《申子》、《宋子》、《鬼谷子》、《鹖冠子》、《尹文子》、《慎子》、《蜎子》、《田子》、《捷子》成书与稷下道家有关；《庄子》中《天地》、《天道》、《天运》、《在宥》等篇若干段落均体现出黄老思想对庄子后学影响。儒家孟子、荀子可能都受到“黄老之学”影响。

《管子》之《牧民》、《山高》、《乘马》、《轻重》、《侈靡》等多篇当为稷下学者在本年前后数年间编著。《史记·管子列传》云：“吾读管氏《牧民》、《山高》、《乘马》、《轻重》、《九府》及《晏子春秋》，详哉其言也。既见其著书，欲观其行事，故次其传。至其书，世多有之，是以不论，论其轶事。”《集解》引刘向《别录》云：“《九府》书民间无有。”《索隐》云：“皆管氏所著书篇名也。”今本《管子》或为刘向整理而成。其《管子书录》云：“所校雠中《管子》书三百八十九篇，大中大夫卜圭书二十七篇，臣富参书四十一篇，射声校尉立书十一篇，太史书九十六篇。凡中外书五百六十四篇。以校，除复重四百八十四篇，定著八十六篇。杀青而书可缮写也。”《汉书·艺文志》“道家”类著录“《管子》八十六篇。”自注：“名夷吾，相齐桓公，九合诸侯，不以兵车也，有《列传》。”今本篇目与《汉书·艺文志》同，但其中十篇有目无辞。

《管子》史料来源的复杂性，导致其思想内容的多面性。吕思勉《经子解题》云：“今通观全书，自以道法家言为最多。然亦多兵家、纵横家之言，又杂儒家及阴阳家之语。此外又有农家言。”因而古籍著录时，学派归属有不同。《汉书·艺文志》在“道家”，《隋书·经籍志》在“法家”，《四库提要》同《隋书》。宋濂《诸子辨》以为：“是书非仲自著也，其中有绝似《曲礼》者，有近似《老》、《庄》者……疑战国时人采掇仲之言行，附以他书成之。不然，‘毛嫱’、‘西施’，‘吴王好剑’，‘威公之死’，‘五公子之乱’，事皆出仲后，不应予载之也。”《四库提要》云：“《管仲》之书，过半便是后之好事者所加，乃说管仲死后事。”郭沫若《青铜时代·宋钘尹文遗著考》以为“一部分是齐国的旧档案，一部分是汉时开献书之令时由齐地献汇而来。”张岱年以为“《管子》书虽然内容复杂，但是还有主导的思想，这主导的思想是法家思想。我认为《管子》书大部分应是齐国法家的著作，是齐国推崇管仲的法家学者所编写的。”（《中国哲学史史料学》）

《管子》由官方和民间所藏、共托名管仲之书汇集而成，非管仲自著。《管子》成书，应经历一个较长过程。苏辙《古史·管晏列传》云：“至战国之际，诸子著书，因管子之说而增益之。”朱熹《朱子语类》卷一百三十七云：“《管子》非仲所著。仲当时任齐国之政，事甚多。稍闲时，又有三归之溺，决不是闲工夫著书的人。”顾实《汉书艺文志讲疏》很赞同严可均这样的说法：“近人编书目者谓此书多言管子后事，盖后人附益者多，余谓不然。先秦诸子皆门弟子或宾客或子孙撰定，不必手著。”齐思和以为《管子》非出管仲之手，成书在战国末年（《中国史探研》，中华书局1981年版）。

由1972年山东临沂银雀山发现《管子》残篇，可证该书大部分应成于先秦。其中最早材料可能来源于春秋末年，最晚可能在汉初，但大部分当作于战国中、后期。《韩非子·五蠹》云：“今境内之民皆言治，藏《商》、《管》法者家有之。”因齐宣王时

“稷下学术中心”最为兴盛，稷下诸子在自己著述同时，还整理本学派前代学者著述，这种活动持续到闵王时。而齐宣王时代是最为重要的时代，许多篇章应在此时成书。《管子》全书编定或在“稷下学术中心”兴盛时。《管子》一书可能是稷下先生的言论集。

就具体篇目言，蒙文通曾以为《心术上》、《白心》为慎到、田骈学派作品（见《蒙文通文集》第一卷《古学甄微 · 杨朱学派考》，巴蜀书社 1987 年版）。裘锡圭《古代文史研究新探 · 马王堆〈老子〉甲乙本卷前后佚书与“道法家”——兼论〈心术上〉、〈白心〉为慎到田骈学派作品》根据马王堆汉墓帛书《老子》甲乙本卷前后佚书内容的情况，得出了这样的结论：“《管子》里的《心术上》和《白心》，近人多认为是稷下学士中宋钘、尹文一派的著作。其实，这两篇都是道法家的作品，很可能就出于稷下学士中的慎到、田骈一派之手。”陈鼓应《帛书〈系辞〉和帛书〈黄帝四经〉》178 页注释以为：“《管子》四篇：《内业》、《心术》上下和《白心》之外，《枢合》与《宙合》等篇，亦被学者们认定是稷下道家之作。”（载《道家文化研究》第三辑）但也有人以为《管子》中《心术》上下、《内业》、《白心》、《枢言》、《宙合》、《九守》，“更是稷下学宫中佚名的齐地土著学者的突出贡献。”“在《管子》中，《幼图》、《幼官图》、《四时》、《五行》、《轻重己》等一组阴阳五行家言的文章，也以其独具的特色而格外引人注目。这组文章的作者正是宣、闵时期对齐国的帝制运动最为热衷的一批佚名的齐人稷下学者。”“综而言之，《管子》是齐宣王、闵王时期稷下学宫中一批齐地土著学者依托管仲编集创作而成。”（见白奚《稷下学研究》）其中《宙合》云：“故微子不与纣之难，而封于宋，以为殷主。先祖不灭，后世不绝。”以文意看，写此段文字时，宋国似乎还在。齐灭宋在周赧王二十九年、齐闵王十五年（前 286 年），故此文撰成不会晚于此年。

1972 年山东临沂银雀山汉简《田法》后面多似《管子 · 乘马》，有的地方则类似《立政》。竹简《守法》等十三篇多同《管子 · 七法》、《兵法》。因而《守法》等十三篇是齐国的著作。竹简《王兵》，内容错见于《管子 · 参患》、《七法》、《地图》、《兵法》等篇。《参患》等篇有可能就是由《王兵》或与《王兵》相似的作品改编而成的。1973 年长沙马王堆汉墓帛书《老子》乙本卷前佚书中的《顺道》等篇，与《管子 · 势》篇有不少相同或相似的文句。这至少可以说明《管子》中的这些篇成书在战国，或即在“稷下学术”兴盛时。

就《牧民》而言，由《管子列传》可知司马迁以为是管仲遗著。后代在《牧民》非管仲遗著上已基本达成共识。罗根泽曾对《管子》全书各篇的创作时代有探讨。他是这样划分时代的：《经言》九篇中，《牧民》、《形势》、《权修》为战国政治思想家作；《立政》、《乘马》为战国末政治思想家作；《七法》为战国末孙吴申韩之学者作；《版法》似亦战国时人作；《幼官》为秦汉间兵阴阳家作；《幼官徒》为汉以后人作。《外言》八篇中，《五辅》为战国政治思想家作；《宙合》为战国末阴阳家作；《枢言》为战国末法家缘道家作；《八观》为西汉文景后政治思想家作；《法禁》、《法法》并战国法家作；《重令》为秦、汉间政治思想家作；《兵法》为秦、汉间兵家作。《内言》九篇中，《大匡》为战国人作；《中匡》疑战国人作；《小匡》为汉初人作；《霸形》、

《霸言》并战国中世后政治思想家作；《问》为战国政治思想家作；《戒》为战国末调和儒道家作。《短语》十八篇中，《地图》最早作于战国中世；《参患》为汉、文景以后作；《制分》疑战国兵家作；《君臣》上、下，并战国末政治思想家作；《小称》为战国儒家作；《四称》疑亦战国人作；《侈靡》为战国末阴阳家作；《心术》上、下，《白心》并战国中世以后道家作；《水地》为汉初医学家作；《四时》、《五行》并战国末阴阳家作；《势》为战国末兵阴阳家作；《正》为战国末杂家作；《九变》疑战国以后人作。《区言》五篇中，《任法》、《明法》并战国中世后法家作；《正世》、《治国》并汉文景后政治思想家作；《内业》疑战国中世以后混合儒道者作。《杂篇》十三篇中，《封禅》为司马迁作；《小问》为辑战国关于管仲之传说而成；《七臣七主》为战国末政治思想家作；《禁藏》为战国末至汉初杂家作；《入国》、《九守》、《桓公问》并疑战国末年人作；《度地》为汉初人作；《地员》疑亦汉初人作；《弟子职》疑汉儒作。《管子解》五篇并战国末秦未统一以前杂家作。《轻重》十九篇并西汉武、昭时理财家作。(《诸子考索·〈管子〉探源》，人民出版社 1958 年版)《牧民》中"言室满室，言堂满堂，是谓圣王"之"圣王"，胡家聪《管子新探》论证为田氏齐国的今王。而魏惠王与齐威王"会徐州相王"在周显王三十五年、齐威王二十三年（前 334 年）。

今本《管子》有《形势》而无《山高》。《史记·管子列传》《集解》引刘向《别录》云："《山高》一名《形势》。"罗根泽以为战国政治思想家作，胡家聪依据"欲王天下而失天之道，天下不可得而王也"具有战国时代齐威王、宣王时代的特征等论据，以为作于田齐变法之后。齐威王起用邹忌改革，在前 356 年即位不久。

《管子·乘马》中"乘马"的含义，历来说法不一。李学勤《〈管子〉乘马释义》云："其实什么叫做'乘马'，本有文献作出明确解释。这条文献是《诗·信南山》正义所引《司马法》佚文。孔颖达在这一段中说：'成元年《左传》服注引《司马法》云：四邑为丘，有戎马一匹、牛三头，是曰匹马丘牛；四丘为甸，甸六十四井，出长毂一乘、马四匹、牛十二头、甲士三人、步卒七十二人，戈、楯具备，谓之乘马。'"他认为"乘马"为军赋单位，并以为《乘马》为战国时齐国的著作（《管子学刊》1989 年第 1 期）。1972 年山东临沂银雀山汉墓出土竹简《守法》、《守令》等十三篇。李学勤《银雀山简〈田法〉讲疏》言："综观《田法》，与《管子·乘马篇》的思想内容最为近似。""《管子》出于齐人之手，前人一般没有异议。上边提及的各篇（按，指《管子》中的《立政》、《乘马》、《七法》、《兵法》等），也公认是战国时作品。"(《当代学者自选文库·李学勤卷》）胡家聪论证《守法》等十三篇思想内容属于齐法家体系。

《管子·幼官》的"幼官"，据闻一多、郭沫若考证，应是"玄宫"之误，"玄宫"为明堂图。而齐建"大室"（明堂）在宣王时。《孟子·梁惠王下》载齐宣王问毁明堂事宜。《吕氏春秋·骄恣》载"齐宣王为大室"。明堂图可能是稷下先生们为齐宣王建筑明堂大室而设计的众多图式中的一种。（参胡家聪《管子新探》，中国社会科学出版社 2003 年版）

对于《管子·轻重》非管仲自撰，已达成共识。但对其创作年代，学者争议很大。其中王国维、罗根泽、马非百、郭沫若以为汉代（王国维《观堂别集》卷一《月氏未西徙大夏时故地考》；罗根泽《管子探源》；马非百《关于〈管子轻重篇〉的著作年代问题》，《历史研究》1956 年第 12 期；郭沫若《管子集校 · 引用校释书目提要》所加按语）。容肇祖、胡寄窗等以为战国（容肇祖《驳马非百〈关于管子轻重篇的著作年代问题〉》。《历史研究》1958 年第 1 期；胡寄窗《中国经济思想史》上册）。李学勤言："银雀山简是 1972 年发现的，其中一部子书，计十三篇，经过整理，释文业已发表，称为《〈守法〉、〈守令〉等十三篇》。书中有一篇题为《田法》，思想内容与《乘马》殊为近似，尤其是讲'地均'之法的部分，文字互相类同。《〈守法〉、〈守令〉等十三篇》和《乘马》一样，都是战国时期齐国的作品，由之不难推想《轻重》的年代与国别。"（《〈管子 · 轻重〉篇的年代与思想》。《道家文化研究》第二辑）由《管子列传》可以得出如此认识：司马迁所提这些篇目的作者不一定准确，但作于先秦时应该没有问题。近年胡家聪力辩《轻重》诸篇作于田齐。他质疑了王国维的《轻重》作于文景说后，得出结论："1. 王氏并非全面《轻重》作出的断言，仅仅是研究古月氏地理历史涉及《轻重》一个侧面，因此用'余疑'表示并非定论。2. 近一步作以上的考察，可以确认王氏所疑《轻重》作于汉文景间说不成立。"胡家聪作"战国说的具体考证"，主要以《轻重》诸篇的内证，从战国的时代烙印，以齐国为本位，齐桓公、管仲问答的文体，轻重家学派的财经管理学说四个方面，证明《轻重》作于战国时的田氏齐国，系轻重家学派的著作。（《管子新探》第二编"《管子》分篇考证"第二十章《轻重》组）

20 世纪以陕西为主的许多地方，发掘了一大批秦墓，其中出土了许多铁器。雷从云《三十年来春秋战国铁器发现述略》云："在出土的全部铁器中，战国中晚期的铁器占了绝大部分。……其中以生产工具为大宗。农业生产工具有犁铧、镬、铲、锸、镰、锄、耙和掐（按即爪镰），手工业工具有斧、斤、锛、凿、刀、削、锉、锤、锥、钻、针。"《管子 · 轻重乙》载齐桓公云："一农之事必有一耜、一铫、一镰、一鎒、一椎、一铚，然后成为农；一车必有一斤、一锯、一釭、一钻、一凿、一銶、一轲，然后成为车；一女必有一刀、一锥、一箴、一钛，然后成为女。"《管子》此篇所载与出土青铜器所载铁制工具，情形一致。这也可以证明至少《管子 · 轻重乙》当作于战国中、后期。

《侈靡》司马迁未提及。郭沫若《奴隶制时代 · 〈侈靡篇〉的研究》提出两条证据，以为"它是写于西汉初年汉惠帝在位时吕后专政时代的东西，即是写作于公元前一九〇年（汉惠帝五年）左右。"（《中国历史博物馆馆刊》1980 年第 2 期）对此说，胡寄窗《中国经济思想史》曾指出："郭沫若同志是发现《管子 · 侈靡篇》这一独特论点的第一人。可惜，他对此篇著作年代的考证仍是难以令人信服的。"胡家聪《管子新探第二编《〈管子〉分篇考证》专列《〈八观〉作于战国考》，"《侈靡篇》断代质疑"云："经反复探讨，它应是战国后期齐国稷下学宫学者的作品。"

《八观》的著作时代，罗根泽《管子探源》以为"西汉文景后政治思想家作"，胡家聪以为其说不可信。根据主要有："饥饱之国"等八观应在分裂割据的战国时代，不应在西汉文景时期刘氏同姓王国；文中"寄生之君"、"亡国弑君"可证写于战国；"内者廷无良臣，兵士不用，囷仓空虚。而外有强敌之忧，则国居而自毁矣"不符合汉初实际；本篇思想属于齐法家体系；晁错《论贵粟疏》承袭《八观》等篇重农务本的思想资料。

《六韬》编成于本年后。《汉书·艺文志·诸子略》“道家”类著录“《太公》二百三十七篇，《谋》八十一篇，《言》七十一篇，《兵》八十五篇”。自注：“吕望为周师尚父，本有道者。或有近世又以为太公术者所增加也。”《隋书·经籍志》著录“《太公六韬》”。注云：“周文王师姜（吕）望撰。”后《宋史·艺文志》著录“《六韬》”，注：“不知作者。”《六韬》其书，历代学者多认为是后世伪托。《四库全书总目提要》云：“旧本题周吕望撰。……今考其文，大抵词意浅近、不类古书。中间如避正殿乃战国以后之事。‘将军’二字始见《左传》，周初亦无此名。其依托之迹，灼然可验。”

《战国策·秦策一》曾载苏秦“乃夜发书，陈箧数十，得《太公阴符》之谋。”《史记·苏秦列传》称“出游数岁，大困而归。……出其书遍观之……于是得《周书阴符》，伏而读之。”则《太公阴符》与《周书阴符》为一书。故杨宽《战国史》云：“《太公阴符之谋》一作《周书阴符》，当即《汉书·艺文志》道家所载的《太公》一书。今本《六韬》当即《太公》一书的选本，是讲太公进献阴谋奇计从而伐灭殷商取得天下的。”

《六韬》非伪书。1972年山东临沂银雀山汉墓中已发现有《六韬》残简五十四支，与今本中《文韬》、《武韬》、《龙韬》内容相合。1973年河北定县西汉墓又出土一批被称为《太公》的竹简，其内容与今本《六韬》一致。范晔《后汉书·何进传》言“《太公六韬》有天子将兵事，可以威厌四方。”李贤注引六卷名后四卷与今本《六韬》完全一致，唯第一卷今作《文韬》，第二卷今作《武韬》。李贤注引文，今见于《龙韬》之《励果》篇，则今本经后人整理重编。所谓《六韬》即见于《汉书·艺文志》的《太公》甚明。大体说来，《六韬》三十二篇，当由《太公谋》删削而来；《武韬》五篇，当由《太公言》删削而来；其余四卷共三十三篇，当由《太公兵》删并而来。由此可以肯定《六韬》中至少残简中所见为先秦古籍。学者们大都认为其成书当在战国后期。如孔德骐《六韬浅说》（解放军出版社1987年版）、李学勤为孙开泰《吴起传》所作《序》（北京出版社1991年版）、盛冬铃《六韬译注》（河北人民出版社1992年版）、方克《中国军事辩证法史》（先秦）（中华书局1992年版）、唐书文《六韬·三略译注》（上海古籍出版社1999年版）。

《六韬》成书，以内容而观，其屡屡提及骑兵，特别是《龙韬》后，凡谈到具体军事部署，均车、骑并称。骑兵运用，王应麟《困学纪闻》卷五云：“古以车战。春秋时郑、晋有徒兵，而骑兵盖始于战国之初。《曲礼》：‘前有车骑。’《六韬》言‘骑战’，其书当出于周末。”齐思和以为“其说极精，而实出于孔颖达《礼记正义》”。（《战国制度考》。《燕京学报》1938年第24期）杨宽亦云骑兵“在春秋战国之间”。（《战国史》）故大多数学者一般认为在战国初年。《韩非子·十过》曾载知伯欲围攻赵，赵襄子（前475年至前425年在位）曾派延陵生带了兵车及骑兵先到晋阳部署防务。但骑兵大规模运用，应在战国中期。唐杜佑《通典》卷一四九引孙膑论“用骑有十利：……此十者，骑战利也。夫骑者，能离能合，能散能集；百里为期，千里而赴，出入无间，故名离合之兵也。”因《六韬》对骑兵战斗编组、作战阵法、选拔骑士条件，对骑兵作战“十胜”、“九败”作了精当总结，故应是骑兵发展到比较成熟阶段产物。由此可推断《六韬》成书不能早于战国中期。

铁器运用起于何时已不明。但以铁器耕田，孟子时已有。《孟子·滕文公上》载孟子与陈相辩论时问：“‘许子以釜甑爨，以铁耕乎？’曰：‘然。’”以解放后各地出土战国铁器情况看，多为农具。铁器进入兵器领域，已到战国中晚期。雷从云《三十年来春秋战国铁器发现述略》云：“战国早期的铁器，数量、器类、出土地点，都有增加，……在出土的全部铁器中，战国中晚期的铁器占了绝大部分。”“从其器类看，有生产工具、武器装备和生活用器等，其中以生产工具为大宗。……铁器，到战国时期已经深入到社会生产和生活的各个领域。”（《中国历史博物馆馆刊》1980 年第 2 期）《虎韬·军用》谈兵器装备，共提到十一种铁制兵器或军用器械。这也有力证明了《六韬》应成书于战国中晚期。

《六韬》列国纷争特点强烈。多次提及“引兵深入诸侯之地”，（《虎韬·军略》及《豹韬·林战》等）“以弱击强者，必得大国之与，邻国之助”。（《豹略·少众》）从思想内容而言，《六韬》既讲仁义道德，又谈法术、刑名及阴阳五行，体现出战国后期思想特点。

《文韬·六守》载：“文王曰：‘敢问三宝？’太公曰：‘大农，大工，大商，谓之三宝。’”齐自建国伊始，便十分重视“通商工之业，便鱼盐之利”。（《史记·齐太公世家》）战国中后期，齐由于得天独厚之自然环境，农、工、商业均较发达。《六韬·六守》言“农一其乡，则谷足；工一其乡，则器足；商一其乡，则货足。三宝各安其处，民乃不虑。无乱其乡，无乱其族”。而《国语·齐语》记“管子于是制国以为二十一乡：工商之乡六，士农之乡十五”。《小匡》亦云：“定民之居，成民之事。”“士、农、工、商四民者，国之石民也，不可使杂处，杂处则其言哤，其事乱。”《国语》与《六韬》均体现出齐特有的地方组织形式。故《六韬》应为齐人所作。

《文韬·大礼》与《管子》有整段文字相同。而《管子》为齐稷下学者整理而成。可能并非《六韬》抄《管子》，或《管子》抄《六韬》，而是不同编纂者所用材料相同所致。前已言之，《管子》大部分内容在稷下兴盛时成书。由上论述可知，《六韬》应是稷下学士中姜姓后人所编定。司马迁在《史记·齐太公世家》中言：“后世之言兵及周之阴谋，皆尊太公为本谋。”则此书继承战国以前优秀的军事思想。一方面总结军事经验，一方面取诸子各家之长，为先秦时军事著作之集大成者。语言简练生动，多为格言，很具启发性。《六韬》中对文艺的看法总体上是讲求功用，但并非一概否定，惟以不妨事为原则。有的地方论及“情”，反映了重视事物发展规律的实事求是的精神，如《文韬·文师》。

《晏子春秋》成于本年前后。《晏子春秋》旧题为晏婴作，不可信。柳宗元以为是齐国墨子之徒所作（《辨〈晏子春秋〉》），陈振孙怀疑是“六朝人为之者”，梁启超认为其依托年代或在汉初（参裘锡圭《古代文史研究新探》48 页引述），今人吴则虞考证是齐博士淳于越之流写于秦统一之后（《试论〈晏子春秋〉》，《光明日报》1961 年 6 月 9 日）。高亨、董治安、谭家健均考定在战国中期（高亨《〈晏子春秋〉的写作时代》，《文学遗产增刊》第八辑；董治安《与吴则虞先生谈〈晏子春秋〉的时代》，《文史哲》1962年第2期；谭家健《〈晏子春秋〉简论》，《北京师范大学学报》1982年第2期）。因为从体裁看，可能受到战国初年成书的《国语》、《春秋事语》的影响；从语言风格看，平易、朴素，与《国语》较为接近，没有战国后期铺张扬厉的风气。晏子故事见于《韩非子》、《吕氏春秋》的都比较简略。

《晏子春秋》其书，司马迁已见之。《史记·管晏列传》："吾读管氏《牧民》……及《晏子春秋》，详哉其言之也。既见其著书，欲观其行事，故次其传。至其书，世多有之。"可见其在司马迁时已广为流传。1972年山东临沂银雀山汉墓中出土有《晏子》残卷，今本八篇皆有发现，文句与今本大同小异，亦可证其为先秦作品。《汉书·艺文志》"儒家"类著录"《晏子》八篇"。《管晏列传》《索隐》以为："婴所著书名《晏子春秋》。今其书有七篇。"《正义》引《七略》云："《晏子春秋》七篇，在儒家。"依此看来，司马贞、张守节所见《晏子春秋》有七篇。至于书中哪些篇目为晏子自著，现在已不得而知。但其书应是门人、后学收集、整理、编辑而成，可以看作集体作品。其中有很多是民间传说、故事。

《晏子春秋》无战国后期诸子铺张扬厉风气。以书中所用地名、风俗、方言具有齐地特点观之，作者应为齐人。书中又多次赞扬田氏，预言田氏将得齐，故此书或成于田氏代齐前后。结合《孟子》、《战国策》等典籍所载淳于髡事迹，从八方面论证《晏子春秋》为齐人淳于髡所编（参赵逵夫《〈晏子春秋〉为齐人淳于髡编成考》，《光明日报》2005年1月28日六版）。《晏子春秋》与先秦其他诸子书一样，其成书应有一个较长过程。到刘向校理图书时，将原先各种版本去重复，定为今本八篇。

公元前318年（周慎靓王三年　楚怀王十一年）

孙膑卒于本年后。据《战国策·齐策一》：前342年"马陵之战"后，田忌不听孙膑劝告，第二年为齐相邹忌挤走。"田忌亡齐而之楚……楚果封之于江南。"孙膑为肢体残疾之人，又与田忌友善，很有可能同往。《史记·田完世家》云："（齐宣王）二年……宣王召田忌复故位。"后又言及田忌与孙膑率军"救韩、赵以击魏，大败之马陵，杀其将庞涓，虏太子申"。《孟尝君列传》也有同样记载。或许本年孙膑与田忌确实曾带兵击魏，但此次战役非"马陵之战"，司马迁误记。齐宣王二年为前318年，之后史料再未有孙膑事迹，可能本年后不久而卒。

孙膑著作，《史记》称《兵法》，高诱注《吕氏春秋·不二》以为"作《谋》八十九篇，权之势也"。《汉书·艺文志》"兵权谋家"类著录"《齐孙子》八十九篇"。自注："图四卷。"颜师古注："孙膑。"其书在东汉末年或已亡。曹操注《孙子》十三篇只字未提及，《隋书·经籍志》也未著录。1972年山东临沂银雀山汉墓出土竹简有《孙膑兵法》共十六篇。杨伯峻《孙膑和〈孙膑兵法〉杂考》这样推断："我以为《孙膑兵法》的编定，和一些先秦的其他古籍一样，当出于其门弟子之手。自然，也不必排斥这样一种推断，即《孙膑兵法》的一部分或大部分是孙膑的原著，最后经过他的弟子增补编定。但无论如何，编定的年代，当在孙膑死去以后了。"（《文物》1975年第3期）

《孙膑兵法》作时或许就在前342年"马陵之战"后。《吕氏春秋·不二》云：

"孙膑贵势。"《吕氏春秋》成书于前240年，可见《孙膑兵法》全书在其卒后几十年已广为流传。1975年由银雀山汉简整理小组编定出版的本子分为上、下两编。上编十五篇，各记"孙子曰"或"威王曰"，可以肯定为《孙膑兵法》；下编十五篇无此类字样，而为论文形式，难以肯定是孙膑的文章。1985年出版《银雀山汉墓竹简》第壹辑未收原列下编各篇，而于上编增《五教法》一篇。而其中《兵情》实为《势备》篇之后半，由内容可知（原并无"兵情"之篇题，编者所拟）。这样，可以肯定之《孙膑兵法》，仍为十五篇。《孙膑兵法》及原列下编之十四篇（《将败》、《将失》应为一篇，名《将败》），既是重要军事著作，也是哲学著作。从散文和文体学方面说，也有一定的文学价值。其中关于主、客的论述，对后来赋体文学之结构、构思，也有一定影响。

屈原于本年稍后实施变法。据《史记·六国年表》，楚怀王十一年（前318年）楚、赵、魏、韩、燕五国共攻秦，楚为纵长，而五国逡巡不进，最后失败。屈原与楚怀王都看出，这是因为楚国力不强，缺乏足够的号召力与影响力，所以包括齐在内的六国均缺乏信心。《史记·屈原列传》写屈原在怀王十年（前319年）任左徒后，"入则与王图议国事，以出号令；出则接遇宾客，应对诸侯。王甚任之。""怀王使屈原造为宪令。"《九章·惜往日》言："国富强而法立兮，属贞臣而日娭。"屈原任左徒在本年，故其改革应在本年后的几年中。其改革法令应是陆续公布的。改革的内容，今可考知者有：坚持法治，反对心治；举贤授能；力耕强本，富农安民，反对"游大人以成名"；励战图强，统一天下；禁止朋党，竭忠诚以事君，反蔽壅；赏罚当，诛讥罢等（参汤炳正《"草宪"发微》，《屈赋新探》，齐鲁书社1984年版；赵逵夫《屈原的对内政策及同旧贵族的斗争》，《屈原与他的时代》）。

屈原在楚劝孟尝君拒楚赠象床。（《战国策·齐策三·孟尝君出行五国》中的"郢之登徒"即屈原，该文是屈原初任左徒时的一段史料）《战国策·齐策三》云："孟尝君出行五国，至楚，楚献象床。郢之登徒，直送之。不欲行，见孟尝君门人公孙戍曰：'臣，郢之登徒也，直送象床。象床之直千金，伤此若发漂，卖妻子不足偿之。足下能使仆无行，先人有宝剑，愿得献之。'公孙戍曰：'诺。'"其后公孙戍劝孟尝君不受楚象床。

此章《策》文，有几处脱误，如"孟尝君出行五国"，今本无"五"字。《初学记·器物部·床》引《战国策》曰："孟尝君出行五国，至楚，献象牙床。"王引之据以补"五"字（见《读书杂志》），金正炜《战国策补释》亦云："'行'字下应补'五'字。"则应有"五"字。另如今本"至楚，献象床"应校改作"至楚，楚献象床"；"郢之登徒直使送之"作"郢之登徒直送之"；"公孙曰"作"公孙戍曰"；"小国所以皆致相印于君者"之"小"作"五"；"小国英杰之士"之"小"作"五"、"士"作"主"。

在校订原文的基础上，我们看该章的系年。缪文远《战国策考辨》云："据《史记·孟尝君传》，君无至楚事。""综观孟尝君一生，足迹未尝涉楚境，此章亦疑依托之作。"《史记·孟尝君列传》记孟尝君一生行动极简略。而且，司马迁之作《史记》，其战国人事部分实据《国策》等史料；更由于司马迁写《孟尝君传》，其意不在于系年记史，所以当时可以见到的一些材料，也并未采入。所以不能据《史记·孟尝君列传》

而定《战国策》史料之真伪。

此《策》文林春溥《战国系年》系于周赧王十七年、楚顷襄王元年、齐闵王三年（前298年），也即孟尝君率齐、韩、魏三国攻秦之年。齐、韩、魏共攻秦见《战国策·西周策·薛公以齐为韩魏攻楚》。该章有“秦王出楚王以为和”、“楚王出，必德齐”等语。《史记·孟尝君列传》采入之。末又云：“是时楚怀王入秦，秦留之，故欲必出之。秦不果出楚怀王。”则孟尝君率齐韩魏攻楚，又与韩魏攻秦，乃在楚怀王入秦未死之时。缪文远《战国策考辨》云：“孟尝君虽纳韩庆之说，欲令楚王割东国以与齐，而秦出楚怀王以为和（《西周策》），乃损楚利齐之策，且秦亦卒未出楚怀王，楚何得献象床于孟尝君？林氏误。”此说有理。况且楚顷襄王由齐归国之时答应予齐东国，归来后反悔不予，而且听信亲秦人物景鲤之言，使至秦求救（《楚策二·顷襄王为太子时》）。孟尝君又率韩魏之军伐楚，则齐楚间已成仇敌，即使又有交涉，恐也不会亲至楚国。

黄式三《周季编略》系于周赧王十九年、楚顷襄王三年（前296年）。而顷襄王继位，听从子兰等人亲秦政策，虽因怀王之死于秦，迫于舆论而暂与秦国绝交，但未必真心倾向于齐，而如此重贿孟尝君。况且，如果孟尝君真的奔楚，楚以邑封之已足矣，何得更送象床？从当时整个六国间的关系看，此年虽齐韩魏联军攻秦入函谷关，秦向三国求和，归还韩国河外及武遂之地，归还魏国河外及封陵之地，但齐又伐燕，“覆三军，获二将”，齐楚间也交战不久，则昔日的六国联盟已成往事，孟尝君作为齐国执政者，不可能“出行五国”。

顾观光《国策编年》附此篇于周赧王十六年、楚怀王三十年（前299年）。然《史记·六国年表》此年云：“薛文入相秦。”孟尝君在此年既入相秦，则必不会“出行五国”以合纵；既“出行五国”，亦必不得“入相秦”也。则顾氏斟酌去取亦未见可靠。

于鬯《战国策年表》系于周赧王十五年、楚怀王二十九年（前300年）。齐于赧王十四年同魏、韩共攻楚方城，杀楚将唐昧，取重丘而去（《战国策·赵策四》、《史记·楚世家》）。虽然次年楚在秦国攻击之下，不得已“乃使太子为质于齐以求平”，而孟尝君未必敢至楚国，而且当时六国联盟实已结束，孟尝君不至“出行五国”，故于鬯之说亦不可信。

此篇当系于周慎靓王三年、楚怀王十一年（前318年）。此前一年，齐楚燕赵韩共同支持公孙衍为魏相，山东六国形成联盟，此年五国合纵攻秦（齐国未参加），楚怀王为纵长。孟尝君出行五国，正是齐国与五国结好之后；楚送孟尝君象牙床，乃是怀王着意收买各国执政者以维持纵长地位的表现，时为齐宣王二年。宣王即位不久，在诸侯中尚乏威望，此是启楚怀王纵长雄心的根由之一。真正的六国合纵，只此一次。所以，《孟尝君出行五国》所记史实，也只能在周慎靓王二年、三年之间，而以在周慎靓王三年的可能性为大。而《策》文所写“郢之登徒”应为楚之左徒，而此左徒应为屈原，且设计使孟尝君拒绝楚赠象床。这是《战国策》中直接反映屈原生平之第二条史料，对于我们研究屈原外交活动及其思想、作风，具有极其重要的意义（参赵逵夫《战国策》中有关屈原初任左徒时的一段史料《北方论丛》1995年第2期）。

宋玉本年前后生于楚之鄢。《史记·屈贾列传》曰："屈原既死之后，楚有宋玉、唐勒、景差之徒者，皆好辞而以赋见称。然皆祖屈原之从容辞令，终莫敢直谏。其后楚日以削，数十年竟为秦所灭。"此外记载宋玉事迹材料，较重要的有《韩诗外传》卷七、《新序·杂事》第一、《新序·杂事》第五、《汉书·地理志》、《汉书·艺文志》、《楚辞章句》卷八及卷九关于《九辩》与《招魂》作者的介绍、曹植《洛神赋·序》、《文选》卷十七傅毅《舞赋》、《襄阳耆旧传》卷一、《太平御览》卷三九九（《渚宫旧事》卷三所引略同）、《水经注》卷二十八、《隋书·经籍志》等。但从以上文献资料难考其确切生卒年。陆侃如、冯沅君根据以上材料说："我们假定他生于屈平暮年（前290年左右），则到作《招魂》时他年约五十岁。到楚亡时（前222年），他年近七十，大约便死于此时了。这个生卒的假定虽仅依常理来推测，毫无其他佐证，然与上文所引《史记》、《汉书》两种正史的记载却毫不冲突。"（《中国诗史》）

从历史文献及宋玉自述可知，其仕在顷襄王（前298年至前263年在位）时。且出仕不可能在顷襄王初继位几年内，到末年又因谗言被迫离朝廷。《襄阳耆旧传》："襄王既美其才，而憎之似屈原也。"可知宋玉在前283年前后屈原卒时已仕或死后不久即仕。杜甫《送李功曹之荆州充郑侍御判官重赠》言："曾闻宋玉宅，每欲到荆州。"蔡靖泉《楚文学史》下编第七章《楚辞流衍——宋玉辞赋及其他》以为："据此则宋玉当在屈原死前已入郢都，可能他出仕于顷襄王时是在屈原晚年，只是尚未显名于世而已。"（湖北教育出版社1996年版）而前283年前后能仕于顷襄王，其年岁当在三十上下。上推其生年，应在前318年前后。

宋玉里籍，《史记·屈贾列传》云为楚人。《襄阳耆旧传》则谓："宋玉者，楚之鄢人也。"一般都同意此说。

公元前317年（周慎靓王四年　魏襄王二年）

魏人为《邺民歌》（又作《魏河内歌》、《漳水歌》）在本年后。《吕氏春秋·乐成》载，魏襄王召史起问："漳水犹可以灌邺田乎?"史起对曰："可。"起初民大怨怒，水已行，民大得其利。于是相与歌之曰："邺有圣令，时为史公。决漳水，灌邺旁，终古斥卤，生之稻粱。"

魏人此歌，《汉书·沟洫志》亦有记载。歌辞、句式与《吕氏春秋·乐成》稍异。即民歌之曰："邺有贤令兮为史公，决漳水兮灌邺旁，终古舄卤兮生稻粱。"今依逯钦立《先秦汉魏晋南北朝诗》名为《邺民歌》。逯注："《诗纪》云：一作《魏河内歌》，一作《漳水歌》。"魏襄王即位在周慎靓王三年（前318年），其卒在周赧王十九年（前296年）。因而魏王使史起治邺水在其即位之后，治水亦应有一段时间。则魏因史起治邺水受益而诵歌应在此年后的十多年间。

公元前314年（周赧王元年　燕王哙七年　齐宣王六年）

孟子劝齐宣王伐燕，后又劝效文、武之法取燕。齐伐燕，是因为燕国自乱。而燕自乱，主要为燕王哙让位于相国子之，子之作乱所致。据《史记·六国年表》，燕王哙元年（前316年），"君让其臣子之国，顾为臣。"此事《战国策·燕策一》及《韩非子·外储说右下》、《内储说下》、《说疑》亦有记载。《外储说下》“鹿寿”作“潘寿”。1974年以来，河北平山县三汲公社陆续发掘战国古墓。其中出土文物《中山王方壶》铭文对此事有记载。《淮南子·人间》评曰：“燕子哙行义而亡。”

齐宣王伐燕前，曾征询孟子意见。《孟子·公孙丑下》、《战国策·燕策一》、《史记·燕世家》均载之。河北平山战国古墓出土的三件礼器（中山王方壶、中山王鼎、好蚉壶）铭文，都有谴责燕国禅让的内容。

陈梦家《六国纪年·燕世系》“齐宣王五年伐燕”云：“考之金文，伐燕在宣王五年。传世有陈璋壶，今在美国费城大学博物馆……记此役也。……孟子谓破燕后齐人‘毁其宗庙，迁其重器’，而此壶明记为伐燕之获是也。”缪文远《战国史系年辑证》引《陈璋壶》铭云：“此为齐宣王五年孟冬，齐大将陈璋（或称章子、田章、匡章）攻入燕都，铭功之器。”并据《孟子·梁惠王下》载齐破燕后“毁其宗庙，迁其重器”情形，以为“此壶即为伐燕所获。自此器出，齐宣王五年伐燕事可作定论。其余说者纷纷，皆为辞费”。

《中山王方壶》等谴责燕王哙让位于臣子之铭文成于本年或稍后。20世纪70年代中期，河北平山县三汲公社所出三件礼器铭文，都对燕王哙让国于大臣子之事予以谴责。《中山王方壶》最为详细。李学勤以今字释为：“适遭燕君子哙，不分大义，不告诸侯，而臣之易位，以内绝召公之业，乏其先王之祭祀，外之则将使上觐于天子之庙，而退与诸侯齿长于会同，则上逆于天，下不顺于人旃，寡人非之。赒曰：为人臣而反臣其主，不祥莫大焉；将与吾君并立于世，齿长于会同，则臣不忍见旃。赒愿从士大夫，以靖燕疆。”（《李学勤学术文化随笔》第六编《文物考古篇·平山墓葬群》。中国青年出版社1999年版）

郭店帛书《唐虞之道》或作于本年前。《唐虞之道》是一篇集中论述“禅让”思想文章。“禅让”之举，《孟子·万章》、《荀子·正论》、《韩非子·五蠹》等均有记载。但战国时如《战国策·秦策一》载，秦孝公行欲传商君，导致商君遭车裂。又据《孟子·公孙丑下》、《战国策·燕策一》、《史记·燕世家》记载，燕王哙曾让国于燕相子之，致使燕国大乱。而这些事情均在周赧王元年（前314年）前。在其后若时人还要提倡“禅让”就值得怀疑。故《唐虞之道》或许写成在周赧王元年（前314年）、齐将匡章破燕之前。

《中山王鼎》铭文记中山参加诸侯伐燕之役。20世纪70年代，河北平山县发掘的战国古墓中有《中山王方壶》、《中山王鼎》等器物。其中记载诸侯伐燕时，中山与之。《中山王鼎》铭文云：中山国的相邦司马赒“亲率三军之众，以征不义之邦。奋桴振铎，辟启封疆，方数百里，列城数十，克敌大邦”。平山大墓青铜器铭文，反复征引《诗经》，有些句子与《左传》、《大戴礼记》相同。这里所引《中山王鼎》铭文文字，亦有浓厚文学色彩。

托名苏秦说齐王之辞在本年后。《战国策·燕策一》云：“燕文公时，秦惠王以其女为燕太子妇。文公卒，易王立。齐宣王因燕丧攻之，取十城。武安君苏秦为燕说齐王。再拜而贺，因仰而吊。”中间便是齐王与苏秦对话的文字。结尾有这样的描写：“齐王大悦。乃归燕城，以金千斤谢其后。顿首涂中，愿为兄弟而请罪于秦。”《策》文所指之事，指周赧王元年（前314年）齐破燕。《策》文为突出苏秦游说之能，着力渲染，极尽夸大之能事。齐王“顿首涂中”似漫画一般滑稽。故缪文远《战国策新校注》云：“此《策》庆吊相随，无非故作波澜；按戈而却，殊非人君礼制。腾口说而得十城，事所必无；顿泥途而请罪，言尤夸诞。”指出本文虚构与夸饰的艺术特色。

公元前313年（周赧王二年　楚怀王十六年　齐宣王七年）

孟子答齐国大夫陈贾“周公何人也”问。前314年齐伐燕并取之。由于齐之暴虐，招致燕人反抗。《孟子·公孙丑下》对此有记载。因前312年诸侯救燕破齐，而孟子与齐臣陈贾此番谈话为未破齐时，《资治通鉴》记此事在前314年。但既然齐破燕在孟冬，起初燕人因不堪内乱而迎齐，后由于齐之残暴而招致燕人反抗，其事应在前314年底或前313年初。

楚旧贵族共谮屈原，楚怀王因而疏之。屈原去左徒之职，改任三闾大夫。屈原于前319年后在楚实行改革。随着措施一步步实施，大大危害了旧贵族利益。同时，《新序·节士》载，令尹子兰、司马子椒、内赂夫人郑袖，共谗毁屈原。屈原主张“联齐抗秦”外交政策，亦引起一些亲秦人物不满；还有，屈原才能招致楚王宠臣上官大夫靳尚之流的嫉妒；再者，屈原“醒世独立”之耿介性格、不同流合污之行为也招致了一大批人不满。在此情况下，王怒而疏屈平。故屈原在楚怀王十六年被疏而去左徒之职。屈原被疏离开朝廷后，降职为三闾大夫。《渔父》对此有说明。王逸《离骚经章句》序：“屈原与楚同姓，仕于怀王，为三闾大夫。三闾之职，掌王族三姓，曰昭、屈、景。”据此，屈原被疏并未出朝廷，而是承担教育贵族子弟之职责。

公元前312年（周赧王三年　楚怀王十七年　齐宣王八年）

孟子答齐宣王“诸侯多谋伐寡人者，何以待之”问，在齐时曾返鲁改葬其母，葬后即回齐，离齐时同淳于髡有“名”、“实”之辩。齐伐燕后，因齐暴虐，激起燕人反抗，诸侯联合伐齐救燕。诸侯救燕之事，史籍多有记载。《战国策·齐策六》：“濮上之事，赘子死，章子走。盼子谓齐王曰：‘不如易余粮于宋，宋王必悦，梁氏不敢过宋伐齐。’”（此“赘子”或即《史记·六国年表》之“声子”）《史记·魏世家》：“（哀王）七年，攻齐。”魏无哀王，《魏世家》所记有误。哀王七年实际为襄王七年（前312年）。《秦本纪》：“（秦惠文王后元）十三年……秦使庶长疾助韩而东攻齐，到满，助魏攻燕。”《六国年表》魏哀王七年云：“击齐，虏声子于濮。”以上皆记诸侯谋伐齐救燕时、濮上破齐之役。《战国策·赵策三》：“齐破燕，赵欲存之。……令淖滑、惠施之赵，请伐齐而存燕。”《魏策一》：“楚许魏六城，与之伐齐而存燕。”此皆为诸侯救燕之事，亦为孟子答齐宣王问之背景。

《孟子·梁惠王下》载：“齐人伐燕，取之。诸侯将谋救燕。宣王曰：‘诸侯多谋伐寡人者，何以待之?’”孟子答之。孟子对齐宣王在燕行为不满，但齐王未听。因而“燕人畔。王曰：‘吾甚惭于孟子。’”孟子感到“久于齐，非吾志也”。（均见《孟子·公孙丑下》）

《孟子·公孙丑下》载“孟子自齐葬于鲁，反于齐”，应如顾炎武《日知录》卷七

《孟子自齐葬于鲁》所说："孟子自齐葬于鲁，言葬而不言丧，此改葬也。"孟子第二次至齐在前318年。期间前315年，燕由于燕王哙让位相国子之而发生内乱。《孟子·公孙丑下》、《史记·燕世家》均载孟轲谈伐燕。《燕世家》载："王因令章子将五都之兵……燕君哙死，齐大胜。"此"章子"即《孟子·离娄下》等篇所载之匡章。齐攻下燕在前314年。后终因与齐宣王矛盾加剧，孟子于前312年前后在秦、魏、韩联合攻齐时离齐。由此可知，自前318年至前312年，孟子几乎都在齐。《孟子》载孟子与齐宣王进行了内容广泛的谈话。这些谈话只能在前314年齐未攻下燕前。到前314年齐攻下燕时，在"取"与"不取"问题上，宣王与孟子发生尖锐矛盾，也就难以心平气和地讨论其他问题了。若其母在此期间卒，孟子必须按儒家"三年之丧，天下之通丧也"（《论语·阳货》）要求，为其母守丧三年。正因为是改葬，所以他才在丧事完毕后马上返齐。又在齐宣王时，"孟子为卿于齐"、"孟子致为臣而归"（均见《孟子·公孙丑下》），待遇很高，他才有能力去改葬。因而此次改葬时，棺椁很好。"充虞请曰：'前日不知虞之不肖，使虞敦匠事，严，虞不敢请。今愿窃有请也：木若以美然。'"（《公孙丑下》）。孟子在回答时明确说道财力允许，他为什么不这样做。所谓"孟子之后丧逾前丧"、"非所逾也，贫富不同也"。（《孟子·梁惠王下》）

孟子此次游齐，受齐宣王器重，被封为"卿"。《孟子·公孙丑下》载："孟子为卿于齐，出吊于滕"，"孟子致为臣而归。"孟子此次游齐时同淳于髡的"名"、"实"之辩，《孟子·告子下》有记载。孟子此次游齐，时间较长。要明确其离齐之时，必须确定齐伐燕在何时。因为齐伐燕后，孟子同齐宣王之间思想上的矛盾进一步加剧，孟子遂离齐。而齐伐燕在前314年，前312年诸侯救燕时，孟子还在齐。可能在本年底、下年初离齐。淳于髡对孟子此举不理解，故有此问。

拟托张仪诳楚绝齐之辞作于本年后。《战国策·秦策二》载此事。又见《史记·张仪列传》和《楚世家》，各家均依《楚世家》系此事在楚怀王十六年（前313年）。

《策》文开头云："齐助楚攻秦，取曲沃。"曲沃原为魏地。据《史记·秦本纪》、《魏世家》记载，魏襄王五年（实际应为魏惠王后元五年）（前329年），曲沃为秦攻取，两年后归还。依《魏世家》、《六国年表》记载，魏襄王十三年（实际应为魏惠王更元十三年）（前322年），曲沃又为秦攻取，此后再未有归还于魏记载。则曲沃自前322年起一直为秦所有。从《策》文开头看，齐、楚是越韩、魏、二周而取曲沃。虽说"山东之纵，时合时离"（《战国策·魏策四》），但要越过几国去攻打另一国，在战国时代似不可能。

《策》文接下陈述张仪说楚王后即返秦。但据《史记·秦本纪》、《六国年表》，秦惠文王更元十二年、楚怀王十六年（前313年），张仪相楚，未有欺诈楚王并返秦事，《策》文与《秦本纪》等记载不符。同时，《策》文写张仪说楚王许秦商于之地六百里予楚，使楚绝齐。但商于之地隶属及地望，各家说法不一。是否为秦地，大有可疑。顾观光《七国地理考》自序言"七国分争，惟以攻城略地为事，乍得乍失，所属不常"。依《史记·秦本纪》，秦惠文王更元十三年（前312年），"攻楚汉中，取地六百里，置汉中郡。"《史记·秦本纪》从体例与内容上看最接近史官原始记录，司马迁在写作时照样采用，故最可信。同时，《楚世家》也记载楚怀王十七年（前312年）秦攻楚，“遂取汉中之郡”。这或许是此《策》文依据背景。

《策》文接着写受到张仪欺骗后，“楚王大怒，欲兴师伐秦。”“轸曰：‘伐秦非计也，王不如因而赂之一都，与之伐齐，是我亡于秦而取偿于齐也。’”但此说出自陈轸之口，恐非事实。当如缪文远《战国策新校注》所说：“陈轸素主亲齐，此前后数语俱不类陈轸言。”“张仪说楚绝齐，其辞已亡，所谓以商于六百里之地欺楚及陈轸之谋，盖俱出策士后来附会。”附会之辞，自然不能具体系年。黄震《黄氏日抄》卷五十二以为此类记载，“展转相因，无非故智，投机辙用，有同套括”，乃“游士之夸辞”。缪文远《战国策新校注》则这样认为：“此章载冯章以汉中诳楚，与张仪以商于欺楚如出一辙，受欺者仍为楚怀王，仅说客之名不同耳。”因而这些《策》文均是以某事为背景，依托策士之名而成。其中事实之不确定，导致《策》文不能具体系年。

《战国策》有些《策》文，因非一时、一地、一人所作，体例、风格存在差异。同时《战国策》也有虽然国别不同，但在构思、体例、结构、风格上，却体现着共同特征的《策》文。就《秦策二·齐助楚攻秦》而言，《策》文以战国时两个著名纵横策士张仪、陈轸为主要人物，围绕其行事展开情节。其行文过程中“臣请试之”之说及文末评论，从体例上讲，是经策士托名而成《策》文之特征性标志。而《战国策》中诸如此类《策》文，大多不能具体系年。因《策》文所涉之事在楚怀王十七年（前312年）后，《策》文作时不得早于本年。

公元前311年（周赧王四年　楚怀王十八年　燕昭王元年）

张仪请楚臣昭雎向楚王建议逐昭滑、陈轸，屈原陈辞昭雎。（《战国策·楚策一·张仪相秦》中的“有人”即屈原，这是《战国策》中记载屈原活动的第二条史料）

《战国策·楚策一》云：“张仪相秦，谓昭雎曰：‘楚无鄢、郢、汉中，有所更得乎？’……昭雎归报楚王，楚王说之。有人谓昭滑曰：‘甚矣，楚王不察于尊名者也。韩求相工陈籍而周不听，魏求相綦母恢而周不听，何以也？周曰是列县畜我也。今楚，万乘之强国也；大王，天下之贤主也。今仪曰逐君与陈轸而王听之，是楚自行不如周，而仪重于韩、魏之王也。且仪之所行，有功名者秦也，所欲富贵者魏也。欲为攻于魏，必南伐楚。故攻有道，外绝其交，内逐其谋臣。陈轸，夏人也，习于三晋之事，故逐之，则楚无谋臣矣。今君能用楚之众，故亦逐之，则楚众不用矣。此所谓内攻之者也，而王不知察。今君何不见臣于王，请为王使齐交不绝。齐交不绝，仪闻之，其效鄢、郢、汉中必缓矣。是昭雎之言不信也，王必薄之。’”

文中“有人谓昭滑”之“昭滑”，原作“昭雎”。鲍彪注本中以秦国要逐出的为“昭过”。黄丕烈《战国策札记》云：“三‘雎’字皆作‘过’者为是。下文三‘君’字皆称‘过’也，故下文云：‘是昭雎之言不信也。’若谓‘雎’，何得云尔？可为明证。作‘雎’者，相涉致误耳。”实际“昭”应作“淖”，“过”应作“滑”。从先秦史籍中可以看出，淖滑主要活动在楚怀王之时。怀王十九年他受命到越国去，经营五年，终于在楚怀王二十三年趁越国有昧之难而灭越。他屡次领兵作战，是楚国的一位将才。关于淖滑在外交上的主张，贾谊《过秦论》中有反映。淖滑与屈原、陈轸一样，是一个主张联齐抗秦的人物。

林春溥《战国纪年》、顾观光《国策编年》、于鬯《战国策年表》均系此章在楚怀王十八年。此文中的“有人”即为屈原。首先，怀王十六年屈原被撤去左徒之职，即不能参与军国大事之决策，自然不能轻易见到怀王。不过，这次只是被疏，并未被放（《史记·屈原列传》中说“王怒而疏屈平”）。因而，他可以要求别人替他表白，让楚王听见，听取其陈说。“张仪相秦谓昭雎”言其有出使齐国的能力与愿望，自己却无法向楚王面陈，同怀王十八年时屈原处境完全一样。其次，《新序·节士》说道屈原在被疏以前“为楚东使于齐”，可以说齐楚联盟为屈原缔结。怀王十六年楚单方面与齐断交，继又派人辱骂齐王（《史记·楚世家》）。怀王十八年初，楚已屡遭失败，处于极不利形势之下，故才有屈原出使。再次，此人言辞所反映思想，除外交观点同屈原一致之外，还表现出了一定爱国思想。他认为外交上要维护国家的声誉，要顾及国威，不能被人“列县畜之”。这与《离骚》中“恐皇舆之败绩”等诗句表现的思想一致。他一方面说“大王，天下之贤主也”，另一方面又抱怨说“王不知察”、“王不察”。这正是希望怀王成为明主，又怨其糊涂，与《离骚》中“哲王又不寤”、“怨灵修之浩荡兮，终不察夫民心”，“荃不察余之中情兮”等诗句表现的思想感情一致。对楚国的热爱同对国君的忠诚结合在一起，不怕犯颜直谏，这在一般朝秦暮楚的文士是办不到的。第四，此人从秦、楚两国对峙实际情况出发，进行精辟分析，戳穿敌人阴谋，提出应对之策，表现出敏锐政治眼光和透彻分析能力，同《史记·屈原列传》言屈原“明于治乱，娴于辞令”特点相合（参赵逵夫《〈战国策·张仪相秦谓昭雎章〉发微》。《古籍整理与研究》总第6期）。

屈原于本年春使齐返楚后谏杀张仪。《史记·屈贾列传》在叙述了怀王十七年丹阳、蓝田之战后言：“明年，秦割汉中地与楚以和。楚王曰：‘不愿得地，愿得张仪而甘心焉。’”张仪至楚后“而设诡辩于怀王之宠姬郑袖。怀王竟听郑袖，复释去张仪。是时屈平既疏，不复在位，使于齐。顾反，谏怀王曰：‘何不杀张仪?’怀王悔，追张仪，不及”。《楚世家》还载，“（怀王）十八年……张仪已去，屈原使从齐来，谏王曰：‘何不诛张仪?’怀王悔，使人追仪，弗及。”楚怀王十八年即前311年。是则屈原致书昭滑，希望其引见楚王，要求使齐恢复齐楚邦交获准。在其使齐期间，张仪至楚。

《战国策·燕策一》之《燕王哙立》、《初苏秦弟厉》作于本年后。同属《燕策一》的这两篇叙事体《策》文，由燕王哙立（前320年）写到燕昭王立（前311年），故《策》文作时应在本年后。

公元前310年（周赧王五年　赵武灵王十六年　楚怀王十九年　齐宣王十年）

赵武灵王梦见处女歌《鼓琴歌》。《史记·赵世家》载：赵武灵王十六年，秦惠王卒。王游大陵。他日，王梦见处女鼓琴而歌诗曰：“美人荧荧兮，颜若苕之荣。命乎命乎，曾无我嬴!”吕祖谦《大事记解题》卷四记此事在周赧王五年（前310年）。逯钦立《先秦汉魏晋南北朝诗》以为此诗“一作《鼓瑟歌》”，并在“命乎命乎”下增“逢天时而生”一句。

荀况始游学稷下，在齐期间，作《荀子·赋篇》前半五首“谲”。荀况游稷下，有年十五、五十之说。《史记·孟荀列传》云："荀卿，赵人。年五十始来游学于齐。"刘向《孙卿书录》、《风俗通义·穷通》、《颜氏家训·勉学》亦如此认为。《玉海》卷百三十一改"年五十"为"年十五"。胡元仪《郇卿别传》作"年十五"，并在《郇卿别传考异》中说："《史记》与刘向《叙》，皆传写倒误耳。"今人对此问题，亦持不同看法。持五十游稷下说者如罗根泽《诸子考索》。但梁启雄《荀子简释》，梁启超、游国恩、钱穆（均见《古史辨》第四册），张岱年为北京大学《荀子新注》所附《荀况大事年表》（中华书局1979年版）、杨宽《战国史》均以为十五岁时游齐。

若荀况五十才游稷下，与其平生活动不符。"秀才"之称，当是对少年聪慧之赞许。若用于五十左右之人，于情理不通。《汉书·贾谊传》曾载："贾谊，雒阳人也。年十八，以能诵诗书属文称于郡中。河南守吴公闻其秀才，召置门下，甚幸爱。"荀况在楚直活至春申君死后，春申君黄歇之死在前238年。齐威王末年为前320年，齐宣王元年为前319年。即使说荀子初至齐在威王三十一年，如以此年荀子年五十计，至黄歇死时荀卿也已一百三十一岁。荀卿居兰陵，亦应有年，更何况《盐铁论·毁学》说："李斯之相秦也，始皇任之，人臣无二，然而孙卿为之不食。睹其罹不测之祸也。"李斯相秦更在黄歇死二十五年之后，则荀子应有一百五十六岁方可。我们认为荀子应是长寿者，但活至156岁的可能性极小。……据此可以知道，荀子始游学至齐，是以一个弟子的身份来学习，不是作为硕儒的身份来论道的。正因如此，故《史记·孟荀列传》言"始来游学"。

《荀子·赋篇》前面五首谜作于荀子此次在齐期间。从内容看，第三首设辞后言："弟子不敏，此之愿陈。君子设辞，请测意之。"第一首、第五首设辞后言："臣愚不识，敢请之王"。第二、四首也有"臣愚不识"字样。由此可知：这五首谜作于荀子年轻时，在其"三为祭酒"之前很早阶段。他那时不是"老师"，而是"弟子"，其中第三首就是以弟子身份献给老师。这五首谜有四首为直接献给君王。齐虽威王与宣王均好谜，但以荀子生平看，其献谜之君应为宣王。《新序·杂事二》记载：齐妇人无盐女言齐宣王谜语，宣王不仅日思暮想，几近痴迷，且案头备有《谜书》。由此情况看，荀况上谜以干宣王合乎情理。谜语为谜语。《文心雕龙·谐谜》云："谜者，隐也。遁辞以隐意，谲譬以指事也。""自魏代以来，颇非俳优。而君子嘲隐，化为谜语。……荀卿《蚕赋》，已兆其体。"前代有人认为这是赋之一别体，似乎欠妥。

鲁仲连本年前后生于齐。《史记·鲁仲连列传》载："鲁仲连者，齐人也。好奇伟俶傥之画策，而不肯仕宦任职，好持高节。游于赵。"《索隐》引《广雅》云："俶傥，卓异也。"以《史记·鲁仲连列传》《正义》引《鲁仲连子》可知，齐攻聊城时，鲁仲连十二岁。

《战国策·齐策三》云："孟尝君有舍人而弗悦，欲逐之。鲁连谓孟尝君曰……"鲍彪注以为鲁连为齐人仲连。《齐策四》还载："鲁仲连谓孟尝：君好士也?""故曰君之好士未也。"钱穆《先秦诸子系年·鲁仲连考》："余考孟尝为魏求救于燕赵，当魏昭王十三年，即齐襄王元年。时孟尝已老，殆不久而卒。而鲁连游赵论帝秦利害尚在此后二十五年。若鲁连游赵年已五十，则上溯孟尝为魏乞救燕赵时，年二十五也。其时孟尝已老，仲尚未及壮。至若孟尝豪举好士，当在其入秦相昭王前后，犹在此前十六年。观《齐策》两节，固不类当孟尝晚年语，疑亦如鲁连说田巴之比，未必可信。以鲁连年世考之，游赵说勿帝秦，至迟不出五十岁，说燕将聊城在六十左右，其卒稍晚，或已寿及七十上下耳。”缪文远《战国策新校注》以为：“据《史记·六国年表》，秦拔魏安城，兵至大梁。孟尝君为魏求救于燕、赵（《秦本纪》），事在周赧王三十二年（前283），时孟尝已老，殆不久即卒。而鲁连游赵时年约五十，则上溯孟尝为魏乞救燕、赵时，年二十五也。其时孟尝已老，仲连尚未及壮。且此策所云，不类孟尝君晚年事，则鲁连乃髫龄童子耳，何能谏孟尝乎？此章盖亦策士拟托之文嫁名鲁连者。”据前推论可知，前283年时鲁仲连年岁当以三十左右为宜。上推其生年，应在前310年前后。

虞卿本年前后生于赵。虞卿事迹，《战国策》之《楚策四》、《赵策三》、《赵策四》，《战国纵横家书》二十三有记载。《赵策三》叙其事迹，均在前260年“长平之战”及稍后。《战国策·赵策四·虞卿谓赵王》章，各家均依《史记·魏世家》叙述，系于魏安釐王十一年（前266年）。《楚策四·虞卿谓春申君》与帛书二十三基本相同。此《策》各家系年不一。今人唐兰辨其应系赵孝成王七年（前259年），马雍则辨其应系于楚考烈王十五年（前248年），与黄式三、于鬯同，（唐、马主张见《战国纵横家书》后附文）缪文远《战国策新校注》从之。但不管是系于上述何年，于《策》文本身均有不可解处。故钟凤年《国策勘研》云：“依史，虞卿未尝至楚。且春申君受封已久，策辞诸多不合。”因而《战国策》叙虞卿事迹，不甚明了。就《楚策四·虞卿谓春申君》所叙虞卿活动而言，《史记·范雎列传》载其与魏齐离赵后，“欲因信陵君以走楚。”但究竟至抑或未至，司马迁未做交代，或许《策》文由此生出。而《战国策》中涉及虞卿事迹《策》文，前人系年，恰恰为记载其活动最早的《赵策四·虞卿谓赵王》，与最晚的《楚策四·虞卿谓春申君》分歧最大。我们将《史记》与《战国策》载虞卿事相对照，其活动时间基本上均围绕“长平之战”。同时，《新序·善谋》载虞卿事亦始自“秦、赵战于长平”。

《韩非子》对虞卿传说有简略记载，只不过将“虞卿”作“虞庆”。由《外储说左上》：“虞庆为屋，谓匠人曰”，及“一曰：虞庆将为屋，匠人曰”一事两记情况可知，《韩非子》作者，于虞卿之事已不太确定。《韩非子》中《说林》与《内、外储说》许多故事，是作者为写作而收集的原始资料汇编。虽说《韩非子》故事先后顺序无逻辑上联系，但其中将虞卿与范雎列为一组。依《史记》观之，二人年世相当，这不也是一种巧合？将《韩非子》所记与《史记·虞卿列传》“蹑蹻担簦”之情况相对照，虞卿应在赵孝成王（前265年即位）时始游说诸侯。若在赵孝成王元年前已出仕，此时应不会“蹑蹻担簦”了。《战国策·齐策四》曾载冯谖“贫乏不能自存”。《史记·孟尝君列传》载其“贫身”，后“闻孟尝君好客，蹑蹻而见之”。这与虞卿未仕前情况接近。

虞卿事迹，司马迁已不明。《史记·虞卿列传》、《范雎列传》、《平原君列传》或记载、或涉及其事迹，但有矛盾。根据上述材料可知，前266年时虞卿已在魏廷，或已为相。前265年又说赵孝成王。据这种经历推测，前266年时其年龄当以四十左右为宜，其生则应在前310年。

虞卿姓氏，《史记 · 虞卿列传》云："虞卿者，游说之士也。……再见，为赵上卿，故号为虞卿。"《集解》引谯周曰："食邑于虞。"《索隐》："赵之虞在河东大阳县，今之虞乡县是也。"虞卿，《韩非子 · 外储说左上》又作"虞庆"。陈奇猷《韩非子集释》引顾广圻曰："虞卿也，庆、卿同字。"赵仲邑《新序详注》以为："虞卿，虞氏，赵孝成王以为上卿，故号虞卿，亦作'虞庆'。"

鹖冠子本年前后生于楚。《汉书 · 艺文志》班固注以为鹖冠子"楚人，居深山，以鹖为冠"。此说本于刘歆《七略》。应劭《风俗通义》佚文："鹖冠氏，楚贤人，以鹖为冠，因氏焉。鹖冠子著书。"（见王利器《风俗通义校注》。中华书局1981年版）《太平御览》卷五一引袁淑《真隐传》："鹖冠子，或曰楚人，隐居幽山，衣敝履空，以鹖为冠，莫测其名，因服成号，著书言道家事。冯煖尝师事之，煖后显于赵。鹖冠子惧其荐己也，乃与煖绝。"《太平御览》卷六八五引《七略》云："鹖冠子，常居深山，以鹖为冠，故号鹖冠子。"《说文解字》："鹖，似雉，出上党。"汉代以插有鹖尾之羽为武冠，《后汉书 · 舆服志》对此有记载。由这些材料可知，鹖冠子佚其姓名，以鹖冠为号。是楚国的道家学者，庞煖之师。谭家健《先秦散文艺术新探》以为"是一位先习武后隐居的楚学者"。

王闿运《湘绮楼集 · 鹖冠子序》以为其活动年代"当在齐威、魏惠之世，稍在孟子之前。"《鹖冠子》中所涉人物，有赵将庞煖、赵武灵王、悼襄王、燕将剧辛等。其中《近迭》、《度万》、《王鈇》、《兵政》、《学问》等篇，皆为"庞子问"、"鹖冠子答"。庞煖早年可能师鹖冠子，后自楚至赵。据此推测，鹖冠子应年长于庞煖并为师。《史记 · 廉颇蔺相如列传》附《李牧列传》《索隐》云："（庞）煖，即冯煖也。"今人钱穆《先秦诸子系年》亦以"冯煖"为"庞煖"。李学勤《〈鹖冠子〉与两种帛书》云："我们可以断言，《鹖冠子》书中《近迭》、《度万》、《王鈇》、《兵政》、《学问》等篇所云'庞子问鹖冠子'的'庞子'就是庞煖。鹖冠子居楚，为庞煖之师，考虑到剧辛在赵与庞煖友善，庞煖应在悼襄王前即自楚至赵，他师事鹖冠子还要迟一些，所以鹖冠子的活动年代可估计相当赵惠文王、孝成王至悼襄王初年，即楚顷襄王、考烈王之世，也就是公元前300年至前240年左右，战国晚期的前半。"（《简帛佚籍与学术史》）

庞煖事迹，《鹖冠子 · 世贤》、《韩非子 · 饰邪》、《史记 · 燕世家》、《赵世家》、《李牧列传》等均载之。其杀燕将剧辛事，《鹖冠子 · 世兵》言："剧辛为燕将，与赵战，军败，剧辛自刭，燕以失五城。"据《史记 · 赵世家》、《燕世家》等，前242年燕派剧辛攻赵，赵派庞煖反攻，杀剧辛。又依《韩非子 · 饰邪》记载，赵悼襄王九年（前236年）时庞煖仍为赵将。《史记 · 燕世家》、《赵世家》、《六国年表》、《李牧列传》对此事亦有记载。前236年，赵又派庞煖攻燕，取狸、阳城。鹖冠子活动当在此前后五六十年间，即前296年之前230年后。故鹖冠子应生于赵武灵王后期，即前310年前后。

鹖冠子籍贯，班固以为楚人，后代学者有楚、赵两说。持楚人之说者，主要是《鹖冠子 · 王鈇》有"柱国"、"令尹"这些属于楚国的官职；持赵人之说者，主要依靠鹖冠子与赵名将庞煖关系。比利时汉学家戴卡琳说："鹖冠和几个有关庞氏的材料提供了属于赵国的根据，而《鹖冠子》写于楚国的一些迹象也逐渐增多：政治的称号，比如柱国、令尹、专门术语以及节奏的形式等等；另外，文本也类似于来自南方的其他文本，比如在湖南新发现的黄老帛书，《国语》二一卷中南方的越国，贾谊写于长沙的《鵩鸟赋》以及淮南王刘安编纂于南方的《淮南子》等等。”“但是没有什么证据是确定无疑的，甚至从最早又最常重复的‘柱国’和‘令尹’这两个官衔得来的证据也不是确定无疑的。”“鹖冠子可能是从楚国迁移到了赵国。”（《解读〈鹖冠子〉——从论辩学的角度》。杨民译，辽宁教育出版社2000年版）其说可从。《鹖冠子》之书，李学勤《〈鹖冠子〉与两种帛书》将马王堆帛书《黄帝书》与今本《鹖冠子》相比较，发现《鹖冠子》不少内容是引用《黄帝书》并加以发挥，证明《黄帝书》的撰写应早于《鹖冠子》。特别是《鹖冠子》书中的“四面”、“五正”之说，或与《尸子》佚文所载孔子语有关，或和子弹库楚国帛书相似，更能说明《鹖冠子》的时代性。《鹖冠子》是战国晚期楚国黄老学者著作，其思想内涵较为驳杂。

《鹖冠子》成书，李学勤《新发现简帛佚籍对学术史的影响》言：“我们曾讨论过《鹖冠子》有引用《黄帝书》之处，而《黄帝书》又引用《老子》与《国语》中的《越语下》。《鹖冠子》的成书，因书中有赵悼襄王谥法，不早于公元前235年，同时不晚于秦始皇焚书，即公元前213年。”（《道家文化研究》第十八辑）吴光《黄老之学通论》以为鹖冠子活动年代当在前300年至前220年左右，其书当成于“战国末期至秦楚之际”。（浙江人民出版社1985年版）还有人以为《鹖冠子》与《荀子》、《吕氏春秋》有些用语、思想相同，故应是同一时代著作，或者更早。（见丁原明《黄老学论纲》。山东大学出版社1997年版）国外有学者也认为：“《鹖冠子》其书虽然不是一个人写的，可是大部分是秦末汉前的古籍，因此值得我们重视。”（见比利时学者戴卡琳《西方人对〈鹖冠子〉的问题》。在注释中还言：“我想第一、二篇是二世皇帝的时候写的；其他是秦汉之际写的。”载《道家文化研究》第十五辑）英国汉学家葛瑞汉用表格形式、使用十一条语言标准来考察《鹖冠子》，结论倾向于在汉以前。瑞典汉学家高本汉所列表格则有九个标准，将《鹖冠子》称为“公元前三世纪的文言”。戴卡琳言：“结果人们认为，鹖冠子肯定生活在从公元前四世纪中期到公元前三世纪中期的某个地方，在他的弟子庞煖之前的几十年里。考虑到至少第十六和第十九两篇来自现在业已散佚的《庞煖》一书，《鹖冠子》可能是一部混合之作，而且作者也有多个。”因而她将《鹖冠子》的成书年代定在秦末和公元前202年之间。（葛瑞汉、高本汉及戴卡琳之说，均见戴卡琳著《解读〈鹖冠子〉——从论辩学的角度》。

《汉书·艺文志》“道家”类著录“《鹖冠子》一卷”。但以班固自注看，《七略》将《鹖冠子》亦列在“兵权谋家”。《隋书·经籍志》“道家”著录“《鹖冠子》三卷。”注：“楚之隐人。”《旧唐书·经籍志》、《新唐书·艺文志》、《宋史·艺文志》等均沿袭《隋书·经籍志》。《崇文总目》著录“《鹖冠子》三卷，今书十五篇”。晁公武《郡斋读书志》亦著录“《鹖冠子》三卷”。胡应麟《四部正讹》卷二十五以为：“《艺文志·兵家》有《庞煖》三篇。《鹖冠子·兵家》称庞煖问，而‘世贤’、‘武灵’等篇直称煖语。岂煖学于鹖冠，而此二篇自是煖书，后人因鹖冠与煖问答，因取以附之欤？”其书由《汉书·艺文志》一卷到后来三卷变化，王闿运、顾实等都认为是由于将

《鹖冠子》与《庞煖》合为一书。李学勤言："至于今本三卷分十九篇，可能是原本篇下有节的标题，和帛书《黄帝书》的体例类似。"（《失落的文明》第一六六篇《鹖冠子》。上海文艺出版社 1998 年版）王先谦《汉书补注》"本志"第十卷"艺文志"引："沈钦韩曰《隋、唐志》三卷，韩子《读〈鹖冠子〉》云十六篇，《读书志》云十五篇。《通考》晁氏云：'按《四库书目》十六篇，与愈合，已非《汉志》之旧。今书乃八卷，前三卷十三篇，与今所传《墨子》同；中三卷十九篇，愈所称两篇皆在；后两卷有十九篇，多称引汉以后事，皆后人杂乱附益之。今削去前后五卷，止存十九篇，庶得其真。'按宋陆佃所注，自《博选》至《武灵王》十九篇。然其中庞煖论兵法，《汉志》本在兵家，为后人傅合耳。"

《鹖冠子》自柳宗元《鹖冠子辨》断为伪书以来，后代如晁公武、陈振孙、王应麟、胡应麟等皆从柳宗元之说，但韩愈对此书评价较高。其后宋濂、王闿运、梁启超等与韩愈意见接近。胡应麟《四部正讹》卷二十四云："余以此书芜紊不驯，诚难据为战国文字，然词气瑰特浑奥，时时有之，似非东京后人所辨。"以为"后人之鄙浅者以己意增益傅之"。《四库提要》云："然古人著书，往往偶用旧文。古人引证，亦往往偶随所见。……未可以单文孤证，遽断其伪。……此本为陆佃所注，凡十九篇。佃'序'谓愈但称十六篇，未睹其全。佃，北宋人。其时古本韩文初出，当得其真。今本韩文乃亦作十九篇。殆后来反据此书以改韩集。……此注则当日已不甚显，惟陈振孙《书录解题》载其名。晁公武《读书志》则但称有八卷一本，前三卷全同《墨子》，后两卷多引汉以后事。公武削去前后五卷，得十九篇。殆由未见佃注。故不知所注之本先为十九篇欤。"1973 年长沙马王堆汉墓帛书《老子》乙本卷前的《经法》等篇佚书，有很多与《鹖冠子》等书相合的内容。李学勤《新发现简帛佚籍对学术史的影响》言："如《鹖冠子》，自唐代以来即被多数学者摒弃。这部书虽未在简帛中发现，但其思想内容，甚至用词遣句，多与长沙马王堆帛书《黄帝书》一致。其为汉以前旧籍，已得到海内外学者的公认。"（《道家文化研究》第十八辑）。对中国传统典籍中与《鹖冠子》有关材料，当代中、外学者研究《鹖冠子》成果，近年比利时汉学家戴卡琳《解读〈鹖冠子〉——从论辩学的角度》一书列举较全面。

公元前 309 年（周赧王六年　秦武王二年　魏襄王十年）

张仪卒于魏。《史记·张仪列传》云："张仪相魏一岁，卒于魏也。"《索隐》引《纪年》云："梁安僖王九年五月卒"。魏无"安僖王"，《索隐》所说"安僖王九年"实为襄王九年（前 309 年）。《六国年表》亦定其卒于周赧王六年（前 309 年）。

张仪卒年有前 310 年、前 309 年两说。钱穆《先秦诸子系年》力辩其卒在前 310 年。今从蒋伯潜《诸子通考》、翦伯赞主编《中外历史年表》、缪文远《战国史系年辑证》。张仪著述，《汉书·艺文志》"纵横家"类著录"《张子》十篇"。自注："名仪，有《列传》。"惜张仪书未保存下来。今见于《战国策》、《史记》中张仪长篇说辞，有的可能录自《张子》，有的似拟托。

四川青川郝家坪出土木牍秦《为田律》或作于本年。1979 年四川青川郝家坪秦墓出土有上秦武王《为田律》木牍。据牍文记载，秦武王二年（前 309 年）十一月，命丞相甘茂等修订《为田律》。详细规定了农田及道路的制度，并要求每年在指定的时间予以修整。南宋朱熹曾作《开阡陌辨》，清代程瑶田作《阡陌辨》加以发挥。提出“阡陌之名，从《遂人》百亩千亩、百夫千夫生义。”《为田律》即以百亩间界道为陌，千亩间界道为纤。

公元前308年（周赧王七年）

河北平山县战国古墓所出三件礼器铭文反复引用《诗经》，并有记述中山王室狩猎情景文字。20世纪中、后期，河北平山县三汲公社发现一座古城遗址。城内外发掘春秋战国时期古墓三十座，包括一号、六号两座大墓。经判断是战国中叶中山的都城灵寿，大墓是中山的王陵。这一系列重大发现，为重新认识历史上久已湮没的中山国的文化提供了条件。一号墓所出铜器铭文有三件礼器。包括中山王方壶、中山王鼎、妤蚉壶。李学勤《平山墓葬群与中山国的文化》曾言：“过去人们从来没有看到过像平山一号墓三件礼器（中山王方壶、中山王鼎、妤蚉壶）这样长篇而且富于思想性的战国金文。这三篇铭文的一个突出特点，是反复引用了儒家典籍，主要是《诗经》。”（《文物》1979年第1期）三件礼器分别套用《诗经》的《殷武》、《烝民》、《大明》、《大东》等篇的文句。还有些文句近于《左传·桓公十八年》、《大戴礼记·武王践阼》。其中妤蚉壶铭文记述中山王室狩猎的情景：“苗蒐田猎，于彼新土，其会如林，驭右和同，四牡汸汸，以取鲜藁，飨祀先王。”这段文字明显受到《诗经》的影响，富有文学色彩。平山一号墓，由铭文推断在前308年后不久（参李学勤、李零《平山三器与中山国史的若干问题》。《考古学报》1979年第2期）。

公元前305年（周赧王十年　楚怀王二十四年）

屈原被放汉北云梦，时间当在夏季，任掌梦之职，掌管云梦山林泽薮及君王、大臣在云梦之游猎事宜。《九章·抽思》诗人以鸟自娱，同《离骚》中“欲远集而无所止兮”比喻相同，则屈原被流放于汉北。当时楚人所说“汉北”之地，指江陵以东、汉水折而东流一段汉水北面。庾信《枯树赋》中述桓温之叹：“昔年移柳，依依江南。今看摇落，凄怆江潭。”据《晋书·桓温传》，桓温抚树感叹是在进军洛阳，北伐姚襄，由江陵渡江之时。其渡汉地点，同十二年前由建康赴江陵任时渡汉地点相同，当在竟陵（今潜江西北）一带。汉南、江潭在这一带，则与之相应之汉北应在与此地附近之汉水以北。1973年长沙马王堆三号汉墓出土帛书《相马经·大光破章故训传》证明“南山”也是江汉间山名。那么，古代楚人所说“汉北”，当即今钟祥、京山、天门、应城、汉川数县。

关于屈原被流放汉北年代，《史记·楚世家》：“（楚怀王）二十四年，倍齐而合秦。秦昭王初立，乃厚赂于楚。楚往迎妇。二十五年，怀王入与秦昭王盟，约于黄棘。秦复与楚上庸。”对此，《屈原列传》云：“时秦昭王与楚婚，欲与怀王会。”《六国年表》作“秦来迎妇”，应以“秦来迎妇”为是。

秦之所以在此时与楚婚好，是因秦武王卒，无子，其异母弟立，是为昭王，当时国内矛盾异常尖锐。据《史记·秦本纪》，昭王二年，“庶长壮与大臣、诸侯、公子为逆，皆诛，及惠文后皆不得良死。”而秦昭王母为楚人，姓芈氏，希望与楚和好，以避免楚趁机进攻，同时还可争取外援。屈原、陈轸等人鉴于以往教训，必然坚决反对。但此时楚亲秦派势力强大，联合以攻击、诬陷屈原，屈原遭放逐则为自然之事。故林云铭、夏大霖等都以为屈原被放于楚怀王二十四年，蒋骥以为在此前后，而未能确指哪一年。今人游国恩、孙作云、金开诚、戴志钧等均以为屈原被放汉北在怀王二十四、二十五年间。

屈原作为左徒被放汉北，不可能完全成一平民，一点职务也没有。按情理，应有一微职为系縻之计，令其“待罪自省”。被放汉北后，任掌梦之职，掌管云梦之山林泽薮及君王、大臣在云梦游猎事宜。《招魂》为招楚王之魂而作。其“乱”辞说到“与王趋梦兮课后先，君王亲发兮惮青兕”。“梦”即汉北云梦泽。君王射兕而受惊，则掌管云梦游猎之官员应该引咎。屈原长于文辞，因而作招魂以定君王之神。《招魂》本文中即简称“云梦”为“梦”，则“掌梦”指掌管云梦泽之官吏可肯定。屈原被放于汉北云梦，又“与王趋梦”，为王作招魂之词，则文中“掌梦”只能指屈原自己（参赵逵夫《汉北云梦与屈原被放汉北任掌梦之职考》。见《屈原与他的时代》）。

秋，屈原作《抽思》。《抽思》作于汉北，除“有鸟自南兮，来集汉北。好姱佳丽兮，牉独处此异域”几句，以及其中提到南山、江潭可以证明外，内容上也与当时情况相符。如“惟郢路之辽远兮……南指月与列星。”证明当时诗人所在方位不在江南，而在郢都以北。“昔君与我诚言兮，曰黄昏以为期。羌中道而回畔兮，反既有此他志。……与余言而不信兮，盖为余而造怒。”反映出是在经过挫折、打击之后。屈原在怀王十六年只是被疏，去左徒之职而为三闾大夫，并未被赶出朝廷，故《抽思》只有作于被放汉北之时。以《抽思》开头观之，诗应作于被放当年秋天。其中“倡曰”以下一段中说：“望南山而流涕兮，临流水而太息。望孟夏之短夜兮，何晦明之若岁。”这是写初到汉北时心情，则屈原被放汉北在夏天（参游国恩《屈原作品介绍 · 九章》，见《楚辞论文集》。古典文学出版社 1957 年）。

公元前 304 年（周赧王十一年　楚怀王二十五年）

屈原在汉北期间曾至楚故都鄢郢，作《离骚》。1977 年阜阳汉简中有《离骚》、《涉江》残简。因为出土器物上有“女（汝）阴侯”铭文及漆器铭文纪年最长为“十一年”等资料，墓主应为西汉第二代汝阴侯夏侯灶，而其人卒于文帝十五年（前 165 年）。这样，阜阳汉简的下限不得晚于此年。此为今所见《离骚》最早的传本。

关于《离骚》的作时，首先，是作于怀王朝而不是顷襄王朝。因为：《离骚》中反映了怀王朝时屈原的遭遇及楚国的历史状况，而与顷襄时的状况绝不相合；《离骚》中表现出难以抑制的激愤情绪，表现出思想上尖锐的矛盾斗争；同屈原的其他作品相比较，《离骚》所表现的诗人的思想状况，与作于怀王朝被流放汉北期间所作的《惜诵》、《抽思》、《思美人》大体一致，而与作于顷襄王朝被放江南时的《涉江》、《哀郢》、《怀沙》大相径庭。金开诚《屈原辞研究》第三章《离骚研究》以为：《离骚》的上限应是楚怀王十八年（前 311 年），下限则在楚怀王二十七年（前 302 年）。认为“屈原在怀王十六年虽已被绌，但从十七年使齐、十八年谏王等情况来看，他的处境还未落到《离骚》中所描述的那样。所以《离骚》的写作不会早于楚怀王十八年”。关于下限，由屈原第一次被放逐在汉北，第二次在江南的情况，结合对《离骚》文本的各种分析，《离骚》只能在第一次离郢、出居汉北之前，而与第二次流放江南无关。屈原第一次离郢不能晚于楚怀王二十七年。其写《离骚》既然还在离郢之前，故《离骚》创作的下限也不可能晚于楚怀王二十七年。

其次，从《抽思》中的陈辞看，《离骚》应作于怀王二十五年到二十七年之间。因为：《离骚》中的陈辞是向重华的，《抽思》中的陈辞是向怀王的；《抽思》中的陈辞所表现的思想、情绪、心理状况，反映的内容也同《离骚》一致。另外，《离骚》中先述楚人远祖高阳氏，次言屈氏太祖伯庸，末尾言“忽临睨夫旧乡”。其中言及“三后”、彭咸，则应是被放汉北后，西北至楚旧都鄢郢（今湖北宜昌）后所作。又，《离骚》中说：“余既不难夫离别兮，伤灵修之数化。”则应是怀王对屈原态度及国内政策反复几次之后，不是在十六年被疏时。又诗中写到求女、上下求索，表现了诗人谋求知音、努力抗争情况，并向国君表白内心愿望。这都同《抽思》相近，故可确定作于此年。金开诚、戴志钧在论著中对此均有考辨。（金开诚《〈离骚〉的创作年代》，见其《屈原辞研究》；戴志钧《〈离骚〉作于楚怀王晚年说》，见其《读骚十论》，黑龙江人民出版社1986年版）另参赵逵夫《〈离骚〉的创作时地与创作环境》、《屈原未放逐汉北说质疑与被放汉北的新证》（见其《屈骚探幽》，巴蜀书社2004年版）。

公元前302年（周赧王十三年　楚怀王二十七年）

孟轲卒于本年前后。孟轲卒年与生年一样，说法不一。程复心《孟子年谱》、魏源《孟子年谱》均在前289年，周广业《孟子四考》在前302年，任兆麟《孟子时事略》在前291年，钱穆《先秦诸子系年·通表》在前305年。清周广业《孟子四考》云：“其卒当在赧王十三年或十二年，而《谱》倒为‘二十’，又衍六字也。”以为当卒于周赧王三十三年。“二”因“王”字而衍，“六”乃“三”字之误也。

孟子在前312年后去齐时已七十余，再无力周游列国，便“退而于万章之徒序《诗》、《书》，述仲尼之意，作《孟子》七篇。”（《史记·孟荀列传》）赵岐《孟子题辞》亦云：“于是退而论集所与高第弟子公孙丑、万章之徒难疑答问，又自撰其法度之言，著书七篇。”孟子周游列国后回到家乡，从事学术活动相当繁复。既要与学生一起整理《诗》、《书》等儒家经典，又要对自己一生思想、活动予以总结，编著《孟子》。如此活动，不可能在一两年内完成。故孟子七十岁余自齐返回家乡，至八十余岁卒时，中间有十几年时间，完全有可能完成这些学术活动。孟子见梁惠王在前319年，时孟子六十岁余，下移二十年为周赧王十三年（前302年）（参董洪利《孟子研究》）。

《孟子》一书，现存七篇，不存在后人附加、材料不真实的情况。其早期阶段创作，应在孟子周游列国时。这个时期是《孟子》一书初创阶段。《孟子》整理、编订成书，在孟子周游列国结束、返回家乡后。大概完成在前312年前后至前300年前后。《孟子》一书作者，说法不同。司马迁认为《孟子》为孟子与其弟子共同编著，主要作者为孟子本人。《史记·孟荀列传》云：“而孟轲乃述唐、虞、三代之德，是以所如者不合。退而与万章之徒序《诗》、《书》，述仲尼之意，作《孟子》七篇”。今如杨伯峻所说："据《史记·孟荀列传》，《孟子》是孟轲老而不得意，'退而与万章之徒序《诗》、《书》，述仲尼之意，作《孟子》七篇。'这话可信。现存《孟子》中，有他学生万章等人的笔墨，如《滕文公上》第一章'孟子道性善，言必称尧舜'，这便像孟子学生作的，不像孟子自己说的。"他还特别举出三点理由来说明："《论语》成书，孔子不曾看到；《孟子》则是他自己参加写定的。他可能有意仿效《论语》：第一，《孟子》七篇，也只是摘取开头一句两三个字作篇名，而且没有意义，更不代表各篇主要内容，如《庄子》的《逍遥游》、《齐物论》均有意义和主旨。第二，每篇之中各章之间很少逻辑联系，和《论语》相同。第三，最后一篇（《论语》的《尧曰》）和最后一章（《孟子·尽心下》），都是从尧舜讲到自己，似乎自己是尧、舜、禹、汤、文武等圣王明主学说的继承人，前人叫做道统，韩愈的《原道》便提出他自己是这一道统孔、孟的继承人，孟子和韩愈都只是暗示而未明说罢了。"（《白话四书》。岳麓书社 1989 年版）

三国时姚信认为是孟子卒后，由其弟子公孙丑、万章等人，根据孟子生前言论缀辑编定。（见《太平御览》所引《士纬》）后来唐韩愈、张籍、林慎思，宋苏辙、晁公武，清崔述等也都主此说。韩愈在《答张籍书》中说："孟轲之书，非轲自著。轲既殁，其徒万章、公孙丑相与记轲所言焉耳。"林慎思因怀疑《孟子》作者而自撰《续孟子》以续演孟子学说。《崇文总目》说："慎思以为《孟子》七篇非轲自著书，而弟子共记其言，不能尽轲意，因传其说演而续之。"至晁公武，其《郡斋读书志》卷三（上）具体分析了《孟子》非孟子自撰之因："此书韩愈以为弟子所会集，非轲自作。今考于轲之书，则知愈之言非妄发也。其书载孟子所见诸侯皆称谥，如齐宣王、梁惠王、梁襄王、滕定公、滕文公、鲁平公是也。夫死，然后有谥。轲著书时所见诸侯不应皆死。且惠王元年至平公之卒，凡七十七年。孟子见惠王，王目之曰'叟，'必已老矣，决不见平公之卒也。故予以愈言为然。"晁公武结论为是。

崔述《孟子事实录》言："《孟子》一书为公孙丑、万章所纂述者，近是；谓孟子与之同撰，或孟子所自撰，则非也。《孟子》七篇之文往往有可议者。如'禹决汝、汉，排淮、泗，而注之江'，'伊尹五就汤、五就桀'之属，皆于事理未合。果孟子所自著，不应疏略如是，一也。七篇中，称时君皆举其谥，如梁惠王、襄王、齐宣王、鲁平公、邹穆公皆然，乃至滕文公之年少亦如是。其人未必皆先孟子而卒，何以皆称其谥，二也。七篇中于孟子门人多以'子'称之，如乐正子、公都子、屋庐子、徐子、陈子皆然；不称'子'者无几。果孟子所自著，恐未必自称其门人皆曰'子'，三也。细玩此书，盖孟子之门人万章、公孙丑等所追述，故二子问答之言在七篇中为最多，而二子在书中亦皆不以子称也。"崔述此说，就诸侯称谥、门人称"子"问题所谈看法有理。但崔述有一个前提为错，即以为孟子不会有错，故结论仍有商榷之处。近代蒋伯潜《诸子通考》亦以为："孟子既卒，弟子万章、公孙丑等，纂述其言，辑为《孟子》七篇云。"赵岐《孟子题辞》、朱熹《朱子大全》、金履详《孟子集注考证》、阎若璩《孟子生卒年月考》则认为《孟子》为孟子本人撰写。阎若璩注意到《孟子》诸侯称谥，故用了一个通达的解释："七篇为孟子自作，至韩昌黎故乱其说。……《论语》成于门人之手，故记圣人容貌甚悉；七篇成于己手，故但记言语或出处耳。""卒后，书为门人所叙定，故诸侯王皆加谥焉。"但对此说，至少有三点可说明其不能成立：第一，孔子死后，弟子称师为"子"，墨子也是如此。这在当时已成风尚。诸子之书，多由弟子编纂而成，在记述老师言论时，多尊称为"某子曰"。诸子不会自称"子"。若《孟子》为其自撰，不会有全书自称"子"之理。孟子对孔子十分推崇，《论语》中无此现象，孟子更不会自称"子"。《史记·十二诸侯年表》《索隐》以为"荀况、孟轲、韩非皆著书，自称'子'"之说不正确。第二，《孟子》一书对其所见诸侯，如梁惠王、襄王、齐宣王、鲁平公皆称谥号。若《孟子》为其自撰，据钱穆《先秦诸子系年》考证，其中如齐宣王、梁襄王之卒晚于孟子，他不会知其谥号。第三，《孟子》一书记其弟子，如乐正子、公都子、屋庐子，全书称为"子"，这一点，同《论语》中有子、曾子全书称为"子"，闵子、冉子有时也称"子"一样。若《孟子》为其自撰，应不会称其弟子为"子"。

综上所述，司马迁之说可以比较圆满回答各家的疑问。即《孟子》一书，为孟子返回家乡后与弟子共同完成，参与弟子主要为公孙丑和万章。对此，梁启超《要籍解题及其读法》已辨之有理。我们再作三点申述：其一，司马迁为汉人，距孟子生活时代最近，且素有"良史"之称。其二，由《孟子》与《论语》不同之处，也可以推断出《孟子》并非在其死后由其门徒所撰。如《论语》记到孔子再传弟子，而《孟子》则不同，仅记到孟子与其弟子问答，未涉及再传弟子。又如《论语》多处详细记录孔子动作、容态，而《孟子》则记其言论与出处。其三，孔子对《论语》未总其成。其为孔子死后由弟子经多人、多时、多次追述、缀辑而成，故风格有不同。而《孟子》因孟子亲自主持，无此现象。《论语》中有不少内容重复章节，明显是孔子弟子们对其言论各有记载，后来才汇集成书，但《孟子》中无重复现象。若是多人拼凑而成，不会如此整齐划一。《孟子》写作，孟子从总体上予以把握。朱熹《朱子大全》说："熟读七篇，观其笔势如熔铸而成，非缀辑所就也。""《论语》多门弟子所集，故言语时有长长短短不类处。《孟子》疑自著之书，故首尾文字一体，无些子瑕疵。不是自下手，安得如此好?"

《孟子》全书成书时间已难考，但像《梁惠王上》已提到"梁襄王"。襄王之卒在周赧王十九年（前296年），"孟子见梁襄王"既已提谥号，至少该篇之成应在襄王卒后。

《孟子》篇数，《史记·孟荀列传》以为"作《孟子》七篇"；《汉书·艺文志》著录"《孟子》十一篇"；应劭《风俗通义·穷通》亦云孟子"作书中外十一篇"；赵岐《孟子章句》则将《孟子》十一篇分为《内书》七篇，《外书》四篇。《外书》四篇为：《性善辨》、《文说》、《孝经》、《为政》。并认为《外书》四篇"其文不能闳深，不与内篇相似，似非孟子本真。后世依仿而托也"。由此可知，汉时流传之《孟子》有七篇和十一篇两种版本，《外书》后来逐渐失传。现在学者们倾向于《外书》为《孟子》未收的佚文，是后代将其收集起来编纂而成。梁启雄在《荀子简释·荀子行历系年表》中，引《孟子外书》"孙卿子自楚至齐见孟子而论性"之说，并以为《孟子外书》"亦为周秦故籍，足为左证"。

关于孟子弟子，焦循《孟子正义》列举十五人：万章、公孙丑、乐正子、陈臻、

公都子、充虞、徐辟、高子、咸丘蒙、陈代、彭更、屋庐子、桃应、季孙、子叔。学于孟子者四人：孟仲子、告子、滕更、盆成括。由《孟子》观之，其弟子主要有万章、公孙丑、乐正子、公都子、北宫琦等。其弟子活动，除《史记·孟荀列传》记载《孟子》为万章、公孙丑之徒与老而归家之孟子共同完成外，史籍似再无记载。顾炎武《日知录》卷七有《孟子弟子》一节，专论孟子弟子。

屈原的《天问》、《惜诵》、《招魂》、《思美人》作于此年前后。《楚辞章句·天问序》云："屈原放逐，忧心愁悴。彷徨山泽，经历陵陆。嗟号皞旻，仰天叹息。见楚有先王之庙及公卿祠堂，图画天地山川神灵，琦玮谲诡，及古贤圣怪物行事。周流罢倦，休息其下，仰见图画，因书其壁，呵而问之，以泄愤懑，舒泻愁思。"书壁立说，虽未必可靠。但由《天问》诗本身来看，至先王之庙及公卿祠堂看壁画有感，借三代兴亡及列国故事来表现有道而兴，无道则亡思想，则完全可能。王逸之说应非无据。旧说有以为作于江南者，但长江以南并无楚先王庙。当时屈原对回朝廷也不再寄有希望，对顷襄王也完全丧失信心，不会再写《天问》这样旨在劝谏之作。《天问》的主题与《离骚》的陈辞部分一致，但其内容、思想应有一个酝酿的过程，作时应在《离骚》之后。可能在怀王二十六年至二十八年之间，今姑系于此年。

《惜诵》也作于被放汉北时，可由诗本身看出。"竭忠诚以事君兮，反离群而赘肬。忘儇媚以背众兮，待明君其知之。……疾亲君而无他兮，有招祸之道也。"均可看出作于被放汉北之时。"固烦言不可结以诒兮，愿陈志而无路。""行婞直而不豫兮，鲧功用而不就。""梼木兰以矫蕙兮，凿申椒以为粮。播江离与滋菊兮，愿春日以为糗芳"等，均与《离骚》诗义、文句颇近。文中又言："矰弋机而在上兮，罻罗张而在下。设张辟以娱君兮，愿侧身而无所。欲儃佪以干际兮，恐重患而离尤。欲高飞而远集兮，君罔谓女何之?"此八句主语前后一贯，说自己任掌梦之职，干着备矰弋、张罻罗，为国君游猎忙碌之事，不能为国尽心尽力。想借机会向君王表白内心，又恐怕惹君王生气，更增加其愤怒，招致新罪名。这些均可证《惜诵》为被放汉北云梦任掌梦之职时所作。

《招魂》作者，《史记·屈原贾生列传》太史公曰："余读《离骚》、《天问》、《招魂》、《哀郢》，悲其志。"司马迁是将《招魂》列入屈原的创作中的。后来明黄文焕《楚辞听直》、清林云铭《楚辞灯》以为屈原自招，游国恩认同此说；清吴汝纶《古文辞类纂评点》以为屈原招怀王生魂，郭沫若认同此说；马其昶《屈赋微》引张裕钊之说，以为是屈原招怀王亡魂，马茂元认同此说。另外清吴世尚《楚辞疏》、蒋骥《山带阁注楚辞》、王萌《楚辞评论》，近人梁启超、林庚、汤炳正、蒋天枢、陈子展等，均以为《招魂》为屈原作。但王逸《楚辞章句·招魂序》以为："《招魂》者，宋玉之所作也。"后来陆侃如、姜亮夫认同此说。此外，还有屈原自招说、屈原招怀王亡魂说、屈原招襄王说、宋玉招襄王或考烈王说等，均证据薄弱，不可取。

屈原被放汉北，任掌管云梦泽的"掌梦"之职，在屈原任此职期间。一次怀王田猎中遇到青兕，发矢射之。根据楚国习俗，王射兕不祥。怀王也因此受到惊吓，故屈原为怀王撰词招魂。《招魂》的开头部分说：

"朕幼清以廉洁兮，身服义而未沬。主此盛德兮，牵于俗而芜秽。上无所考此盛德兮，长离殃而愁苦。帝告巫阳曰：'有人在下，我欲辅之，魂魄离散，汝筮予之!'巫

阳对曰：'掌瘳！上帝其难从。若必筮予之，恐后之谢，不能复用巫阳焉'。"下面便说："乃下招曰……"为招魂词。开头的第一层意思是表白内心，同《离骚》、《惜诵》、《抽思》、《思美人》的思想情调一致。第二层是说帝告巫阳，有人魂魄离散，让巫阳去招，而巫阳回答魂魄离散者（楚王）是在云梦田猎时所造成的，应由掌梦之官去招。上帝又命曰：如打算要招回，便不能迟疑，如果拖延恐魂魄不再附身。这同《惜诵》中所写诗人"设张辟以娱君，愿侧身而无所"的身份及《招魂》乱辞所写楚王结驷千乘举火围猎的情景，"与王趋梦今课后先，君王亲发兮惮青兕"的情节皆可相合。《招魂》当作于怀王二十七年前后，今姑系于此（参赵逵夫《汉北云梦与屈原被放汉北任"掌梦"之职考》。见《屈原与他的时代》）。

《思美人》所表现思想、情绪与《抽思》、《离骚》、《惜诵》一致。如"媒绝路阻兮，言不可结而诒"，同《抽思》"既惸独而不群兮，又无良媒在其侧"意思相近；"愿寄言于浮云兮，遇丰隆而不将。因归鸟而致辞兮，羌宿高而难当。高辛之灵盛兮，遭玄鸟而致诒"，与《离骚》中"求女"一段所表现思想颇相近；"芳与泽其杂糅兮，羌芳华自中出。纷郁郁其远承兮，满内而外扬"，同《离骚》"芳与泽其杂糅兮，惟昭质其犹未亏"、"芳菲菲而难亏兮，芬至今犹未亏"诗意相近。这些均可证为同一时期作品。特别是其中"遵江夏以娱忧"，可明确地看出其作于汉北（于江夏以北）。今姑系于此。

公元前301年（周赧王十四年　楚怀王二十八年　齐宣王十九年）

齐楚垂沙之战，楚将唐昧被杀。有人拟托"苏子"说楚王之文或作于本年后。《史记·楚世家》：怀王"二十八年，秦乃与齐、韩、魏共攻楚，杀楚将唐昧，取我重丘而去。"《战国策·楚策三·苏子谓楚王》为假托"苏子"之名的一篇文章。全文谏楚王节嗜欲、进贤才以安百姓，体现的是儒家思想。文中提到"垂沙之事，死者以千数"。而"垂沙之役"，《荀子·议兵》载："楚人鲛革、犀兕以为甲……然而兵殆于垂沙，唐昧死。"据《史记·秦本纪》："（昭王）六年，庶长奂伐楚，斩首二万。"云梦秦简《编年记》："（昭王）六年，攻新城。"《六国年表》："秦、韩、魏、齐败我将军唐昧于重丘。"

《战国策·楚策三》、《荀子·议兵》等对此事均有记载。缪文远《战国史系年辑证》言之有理："据秦简《编年记》及《史记》，知此年四国伐楚似兵分两路，一路以秦庶长奂为主将，直取新城（今河南襄城县）。另一路则以齐、韩、魏三国联军为主，以齐匡章为主将，由方城指向垂沙（在今河南唐河县西，《表》文误作'重丘'）。《秦本纪》云：'齐使章子，魏使公孙喜，韩使暴鸢，共攻楚方城，取唐昧'，即指此役，唯误列于昭王八年。《荀子·议兵》云：'（楚）兵殆于垂沙，唐昧死。'垂沙，《史记·礼书》作垂涉，形似而误，垂沙之役为战国中期著名战役，故《吕览·处方》、《荀子·议兵》、《韩诗外传》卷三、《淮南·兵略》、《史记·礼书》、《乐毅传》及《水经·泚水注》皆称引及之。《六国表·齐表》云：'与秦击楚，使公子将，大有功。'黄式三曰：'公子当作章子，《吕览》、《水经注》可考而据。'"（巴蜀书社1997年版）秦昭王六年为前301年，《策》文既言"垂沙之役"，则其作时应在本年后（参赵逵夫

《庄蹻事迹与屈原晚期的经历》。《文史》第55辑)。

《江乙说安陵君》当写成于本年后。见《战国策·楚策一》。其中写楚王猎于云梦一段文字，与屈原《招魂》“乱”辞中“青骊结驷兮齐先乘，悬火延起兮玄颜蒸……君王亲发兮惮青兕”的意境极为相似，似受其影响，当作于《招魂》之后。

冯谖于本年稍后作《长铗歌》(一作《弹铗歌》)。《战国策·齐策四》载：“齐人有冯谖者，贫乏不能自存。使人属孟尝君，愿寄食门下。……居有顷，倚柱弹其剑，歌曰：‘长铗归来乎！食无鱼。’……居有顷，复弹其铗，歌曰：‘长铗归来乎！出无车。’……后有顷，复弹其剑铗，歌曰：‘长铗归来乎！无以为家。’”《史记·孟尝君列传》亦载此歌，其中“冯谖”作“冯驩”。冯谖何时客孟尝君已不可考。但其为孟尝君游说，则在齐闵王元年（前300年)。因而冯谖客孟尝君并歌应在前300年稍前，今姑系于此。

公元前300年（周赧王十五年　韩襄王十二年　楚怀王二十九年)

屈原于本年从汉北回郢都。屈原从汉北回来的时间，自清代蒋骥以来，多倾向于怀王二十九年。其《山带阁注楚辞》附《楚世家节略》怀王二十九年“秦复攻楚，大破楚军，楚军死者二万，杀我将军景缺。怀王恐，乃复使太子质齐以求平”下蒋骥在按语中具体分析了屈原被放汉北的理由，又讲了在怀王二十九年被招回朝廷的原因。游国恩《论屈原放死及楚辞地理》、姜亮夫《屈原事迹续考·八·屈子年表》均持此说。《史记·楚世家》载：“（怀王）二十九年，秦复攻楚，大破楚，楚军死者二万，杀我将军景缺。怀王恐，乃使太子为质于齐以求平。”齐楚垂沙之战发生于怀王二十八年冬，当齐宣王死，齐湣王继位之后。湣王严词令匡章出战，楚国主帅、亲秦大臣唐昧死。因为楚朝廷和上层贵族中对于亲秦还是联齐看法有分歧，垂沙之战的惨重失败加剧了楚朝廷内部两派的斗争。楚将庄蹻也应是参加了垂沙之战的，《荀子·议兵》中将他同齐之田单、秦之商鞅、燕之缪虮相提并论，则应是楚王族之疏族，《史记》言其为楚庄王之后的说法可信；其人应善于军事而不被重用，受到排挤。他作为将军而参加了垂沙之战，则战争失败的责任有可能被推到他身上。所以在怀王二十八年底发生兵变。《荀子·议兵》云：“楚人鲛革犀兕以为甲，鞈如金石，宛钜铁铯，惨如蜂虿，轻利僄遬，卒如飘风。然而兵殆于垂沙，唐蔑死，庄蹻起，楚分而为三四。是岂无坚兵利甲也哉！其所以统之者非其道故也。”则庄蹻起事的原因可以看出。所谓“楚分而为三四”，是指楚朝廷中意见不一致，分为三四派，矛盾尖锐。而秦又攻楚，大败楚军。楚国的政局已到了无法收拾的地步。在此情况下，因屈原一贯主张联齐抗秦，又曾出使过齐，因而怀王从放逐地汉北将屈原招回，派他出使齐国，以恢复齐楚邦交，以挽回覆灭的命运（参赵逵夫《庄蹻事迹与屈原晚期的经历》)。

《战国策》中围绕“韩立太子”多篇《策》文作于本年后。《战国策》中围绕韩立太子而作《策》文，除《楚策一·韩公叔有齐魏》,《韩策二》尚有十多篇。据《史记·韩世家》,“（襄王）十二年，太子婴死，公子咎、公子虮虱争为太子。”韩襄王十二年为前300年。林春溥《战国纪年》、顾观光《国策编年》、黄式三《周季编略》均据此系《楚策一·韩公叔有齐魏》之事在本年。但这样系法不妥。

从《史记·韩世家》看，“韩咎”非公子咎。因为太子婴死后，公子咎与虮虱争立。若“韩咎”即为公子咎，他怎能迎虮虱回国？《韩世家》“苏代谓韩咎”一段话，对韩咎非公子咎说得很清楚。“韩咎”应为韩将。

《史记·韩世家》在叙述了楚解韩氏之围后，有“苏代又谓秦太后弟芈戎”之语。其中苏代谓芈戎内容，《战国策·韩策二》作“谓新城君”。以帛书体例观之，《策》文为是，司马迁则加了“苏代”之名。《史记》中“公叔伯婴”，今本连在一起，以为一人。以《索隐》观，司马贞所见即如此。因为司马迁以为“公叔伯婴”与公子咎、虮虱同为韩襄王子。“伯婴”即太子婴，婴前死，故公子咎与虮虱争立。但以《策》文观之，公叔为韩公族。《韩非子·内储说下》：“公叔相韩而又攻齐，公仲甚重于王。”《策》文言伯婴曾立为太子，非事实。

《史记·韩世家》载太子婴死后，公子咎、公子虮虱争为太子时，虮虱就已质于楚。“于是虮虱竟不得归韩，韩立咎为太子。”《韩策二·韩公叔与虮虱争国》记“韩公叔与虮虱争国。中庶子强谓太子”，以下还记“太子曰”、“太子弗听”、“太子出走”，则似虮虱曾一度被立为太子，与《史记》相矛盾。《韩策二·韩公叔与虮虱争国》文基本同《楚策一·韩公叔有齐魏》。《韩策二》文称虮虱为“世子”，这似乎合情理。《韩策二·公叔将杀虮虱》中“太子”又为“公子咎”，则《策》文“太子”既有“伯婴”、“虮虱”，又有“公子咎”。以《史记·韩世家》、《六国年表》观之，韩以公子咎为太子，虮虱未曾入韩，伯婴亦无立太子事。

《韩策二·谓新城君曰》如金正炜《战国策补释》所言：“此《策》文多淆误，故致义不可通。”《韩策二·虮虱亡之楚》如缪文远《战国策新校注》所说：“本章载或谓芈戎曰：‘公不如令秦王贺伯婴之立。’韩诸公子争国，几瑟出亡后，得立者乃公子咎（见《史记·六国年表》及《韩世家》）。伯婴既未立，秦何从得而贺之？此当因几瑟亡楚，遂生出一段故实耳。且贺伯婴之立，即可使秦成‘王业’，亦未免过于夸张而不近人情。”

综合上述情况，《楚策一·韩公叔有齐魏》及《韩策二》中涉及韩争立太子《策》文，是策士们围绕“韩争立太子”事所作一组《策》文。大背景为实，但细节与过程虚、实相间。因韩立太子在前300年，故《策》文作时不得早于本年。

公元前299年（周赧王十六年　秦昭王八年　楚怀王三十年）

秦昭王遗书楚怀王，约其会于武关。屈原劝楚怀王勿与秦昭王会。屈原回到郢都，并已在怀王前有时也能进言，但仍不能参与朝政议事。《史记·楚世家》载：“（怀王）三十年，秦复伐楚，取八城。秦昭王遗楚王书曰：‘……而今秦楚不欢，则无以令诸侯。寡人愿与君王会武关，面相约，结盟而去，寡人之愿也。敢以下执事。’楚怀王见秦王书，患之，欲往，恐见欺；无往，恐秦怒。”昭子（昭滑，《楚世家》误作昭雎）劝毋行，而怀王子子兰劝王行。《屈原列传》云：“时秦昭王与楚婚，欲与怀王会。怀王欲行，屈平曰：‘秦虎狼之国，不可信，不如勿行！’”怀王竟听子兰语，往会秦昭王，秦令一将军伏兵武关。楚王至则挟之至咸阳，要求割巫、黔中之郡，怀王不许，秦因留之，后竟死于秦。

公元前298年（周赧王十七年　楚顷襄王元年）

秦攻楚，大败楚军，斩首五万，取析十五城。屈原又遭谗被放江南，初冬作《涉江》。《史记·楚世家》："顷襄王横元年，秦要怀王，不可得地，楚立王以应秦。秦昭王怒，发兵出武关攻楚，大败楚军，斩首五万，取析十五城而去。"戴震《屈原赋注》附《音义》云："屈原东迁，疑即当顷襄元年，秦发兵，出武关攻楚，大破楚军，取析十五城而去。时怀王辱于秦，兵败地丧，民散相失。"《屈原列传》载：怀王"长子顷襄王立，以其弟子兰为令尹。楚人既咎子兰以劝怀王入秦而不反也。屈平既嫉之……令尹子兰闻之，大怒，卒使上官大夫短屈原于顷襄王，顷襄王怒而迁之。"屈原在顷襄王初立时被放。

《哀郢》一诗为屈原被放九年之后回忆被放江南之野时情景而作。诗中说："方仲春而东迁"，则被放在顷襄王元年二月。"民离散而相失"云云，是写当情势紧急之时诗人同人民一起东迁逃难。从诗中可知，诗人先入洞庭湖，在湖上飘泊了一段时间，然后出湖，沿江东下，在彭蠡湖入庐江（庐江赣水合流），至陵阳（江西省西部，当庐水发源处的西北面，武功山以南之地）。联系《涉江》一诗来看，屈原在陵阳时间并不长，大约在当年秋天即起身往沅湘之地，秋冬之交到达鄂渚，到溆浦时已至初冬季节。《涉江》在写到诗人溯沅水南行之后云："朝发枉陼兮，夕宿辰阳。苟余心其端直兮，虽僻远之何伤。入溆浦余儃佪兮，迷不知吾所如。"接下便是描写自然环境的句子。蒋骥《山带阁注楚辞》云："枉陼，地名，今属常德府。辰阳、溆浦，亦地名，今并属辰州府。《水经》云：'沅水东经辰阳县，合辰水又东历小湾，谓之枉陼。'"则枉陼其地在辰阳以北，亦在沅水边上。因为诗人溯沅水而行，故"朝发枉陼兮，夕宿辰阳"两句反映与"乘舲船余上沅"相一致。洪兴祖《楚辞补注》云："《前汉》武陵郡有辰阳。注云：'三山谷，辰水所出，南入沅七百五十里。《水经》云：沅水东经辰阳县东南，合辰水。旧治在辰水之阳，故取名焉。《楚词》所谓夕宿辰阳也。'"则此辰阳当在辰水下游之北岸。所谓"入溆浦余儃佪兮"，是说山高林深，四望不知何处可去，诗人便在此地暂时安身了。戴震《屈原赋注》云："舟行由沅入溆，至迁所也。"不过诗人在溆浦应住过一段时间。故诗中在"迷不知吾所如"下接着说："深林杳以冥冥兮，猿狖之所居。山峻高以蔽日兮，下幽晦以多雨。霰雪纷其无垠兮，云霏霏而承宇。哀吾生之无乐兮，幽独处乎山中。吾不能变心而从俗兮，固将愁苦而终穷。"下面又是纯粹抒写内心所感句子，再是"乱辞"。看来《涉江》是诗人到溆浦后所作。"云霏霏而承宇"等句，应是以其居处为中心，对周围环境的描写。其中所抒发情感，亦为诗人在溆浦居处所生。又诗中说到"欸秋冬之绪风"，是写由陵阳到鄂渚时节令，为秋末冬初。下文云："霰雪纷其无垠"，是初冬山林地带景象。屈原不会在陵阳居住很久。大约在当年秋天即动身往沅湘一带，到鄂渚时为秋冬之交，到溆浦已是初冬季节了。所以说，诗人在溆浦居住时间较长，《涉江》一诗是初到溆浦所作。

公元前296年（周赧王十九年　楚顷襄王三年）

楚人为"楚虽三户，亡秦必楚"之辞在本年后，作者为楚南公。《史记·项羽本纪》载："自怀王入秦不反，楚人怜之至今，故楚南公曰：'楚虽三户，亡秦必楚。'"

怀王之死，《楚世家》以为在其入秦当年，楚即立太子横为顷襄王。“顷襄王三年，怀王卒于秦。”而《秦本纪》亦云：“（昭王）十一年……楚怀王走之赵，赵不受，还至秦，即死，归葬。”是《楚世家》与《秦本纪》同，其时为前296年。据《楚世家》：怀王死于秦后，“秦归其丧于楚。楚人皆怜之，如悲亲戚。”在此情况下，南公有愤激之辞自在情理之中。

此“南公”为楚之阴阳家并有著述。《史记·项羽本纪》《集解》引徐广：“楚人也，善言阴阳。骃按，文颖曰南方老人也。”《索隐》亦引徐广：“楚人善言阴阳者，见《天文志》也。”《正义》引虞喜《志林》：“南公者，道士，识废兴之数，知亡秦者必于楚。”《汉书·艺文志》“阴阳家”类著录“《南公》三十一篇”。自注：“六国时。”李学勤《失落的文明》言南公是战国末年楚人。《艺文志》“阴阳家”类还著录“《闾丘子》十三篇。”自注：“名快，魏人，在南公前。”“《将钜子》五篇。”自注：“六国时，先南公，南公称之。”

“楚虽三户，亡秦必楚”之“三户”，《史记·项羽本纪》《集解》引瓒曰：“楚人怨秦，虽三户犹足以亡秦也。”《索隐》：“臣瓒与苏林解同。韦昭以为三户，楚三大姓昭、屈、景也。二说皆非也。按，左氏‘以畀楚师于三户。’杜预注云‘今丹水县北三户亭。’则是地名不疑。”《正义》：“服虔云‘三户，漳水津也’。孟康云‘津，峡名也，在邺西三十里’。《括地志》云‘浊漳水又东经葛公亭北，经三户峡，为三户津，在相州滏阳县界’。然则南公辨阴阳，识废兴之数，知秦亡必于三户，故出此言。后项羽果度三户津破章邯军，降章邯，秦遂亡。是南公之善谶。”钱穆《先秦诸子系年·楚虽三户亡秦必楚辨》云：“韦昭以为‘三户，楚三大姓昭屈景也，’此最得之。”按：这里“三户”实际上是用了楚人熟知的一个现成词，表示了双关的意思，是说楚虽只有三族，但亡秦的必然是楚人。‘三户’表面上是言其少，实际上是指由这最早的三族发展而来的全部楚王族，言其势力强大，不可轻视。关于三户得名于三族之说，钱穆早就指出。他说：‘三户之为地名，本由楚起丹阳，以其三族而名发迹之地。’只是因为他以此三族指‘昭景屈’，结果便说不通，故饶宗颐先生有文驳之。楚三户实指西周末年楚三王句亶王熊伯庸、鄂王熊红、越章王熊执疵的后代。楚三王为当时的楚君熊渠所封，代表着楚早期阶段最强盛的时代。西周末年楚都于丹阳，故楚都南徙之后，名其地为“三户”（参赵逵夫《屈氏先世与句亶王熊伯庸——兼论三闾大夫的职掌》。《文史》第二十五辑）。

公元前290年（周赧王二十五年）

吕不韦本年前后生于卫之濮阳。《史记·吕不韦列传》：“秦昭王四十年，太子死。其四十二年，以其次子安国君为太子。……安国君中男名子楚……子楚为秦质子于赵。秦数攻赵，赵不甚礼子楚。”吕不韦做买卖至赵邯郸时曾见子楚，并认为“此奇货可居”。后又以五百金西游秦说华阳夫人，华阳夫人又说安国君立自赵归秦之子楚。《战国策·秦策五·濮阳人吕不韦》章称子楚为“异人”，即后来的庄襄王。其何时为质于赵，史料阙如。其自赵返秦，《资治通鉴·周纪五》以为在前257年，因而吕不韦见子楚在前257年前。又据《吕不韦列传》，其见子楚时因贾已“家累万金”。同时，从对子楚评价和西游秦做法可以看出：吕不韦此时已老谋深算、谙于世事。因而前257年时，吕不韦至少应在三十岁余。以此上推，其生当在前209年前后。

吕不韦籍贯，《战国策·秦策五》："濮阳人吕不韦贾于邯郸。"濮阳故城在今河南濮阳南三十里。《史记·吕不韦列传》："吕不韦者，阳翟大贾人也。"《正义》："阳翟，今河南府县。"

公元前289年（周赧王二十六年　楚顷襄王十年　齐闵王十二年）

屈原本年在沅湘一带，作《哀郢》。《哀郢》所写百姓沿江水夏水向东逃亡情景，究竟反映了什么事件，学术界看法不一。但《哀郢》所回忆诗人离开郢都情景，肯定非前278年白起破郢、顷襄王迁陈之事。《哀郢》亦非写于顷襄王三十年（前269年）或二十一年（前278年）。《哀郢》"东迁"乃是写顷襄王元年秦攻楚，秦军迅速向南、向东逼近，楚君臣百姓仓皇东逃之事。《哀郢》一诗作于九年之后，当是顷襄王十年（前289年）。地点不是在陵阳，而是在沅湘一带。

苏秦第二次自燕赴齐前夕献书齐王。据马雍《帛书〈战国纵横家书〉各篇的年代和历史背景》考证："苏秦于公元前296年由齐返燕，此后直到公元前288年以前，苏秦未再至齐。帛书前十四章中，不再有属于公元前300—前288年时期的记录，但在第四章中对这段时期的情况有所追述。"（《战国纵横家书》附）

《史记·田齐世家》、《六国年表》载，秦使魏冉约齐、秦并称帝在周赧王二十七年（前288年）。缪文远《战国策新校注》云："依《竹书纪年》，此当齐闵王十三年，鲍据《史记》谓其在三十六年，吴据《通鉴》谓在其二十年，均误。"苏秦便在此情况下自燕至齐。《战国策·齐策四》"苏秦自燕之齐"、"苏秦谓齐王曰"两章即记此事。从《战国纵横家书》第九章语气看，苏秦在"反间"于齐前夕，曾同齐闵王予以协商，便由燕将此书信寄给闵王。

苏秦或上书齐闵王。《战国策·齐策五·苏秦说齐闵王》为全书中最长的一篇文章，从内容看应为上书。由马王堆三号汉墓帛书观之，苏秦此时为燕反间于齐。《策》文中有"战者，国之残也"之说，极言攻战之害。或许是苏秦故意要齐王松懈，为燕攻齐打基础。但《策》文也有可能是纵横策士或学纵横之术者依托苏秦之名给弟子们所写的讲稿。姚宏注即以为"一本"无"苏秦"二字。

公元前288年（周赧王二十七年　韩釐王八年　齐闵王十三年）

苏秦本年前后三次上书齐闵王。《战国策·赵策四》以齐攻宋为背景。《策》文辞主，即说齐王之人，《战国纵横家书》后附唐兰、杨宽文章皆以为苏秦。杨宽言："《赵策四》'齐欲攻宋'章的'之齐谓齐王曰'、《魏策二》'五国伐秦无功而还'章的'谓魏王曰'上，都和帛书一样没有游说者的署名，也该和帛书一样是属于苏秦的。"缪文远《战国策新校注》以为："此章之说者亦当为苏秦，其主旨在间离齐、赵。倡言欲齐闵王'偏劫天下'，名为使诸国重齐，实则为燕反间，使齐孤立。"以马王堆出土帛书观之，苏秦此时正为燕昭王反间于齐，上书齐王完全可能。《赵策四·齐将攻宋》与上章作时基本一致。《策》文云："齐将攻宋而秦禁之。齐因欲与赵，赵不听。

齐乃令公孙衍说李兑以攻宋而定封焉。李兑乃谓齐王曰……”下面便是谓齐王之语。文中“公孙衍”应为“苏秦”，“李兑乃谓齐王”应为“苏秦乃谓齐王”。《赵策四》还云：“五国伐秦，无功，罢于成皋。……苏代谓齐王曰……”以马王堆帛书观之，此《策》文中“苏代”应为“苏秦”。而苏秦约赵、齐、楚、魏、韩五国伐秦在周赧王二十八年（前287年），故其上书齐闵王亦应在此时。

拟托苏秦说韩王长篇说辞当作于本年后。《战国策·韩策一》有“苏秦为楚合纵说韩王”的长篇文章。《史记·苏秦列传》记载在秦败魏于雕阴、擒其将龙贾后，苏秦说韩宣王。齐思和《〈战国策〉著作时代考》辨之云：“韩虽小国，然是时当昭侯、申子之后，国势正强。《史记》所谓‘国治兵强，无侵韩者’正此时也。恐无对秦‘称东藩，筑帝宫’之事。《韩非子·存韩篇》称：‘韩事秦三十余年。’按韩非入秦，在秦始皇十四年，则韩之事秦，至早亦当在韩桓惠王之时，而非宣惠王时也。”（原载《燕京学报》第三十四期，后收入《中国史探研》）缪文远《战国策考辨》对此也有辨析。以苏秦事迹观之，他一生都在为燕服务，目前还没有文献资料可以证明苏秦曾到过韩国。苏秦说辞中言：“夫以韩之劲与大王之贤，乃欲西面事秦，称东藩，筑帝宫，受冠带，祠春秋。”以《史记·秦本纪》观之，秦昭王称帝在其即位十九年（前288年），但在当年即去帝号。《策》文既然言及秦称帝事，则其作不能早于本年。

拟托张仪说韩王长篇说辞当作于本年后。见于《战国策·韩策一》的“张仪为秦连横说韩王”长篇文章，与“苏秦为楚合纵说韩王”成对出现。《策》文中列举的事情中，有远在张仪卒后者，故《策》文非张仪作。这些文章是有人分别站在“纵”、“横”者对立立场，练习而成的辩难之作。如《苏秦为楚合纵说韩王》云：“夫以韩之劲与大王之贤，乃欲西面事秦……夫羞社稷而为天下笑，无过此者矣。”这实际是针对连横者所发的议论。《张仪为秦连横说韩王》云：“诸侯不料兵之弱，食之寡，而听从人之甘言好辞，比周以相饰也。皆言曰：‘听吾计则可以霸天下。’夫不顾社稷之长利，而听须臾之说，误人主者，无过于此矣。”这些文章气势充沛，结构分明，极显铺陈，对汉大赋产生了直接影响。就《张仪为秦连横说韩王》而言，文中提到秦称帝，故其作不得早于此年。

公元前287年（周赧王二十八年　魏昭王九年　赵惠文王十二年　齐闵王十四年）

苏秦上书说齐闵王。《战国纵横家书》第八章原为“谓齐王”的“无主辞”，帛书整理小组以为辞主应为苏秦。此文系年，唐兰为前287年，马雍为前288年。文章所言事之年与写作之年应一致。帛书记“立帝，帝立。伐秦，秦伐。谋取赵，得。攻宋，宋残。”据《史记·秦本纪》、《田完世家》、《六国年表》等，周赧王二十七年（前288年）十月，秦魏冉约齐并称帝。齐为东帝，秦为西帝。齐第一次伐宋，杨宽、唐兰以为在前295年（《战国纵横家书》附），徐中舒以为在前287年，马雍、缪文远以为在前288年。由帛书第八章可知，齐攻宋应与前288年秦、齐并称帝同时。此帛书应作于前288年底或前287年初。帛书第十章亦为“无主辞”，整理小组以为苏秦。唐兰、马雍均系于前287年。以苏秦年世、事迹观之，其说是。

苏秦自齐返燕，又自燕至梁，说梁王，并作书信给燕王、齐王。前287年上半年，苏秦奉齐闵王之命约赵、齐、楚、魏、韩五国共击秦。先至燕，随之至梁。帛书第十四章即为苏秦自梁寄给齐王之书信。后梁、燕欲乘齐攻宋之机联合攻齐，但此事泄于齐王，齐王欲提前收兵。因不知苏秦为燕"反间"于齐，遂将收兵事告知苏秦，而苏秦立刻将此情况告知燕王。此为帛书第六章之内容。而第七章为苏秦紧接着向燕王所写的另一书信。《战国策·魏策二·五国伐秦》辞主，杨宽、缪文远均以为苏秦。以苏秦行事观之，此时其正在梁，故向梁王进说，劝其勿与秦构和。

苏秦自梁至赵，在赵分别作书信于燕王、齐王。《战国纵横家书》第一、二、三、十一、十二五章分别为：苏秦自赵献书燕王、苏秦使韩山献书燕王、苏秦使盛庆献书于燕王、苏秦谓齐王、苏秦自赵献书于齐王。唐兰系第一章在前288年，第二、三两章在前289年，第十一、十二两章在前287年。马雍则系此五章在前287年下半年或前286年上半年。据帛书内容及苏秦活动情况，马雍说可取。

公元前286年（周赧王二十九年　赵惠文王十三年　齐闵王十五年）

庄周卒于本年前后。《史记·庄周列传》称庄子与梁惠王（前369年—前319年在位）、齐宣王（前319年—前300年在位）同时，则其卒应在前300年或其后。《庄子·徐无鬼》载："庄子送葬，过惠子之墓。"惠施之卒在前310年前后，庄周能过惠施之墓，则其卒在前310年之后。《庄子·列御寇》记庄子之言："今宋国之深，非直九重之渊也；宋王之猛，非直骊龙也。"据《史记·魏世家》："（昭王）十年，齐灭宋，宋王死我温。"宋为齐所灭在前286年。庄子能言及宋事，则其卒或在前286年前后。

《庄子·至乐》载："庄子妻死，惠子往吊之，庄子则方箕踞鼓盆而歌。惠子曰：'与人居，长子老身，死不哭亦足矣，又鼓盆而歌，不亦甚乎！'"《礼记·曲礼》以为"七十曰老"。庄子妻子既为"老身"，庄子又后其妻卒，寿或在八十上下。庄子生约在前368年前后，则其卒应在前286年前后。

庄周之学，《史记·老子韩非列传》附《庄周列传》云："其学无所不窥，然其要本归于老子之言。"庄周著述，《史记·庄周列传》云："故其著书十余万言，大抵率寓言也。作《渔父》、《盗跖》、《胠箧》，以抵訿孔子之徒，以明老子之术。'畏累虚'、'亢桑子'之属，皆空语无事实。然善属书杂辞，指事类情，用剽剥儒、墨，虽当世宿学不能自解免也。其言洸洋自恣以适己，故自王公大人不能器之。"《汉书·艺文志》"道家"类著录"《庄子》五十二篇"。西晋司马彪注《庄子》为五十二篇。但郭象注《庄子》为三十三篇（《内篇》七篇、《外篇》十五篇、《杂篇》十一篇）。其后只有郭象注本行世，司马彪等人注本相继失传，《庄子》中一些篇章遂亦失传。宋王应麟以来时有人辑其佚文，而近人马叙伦《庄子佚文》一卷，有128条（《庄子义证》附），王叔岷《庄子佚文》149条，后又续辑13条（《庄子校释》附）。据江世荣研究，今本《庄子》中缺篇有《阏弈》、《意修》、《危言》、《游凫》、《子胥》、《惠施》、《马捶》等。前人所辑《庄子》佚文，有误以他书、他人文字辑入者，然而也有漏辑者。如崔譔、向秀、孟氏本子中的《庄子》原文（参江世荣《庄子佚文举例——兼论〈庄子〉辑佚工作中的一些问题》。《文史》第十三辑）。

《庄子·内篇》即《逍遥游》、《齐物论》、《养生主》、《人间世》、《德充符》、《大宗师》、《应帝王》七篇。一般认为是庄周本人所作。其写作时代要早于《外篇》、《杂篇》。《外篇》是其学生或后学收集未编入《内篇》的庄周文章及后学著作。《杂篇》是在《庄子》之《内篇》、《外篇》流行之后，有人补辑认为是庄周或庄周一派文章附于其后。敦煌石室内发现唐写本《庄子》，其中有《外物》第六节。刘笑敢《庄子哲学及其演变》运用现代科学观念与全面统计方法，从汉语词汇发展客观历史及使用特征揭示出《内篇》中只有道、德、命、精、神等概念，《外篇》、《杂篇》道德、性命、精神等复合词则屡见不鲜。作者参照先秦典籍如《左传》、《论语》、《老子》、《孟子》、《荀子》、《韩非子》、《吕氏春秋》诸书中用词情况，足证复合词的出现确实较晚。又从先秦汉初古籍引用《庄子》书情况，论证《外篇》、《杂篇》基本上完成于先秦（中国社会科学出版社1987年版）。张岱年在为其书作《序》言："于是《庄子》书中内外杂篇的先后早晚便得到无可争辩的证明。"李学勤《新发现简帛佚籍对学术史的影响》亦云："《庄子》也不像有些学者主张的那样晚。江陵、阜阳等地出土的竹简《庄子》，均属前人认为最晚的《杂篇》。《杂篇》是引有《内篇》文字的，所以《内篇》很可能出于庄子本人。"1977年安徽阜阳出土竹简有《庄子·杂篇》佚文数条。也有人以庄周大约生活在前365年至前290年间，证明《庄子·杂篇》写作年代距离庄周活动时间不远。如陈鼓应"《太一生水》与《性自命出》"405页注释云："我认为《庄子》全书的成书过程是由战国中期延续到战国晚期。"（载《道家文化研究》第十七辑）

帛书《伊尹·九主》作于本年前后。《汉书·艺文志》"道家"类著录"《伊尹》五十一篇"。但至《隋书·经籍志》已不见著录。1973年长沙马王堆汉墓出土帛书，有一篇重要佚文《伊尹·九主》，不仅纠正了《史记·殷本纪》《集解》引刘向《别录》关于"九主"记载之误，还有助于更好理解黄老之学。近年余明光《帛书〈伊尹·九主〉与黄老之学》举四条理由，证明其成书大概与《庄子》年代差不多，在战国中期稍后。（《道家文化研究》第三辑）

《墨子·所染》作于本年后。《墨子·所染》载墨子见染丝者而叹。文中所提"宋康"，《荀子·王霸》作"宋献"。杨倞注："宋献，宋君偃也。"《吕氏春秋·当染》、《顺说》、《列子·黄帝篇》、《淮南子·道应训》、《新序·卷二》皆作"宋康王"；《吕氏春秋·淫辞》、《壅塞》、《过理》作"宋王"。《史记·宋微子世家》《索隐》："《战国策》、《吕氏春秋》皆以偃谥曰康王也。"则《墨子·所染》所指应为宋君偃，其于前338年即位，前328年称王，谥康王。宋君偃自称王后荒淫暴虐，遂于前286年为齐所灭。《墨子·所染》既言及宋康王之灭，则此篇作时不会早于前286年。

《庄子·天下篇》将墨子与禽滑釐并称，二人虽为师徒，年岁应相差不大。此篇称禽滑釐为"禽子"，则为其弟子或后学所作。而据《吕氏春秋·当染》："禽滑釐学于墨子，许犯学于禽滑釐"之记载，许犯为禽滑釐之弟子。而许犯前322年时曾在滕，陈相拜其为师并与孟子辩论。但许犯本人未同孟子直接辩论，或已高龄。至前286年时又过三十六年，故此文作者不应是许犯。或是由许犯将此事讲述于其弟子或后学，由他们追记而成。又因《吕氏春秋》编纂始于前247年或稍前，其书既记此事，则

《墨子·所染》应作于前 286 年后至前 247 年期间。

苏秦自赵返齐，在齐献书燕王。《战国策·燕策二·苏代自齐献书于燕王》章内容，亦见帛书第四章。但帛书为“自齐献书于燕王”的“无主辞”，且篇幅较《策》文长。帛书中有“臣受教任齐交五年”、“臣秦拜辞事”之语。马雍云：“苏秦于公元前 286 年中由赵国回到了齐国，他说服了齐王，使齐王不把蒙邑封给奉阳君；并挑拨了齐赵的关系，使齐赵邦交恶化。就在此时，燕王忽派盛庆传令苏秦，说他要另外委派人来代替苏秦的职务。苏秦感到自己很受委屈，便写了一封很长的书信给燕王，这就是帛书第四章。”（《战国纵横家书》附）缪文远《战国策考辨》以为“马说是也，此章作者当以帛书题作苏秦”。

帛书及《战国策》均有“天下攻齐，将与齐兼弃臣”语。如缪文远《战国策新校注》说：“则当苏秦献书燕王时，‘天下攻齐’已有山雨欲来之势。此当为周赧王二十九年（前 286 年）事。次年，乐毅遂合诸国攻齐。”则此书信应作于前 286 年。

《战国策·宋卫策·宋康王之时》作于本年后。此章为叙事体。由宋康王暴虐，写到“王乃逃倪侯之馆，遂得而死”。《吕氏春秋·禁塞》云：“宋康知必死于温，吾未知其为不善之至于此也。”据《史记·魏世家》：“（昭王）十年，齐灭宋，宋王死我温。”魏昭王十年为前 286 年。《策》文既记此事，则其作不得早于本年。

公元前 285 年（周赧王三十年　秦昭王二十二年　赵惠文王十四年　楚顷襄王十四年）

齐湣王矜功不休，诸儒谏不从，故各分散，慎到、接子亡去，田骈至薛，荀况上书齐相，未听，也于本年或下年去齐至楚。桓宽《盐铁论·论儒》云：“及闵王奋二世之余烈……矜功不休，百姓不堪。诸儒谏不从，各分散。慎到、接子亡去，田骈如薛，而孙卿适楚。”荀况去齐原因，《荀子·王霸》亦说：“不得道以持之，则大危也，大累也，有之不如无之，及其綦也，索为匹夫不可得也，齐闵、宋献是也。”齐灭宋在前 286 年。五国合纵攻齐、闵王出奔直被杀在前 284 年，则荀况去齐至楚在本年或次年。而后来事实果如《荀子·王制》所说“齐闵王毁于五国”。又《荀子·强国》：“荀子说齐相曰”云云，其中说：“今巨楚县吾前，大燕鰌吾后，劲魏钩吾右，西壤之不绝若绳。”据此，则当作于湣王末年（参赵逵夫《〈荀子·赋篇〉包括荀卿不同时期两篇作品者》，见《屈原与他的时代》）。

尹文卒于本年前后。尹文卒年，因无史料，难以考定。桓宽《盐铁论·论儒》在述及齐闵王末年诸人散去时未提及尹文，或此时已卒。钱穆《先秦诸子系年·通表》即定其卒在前 285 年前后。

宋钘、尹文应归于哪一家，历来议论纷纷。《庄子·天下》以宋、尹合称，《荀子·非十二子》则以墨、宋并举。《陶潜集》所收《圣贤群辅录》末云：“不累于俗，不饰于物，不尊于名，不忮于众，此宋钘、尹文之墨。”则是当做三墨之一。后如俞正燮《癸巳类稿》、钱穆《先秦诸子系年·宋钘考》也以宋钘为墨徒。孙诒让《墨子间诂》对《圣贤群辅录》之说已做过反驳：“考《庄子》本以宋钘、尹文别为一家，不云亦为墨氏之学。以所举二人学术小略考之，其崇俭、非斗虽与墨氏相近，而师承实迥异，乃强以充三墨之数，而韩非所云相夫氏之墨者反置不取，不知果何据也?”孙诒让之说是也。

刘节《古史考存·管子中所见之宋钘一派学说》指出《管子》外言的《枢言》，短语的《心术》上下，《白心》，《区言》的《内业》与宋钘、尹文有关（人民出版社1958年版）。郭沫若《青铜时代·宋钘尹文遗著考》、金德建《先秦诸子杂考·宋钘、尹文所著〈枢言〉、〈心术〉、〈白心〉、〈内业〉等篇的考察》，以为《管子》之《心术》上下、《白心》、《内业》为宋、尹遗著（中州书画社1982年版）。但张岱年《管子的〈心术〉等篇非宋尹著作考》将《管子》中的这四篇与先秦所记宋、尹思想加以比较，论证《心术》等非宋、尹著作，而是依托于管仲名下的管子学派著作（《道家文化研究》第二辑）。李学勤对此言：“《尹文子》和《管子·心术》等篇，颇可互相印证。《心术》等篇确属宋、尹，金德建《宋钘、尹文三论》一文有很详细的讨论，他把《心术》等篇的内容与《庄子·天下》篇关于宋、尹的描述一一比对，不少地方是富于说服力的。”“郭文已讲到《管子·心术》上有经有传，‘经盖先生所作，传盖先生讲述时，弟子所录。’由此看来，至少经是宋、尹本人的作品无疑，而这经的部分也有文句与《黄帝书》一样的（如‘虚无形谓之道’类于《经法·道法》的‘虚无心’）。这表明《黄帝书》早于宋、尹，而且宋、尹已以经典待之。”（《李学勤学术文化随笔》第二篇《文献篇·〈管子·心术〉等篇》）但也有学者提出疑问。冯友兰《中国哲学史新编》第一册对郭说提出质疑（人民出版社1962年版）。唐兰根据马王堆出土帛书，将包括《管子》这些篇在内的古书与佚书相比较，以为佚书即《汉书·艺文志》的《黄帝四经》（《马王堆出土〈老子〉乙本卷前古佚书的研究》，《考古学报》1975年第1期），朱伯崑《〈管子〉四篇考》也主张《心术》等四篇非宋钘、尹文遗著（《中国哲学史论文集》第一辑，山东人民出版社1979年版），祝瑞开《〈管子〉四篇非宋钘、尹文遗著辨》（《先秦社会和诸子思想新探》，福建人民出版社1981年版），张岱年《中国哲学史史料学》不同意郭说，《李学勤学术文化随笔》以为“宋、尹和彭、田、慎两派的思想学说，应该是比较近似的。他们都学黄老之学，有融合道法刑名的倾向，但宋、尹又有接近墨家的观点，慎到则更接近于法家，两派的分野或即在此”。“先秦学者，除墨家外，本不像后世那样严分门户，《汉志》所说也不可过分拘泥。黄老是道家，侯外庐先生主编的《中国思想史纲》说齐国稷下有‘同受道家传统影响的两派，一派以宋钘、尹文为代表，一派以彭蒙、田骈、慎到为代表’，而后者‘比宋、尹一派更趋近于法家’，现在看来还是不错的。”

《列子·周穆王篇》言尹文“终身不著其术，故世莫传焉”。《列子》是魏晋间人模仿《庄子》并掺杂佛说而编成，把尹文说成是虚拟人物，不足为史料（参唐钺《尹文和〈尹文子〉》。《古史辨》第六册）。《汉书·艺文志》“名家”类著录“《尹文子》一篇”。《隋书·经籍志》“名家”著录“《尹文子》二卷”。注云：“尹文，周之处士，游齐稷下。”《新唐书·艺文志》“名家”著录“《尹文子》一卷”。《宋史·艺文志》“名家”同《新唐书·艺文志》。元马端临《文献通考》亦作二卷。晁公武《郡斋读书志》卷三（上）提出《尹文子》“序”为东汉仲长统所作。《四库提要》云：“此本亦题《大道上篇》、《大道下篇》，与序相符。而通为一卷，盖后人所合并也。”故自宋、明以来，或疑为东汉、魏晋人依托。如顾实《汉书艺文志讲疏》提出了怀疑《尹文子》的一个理由是："尹文以欢颜寝兵，和调天下。今书乃曰：'以名法治国，万物所不能乱；以权术用兵，万物所不能敌。'"对此，李学勤云："《天下》所说宋、尹'以聏合欢，以调海内'，应如王蘧常所说，是'有得于老子之柔道'。老子正是提倡'以正治国，以奇用兵'的，和'柔道'没有什么矛盾。帛书《黄帝书》在这方面也有许多发挥。"（《李学勤学术文化随笔》第二篇《文献篇·〈管子·心术〉等篇》）对晁说，《四库全书总目提要》已驳之。清末孙诒让校正《尹文子》，附有宋本《尹文子》校文（《札迻》。中华书局1989年版）。近人吕思勉《经子解题》以为："今本两篇，精要之论，多在上篇中。然上篇实包含若干篇章；因排列失次，其义遂不易通。盖条次撰定者，于此学实未深造，此篇盖《汉·志》之旧。其文字平改处，则后人所改。下篇由杂集而成，盖后人所附益，非汉时所有。"（华东师范大学出版社1996年版）19世纪二三十年代"辨伪"之风盛行时被视为伪书。罗根泽《诸子考索·尹文子探源》从"与古本不同"、"误解尹文学说"、"论及尹文以后学说"三个方面论证其为魏晋时人伪托。今人的一些文章或论著，针对疑伪证据具体辩驳。结论大都以为其书不伪，且是尹文草创、在战国后期经过补充加工之书。胡家聪《〈尹文子〉与稷下黄老学派》云《尹文子》："其书中道法刑名思想融为一体的稷下道家黄老学说……这种学说只能产生于当时稷下之学的特定历史条件下，是特定环境的产物。因此，离开了那种特定的历史条件和环境，就是后人想伪造也是无法伪造出来的。"（《文史哲》1984年第2期）其说甚是。他举出了《尹文子》作于战国的内证。即文中有"乱、亡之国"、"强、治之国"说法，这表明此书应在战国时代，而不应在汉至魏晋人伪造；《尹文子》中尹文学说与《荀子》书中的荀况学说多相近或相同的地方；这种现象一则说明尹文、荀况同在稷下从事学术活动，荀况称宋钘为"子宋子"，与尹文同受其传承，二则说明尹文之与荀况学说有多处相近或相同。后来他又力辩尹文学派活动于战国中、后期，《尹文子》作于战国，归于稷下黄老之学，《尹文子》其书流传有序（《稷下争鸣与黄老新学》。中国社会科学出版社1998年版）。此说有理。《尹文子》在流传中后人有补充。其书言名法之义甚精，对以后学术理论的系统有一定的影响。刘勰《文心雕龙·诸子》云："辞约而精，尹文得其要。"其《大道上》论五色、五声、五臭、五味一段文字，揭示了艺术欣赏的主体性原则，即审美主体的差异决定其审美倾向的不同，在美学史上有一定的价值。《北堂书抄》中有《尹文子》一段佚文云："钟鼓之声，怒而击之则武，忧而击之则恐。其意变，其音亦变。意诚或达于金石，而况人乎？"揭示了主体思想情感与艺术活动之间、形式媒介同观赏者之间的情感互动关系。

苏秦为齐献书秦穰侯。《战国策·秦策二·陉山之事》有"苏代为齐献书穰侯"一大段文字。献书穰侯内容，《史记·穰侯列传》在秦昭王三十四年（前273年）。但《史记》记此事有误。《战国纵横家书》后附唐兰《司马迁所没有见过的珍贵史料》注释二十九在谈到该《策》文时云："苏代为齐献书穰侯，信里说到'今破齐以肥赵'和'秦得安邑，善齐以安之'等话。《史记·穰侯列传》把此事放在穰侯和白起等破芒卯于华阳之后。华阳在今河南省密县，在郑州西南，不知与陉山何涉。陉山属于太行山脉，当指前285年乐毅以赵相国名义伐齐取灵丘一事。田章即陈璋，顺子大概是齐闵王的子侄，过去就曾在赵国作质子，见《燕策二》。如果是破芒卬以后，那就在前 273 年，齐闵王已死了十一年，怎么能有这两个人物呢？破齐肥赵，正是五国攻秦时的话，齐灭宋之后，魏国就向秦国献安邑，那么献书穰侯当在前 285 年无疑。《秦策》苏代当做苏秦。”缪文远《战国策考辨》据唐兰与杨宽的推断，以为“此章苏代当从唐说作苏秦，献书穰侯事在赧三十年”。

苏秦上书赵王。《战国策·赵策一》载苏秦为齐上书赵王，《战国纵横家书》为“献书赵王”的“无主辞”。《史记·赵世家》记此事在赵惠文王十六年（前 283 年），上书者为“苏厉”。据此，《策》文、帛书、《史记》或许为来源于三个不同渠道，但帛书最为接近原貌。另有一种情况就是：司马迁看到了与《策》文一样的材料，但依《史记》记载，苏秦此时已死，故改“苏秦”为“苏厉”。今人唐兰、缪文远以为该文为苏秦上书，时在周赧王三十年（前 285 年），马雍则依《史记》系年（唐、马说见《战国纵横家书》附《司马迁所没有见过的珍贵史料》；缪说见《战国策新校注》）。据《史记·赵世家》：“（惠文王）十四年，相国乐毅将赵、秦、韩、魏、燕攻齐。”苏秦此时在齐，上书赵王合情理。唐兰《司马迁所没有见过的珍贵史料》注释④云：“此篇《赵策》说是‘赵收天下，且以伐齐’时的苏秦上书是对的，《史记》列在赵惠文王十六年，说是‘秦复与赵数击齐’，苏厉遗赵王书。这是公元前 283 年。前一年（前 284）乐毅率五国兵攻齐，一共打了三仗，第一是北地之役，第二是济西大战，齐兵败后，各国都不再进兵了。只有乐毅率燕兵长驱入临淄，即帛书老子甲本后的佚书《明君》篇所说的‘邦郊’之战。齐闵王逃走，最后到莒邑，为淖齿所杀。乐毅连下齐国七十余城。齐太子法章变姓名为莒太史家佣仆，很久才敢暴露而被莒人立为王。这个时候哪有秦国约赵攻齐的事。齐国已无君，苏厉即使写信，为谁写呢？从文中内容看，秦国当时虽说伐齐，实际是先伐韩，就是公元前 285 年秦国败韩于夏山一事，这时五国攻齐还在酝酿时期，燕国还未正式参加。秦国与赵会中阳，谋伐齐，并派蒙武攻齐河东，与此书情况完全符合，可见《史记》是弄错了。（《赵世家》在惠文王十六年既说‘赵乃辍谢秦，不击齐’，可接着又说‘王与燕王遇，廉颇将攻齐昔阳取之’，自相矛盾。其实攻齐昔阳是与燕国争得地，由此也可以证明此时秦赵没有共伐齐）。应从《赵策》。”

苏秦自齐献书燕昭王。其事见《战国策·燕策二·苏代为奉阳君说燕于赵》。吴师道《战国策校注补正》云：“此《策》文多未详，注多未妥。”缪文远《战国策新校注》云：“此《策》当为苏秦自齐献燕王之书。《策》言其告燕王之语曰：‘今齐、赵绝，可大纷已’，盖在乐毅伐齐之前一年，即周赧王三十年（前 285）。”但三苏事迹，司马迁已不明。其觉得人们对苏氏兄弟评价不公允，故《史记·苏秦列传》言：“苏秦起闾阎，连六国从亲，此其智有过人者。吾故列其行事，次其时序，勿令独蒙恶声焉。”惜材料所限，司马迁仍未搞清三苏行事。至唐，司马贞为《苏秦列传》所作《索隐》加按语云：“谯允南以为苏氏兄弟五人，更有苏辟、苏鹄，《典略》亦同其说。按，《苏氏谱》云然。”

20 世纪 70 年代马王堆出土帛书，为人们排查苏秦事迹提供了线索。但帛书许多为“无主辞”。以帛书、《战国策》、《史记》三者相较，人们普遍认为此《策》文说燕昭王者当为苏秦。但帛书、《战国策》、《史记》材料，或许来源于不同的渠道。帛书虽未见苏代，但《战国策》与《史记》却反复出现。以帛书之是证《战国策》与《史记》之非，仍然缺少根据。但在目前情况下，只能这样取舍。《策》文言“齐已绝于赵”，且有赵将韩为告苏子之语。据《史记 · 赵世家》：“（惠文王）十三年，韩徐为将，攻齐。”赵惠文王十三年为前 286 年。苏子详告燕昭王，离间齐、赵已成功，或许即指此。而离间齐、赵是为了孤立齐，为燕攻齐做准备。

苏秦使人自齐传言于燕王。《战国策 · 燕策二 · 苏代自齐使人谓燕昭王》中的“苏代”，以帛书观之，应是“苏秦”。《策》文为叙事体。由燕离间齐、赵一直写到“燕因使乐毅大起兵伐齐，破之。”燕破齐在周赧王三十一年（前 284 年），故苏秦传言于燕王应在本年或稍前。

公元前 284 年（周赧王三十一年　楚顷襄王十五年　燕昭王二十八年　齐闵王十七年）

苏秦被齐车裂于市。苏秦卒年，因受《史记》影响，前人以为在前 317 年前后。对此误说，徐中舒《论〈战国策〉的编写及有关苏秦诸问题》已辩之（《历史研究》1964 年第 1 期）。苏秦之卒在前 284 年现已成共识。前 284 年初，燕昭王至赵见赵王，五国伐齐局面已定，秦派御史起贾在魏主伐齐事宜。在此危机形势下，齐派使者至魏，见起贾，为齐和苏秦游说。帛书第十一章《谓起贾》有“天下剂齐不待夏”之语，可见齐派使者游说在春季。篇末提到“武安君”苏秦，可见此时苏秦尚在，且齐闵王对苏秦还十分信任，认为燕不会攻齐。后燕“绝交于齐”（《战国策 · 燕策二》），乐毅率五国之兵先自燕境攻齐之北地，驱兵入临淄，苏秦为燕“反间”于齐阴谋彻底暴露。《战国策 · 楚策一》拟托张仪游说辞言：“凡天下所信约纵亲坚者苏秦，封为武安君而相燕，即阴与燕王谋破齐共分其地，乃佯有罪，出走入齐，齐王因受而相之，居二年而觉，齐王大怒，车裂苏秦于市。”《战国策》此文中“居二年而觉”有误，但言苏秦为齐车裂则是。其时在前 284 年下半年。

苏秦为战国时一名士，故典籍多记其事。如《孙子 · 用间》、《荀子 · 臣道》、《吕氏春秋 · 知度》、《史记 · 邹阳列传》、《新序 · 杂事第三》。《说苑 · 君道》将苏秦、邹衍、乐毅等并称“四子”。《汉书 · 艺文志》“纵横家”类著录“《苏子》三十一篇。”《文心雕龙 · 才略》：“战代任武，而文士不绝；诸子以道术取资……苏秦历说壮而中。若值文世，则杨、班俦矣。”肯定苏秦说辞雄壮中肯，如果在宗重文章时代，会成为扬雄、班固一类作家。钱穆《先秦诸子系年》云：“清代学者沈钦韩曾经说过：‘《苏子》三十一篇，今见于《史记》、《国策》灼然为苏秦者八篇，其短章不与。秦死后，苏代、苏厉等并有论说，《国策》通谓之‘苏子’，又误为‘苏秦’。此三十一篇，容有代、厉并入。”苏秦创作见于《战国策》及《战国纵横家书》。司马迁在《苏秦列传》中评论道：“苏秦兄弟三人，皆游说诸侯以显名。其书长于权变，而苏秦被反间而死，天下共笑之，讳学其术。然世言苏秦多异，异时事有类之者皆附之苏秦。夫苏秦起闾阎。连六国纵亲，此其智有过人者。”正因世“讳学其术”，司马迁时流传苏秦事迹零碎、杂乱。《战国纵横家书》或为苏秦门人、弟子保存下来完整记录其事迹的文献。《汉书

·杜周传》“赞”曰：“业因势而抵陒。”注引服虔曰：“请罪败而复抨弹之，苏秦书有此法。”颜师古注：“言击其危险之处，《鬼谷》有《抵戏篇》也。”唐兰以为：“所说苏秦书可能指现在传本的《鬼谷子》。”（《战国纵横家书》附）李学勤《新发现简帛佚籍对学术史的影响》言：“经过与简帛佚籍对照，《鬼谷子》的一部分也是真的古书。宋王应麟提出《鬼谷子》就是《汉书·艺文志》的《苏子》，这个意见在一定程度上是值得考虑的。”从内容分析，《鬼谷子》的《捭合》以下六篇、《符言》、《本经阴符七术》可能是鬼谷子本人所著，而《揣篇》、《摩篇》、《权篇》、《谋篇》、《决篇》及《持枢》、《中经》可能是其学生、后学之作，其中应有《苏子》中的篇章被编入（参许富宏博士学位论文《〈鬼谷子〉真伪及其文学价值》）。

齐人狐援在此年或稍前陈辞（通称《狐援辞》）劝闵王。《吕氏春秋·贵直》载狐援因说齐闵王不听而哭，其辞曰：“先出也，衣絺纻；后出也，满囹圄。吾今见民之洋洋然东走而不知所处。”文中“狐援”，陈奇猷《吕氏春秋校释》引毕沅曰：“狐援，《齐策》作狐咺，《古今人表》作狐爰。奇猷按：援、咺古音皆隶元部，通假。爰、援古今字。”狐援劝闵王之时，《战国策·齐策六》载：“齐负郭之民有狐咺者，正议。闵王斫之檀衢。百姓不附。……于是杀闵王于鼓里。”齐闵王被杀于莒，在周赧王三十一年（前284年）五国合纵攻齐，燕将乐毅攻入齐都临淄同年。因而狐援劝谏闵王当在本年或稍前。狐援劝闵王辞，逯钦立《先秦汉魏晋南北朝诗》名为《狐援辞》。

湖北荆门包山二号墓所出竹简文字作于本年前。包山二号墓所出竹简有“大司马悼愲以将楚邦之师徒以救郙之岁”字样。学者多认为“悼愲”即为楚灭越功臣昭滑，“救郙之岁”即为包山二号墓下葬年代。但王保玹却以为：“楚人淖滑即是杀死齐滑王的楚将淖齿，淖滑所救的‘郙’即是齐滑王临死前所在的莒县，而淖氏‘救郙’之岁即齐滑王奔莒之年，时为公元前284年。”其说见《论郭店楚简各篇的撰作时代及其背景——兼论郭店及包山楚墓的时代问题》。他首先结合《史记·秦本纪》、《楚世家》、《韩世家》、《六国年表》等材料，证明公元前292年楚人不会有“救郙”举动，故包山二号墓下葬于此年之说亦不成立；其次从齐、韩、魏三国攻楚性质及“新蔡”地名不应当用“郙”字来代替，证明包山二号墓下葬于公元前303年意见也不具有更多可靠性。作者论证了“郙”当时并不属楚，并结合《战国策·赵策三》记载，否定了陈伟如下观点：淖滑有伐齐存燕图谋，陈璋壶铭文提到齐人“伐燕亳邦”，亳、郙两字可通假，从而可推断淖滑“存燕”即“救亳”或“救郙”，“救郙之岁”即是燕国陷于内乱之年（前316年）。王保玹认为淖滑图谋伐齐存燕之时应在公元前286年“灭宋”之后、公元前284年“伐齐”之事。“淖齿救莒一事就是包山楚简所记淖滑的‘救郙’。”证明了“莒”、“郙”可以通假，还从云梦秦简看白起拔郢之后楚郢文化角度，对自己观点予以论证（见《中国哲学》第二十辑《郭店楚简研究》专集。其引陈伟之说见陈著《包山楚简初探》）。

《战国策·燕策一·燕昭王收破燕》作于本年后。此章为叙事体。自“燕昭王收破燕后，即位”写到乐毅伐齐。“齐城之不下者，唯独莒、即墨”。而五国合纵攻齐，燕将乐毅攻入齐都临淄在周赧王三十一年（前284年）。《策》文中郭隗以“千金市马”之喻说燕昭王求贤或在昭王即位不久，但全篇《策》文之作不得早于本年。

《荀子·王制》作于本年后。以全文看，《王制》当是一篇完整文章。文中言“齐闵王毁于五国”。据《史记·乐毅列传》、《田完世家》等，乐毅率五国之兵攻破齐都临淄，闵王奔苴被杀在周赧王三十一年（前284年）。文中既言此事，其作自然在本年后。

《荀子·王霸》前两段文字作于本年后。《荀子·王霸》第一段谈到“齐闵”、“宋献”，第二段言齐闵王“身死国亡，为天下大戮”。前已证之，齐闵王奔莒被杀在周赧王三十一年（前284年）。《荀子·王霸》第一、二段既言此，则其作不得早于本年。

公元前283年（周赧王三十二年　楚顷襄王十六年　齐襄王元年）

屈原于本年四月从湘水靠近资水地带向北行进时作绝命词《怀沙》，并于本年仲夏五月五日自投汨罗而死。《怀沙》写诗人行踪不多。首句“汩徂南土”概括了此次被流放于江南之野事情，并非指某一次具体行程。“滔滔孟夏兮，草木莽莽。伤怀永哀兮，汩徂南土。”前两句为作诗时令与环境。“滔滔”即《诗·唐风·蟋蟀》“日月其迈”，《豳风·东山》“我徂东山，慆慆不归”。屈原化用《东山》之典，表示自己被放江南之野很久，至今不能归去。而“汩徂南土”是总言自己被放楚之南土。《怀沙》“乱”辞云：“浩浩沅湘，分流汩兮。修路幽蔽，道远忽兮。”说明此诗之作，乃在资湘上游之地，其地亦靠近沅水上游。诗人由沅入湘，将顺湘水而北行。资水以西，便是溆水。其在溆浦一带住了较长时间。诗后一部分说“进路北次，日昧昧其将暮。舒忧娱哀兮，限之以大故。”死意已定，故在此年孟夏作绝命词《怀沙》。

《史记·屈原列传》言屈原死后，宋、唐、景之徒才以赋见称于楚。而今存三人赋及其他材料，证明他们主要生活在顷襄王时。《小言赋》末尾云：“王曰：‘善，赐之以云梦之田。’”则宋玉得宠于顷襄王时。楚都距云梦不远，未曾迁陈，而迁陈在顷襄王二十一年（前278年）。据此，屈原之死无论如何应在前278年前数年间。《屈原列传》又云：“自屈原沉汨罗后百有余年，汉有贾生，为长沙王太傅，过湘水，投书以吊屈原。”据《史记·贾谊列传》，贾谊作《鹏鸟赋》在任长沙王傅之后第三年。而赋中明言此年为“单阏之岁”。《集解》引徐广曰：“岁在卯曰单阏。文帝六年，岁在丁卯。”钱大昕《十驾斋养新录》及《廿二史考异》均定在文帝七年。并言“徐氏不知古有超辰之法，故云六年也”。据此，贾谊之赴任长沙途中作赋吊屈原，是在文帝五年（前175年）。“百有余年”是一种比较笼统说法。由汉文帝五年上推一百一十年为楚顷襄王十四年（前285年）。即依司马迁“自屈原沉汨罗后百有余年”贾谊赴长沙“投书以吊屈原”之说，可确定屈原死于顷襄王十四年左右。最晚不能迟于顷襄王二十二年。又因《史记》中所记屈原被放于顷襄王元年，其九年后有《哀郢》之作，所以，其死不能早于顷襄王十年（前289年），最迟不能晚于顷襄王二十二年（前276年）。

《史记·秦本纪》：秦昭襄王二十七年、楚顷襄王十九年（前280年），“错攻楚，赦罪人迁之南阳。……又使司马错发陇西，因蜀攻楚黔中，拔之。”《正义》引《括地志》：“黔中故城在辰州沅陵县西二十里。江南，今黔中府亦其地也。”则至顷襄王十九年，屈原已不可能还在沅湘一带。屈原之死，当在秦拔黔中以前。如此，屈原之卒应在前289年至前280年间。

再以前289年到前280年十年列国间、特别是楚国发生之事，来确定屈原自杀年代。综观这十年间形势，可以看出以下四点特征：

其一，山东六国联合对抗秦“合纵”战线完全崩溃。前287年，齐、楚等五国尚形成联合伐秦之势，秦被迫还赵、魏之地以求和。“合纵”刚一解散，秦即连续攻魏，使魏献地。此后几年中，秦昭王近十次与楚、赵、魏、韩之君相会，形成以秦为首攻齐，及随时攻打六国中某个国家之势。从根本上改变了原来“合纵”性质。

其二，齐原来作为六国“合纵”中坚力量及楚同秦对抗中重要联盟，本来已处于很不利地位，在前286年灭宋后狂妄自大，招致亡国之祸。

其三，秦向中原及南方不断发展，竟至于可以毫无顾忌地通过三晋之地而攻打齐，取齐之城而设为秦之县。六国遏制强秦发展吞并，已成为不可能之事。

其四，就楚而言，楚之西，秦已完全控制了巴蜀；楚之北，秦在三晋之地随意穿行；楚之东北，作为楚借以遏制秦之齐已瓦解，秦可凭据有之地随时由淮北进军楚。楚之东，越趁机收复部分失地，一定程度上牵制了楚之力，使其首尾不能兼顾。可以说，齐今日之结局，即楚明日之下场。然而顷襄王执迷不悟，成了六国中受秦支配最顺从之国。前285年秦昭王与楚顷襄王睄于宛，结和亲。至前283年甚至同秦昭王在楚故都鄢郢相会，以奇耻大辱为荣耀，真乃引狼入室而不知死之将至。

上述四方面情况，均为顷襄王十四年（前285年）后两三年中剧变。到了顷襄王十六年（前283年），楚瓦解之势已成。楚先王宗庙、大臣坟墓、公卿祠堂，均将在秦人铁骑之中毁于一旦。屈原被放汉北之时，曾拜谒了鄢郢先王之庙及公卿祠堂，在那里更坚定了他与国家共存亡决心，并由于在那里缅怀先王业绩，回顾夏、商、周三代历史，先后创作了震撼人心之抒情长诗《离骚》及千古奇诗《天问》。顷襄王与秦昭王在鄢郢相会消息，非其自杀惟一原因，但却是一个导火线。《史记・楚世家》：“十六年，与秦昭王会于鄢，其秋，复与秦王会穰。”则此次相会在夏季以前。又，《秦本纪》：“（秦昭王）二十四年，与楚王会鄢。”故屈原在孟夏四月得知顷襄王与秦昭王在鄢郢相会消息后即北行，至汨罗江投水而死。时应在前283年夏历五月五日。（参赵逵夫《屈原在江南的行踪与卒年》。见其《屈原与他的时代》）

田骈卒于本年或稍前。《史记・孟荀列传》云：“田骈之属皆已死，齐襄王时，荀卿最为老师。”则襄王时（前283年至前265年在位）田骈已死。

田骈承学，《庄子・天下》以为学于彭蒙。以《尹文子・大道下》看，彭蒙学于田骈。《尹文子序》又以为田骈、彭蒙为同学。《尹文子》以前被看作伪书，但近年因有出土文献为证，应为先秦之书。但田骈后于宋钘，二人不得同学。

田骈学术主张，《庄子・天下》以为“齐万物以为首”。此外《荀子・非十二子》、《吕氏春秋・不二》、《用众》、《执一》、《韩诗外传》卷四均有记载。如上各说，再加之以《史记・孟荀列传》言田骈“学黄老道德之术，因发明序其旨意”可知，故田骈思想以道家为主，兼有法家倾向。主张“贵齐”，“齐万物以为首”。强调事物齐一、均齐。坚持道家“逍遥论”主张，因性任物。断言：“变化应求，而皆有章；因性任物，而莫不亦当。”（《吕氏春秋・执一》）认为“万物皆有所可，有所不可”。（《庄子・天下》）除坚持道家齐物、逍遥、无为等观点外，田骈还倾向于法家，强调利益与刑名作用。即《荀子·非十二子》所说田骈“尚法”。

田骈著作，《汉书·艺文志》“道家”类著录“《田子》二十五篇”。全已散佚。其遗文佚说，《战国策·齐策四》、《吕氏春秋·执一》、《淮南子·道应训》等有记载。20世纪40年代蒙文通《杨朱学派考》以为《管子·心术》等四篇为田骈、慎到遗著（见刘梦溪主编“中国现代学术经典”丛书“廖平、蒙文通卷”）。近年裘锡圭以为《管子·心术上》、《白心》及马王堆出土《黄老帛书》为慎到、田骈学派作品（见《古代文史研究新探》）。

《战国策·齐策六·齐负郭之民有狐咺者》作于本年后。此《策》文为叙事体。由燕攻齐、闵王奔莒直到“襄王即位，君王后以为后，生齐王建”。襄王元年为前283年，故《策》文之作应在此年后。

公元前280年（周赧王三十五年　韩釐王十六年　楚顷襄王十九年）

庄辛拜谒楚襄成君，谈话中引“越人歌”以折服之。襄成君在楚顷襄王时被封。具体分封时间，史料无明确记载。但由《说苑·善说》和《水经·汝水注》记载庄辛与襄成君对话中可知，襄成君始封之日虽称庄辛为“大夫”，“遂造托而拜谒”，地位似乎不是很高。顷襄王二十一年，庄辛自赵被召回国后，襄王给他很高礼遇，封以为“阳陵君”，则此事应在顷襄王二十一年前（前279年前）。从对话中可看出庄辛有渊博知识、高超口才。与襄成君谈话时，庄辛谈到鄂君子皙曾泛舟于新波之中而听《越人歌》，但听不明白，于是鄂君子皙要求以楚语唱之曰：“今兮何夕兮，搴舟中流。今日何日兮，得与王子同舟。蒙羞被好兮不訾诟耻，心几顽而不绝兮，得知王子。山有木兮木有枝，心说君兮君不知。”

韩非本年前后生于韩。《史记·老韩列传》载：“非为人口吃，不能道说，而善著书。与李斯俱事荀卿，斯自以为不如非。”韩非与李斯从荀子学之时，《史记·孟荀列传》云：“齐人或谗荀卿，荀卿乃适楚，而春申君以为兰陵令。春申君死而荀卿废，因家兰陵。李斯尝为弟子，已而相秦。”又《春申君列传》：“（楚）考烈王元年，以黄歇为相，封为春申君。……春申君相楚八年……以荀卿为兰陵令。”楚考烈王元年为前255年。由上面记载可知，韩非与李斯共从荀卿学习，约在前255年其为楚兰陵令后及韩桓惠王二十六年（前247年）李斯入秦前，即前255年至前247年间。既然韩非在此期间能跟随儒学大师荀卿学习，年龄至少应在二十多岁。以此上推，当生在前280年前后。另，前233年韩非在秦被杀时，李斯在秦已十五年。假如韩非与李斯年岁相当，依钱穆《先秦诸子系年·李斯韩非考》，此时年岁应在四五十之间。以此上推，亦应生于前280年前后。

李斯本年前后生于楚之上蔡。《史记·李斯列传》：“年少时，为郡小吏。”李斯曾从荀子学帝王之术，后于前247年至秦。由《史记》所载李斯事迹这段材料可以推测：既然李斯早年曾为“掌乡文书”小吏（从《李斯列传》《索隐》引刘氏之说），后又从荀子学帝王之术，至前247年学成。从其经历来看，此时年岁应在三十左右。上推其生年，当在前280年前后。

《荀子·议兵》载：“李斯问孙卿子曰：‘秦四世有胜，兵强海内，威行诸侯，非以仁义为之也，以便从事而已！'”荀子回答李斯问时提到“庄蹻起，楚分而为三四……然而秦师至而鄢郢举，若振槁然，是岂无固塞隘阻也哉！”据《史记·秦本纪》、《楚世家》等，秦白起伐楚、拔郢在前 278 年，李斯与荀子谈话应在此年后。或即在前 260 年“长平之战”后。荀子正在赵，与临武君议兵于赵王前。李斯有可能听了荀子同临武君议兵后有感而问。此时李斯应在二十岁前后，正从荀子学，上推其生年亦应在前 280 年前后。

李斯籍贯，《史记·李斯列传》：“李斯者，楚上蔡人也。”《索隐》引《地理志》云：“汝南上蔡县，云‘古蔡国，周武王弟叔度所封，至十八代平侯徙新蔡’。二蔡皆属汝南。后二代至昭侯，徙下蔡，属沛，六国时为楚地，故曰楚上蔡。”

公元前 279 年（周赧王三十六年　燕昭王三十三年　齐襄王五年）

齐有婴儿谣（亦称《攻狄谣》）。《战国策·齐策六》载：“田单将攻狄……三月而不克之也。齐婴儿谣曰：‘大冠若箕，修剑拄颐，攻狄不能下，垒枯丘。'”此事《说苑·指武》等亦载之。

周赧王三十一年（前 284 年），五国合纵攻齐，燕将乐毅攻入齐都临淄，齐闵王出奔于莒。据《史记·田单列传》：齐丢失七十余城后，田单“以即墨距燕。顷之，燕昭王卒，惠王立，与乐毅有隙。田单闻之，乃纵反间于燕。宣言曰：‘齐王已死，城之不拔者二耳。乐毅畏诛而不敢归，以伐齐为名，实欲连兵南面而王齐。……’燕王以为然，使骑劫代乐毅。”田单反间计成功后，率军反击。“燕军大骇，败走。齐人遂夷杀其将骑劫。……而齐七十余城皆复为齐。乃迎襄王于莒，入临淄而听政。”田单反攻之时，《燕世家》这样记载：“昭王三十三年卒，子惠王立。惠王为太子时，与乐毅有隙。及即位，疑毅，使骑劫代将。乐毅亡走赵。齐田单以即墨击败燕军，骑劫死，燕兵引归，齐悉复得其故城。”燕惠王元年为前 278 年，田单复国在前一年。《六国年表》记载“杀燕骑劫”在周赧王三十六年（前 279 年）。齐婴儿谣当诞生在田单复国之时。逯钦立《先秦汉魏晋南北朝诗》名此谣为《攻狄谣》。

田单破燕时作歌亲唱之以鼓舞士气。见《战国策·齐策六》。其辞曰：“（无）可往矣，宗庙亡矣，（魂魄）尚矣，归何党矣！”田单破燕复国在周赧王三十六年（前 279 年）。

拟托张仪说燕王之辞作于本年后。《战国策·燕策一》云：“张仪为秦破从连横，谓燕王曰：……大王不事秦，秦下甲云中、九原，驱赵而攻燕，则易水、长城非王之有也。且今时赵之于秦，犹郡县也，不敢妄兴师以征伐。今大王事秦，秦王必喜，而赵不敢妄动矣。是西有强秦之援，而南无齐、赵之患，是故愿大王之熟计之也。”《史记·张仪列传》载此事在周赧王四年（前 311 年），吕祖谦《大事记》、林春溥《战国纪年》、黄式三《周季编略》、顾观光《国策编年》、于鬯《战国策年表》均系于此年。但全祖望《经史问答》、梁玉绳《史记志疑》、缪文远《战国策考辨》均以为拟托之辞。《策》文言“今赵王入朝渑池，效河间以事秦。”据《史记·六国年表》，秦、赵会渑池在周赧王三十六年（前 279 年），故《策》文之作不得早于本年。

公元前278年（周赧王三十七年　燕惠王元年　楚顷襄王二十一年　齐襄王六年）

荀子于本年或稍前自楚至齐“稷下”，三为“祭酒”。荀子于前285年说齐闵王未果而离齐至楚。楚国势日衰。据《战国策·楚策一》、《韩非子·初见秦》、《史记·楚世家》等，前278年前后，秦将白起攻克楚都郢，并一直攻到夷陵，烧毁楚前王陵墓及祭祀宗庙。并向南、向东攻取了郢周围及百里的疆土。《荀子·议兵》：“秦师至而鄢郢举，若振槁然”即指此事。楚迁都到陈。在这样一种战乱国衰情况下，荀子难以再停留下去。同时，还有一个很重要原因：齐襄王即位后恢复“稷下学宫”，荀子十五岁时曾至“稷下”求学，此次再来自在情理之中。

《史记·孟荀列传》载，荀子此次至齐时，“田骈之属皆已死。”荀子成为“稷下学宫”领袖——“祭酒”。《孟荀列传》《索隐》：“而卿三为祭酒者，谓荀卿出入前后三度处列大夫康庄之位，而皆为其所尊，故云‘三为祭酒’也。”明确说明荀子在齐期间离开过齐，但每次返齐后仍被推为祭酒。齐襄王于前283年至前265年在位，因而荀子三为祭酒应在此期间。

燕王遗乐毅书，乐毅作《报燕王书》，后卒。《战国策·燕策三》云：“齐田单欺诈骑劫，卒败燕军，复收七十城以复齐。”《史记·六国年表》：“杀燕骑劫。”前279年，乐毅畏诛而降赵，燕惠王以骑劫代乐毅，燕军大败。在此情况下，“燕惠王后悔使骑劫代乐毅，以故破军亡将失齐。又怨乐毅之降赵，恐赵用乐毅而乘燕之弊以伐燕。燕惠王乃使人让乐毅，且谢之曰……乐毅报遗燕惠王书曰……”（《史记·乐毅列传》）

《燕策二》记燕惠王以书让乐毅，毅以书报事，司马光《资治通鉴》、林春溥《战国纪年》、顾观光《国策编年》均系于前279年；但黄式三《周季编略》系于周赧王三十七年（前278年）。缪文远《战国史系年辑证》云：“田单杀骑劫、复齐国号在上年，但燕王悔惧及遗乐毅书，与上事相去当有若干时日，故今依黄氏《编略》系此。”其说为是。

燕王使人让乐毅书与乐毅报燕王书，均为两篇美文。乐毅《报燕王书》，《战国策·燕策二》、《史记·乐毅列传》、《新序·杂事三》记载内容相同。燕王使人让乐毅书，《战国策·燕策二》与《史记·乐毅列传》同，均为“先王举国而委将军”至“而亦何以报先王之所以遇将军之意乎？”但《战国策·燕策三》写燕将栗腹在周赧王五十六年（前251年）为赵将廉颇大败后，燕王喜“以书让间”内容，与《新序·杂事第三》“惠王乃使人遗乐毅书”相同。这显然就存在问题。我们以为：《战国策·燕策二》燕惠王让乐毅书，与《燕策三》谢乐毅之子乐间书，均为燕惠王让乐毅书。即燕惠王让乐毅书内容，应是《战国策·燕策二》与《燕策三》两段文字之和。文字顺序应是《燕策二》文字为第一部分，《燕策三》燕王让乐间书为第二部分。

《策》文云：“君之于先王也，世之所明知也。”这是说燕昭王重用乐毅，而乐毅亦率五国之兵攻齐七十多城。意在说明燕昭王重用乐毅，乐毅亦报燕昭王“知遇之恩”，君臣相得。若以此来说乐毅之子乐间，似乎无由谈起。《史记·乐毅列传》载：“于是燕王复以乐毅子乐间为昌国君”，“乐间闲居燕三十余年。”自燕惠王到燕王喜，已历四王，其间乐间并无甚建树，而文中“先王”亦不知何指。

《策》文还云："且寡人之罪，国人莫不知，天下莫不闻。"燕王此说，是如《史记·乐毅列传》言："乐毅留徇齐五岁，下齐七十余城，皆为郡县以属燕，唯独莒、即墨未服。"齐闵王出逃。在此前燕王哙时，齐乘燕乱，派章子"将五都之兵，以因北地之众以伐燕。士卒不战，城门不闭。燕君哙死，齐大胜"。燕国震动。故乐毅此次攻齐复仇，对燕人而言，真是大快人心。但惠王自为太子时即不喜欢乐毅，即位后又中齐将田单反间计，用骑劫代乐毅，齐田单反攻，燕大败。故燕惠王才有前引之说。若是燕王喜对乐间之言，则无从说起。因为乐间是乐毅出走至赵后，承袭其父而被封昌国君。若因其劝谏燕王勿伐赵，而使燕王之罪，"国人莫不知，天下莫不闻"，似乎过于夸大。

《史记·乐毅列传》载："燕王恨不用乐间。乐间既在赵，乃遗乐间书曰……"其书内容不见于《战国策》等其他史籍。这或许是燕王喜遗乐间之文。

从文章角度言，《燕策三》自"先王举国而委将军"一段，意思似乎没有结束，显得有头无尾。第一段讲了三层意思：乐毅于齐之功、燕王以骑劫替乐毅之因、乐毅轻弃燕"何以报先王之所以遇将军之意乎？"按理，接下应是燕王要劝乐毅回心转意。而《燕策三》恰恰就是这样思路。最后用"此寡人之愚意也。敬以书谒之"结尾。若将《燕策二》燕王让乐毅书，与《燕策三》燕王谢乐间书，分别为一篇文章第一、二部分，文章结构、意思均完整。吴师道《战国策校注补正》云："前章燕王使人让毅，且谢之曰云云，当是此章之首。盖错简也。"梁玉绳《史记志疑》卷三十云："余疑燕惠遗毅，燕喜遗间，或系二事，未可混并为一。"杨宽《战国史料编年辑证》"引论上篇"《战国史料之鉴别》则力辩乐毅《报燕惠王书》"盖战国末年游士为夸张乐毅计谋破齐而伪托，徒以文采华丽为世传诵，感人至深而人多信之。"

乐毅《报燕王书》，笔法讲究，文采华丽，情感真挚、恳切、曲折、委婉。感人至深，为世所诵。《史记·乐毅列传》云："始齐之蒯通及主父偃读乐毅之《报燕王书》，未尝不废书而泣也。"《文心雕龙·才略》以为："乐毅报书辨以义……若在文世，则扬、班俦矣。"

乐毅卒年，史无明载。《史记·乐毅列传》载，前278年乐毅报燕王书后，"乐毅往来复通燕，燕、赵以为客卿。乐毅卒于赵。"由乐毅在前278年后来往于燕、赵情形看，其卒应在此年后。

庄辛于本年前后作《谏楚襄王》。据《淮南子·主术训》记载："顷襄好色，不使风议，而民多昏乱。其积至昭奇之难。"使"百姓不亲，诸侯不信"，导致楚濒临亡国境地。庄辛切谏之，顷襄王不听，并讥笑其为"老悖"，庄辛请之赵躲避楚难。不久秦将白起果攻楚，占领巫山、楚旧都鄢（亦称鄢郢）及西陵，二十一年又拔郢都，焚烧夷陵，攻到竟陵、安陆，建立南郡；向南又攻取洞庭五渚、江南，楚迁都到陈。此时顷襄王方派使者召请庄辛回国，授执圭之爵，封为"阳陵君"。《谏楚襄王》即作于迁都陈城后不久。

赋文开头追述了楚都被攻陷之前庄辛直谏无效、不得不至赵避难，襄王逃奔陈城后，有所悔悟而征召庄辛归来之始末。然后铺叙了庄辛向襄王痛陈君王贪图享乐之危害说辞。"其说从小而至大，从物而至人，从外而及内，缓而不骤，婉而不触"（明张文燿校辑《战国策谭棷》卷五引明田艺蘅语)；“渐说到襄王身上，文极委曲”；足堪称“奇”(均见《战国策谭棷》卷五引胡时化、唐顺之之语)。实为汉代“七体”之滥觞。它反映了庄辛作为一个杰出散文家之才华和成就，也显示了庄辛在楚文学史、乃至中国文学史上应有的地位。

庄辛自赵回楚后完作《说剑》以劝谏顷襄王。《庄子》一书所收，有庄周本人著作，有庄周学生及后学著作，还杂有非庄周学派著作，这为学术界所承认。《汉书·艺文志》“道家”类著录“《庄子》五十二篇”为淮南王刘安所编成。刘安作《庄子解说》三篇:《庄子解》、《庄子要略》、《庄子后解》，尚有佚文存于当时。汉人有编辑旧籍、然后附己作于后风气。刘安所编为五十二篇，除去《解说》、《音》六篇为四十六篇，较今本多十三篇。郭象《庄子后记》言:“凡诸巧杂，十分有三，或牵之令近，或迂之令诞，或似《山海经》，或似占梦书，或出《淮南》，或辨形名……今唯裁取长达，致存乎大体者，为三十三篇。”这篇《后记》还言，郭象在集注之时，删去了《阏弈》、《意修》、《危言》、《游凫》、《子胥》等。可见，在汉初编成《庄子》，收进了不少并非是庄周及庄子一派著作。就《说剑》而言，罗根泽言:“这明是纵横家托之庄子而造出的故事，编《庄子》书的只见是庄子的事，遂拉来了。”(《罗根泽说诸子》。上海古籍出版社 2001 年版)陈鼓应《庄子今注今译》引林希逸、韩愈、王夫之说，以为本篇是战国策士游谈。又引沈一贯《庄子通》云:“《说剑》一篇，学非庄子学，文非庄子文。”(中华书局 1996 年版)我们以为:《庄子·杂篇》之《说剑》，是郭象删而未尽的一篇非庄子一派著作，作者为庄辛。这可以从此文所表现的政治主张和哲学思想、史实、文章风格与行文体例几个方面来证明。

其一，从政治主张和哲学思想来看。庄周主张人们回到无君、无臣、无所谓政治、法律、上下尊卑之别的原始社会中去。对统治阶级的各种活动，都持坚决反对态度。但《说剑》中庄子却以“包以四夷，裹以四时”，“论以刑德”、“匡诸侯，服天下”之天子之志，以及“四封之内，莫不宾服而听命”治国之策来激励赵惠文王。庄周主张无名、无功、无己。庄周一派一直抱着与统治阶级不合作的态度。《庄子·秋水》及《史记·老韩列传》附《庄周列传》，均记载楚曾派人迎庄周为相，无一例外地遭庄周拒绝。但《说剑》却抱着称赞态度，写冒着“身刑而死”危险，以“悦王”、“绝王之意”庄子。这个庄子完全是热衷于政治、军事活动，具有深谋远略的人物。

庄周及其学派攻击儒家道德，不遗余力。认为仁义圣智是一切灾难、罪恶根源。而《说剑》所表现出庄子却为身着儒服，而且标榜“智勇”、“贤良”、“清廉”、“忠圣”，把它们看作与世俱来、万世不变的法宝。“直之亦无前，举之亦无上，按之亦无下，运之亦无旁。”认为它可以“上法圆天，以顺三光，下法方地，以顺四时，中和民意，以安四乡”。庄周及庄子一派，在先秦时代不言“五行”。《庄子》一书，除《说剑》外，再也找不到一处有关“五行”议论。此文所写庄子讲“制以五行”。马叙伦《庄子义证序》云:“若《说剑》者，其义趣浅陋，若无涉于庄周之旨，辞亦与他篇不伦，必出于伪造者无疑。”在《说剑》篇“义证”指出:“本书不言五行义。此虽泛论，可致疑也。”根据文中所反映这几点，可以推断:不仅此文非庄周或庄周一派所写，且文中所写“庄子”也不是庄周。

其二，以史实观之，此“庄子”非“庄周”。《说剑》中写赵惠文王沉溺于观看剑士争斗，其太子请庄子谏止之。据《史记·赵世家》，武灵王十六年娶孟姚（吴娃）为后。二十七年孟姚所生之子何为惠文王。则惠文王初立时年不过十一岁。即使在三十岁时初立太子，时为赵惠文王十九年左右（前279年）。此时庄周已年届九十，不可能远至赵。

从庄辛活动来讲，其离楚在秦发兵攻楚之前。离楚不久，秦将白起领兵攻楚，拔取鄢、邓、西陵等五城。此为顷襄王二十年后半年。次年，白起又攻楚，取郢，烧楚先王墓夷陵，取洞庭、五渚、江南。襄王东北保于陈城，忆庄辛之语而征之于赵。此应在顷襄王二十一年，也正是赵惠文王二十一年（前278年）。《史记·赵世家》：“（赵惠文王）二十二年，大疫。置公子丹为太子。”《说剑》所写庄子在赵国之时，太子名悝，二十二年所立名丹。这可能是先立悝，后因大疫，废悝而立丹。庄辛在赵曾停留十个月，期间受赵太子之请，说赵惠文王。当时赵惠文王（前278年—前266年在位）正热衷于观击剑。厚养剑士，日夜相击，死伤者众。经庄辛一席话，使赵惠文王一改前行。所以，从史实上说，《说剑》中“庄子”系指庄辛，应无可怀疑。今人张成秋《庄子篇目考》，在谈到《让王》、《盗跖》、《说剑》、《渔父》四篇时说：“此四篇中，《说剑》外，多有可与庄子思想相发明者，未可一概斥之为伪。”指出在四篇之中，《说剑》非庄子一派文章，最为明显。钱穆《先秦诸子系年》有一章专论《庄子见赵惠文王说剑乃庄辛非庄周辨》。

根据以上考辨，《说剑》应是庄辛回楚后，为进一步讽谏楚襄王而写的一篇带有寓言性质的小说。在事实基础上，应含有部分夸张与虚构（参赵逵夫《庄辛——屈原之后楚国杰出的散文作家》，《西北民院学报》1990年第4期；《庄辛〈谏楚襄王〉考校兼论〈新序〉的史料价值》，《甘肃社会科学》1993年第6期，1994年第1期；《我国最早的一篇作者可考的小说——庄辛〈说剑〉考校》，《山西师大学报》1992年第4期）。

唐勒《奏士论》、《论义御》、《远游》作于本年至前241年间。后来出土的唐勒赋残简《论义御》为典型的散体赋。唐勒作品，《汉书·艺文志》“赋家”类著录有赋四篇，但未流传下来。《水经·汝水注》引唐勒《奏士论》：“我是楚人也，世霸南土，自越以至沙垂，弘境万里，故号曰万城也。”全篇则早已散佚。《论义御》是1972年出土于银雀山汉墓《唐勒》书之一篇。（详前319年条）

《楚辞章句·远游序》中说《远游》为屈原所作，此后学者多从之。然而从《远游》所表现思想看，与《离骚》等可靠为屈原的作品也不相合：一，屈原一生为国效力，抱着“亦余心之所善兮，虽九死其犹未悔”信念，以身殉国。屈原向往禹、汤、武丁、周文王、周武王这些明君，傅说、吕望、宁戚这些贤臣及彭咸之类楚先贤。而《远游》作者只是羡慕赤松、韩众、王子乔。提到傅说，也并不像《离骚》慕其得遇明君，而是羡其托于星辰，把他看作了往世登仙之“真人”。法家以黄帝为独断之君标本，方士以黄帝为养生模范。屈原作品不讲黄帝，而《远游》则向往轩辕：“轩辕不可攀援兮，吾将从王乔而娱戏。”屈原只说“前修”，《远游》羡慕真人、羽人；屈原“哀高丘之无女”，《远游》“仍羽人于丹丘”。这不仅仅是用词之别。二，从其语言、文化、社会风气等方面看，也同可靠的屈原作品显然不同。

过去还有一种观点认为，《远游》不是屈原作品，却是汉代作品（如吴汝纶《古文辞类纂评点》以为“后人伪《大人赋》为之”；陆侃如《屈原评传》以为“大约是一个汉代的无名氏伪托的”；郭沫若《屈原赋今译·后记》以为是《大人赋》底稿；谭介甫《屈赋新编》则据《汉书·叙传》中所引班嗣报桓谭书“持论很和《远游》所说相同”，将其归于班彪从兄班嗣名下）。然而汉人所作诸说并不能成立。

首先，刘向编《楚辞》一书，《远游》即被收入其中。如果是汉人所作，他不会不知道。将司马相如或更迟的其他汉人之作作为屈原作品，在刘向殆无可能。至于班嗣，其生活年代比刘向还迟。其他更无须论。其次，就《大人赋》与《远游》关系言之，二者颇有雷同处。但《远游》所写反映了古代神话和道家内容。《大人赋》因袭模仿，又略有变动。所以有些文字在《大人赋》中又有小异，并且有失先秦传说的体系，是《大人赋》模仿《远游》，而非《远游》模仿《大人赋》。

《远游》乃是唐勒的作品。作于前 278 年楚迁都陈后至前 241 年迁都寿春期间。

楚自顷襄王二十一年（前 278 年）迁都陈后，进入了苟延残喘期。在当时楚国社会政治氛围中，人生短暂、在现实社会中无能为力，不敢面对政治上逐渐走向衰亡，使得骚客赋家都借悲秋叹老来抒发伤感或没落。如《九辩》：“悲哉，秋之为气也，草木摇落而变衰。”于是，道家虚静无为思想和方士们长生久视向往便融合而风行。申不害、宋钘、尹文、慎子一派道家思想中积极因素被抛弃了，或被模糊和淡忘了。当时楚国一些文人著作虽然在行文设问上，同宋钘、尹文或屈原、韩非一致，但表现意识已有不同。《远游》正是在这种情况下产生，且是唐勒在楚迁陈后至迁寿春阶段。《奏士论》、《论义御》也创作于这一时期。

《论义御》为唐勒所作，还可以从《远游》和《论义御》共同之处可知。其一，二者对御术描写言虽异而意同。如《论义御》：“缓急若意，驰若蜚，逸若绝……夜走夕日而入日蒙汜。”《远游》：“舒并节以驰骛兮，逴绝垠乎塞门。轶迅风于清源兮，从颛顼乎增冰。”“徐弭节而高厉。”像这种情况不止一处。其二，皆表现了道家虚静思想。其三，都用了道家“精神”、“气”概念。其四，都讲“道”。其五，有些句子大体一样。如《论义御》：“子神奔而鬼走”，《远游》：“忽神奔而鬼怪。”两处语言环境不同，而皆运用妥帖，可见此一比喻为作者所习用。

由以上五点看，《远游》同《论义御》应出于一人之手，也就是说，皆应归于唐勒名下。其创作时间和《奏士论》一起，应在前 278 年楚迁都陈后到前 241 年迁寿春前后（参赵逵夫《唐勒〈论义御〉与由楚辞向汉赋的转变——兼论〈远游〉的作者问题》，《西北师大学报》1994 年第 5 期）。

唐勒《惜誓》作于本年后的二十多年间。王逸《楚辞章句·惜誓序》云：“《惜誓》者，不知谁所作也。或曰贾谊，疑不能明也。”因为《惜誓》中有些句子，其语意与贾谊的《吊屈原赋》相近，故有此说。但从《鹏鸟赋》好摄取、套用他人文字的情况看，《吊屈原赋》也是贾谊套用了《惜誓》的一些句子写成。《惜誓》非贾谊所作，它的作者比贾谊要早。《惜誓》开头说：“惜余年老而日衰兮，岁忽忽而不反。”贾谊去世时只有三十三岁，所以，此赋所反映出的作者情况与贾谊的情形不合。《惜誓》中又

说："夫黄鹄神农犹如此兮，况贤者之逢乱世哉！"此似战国末期的状况而与史称为"文景之治"的时代不合。又：《惜誓》中反映出很突出的神仙家的思想，如"攀北极而一息兮，吸沆瀣以充虚"等及写到苍龙、白虎（并朱雀、玄武，汉代人称之为"四灵"）、赤松、王乔、少原之野之类，皆神仙家言，既不合于屈原，也不合于贾谊。总之，所反映的思想与贾谊所处的时代不合。由这两点可以断定《惜誓》不是贾谊所作，而是楚国迁陈后楚人的作品。

《惜誓》的作者为《汉书·艺文志》所著录的"《唐勒赋》四篇"中的一篇。因为从《惜誓》所反映的背景和作者情况看，乃是楚国迁陈之后楚人的作品。这同唐勒的生活与创作一致。同时，《惜誓》所反映的思想、情绪和作品的风格，同《远游》相一致，也与《论义御》相一致。另外，《惜誓》在表现手法和语言风格上也与《远游》和《论义御》相似。

赋中将楚人发祥地丹水和传为太康所筑夏县拉扯进去，一方面因为距此二地颇近，另一方面这也是楚迁陈后朝廷中王侯公卿自我解嘲心态的反映，恐怕是当时言谈、文字中较普遍的现象。但在诗人，还是知道离开楚人的故都，离开祖祖辈辈长期生活过的地方，实际上反映着楚国的衰微，故赋中说："水背流而源竭兮，木去根而不长"，"念我生而久仙兮，不如反余之故乡。"而且，从这四句看，赋应作于楚考烈王十五年（前253年）楚迁都于鉅阳（今安徽省阜阳市以北）之前。楚都迁至鉅阳不久，又迁至寿春，前223年楚被秦所灭。楚都迁于鉅阳之后，国势更为衰微，则楚朝野从上到下恐已没有再返回郢都的愿望，只希望不要向东南节节败退。《惜誓》中表现出希望返回郢都的愿望。所以，当作于楚顷襄王二十一年（前278年）至楚考烈王五十年（前253年）之间（参赵逵夫《论〈惜誓〉的作者与作时》。《文献》2000年第1期）。

宋玉《九辩》、《高唐赋》、《神女赋》作于本年后。依历史文献记载可知，宋玉曾仕顷襄王。顷襄王自前298年至前263年在位，凡三十五年。而宋玉之仕的前后若干年，而其未仕及仕后均不可能创作如此内容、情调作品，只能作于被迫离开朝廷后。其次，楚从顷襄王继位后，国势日衰。特别是前278年迁都陈后，更进入苟延残喘时期。此时楚大凡对现实有一定认识之人，面对如此形势，都会产生沉重心理压力。骚客赋家更要借悲秋叹老，抒发伤感或没落情绪。《九辩》应是在此种情绪、氛围下的产物。从作品本身内容、情调看，全诗笼罩着既悲己运、又悲国运的"悲秋"情绪；"羁旅而无友生"——受唐勒、景差这些故友之谗，被迫离开朝廷的痛苦；"失职而志不平"的内心苦闷、不平。特别是诗中"专思君兮不可化，君不知兮可奈何"、"愿一见兮道余意，君之心兮与余异"、"不得见兮心伤悲，倚结轸兮长太息"等，都是向楚王表明心迹。正如王逸《楚辞章句·九辩序》所说："《九辩》者，楚大夫宋玉之所作也。……忠而放逐，故作《九辩》以述其志。"这个"楚王"只能是顷襄王。宋玉作《九辩》是在其继位后期到被迫离开朝廷、顷襄王未死期间内。基于上述原因，《九辩》应作于前278年至前262年之间。

再看《高唐赋》、《神女赋》作时。据史籍记载，春秋时，楚已在云梦之野建有离宫别馆、高伟观台。现已发现在今湖北潜江境内有楚章华台遗迹。战国时楚人已在巫山云梦一带建高唐之观。云梦之野则是楚王游猎胜地。《招魂》描述了楚怀王在云梦之野田猎情景。《战国策·楚策四·庄辛谓楚襄王》说顷襄王“驰骋乎云梦之中，而不以天下国家为事”。不难想象，云梦给楚王带来了欢乐。但据《史记·秦本纪》、《六国年表》、《楚世家》，秦大良造白起于前278年伐楚，拔郢，烧夷陵，楚襄王兵散不复战。楚失江汉故土，迁都于陈。从此，楚王不可能再在云梦之中田猎游乐，自然要有遗憾和怀念。以赋中“昔者楚襄王与宋玉游于云梦之台”及楚襄王“使玉赋高唐之事”之作赋原因观之，可知《高唐》、《神女》二赋当为楚顷襄王失去云梦、迁都陈后令宋玉所作。

公元前277年（周赧王三十八年　秦昭王三十年　楚顷襄王二十二年）

庄辛与楚顷襄王关于“君子之行”对话在本年或稍后。事见《说苑·贵德》。其中“楚王”，《后汉书·樊宏传论》作“楚顷襄王”，《渚宫旧事》作“襄王”。“庄辛”，《后汉书》作“阳陵君”。庄辛被封“阳陵君”在顷襄王二十二年前后。楚王视之如师，谦而请教，称其言曰“善”，已俨然太傅国士。故此篇反映时间应在顷襄王二十二年或稍后。

拟托苏秦始将连横说秦惠王及赵王之辞作于本年后。《战国策·秦策一》文辞优美，节奏明朗，运用了虚构、肖像与场面、细节描写等艺术手法，文学色彩十分浓厚。但苏秦已于前284年被齐车裂而死，文中所涉秦取巫、黔之事在秦昭王三十年（前277年），距离苏秦死已近十年。缪文远《战国策考辨》对此有详细辨析。

公元前275年（周赧王四十年）

慎到卒于本年前后。桓宽《盐铁论·论儒》言齐闵王时慎到亡去，这是史籍所见慎到最晚行踪。《论儒》所记闵王暴虐行为，应在其末年（前284年）。此后再无慎到活动，或许在齐闵王末年后不久而卒。今依钱穆《先秦诸子系年·通表》系于此。

慎到著述，《史记·孟荀列传》以为“慎到著十二论”，但早已亡佚。《汉书·艺文志》“法家”类著录“《慎子》四十二篇”。《史记·孟荀列传》《集解》引徐广曰：“今《慎子》，刘向所定，有四十一篇。”《正义》：“《慎子》十卷，在法家，则战国时处士。”《风俗通义·姓氏》称“著《慎子》三十篇。”《隋书·经籍志》“法家”类著录“《慎子》十卷”。注：“战国时处士慎到撰。”《旧唐书·经籍志》、《新唐书·艺文志》同《隋书·经籍志》。《宋史·艺文志》“法家”类则著录为“《慎子》一卷”。《群书治要》卷三十七录有《因循》、《民杂》、《知忠》、《德立》、《君人》、《君臣》六篇，另外还有两段文字没有题目。《崇文总目》著录为一卷。南宋陈振孙《直斋书录解题》称麻沙刻本凡五篇。王应麟《汉书艺文志考证》云：“《汉志》四十二篇，今三十七篇亡，惟有《威德》、《因循》、《民杂》、《德立》、《君人》五篇。”今日通行本为这五篇，加上从《群书治要》辑出《君人》、《君臣》二篇，共七篇。钱熙祚校本为佳（在《守山阁丛书》，又见《诸子集成》）。至于明末《慎子内外篇》，学术界已公认为慎懋赏杂抄各书凑成。清人钱熙祚、严可均考辑有《知忠》、《君臣》二篇，共得七篇。关于《慎子》流传情况，张心澂《伪书通考》、罗根泽《诸子考索》等均有说明。

蒙文通《杨朱学派考》以为：“余前撰《儒家哲学思想之发展》，以《管子》书

《心术、内业》，义合于慎到，实《管》书之有取于慎子。由今视之，益为信然。”金德建《先秦诸子杂考〈管子·任法篇〉作于慎到考》列出了《任法篇》观点七个方面，结合《庄子·天下》、《慎子·威德》、《史记·孟荀列传》所附慎子学术承传情况，证明与慎到思想相合，从而以为《管子·任法篇》“应该认为就是慎到所亲著”。(中州书画社1982年版)

慎到主张，《庄子·天下》：“公而不党，易而无私，决然无主，趣物而不两，不顾于虑，不谋于知，于物无择，与之俱往，古之道术有在于是者。彭蒙、田骈、慎到闻其风而悦之。”“是故慎到弃知去己而缘不得已……豪杰相与笑之曰：‘慎到之道，非生人之行而至死人之理，适得怪焉。’”《荀子·非十二子》：“尚法而无法，下修而好作，上则取听于上，下则取从于俗，终日言成文典，反循察之，则倜然无所归宿，不可以经国定分。然而其持之有故，其言之成理，足以欺惑愚众。是慎到、田骈也。”《天论》：“万物为道一偏，一物为万物一偏，愚者为一物一偏，而自以为知道，无知也。慎子有见于后，无见于先。”《解蔽》：“昔宾孟之蔽者，乱家是也。墨子蔽于用而不知文，宋子蔽于欲而不知得，慎子蔽于法而不知贤。”《韩非子·难势》、《吕氏春秋·慎势》均引慎子之言。其为法家“法”、“术”、“势”三派之“势”派。《太平寰宇记》以为“慎子墓在济阴县西南四里”。“济阴”即今山东菏泽附近。

公元前270年（周赧王四十五年　齐襄王十四年）

邹奭本年前后生于齐，时人称为“雕龙奭”。邹奭事迹，《史记·孟荀列传》载：“齐有三邹子，其前邹忌，以鼓瑟干威王，因及国政，封为成侯而受相印，先孟子。其次邹衍，后孟子。”“邹奭者，齐诸邹子，亦颇采邹衍之术以纪文。”由此可知，邹奭后于邹衍，且整理、修订过邹衍著作。邹衍卒于前240年前后，其学术能大行于世，并为邹奭所采用，不应在邹奭早年。若邹衍卒时邹奭可颇采邹衍之术并自著述，年岁当以三十上下为宜。上推其生年则在前270年前后。

据《史记·孟荀列传》记载，邹奭亦列“稷下”。又据桓宽《盐铁论·论儒》，齐闵王末年时，“慎到、捷子亡去，田骈入薛，而孙卿适楚。”齐灭宋在前286年。故《盐铁论》所说，当为齐闵王末年（前284年）事。“稷下”诸子亡散在闵王末年。

稷下活动在齐宣王时又兴盛，延至齐王建时。《史记·孟荀列传》言：“齐宣王时，而荀卿最为老师。”此时“奭也文具难施”，“故齐人颂曰：‘谈天衍，雕龙奭，炙毂过髡。’”《孟荀列传》述及人物活动先后时出现错乱。前已言之，邹衍后于孟子，邹奭后邹衍，孟子与淳于髡同时，而在这里却列邹奭先于淳于髡。但由此可知，邹奭曾列“稷下”，其学说颇有影响。司马迁主要在说明“稷下”诸子及学术盛况，诸人活动前后，司马迁已难明。以《史记》所载邹奭事迹及邹衍卒于前240年推之，邹奭主要活动应在齐王建时期。齐王建前264年即位，在位凡四十四年。若邹奭生前270年，齐王建时正值壮岁，因而其活动就主要在此期间。又：《史记·田完世家》在叙述齐宣王即位后稷下学术盛况时未提及邹奭，但在《孟荀列传》却载：“自邹衍与齐之稷下先生，如淳于髡……各著书言治乱之事，以干世主，岂可胜道哉！”也可以说明这一点。

钱穆《先秦诸子系年·通表》定邹奭生于前295年，但无考证根据。只在《邹衍考》"附邹奭"，说明"邹奭在邹衍后"。若邹奭生于前295年，至前240年邹衍卒时已年近六十。定邹奭卒在前230年，则邹衍卒后十年邹奭即卒。如此情形，似不符邹奭"颇采邹衍之文以纪文"，"邹奭修衍之文，饰若雕镂之龙文"实际。钱穆定邹衍生于前305年，则邹奭少邹衍五岁，二人年岁相当。而邹奭要对邹衍之术发扬光大似为不妥。另，钱穆定邹衍卒在前240年，若邹衍与邹奭年岁相当，而邹奭要对邹衍学术予以采用并编订其书，则邹衍学术盛行于世要非常早，如此似不合情理。况先秦诸子成书，大多在其身后，此为通例。还有，《史记·封禅书》记载："自齐威、宣之时，邹子之徒，论著《始终》《五德》之至，及秦帝而齐人奏之。"《集解》引韦昭曰："名衍。"以《孟荀列传》所说情形推之，齐人所奏之作品，便为邹奭整理、修订，或竟为邹奭所奏也未可知，故司马迁才有"邹子之徒"之说。梁启超《先秦学术年表》定邹奭生于前319年前，与邹奭活动年代不符（《古史辨》第四册）。

邹奭称"雕龙奭"，见《史记·孟荀列传》。《集解》："邹奭修衍之文，饰若雕镂龙文，故曰雕龙。"《汉书·艺文志》"阴阳家"类著录"《邹奭子》十二篇"。自注："齐人，号曰雕龙奭。"

公元前269年（周赧王四十六年　秦昭王三十八年）

甘肃天水放马滩秦墓竹简《墓主记》文字或作于本年，其内容类似《搜神记》之类志怪故事。1986年，甘肃天水放马滩1号秦墓出土了四百六十支竹简。其中《墓主记》几支简，讲名叫丹之人因刺伤他人，被弃市后掩埋，三年后复活。又四年后，能听见狗叫鸡鸣，吃活人饭食。所记故事与《搜神记》等书内容颇相似，而时代早了五百多年。李学勤释简文为："三十八年八月己巳日，邸丞赤谨向御史报告……"从墓地地理位置和出土器物看，墓葬年代为战国末至秦代。这段时期内，只有秦昭王有三十八年，此年为前269年。颛顼历八月丁巳朔，己巳为十三日。李学勤将竹简文字，与《搜神记》中的"汉武帝建安中，南阳贾偊"、"汉建安四年二月，武陵充县妇人李娥"两个故事进行了比较。得出了这样的认识："上引故事和放马滩简文的共同点是，故事中主人本不应死，被司命遣回人间，复活后讲述了死时在另一世界的种种见闻。这种志怪故事，反映了佛教轮回思想传入以前人们对死后情形的宗教信仰。""放马滩简中这则故事，情节不如《搜神记》的曲折，但仍可视为同类故事的滥觞，值得大家注意。"（《文物》1990年第4期）

公元前266年（周赧王四十九年　秦昭王四十一年　魏安釐王十一年　赵惠文王三十三年）

荀子于本年或稍后至秦，答秦昭王与范雎问。荀子于前278年前后至齐后一直居齐，期间曾至秦并与秦昭王与应侯范雎有对话。《荀子·儒效》载："秦昭王问孙卿子曰：'儒无益于人之国?'"《强国》云："应侯问孙卿子曰：'入秦何见?'"荀子俱一一做答。刘向《孙卿书录》云："孙卿之应聘于诸侯，见秦昭王……及秦相应侯，皆不能用也。"据《史记·范雎列传》，范雎被封应侯在秦昭王四十一年（前266年）。以荀子平生行事观之，其至秦只有一次。以《荀子》记载看，荀子至秦应在范雎被封应侯之后。秦昭王以为儒无益于国，则荀子不为所用自在情理之中。《荀子·儒效》、《强国》既载本年前后荀况与秦昭王谈论，则文中该段文字之作不得早于本年。

范雎说秦昭王收韩，并引逸诗及以“博胜神丛”、“郑人卖璞”寓言说秦王除“四贵”，被封应侯。《史记·范雎列传》载秦拔魏邢丘后，“客卿范雎复说昭王曰：‘王不如收韩。’……王曰：‘善。’且欲发使于韩。”据《魏世家》等，秦取魏邢丘在前266年。秦简《编年记》亦云：“（昭王）四十一年，攻邢丘。”

范雎说秦昭王收韩后，范雎历陈“四贵”之危国，议请铲除（《古文辞类纂》作“范雎说昭王论四贵”），昭王信之，并拜范雎为相。“秦封范雎以应，号为应侯。当是时秦昭王四十一年也。”逐穰侯事，帛书《战国纵横家书》十六亦云：“穰侯，舅也，功莫多焉，而竟逐之。”

拟托虞卿说赵王之辞、范座献魏王与信陵君书当在本年后。《战国策·赵策四》载：“虞卿谓赵王曰：‘请杀范座于魏。范座死，则从事可移于赵。’赵王曰：‘善。’”范座，《史记·魏世家》、《说苑·善说》皆作“范痤”。

此《策》文系年，林春溥《战国纪年》系于周赧王四十年（前275年），黄式三《周季编略》系于周赧王五十年（前265年），顾观光《国策编年》、于鬯《战国策年表》，均因《史记·魏世家》在魏安釐王十一年（前266年）所记“赵使人谓魏王曰”一段材料，内容与《策》文相同，便据之系于是年。今人缪文远《战国策考辨》、《战国策新校注》，郭人民《战国策校注系年》等从之。但这些系年均不妥。这首先从《策》文自身矛盾的“内证”可知。其一，虞卿“夫魏为纵主”可有两解：一是魏为纵主，联合其他五国攻秦。魏虽在战国初年由于文侯任用李悝进行改革，在诸侯中首先富强，但后来每况愈下。至魏惠王九年（前361年）时为强秦所迫，不得不将都城由安邑徙至大梁。依《史记·秦本纪》、《魏公子列传》、《魏世家》、《六国年表》，直到魏安釐王三十年（前247年）魏信陵君无忌率五国兵击秦。若《策》文所说“魏为纵主”指此次事，则其时应在前247年。“魏为纵主”还有一解：魏、赵合纵，魏主其事。以《策》文所载虞卿与赵王谈话背景看，这种可能性最大。若有此事，只能是《史记·虞卿列传》载赵孝成王九年（前257年）邯郸解围后，“居顷之，而魏请为纵。”《新序·善谋》载此事与《史记》同。《战国策·赵策三》载此事与《史记》、《新序》大体相同。而魏安釐王十一年根本没有魏与赵合纵之事。其二，《策》文接下写赵王听虞卿之说，“乃使人以百里之地，请杀范座于魏。”范座献书魏王，“又遗其后相信陵君书曰。”文中提到信陵君为“后相”，但史无信陵君为相记载。由《策》文看出，信陵君应在范座之后为相；而范座为相，或即在秦昭王四十二年（前265年）魏相魏齐被秦王所迫离魏自杀以后；若信陵君为相，则更在范座之后。其三，“夫赵、魏敌战之国也”之说，于史实无据。依《史记·魏公子列传》，魏安釐王元年（前265年）无忌被封为信陵君。《策》文既称其封号，应在魏安釐王元年后。若依《史记·魏世家》定此事在魏安釐王十一年（前266年），在此期间，魏、赵不仅没有战争，还于魏安釐王四年（前273年）联合攻韩。说赵、魏敌战之国，于史实不符。据《史记·赵世家》，至魏安釐王三十二年（前245年）时，“廉颇将，攻繁阳，取之。”其四，《策》文范座与信陵君书信，有“夫国内无用臣，外虽得地，势不能守，然今能守魏者，莫如君矣”之说。依《史记·魏公子列传》，魏安釐王二十年（前257年），信陵君与春申君联兵救赵后，“使将将其军归魏，而公子独与客留赵。……赵王以鄗为公子汤沐邑。魏亦复以信陵奉公子。……公子留赵十年不归。”范座所指，当即此事。由范座所说情况可知，此时信陵君已由赵返魏。时在信陵君与春申君联兵救赵十年后，即公元前247年后。其五，范座与信陵君书信，还有“王听赵杀座之后，强秦袭赵之故，倍赵之割，则君将何以止之？此君之累也”之说。范座说此话时间在前257年楚、魏救赵后。其背景有三：“公子（信陵君无忌）姊为赵惠文王弟平原君夫人”（《史记·魏公子列传》）；“信陵君无忌矫夺将军晋鄙兵以救赵，赵得全”（《史记·魏世家》），且使秦将“郑安平为赵所围，以兵二万人降赵”（《史记·范雎列传》）；还有“魏王怒公子之盗其兵符，矫杀晋鄙”。（《史记·魏公子列传》）若将《策》文系于魏安釐王十一年（前266年），则下距邯郸解围尚有十年，信陵君在赵得封地又在邯郸解围后，范座所说就为凭空之言。

除了上面的理由，还有“旁证”亦可证该文不应系于此年。其一，司马迁对虞卿事迹已不明。依《史记·虞卿列传》，其游说诸侯始赵孝成王。而赵孝成王元年为前265年。依《史记·范雎列传》，虞卿在秦昭王四十二年、赵孝成王元年（前265年）。而《史记·平原君列传》又云：“虞卿欲以信陵君之存邯郸为平原君请封。”邯郸解围在赵孝成王九年（前257年）。司马迁之说相矛盾。其二，各家系该章为魏安釐王十一年，所据为《史记·魏世家》。但细读《魏世家》上、下文，赵使人谓魏王杀范座事一段文字，插在“齐、楚相约而攻魏”，“于是秦昭王遽发兵救魏”，至“魏王以秦救之故，欲亲秦而伐韩，以求故地”之间，前后皆不涉赵事，中间突然插入这一段，显得突兀，无从照应。其三，《策》文文字，《史记·魏世家》与《说苑·善说》也有记载，均为“赵使人谓魏王曰”。二者与《策》文区别，在不言杀范座事由虞卿主谋。说明司马迁、刘向所见为同一材料。或为史官所记被保存下来，为司马迁、刘向所用。司马迁在创作《史记》中所见材料比刘向要多，但刘向所见材料中，并不一定所有材料均为司马迁所见。虽说《战国策》与《说苑》同为刘向编，但由《策》文与《说苑·善说》差别，说明刘向所见材料来源于不同渠道。就《史记》与《说苑》材料相同情况看，因刘向不会从《史记》中将这段材料摘录出来编进《说苑》，司马迁与刘向所见应为同一材料。也就是说，《策》文材料，与《史记》、《说苑》材料来源不同。这样，自然就不能将《策》文与《魏世家》材料混为一谈，即不能据《魏世家》对《策》文系年。

据此，《赵策四·虞卿谓赵王》不能系于前266年而在其后。该《策》文是策士借虞卿之名、以虞卿之言为“引子”引起故事，敷衍成文。这是因为“虞卿者，游说之士也”（《史记·虞卿列传》），其为战国众多名士之一。《韩非子·外储说左上》说虞卿“文辩辞胜”，刘熙载《艺概·文概》言“《国策》明快无如虞卿之折楼缓。”虞卿具体活动时间不确定却有大体范围情况，为策士们托名于虞卿而作《策》文提供了很好便利。至于文中“范座”分别献书魏王与信陵君，或为可能。

湖北云梦睡虎地竹简《封诊式》有些文字作于本年或后。1975年湖北云梦睡虎地出土秦法律竹简，内容系统丰富，十分珍贵。其中《封诊式》竹简一卷，各条开头有小题。除《治狱》为处理案狱的一些原则外，其余都是关于审讯、调查及法医检验的具体记载。文字通俗质朴，不加修饰。如某甲报告丙口舌有毒，讯丙时的供词云："外大母同里丁坐有宁毒言，以卅余岁时迁。丙家即有祠，召甲等，甲等不肯来，亦未尝召丙饮。里即有祠，丙与里人及甲等会饮食，皆莫肯与丙共杯器。甲等及里人弟兄及他人知丙者，皆难与丙饮食。"这段文字很可能为当时口语，对研究先秦通俗文学有一定价值。案例中人名、地名，一律用"某"或甲乙丙丁代替，说明它不是单纯的案件记录，其性质可能类似汉的"比"，即后代供狱吏处理案件参考的案例。其中有一条案例提到"甲、丙战刑（邢）丘城，此甲、丙得首殹（也）。"这是指秦昭王四十一年（前 266 年）攻魏取邢丘之役，故其作不得早于本年。

公元前 265 年（周赧王五十年　秦昭王四十二年　楚顷襄王三十四年）

虞卿辞赵相，与魏齐亡至梁，后著书，后人总名之曰《虞氏春秋》。魏齐与范雎结怨，见《史记·范雎列传》。魏齐何时自魏至赵与虞卿友善，史无记载。但前 266 年范雎为相后，次年便以武力逼迫即位伊始的赵孝成王杀魏齐。在此情况下，据《史记·范雎列传》记载，虞卿"乃解其相印，与魏齐亡，间行，念诸侯莫可一急抵者，乃复走大梁，欲因信陵君以走楚"。在走投无路情况下，魏齐自杀。由《战国策·赵策三》所记可知，虞卿后又返赵。

虞卿著书，《史记·虞卿列传》云："虞卿……卒去赵，困于梁。魏齐已死，不得意，乃著书。上采《春秋》，下观近世，曰《节义》、《称号》、《揣摩》、《政谋》，凡八篇。以刺讥国家得失，世传之曰《虞氏春秋》。"《索隐》："魏齐，魏相，与应侯有仇，秦求之急，乃抵虞卿。卿弃相印，乃与齐间行亡归梁，以托信陵君。信陵君疑未决，齐自杀。故虞卿失相，乃穷愁而著书也。"但《十二诸侯年表·序》又云"赵孝成王时，其相虞卿上采《春秋》，下观近世，亦著八篇，为《虞氏春秋》。"《汉书·艺文志》"春秋家"类著录"《虞氏微传》二篇。"自注："赵相虞卿。""儒家"类著录"《虞氏春秋》十五篇"。自注："虞卿也。"

虞卿著书时间，司马迁以为在其与魏齐去赵亡梁后，司马贞从之。钱穆《先秦诸子系年·虞卿著书考》以为："秦昭王为范雎召平原君，虞卿弃赵相，偕魏齐逃之魏，《史记·范雎传》在昭王四十二年，而《虞卿传》记虞卿与赵谋事皆在秦破长平后。《古史》云：'意者魏齐死，卿自梁还相赵，而太史公失不言耳。'《经史问答》亦辨之，曰：'长平之役，在昭王四十七年。史公所谓虞卿料事揣情，为赵画策者，反在弃印五年之后，则虞卿尝再相赵，何尝穷愁以老？'梁氏《志疑》云：'虞卿尝再相赵，则其著书非穷愁之故。《史通·杂说篇》讥太史公自序传不韦迁蜀，世传《吕览》，以为思之未审。何不云虞卿穷愁，著书八篇？刘氏亦未审思。'黄氏《周季编略》云：'司马《通鉴》，朱赵《纲目》，书秦诱执赵公子于周赧王五十六年，由读《虞卿传》而误。秦自赵取韩上党，与赵仇怨甚深，岂于此时佯为好书以召平原君？平原君并取上党之策者，岂此时敢入秦乎？'崔适《史记探源》亦谓：'信陵救赵后留赵十年。若在十年内，信陵不在大梁。如当返魏之年，应侯免矣，昭王薨矣，平原卒矣，侯嬴自信陵至晋鄙军之日自杀矣，安得其事？'此证虞卿弃赵相至魏事在长平役前也。然余考虞卿著书，尚有可论者。”其据王应麟引刘向《别录》云“虞卿作《抄撮》九卷，授荀卿，荀卿授张苍”。又引《释文叙录》“铎椒授虞卿”之说后云：“考之诸人年世，似不足信。”

钱穆所引诸家之说，大都怀疑虞卿前265年后又相赵，否定司马迁“不得意，乃著书”之说。钱穆言虞卿与赵谋事在秦破长平后。但司马迁《史记·虞卿列传》载虞卿“说赵孝成王，一见，赐黄金百镒，白璧一双；再见，为赵上卿，故号为虞卿。”期间《虞卿列传》再未叙其居赵事，但在《范雎列传》中明确记载因魏齐事辞相印。《虞卿列传》结尾时叙述，乃司马迁专言虞卿著书情况，与《范雎列传》相衔接。而史籍于前265年至前260年“长平战役”前无虞卿其他活动记载，或如《虞卿列传》和《范雎列传》言，是先至梁，又至楚。虞卿著书，很可能即在前265年至前260年间。

公元前262年（周赧王五十三年　赵孝成王四年　楚考烈王元年）

宋玉卒于本年前后。宋玉卒年，从历史文献、宋玉自述都无法找到根据。惟一可寻线索为《史记·屈原列传》言宋玉卒后，“楚日以削，数十年竟为秦所灭。”

宋玉之仕在楚顷襄王朝，顷襄王死在前263年。顷襄王后期宋玉被迫离开朝廷，因失志作《九辩》。诗中反复抒发了“岁忽忽而遒尽兮，恐余寿之弗将”、“年洋洋以日往兮，老寥廓而无处”之嗟时叹老之悲情，表明宋玉作此诗时已届晚年。但从《九辩》看出，宋玉作此诗是在前278年后至前263年之间。也就是说，宋玉是在顷襄王在位后期向其陈述已意，《九辩》不可能作于顷襄王死后。又从诗中“无衣裘以御冬兮，恐溘死不得见乎阳春”推断，宋玉作此诗后可能不久而卒。因而定卒于前262年，符合宋玉经历。况前262年距前223年楚为秦所灭有四十年，符合《史记》所说宋玉等死后“楚数十年为秦所灭”记载。

宋玉作品，《汉书·艺文志》“赋”类著录“《宋玉赋》十六篇”。《隋书·经籍志》著录“楚大夫《宋玉集》三卷”。说明隋代以前已被结集。《旧唐书·经籍志》、《新唐书·艺文志》分别著录《宋玉集》二卷，至《宋史·艺文志》已失载。其失传约在两宋之交。

现存署名宋玉作品，《楚辞章句》载《九辩》，《文选》收《风赋》、《高唐赋》、《神女赋》、《登徒子好色赋》、《对楚王问》、《九辩》（五章）。《古文苑》载《笛赋》、《大言赋》、《小言赋》、《讽赋》、《钓赋》、《舞赋》六篇。另外，明代刘节《广文选》收有《高唐对》、《征咏赋》和《郢中对》。《全上古三代文》卷十云：“今存者，《风赋》、《大言赋》、《小言赋》、《讽赋》、《高唐赋》、《神女赋》、《登徒子好色赋》、《钓赋》、《笛赋》、《九辩》、《招魂》，凡十一篇。《对楚王问》、《高唐对》不在此列。”

对《文选》所载《风赋》、《登徒子好色赋》、《高唐赋》、《神女赋》、《对楚王问》，清中叶以前很少怀疑。刘勰《文心雕龙》、唐蒋防《草上之风赋》、李商隐《宋玉》、宋陈师道《后山诗话》、洪迈《容斋随笔》、元郭翼《雪履斋笔记》、明王世贞《艺苑卮言》、胡应麟《诗薮·杂编》、清陈第《屈宋古音义·题高唐》、张惠言《赋钞》、程廷祚《骚赋论》、刘熙载《艺概·赋概》等都以为宋玉作。从明代焦竑《笔乘》开始有较大争议。到清代崔述《东坡遗书·考信录·考古续说下》后更为聚讼纷纭，莫衷一是。胡念贻《宋玉作品的真伪问题》辩证最力。今学术界对其中大部分作品取得了较为一致意见。即认为《九辩》、《风赋》、《钓赋》、《高唐赋》、《神女赋》、《登徒子好色赋》、《对楚王问》、《大言赋》、《小言赋》为宋玉作品（《招魂》为屈原所作，前已言之）。

《风赋》、《登徒子好色赋》、《对楚王问》从内容看，应为其早期作品。特别是《登徒子好色赋》，模仿《庄子》借鲲鹏以自喻，痕迹明显。说明宋玉从事创作初期师法前人，又适应世风而有所追求特点（参陆永品《宋玉》。载《中国历代著名文学家评传》，山东教育出版社 1983 年版）。1972 年山东临沂银雀山汉墓出土大批竹简《唐勒》，原有“唐革（勒）”二字篇题。李学勤经过论证得出结论：“不管是《唐勒》还是《大、小言赋》，都当是先秦的作品，成于宋玉本人之手是完全可能的，时代应为战国晚期。”（《失落的文明》第一六四《<宋玉赋>佚篇》）我们认为《论义御》为唐勒的作品，前已言之。

唐勒、景差卒于本年前后。《史记·屈原列传》说唐勒、景差“其后楚日以削，数十年竟为秦所灭”。二人年稍长于宋玉，又卒后数十年秦灭楚。估系二人卒本年前后，距楚灭四十年左右。

唐勒作品，《汉书·艺文志》“赋”类著录“《唐勒赋》四篇”。《远游》、《惜誓》应为其中之二。《奏士论》、《论义御》为文非赋。明胡应麟将《大招》著作权归于唐勒，同朱熹归于景差一样无充分根据。胡氏又引“或说”以为《古文苑》所载宋玉赋六篇，除《大言》、《小言》而赋外，亦当为唐勒作，均属猜想之词。这样，可以肯定，唐勒作品在汉代至少有赋四篇、文两篇。今所存者赋有《远游》、《惜誓》，文之残篇《论义御》，还有《奏士论》佚句”。此外，《大言赋》、《小言赋》各有数句，可能是当时景、唐、宋各自成篇，献之楚王，宋玉撮其要而成篇。

1972 年山东临沂银雀山汉墓出土大批竹简，此墓下葬年代在汉武帝初年。竹简抄成年代自然不会晚于墓葬年代，而作品年代又要早于抄写年代。此墓出土竹简似有《唐勒赋》残简。

景差作品，王逸《楚辞章句》说“《大招》者，屈原之所作也。或曰景差，疑不能明也。”后朱熹《楚辞集注》、《四库全书总目提要》也都把《大招》定为景差作品。但《大招》实为屈原作品（详前 329 年条）。司马迁说屈原之后，景差等“皆祖屈原之从容辞令，然终莫敢直谏。”肯定景差有创作，但现已难确定具体作品，有些可能失传。但宋玉、唐勒、景差在屈原之后将屈原首创楚辞发展为赋，影响甚远。在文学发展史上，自有一定地位。

荀子于本年或稍后至楚，后至赵，与临武君议兵于赵孝成王前。《战国策·楚策四》云：“客说春申君曰：‘……今孙子天下贤人也，君籍之以百里势，臣窃以为不便，于君何如?’春申君曰：‘善。’于是使人谢孙子。孙子去之赵，赵以为上卿。”又据刘向《孙卿书录》：“孙卿之应聘于诸侯……至赵，与孙膑（此“孙膑”应为临武君庞涓）议兵于赵孝成王前。”由此可知，荀子在离秦后可能至楚。据《史记·春申君列传》，黄歇被封春申君在楚考烈王元年（前 262 年）。《策》文既称其封号，故荀子至楚应在其封后。后有人在春申君面前搬弄是非，荀子又至赵。《荀子·议兵》所载其与临武君议兵于赵孝成王应在此期间。

公元前259年（周赧王五十六年　秦昭王四十八年）

苏代说秦相应侯范雎，后卒。《史记·白起列传》载：秦昭王四十八年十月，韩、赵使苏代厚币说秦相应侯。秦昭王四十八年即前259年，则苏代说范雎应在此时。苏代此时年寿已高，依常理，不会还奔走游说于诸侯间。但《史记·苏秦列传》言“代、厉皆以寿死，名显诸侯”。或此时苏代仍可为也。

前引《史记·白起列传》材料，为苏代最晚行事。此时其已八十有余，或不久而卒。《史记·苏秦列传》太史公曰：“苏秦兄弟三人，皆游说诸侯以显名，其术长于权变。”虽史籍所载苏代事不可信者多，但因其为战国一名辩士，虽本人实际行事至秦汉时已难辨，但人们以为如此之大纵横家，必是能言善辩，滔滔不绝之人。故借其名义创作了大量说辞及书信，保存在《战国策》、《史记》等典籍中。拟托于苏代之大量说辞，气势很盛，铺排敷衍，文意流畅，文气十足。战国纵横家之雄辩，藉此可见。虽然这些说辞非苏代本人所作，《汉书·艺文志》亦未有其书，但后人却借苏代行事、模仿其语气创作富有文学色彩之说辞。从这个角度而言，苏代有成就之功。

《荀子·议兵》自“兼并易能也，唯坚凝之难焉”至“以守则固，以征则强，令行禁止，王者之事毕矣”一段文字作于本年后。该段文字自“齐能并宋，而不能凝也，故魏夺之”，写到“韩之上地，方数百里，完全富足而趋赵，赵不能凝也，故秦夺之。”依《史记·田完世家》，“宋王出亡，死于温。”据《史记·六国年表》，齐灭宋在周赧王二十九年（前286年）。《议兵》中“上地”即为“上党”。据《史记·韩世家》：“（桓惠王）十年，秦击我于太行，我上党郡守以上党郡降赵。十四年，秦拔赵上党。”则“上党”起初为韩地，后为赵所有。又据《史记·秦本纪》：“（昭王）四十八年十月，司马梗北定中原，尽有韩上党。”则上党在周赧王五十六年（前259年）又为秦所夺。《荀子·议兵》既言此事，则其文之作不得早于本年。

公元前256年（周赧王五十九年）

荀子在赵，为春申君寄言作《荀子·赋篇》后一部分诡诗（包括小歌部分）。《战国策·楚策四》所录赠春申君赋，正是《荀子·赋篇》中《佹诗》之“小歌”。只是《楚策四》系节录，略去了前两句，个别字句稍有不同。《韩诗外传》卷四亦有同样记载。在所引《佹诗》“小歌”文字之前，同样是“因为赋曰”四字。俞樾《诸子平议》卷十二《荀子》曰：“此章盖亦遗春申君者。下文‘仁人绌约，暴人衍矣’诸句，其意实讥楚也，不敢斥言楚国，故姑托远方言之，若谓彼远方之国有如此耳。”则俞樾以为《战国策》不过是节录了原赋部分文字，并未全录。此前朱熹《楚辞后语》全录之，并引“或说”云：“春申君既为兰陵令，客有说春申君者曰……荀子去之赵。人又有说春申君曰……春申君又使人请荀子，荀子不还，而遗之赋，盖即此《佹诗》也。”所谓“小歌”，同楚辞中“乱辞”相同，故杨倞以为其作用为“总论前意”。那么，整个《佹诗》皆应是遗春申君之作，并作于此次在赵期间。与《赋篇》中前半五首谶作时前后相距约五十年。

《庄子·盗跖》作于本年后至前 239 年间。《庄子·盗跖》篇，《史记·庄周列传》已提到，今本在“杂篇”。苏轼对此篇是否为庄子作就有怀疑（《东坡文集》卷三十二《庄子祠堂记》）。林希逸《庄子口义》以为“此篇在汉而后或因散佚，为人所窜易，亦犹今《列子》也”。今人叶国庆《庄子研究》、日本学者儿岛献吉郎《庄子考》均以为《盗跖》篇为西汉人作（见廖名春《〈庄子·盗跖篇〉探原》引，载《中国哲学》第十九辑）。马叙伦《庄子义证·序》云：“夫今郭本篇章次第之非旧观固然。如《盗跖》、《渔父》者，其名见于《史记》本传，则岂失其故篇已佚而好事者补之邪?”“余疑郭本亦非故书。《盗跖》篇孔子与柳下季为友章末，象注曰……与《渔父》篇于末注……同例。则郭本《盗跖》篇固仅一章，其后子张、无足两章，盖为别一篇之辞……亡其篇首，传写遂缀于《盗跖》之末。既佚一篇，乃就司马本取《说剑》以补其亡，是又象削之而后人复留之者也。”罗根泽《管子探源》考“宰相”一词，始见于《韩非子》、《吕氏春秋》，而《盗跖》亦有“宰相”一词，据此认为《盗跖》著作年代不能超过战国末年；篇中唾骂孔子，与汉代学术思想不相应。他认为《盗跖》中“天与地无穷……皆非通道者也”一段纯为享乐主义颓废思想，似为战国末年作品。

近年廖名春在分析郭象注反映出《盗跖》篇原貌的基础上，根据 1988 年湖北江陵张家山 136 号汉墓出土竹简《盗跖》篇，结合先秦文献，从以下几个方面推断了《盗跖》篇的著成时间。第一，《盗跖》篇有如下一句话：“汤、武立为天子，而后世绝灭。”此句应在竹简本中。“武”当指周武王，“后世绝灭”系指周赧王五十九年（前 256 年）秦灭西周。证明《盗跖》写成在前 256 年之后，这是上限。第二，《盗跖》篇抨击“六子”之言，不会出于《吕氏春秋·当务》，也不会比《当务》更晚。《吕氏春秋》成书在前 239 年左右，《盗跖》篇的写成不会晚于此时，这是下限。可备一说。(《〈庄子·盗跖〉篇探源》，《中国哲学》第十九辑)

公元前 255 年（秦昭王五十二年　楚考烈王八年　齐王建十年）

《荀子·强国》“荀卿子说齐相”一段文字作于本年前后。《荀子·强国》“荀卿子说齐相”一段文字有“今巨楚县吾前，大燕鳍吾后，劲魏钓吾右”，“是一国作谋，则三国必起而乘我”之说。其中列举了邻敌而未提及宋，故当是灭宋之后上书。同时，文中有“女主乱之宫”之说。据《史记·田完世家》，齐王建即位后，其母摄政，称为“君王后”。《强国》所说，应指此而言。齐王建即位在前 264 年，君王后卒在其即位十六年（前 249 年）。故《强国》应作于齐王建即位至君王后卒之间。或许由于荀况上书致怨，故《史记·孟荀列传》云：“齐襄王时，而荀卿最为老师。……齐人或谗荀卿，荀卿乃适楚。”若说齐相之文为荀况所作，文中“荀卿子说齐相曰”七字应非原文所有。“荀卿子”为后人对荀况称呼，荀况自己不会如此称呼。先秦著书不署作者，大多不会以“子”自称。七字之疑问，罗根泽《诸子考索》早有论述。

荀况谏齐相不听，于本年或稍后自齐至楚，春申君以为“兰陵令”。荀子此次来楚，可能是与临武君在赵孝成王前议兵后先之齐，不久又自齐至楚。荀子至楚之因，《荀子·强国》载其曾向齐相进言，以为齐当时为“女主乱之宫，诈臣乱之朝。”荀子所言“女主”，依《史记·田完世家》：“襄王既立，立太史氏女为后，生子建。……

十九年，襄王卒，子建立。”齐王建即位在前255年。其时因建年龄尚小，由其母君王后代政。《田完世家》还载，“（齐王建）十六年，秦灭周，君王后卒。”则君王后主政在前255年至前249年。因荀子对君王后把持朝政不满，故《史记·孟荀列传》：“齐人或谗荀卿，荀卿乃适楚，而春申君以为兰陵令。”又，《春申君列传》：“春申君相楚八年，为楚北伐鲁，以荀卿为兰陵令。”春申君相楚在楚考烈王元年（前262年），相楚八年时为前255年。故荀子为兰陵令当在此年。

“兰陵学术中心”兴于本年。《史记·孟子荀卿列传》记载春申君曾以荀卿为兰陵令。其事应在楚考烈王八年（前255年）。荀子在兰陵招徒讲学，著书立说。韩非“与李斯俱事荀卿”。（《史记·老韩列传》）“兰陵学术中心”应兴盛于此时。后“春申君死而兰陵废，因家兰陵。李斯尝为弟子，已而相秦。荀卿嫉浊世之政，亡国乱君相属，不遂大道而营于巫祝，信禨祥，鄙儒小拘，如庄周等又滑稽乱俗，于是推儒、墨、道德之行事兴坏，序列著数万言而卒”。（《史记·孟荀列传》）荀况虽为孔子、孟子后又一代大儒，但李斯曾“从荀卿学帝王之术”。（《史记·李斯列传》）在《荀子·非十二子》中，对子思、孟子均提出批评，说明荀况对儒家思想的丰富和发展。其学生韩非亦著书“十余万言”（《史记·老韩列传》），李斯《谏逐客书》则为千古流传之佳作。

韩非、李斯于本年后几年间从荀卿在楚兰陵学帝王之术。韩非与李斯尝从荀卿学习（见《史记·老韩列传》及《李斯列传》）。据《老韩列传》：“非见韩自削弱，数以书谏韩王，韩王不能用。”此“韩王”，《索隐》：“韩王安也。”韩王安即位在前238年。韩非既上书韩王安，后又为韩出使秦，则其从荀卿学应在前255年至前238年之前。又由《李斯列传》知李斯从荀卿学习时尚年轻，其学成后即入秦，时在前247年。李斯、韩非既同学，则二人在荀卿处学帝王之术，当在前255年至前241年之间。

荀卿自前255年至前238年前后卒期间，可能大部分时间在楚。因而非、斯从学也应在楚兰陵。又，《史记·李斯列传》记载：“（斯）乃从荀卿学帝王之术。学已成，度楚王不足事，而六国皆弱，无可为建功者，欲西入秦。”从中亦可知其在楚从荀卿学习，韩非应一样。后来李斯之秦，韩非返韩，而李斯自以为不如韩非（参马世年博士论文《〈韩非子〉的成书及其文学研究》）。

公元前254年（秦昭王五十三年　赵孝成王十二年　齐王建十一年）

邹衍于本年前后由齐过赵，驳公孙龙“坚白”之辩，绌公孙龙。据《史记·平原君虞卿列传》，前257年邯郸解围后，因公孙龙谏平原君辞封，使“平原君厚待公孙龙。公孙龙善为坚白之辩，及邹衍过赵，言至道，乃绌公孙龙。”《集解》引刘向《别录》也有大体相同的意思。邯郸解围在前257年，据《史记·封禅书》，平原君卒在赵孝成王十五年（前251年），因而公孙龙与邹衍之辩应在前257年至前251年间。

公元前251年（秦昭王五十六年）

《商君书·徕民篇》成于本年稍前。《商君书·徕民篇》作成年代，胡适《中国哲学史大纲》云：“如《徕民》篇说：‘自魏襄以来，三晋之所亡于秦者，不可胜数也。’魏襄王死在西历前二九六年，商君已死四十二年，如何能知他的谥法呢？《徕民篇》又称‘长平之胜’，此事在前260年，商君已死七十八年了。书中又屡称秦王。秦称王在商君死后十余年。此皆可证《商君书》是假书。”罗根泽《诸子考索·商君书探源》、郭沫若《十批判书·前期法家的批判》也有类似说法。刘汝林《周秦诸子考》以为《徕民》成书于秦昭王时代，篇中又涉及“长平之役”，故断定成书于前360年至前251年之间。他还根据篇中“周军之胜”若指秦昭王五十二年（前255年）取西周，则《徕民》此篇作成在前255年至前251年之间。与此看法接近的还有容肇祖《商君书考证》（《燕京学报》第二十一期）、郑良树《论〈商君书·算地篇〉及〈徕民篇〉的作成时代》（《中华文史论丛》1986年第4辑）。

公元前250年（秦孝文王元年　燕王喜五年）

公孙龙卒于本年或稍后。公孙龙事迹，最早记载为前282年前后说燕昭王偃兵，后因劝平原君辞封而使其厚待之。平原君卒在赵孝成王十四五年（前250年或前251年）。平原君卒后史料再无公孙龙事迹，因之其卒应在此后。

今人王琯《公孙龙子事略》认为：“今考赧王在位，共为五十九年，公孙所处时代，当与略相始终。”（见《公孙龙子悬解》）依此说，则其生活时代大体在前314年至前256年前后。钱穆《先秦诸子系年·诸子生卒年世先后一览表》定其生卒在前320年前后至前250年前后。据以上材料，故定公孙龙卒在前250年或稍后。

公孙龙为战国时“名辩”家代表人物，鼓吹“名辩”。所谓“离坚白”、“白马非马”等命题，着重分析概念之规定性和差别性，对古代逻辑思维发展有一定贡献。《汉书·艺文志》“名家”类著录“《公孙龙子》十四篇”。《隋书·经籍志》未著录。《旧唐书·经籍志》、《新唐书·艺文志》均著录有三卷，《宋史·艺文志》一卷。《四库全书总目提要》卷一一七“杂家”类云：“其书《汉志》著录十四篇，至宋时八篇已亡。今仅存《迹府》、《白马》、《指物》、《通变》、《名实》、《坚白》凡六篇。”余嘉锡《四库提要辨正》据《文苑英华》卷七百五十八所载唐咸亨年间某人所作《拟〈公孙龙子〉论》，证明在初唐时，此书已只存前已提及六篇。看来现在六篇本是唐以来旧本。杜国庠《论公孙龙子》云：“这部书在先秦名学的发展上形成了它的重要一环，在思想和文字上反映了当时的社会，都是不容易作伪的。”庞朴以为：“今本《公孙龙子》正是古本《公孙龙子》（当然，个别地方有衍脱误乙，那是另外一回事），我们不必因《汉志》的‘十四篇’而怀疑这六篇，倒应用这六篇去怀疑《汉志》的‘十四篇’。”（《〈公孙龙子〉辨真》，杜国庠说亦引自该文《文史》第四辑）。当然，也有人对今六篇有怀疑。郑樵《通志》卷六十八就以为今本六篇虽真而残。陈振孙《直斋书录解题》、马端临《文献通考》同郑樵之说。

《公孙龙》作者，第一篇《迹府》开头即言：“公孙龙，六国时辩士也。”显然不是公孙龙自己所说。故顾实《汉书艺文志讲疏》云：“然首篇《迹府》，疑非原书。”黄云眉《古今伪书考补证》云：“然今书《公孙龙子》六篇，果否出自公孙龙之手，则殊可疑。据《汉志》，《公孙龙子》十四篇……今书由十四篇减为六篇，而第一篇首句‘公孙龙六国时辩士也’，明为后人所加之传略，则六篇只得五篇矣。第七以下皆亡。第二至第六五篇，每篇都题申绎，累变不穷，无愧博辩；然公孙龙之重要学说，几尽括于五篇之中，则第七以下等篇又何言耶？虽据诸书所记，五篇之外，不无未宣之余义，然又安能铺陈至八九篇之多耶？以此之故，吾终疑为后人研究名学者附会《庄》、《列》、《墨子》之书而成，非公孙龙之原书矣。”（齐鲁书社 1980 年版）刘汝林《周秦诸子考》则以为：“此篇不过汉代编著者，由《吕氏春秋》有类书采入，而增加首句，作为传记。”徐复观《公孙龙子讲疏》云：“以上就《迹府》篇之重要内容与其有关之资料，加以比较、考查，可知《迹府》篇当系战国末期或西汉初年，名家后学，为公孙龙所编之素朴传记。”（台湾学生书局 1993 年版）以上诸说，均肯定《迹府》非公孙龙自做。不但如此，由“公孙龙，六国时辩士也”可知，写本篇者非战国人。因此，此篇当出于秦、汉间名家之手。其余五篇，也很难断定是否为公孙龙所作，但各篇所记载均为公孙龙一派学说当无可疑。近年褚斌杰、谭家健主编《先秦文学史》以为是公孙龙自著。

鲁仲连或遗聊城燕将书。《战国策 · 齐策六》载燕攻齐，取七十余城，“鲁连乃书约之矢，以射城中，遗燕将曰……”《史记 · 鲁仲连列传》对此也有记载。《资治通鉴》系此事于燕王喜五年（前 250 年）。《战国策》、《史记》载田单事有误。齐攻聊城事在前 250 年，鲁仲连遗聊城燕将书应在此时。

鲁仲连遗聊城燕将书，历来论者多持怀疑态度。但以鲁仲连一贯解危济难之行事原则，在齐攻聊城时，以书遗燕将为可能之事。但其书原文，因为系之矢而射之，恐有散佚。但既然《战国策》、《史记》、《资治通鉴》等均收此文，足见其影响之大。其作者，因资料所限，无法确定。或非出一人一时。具体言之，或为在齐曾见其书之人，有感其文之精妙，后依记忆补写而成；或为聊城之战后，见其残简之人而为之。后因战乱，又有散佚。编订其书之时，又将它简杂糅其中，致今日所见之文，有史事错误。鲁仲连为当时著名游说之士，有人依托其名作游说稿亦在情理之中。

公元前 249 年（秦庄襄王元年　齐王建十六年）

湖北云梦睡虎地秦简《为吏之道》作于本年前后。秦简《为吏之道》从主旨看，倡导“安静毋苛”，宽惠治民，与卫鞅“刻深寡恩，特以强服之”（《战国策 · 秦策一》）、“百姓苦之”（《史记 · 秦本纪》）策略与结果有很大不同。太史公以为“商君，其天资刻薄人也”（《史记 · 秦本纪》），因而此简不应出现在卫鞅时代。竹简整理小组认为：“简文中有许多足以说明本身时代的证据。例如《编年记》里的年号，在昭王、孝文王和庄王之后是‘今元年’，即秦王政（始皇）二十年。《语书》文中几处讳‘正’字，改写作‘端’，也证明它是秦始皇时期的文件。竹简中写得早的，则可能属于战国末期。”（《睡虎地秦墓竹简》，文物出版社 1978 年版）

《为吏之道》简文中有“正”字，有“则”字，不避秦昭王、王政讳，故其抄写应在孝文王、庄襄王时。但据《史记 · 秦本纪》：孝文王“十月己亥即位，三日辛丑卒。”云梦秦简《编年记》亦云：“孝文王元年，立即死。”庄襄王于公元前 249 年即位。“庄襄王元年，以吕不韦为丞相。”（《史记 · 吕不韦列传》）并“大赦罪人，修先王之功臣，施德厚骨肉而布惠于民。”（《史记 · 秦本纪》）故“具有与民宽惠倾向的《为吏之道》，在此时才可能应运而纂集，并且在中下层官吏中传抄。”（魏启鹏《文子学派与秦简〈为吏之道〉》。《道家文化研究》第十八辑）这篇佚文最下一栏有韵文八首。其中一首写："凡戾人，表以身，民将望表以戾真。表若不正，民心将移乃难亲。"李学勤以为："这在当时称为'相'，是春米时歌唱的曲调，荀况曾以这种曲调的格式写成《成相篇》。我们知道，荀况在秦昭王时去过秦国，又长期居住在楚地。所以，这篇佚书和《荀子》相似，不能认为是偶然的。"（《失落的文明》第一一八《吏道》）

《战国策·秦策五·濮阳人吕不韦》作于本年后。此《策》文为叙事体。由吕不韦贾于邯郸一直写到秦庄襄王元年（前249年）为相，"王后为华阳太后，诸侯皆致奉邑。"由《策》文所写情况可知，其作时不得早于前249年。

《战国策·齐策六·齐闵王之遇杀》作于本年后。此《策》文为叙事体。由齐闵王被杀一直到"君王后死，后胜相齐，多受秦间金玉。使宾客入秦，皆为变辞，劝王朝秦，不修攻战之备"。齐之君王后死，《史记·田完世家》："（齐王建）十六年，秦灭周。君王后卒。"齐王建十六年为前249年。《策》文叙及君王后死，故《策》文之作应在君王后死后。

公元前247年（秦庄襄王三年　楚考烈王十六年）

秦尊吕不韦为"仲父"，吕不韦召门客始编《吕氏春秋》。《史记·秦始皇本纪》载："秦始皇帝者……年十三岁，庄襄王死，政代立为秦王。"《吕不韦列传》："庄襄王即位三年，薨，太子政立为王，尊吕不韦为相国，号称'仲父。'"《资治通鉴·秦纪一》庄襄王三年（前247年）："五月，丙午，王薨，太子政立，生十三年矣，国事皆决于文信侯，号称仲父。"在此形势下，如《吕不韦列传》言："吕不韦乃使其客人人著所闻。集论以为《八览》、《六论》、《十二纪》，二十余万言。以为备天地万物古今之事，号曰《吕氏春秋》。"《吕不韦列传》记《吕氏春秋》编撰与成书在秦始皇元年（前247年）至秦始皇七年（前240年）之间当为可信。《吕氏春秋》中除收集前人作品外，其余均应创作于前247年后几年间。

"咸阳学术中心"兴于本年前后。《史记·吕不韦列传》载，吕不韦前247年为"仲父"，"亦招致士，厚遇之，至食客三千人"，形成了"咸阳学术中心"。此"中心"虽与前面所说每个"中心"都有诸子创立并宣传其学说不同。但以《吕氏春秋》看，还是形成了以儒、道为主的基本思想主张。战国学术，纷繁复杂。其学术中心，不止这些。如梁惠王、燕昭王招贤时也曾有"贤士"短暂聚集，"四大公子"亦广招门客。

李斯由楚至秦，先为吕不韦舍人，后为郎，被秦王拜为长史、客卿。《史记·李斯列传》载李斯"至秦，会庄襄王卒，李斯乃求为秦相文信侯吕不韦舍人，不韦贤之，任以为郎。"秦庄襄王卒在前247年。据此，李斯由楚入秦当在本年。李斯为吕不韦舍人后，有机会见到秦王，因说秦王乘胜统一天下得到秦王赏识。"秦王乃拜斯长史"，后"秦王拜斯为客卿"（《史记·李斯列传》）。

公元前246年（秦始皇元年）

湖北江陵张家山汉墓竹简文书《奏谳论》中一案例文字作于本年。1983年末湖北江陵张家山发掘汉墓时出土大批竹简，其内容为汉初法律文献。其中《奏谳书》之

“谳”为“议罪”，《奏谳书》便是议罪案例之汇集。其中后半部分案例共六条，三条在秦始皇时。这其中两条在兼并六国之前，还没有皇帝之称。时间最早者为“黥城旦讲乞鞫”一案，内容为被告经误判后申诉得以平反事例。条中历朔有“元年十二月癸亥”记载，经推算为秦王政元年（前246年）。

公元前245年（秦始皇二年）

湖北江陵张家山汉墓竹简文书《奏谳论》中一案例文字或作于本年。张家山汉简情况，上一年已言之。《奏谳书》中时间最早者为“黥城旦讲乞鞫”一案。条中历朔有“二年十月癸酉朔壬寅”记载，经推算为秦王政二年（前245年）。

公元前243年（秦始皇四年）

《穆天子传》成书于本年之前。《穆天子传》是西晋初年在汲冢战国魏王古冢出土的。但包括《穆天子传》在内的竹书，究竟是出于魏襄王（前318年—前296年在位）还是魏安釐王墓（前276年—前243年在位）墓，《晋书》已说法不一，因而对其成书时代，说法颇有分歧。但最晚不能在前243年魏安釐王卒后。

湖北云梦睡虎地竹简秦律《封诊式》末章《亡自出》一段文字作于本年或稍后。1975年湖北云梦睡虎地出土秦简《封诊式》末章《亡自出》，记某里仕伍甲曾在秦王政四年（前243年）有逃亡五个月零十九天记录，故本段文字之作不得早于本年。

公元前242年（秦始皇五年　楚考烈王二十一年）

《鹖冠子·世兵》作于本年后至前236年间。《世兵》云：“剧辛为燕将，与赵战，军败，剧辛自刎。”剧辛自杀在燕王喜十三年（前242年）。《世兵》既言此事，则其文之作不得早于本年。又，文中称“斡流迁徙”，未避赵王迁讳。据《史记·赵世家》，赵王迁即位在前235年，故其文之作应在此期间。

拟托虞卿说春申君之辞作于本年后。文见《战国策·楚策四·虞卿谓春申君》。其文开头写虞卿谓春申君曰：“臣闻之《春秋》，于安思危，危则虑安。今楚王之春秋高矣，而君之封地不可不早定也。……今燕之罪大，而赵怒深。”鲍彪注云：“自燕王喜以栗腹之谋伐赵，起燕四年至十二年，无岁不战。（燕王喜）十二年，此（楚考烈王）二十一年。”依鲍彪之说，此事在楚考烈王二十一年（前242年）。

《史记·春申君列传》载：“（楚）考烈王元年，以黄歇为相，封为春申君，赐淮北地十二县。后十五岁，黄歇言之楚王曰：‘淮北地边齐，其事急，请以为郡便。’因并献淮北十二县，请封于江东。春申君因城故吴墟，以自为都邑。”楚考烈王元年为前262年。春申君第二次徙封，在考烈王十五年（前248年）。考烈王在位凡二十五年。结合《策》文前面虞卿“今楚王之春秋高矣”说法，其劝春申君早谋封地，有两种理解：其一是在第一次被封后至第二次未封之间，远皇都但在境内其他地方谋封；其二是在第二次徙封后又在境外谋封。因为以战国情形，一国权贵或功臣可在别国得到封地。“奉阳君鬻臣，归罪于燕，以定其封于齐。”（《战国纵横家书》第四章）“赵王封孟尝君以武城。”（《战国策·赵策一》）《策》文写虞卿劝春申君“远楚”、“远王室”

谋封地，并列举历史上因封地近遭殃、远王室得存事实，主张“践乱燕以定身封”。由此可以看出，虞卿劝春申君谋封地，应该是第二次徙封后，要楚助赵攻燕并在赵谋封。鲍彪之说或许是依着如此认识。其所说事情为楚考烈王十二年（前251年），燕派栗腹、庆秦带六十万人攻赵，为赵将廉颇、乐毅所败，赵进围燕都。这期间燕、赵争战不休。战事一直持续到楚考烈王二十一年（前242年），燕派剧辛攻赵，赵派庞煖反攻，杀死剧辛才告一段落。以《策》文开头所写内容看，虞卿就是在这样情况下，劝春申君在赵求得封地。但既然“燕之罪大，而赵怒深”持续了这样长时间，就不仅仅指楚考烈王二十一年之事。

吴师道《战国策校注补正》据文中虞卿“今楚王之春秋高矣”之说，以为《策》文应为楚襄王晚年事。后顾观光《国策编年》与此说同。但据《史记·春申君列传》，楚顷襄王三十四年（前265年）时，黄歇还与太子完质于秦；同时，据《史记·虞卿列传》，虞卿始游诸侯始自赵孝成王。赵孝成王元年为前265年，因而虞卿不得在此年说春申君；还有，黄歇被封“春申君”，在楚考烈王元年（前262年），虞卿不可能在顷襄王时称其封号。

黄式三《周季编略》、于鬯《战国策年表》，据《史记·春申君列传》、《六国年表》，“春申君献淮北地徙封于吴”记载，定《策》文事在楚考烈王十五年（前248年）。今人马雍、缪文远从之。对此说，唐兰曾云：“此篇旧说都认为是楚考烈王十五年（公元前248年）春申君献淮北十二县而徙封于吴时事，是错的。篇中虞卿为春申君考虑封地莫若远楚，即不在楚国境内，如果只是徙封于吴，那仍是楚地。虞卿说：‘今燕之罪大……此百世一时也。’显然要他出兵帮助赵国攻燕而在赵国获得封地。”并根据《史记·赵世家》“（赵孝成王）七年……赵以灵丘封楚相春申君”记载，以为此《策》事，在楚考烈王四年（前259年）（《战国纵横家书》所附文第五条注释）。但这样系年仍然有些问题无法解决。如文中“今楚王之春秋高矣”之说。楚考烈王即位时年岁，虽已无由知道，但其在位凡二十五年。若虞卿在其即位四年说春申君，距考烈王病卒尚有二十一年，以“春秋高矣”称之，恐非事实。还有，《春申君列传》在“春申君相二十二年”后，记载：“楚考烈王无子……楚王召入幸之，遂生子男，立为太子。”若考烈王在即位四年时已老暮，十八年后尚可生育，似有悖常情。

此《策》文若按上述任何一家系年，后面“夫楚亦强大矣，天下无敌”说法，就完全不符合事实。楚自怀王（前328年—前299年在位）以来屡败于秦。国势日衰，国都播迁，哪来“天下无敌”之强大？若以“今燕之罪大，而赵怒深”为判定年代根据，那么，《策》文中“魏、齐新怨楚”又何尝不能作根据？黄少荃据《魏世家》“齐、楚相约而攻魏”在魏安王十一年（前266年）记载云：“故曰齐、魏新怨。”（钱穆《先秦诸子系年》卷四引）但《策》文作“齐、魏新怨楚”，帛书《战国纵横家书》二三作“齐、魏新恶楚”。《策》文前言“所道攻燕，非齐则魏”，后又言“若越赵、魏而斗兵于燕”，“齐”变成“赵”，前后不一。且后半既见于《韩策一》，却又不关韩事。

黄歇事迹，司马迁也不甚明了。《史记·春申君列传》以为“春申君者，楚人也。名歇，姓黄氏，游学博闻，事楚顷襄王。”但《游侠列传》将黄歇列于“王者亲属”。

金正炜《战国策补释》亦认为春申君为楚之疏属，故朱英说以代立。黄歇出身，《韩非子·奸劫弑臣》云："楚庄王之弟春申君有爱妾曰余。"楚庄王即顷襄王。钱穆《先秦诸子系年》据此以为："韩非亲与春申同时，其言当可信。……且七国自秦外多用宗戚主政。四君并称，如信陵平原孟尝皆贵戚，知春申正亦以王弟当朝。"这些材料均说明黄歇非游士，应为楚贵戚。

《春申君列传》载"歇乃上书说秦昭王"在楚徙都陈时，即楚顷襄王二十年（前279年）。《秦策四》"顷襄王二十年"章同。《策》文记黄歇说秦昭王云："今王妒楚之不毁也，而忘毁楚之强魏也。"据《史记·六国年表》，秦始皇十二年（前235年），秦"发四郡兵助魏击楚。"《策》文所说应为此时事。但黄歇已卒于秦始皇九年（前238年）。由此也可看出，司马迁不明黄歇事迹。既然虞卿与黄歇事迹不明，二人交往年代就难以确定，二人交往年代难以确定，要给《楚策四·虞卿谓春申君》具体系年就不现实。

《策》文中虞卿云："今楚王之春秋高矣，而君之封地不可不早定也，为主君虑封者，莫若远楚。……今燕之罪大，而赵怒深，故君不如北兵以德赵，践乱燕以定身封，此百代之一时也。"与此相同说法，亦见《秦策三》、《赵策一》、《赵策四》，但主名与游说对象不同。由此可以看出，"今某某罪大，某某怒深"，或如像策士拟托而成《策》文中"请闻其说"、"愿大王熟虑之"之类套语一样，为策士互用。

另外，《策》文后半与《韩策一·王曰向也》相同，应为一模仿另一之作。从文章内容及结构完整性角度看，应为《韩策一》模仿《楚策四》。还有，《史记·虞卿列传》、《春申君列传》均不载此《策》内容，或是司马迁认为不可信，未用。因《策》文涉及前242年之事，故其作时不得早于本年。

公元前241年（秦始皇六年）

湖北江陵张家山汉墓竹简文书《奏谳论》中一案例文字或作于本年。张家山汉简情况，前246年已言之。《奏谳书》中"不知何人刺女子婢最里中"一案。内容为有人在里中刺伤名婢之女子，抢钱逃走。接到报告后，狱吏顺、去疢、忠等人受命侦讯。条中历朔有"六年八月丙子朔壬辰"记载，经推算为秦王政六年（前241年）（参李学勤《简帛佚籍与学术史》）。其中女子婢叙述被抢经过的一段文字，情节描写相当细致生动，让人感到很紧张。文云："但钱千二百，操簦，道市归，到巷中，或道后类堑軵，婢偾，有顷乃起，钱已亡，不知何人之所。其軵婢疾，类男子。呼盗，女子龀出，谓婢背有笄刀，乃自知伤。"

公元前240年（秦始皇七年　齐王建二十五年）

邹衍卒于本年前后。《韩非子·饰邪》曾记载前251年，燕攻赵时邹衍在燕，其后邹衍事迹不见于史籍。今依各家之说，估定其卒在前240年前后。

邹衍著作，《史记·孟荀列传》记"乃深观阴阳消息而作《怪迂之变》、《终始》、《大圣》之篇十余万言"，"作《主运》"。《封禅书》谓"自齐威、宣之时，邹子之徒论著《终始》《五德》之运……邹衍以《阴阳》、《主运》显于诸侯。"崔适《史记探

源》卷一《序证》“《终始》、《五德》”条以为：“刘歆欲明新之代汉，迫于皇天威命，非人力所能辞让，乃造为《终始》、《五德》之说，托始于邹衍。”在《史记探源》卷七《孟子荀卿列传》对此还有所考证。但崔适此说，因以《左传》为刘歆所作而言之，故难信。

《汉书·艺文志》“阴阳家”类著录“《邹子》四十九篇，《邹子终始》五十六篇”，皆已失传。《晋书·束皙传》：“太康二年，汲郡人不准盗发魏襄王墓，或言安釐王冢，得竹书数十车。……《大历》二篇，邹子谈天类也。”清代马国翰《玉函山房辑佚书》辑有部分遗说。邹衍学术上主要贡献，地理方面创“大九洲”说，历史方面创“五德终始”说。战国中、后期阴阳家著述，除齐之邹衍外，《汉书·艺文志》“阴阳家”类还著录“《周伯》十一篇”。自注：“齐人，六国时。”楚“阴阳家”类著录“《南公》三十一篇”。魏“阴阳家”类著录“《闾丘子》十三篇”。郑“阴阳家”类著录“《冯促》十三篇”。

邹奭本年或稍前至“稷下”。“稷下”诸子在齐闵王末年时散去。据《史记·孟荀列传》，“稷下”在齐襄王时又渐盛。邹衍于前240年前后卒，邹奭在“稷下”发扬其学术，并整理、编订其著述，至迟应在邹衍卒年。此时邹奭已三十岁左右，完全有能力胜任此事。

《吕氏春秋》成书。前246年条已言之，以《史记·吕不韦列传》记载，吕不韦召集门客始撰《吕氏春秋》始于秦始皇元年（前246年）、成于七年（前240年）之间。书成后，“布咸阳市门，悬千金其上，延诸侯游士宾客有能增损一字者予千金。”但因《吕氏春秋·序意》有“维秦八年，岁在涒滩。秋，甲子朔，朔之日，良人请问十二纪”之说，使后人对《吕氏春秋》成书之时有不同看法。高诱注以为“维秦八年”指秦始皇即位八年（前239年）。清孙星衍《问字堂集·太阴考》云：“考庄襄王灭周之后二年，癸丑岁，至始皇六年，共八年，适得庚申岁，申为涒滩，吕不韦指谓是年。高诱注误以为秦始皇即位八年，则当云‘大源献’也。”则成书在秦始皇六年（前241年）。陈奇猷《吕氏春秋校释》所附“《吕氏春秋》成书的年代与书名的确立”、杨宽《战国史》第九章同。钱穆《先秦诸子系年·吕不韦著书考》则以为在秦始皇七年（前240年）。

对《吕氏春秋》成书之所以存在不同看法，问题主要在两个方面：《史记·吕不韦列传》言其成于秦始皇元年至七年间，与《吕氏春秋·序意》之说不同；《史记·太史公自序》、《汉书·司马迁传·报任安书》言“不韦迁蜀，世传《吕览》”。

《汉书·艺文志》“杂家”类著录“《吕氏春秋》二十六篇”。后来人们对其学派归属意见不同。高诱《吕氏春秋序》言：“此书所尚，以道德为标的，以无为为纲纪，以忠义为品式，以公方为检格。”清包世臣《包世臣文集·致沈小宛论荀子书》云：“荀子之文平实而奇宕，为后世文章之鼻祖。韩氏得其奇宕，《吕览》得其平实。盖韩为荀门弟子，而《吕览》亦多成于荀氏门人之手也。”（转引自马积高《荀学源流》）《四库提要》以为“大抵以儒为主，而参以道家、墨家，故多引六籍之文与孔子之言”。陈澧以为“《吕氏春秋》多采古儒家之说，故可取者最多”（《东塾读书记》）。后代持道家说者如任继愈（《中国哲学发展史》，人民出版社1985年版）。金春峰《汉代思想史》

（中国社会科学出版社 1987 年版）以为《吕氏春秋》的主要倾向为“新儒家”。熊铁基将《吕氏春秋》与《淮南子》等称为“秦汉新道家”（《秦汉新道家略论稿》，上海人民出版社 1984 年版）。牟钟鉴《〈吕氏春秋〉道家说之论证》以为其博采“百家争鸣”中道、法、墨、儒等众家之长，而对道家各派收罗更多。可以说是以道家黄老思想为主导（《道家文化研究》第十辑）。胡家聪《稷下争鸣与黄老之学》（中国社会科学出版社 1998 年版）同意其说。持墨家说者如清卢文弨（《抱经堂文集》）。持阴阳说者如陈奇猷《吕氏春秋校释》（学林出版社 1995 年版）。肖萐父、李锦全则言《吕氏春秋》“显然以黄老道家的思想路线为中心，兼采儒、墨、名、法、及阴阳家言”。（肖萐父、李锦全主编《中国哲学史》）郭沫若（载《十批判书·吕不韦与秦王政的批判》）、杜国庠以为儒、道兼之（载《杜国庠文集》，人民出版社 1962 年版）。我们以为，应以《汉书·艺文志》为是。《吕氏春秋》与先秦绝大多数古籍成书过程及内容不一样。首先是有人主其事，负责召集他人来撰写；其次是“吕不韦乃使其客人人著所闻”，不限于一门一派学说；第三为一定时间里集中完成。《吕氏春秋》作为一部材料汇编，各种材料不可能在同一年全写出来，而应该有先后。《序意》所说“维秦八年，岁在涒滩”指秦始皇六年，经过清人与今人辨别，应不会有大问题。依古人著书“序”在全书末之体例，结合《序意》内容看，今本《序意》应是叙作《十二纪》之意，不是叙全书之意（“序”在全书之末者如《庄子·天下》、《淮南子·要略》、《史记·太史公自序》、《汉书·叙传》等）。陈奇猷《吕氏春秋校释》就此对杨树达之说予以辩驳。也正因如此，今本《吕氏春秋》序次应该为是，《序意》不应在全书之末。若将《十二纪》编排于后，则《序意》亦应在全书之末，但仍为《十二纪》之序，非全书之序。或许编《吕氏春秋》者正是基于如此考虑，为了不给人以错觉，所以将《十二纪》置于书前。《序意》中“赵襄子游于囿中”一段，则显然为错简混入，不应在此。基于此，依《序意》观之，到秦始皇六年时，《十二纪》已完成。至于《览》与《论》完成到何种程度，不好猜测。但无论如何，不会在吕不韦被遣出京城后始作。

读“不韦迁蜀，世传《吕览》”时，有两点值得注意：即“传”之含义与“《吕览》”之称。首先“传”之意应放到全段语境中来理解：“左丘失明，厥有《国语》；孙子膑脚，《兵法》修列；不韦迁蜀，世传《吕览》；韩非囚秦，《说难》、《孤愤》。”这一段中，每句前一句型均为整齐的“主语 + 谓语 + 宾语”结构，而后几句，句型不一样。其他几句就内容之正确性暂且不论，从字面意思看，均表明某人在某种状态下创作了某作品。所言为某人个人行为，不涉及他人。但“世传《吕览》”表明吕不韦迁蜀时，《吕览》已流传开来，故曰“世传”，同时也表明《吕氏春秋》在吕不韦迁蜀之前已完成。这一点，吕思勉《经子解题》、陈奇猷《吕氏春秋校释》等均有说明。至于《吕氏春秋》为何称《吕览》，吕思勉《经子解题》云：“据《本传》‘号曰《吕氏春秋》’之语，则四字当为全书之名，故《汉书·艺文志》亦称《吕氏春秋》。然编次则当如梁玉绳初说，先《览》后《论》，而终之以《纪》。世称《吕览》，盖举其居首者言之。《序意》在《十二纪》之后，犹其明证。毕氏沅《礼运注疏》，谓以《十二纪》居首，为《春秋》之所由名；（说本王应麟，见《玉海》）《四库提要》谓唐刘知幾作《史通》，《自序》在《内篇》之末，《外篇》之前，因疑《纪》为内篇，《览》与

《论》为外篇杂篇，皆非也。”实际上，《史记·吕不韦列传》、《太史公自序》对此书名称已有不同称呼。至于编撰次序，因《吕氏春秋》本身及其他史料对编撰次序均无说明，后人之说，均为推测。以《史记·吕不韦列传》、《太史公自序》看，其书名当时应叫《吕览》，号称《吕氏春秋》。为何有此号，或如陈奇猷《吕氏春秋校释》所附文章言：“至于以《十二纪》、《八览》、《六论》统称为《吕氏春秋》，那和《左氏春秋》、《晏子春秋》、《李氏春秋》、《虞氏春秋》相类，是后人给予的，不是吕氏自命之名。”实际上，这里认识就统一起来了：人们探讨了《吕览》号称《吕氏春秋》的由来，《吕览》称《吕氏春秋》始自司马迁。而为何称《吕氏春秋》，司马迁所言极明：“以为备天地万物古今之事，号曰《吕氏春秋》。”《吕氏春秋》、《吕览》同出《史记》。《太史公自序》为何称《吕览》，也许是为了行文上整齐、统一的需要。若将《吕览》改为《吕氏春秋》，语气上和其他句子就不统一，读起来拗口。像司马迁这样的大手笔，写《史记》要“成一家之言”，不会不考虑行文之法。还有，《史记》大多数情况下，在谈到某人某书时以“世多有其书”笼统言之，只有《吕不韦列传》言及《吕氏春秋》时，具体谈到主事者、作者、内容、字数。再有，由《吕不韦列传》“吕不韦乃使其客人人著所闻，集论以为《八览》”看，司马迁将“人人著所闻”而成单篇内容全部称为“论”，编辑者将“论”分成《览》、《论》、《纪》三部分。

陈奇猷言《吕氏春秋》之《纪》、《览》、《论》三部分各自独立，其说是也。不仅三大部分独立，并且为“人人著所闻”，每一大部分内派别不同篇之间亦相对独立。除此外，陈奇猷说还有两点应该加以申论。其云：“然而吕氏书成于秦八年是吕不韦自己说的，是不能否定的”；“凡此，都充分表明了秦八年只完成《十二纪》，迁蜀之后，更令宾客完成《八览》与《六论》。”他进而言之，以为吕不韦迁蜀后著以《八览》、《六论》组成之《吕览》，非《吕氏春秋》全书。但陈奇猷对《序意》的理解，似有不当处。《序意》只是为《十二纪》而作，非为全书而作。文章前既以《序意》之说，肯定《吕氏春秋》作于秦始皇八年不容否定，后又说《序意》只序《十二纪》，不包括《览》、《论》。自相矛盾。第二方面，陈奇猷根据《序意》之说，认定《十二纪》作于秦始皇六年为是，但问题在他肯定秦始皇六年仅仅完成了《十二纪》，其余为迁蜀之后作。这里至少就有两个疑问无法回答：吕不韦既然召集门客撰书，而门客又学非一门，吕不韦是让他们自由发挥、还是指定让他们先写什么、后写什么？在秦始皇即位至六年期间，有那么长时间，为什么不可以写《览》、《论》，而偏偏要在迁蜀之后才写？依《史记·吕不韦列传》看，秦始皇十年末要吕不韦迁蜀。“吕不韦自度稍侵，恐诛，乃饮鸩而死。”则吕不韦当年即死，但《集解》引徐广以为十二年才死。又依《秦始皇本纪》，“十二年，文信侯不韦死。”后世多据《秦始皇本纪》。实际上，吕不韦何时死，司马迁已不明。按当时情况，当以《吕不韦列传》所说为是。若是这样，《太史公自序》言“不韦迁蜀，世传《吕览》”就表明吕不韦将要迁蜀时《吕氏春秋》已成书。以嫪毐事发后，“相国吕不韦坐嫪毐免”（《史记·秦本纪》）、“王欲诛相国”（《史记·吕不韦列传》）情况看，吕不韦自顾不暇，应该不敢、也不会再有心思让门客接着干自己身世显赫时事。

公元前238年（秦始皇九年　韩王安元年　楚考烈王二十五年）

荀子被免兰陵令，不久卒，葬于兰陵。《史记·孟荀列传》载："春申君死而荀卿废，因家兰陵。……于是推儒、墨、道德之行事兴坏，序列著述万言而卒，因葬兰陵。"又据《史记·春申君列传》，楚考烈王二十五年（前238年），春申君为李园所杀，荀子因之被废。后不久而卒，葬于兰陵。

《盐铁论·毁学》载因李斯相秦，荀子不吃东西。李斯何时为相，《史记》没有明确记载。依《李斯列传》，秦始皇二十六年（前221年）统一天下即以李斯为相。《秦始皇本纪》则在秦始皇三十四年（前213年）始有"丞相李斯曰"记载。秦始皇初并天下，李斯任廷尉，以后过了几年才任丞相，此时距春申君之死已二十多年。如荀子当时还在，应过百岁。《史记》与《盐铁论》所载恐不足据，但也不是不可能。李学勤曾言："荀子晚年长住楚地兰陵（今山东苍山西南），著书数万言。他在诸子中享寿最长，由《荀子》本书看，确活到秦统一时期。《盐铁论·毁学篇》说李斯相秦，荀子为之不食，并不是不可能的。流风所及，兰陵多善为学。清汪中著《荀卿子通论》，甚至认为六艺之传不绝，端赖荀子。"（《失落的文明》第一三六篇《荀子的〈易〉学》）

《汉书·艺文志》"儒家"类著录"《孙卿子》三十三篇"。《隋书·经籍志》"儒家"类著录"《孙卿子》十二卷"。注："楚兰陵令荀况撰。"梁玉绳《史记志疑》卷二十九云："《荀子》三十二篇，《汉志》讹'三十三'也。云数万言，欠晰。"今本《荀子》分三十二篇。古今篇数之异，其原因在于后人将《谗》、《赋》二篇合之为一。现在通行《荀子》三十二篇，是汉代刘向所编集，经唐代杨倞重编。杨倞除将十二卷改为二十卷外，还将刘向所定各篇的次序，也有所变动，而且"又改《新书》为《荀卿子》"。（见《荀子》杨倞注《序》）

《荀子》著者，据司马迁《史记·孟荀列传》、刘向《孙卿书录》所说，为荀子自作。梁启超《要籍解题及其读法》对此也有论述。他认为："今按读全书，其中大部分固可推定为卿自著。然如《儒效篇》、《议兵篇》、《强国篇》，皆称'孙卿子'，似出门弟子记录。内中如《尧问篇》末一段，纯属批评荀子之语，其为他人所述，尤为显然。又《大略》以下六篇，杨倞已指为荀卿弟子所记卿语及杂录传记，然则非全书悉出卿手甚明。"因之，《荀子》一书，有荀子自著，也有其弟子或他人（非荀氏弟子）记述。其书无后人伪作内容。《荀子》除《成相》、《赋篇》及六篇语录外，余基本上为专题性议论文。《成相》应为一时完成之作，作者一般认为是荀况本人。因文中有春申君谥号，故其文写作应在黄歇被杀之后。《成相》、《赋篇》已经成为严格意义的"纯文学"作品。1975年湖北云梦睡虎地秦墓出土竹简，有一篇《为吏之道》，其中有八篇韵文，句式与《成相》完全一致，证明《成相》学习民间文艺创作。另外，长沙马王堆汉墓帛书《春秋事语》与《左传》有关系。裘锡圭曾指出帛书很可能是《铎氏微》一类的书。"据《经典释文·序录》，铎椒是左丘明四传弟子。这部帛书虽然记有《左传》所没有的事，并且所引用的议论也往往与《左传》不同，但是所记的有关历史事实则大部与《左传》相合。"（见《座谈长沙马王堆汉墓帛书》，《文物》1974年第9期）李学勤则这样认为："《春秋事语》一书实为早期《左传》学的正宗作品。其本于《左传》而兼及《穀梁》，颇似荀子学风，荀子又久居楚地，与帛书出于长沙相合，其

为荀子一系学者所作是不无可能的。”（见《〈春秋事语〉与〈左传〉的传流》，载《古籍整理研究学刊》1989年第4期）

虞卿卒于本年前后。虞卿事迹，自前248年后《战国策》、《史记》等无记载。然《韩非子·外储说左上》曰：“且虞庆诎匠也而屋坏，范且穷工而弓折。”“虞庆将为屋，匠人曰……”此事《吕氏春秋·别类》、《淮南子·人间训》亦载之。但《吕氏春秋》作“高阳应将为室家”，《淮南子》作“高阳魋将为室”。陈奇猷《吕氏春秋校释》谓：“《韩非子》述此事作虞庆，虞庆即虞卿，（古卿、庆同，如荆卿亦作荆庆，即其例）《史记》仅著其号而失其姓名，是知虞卿必有其姓名矣。此及《韩非》、《淮南》既同述一事，必为一人，则高阳其姓，魋其名而号虞卿，自属可信也。”据此，则各书所记均为虞卿。

《韩非子》中《内、外储说》等作时，应在前238年后几年中（详前238年条）。其《外储说左上》所引人、事，皆在前代。虞卿与韩非相差三十年左右。以《韩非子》所记可知，其作《五蠹》、《内、外储说》等作品时，虽虞卿未至韩，而韩非知其事，则名声已远扬。以此推断，至前238年韩非作《内、外储说》等作品时，虞卿或已卒，至少已老迈，不久而卒。此推断与钱穆《先秦诸子系年·通表》所定相合。

《汉书·艺文志》“春秋家”类著录“《虞氏微传》二篇”。自注：“赵相虞卿。”顾实《汉书艺文志讲疏》引《别录》云：“虞卿作抄撮九卷，授荀卿，卿授张苍。”《汉书·艺文志》“儒家”类著录“《虞氏春秋》十五篇”。自注：“虞卿也。”钱穆《先秦诸子系年·虞卿著书考》引《释文·叙录》云：“铎椒授虞卿。”其后接着辩云：“考之诸人年世，似不足信。何者？齐襄王六年时，重兴稷下，荀卿为老师祭酒，其时年已愈六十，学成名尊矣。而虞卿弃赵相与魏齐逃之魏，事尚在后十许年。时虞卿初出有声，其年事当不出四十。是荀卿为前辈硕学，而虞卿乃后进游士，何从有虞卿著书以授荀卿哉？又铎椒楚威王时太傅，其书应在威王早岁。今姑自威王卒年计之，下至赵孝成王元年，凡六十三年。铎椒死，虞卿尚未生，岂得谓铎椒以授虞卿哉？至张苍之卒，在孝景前五年。即谓其年百余岁，则生年当在秦昭王晚节。今姑谓魏信陵破秦邯郸之岁苍生，下至春申君死，苍年二十，而荀卿已及百龄。荀卿年寿今既不可详考，要之以铎椒授虞卿，虞卿授荀卿之例观之，谓荀卿授《左传》于张苍，恐亦未见其必信也。”

韩非谏韩王不听，自本年起的几年间创作《五蠹》等。《史记·老韩列传》载：“非见韩之削弱，数以书谏韩王，韩王不能用。于是韩非疾治国不务修明其法制，执势以御臣下，富国强兵而以求人任贤，反举浮淫之蠹而加之于功实之上。以为儒者用文乱法，而侠者以武犯禁。宽则宠名誉之人，急则用介胄之士。今者所养非所用，所用非所养。悲廉直不容于邪枉之臣，观往者得失之变，故作《孤愤》、《五蠹》、《内外储》、《说林》、《说难》十余万言。”此韩王，《索隐》以为“韩王安也”。《正义》：“韩非见王安不用忠良，今国消弱，故观往古有国之君，则得失之变异，而作《韩子》二十卷。”韩王安即位在前238年，至前230年即为秦内史腾俘虏，韩灭亡。韩非眼看国势极衰，便上书于韩王。韩王不听，乃发愤著书。韩非使秦在前234年或次年，前233年自杀。因而其著书应在前238年至前234年间。韩非的文章峻峭深刻，论理严密，语言简洁有力，且善于分析人之心理，对后代议论文影响很大。

公元前237年（秦始皇十年）

李斯作《谏逐客书》，不久为廷尉。据《史记·李斯列传》，李斯入秦在前247年。次年韩为消耗秦国力，派水工郑国为间于秦，凿泾水自仲山为渠，并北山，东注洛。《史记·李斯列传》、《河渠书》、《汉书·沟洫志》、《资治通鉴·秦纪一》均记此事。此举为秦所察，引起其宗室大臣不满。后秦宗室大臣皆言于秦王请逐客。李斯亦在所逐之列，于途中上书。《史记·秦始皇本纪》亦载："大索，逐客。李斯上书说，乃止逐客令。"《史记·李斯列传》《集解》引《新序》曰："斯在逐中，道上上谏书，达始皇，始皇使人逐之骊宫，得还。"时在秦始皇十年（前237年）。

秦王使李斯谋攻取韩国之策，韩王患之，与韩非谋弱秦，于是使韩非使秦，上秦王政"存韩"书。李斯有上秦王政书、上韩王安书。《史记·秦始皇本纪》："大索，逐客。李斯上书说，乃止逐客令。李斯因说秦王，请先取韩以恐他国。于是使斯下韩。韩王患之，与韩非谋弱秦。"《韩非子》中有《存韩》，实包括三封上书。从开头至"夫攻伐而使从者间焉，不可悔也"，为韩非上秦王政书，后两部分为此篇之附录，即李斯上秦王政书与上韩王安书。李斯上秦王政书的开头云："诏以韩客所上书言'韩之未可举'下臣斯"，则正指韩非之上秦王政"存韩"书。可证此年韩非曾使秦并上书秦王（参马世年《〈韩非子〉的成书及其文学研究》）。

公元前236年（秦始皇十一年）

《鹖冠子·王铁》、《泰录》作于本年前数年间。《王铁》云"不见异物而迁"，《泰录》云"与时迁焉"，两篇均不避赵王迁讳。据《史记·赵世家》，赵王迁即立在前235年，故这两篇作时不得晚于本年。

《鹖冠子·世贤》作于本年后。该篇提到了赵悼襄王谥号。据《史记·赵世家》，悼襄王之卒在其九年（前236年），故其作应在本年后。

公元前233年（秦始皇十四年　韩王安六年）

韩非使秦，劝秦先伐赵，缓伐韩，遭李斯、姚贾陷害，被囚自杀。《战国策·秦策五》云："四国为一，将以攻秦。秦王召群臣宾客六十人而问焉。"其后便有韩非与姚贾的论辩。结尾写秦王听信姚贾之言，"乃复使姚贾而诛韩非。"《史记·韩世家》："王安五年，秦攻韩，韩急，使韩非使秦，秦留非，因杀之。"依《韩世家》，韩非使秦在前234年，后世一般定为前233年。

韩非在秦被杀原因有二：其存韩为秦王所不接受，"与李斯俱事荀卿，斯自以为不如非"而嫉妒，与姚贾共谗韩非于秦王（《史记·老韩列传》）。《战国策·秦策五》记载，秦始皇十四年（前233年），"四国为一，将以攻秦"。姚贾至赵、魏、燕、楚四国为秦游说不攻秦成功。"秦王大悦，贾封千户，以为上卿。……韩非短之曰……"后秦王终听姚贾，"乃复使姚贾而诛韩非。"

韩非著述，《史记·韩非列传》云：韩非"喜刑名法术之学，而其归本于黄老。非为人口吃，不能道说，而善著书。”“故作《孤愤》、《五蠹》、《内外储》、《说林》、《说难》十余万言。”“人或传其书至秦。秦王见《孤愤》、《五蠹》之书。”“申子、韩子皆著书，传于后世，学者多有。”在《太史公自序》里，司马迁以为《说难》、《孤愤》为韩非囚秦时作：“韩非囚秦，《说难》、《孤愤》。”《汉书·艺文志》“法家”类著录“《韩子》五十五篇”。自注：“名非，韩诸公子。使秦，李斯害而杀之。”《史记·老韩列传》《正义》引阮孝绪《七略》云：“《韩子》二十卷。”《隋书·经籍志》“法家”类著录“《韩子》二十卷、目一卷”。《旧唐书·经籍志》、《新唐书·艺文志》、《宋史·艺文志》皆著录二十卷，与今本同。《四库全书总目提要》云：“惟王应麟《汉艺文志考》作五十六篇，殆传写字误也。”其作品，除《初见秦》、《存韩》、《有度》、《饰邪》、《问田》、《饬令》六篇一般都肯定非韩非作品外，其余是否均为韩非所作，尚无定论。

公元前231年（秦始皇十六年　赵王迁五年）

赵有民谣。《史记·赵世家》载，（赵王迁）“五年，代地大动，自乐徐以西，北至平阴，台屋墙垣大半坏，地坼东西百三十步。六年，大饥。民讹言曰：‘赵为号，秦为笑。以为不信，视地之生毛。’”

公元前228年（秦始皇十九年）

《战国策·秦策五·文信侯出走》作于本年或稍后。此《策》文为叙事体。以前有两种系年。林春溥《战国纪年》、黄式三《周季编略》、于鬯《战国策年表》，依《史记·赵世家》、吕祖谦《大事记》载赵杀李牧在赵王迁七年（前229年）系于此年，今人缪文远从之。顾观光《国策编年》据秦俘虏赵王迁在秦始皇十九年（前228年）系于此年。但两种系年均不妥。

《策》文云：“文信侯（吕不韦）出走，与司空马之赵，赵以为守相。”然据《史记·秦本纪》、《吕不韦列传》、《六国年表》，秦始皇十年（前237年）吕不韦被免相。其始迁河南，后又迁蜀，途中自杀。史籍无吕不韦出走之赵并为相记载。故高诱注“守相”：“假也。”钟凤年《国策勘研》云：“吕不韦奔赵，李牧为韩仓谗死，及所叙他事，多与《史》异。”

《韩非子·存韩》三篇文章主题，共同讨论如何对付赵国。由此情况看，赵在战国末期已成秦统一天下之主要障碍，而李牧为率领赵军抗秦主要将领。李牧之死，《赵策四·秦使王翦攻赵》以为赵王中反间之计而斩之。《史记·李牧列传》、《冯唐列传》、《赵世家》与《赵策四》同。赵王迁听信郭开谗言斩李牧，在其即位七年（前229年）。

此《策》文从“文信侯出走”写到“武安君死，五月赵亡。”据《史记·秦始皇本纪》：“十年，相国吕不韦坐嫪毐免。”《吕不韦列传》：“秦王十年十月，免相吕不韦。……而出文信侯就国河南。”这里“赵亡”，依《策》文所写，指秦始皇十九年（前228年）秦军俘虏赵王迁，不是指二十五年（前222年）俘虏赵代王嘉。这样，《策》文涉及时间，在秦始皇十年（前237年）吕不韦被免相并就国河南，至其十九年

（前228年）秦军俘虏赵王迁之间。缪文远《战国策考辨》云：“‘与’不作‘及’解。吴补曰：‘与’字疑衍。黄丕烈《札记》以吴说为是。又金氏《补释》云：《说文》：‘与，党与也。《后汉书·陈元传》注：与，犹党也。’马为文信侯党人，故文信走而马亦亡。”不管“文信侯出走，与司空马之赵”之“与”为衍字还是另作解，吕不韦出走与赵亡相隔近十年。若将《策》文系于前229年、前228年任何一年，则是将发生相隔近十年不同事安排在一年之中了。因为《策》文所涉之事下限在前228年，故《策》文作时不得早于本年。

公元前227年（秦始皇二十年）

荆轲刺秦王离燕时唱《荆轲歌》（一作《渡易水歌》）。荆轲刺秦王事，《战国策·燕策三》、《史记·燕召公世家》、《刺客列传》均有记载。荆轲临行前，“太子及宾客知其事者，皆白衣冠以送之，至易水之上。既祖，取道，高渐离击筑，荆轲和而歌，为变徵之声，士皆垂泪涕泣。又前而为歌曰：‘风萧萧兮易水寒，壮士一去兮不复还。’”（《史记·刺客列传》）此歌辞，《诗纪》作《渡易水歌》。注：一曰《荆轲歌》。逯钦立《先秦汉魏晋南北朝诗》名为《荆轲歌》。

荆轲行刺时秦王乞听《琴女歌》。《史记·刺客列传》《正义》引《燕丹子》云：“左手揕其胸。秦王曰：‘今日之事，从子计耳。乞听瑟而死。’召姬人鼓琴，琴声曰：‘罗縠单衣，可裂而绝；八尺屏风，可超而越；鹿庐之剑，可负而拔。’王于是奋袖超屏风走之。”

湖北云梦睡虎地秦简《南郡守腾文书》发布于本年。1975年出土于湖北云梦睡虎地十一号秦墓的《南郡守腾文书》，墓主人为秦人，名喜。简中几处因避秦始皇讳而改“正”为“端”。《史记·秦楚之际月表》：“端月”《索隐》：“二世二年正月也。秦讳‘正’，故云‘端月’也。”证明为秦始皇时文件。据开头“廿年四月丙戌朔丁亥，南郡守腾谓县、道啬夫”之说，可知这部文书发布于秦始皇二十年（前227年）。发布者为秦新置南郡守，名腾。

《史记·秦本纪》载：“（昭王）二十九年，大良造白起攻楚，取郢为南郡。楚王走。”秦昭王二十九年为前278年。据云梦秦简《编年记》，昭王卒后，“孝文王元年，立即死。”《史记·秦本纪》亦云：“五十六年秋，昭襄王卒，子孝文王立。……十月己亥即位，三日辛丑卒。”之后秦庄王即位。但《编年记》云：“庄王三年，庄王死。”《秦本纪》同。所以，此文书非秦孝文王、庄王时发布。又据《史记·秦始皇本纪》：“十六年九月，发卒受地韩南阳假守腾。”“十七年，内史腾攻韩，得韩王安，尽纳其地。”后或许因功出任南郡守而发此文书。

公元前224年（秦始皇二十三年　楚王负刍四年）

《荀子·强国》自“今秦南乃有沙羡与俱，是乃江南也”至“是地遍天下也，威动海内，强殆中国”一段作于本年或下年。《强国》此节讲具体史实，时间与地点清楚、分明，是秦始皇将统一天下时语气。特别是地域已经包括有韩、赵、魏、楚等国，只有燕、齐未列在秦范围内。始皇十七年至二十四年，秦先后灭赵、魏、楚；二十五年灭燕，二十六年灭齐。故写《强国》这一节之时，秦还未曾灭燕、齐，即在秦始皇二十四五年。

公元前223年（秦始皇二十四年）

拟托苏代上燕王书作于本年后。《战国策·燕策二》提及“楚得枳而国亡”。但秦亡楚在始皇二十四年（前223年）。以三苏弟兄行事观之，苏代不可能此时还在，故《策》文为托名之作。

湖北云梦睡虎地秦墓竹简所载两封家信作于本年。1975年湖北云梦睡虎地秦墓竹简有两封或许是我国最早的家信。其一是署名“黑夫”和“惊”二人写给兄弟名“中”的，其二是“惊”写给“中”的。写信的时间是秦王政二十四年（前223年）。其中第一封信的内容是这样的：“二月，辛巳，黑夫、惊敢再拜问中，母无恙也？黑夫、惊无恙也。前日黑夫与惊别，今复会矣。黑夫寄益就书曰，遗黑夫钱，母操夏衣来，今书即到。母视安陆丝布贱，可以为裙襦者，母必为之。今与钱偕来。其丝布贵，徒以钱来，黑夫自此布此。黑夫等直佐淮阳，攻反城久，伤未知也。愿母遗黑夫钱勿少。书到皆为报，报必言相家爵来未来？黑夫其未来状。”书信文字朴实无华，通俗易懂，字里行间也体现了一定的亲情。

《文子》部分内容完成于秦统一六国前。《汉书·艺文志》“道家”类著录“《文子九篇》”。自注：“老子弟子，与孔子并时，而称周平王问，似依托者也。”梁阮孝绪《七录》作十卷，《隋书·经籍志》、《旧唐书·经籍志》、《新唐书·艺文志》均作十二卷，与今本相同。今本篇目为：《道原》、《精诚》、《九守》、《符言》、《道德》、《上德》、《微明》、《自然》、《下德》、《上仁》、《上义》、《上礼》。首次对《文子》真伪提出怀疑的是柳宗元的《辨文子》，但并非主张完全是伪书。其后宋黄震《黄氏日抄》、清陶方琦《汉孳室文抄》、近人梁启超《汉书艺文志诸子略考释》、章太炎《蓟汉微言》皆持伪说。宋王应麟《困学纪闻》卷十《诸子》对今本《文子》作了详细的辩护。他从《荀子》、《越绝书》、《汉书》等许多古书中举例，认为这些书曾引用过《文子》。但因这些书均未明确说明征引《文子》，究竟是谁袭谁，不好证实。清孙星衍《问字堂集》指出《文子》的“平王”为楚平王，文子曾师老子，可能游楚。严灵峰《周秦汉魏诸子知见书目》引《周氏涉笔》有类似的见解。李学勤《试论八角廊〈文子〉》以为“这是很重要的突破，但《文子》伪书之说已为众所公认，孙说也未得到多少反映。”（《古文献论丛》，上海远东出版社1996年版）1975年，唐兰在《马王堆出土〈老子〉乙本卷前古佚书的研究——兼论其与汉初儒法斗争的关系》的附记中这样说：“《文子》与《淮南子》很多辞句是相同。究竟谁抄谁，旧无定说。今以篇名袭黄帝之言来看，《文子》当在前……《文子》中有很多内容为《淮南子》所无，也应当是先秦古籍之一。”（《考古学报》1975年第1期）河北定县西汉中山怀王墓出土《文子》残简后，有人这样下结论：“《文子》是西汉时已有的先秦古籍，它先于《淮南子》。《文子》虽经后人篡改润益，但不是伪书。”（参李定生、徐惠君《文子要诠》，复旦大学出版社1988年版）河北省文物研究所定州汉简整理小组称：“《文子》是一部有争议的书……周平王与文子非同时人，但《文子》中‘平王’前并未见有‘周’

字，若如前人所说‘平王’应是‘楚平王’，则为同时人，这样《文子》就不能算是‘依托’之作了。唐柳宗元《文子辨》中称《文子》为‘驳书’。我们认为它确是‘理道深至，笔力劲练，非周秦间人不能为’，然而今本《文子》则确是驳杂不纯。”整理小组还从六个方面对此予以说明（《定州西汉中山怀王墓竹简〈文子〉的整理和意义》，《文物》1995 年第 12 期）。李学勤云：“老子楚苦县人，其学广被于楚，所以近年楚地所出战国至汉初简帛，道家著作特多，是不足为异的。已发现材料，与《汉书·艺文志》参照，有《伊尹》、《太公》、《管子》、《老子》、《文子》、《庄子》等等，虽然多为零篇，也已足够珍奇了。”（《新发现简帛佚籍对学术史的影响》）不能说八角廊竹简的出土，就证明今本《文子》全书均成在先秦，但至少可以证明《文子》有部分为先秦古籍。

第四章

秦王政二十六年至秦二世二年（公元前 221 年—公元前 208 年）共 18 年

·引　言·

《文心雕龙·明诗》：秦灭六国，亦造《仙诗》。

《文心雕龙·诠赋》：秦世不能文，颇有杂赋。

《文心雕龙·铭箴》：始皇勒岳，政暴而文泽。

《文心雕龙·奏启》：秦皇立奏，而法家少文。观王琯之奏勋德，辞质而义近；李斯之奏骊山，事略而意诬。

《艺概·文概》：秦文雄奇，汉文醇厚。大抵越世高谈，汉不如秦；本经立义，秦亦不如能汉也。

《艺概·诗概》：秦碑有韵之文，质而劲。

《汉文学史纲要》：（秦代刻石）其辞亦李斯所为，今尚有流传，质而能壮，实汉晋碑铭所从出也。

公元前 221 年（秦始皇二十六年）

齐人为《松柏歌》在本年或稍后。《战国策·齐策六》云："齐王不听即墨大夫而听陈驰，遂入秦，处之共松柏之间，饿而死。先是齐为之歌曰：'松耶！柏耶！住建共者，客耶！'"《策》文所叙齐亡之事，与《史记》不同。雍门司马与即墨大夫谏语，秦使陈驰诱齐王建入秦，《史记》均不载。但据《田完世家》："五国已亡，秦兵卒入临淄。民莫敢格者，王建遂降。"其事在秦始皇二十六年（前 221 年），因而齐人为歌应在本年或稍后。

《列子·汤问》除第十七段外，其余作于本年前后。《列子·汤问》共十七段，前六段都是神话传说。前三段为"殷汤问于夏革"、"愚公移山"、"夸父追日"。而"殷汤问于夏革"中夏革讲了三个故事。即"女娲补天"、"共工怒触不周山"、"渤海东有归墟"。郑良树对该篇成书年代所作推断似有理。其又对"愚公移山"、"夸父追日"

等段予以考论，以为：《列子・汤问》除“第十七段之外，其他十六段都应该是战国末、西汉初的文字。”（见《诸子著作年代考》）

秦王政颁布议帝号等昭令。《史记・秦始皇本纪》载：“二十六年……秦初并天下，令丞相、御史曰：……寡人以眇眇之身，兴兵诛暴乱，赖宗庙之灵，六王咸伏其辜，天下大定。今名号不更，无以称成功，传后世。其议帝号。”后来又昭令云：“朕闻太古有号毋谥，中古有号，死而以行为谥。如此，则子议父，臣议君也，甚无谓，朕弗取焉。自今以来，除谥法。”

李斯向秦始皇提出“车同轨，书同文”等建议。《史记・秦始皇本纪》云：“秦初并天下……丞相绾等言：‘诸侯初破，燕、齐、荆地远，不为置王，毋以填之。请立诸子，唯上幸许。”秦始皇让群臣议论。“群臣皆以为便”，但廷尉李斯以为不妥，始皇以“廷尉议是”。同时秦始皇还接受李斯建议，“分天下以为三十六郡，郡置守、尉、监。更名民曰‘黔首’。”“一法度衡石丈尺。车同轨，书同文字。”设立郡县制为中国政治史上一件划时代的创举。

本年前后秦有长水童谣。《搜神记》卷十三云：“由拳县，秦时长水县也。始皇时，童谣曰：‘城门有血，城当陷没为湖。’”逯钦立《先秦汉魏晋南北朝诗》引《神异传》作“城门当有血，城没陷为湖”，并命为《长水童谣》。

民间有“阿房阿房亡始皇”之童谣流行。《述异记》曰：始皇二十六年，童谣云：“阿房阿房亡始皇。”

公元前220年（秦始皇二十七年）

《荀子・强国》中“然而忧患不可胜校也”至“若是则虽为之筑明堂于塞外而朝诸侯，殆可矣”一段文字作于本年后几年间。此段文字中有“若是则兵不复出于塞外而令行于天下矣”之说。据《秦始皇本纪》：“三十二年……始皇巡北边，从上郡入。燕人卢生使入海还。以鬼神事，因奏录图书，曰：‘亡秦者胡也。’始皇乃使将军蒙恬发兵三十万人北击胡，略取河南地。”文中所指或即此。文中又有“若是则虽为之筑明堂于塞外而朝诸侯”之说。据《史记・秦始皇本纪》，始皇自二十七年起多次巡游天下。他是要模仿古代天子巡狩，并朝见诸侯于明堂。《强国》本段所说或即言此，因而该段或作于本年后数年间。

公元前219年（秦始皇二十八年）

秦始皇作骊山陵，民怨之，作《甘泉之歌》。《三秦记》曰：“始皇作骊陵，周迴跨阴盘县界，水背陵障，使东西流。运大石于渭北渚。民怨之，作《甘泉之歌》曰：‘运石甘泉口，渭水不敢流。千人唱，万人讴。金陵余石大如坻。’”（据《二酉堂丛书》本《辛氏三秦记》）。《史记・秦始皇本纪》云：“始皇帝初即位，穿治郦山，及并天下，天下徒送诣七十余万人，穿三泉，下铜而致椁，宫观、百官、奇器、珍怪，徙臧满之。令匠作机弩矢，有所穿近者，辄射之。以水银为百川、江河、大海，机相灌输。上具天文，下具地理。以人鱼膏为烛，度不灭者久之。”然而《汉书・贾山传》云：“始皇葬骊山，吏徒数十万人，旷日十年，下彻三泉。”则其开始修骊山陵是在始皇二十七八年间（始皇卒于三十七年）。今系《甘泉之歌》于始皇二十八年。

李斯随秦始皇巡游，在峄山、泰山、之罘、琅琊分别立碑刻石，作《峄山刻石》、《泰山刻石》、《琅琊台刻石》、《之罘刻石》等颂秦德文字。《史记·秦始皇本纪》："二十八年，始皇东行郡县，上邹峄山。立石，与鲁诸儒生议，刻石颂秦德，议封禅望祭山川之事。乃遂上泰山，立石，封，祠祀。"后又"登之罘，立石颂秦德焉而去。"南至琅琊，"作琅琊台，立石刻，颂秦德，明得意。"《晋书·卫恒列传》云："秦时李斯号为二篆，诸山及铜人铭皆斯书也。"姚振宗《汉书艺文志条理》云："严可均辑《全秦文》有王绾、李斯、公子高、周青臣、淳于越及诸儒生群臣议凡十五篇。李斯《狱中上书》云：'更克画，平斗斛度量，文章布之天下，以树秦命。'则刻石名山文，当斯手笔也。"

秦始皇欲自泗水求周鼎，泗上为之谣曰"称乐太早绝鼎系。"《汉书·郊祀志》载："周赧王卒，九鼎入于秦，或曰，周显王之四十二年，宋大丘社亡，而鼎沦没于泗水彭城下。"《水经·泗水注》云："秦始皇时而鼎见于斯水。始皇自以德合三代，大喜，使数千人没水求之，不得。所谓鼎伏也。亦云：系而行之，未出，龙齿啮断其系。故语曰：'称乐太早绝鼎系。'"据《史记·秦始皇本纪》，始皇"欲出周鼎泗水，使千人求得，弗得"在其三十八年（前219年）。

公元前218年（秦始皇二十九年）

李斯随秦始皇第二次东游，登之罘后又作《之罘刻石》。秦始皇第一次东巡在其二十八年（前219年），首次登之罘时已刻石。"二十九年，始皇东游。……登之罘，刻石。"（史记·秦始皇本纪》）因而此次是第二次立碑刻石，撰写者仍为李斯。

公元前215年（秦始皇三十二年）

李斯随秦始皇巡游至碣石并刻石。《史记·秦始皇本纪》："三十二年，始皇之碣石……刻碣石门。"其辞曰："遂兴师旅，诛戮无道，为逆灭息。武殄暴逆，文复无罪，庶心咸服。惠论功劳，赏及牛马，恩肥土域。皇帝奋威，德并诸侯，初一泰平。堕坏城郭，决通川防，夷去险阻。地势既定，黎庶无繇，天下咸抚。男乐其畴，女修其业，事各有序。惠被诸产，久并来田，莫不安所。群臣诵烈，请刻此石，垂著仪矩。"

公元前213年（秦始皇三十四年）

民间有谣曰"秦始皇，何强梁"云云。《异苑》曰："秦世有谣曰：'秦始皇，何强梁，开吾户，据吾床，饮吾酒，唾吾浆，餐吾饭，以为粮。张吾弓，射东墙。前至沙丘当灭亡。'始皇既坑儒焚书，乃发孔子墓，欲取诸经传，坑既启，于是悉如谣者之言。"据此，谣之起在焚书坑儒以前，故系于此（谣之末句可能是后来所加）。

李斯上书劝秦始皇焚书等，始皇从之，其为相后或与零陵令有辩并作《苍颉》。《史记·李斯列传》："始皇三十四年，置酒咸阳宫，博士仆射周青臣等颂称始皇威德。齐人淳于越进谏曰……始皇下其议丞相。丞相谬其说，绌其辞，乃上书曰：'……臣请诸有文学《诗》《书》《百家语》者，蠲除去之。令到满三十日弗去，黥为城旦。所不去者，医药卜筮种树之书。若有欲学者，以吏为师。’”《秦始皇本纪》亦记载秦始皇三十四年时李斯已为丞相。其上书“请史官非秦记皆烧之”建议为秦始皇采纳。便“收去《诗》《书》《百家之语》以愚百姓，使天下无以古非今。”紧接着又明令法度，统一法律文书。在李斯倡议下秦之焚书，为中国文化史上一次空前灾难，许多典籍因此毁于一旦。《淮南子·泰族训》云：“秦用李斯、赵高而亡。”

李斯为相后，或与秦零陵令有辩。《汉书·艺文志》“纵横家”类著录“《秦零陵令信》一篇。”班固自注：“难秦相李斯。”依常理，李斯亦应有文，惜无记录。《汉书·艺文志》“小学家”类著录“《苍颉》一篇”。自注：“上七章，秦丞相李斯作。”《晋书·卫恒列传》言：“秦始皇帝初兼天下，丞相李斯乃奏益之，罢不合秦文者，斯作《苍颉篇》。”1977 年安徽阜阳出土的汉简有十多种古籍，其中包含《诗经》、《周易》、《苍颉篇》等。1979 年甘肃敦煌马圈湾遗址发现汉简 1217 枚，其中有《苍颉篇》。

始皇置酒咸阳宫，博士七十人前为寿。仆射周青臣进《颂》。《史记·秦始皇本纪》：始皇置酒咸阳宫，博士七十人前为寿。仆射周青臣进《颂》曰：“他时秦地不过千里，赖陛下神灵明圣，平定海内，放逐蛮夷，日月所照，莫不宾服。以诸侯为郡县，人人自安乐，无战争之患，传之万世。自上古不及陛下威德。”

送治狱不直之人去筑长城。死者相属，有民歌反映此。《史记·六国年表》：“适治狱不直者筑长城。”杨泉《物理论》云：“秦筑长城，死者相属，民歌曰：‘生男慎勿举，生女哺用脯。不见长城下，尸骨相支柱。’”

公元前 211 年（秦始皇三十六年）

秦始皇使博士为《仙真人诗》。《史记·秦始皇本纪》记载：“三十六年……始皇不乐，使博士为《仙真人诗》，及行所游天下，传令乐人歌弦之。”诗已散佚。《文心雕龙·明诗》：“秦皇灭典，亦造《仙诗》。”

公元前 210 年（秦始皇三十七年）

李斯随秦始皇巡游至会稽，作《会稽刻石》。《史记·秦始皇本纪》：“三十七年十月癸丑，始皇出游。左丞相斯从。……上会稽，祭大禹，望于南海，而立石刻颂秦德。”这就是有名的《会稽刻石》。其文首先颂扬秦始皇统一天下的功业：“皇帝休烈，平一宇内，德惠修长。三十有七年，亲巡天下，周览远方。遂登会稽，宣省习俗，黔首斋庄。群臣诵功，本原事迹，追首高明。”最后以“从臣诵烈，请刻此石，光垂修铭”作结。以现存史料看，为李斯所作刻石文字中最晚者。关于秦始皇刻石的保存及流传情况，容庚有《秦始皇刻石考》（载《燕京学报》1935 年第 17 期）。李学勤《东周与秦代文明》（增订本）云：“现在，泰山刻石和琅邪刻石有部分文字保存，并有较早的拓本传世。峄山刻石有宋代重刻本，据徐铉摹本上石，石存于西安碑林。之罘刻石有《汝贴》本，仅寥寥十四字。会稽刻石有元代重抚本。至于碣石刻石，也有一种本子传世，称为徐铉摹本，但有一些疑点。东观刻石没有任何材料遗留下来。琅邪刻石原石现在中国历史博物馆。”（文物出版社 1991 年版）

李斯为秦始皇巡游各地时所撰写碑文（当时称做“刻石”），从内容看，主要是歌颂秦始皇消灭六国、统一天下历史功绩。风格浑朴、清峻。刘勰《文心雕龙·箴铭》云：“始皇勒岳，政暴而文泽。”鲁迅《汉文学史纲要》称其时刻石：“其辞亦李斯所为，今尚有流传，质而能壮，实汉晋碑铭所从出也。”从碑铭文体来说，李斯刻石为我国古代纪功碑文奠定了基础。

公元前 209 年（秦二世元年）

李斯上书秦二世。据《史记·秦本纪》及《李斯列传》，秦始皇于三十七年（前 210 年）病死，中车府令赵高与少子胡亥、左丞相李斯谋议，篡改始皇诏书，立胡亥为太子，赐公子扶苏、大将蒙恬死。扶苏自杀，蒙恬被捕下狱，胡亥袭位，是为二世。

二世继位不久，“杀大臣蒙毅等，公子十二人戮死咸阳市，十公主矺死于杜，财物入于县官，相连坐者不可胜数。”“法令诛罚日益刻深，群臣人人自危，欲叛者众。又作阿房之宫，治直道、驰道，赋敛愈重，戍徭无已。于是楚戍卒陈胜、吴广等乃作乱。”二世因之责问李斯。“李斯恐惧，重爵禄，不知所出，乃阿二世之意，欲求容，以书对曰……”李斯上书后，“二世悦”。

赵高设计陷害李斯，李斯上书二世言赵高之非，二世信赵高而非李斯，下李斯狱。李斯在狱中上书未果。《史记·李斯列传》云：“高闻李斯以为言，乃见丞相曰：‘……君何不谏?’李斯曰：‘固也，吾欲言之久矣。今时上不坐朝廷，上居深宫，吾有所言者，不可传也，欲见无间。’赵高谓曰：‘君诚能谏，请为君侯上闲语君。’”但实际上适逢二世娱情时，赵高告李斯说：“‘上方闲，可奏事。’丞相至宫门上谒，如此者三。”招致二世愤怒。赵高又乘机陷害李斯，二世欲治罪，李斯听后“因上书言赵高之短”。二世信赵高而非李斯，便将李斯短赵高之事告知，于是赵高将李斯下狱。李斯从狱中上书，但赵高弃之不报。

公元前 208 年（秦二世二年）

李斯被腰斩于咸阳。《史记·李斯列传》：“二世二年七月，具斯五刑，论腰斩咸阳市。”

主要参考文献

十三经注疏，阮元校刻，中华书局 1980 年版

尚书大传（附序录辨伪），伏胜撰，郑玄注，陈寿祺辑校，丛书集成初编本，中华书局 1985 年版

尚书今古文注疏，孙星衍，中华书局 1986 年版

尚书虞夏书新解，金景芳、吕绍纲，辽宁古籍出版社 2000 年版

逸周书集训校释，朱右曾，皇清经解续编本

逸周书汇校集注，黄怀信、张懋镕、田旭东撰，李学勤审定，上海古籍出版社 1995 年版

逸周书的语言特点及其文献学价值，周玉秀，中华书局 2005 年版

周易古经今注，高亨，中华书局 1984 年版

周易大传今注，高亨，齐鲁书社 1979 年版

周易经传溯源，李学勤，长春出版社 1992 年版

周礼正义，孙诒让，中华书局 1987 年点校本

礼记集解，孙希旦，中华书局 1989 年版

仪礼正义，胡培翚，四部备要本

大戴礼记解诂，王聘珍，中华书局 1983 年版

春秋左传注，杨伯峻，中华书局 1981 年版

国语集解，徐元诰，中华书局 2002 年版

国语译注辨析，董立章，暨南大学出版社 1993 年版

史记，司马迁，中华书局 1959 年版标点本

汉书艺文志讲疏，顾实，上海古籍出版社 1987 年版

春秋会要，姚彦渠，中华书局 1955 年版

秦会要订补，孙楷撰，徐复订补，群联出版社 1955 年版

古本竹书纪年辑校，朱右曾辑，王国维校补，辽宁教育出版 1997 年版

古本竹书纪年辑校订补，范祥雍，上海人民出版社 1962 年版

古本竹书纪年辑证（修订本），方诗铭、王修龄，上海古籍出版社 2005 年版

说苑校证，向宗鲁，中华书局1987年版
新序校释，石光英校释，陈新整理，中华书局2001年版
稽古录点校本，司马光著，王亦令点校，中国友谊出版公司1987年版
绎史，马骕撰，王利器整理，中华书局2002年版
纲鉴易知录（一），吴乘权，中华书局1960年版
大事记，吕祖谦，武英殿聚珍本
七国考，董说著，缪文远订补，上海古籍出版社1987年版
资治通鉴，胡三省音注，中华书局，1956年版
战国策集注汇考，诸祖耿，江苏古籍出版社，1985年版
战国策新校注，缪文远，巴蜀书社，1987年版
战国纵横家书，文物出版社，1976年版
战国策文新论，郑杰文，山东人民出版社1998年版
秦集史，马非百，中华书局1982年版
先秦文学与上古文化，郑杰文，吉林人民出版社2002年版
郭店楚墓竹简，文物出版社，1998年版
马王堆汉墓帛书（壹），文物出版社，1980年版
睡虎地秦墓竹简，文物出版社，1990年版
银雀山汉墓竹简（壹），文物出版社，1985年版
上海博物馆藏战国楚竹书（一、二），马承源主编，上海古籍出版社2001、2003年版
论语集释，程树德，中华书局1990年版
老子校释，朱谦之，中华书局1984年版
帛书老子校注，高明，中华书局1996年版
文子疏义，王利器，中华书局2000年版
文子成书及其思想，葛刚岩，巴蜀书社2005年版
管子集校补正，黎翔凤，中华书局2005年版
管子新探，胡家聪，中国社会科学出版社1995年版
管子研究，池万兴，高等教育出版社2004年版
荀子简释，梁启雄，中华书局，1983年版
商君书锥指，蒋礼鸿，中华书局1986年版
孙膑兵法校理，张震泽，中华书局，1984年版
公孙龙子形名发微，谭介甫，中华书局1963年版
尉缭子注译，华陆综，中华书局1979年版
韩非子集释，陈奇猷，上海人民出版社1974年版
吕氏春秋校释，陈奇猷，学林出版社1984年版
列子集释，杨伯峻，中华书局1979年版
墨子间诂，孙诒让，上海书店1986年版
孟子正义，焦循，中华书局1987年版

庄子集释，郭庆藩，中华书局 1961 年版
荀子集解，王先谦，中华书局 1988 年版
鹖冠子汇校集注，黄怀信，中华书局 2004 年版
韩非子集解，王先慎撰，钟哲点校，中华书局 1998 年版
孟子事实録，崔述，中华书局 1985 年版
孟子年表，周广业，皇清经解续编本
孟子研究，董洪利，江苏古籍出版社 1997 年版
庄子年表，马叙伦，天马山房丛著，1929 年版
庄子通论，孙以楷、甄长松，东方出版社 1995 年版
战国纪年，林春溥，清道光十八年竹柏山房第七种
周季编略，黄式三，浙江书局刊本
国策地名考，程恩泽，粤雅堂丛书
史记志疑，梁玉绳，中华书局 1981 年版
周秦诸子考，刘汝霖，北平文化学社，1929 年版
公孙龙年表，张怀民，中华国学会排印本 1937 年
六国纪年，陈梦家，上海人民出版社 1956 年版
先秦诸子系年，钱穆，中华书局 1985 年版
诸子通考，蒋伯潜，浙江古籍出版社 1985 年版
诸子学述，罗焌，岳麓书社 1995 年版
诸子考索，罗根泽，人民出版社 1958 年版
诸子学派要诠，王蘧常，上海书店 1987 年版
诸子新证，于省吾　中华书局　1962 年版
经子解题，吕思勉，华东师范大学出版社 1995 年版
史记汉书诸表订补十种，梁玉绳等，中华书局 1982 年版
西周史，杨宽，上海人民出版社 1999 年版
春秋史，顾德融、朱顺龙，上海人民出版社 2001 年版
战国史，杨宽，上海人民出版社 1998 年版
战国史料编年辑证，杨宽，上海人民出版社 2001 年版
先秦诸子杂考，金德建，中州书画社，1982 年版
古史辨（第四、六册），罗根泽主编，上海古籍出版社 1982 年版
战国史系年辑证，缪文远，巴蜀书社 1997 年版
战国策考辨，缪文远，中华书局 1984 年版
简帛佚籍与学术史，李学勤，江西教育出版社 2001 年版
中国古代社会研究，郭沫若，人民出版社 1954 年版
青铜时代，郭沫若，科学出版社 1957 年版
史林杂识（初编），顾颉刚，中华书局 1963 年版
古史新探，杨宽，中华书局 1965 年版
夏商周考古学论文集，邹衡，文物出版社 1980 年版

春秋左传研究，童书业，上海人民出版社 1982 年版

商周铜器群综合研究，郭宝钧，文物出版社 1982 年版

西周青铜器铭文分代史徵，唐兰，中华书局 1985 年版

商周史料考证，丁山，中华书局 1988 年版

古史续辨，刘起釪，中国社会科学出版社 1991 年版

先秦礼制研究，陈戍国，湖南教育出版社 1991 年版

宗周社会与礼乐文明，杨向奎，人民出版社，1992 年版

三礼通论，钱玄，南京师范大学出版社 1996 年版

走出疑古时代（修订本），李学勤，辽宁大学出版社 1997 年

两周金文辞大系图录考释（上、下），郭沫若，上海书店出版社 1999 年重印本

宗周礼乐文明考论，沈文倬，杭州大学出版社 1999 年版

周代史官研究，席涵静，台湾福记文化图书有限公司版

先秦社祀研究，席涵静，台湾众望文化事业有限公司版

秦史稿，林剑鸣，上海人民出版社 1981 年版

中国历史大事编年，张习孔、田珏，北京出版社 1986 年版

楚国史编年辑注，郑昌琳，湖北人民出版社 1999 年版

赵国史稿，沈长云等，中华书局 2000 年版

夏商周断代工程 1996—2000 阶段成果报告，夏商周断代工程专家组，世界图书出版公司 2000 年版

中国历代人物年谱考录，谢巍，中华书局 1992 年版

先秦诸子年谱，北京图书馆编，北京图书馆出版社 2004 年版

诸子著作年代考，郑良树，北京图书馆出版社 2001 年版

诗集传，朱熹，上海古籍出版社 1980 年版

诗毛氏传疏，陈奂，北京市中国书店 1989 年影印本

诗三家义集疏，王先谦，中华书局 1987 年点校本

诗经世本古义，何楷，文渊阁四库全书本

诗古微，魏源，岳麓书社 1989 年版点校本

楚辞补注，洪兴祖，中华书局 1983 年点校本

楚辞集注，朱熹，上海古籍出版社 1979 年点校本

山带阁注楚辞，蒋骥，上海古籍出版社 1984 年版

古诗纪，冯惟讷，文渊阁四库全书本

古谣谚，杜文澜，中华书局 1958 年版

先秦汉魏晋南北朝诗，逯钦立，中华书局 1983 年版

全上古三代秦汉三国六朝文，严可均，中华书局影印本

诗经与周代社会研究，孙作云，中华书局 1966 年版

诗经蠡测，郭晋稀，巴蜀书社 2006 年版

雅颂新考，刘毓庆，山西高校联合出版社 1995 年版

商颂研究・思无邪斋诗经论稿，张松如、夏传才，南开大学出版社 1995 年版

诗经的文化精神，李山，东方出版社 1997 年版
诗经风雅颂研究论稿，张启成，学苑出版社 2003 年版
屈原赋校注，姜亮夫，人民文学出版社 1957 年版
楚辞论文集，游国恩，古典文学出版社 1957 年版
屈赋新探，汤炳正，齐鲁书社 1984 年版
屈原辞研究，金开诚，江苏古籍出版社 1992 年版
先秦文献与先秦文学，董治安，齐鲁书社 1994 年版
屈原与他的时代，赵逵夫，人民文学出版社 2002 年版
楚辞要论，褚斌杰，北京大学出版社 2003 年版

人名索引

后　记

《中国文学编年史·周秦卷》是我同贾海生博士（浙江大学古籍整理研究所副研究员)、韩高年博士（西北师大文学院副教授，中国文学研究所副所长)、裴登峰博士（北京第二外国语学院国际传播学院教授）集体完成的，由我主编。此前我们已经共同完成了120万字的国家社科基金项目《先秦文学编年史》并在2005年1月国家社科规划办组织的结项评审中被评为优秀项目，并给予后续资助，由商务印书馆出版。陈文新先生约我撰《中国文学编年史·周秦卷》之时，我们正在进行《先秦文学编年史》的统稿、修改工作。我同他们三位商议后，都表示愿意承担。但为了避免两部书的雷同，在陈文新先生所定《中国文学编年史》有关规定之外，在体例和行文方面我提出了一些意见，比如，考证性的文字尽量少一些，很多引述有关文献原文的地方，归纳后用自己的话写出；属于社会背景方面的材料凡同文学关系不大的尽量删去；有些文学性不强的作品不再系入；删去大量的注释，行文尽量做到通俗明畅。同时，两书中标明年代之文字，也有很大不同。春秋战国一段，《先秦文学编年史》在公元纪年和周纪年之后列出几个主要诸侯国的纪年，其他见于《史记·十二诸侯年表》和《六国年表》之诸侯则列出其元年（其元年无事未列纲目者，则标出此下第一次列纲目一年的纪年）。本书则在公元和周纪年之后只在春秋时代列出鲁纪年，其他，则只列出当年系有事件之诸侯的纪年。

关于本书的分工，赵逵夫负责确定体例，解决疑难，修改统稿，辑录《绪论》，调整、增补各部分《引言》；贾海生负责西周部分的撰稿工作，韩高年负责春秋部分的撰稿工作，裴登峰负责战国、秦的撰稿工作。各人进行中随时同主编沟通，交换意见。陈文新先生一直关心该书撰写的进展情况 ，多次来电话询问、督促，使该书得以按时完成，特此致谢。

赵逵夫

2005年9月于西北师大文学院

图书在版编目（CIP）数据

中国文学编年史．周秦卷 / 陈文新主编；赵逵夫分册主编．—长沙：湖南人民出版社，2006.9

ISBN 7-5438-4528-8

Ⅰ.中… Ⅱ.①陈…②赵… Ⅲ.①文学史—编年史—中国—周代②文学史—编年史—中国—秦代 Ⅳ.I209

中国版本图书馆 CIP 数据核字（2006）第 117562 号

中国文学编年史·周秦卷

责任编辑：李建国　胡如虹　曹有鹏
　　　　　邓胜文　张志红　杨　纯　聂双武
主　　编：陈文新
书名题字：卢中南
装帧设计：陈　新
出　　版：湖南人民出版社
地　　址：长沙市营盘东路 3 号
市场营销：0731-2226732
网　　址：http://www.hnppp.com
邮　　编：410005
制　　作：湖南潇湘出版文化传播有限公司
电　　话：0731-2229693　2229692
印　　刷：中华商务联合印刷（广东）有限公司
经　　销：湖南省新华书店
版　　次：2006 年 9 月第 1 版第 1 次印刷
开　　本：787 × 1094　1/16
印　　张：29.25
字　　数：628,000
书　　号：ISBN 7-5438-4528-8/I · 445
定　　价：218.00 元